여러분의 합격을 응원하는

해커스공무원의 특별 혜택

FREE 공무원 행정법 **무료 동영상강의**

해커스공무원(gosi.Hackers.com) 접속 후 로그인 ▶ 상단의 [무료강좌] 클릭 ▶
좌측의 [교재 무료특강] 클릭

해커스공무원 온라인 단과강의 **20% 할인쿠폰**

296BE384FA94AXJ7

해커스공무원(gosi.Hackers.com) 접속 후 로그인 ▶ 상단의 [나의 강의실] 클릭 ▶
좌측의 [쿠폰등록] 클릭 ▶ 위 쿠폰번호 입력 후 이용

* 쿠폰 이용 기한: 2022년 12월 31일까지(등록 후 7일간 사용 가능)
* 쿠폰 이용 관련 문의: 1588-4055

 해커스 회독증강 콘텐츠 **5만원 할인쿠폰**

D295A89A3E9BC4BD

해커스공무원(gosi.Hackers.com) 접속 후 로그인 ▶ 상단의 [나의 강의실] 클릭 ▶
좌측의 [쿠폰등록] 클릭 ▶ 위 쿠폰번호 입력 후 이용

* 쿠폰 이용 기한: 2022년 12월 31일까지(등록 후 7일간 사용 가능)
* 월간 학습지 회독증강 행정학/행정법총론 개별상품은 할인쿠폰 할인대상에서 제외

최단기 합격 공무원학원 **1위 해커스공무원**

급변하는 시험 제도! 빈틈없는 커리큘럼으로 확실하게 대비하세요.

행정법을 잡으면 합격이 쉬워집니다.

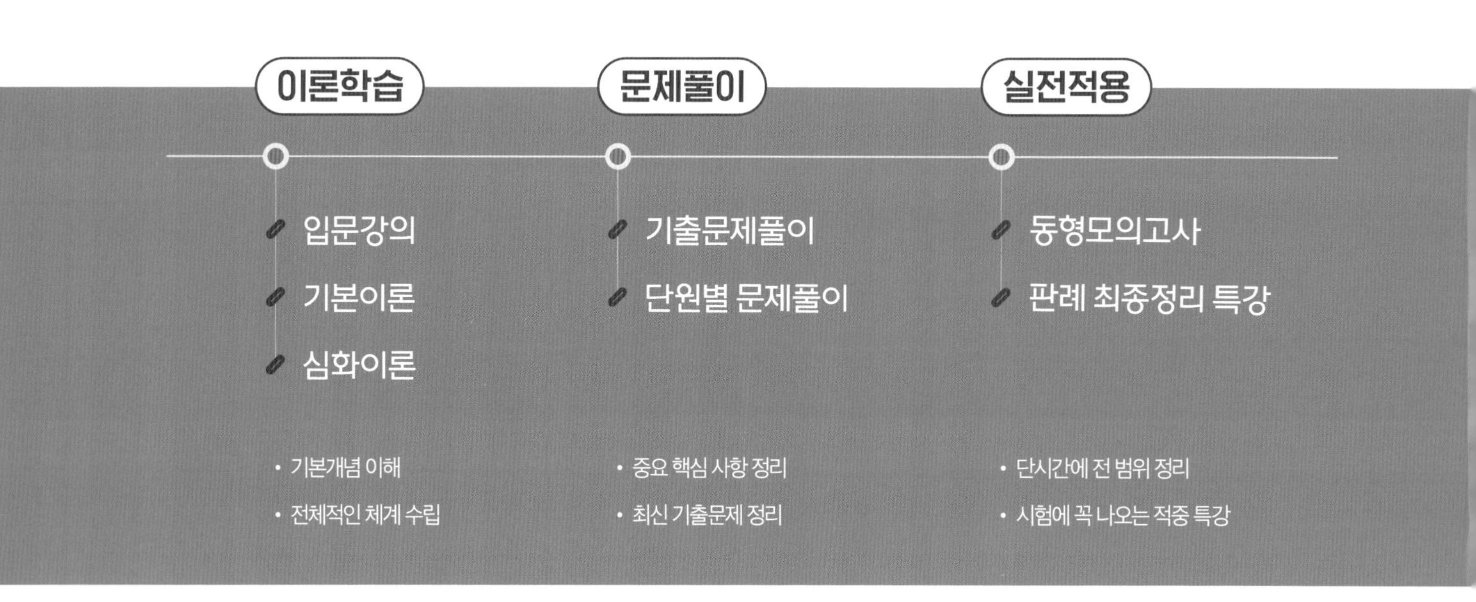

헤럴드미디어 2018 대학생 선호 브랜드 대상 '대학생이 선정한 최단기 합격 공무원학원' 부문 1위

해커스공무원 gosi.Hackers.com

해커스공무원

장재혁
행정법총론

기본서 | 2권

해커스공무원

장재혁

약력

연세대학교 법과대학 법학과 졸업
연세대학교 대학원 법학 석사과정

현 | 해커스공무원 행정법 강의
현 | 법무법인 대한중앙 공법 자문위원
현 | 장재혁법학연구소 소장
현 | 한국고시학원, 한국경찰학원 대표강사
전 | 박문각남부학원 대표강사

저서

해커스공무원 장재혁 행정법총론 기본서, 해커스패스
해커스공무원 3개년 최신판례집 행정법총론, 해커스패스
해커스공무원 실전동형모의고사 장재혁 행정법총론, 해커스패스
해커스군무원 15개년 기출복원문제집 행정법총론, 해커스패스
해커스군무원 실전동형모의고사 장재혁 행정법, 해커스패스

해커스공무원 장재혁 행정법총론

기본서 | 2권

초판 1쇄 발행 2021년 7월 16일

지은이	장재혁, 해커스 공무원시험연구소
펴낸곳	해커스패스
펴낸이	해커스공무원 출판팀
주소	서울특별시 강남구 강남대로 428 해커스공무원
고객센터	02-598-5000
교재 관련 문의	gosi@hackerspass.com 해커스공무원 사이트(gosi.Hackers.com) 교재 Q&A 게시판 카카오톡 플러스 친구 [해커스공무원강남역], [해커스공무원노량진]
학원 강의 및 동영상강의	gosi.Hackers.com
ISBN	2권: 979-11-6662-570-1 (14360) 세트: 979-11-6662-568-8 (14360)
Serial Number	01-01-01

저작권자 © 2021, 해커스공무원
이 책의 모든 내용, 이미지, 디자인, 편집 형태는 저작권법에 의해 보호받고 있습니다.
서면에 의한 저자와 출판사의 허락 없이 내용의 일부 혹은 전부를 인용, 발췌하거나 복제, 배포할 수 없습니다.

최단기 합격 1위,
해커스공무원(gosi.Hackers.com)

해커스공무원

· 해커스 스타강사의 **본 교재 인강** (교재 내 할인쿠폰 수록)
· 합격을 위해 꼭 필요한 '회독'의 방법과 공부 습관을 제시하는 **해커스 회독증강 콘텐츠** (교재 내 할인쿠폰 수록)
· 해커스공무원 스타강사의 **무료 공무원 행정법총론 동영상강의**

[최단기 합격 1위] 헤럴드미디어 2018 대학생 선호 브랜드 대상 '대학생이 선정한 최단기 합격 공무원 학원' 분야 1위

공무원 시험 합격을 위한 필수 기본서!

공무원 공부, 어떻게 시작해야 할까?

요즘 하루가 멀다 하고 뉴스에서는 늘어나는 공무원 수험생의 수를 이야기하곤 합니다. 그 속에서 하루라도 빨리 합격하기 위해서는 시행착오 없이 제대로 된 시작을 하는 것이 중요합니다. 『2022 해커스공무원 장재혁 행정법총론 기본서』는 수험생 여러분들의 소중한 하루하루가 낭비되지 않도록 올바른 수험생활의 길을 제시하고자 노력하였습니다.

이에 『2022 해커스공무원 장재혁 행정법총론 기본서』는 다음과 같은 특징을 가지고 있습니다.

첫째, 행정법의 전반적 체계를 쉽게 이해하면서도 수험적합적 학습을 할 수 있게 구성하였습니다.
상세한 기본 이론 설명과 함께 관련 판례를 수록하여 행정법을 쉽게 이해할 수 있도록 하고, 보조단에 수록된 기출선지를 통해 학습의 깊이를 더할 수 있도록 하였습니다. 이로써 수험에 최적화된 학습을 할 수 있게 될 것입니다.

둘째, 최신 판례 및 개정 법령을 전면 반영하여 효과적 학습이 가능하도록 구성하였습니다.
최신 판례 및 최근 제 · 개정된 법령을 교재 내 관련 이론에 전면 반영하였습니다. 이를 통해 수험생 여러분들은 이론을 학습하면서 제 · 개정된 법령과 가장 최신의 판례까지 효과적으로 함께 학습할 수 있습니다.

더불어, 공무원 시험 전문 사이트 해커스공무원(gosi.Hackers.com)에서 교재 학습 중 궁금한 점을 나누고 다양한 무료 학습 자료를 함께 이용하여 학습 효과를 극대화할 수 있습니다.

부디 『2022 해커스공무원 장재혁 행정법총론 기본서』와 함께 공무원 행정법총론 시험 고득점을 달성하고 합격을 향해 한걸음 더 나아가시기를 바랍니다.

출간하는 데 많은 도움을 주신 김윤조 선생님께 감사드리며,
『2022 해커스공무원 장재혁 행정법총론 기본서』가 공무원 합격을 꿈꾸는 모든 수험생 여러분에게 훌륭한 길잡이가 되기를 바랍니다.

장재혁, 해커스 공무원시험연구소

목차

1권

제2편 행정작용법

제1장 행정상 입법

제2장 행정행위의 종류와 내용

제3장 행정행위의 효력과 하자

제5장 그 밖의 행정의 주요 행위형식

제3편 행정과정

제1장 행정절차

제2장 정보공개와 개인정보 보호

제3장 그 밖의 관련법률

목차

2권

제6편 행정쟁송

학습 플랜

효율적인 학습을 위하여 DAY별로 권장 학습 분량을 제시하였으며, 이를 바탕으로 본인의 학습 진도나 수준에 따라 조절하여 학습하기 바랍니다. 또한 학습한 날은 표 우측의 각 회독 부분에 형광펜이나 색연필 등으로 표시하며 채워나가기 바랍니다.

* 1, 2회독 때에는 60일 학습 플랜을, 3회독 때에는 30일 학습 플랜을 활용하면 좋습니다.

1권

60일 플랜	30일 플랜	학습 플랜		1회독	2회독	3회독
DAY 1	DAY 1	제1편 행정법 서론	제1장 ~ 제2장	DAY 1	DAY 1	DAY 1
DAY 2			제3장	DAY 2	DAY 2	
DAY 3	DAY 2		제4장 제1절 ~ 제4장 제2절	DAY 3	DAY 3	DAY 2
DAY 4			제4장 제3절 ~ 제4장 제5절	DAY 4	DAY 4	
DAY 5	DAY 3		제4장 제6절 ~ 제4장 제7절	DAY 5	DAY 5	DAY 3
DAY 6			제5장 제1절 ~ 제5장 제3절	DAY 6	DAY 6	
DAY 7	DAY 4		제5장 제4절 ~ 제5장 제4절 3	DAY 7	DAY 7	DAY 4
DAY 8			제5장 제4절 4 ~ 제5장 제6절	DAY 8	DAY 8	
DAY 9	DAY 5		제6장 제1절 ~ 제6장 제3절	DAY 9	DAY 9	DAY 5
DAY 10			제6장 제4절	DAY 10	DAY 10	
DAY 11	DAY 6	제2편 행정작용법	제1장 제1절 ~ 제1장 제2절	DAY 11	DAY 11	DAY 6
DAY 12			제1장 제3절	DAY 12	DAY 12	
DAY 13	DAY 7		제2장 제1절 ~ 제2장 제4절	DAY 13	DAY 13	DAY 7
DAY 14			제2장 제5절 1 ~ 제2장 제5절 2	DAY 14	DAY 14	
DAY 15	DAY 8		제2장 제5절 3 ~ 제2장 제6절 2	DAY 15	DAY 15	DAY 8
DAY 16			제2장 제6절 3 ~ 제2장 제7절	DAY 16	DAY 16	
DAY 17	DAY 9		제3장 제1절 ~ 제3장 제2절	DAY 17	DAY 17	DAY 9
DAY 18			제3장 제3절	DAY 18	DAY 18	
DAY 19	DAY 10		제3장 제4절 ~ 제3장 제6절	DAY 19	DAY 19	DAY 10
DAY 20			제4장	DAY 20	DAY 20	
DAY 21	DAY 11		제5장 제1절 ~ 제5장 제4절	DAY 21	DAY 21	DAY 11
DAY 22			제5장 제5절 ~ 제5장 제7절	DAY 22	DAY 22	
DAY 23	DAY 12	제3편 행정절차와 행정공개	제1장 제1절 ~ 제1장 제3절 1	DAY 23	DAY 23	DAY 12
DAY 24			제1장 제3절 2	DAY 24	DAY 24	
DAY 25	DAY 13		제1장 제3절 3 ~ 제1장 제3절 7	DAY 25	DAY 25	DAY 13
DAY 26			제1장 제4절 ~ 제2장 제1절	DAY 26	DAY 26	
DAY 27	DAY 14		제2장 제2절 1 ~ 제2장 제2절 3	DAY 27	DAY 27	DAY 14
DAY 28			제2장 제2절 4 ~ 제3장	DAY 28	DAY 28	
DAY 29	DAY 15	1권 전체복습		DAY 29	DAY 29	DAY 15
DAY 30		1권 전체복습		DAY 30	DAY 30	

- 1회독 때에는 처음부터 완벽하게 학습하려고 욕심을 내는 것보다는 전체적인 내용을 가볍게 익힌다는 생각으로 교재를 읽는 것이 좋습니다.
- 2회독 때에는 1회독 때 확실히 학습하지 못한 부분을 정독하면서 꼼꼼히 교재의 내용을 익힙니다.
- 3회독 때에는 기출 또는 예상문제를 함께 풀어보며 본인의 취약점을 찾아 보완하면 좋습니다.

2권

60일 플랜	30일 플랜	학습 플랜		1회독	2회독	3회독
DAY 31	DAY 16	제4편 행정의 실효성 확보수단	제1장 ~ 제2장 제1절 4	DAY 31	DAY 31	DAY 16
DAY 32			제2장 제1절 5 ~ 제2장 제1절 7	DAY 32	DAY 32	
DAY 33	DAY 17		제2장 제2절	DAY 33	DAY 33	DAY 17
DAY 34			제3장	DAY 34	DAY 34	
DAY 35	DAY 18		제4장	DAY 35	DAY 35	DAY 18
DAY 36		제5편 행정상 손해전보	제1장 ~ 제2장 제1절	DAY 36	DAY 36	
DAY 37	DAY 19		제2장 제2절 1	DAY 37	DAY 37	DAY 19
DAY 38			제2장 제2절 2 ~ 제2장 제2절 4	DAY 38	DAY 38	
DAY 39	DAY 20		제2장 제3절	DAY 39	DAY 39	DAY 20
DAY 40			제2장 제4절 ~ 제3장 제2절	DAY 40	DAY 40	
DAY 41	DAY 21		제2장 제3절	DAY 41	DAY 41	DAY 21
DAY 42			제2장 제4절 ~ 제2장 제7절	DAY 42	DAY 42	
DAY 43	DAY 22	제6편 행정쟁송	제1장 제1절 ~ 제1장 제2절 5	DAY 43	DAY 43	DAY 22
DAY 44			제1장 제2절 6 ~ 제1장 제2절 9	DAY 44	DAY 44	
DAY 45	DAY 23		제2장 제1절 ~ 제2장 제3절	DAY 45	DAY 45	DAY 23
DAY 46			제2장 제4절 3	DAY 46	DAY 46	
DAY 47	DAY 24		제2장 제4절 2 (1)	DAY 47	DAY 47	DAY 24
DAY 48			제2장 제4절 2 (2)	DAY 48	DAY 48	
DAY 49	DAY 25		제2장 제4절 3 (1)	DAY 49	DAY 49	DAY 25
DAY 50			제2장 제4절 3 (2)	DAY 50	DAY 50	
DAY 51	DAY 26		제2장 제4절 4	DAY 51	DAY 51	DAY 26
DAY 52			제2장 제4절 5	DAY 52	DAY 52	
DAY 53	DAY 27		제2장 제4절 6	DAY 53	DAY 53	DAY 27
DAY 54			제2장 제5절	DAY 54	DAY 54	
DAY 55	DAY 28		제2장 제6절 ~ 제8절	DAY 55	DAY 55	DAY 28
DAY 56			부록 행정기본법	DAY 56	DAY 56	
DAY 57	DAY 29	2권 전체 복습		DAY 57	DAY 57	DAY 29
DAY 58		2권 전체 복습		DAY 58	DAY 58	
DAY 59	DAY 30	총 복습		DAY 59	DAY 59	DAY 30
DAY 60		총 복습		DAY 60	DAY 60	

해커스공무원 학원·인강
gosi.Hackers.com

제4편

행정의 실효성 확보수단

제1장 개설

1 의의

행정권은 공익실현을 목적으로 국민에 대하여 작위·부작위·수인·급부의무를 부과하게 되는데, 국민이 이러한 의무를 이행하지 않을 경우 여러 가지 강제수단을 동원하게 된다.

2 유형

법규상 인정되고 있는 강제수단은 크게 행정강제와 행정상 제재로 구분할 수 있다. 행정강제는 ① 행정상 강제집행, ② 행정상 즉시강제, ③ 행정조사 등으로 구분할 수 있고, 행정상 제재는 ① 행정벌, ② 그 밖의 새로운 수단 등으로 구분할 수 있다.

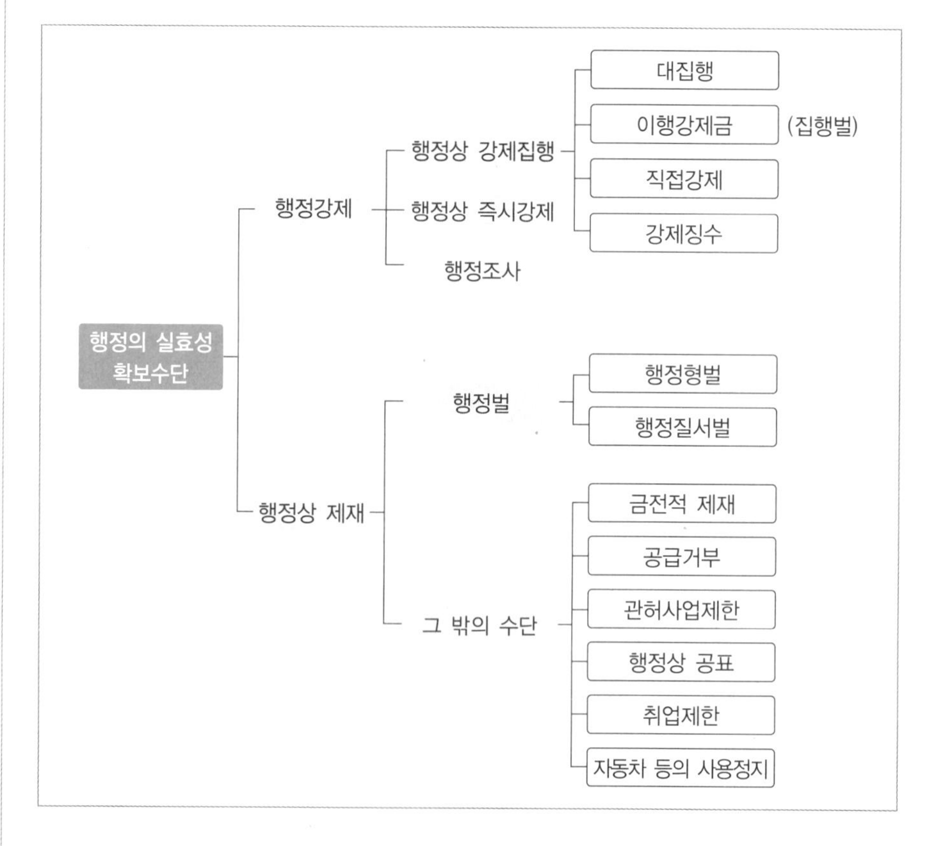

제 2 장 행정강제

제1절 행정상 강제집행

1 의의

행정상 강제집행이란 법령 또는 이에 의거한 행정처분에 의하여 과하여진 행정법상의 의무를 의무자 스스로 이행하지 않을 경우, 행정청이 의무자의 신체 또는 재산에 실력을 행사하여 장래에 향하여 그것을 이행하거나 이행한 것과 동일한 상태를 실현하는 행정작용을 말한다.

2 구별개념

1. 민사상 강제집행과의 구별

(1) 대상 및 자력집행

구분	행정상 강제집행	민사상 강제집행
대상	공법상 의무	민사상 의무
집행 방식	행정권 스스로 집행(자력집행)	법원의 판결로 집행(타력집행)

(2) 행정상 강제집행이 가능한 경우 민사상 강제집행 가능 여부

행정상 의무를 이행하고 있지 않은 경우, 행정상 강제집행이 가능한 경우라면 민사상 강제집행이 가능한지에 대해 논란이 있다. 대법원은 행정상 강제집행이 가능한 경우에는 민사상 강제집행이 허용되지 않으나, 행정상 강제집행 수단이 없는 경우에는 민사상 강제집행이 가능하다고 본다.

관련판례

1 자력집행 ★★

행정상 강제집행은 자력집행이지만, 민사상 강제집행은 법원의 힘을 통한 타력집행에 해당한다(대판 1968.3.19, 63누172).

2 공유재산 대부료 징수 ★★★

[1] 공유 일반재산의 대부료의 징수에 관하여도 지방세 체납처분의 예에 따른 간이하고 경제적인 특별한 구제절차가 마련되어 있으므로, 특별한 사정이 없는 한 민사소송으로 공유 일반재산의 대부료의 지급을 구하는 것은 허용되지 아니한다.

[2] 지방자치단체장은 행정대집행의 방법으로 공유재산에 설치한 시설물을 철거할 수 있고, 이러한 행정대집행의 절차가 인정되는 경우에는 민사소송의 방법으로 시설물의 철거를 구하는 것은 허용되지 아니한다(대판 2017.4.13, 2013다207941).

#인천시장_건물옥상(적법사용)_위법_조립식건물 #인천시장_조립식건물_철거명령_대집행_민사소송×

간단 점검하기

01 행정처분을 하여 이에 따르지 않는 경우에는 행정대집행의 방법으로 그 의무내용을 실현할 수 있는 것이고, 이러한 행정대집행의 절차가 인정되는 경우에는 따로 민사소송의 방법으로 의무이행(공작물의 철거·수거 등)을 구할 수는 없다. ( )

16·14. 국가직 9급, 14. 지방직 7급

02 대집행이 가능한 경우에도 민사상 강제집행은 허용된다. ( )

16·15. 서울시 9급, 15. 국가직 9급

01 ○ 02 ×

3 대집행

구 토지수용법(1999.2.8. 법률 제5909호로 개정되기 전의 것) 제18조의2 제2항에 의하면 사업인정의 고시가 있은 후에는 고시된 토지에 공작물의 신축, 개축, 증축 또는 대수선을 하거나 물건을 부가 또는 증치하고자 하는 자는 미리 도지사의 허가를 받도록 되어 있고, 한편 구 도로법(1999.2.8. 법률 제5894호로 개정되기 전의 것) 제74조 제1항 제1호에 의하면 관리청은 같은 법 또는 이에 의한 명령 또는 처분에 위반한 자에 대하여는 공작물의 개축, 물건의 이전 기타 필요한 처분이나 조치를 명할 수 있다고 되어 있으므로 토지에 관한 도로구역 결정이 고시된 후 구 토지수용법(1999.2.8. 법률 제5909호로 개정되기 전의 것) 제18조의2 제2항에 위반하여 공작물을 축조하고 물건을 부가한 자에 대하여 관리청은 이러한 위반행위에 의하여 생긴 유형적 결과의 시정을 명하는 행정처분을 하여 이에 따르지 않는 경우에는 행정대집행의 방법으로 그 의무내용을 실현할 수 있는 것이고, 이러한 행정대집행의 절차가 인정되는 경우에는 따로 민사소송의 방법으로 공작물의 철거, 수거 등을 구할 수는 없다(대판 2000.5.12, 99다18909).

4 국유재산의 무단점유에 대한 대집행 - 민사상 강제 ★★★

[1] 이 사건 토지는 잡종재산인 국유재산으로서, 국유재산법 제52조는 "정당한 사유 없이 국유재산을 점유하거나 이에 시설물을 설치한 때에는 행정대집행법을 준용하여 철거 기타 필요한 조치를 할 수 있다."고 규정하고 있으므로, 관리권자인 보령시장으로서는 행정대집행의 방법으로 이 사건 시설물을 철거할 수 있고,

[2] 이러한 행정대집행의 절차가 인정되는 경우에는 따로 민사소송의 방법으로 피고들에 대하여 이 사건 시설물의 철거를 구하는 것은 허용되지 않는다고 할 것이다. 다만, 관리권자인 보령시장이 행정대집행을 실시하지 아니하는 경우 국가에 대하여 이 사건 토지 사용청구권을 가지는 원고로서는 위 청구권을 보전하기 위하여 국가를 대위하여 피고들을 상대로 민사소송의 방법으로 이 사건 시설물의 철거를 구하는 이외에는 이를 실현할 수 있는 다른 절차와 방법이 없어 그 보전의 필요성이 인정되므로, 원고는 국가를 대위하여 피고들을 상대로 민사소송의 방법으로 이 사건 시설물의 철거를 구할 수 있다고 보아야 할 것이다(대판 2009.6.11, 2009다1122).[1]

#국가_충청남도_보령시장_토지관리권_위임 #보령시장_보령수산업협동조합_항만시설무상사용허가 #국유재산법_대집행준용_민사소송_철거_불가 #보령수산업협동조합_국가_대위_시설물철거_가능 #행정대집행_목적달성가능_민사소송_방법_적용불가 #상인_무허가_시설물설치

[1] 국·공유재산에 대한 철거 등을 행하는 경우 행정대집행법이 직접 규정되었거나 준용되는 경우에는 민사상 강제집행의 방법으로 집행하는 것은 불가능하다. 그러나 철거 등을 국가가 직접 행하는 것이 아니라 사용권을 위임받은 사인이 국가를 대위(대신)하여 민사상 강제집행을 행하는 것은 판례가 인정하고 있다.

2. 행정상 즉시강제와의 구별 → 의무불이행의 전제 유무

공통점	• 행정목적의 달성을 위한 의무이행 확보수단 • 권력적 행정작용
차이점	• 강제집행: 의무불이행을 전제 • 즉시강제: 의무불이행을 전제하지 않고, 즉시 실력행사

3. 행정조사와 구별

행정조사는 자료획득을 위한 조사 자체를 목적으로 하나, 행정상 강제집행은 행정상 의무의 이행을 직접 목적으로 하는 점에서 다르다.

4. 행정벌과의 구별

행정상 강제집행은 개별 · 구체적인 의무불이행을 전제로 그 불이행한 의무를 장래에 향해 실현시키는 것을 목적으로 한다. 행정벌은 과거의 의무위반에 대하여 제재를 과하는 것을 직접 목적으로 한다. 따라서 행정상 강제집행은 현재 의무불이행인 대상의 의무이행을 목적으로 하나, 행정벌은 과거의 의무위반에 대한 제재를 목적으로 한다는 점에 차이가 있다.

구분	행정상 강제집행	행정벌
대상	의무불이행	의무위반
성격	'장래'에 향하여 의무의 '이행을 강제'하는 수단	'과거'의 의무위반에 대한 '제재'의 수단
공통점	행정법상의 의무이행을 확보하기 위한 수단	
병과 여부	직접적인 목적을 달리하므로 같은 의무의 불이행에 대하여 양자의 병과가 가능	

3 행정상 강제집행의 근거 및 종류

1. 법적 근거의 필요성

행정상 강제집행은 국민의 신체 · 재산에 실력을 가하여 행정상 의무이행을 확보하는 권력적 행정작용이므로 반드시 법적 근거를 필요로 한다.

2. 근거법규

(1) 행정상 강제에 관한 일반적인 근거규정으로 행정기본법이 있다. 행정기본법에는 이행강제금부과(행정기본법 제31조), 직접강제(동법 제32조), 즉시강제(동법 제33조)에 관해 규정되어 있다.

(2) 대집행에 관한 일반법인 행정대집행법이 있으며, 행정상 강제징수에 관한 실질적인 일반법으로 국세징수법이 있다.

(3) 개별법규로는 공익사업을 위한 토지 등의 취득 및 보상에 관한 법률, 출입국관리법 등이 있다.

3. 종류

(1) 행정상 강제집행에는 대집행, 강제징수, 직접강제, 이행강제금(집행벌)이 있다.

(2) 우리나라에서는 대집행과 강제징수만 일반법이 있으며, 이행강제금(집행벌)이나 직접강제는 각 개별법에서 규정되어 있으므로 예외적으로 인정된다.

구분	대상인 의무	일반법
대집행	대체적 작위의무	행정대집행법
이행강제금	비대체적 작위의무 · 수인의무 · 부작위의무	행정기본법
직접강제	모든 의무(작위 · 부작위 · 수인의무 등)	행정기본법
강제징수	금전급부의무	국세징수법

간단 점검하기

01 행정상 강제집행을 위해서는 의무부과의 근거법규 외에 별도의 법적 근거를 요한다. ( ) 14. 서울시 7급

02 행정법관계에서는 강제력의 특질이 인정되므로 행정법상의 의무를 명하는 명령권의 근거규정은 동시에 그 의무 불이행에 대한 행정상 강제집행의 근거가 될 수 있다. ( ) 17. 국가직 7급

01 ○ 02 ×

4 대집행

1. 의의

대집행이라 함은 대체적 작위의무를 의무자가 불이행하는 경우에 해당 행정청이 의무자가 행할 작위를 스스로 행하거나 또는 제3자로 하여금 이를 행하게 하고 그 비용을 의무자로부터 징수하는 것을 말한다.

> 행정기본법 제30조【행정상 강제】① 행정청은 행정목적을 달성하기 위하여 필요한 경우에는 법률로 정하는 바에 따라 필요한 최소한의 범위에서 다음 각 호의 어느 하나에 해당하는 조치를 할 수 있다.
> 1. 행정대집행: 의무자가 행정상 의무(법령등에서 직접 부과하거나 행정청이 법령등에 따라 부과한 의무를 말한다. 이하 이 절에서 같다)로서 타인이 대신하여 행할 수 있는 의무를 이행하지 아니하는 경우 법률로 정하는 다른 수단으로는 그 이행을 확보하기 곤란하고 그 불이행을 방치하면 공익을 크게 해칠 것으로 인정될 때에 행정청이 의무자가 하여야 할 행위를 스스로 하거나 제3자에게 하게 하고 그 비용을 의무자로부터 징수하는 것

간단 점검하기

01 대집행의 주체는 당해 행정청이 되나, 대집행의 실행행위는 행정청에 의한 경우 이외에 제3자에 의해서도 가능하다. ( )
18. 서울시 7급, 13. 서울시 9급

02 행정청의 위임을 받아 대집행을 실행하는 제3자는 대집행의 주체가 아니다. ( ) 13. 국가직 7급

2. 대집행의 주체

(1) 당해 행정청

① 대집행을 할 수 있는 자는 해당 행정청이다(행정대집행법 제2조). 여기서 '해당 행정청'이라 함은 당초에 의무를 명하는 행정행위를 한 행정청(처분청)을 말한다.

② 대집행의 권한이 법령에 의하여 공법인에게 위탁된 경우, 공법인은 대집행권한을 위탁받은 자로서 행정주체의 지위를 갖는다.

관련판례 한국토지공사 - 대집행의 주체 ★★★

토지보상법 규정에 따르면 본래 시·도지사나 시장·군수 또는 구청장의 업무에 속하는 대집행권한을 한국토지공사에게 위탁하도록 되어 있는바, 한국토지공사는 이러한 법령의 위탁에 의하여 대집행을 수권받은 자로서 공무인 대집행을 실시함에 따르는 권리·의무 및 책임이 귀속되는 행정주체의 지위에 있다고 볼 것이지 지방자치단체 등의 기관으로서 국가배상법 제2조 소정의 공무원에 해당한다고 볼 것은 아니다(대판 2010.1.28, 2007다82950·82967).

#토지보상법_대집행권한_한국토지공사_위탁 #한국토지공사_행정주체_공무원×

(2) 대집행을 실행하는 제3자

① 대집행의 실행행위는 제3자에 의해서도 가능하다.

② 그러나 행정청의 위임을 받아 대집행을 실행하는 제3자는 여기서 말하는 대집행의 주체가 아니며, 행정보조자나 이행보조자의 지위를 가진다.[1]

[1] 제3자 집행에서 행정청과 제3자 간의 계약은 사법상 계약이라는 것이 다수설의 입장이다.

01 ○ 02 ○

3. 대집행의 요건❶

> 행정대집행법 제2조【대집행과 그 비용징수】 법률(법률의 위임에 의한 명령, 지방자치단체의 조례를 포함한다. 이하 같다)에 의하여 직접명령되었거나 또는 법률에 의거한 행정청의 명령에 의한 행위로서 타인이 대신하여 행할 수 있는 행위를 의무자가 이행하지 아니하는 경우 다른 수단으로써 그 이행을 확보하기 곤란하고 또한 그 불이행을 방치함이 심히 공익을 해할 것으로 인정될 때에는 당해 행정청은 스스로 의무자가 하여야 할 행위를 하거나 또는 제삼자로 하여금 이를 하게 하여 그 비용을 의무자로부터 징수할 수 있다.

(1) 공법상 대체적 작위의무의 불이행이 있을 것

① 공법상 의무

㉠ 대집행의 대상이 되는 의무는 공법상 의무이다. 따라서 사법상의 의무는 특별한 규정이 없는 한 대집행의 대상이 되지 않는다. 예컨대, 건축도급계약에 의한 공공시설물 공사의 불완전한 이행과 같은 사법상 의무의 불이행은 대집행의 대상이 되지 않는다. 다만, 국유재산법과 같이 행정대집행법을 준용하는 특별한 규정이 있는 경우에는 사법상 의무의 불이행도 대집행의 대상이 될 수 있다.

관련판례

1 모든 국유재산 - 대집행 가능 ★★★

현행 국유재산법은 위와 같은 제한 없이 모든 국유재산에 대하여 행정대집행법을 준용할 수 있도록 규정하였으므로, 행정청은 당해 재산이 행정재산 등 공용재산인 여부나 그 철거의무가 공법상의 의무인 여부에 관계없이 대집행을 할 수 있다(대판 1992.9.8, 91누13090).

#국유재산_행정대집행법_준용 #국유재산_사법상의무불이행_대집행가능

2 공유재산 대부계약해지 지상물철거 - 대집행 가능 ★★★

공유재산의 점유자가 그 공유재산에 관하여 대부계약 외 달리 정당한 권원이 있다는 자료가 없는 경우 그 대부계약이 적법하게 해지된 이상 그 점유자의 공유재산에 대한 점유는 정당한 이유 없는 점유라 할 것이고, 따라서 지방자치단체의 장은 지방재정법 제85조에 의하여 행정대집행의 방법으로 그 지상물을 철거시킬 수 있다(대판 2001.10.12, 2001두4078).

#토지대부계약(사법상계약)_해지 #지상물(묘목과 비닐하우스)_자진철거 #행정대집행_가능

3 공익사업법 협의취득시 약정한 철거의무 - 대집행 불가 ★★★

구 공공용지의 취득 및 손실보상에 관한 특례법(2002.2.4. 법률 제6656호 공익사업을 위한 토지 등의 취득 및 보상에 관한 법률 부칙 제2조로 폐지)에 의한 협의취득시 건물소유자가 협의취득대상 건물에 대하여 약정한 철거의무는 공법상 의무가 아닐 뿐만 아니라, 공익사업을 위한 토지 등의 취득 및 보상에 관한 법률 제89조에서 정한 행정대집행법의 대상이 되는 '이 법 또는 이 법에 의한 처분으로 인한 의무'에도 해당하지 아니하므로 위 철거의무에 대한 강제적 이행은 행정대집행법상 대집행의 방법으로 실현할 수 없다(대판 2006.10.13, 2006두7096).

❶
- 공법상 대체적 작위의무의 불이행이 있는 경우
- 다른 수단으로써 그 이행확보가 곤란한 경우
- 그 불이행을 방치함이 심히 공익을 해하는 경우

간단 점검하기

01 대집행의 대상이 되는 대체적 작위의무는 공법상 의무여야 한다. ( ) 14. 서울시 7급

02 조례는 행정대집행법상의 대체적 작위의무 부과의 근거가 되는 법령에 해당하지 않는다. ( ) 09. 국가직 7급

03 판례는 사법상 의무의 불이행이 있는 경우에도 예외적으로 대집행의 대상이 되는 경우가 있다고 한다. ( ) 12. 서울시 9급

간단 점검하기

04 구 공공용지의 취득 및 손실보상에 관한 특별법에 의한 협의취득시 건물소유자가 협의취득대상 건물에 대하여 철거의무를 부담하겠다는 취지의 약정을 한 경우, 그 철거의무는 행정대집행법에 의한 대집행의 대상이 되지 않는다. ( ) 17. 지방직 9급, 15. 지방직 7급, 13. 국가직 7급

01 ○ 02 × 03 ○ 04 ○

㉡ 의무의 기초

ⓐ 법령 또는 법령에 의거한 행정처분에 의하여 명하여진 의무가 대집행의 기초가 된다.

ⓑ '법률에 의하여 직접 명령된 행위'는 바로 대집행의 대상이 되는 것이 아니라 계고를 통해 구체화된 다음에 대집행의 대상이 된다.

ⓒ 위법한 행정처분에 의한 대체적 작위의무라도 무효가 아닌 한 처분이 취소되기 전까지는 대집행의 대상이 된다(공정력).

② 대체적 작위의무

㉠ 대집행의 대상이 되는 의무는 '타인이 대신 행할 수 있는 행위', 즉 대체적 작위의무이다.

㉡ 따라서 ⓐ 일신전속적 또는 전문기술적이기 때문에 대체성이 없는 작위의무(비대체적 작위의무), ⓑ 부작위의무, ⓒ 수인의무 등은 대집행의 대상이 되지 않는다.

관련판례 **부작위의무 - 대집행 불가**

1 **장례식장 사용중지의무** ★★★

장례식장의 사용중지의무는 비대체적 작위의무에 해당하며, 대집행의 대상이 아니다(대판 2005.9.28, 2005두7464).

2 **하천유수인용행위 중단의무** ★★

하천유수인용허가신청이 불허되었음을 이유로 하천유수인용행위를 중단할 것과 이를 불이행할 경우 행정대집행법에 의하여 대집행하겠다는 내용의 계고처분은 대집행의 대상이 될 수 없는 부작위의무에 대한 것으로서 그 자체로 위법함이 명백하다(대판 1998.10.2, 96누5445).

㉢ **토지 · 건물의 인도의무**: 사람이 점유하고 있는 토지 · 건물 등의 인도는 실력으로 점유를 풀어 점유이전을 행하지 않으면 목적을 달성할 수 없으므로 대집행의 대상이 될 수 없다.

관련판례 **비대체적 작위의무 - 대집행 불가**

1 **토지인도의무** ★★★

피수용자 등이 기업자에 대하여 부담하는 수용대상 토지의 인도의무에 관한 구 토지수용법(2002.2.4. 법률 제6656호 공익사업을 위한 토지 등의 취득 및 보상에 관한 법률 부칙 제2조로 폐지) 제63조, 제64조, 제77조 규정에서의 '인도'에는 명도도 포함되는 것으로 보아야 하고, 이러한 명도의무는 그것을 강제적으로 실현하면서 직접적인 실력행사가 필요한 것이지 대체적 작위의무라고 볼 수 없으므로 특별한 사정이 없는 한 행정대집행법에 의한 대집행의 대상이 될 수 있는 것이 아니다(대판 2005.8.19, 2004다2809).

#토지인도의무_대집행대상×

간단 점검하기

01 대집행의 원인이 되는 의무불이행은 법령에 의하여 직접 부과된 의무와 법령에 의거한 행정청의 처분에 의해 부과된 의무를 불이행한 경우를 모두 포함한다. ( ) 15. 서울시 9급

02 의무자에게 부과된 의무는 행정청에 의해서 행해진 명령에 한하며 법률에 의해 혹은 법률에 근거하여 행해진 명령은 해당되지 않는다. ( ) 18. 서울시 7급

03 위법한 행정처분에 의해 부과된 대체적 작위의무의 불이행에 대해서는 대집행을 할 수 없다. ( ) 12. 사회복지직

04 비대체적 작위의무의 위반은 그 자체로서 대집행의 대상이 될 수 없다. ( ) 15. 교육행정직

05 판례에 의하면 장례식장의 사용중지의무는 타인이 대신할 수도 없고 타인이 대신하여 행할 수 있는 행위라고도 할 수 없는 비대체적 부작위의무이기 때문에 대집행의 대상이 되지 않는다. ( ) 17. 국가직 7급, 15·10. 지방직 7급

06 군복무를 위한 징집소환영장에 대한 불응의 경우 행정대집행을 할 수 있다. ( ) 13. 서울시 7급

07 구 토지수용법상 피수용자가 기업자(현 사업시행자)에 대하여 부담하는 수용대상 토지의 인도의무에는 명도도 포함되고, 이러한 명도의무는 특별한 사정이 없는 한 행정대집행법상 대집행의 대상이 된다. ( ) 16. 서울시 7급, 15. 국가직 9급, 14. 지방직 9급

08 퇴거의무 및 점유인도의무의 불이행은 행정대집행의 대상이 되지 않는다. ( ) 18. 국가직 9급

01 ○ 02 × 03 × 04 ○
05 ○ 06 × 07 × 08 ○

2 매점의 점유이전 의무 ★★★

도시공원시설인 매점의 관리청이 그 공동점유자 중의 1인에 대하여 소정의 기간 내에 위 매점으로부터 퇴거하고 이에 부수하여 그 판매 시설물 및 상품을 반출하지 아니할 때에는 이를 대집행하겠다는 내용의 계고처분은 그 주된 목적이 매점의 원형을 보존하기 위하여 점유자가 설치한 불법 시설물을 철거하고자 하는 것이 아니라, 매점에 대한 점유자의 점유를 배제하고 그 점유이전을 받는 데 있다고 할 것인데, 이러한 의무는 그것을 강제적으로 실현함에 있어 직접적인 실력행사가 필요한 것이지 대체적 작위의무에 해당하는 것은 아니어서 직접강제의 방법에 의하는 것은 별론으로 하고 행정대집행법에 의한 대집행의 대상이 되는 것은 아니다(대판 1998.10.23, 97누157).

#공원내_매점 #불법시설철거_대집행 #판매시설물_상품반출_대집행대상×

③ 부작위의무의 대체적 작위의무로의 전환

㉠ 부작위의무(예 건축금지) 위반의 경우에는 그 위반 결과의 시정을 명하는 작위의무(예 철거명령)로 전환을 시킨 뒤, 그 작위의무의 불이행을 이유로 대집행을 할 수 있다.

㉡ 다만, 부작위의무를 작위의무로 전환시켜 대집행을 하기 위해서는 전환을 명할 수 있는 별도의 법적 근거가 필요하다.

㉢ 따라서 부작위의무로부터 그 의무를 위반함으로써 생긴 결과를 시정하기 위한 작위의무를 당연히 이끌어낼 수는 없으며, 부작위를 명하는 금지규정으로부터 위반결과의 시정을 명하는 권한이 당연히 추론되는 것도 아니다.

관련판례 부작위의무 - 대집행 불가 ★★★

건축법 제69조 등과 같은 부작위의무 위반행위에 대하여 대체적 작위의무로 전환하는 규정을 두고 있지 아니하므로 위 금지규정으로부터 그 위반결과의 시정을 명하는 원상복구명령을 할 수 있는 권한이 도출되는 것은 아니다. 결국 행정청의 원고에 대한 원상복구명령은 권한 없는 자의 처분으로 무효라고 할 것이고, 위 원상복구명령이 당연무효인 이상 후행처분인 계고처분의 효력에 당연히 영향을 미쳐 그 계고처분 역시 무효로 된다(대판 1996.6.28, 96누4374).

#유치원어린이_놀이시설_부작위의무위반 #원상회복명령_작위의무 #법규정×_작위의무부과
#원상회복명령_무효 #계고_무효

point check 대체적 작위의무와 비대체적 작위의무의 비교

대체적 작위의무	비대체적 작위의무
• 무허가건축물의 철거의무 • 도로장애물의 철거의무 • 불법광고물의 철거의무 • 가옥의 청소 및 소독의무 • 불법개간한 산림의 원상회복의무 • 공장 등의 시설개선의무	• 토지 및 건물의 인도 및 퇴거의무 • 의사의 진료의무 • 건강진단을 받을 의무 • 예방접종을 받을 의무 • 예술가의 창작의무 • 징병검사자의 신체검사의무

간단 점검하기

01 도시공원시설 점유자의 퇴거 및 토지·건물의 명도의무는 직접강제의 대상이 될 뿐 행정대집행법에 의한 대집행의 대상이 아니다. ( )
16. 서울시 7급, 15. 지방직 7급·서울시 9급

02 대집행은 부작위의무의 이행을 확보하기 위하여 활용하는 대표적인 행정작용의 실효성 확보수단에 해당한다.
( ) 13. 국회직 9급

03 법률상 시설설치금지의무를 위반하여 시설을 설치한 경우 별다른 규정이 없어도 대집행요건이 충족된다.
( ) 16. 서울시 7급, 15. 서울시 9급

04 행정청은 부작위의무의 위반에 대하여 그 시정을 별도로 명하지 아니하더라도 대집행을 할 수 있다. ( )
15. 교육행정직

05 부작위의무는 작위의무로 전환시킬 수 있는 근거규범이 없다면, 법률유보의 원칙상 대집행이 불가능하다.
( ) 14·08. 국가직 7급, 12. 서울시 9급

06 부작위의무 위반행위에 대하여 법률에 부작위의무를 대체적 작위의무로 전환하는 규정이 있으면 부작위의무를 대체적 작위의무로 전환시켜 대집행할 수 있다. ( ) 15. 사회복지직

07 대집행계고처분을 하기 위해서는 의무자의 공법상 대체적 작위의무 위반행위가 있어야 한다. 그러나 판례에 따르면 단순한 부작위의무의 위반만으로는 위반결과를 시정하기 위한 작위의무가 당연히 도출되지는 않는 것으로 본다. ( )
18. 국가직 9급, 13. 국가직 7급

08 법령상 부작위의무 위반에 대해 작위의무를 부과할 수 있는 법령의 근거가 없음에도, 행정청이 작위의무를 명한 후 그 의무불이행을 이유로 대집행계고처분을 한 경우 그 계고처분은 유효하다. ( ) 16. 지방직 7급

01 ○ 02 × 03 × 04 ×
05 ○ 06 ○ 07 ○ 08 ×

(2) 다른 수단으로 그 이행의 확보가 곤란할 것(보충성)

① 다른 구제수단이 없는 경우에 적용된다.

② 경미한 다른 수단이 존재하는 경우, 그 다른 수단이 적용된다.

관련판례

건축법에 위반하여 증·개축함으로써 철거의무가 있더라도 행정대집행법 제2조에 의하여 그 철거의무를 대집행하기 위한 계고처분을 하려면 다른 방법으로는 그 이행의 확보가 어렵고, 그 불이행을 방치함이 심히 공익을 해하는 것으로 인정되는 경우에 한한다(대판 1989.7.11, 88누11193).

(3) 불이행을 방치함이 심히 공익을 해할 것으로 인정될 것

① 대집행의 실행은 의무의 불이행을 방치함이 심히 공익을 해할 것으로 인정되는 경우만 가능하다. 즉, 공익과 사익을 비교형량하여 공익이 더 커야 한다.

② '심히'의 판단은 계고시를 기준으로 판단한다.

관련판례 **공익침해를 긍정 - 대집행 가능**

1 무허가로 불법 건축되어 철거할 의무가 있는 건축물을 도시미관, 주거환경, 교통소통에 지장이 없다는 등의 사유만을 들어 그대로 방치한다면 불법 건축물을 단속하는 당국의 권능을 무력화하여 건축행정의 원활한 수행을 위태롭게 하고 건축허가 및 준공검사시에 소방시설, 주차시설 기타 건축법 소정의 제한규정을 회피하는 것을 사전 예방한다는 더 큰 공익을 해칠 우려가 있다(대판 1989.3.28, 87누930).

2 **주위경관 비교 ★★★**

철거할 건축물에 다액의 공사비가 투입되고 종전의 건축물보다 주위의 경관에 더 잘 어울린다고 하더라도 그대로 방치하는 것은 심히 공익을 해하는 것이다(대판 1989.10.10, 88누11230).

3 **무단증평 ★★**

허가 없이 무단증평된 부분이 상당히 큰 데다가 도로쪽 전면으로 돌출되어 있어 쉽게 발견되고, 기존에 설정된 도시계획선을 침범하고 있으며, 그 도시계획선의 설정이 불합리하다고도 보이지 않는다(대판 1992.8.14, 92누3885).

4 **불법형질변경 ★★**

개발제한구역 내에 허가 없이 묘지를 설치한 불법형질변경을 방치하는 것은 심히 공익을 해한다(대판 1993.5.11, 92누8279).

5 **불법건축물방치 ★★**

개발제한구역 및 도시공원에 속하는 임야상에 신축된 위법건축물인 대형 교회건물의 합법화가 불가능한 경우, 교회건물의 건축으로 공원미관조성이나 공원관리 측면에서 유리하고 철거될 경우 막대한 금전적 손해를 입게 되며 신자들이 예배할 장소를 잃게 된다는 사정을 고려하더라도 위 교회건물의 철거의무의 불이행을 방치함은 심히 공익을 해한다(대판 2000.6.23, 98두3112).

간단 점검하기

01 대집행이 행해지기 위해서는 대체적 작위의무의 불이행을 방치함이 심히 공익을 해할 것으로 인정될 때이어야 하나, 다른 수단으로써 그 이행을 확보하기 곤란할 필요까지는 요하지 않는다. ( ) 15. 사회복지직

02 의무의 불이행만으로 대집행이 가능한 것은 아니며 의무의 불이행을 방치하는 것이 심히 공익을 해한다고 인정되는 경우에 비로소 대집행이 허용된다. ( ) 14. 서울시 9급, 13. 지방직 9급

03 원칙적으로 '의무의 불이행을 방치하는 것이 심히 공익을 해하는 것으로 인정되는 경우'의 요건은 계고를 할 때에 충족되어 있어야 한다. ( ) 17. 국가직 9급

04 판례에 의하면 무허가로 불법 건축되어 철거할 의무가 있는 건축물의 경우라도 도시미관, 주거환경, 교통소통에 지장이 없는 경우에는 공익을 해칠 우려가 없다. ( ) 08. 국가직 9급

01 × 02 ○ 03 ○ 04 ×

관련판례 공익침해를 부정 - 대집행 불가

1 무단증축 ★★★

허가 없이 증축된 부분이 외관상 당초 허가된 건물의 외부로 돌출하지 아니하였거나 돌출되었더라도 크게 눈에 띄지 아니하고, 위 위법 건물부분을 대집행으로 철거할 경우 많은 비용이 소요되는 경우 … 원고가 그 철거의무를 불이행하고 있으나 이를 방치함이 도시계획이나 도로교통상 또는 방화, 보안, 위생, 도시미관 및 공해예방 등의 공익을 심히 해하는 때에 해당한다고 할 수 없다(대판 1989.7.11, 88누11193).

2 무단증축 ★★★

건축법에 위반된 무단증축으로 인근주민의 사생활의 평온을 침해할 우려가 있게 되었으나 종전의 상태에 비하여 그 침해의 정도가 크게 증대되었다고는 볼 수 없고, 공익에 영향을 주지 아니하여 건축법 위반 건물부분에 대한 철거대집행계고처분은 위법하다(대판 1982.12.14, 82누349).

3 신축건물 증평 ★★

용도변경허가를 얻은 후 기존건물을 완전히 헐고 새로 신축한 건축법 제5조에 위반된 건축물로서 동 신축건물이 증평된 것이기는 하나, 기존건물이 낡아 도괴될 위험이 있어 건물 전체를 헐고 신축하기에 이른 것으로서 기존건물의 마당에 증축되어 기존건물과 같은 곳에 위치하고 도시미관상·위생상 해롭지 아니한 사실에 비추어 보면 동 건축물이 무허가건축물이란 사실만으로 행정대집행법 제2조 소정의 동 건축물을 방치함이 심히 공익을 해하는 것으로 볼 수 없다(대판 1982.12.14, 82누349).

4 불법증축 합법화가능성 ★★

불법증축건축물이 이후 합법화될 가능성이 있는 경우에는 그 철거의무의 방치가 공익을 심히 해하는 것으로 볼 수 없다(대판 1986.11.11, 86누173).

(4) 대집행 시기 및 효과재량

① 대집행의 실행을 불가쟁력의 발생한 이후에 가능할 것인지에 대해 불가쟁력이 발생하지 않은 경우, 즉 쟁송제기기간이 경과되기 이전에도 대집행이 가능하다.

② 대집행의 요건을 갖추었다 하더라도 대집행을 할 것인지의 여부에 대해서는 재량으로 보는 것이 학설과 판례의 일반적 입장이다. 다만, 의무불이행을 방치함이 심히 공익을 해할 우려가 있는 경우와 관련하여 재량이 영(0)으로 수축할 수 있다.

4. 대집행의 절차

계고 → 대집행영장에 의한 통지 → 대집행의 실행 → 비용징수

(1) 계고

① 의의

㉠ 행정청은 대집행을 하려면 그에 앞서 상당한 이행기간을 정하여 그 기한까지 이행되지 아니할 때에는 대집행을 한다는 뜻을 미리 문서로써 계고하여야 한다(행정대집행법 제3조 제1항).

간단 점검하기

01 일반적으로 대집행의 절차는 계고, 대집행영장에 의한 통지, 대집행의 실행, 비용징수의 단계를 거치게 된다. ( ) 07. 국가직 7급

02 대집행의 계고는 문서에 의한 것이어야 하고, 구두에 의한 계고는 무효가 된다. ( ) 12. 사회복지직

03 대집행계고처분을 함에 있어서 의무이행을 할 수 있는 상당한 기간을 부여하지 아니하였다 하더라도, 행정청이 대집행계고처분 후에 대집행영장으로써 대집행의 시기를 늦추었다면 그 대집행계고처분은 적법한 처분이다. ( ) 17. 지방직 9급

01 ○ 02 ○ 03 ×

㉡ 다만, 비상시 또는 위험이 절박한 경우에 있어서 해당 행위의 급속한 실시를 요하여 계고의 수속을 취할 여유가 없을 때에는 그 수속을 거치지 아니하고 대집행을 할 수 있다(행정대집행법 제3조 제3항).

② 성질

㉠ 계고는 준법률행위적 행정행위로서 강학상 통지에 해당한다. 따라서 항고소송의 대상이 될 수 있다.

관련판례

대집행의 계고행위는 본법 소정의 처분에 포함되므로 계고처분 자체에 위법 있는 경우에도 항고소송의 대상이 된다(대판 1966.10.31, 66누25).

㉡ 반복된 계고의 경우에는 제1차 계고가 처분성을 가지며, 제2차 · 제3차 계고는 대집행기한의 연기통지에 불과하므로 행정처분이 아니다.

관련판례 제2차 · 제3차 계고 ★★★

건물의 소유자에게 위법건축물을 일정기간까지 철거할 것을 명함과 아울러 불이행할 때에는 대집행한다는 내용의 철거대집행 계고처분을 고지한 후 이에 불응하자 다시 제2차, 제3차 계고서를 발송하여 일정기간까지의 자진철거를 촉구하고 불이행하면 대집행을 한다는 뜻을 고지하였다면 행정대집행법상의 건물철거의무는 제1차 철거명령 및 계고처분으로서 발생하였고 제2차, 제3차의 계고처분은 새로운 철거의무를 부과한 것이 아니고 다만 대집행기한의 연기통지에 불과하므로 행정처분이 아니다(대판 1994.10.28, 94누5144).

#계고처분_행정처분 #2차 · 3차_계고서_단순최고_처분성부인

③ 요건

㉠ 내용의 특정: 계고시에 의무의 내용이 특정되어야 한다. 그러나 대집행할 행위의 내용 및 범위는 반드시 대집행계고서에 의해서만 특정되어야 하는 것은 아니고, 처분 전후에 송달된 문서나 그 밖의 사정을 종합하여 이를 특정할 수 있으면 족하다.

관련판례 대집행 내용 · 범위의 특정방법 ★★★

행정청이 행정대집행법 제3조 제1항에 의한 대집행계고를 함에 있어서는 의무자가 스스로 이행하지 아니하는 경우에 대집행할 행위의 내용 및 범위가 구체적으로 특정되어야 하나, 그 행위의 내용 및 범위는 반드시 대집행계고서에 의하여서만 특정되어야 하는 것이 아니고, 계고처분 전후에 송달된 문서나 기타 사정을 종합하여 행위의 내용이 특정되거나 실제건물의 위치, 구조, 평수 등을 계고서의 표시와 대조 · 검토하여 대집행의무자가 그 이행의무의 범위를 알 수 있을 정도로 하면 족하다(대판 1996.10.11, 96누8086).

#대집행_내용 · 범위_계고서_특정 #계고서_반드시_특정× #전후_사정_판단

간단 점검하기

01 위험이 절박한 경우에 있어서 당해 행위의 급속한 실시를 요하여 계고 및 대집행영장에 의한 통지를 할 여유가 없을 때에는 계고 및 대집행 영장에 의한 통지는 생략될 수 있다. ( )
17. 지방직 7급, 16. 국가직 9급

02 대집행의 계고행위도 처분으로 항고소송의 대상이 된다. ( )
15. 지방직 7급, 15 · 08. 국가직 9급

03 건물철거명령 및 철거대집행계고를 한 후에 이에 불응하자 다시 제2차, 제3차의 계고를 하였다면 철거의무는 처음에 한 건물철거명령 및 철거대집행계고로 이미 발생하였고 그 후에 한 제2차, 제3차의 계고는 새로운 철거의무를 부과한 것이 아니라 대집행 기한을 연기하는 통지에 불과하므로 이는 행정처분에 해당하지 않는다. ( )
18. 국가직 9급, 16. 서울시 9급, 15. 지방직 9급

간단 점검하기

04 대집행계고를 함에 있어서는 의무자가 스스로 이행하지 않는 경우에 대집행할 행위의 내용 및 범위가 구체적으로 특정되어야 하는데 그 내용과 범위는 대집행계고서뿐만 아니라 계고처분 전후에 송달된 문서나 기타 사정 등을 종합하여 특정될 수 있다. ( )
18. 국가직 9급

05 행정청이 대집행 계고처분을 함에 있어 대집행할 행위의 내용 및 범위는 반드시 대집행 계고서에 의해서만 특정되어야 한다. ( )
18 · 14. 국가직 9급, 16. 서울시 9급

01 ○ 02 ○ 03 ○ 04 ○ 05 ×

ⓛ **상당한 이행기간**: 계고시에 상당한 이행기간을 정하여야 한다. 상당한 이행기간이란 사회통념상 이행에 필요한 기간을 의미한다.

관련판례

1 상당한 기한을 부여하지 않은 계고 ★★

행정청인 피고가 의무이행기한이 1988.5.24.까지로 된 이 사건 대집행계고서를 5.19. 원고에게 발송하여 원고가 그 이행종기인 5.24. 이를 수령하였다면, 설사 피고가 대집행영장으로써 대집행의 시기를 1988.5.27. 15:00로 늦추었더라도 위 대집행계고처분은 상당한 이행기한을 정하여 한 것이 아니어서 대집행의 적법절차에 위배한 것으로 위법한 처분이라고 할 것이다(대판 1990.9.14, 90누2048).

#대집행계고_상당한_이행기간_부여_후 #대집행시기_늦춤_위법

2 이행기간 2일전 계고 ★★

행성청이 1991.11.25.자로 발부한 계고서에 옹벽철거의 이행기간이 같은 달 30. 까지로 기재되어 있으나 위 계고서가 같은 달 28. 대집행의무자에게 송달되었다면 위 계고서는 상당한 이행기간을 정한 것으로 볼 수 없으므로 위 계고처분은 적법한 행정대집행의 요건을 갖추었다고 볼 수 없다(대판 1992.12.8, 92누11626).

#옹벽철거_이행기간_2일전_계고서_도달 #상당한_이행기간×

ⓒ **문서**: 계고는 반드시 문서로 하여야 한다. 구두에 의한 계고는 무효이다.

ⓔ **요건의 충족시기**: 이상의 요건은 계고를 할 때 충족되어 있어야 한다.

ⓜ **하명과 계고의 결합**: 판례는 계고서라는 명칭의 1장의 문서로써 일정기간 내에 위법한 건축물의 자진철거를 명함과 동시에 그 소정기한 내에 자진철거를 하지 아니할 때에는 대집행할 뜻을 미리 계고한 경우라도, 건축법에 의한 철거명령과 행정대집행법에 의한 계고처분은 독립하여 있는 것으로서 각 그 요건이 충족되었다고 보고 있다.

관련판례 계고서라는 1장의 문서 ★★★

[1] 계고서라는 명칭의 1장의 문서로서 일정기간 내에 위법건축물의 자진철거를 명함과 동시에 그 소정기한 내에 자진철거를 하지 아니할 때에는 대집행할 뜻을 미리 계고한 경우라도 건축법에 의한 철거명령과 행정대집행법에 의한 계고처분은 독립하여 있는 것으로서 각 그 요건이 충족되었다고 볼 것이다.

[2] 위의 경우, 철거명령에서 주어진 일정기간이 자진철거에 필요한 상당한 기간이라면 그 기간 속에는 계고시에 필요한 '상당한 이행기간'도 포함되어 있다고 보아야 할 것이다(대판 1992.6.12, 91누13564).

(2) 대집행영장에 의한 통지

① 의의

㉠ 계고를 받고도 지정된 기한까지 그 의무를 이행하지 않을 때에는 해당 행정청은 행정대집행영장으로써 대집행을 할 시기, 대집행책임자의 성명 및 대집행비용의 개산에 의한 견적액을 의무자에게 통지하여야 한다(행정대집행법 제3조 제2항).

간단 점검하기

01 계고서라는 명칭의 1장의 문서로서 건축물의 철거명령과 동시에 그 소정기한 내에 자진철거를 하지 아니할 때에는 대집행할 뜻을 미리 계고한 경우 건축법에 의한 철거명령과 행정대집행법에 의한 계고처분은 각 그 요건이 충족되었다고 볼 수 없다. ( ) 16. 지방직 9급

02 철거명령에서 주어진 일정기간이 자진철거에 필요한 상당한 기간이라고 하여도 그 기간 속에는 계고시에 필요한 '상당한 이행기간'이 포함되어 있다고 볼 수 없다. ( ) 19. 지방직 9급

01 × 02 ×

ⓛ 다만, 법률에 다른 규정이 있는 경우 및 비상시 또는 위험이 절박하여 통지할 여유가 없을 때에는 대집행영장에 의한 통지절차를 생략할 수 있다(행정대집행법 제3조 제3항).

② 성질

㉠ 대집행통지는 준법률행위적 행정행위로서 강학상 통지에 해당한다.

ⓛ 따라서 대집행영장에 의한 통지는 그 자체가 독립하여 항고소송의 대상이 된다.

㉢ 대집행영장에 의하여 대집행의 구체적 내용과 그에 대해 수인할 의무가 확정된다.

관련판례

도심광장인 '서울광장'에서, 행정대집행법이 정한 계고 및 대집행영장에 의한 통지절차를 거치지 아니한 채 위 광장에 무단설치된 천막의 철거대집행을 행하는 공무원들에 대항하여 피고인들이 폭행 · 협박을 가하였더라도, 특수공무집행방해죄는 성립하지 않는다(대판 2010.11.11, 2009도11523).

(3) 대집행의 실행

① **의의**: 의무자가 지정된 기한까지 의무가 이행되지 않은 경우에는 해당 행정청은 직접 또는 제3자로 하여금 그 행위를 하게 한다(행정대집행법 제4조).

② **성질**: 대집행의 실행은 이른바 권력적 사실행위(합성적 행정행위)이므로 의무자는 대집행실행에 대하여 수인의무가 있다.

③ **시간적 제약**

> 행정대집행법 제4조【대집행의 실행 등】① 행정청(제2조에 따라 대집행을 실행하는 제3자를 포함한다. 이하 이 조에서 같다)은 해가 뜨기 전이나 해가 진 후에는 대집행을 하여서는 아니 된다. 다만, 다음 각 호의 어느 하나에 해당하는 경우에는 그러하지 아니하다.
> 1. 의무자가 동의한 경우
> 2. 해가 지기 전에 대집행을 착수한 경우
> 3. 해가 뜬 후부터 해가 지기 전까지 대집행을 하는 경우에는 대집행의 목적 달성이 불가능한 경우
> 4. 그 밖에 비상시 또는 위험이 절박한 경우

④ **안전 확보 조치**

> 행정대집행법 제4조【대집행의 실행 등】② 행정청은 대집행을 할 때 대집행 과정에서의 안전 확보를 위하여 필요하다고 인정하는 경우 현장에 긴급 의료장비나 시설을 갖추는 등 필요한 조치를 하여야 한다.

⑤ **증표제시**

> 행정대집행법 제4조【대집행의 실행 등】③ 대집행을 하기 위하여 현장에 파견되는 집행책임자는 그가 집행책임자라는 것을 표시한 증표를 휴대하여 대집행시에 이해관계인에게 제시하여야 한다.

간단 점검하기

01 대집행 영장에 의한 통지는 준법률행위적 행정행위로서 취소소송의 대상이 될 수 없다. ( )
15. 지방직 7급, 10. 국가직 9급

간단 점검하기

02 판례에 의하면 도심광장으로서 서울특별시 서울광장의 사용 및 관리에 관한 조례에 의하여 관리되고 있는 서울광장은 비록 공부상 지목이 도로로 되어 있으나 도로법 제65조 제1항 소정의 행정대집행의 특례규정이 적용되는 도로법상 도로라고 할 수 없다. ( ) 10. 서울시 9급

간단 점검하기

03 대집행의 실행행위는 권력적 사실행위로서의 성질을 갖는다. ( )
13. 서울시 9급

04 의무자는 대집행의 실행행위에 대해서 수인의 의무를 진다. ( )
13. 서울시 9급

01 × 02 ○ 03 ○ 04 ○

⑥ 실력행사

㉠ **문제점**: 의무자가 대집행의 실행에 저항할 경우 공무집행방해죄를 구성하는 것과는 별도로 실력으로 그 저항을 배제할 수 있다는 규정이 없으므로 실력행사 가능 여부가 문제된다.

㉡ **학설**: 긍정하는 견해와 부정하는 견해가 있으나 규정이 없더라도 현실적으로 공무집행방해죄 등을 적용하여 실행이 가능하다.

㉢ **판례**: 건물철거에 대한 행정대집행시 부수적으로 점유자들에 대해 퇴거 조치를 할 수 있고, 점유자들이 대집행을 방해하는 경우 위험발생 방지조치 또는 공무집행방해죄를 적용하여 경찰의 도움을 받을 수 있다고 한다.

관련판례 건물철거의무 ★★★

[1] 관계 법령상 행정대집행의 절차가 인정되어 행정청이 행정대집행의 방법으로 건물의 철거 등 대체적 작위의무의 이행을 실현할 수 있는 경우에는 따로 민사소송의 방법으로 그 의무의 이행을 구할 수 없다. 한편 건물의 점유자가 철거의무자일 때에는 건물철거의무에 퇴거의무도 포함되어 있는 것이어서 별도로 퇴거를 명하는 집행권원이 필요하지 않다.

[2] 행정청이 행정대집행의 방법으로 건물철거의무의 이행을 실현할 수 있는 경우에는 건물철거 대집행 과정에서 부수적으로 건물의 점유자들에 대한 퇴거 조치를 할 수 있고, 점유자들이 적법한 행정대집행을 위력을 행사하여 방해하는 경우 형법상 공무집행방해죄가 성립하므로, 필요한 경우에는 '경찰관 직무집행법'에 근거한 위험발생 방지조치 또는 형법상 공무집행방해죄의 범행방지 내지 현행범체포의 차원에서 경찰의 도움을 받을 수도 있다(대판 2017.4.28, 2016다213916).

#건물철거의무_퇴거의무포함 #퇴거_집행권_불요 #철거_저항_공무집행방해죄_위험발생방지조치

간단 점검하기

01 건물의 점유자가 철거의무자일 때에는 건물철거의무에 퇴거의무도 포함되어 있는 것이어서 별도로 퇴거를 명하는 집행권원이 필요하지 않다. ( ) 19. 지방직 9급

02 행정대집행의 방법으로 건물철거의무이행을 실현할 수 있는 경우, 철거의무자인 건물점유자의 퇴거의무를 실현하려면 퇴거를 명하는 별도의 집행권원이 있어야 하고, 철거 대집행과정에서 부수적으로 건물점유자들에 대한 퇴거조치를 할 수는 없다. ( ) 19. 국가직 9급

03 적법한 행정대집행을 건물의 점유자들이 위력을 행사하여 방해하는 경우에 행정청은 경찰관 직무집행법에 근거한 위험발생 방지조치 또는 형법상 공무집행방해죄의 범행방지 내지 현행범 체포의 차원에서 경찰의 도움을 받을 수도 있다. ( ) 19. 사회복지직

(4) 비용징수

① 대집행에 소요된 비용은 의무자가 부담한다.

② 금액과 납부기일을 정하여 문서로써 납부고지함으로써 징수한다.

> 행정대집행법 제5조【비용납부명령서】대집행에 요한 비용의 징수에 있어서는 실제에 요한 비용액과 그 납기일을 정하여 의무자에게 문서로써 그 납부를 명하여야 한다.

③ 비용납부명령은 급부하명으로 독립하여 항고소송의 대상이 된다.

④ 납부기일까지 납부하지 않을 때에는 국세징수법의 예에 의하여 강제징수한다.

> 행정대집행법 제6조【비용징수】① 대집행에 요한 비용은 국세징수법의 예에 의하여 징수할 수 있다.
> ② 대집행에 요한 비용에 대하여서는 행정청은 사무비의 소속에 따라 국세에 다음가는 순위의 선취득권을 가진다.
> ③ 대집행에 요한 비용을 징수하였을 때에는 그 징수금은 사무비의 소속에 따라 국고 또는 지방자치단체의 수입으로 한다.

간단 점검하기

04 대집행에 요한 비용의 징수에 있어서는 실제에 요한 비용액과 그 납기일을 정하여 의무자에게 문서로써 그 납부를 명하여야 한다. ( ) 09. 지방직 9급

05 대집행비용의 납부명령은 독립하여 항고소송의 대상이 된다. ( ) 11. 국가직 9급

06 의무자가 대집행에 요한 비용을 납부하지 않으면 행정청은 그 비용을 국세징수법의 예에 의하여 징수할 수 있다. ( ) 17·14. 지방직 7급, 16. 서울시 9급

01 ○ 02 × 03 ○ 04 ○ 05 ○ 06 ○

⑤ 판례에 의하면, 사업시행자인 한국토지주택공사는 행정대집행비용을 공법상 강제징수가 아닌 민사소송법상 강제절차로 청구할 수 없다.

간단 점검하기

구 대한주택공사가 대집행권한을 위탁받아 공무인 대집행을 실시하기 위하여 지출한 비용을 행정대집행법 절차에 따라 국세징수법의 예에 의하여 징수할 수 있음에도 민사소송절차에 의하여 그 비용의 상환을 구하는 청구는 소의 이익이 없어 부적법하다.

( ) 19. 지방직 9급

관련판례 **행정대집행의 비용** ★★★

[1] 대한주택공사가 구 대한주택공사법에 의하여 대집행권한을 위탁받아 공무인 대집행을 실시하기 위하여 지출한 비용은 행정대집행법 절차에 따라 국세징수법의 예에 의하여 징수할 수 있다.

[2] 대한주택공사가 구 대한주택공사법 등에 의하여 대집행권한을 위탁받아 공무인 대집행을 실시하기 위하여 지출한 비용을 행정대집행법 절차에 따라 국세징수법의 예에 의하여 징수할 수 있음에도 민사소송절차에 의하여 그 비용의 상환을 청구한 사안에서, 행정대집행법이 대집행비용의 징수에 관하여 민사소송절차에 의한 소송이 아닌 간이하고 경제적인 특별구제절차를 마련해 놓고 있으므로, 위 청구는 소의 이익이 없어 부적법하다(대판 2011.9.8, 2010다48240).

#행정대집행비용_국제징수법_강제징수 #행정대집행비용_민사소송_청구_불가

5. 대집행에 대한 구제

(1) 대집행의 실행완료 전

① 행정심판

② 항고소송(취소소송)

㉠ **처분성**: 계고, 통지, 실행, 비용납부명령 등 대집행의 각 절차는 모두 처분성이 인정되므로 항고소송의 대상이 된다.

㉡ 하자의 승계

ⓐ 대체적 작위의무를 명하는 행정처분과 계고처분은 별개의 법적 효과를 목적으로 하는 것으로 보아 하자의 승계를 부정하고 있다.

ⓑ 계고, 통지, 실행, 비용납부명령 사이는 동일한 법적 효과를 목적으로 하는 것이므로 하자의 승계를 인정하고 있다.

관련판례

1 철거명령의 무효인 하자 → 대집행에 승계 ○(대집행 무효)

적법한 건축물에 대한 철거명령은 그 하자가 중대하고 명백하여 당연무효라고 할 것이고, 그 후행행위인 건축물철거 대집행계고처분 역시 당연무효라고 할 것이다(대판 1999.4.27, 97누6780).

2 철거명령의 취소사유인 하자 → 대집행에 승계 ×

법률에 의거한 행정청의 무허가건물철거명령에 대하여 소원이나 소송제기 등 소구절차를 거치지 아니하여 이미 선행행위가 적법인 것으로 확정된 경우에는 후행행위인 대집행계고처분에서는 위 건물이 무허가건물이 아닌 적법한 건축물이라는 주장이나 그러한 사실인정을 하지 못한다(대판 1975.12.9, 75누218).

3 대집행 각 절차의 취소사유인 하자 → 후속절차에 승계 ○

대집행절차 상호간에는 하자의 승계가 인정된다(대판 1996.2.9, 95누12507).

○

(2) 대집행의 실행완료 후

① 소의 이익 문제

㉠ **원칙**: 실익이 없기 때문에 소의 이익을 부정한다.

㉡ **예외**: 회복되는 법률상 이익 존재하거나, 위법상태가 계속되는 경우에 인정된다.

② **구제수단**: 손해배상청구, 원상회복청구, 결과제거청구 등에 의한다.

관련판례 **협의의 소이익 없음** ★★

1 위법한 대집행 완료 후 손해배상청구에서 행정처분의 취소판결을 요하지 않는다(대판 1972.4.28, 72다337).

2 행정대집행의 실행이 완료된 경우 대집행계고처분의 취소를 구할 법률상 이익 없다(대판 1993.6.8, 93누6164).

(3) 입증책임

① 입증책임은 일반원칙에 따라 행해진다.

② 대집행요건의 충족에 대한 입증책임은 처분청인 행정청에게 있다.

③ 반대로 요건의 미충족에 대한 입증책임은 상대방인 의무불이행자에게 있다.

관련판례

건축법에 위반하여 건축한 것이어서 철거의무가 있는 건물이라 하더라도 그 철거의무를 대집행하기 위한 계고처분을 하려면 다른 방법으로는 이행의 확보가 어렵고 불이행을 방치함이 심히 공익을 해하는 것으로 인정될 때에 한하여 허용되고 이러한 요건의 주장·입증책임은 처분 행정청에 있다(대판 1996.10.11, 96누8086).

5 이행강제금(집행벌)

1. 이행강제금의 의의

(1) 개념

① 이행강제금(집행벌)이란 비대체적 작위의무 또는 부작위의무를 이행하지 않는 경우에 일정한 기한까지 의무를 이행하지 않으면 과태료 등을 과할 것을 계고함으로써, 의무자에게 심리적 압박을 가하여 그 의무의 이행을 간접적으로 강제하는 수단으로서 부과하는 금전부담이다.

관련판례 **이행강제금의 개념** ★★★

이행강제금은 행정법상의 부작위의무 또는 비대체적 작위의무를 이행하지 않은 경우에 '일정한 기한까지 의무를 이행하지 않을 때에는 일정한 금전적 부담을 과할 뜻'을 미리 '계고'함으로써 의무자에게 심리적 압박을 주어 장래를 향하여 의무의 이행을 확보하려는 간접적인 행정상 강제집행 수단이다(대판 2015.6.24, 2011두2170).

#이행강제금 #부작위의무_비대체적_작위의무 #금전적_압박_간접강제 #장래_이행확보

간단 점검하기

01 대집행이 완료되어 취소소송을 제기할 수 없는 경우에도 국가배상청구는 가능하다. ( ) 15. 국가직 9급

02 판례에 의하면 대집행 계고처분 취소소송의 변론이 종결되기 전에 대집행의 실행이 완료된 경우라도 그 계고처분의 취소 또는 무효확인을 구할 법률상 이익이 있다. ( ) 10. 국가직 9급, 09. 국가직 7급

간단 점검하기

03 위법한 건축물에 대한 철거의무를 대집행하기 위한 계고처분을 하려면 다른 방법으로는 이행의 확보가 어렵고 불이행을 방치함이 심히 공익을 해하는 것으로 인정될 때에 한하여 허용되고, 이러한 요건의 주장·입증책임은 대집행에 불복하는 처분의 상대방에게 있음이 원칙이다. ( ) 17. 국가직 7급, 12. 서울시 9급

간단 점검하기

04 이행강제금은 의무 불이행 시 일정액수의 금전납부의무가 부과될 것임을 의무자에게 미리 계고함으로써 장래 의무의 이행을 확보하는 수단을 말한다. ( ) 14. 경찰행정

05 이행강제금은 집행벌이라고도 하는 것으로서 과거의 잘못에 대한 비난으로서의 제재수단이다. ( ) 15. 서울시 7급

01 ○ 02 × 03 × 04 ○ 05 ×

② 전통적으로는 집행벌이라는 용어가 사용되어 왔으나, 최근 집행벌이라는 표현은 행정벌의 일종으로 오해될 수 있으므로 집행벌이라는 명칭 대신 이행강제금이라는 용어로 대체하자는 주장도 늘어나고 있다.

③ 행정기본법에는 '의무자가 행정상 의무를 이행하지 아니하는 경우 행정청이 적절한 이행기간을 부여하고, 그 기한까지 행정상 의무를 이행하지 아니하면 금전급부의무를 부과하는 금전'을 이행강제금이라 한다(행정기본법 제30조 제1항 제2호).

> 행정기본법 제31조【이행강제금의 부과】① 이행강제금 부과의 근거가 되는 법률에는 이행강제금에 관한 다음 각 호의 사항을 명확하게 규정하여야 한다. 다만, 제4호 또는 제5호를 규정할 경우 입법목적이나 입법취지를 훼손할 우려가 크다고 인정되는 경우로서 대통령령으로 정하는 경우는 제외한다.
> 1. 부과·징수 주체
> 2. 부과 요건
> 3. 부과 금액
> 4. 부과 금액 산정기준
> 5. 연간 부과 횟수나 횟수의 상한
>
> ② 행정청은 다음 각 호의 사항을 고려하여 이행강제금의 부과 금액을 가중하거나 감경할 수 있다.
> 1. 의무 불이행의 동기, 목적 및 결과
> 2. 의무 불이행의 정도 및 상습성
> 3. 그 밖에 행정목적을 달성하는 데 필요하다고 인정되는 사유
>
> ③ 행정청은 이행강제금을 부과하기 전에 미리 의무자에게 적절한 이행기간을 정하여 그 기한까지 행정상 의무를 이행하지 아니하면 이행강제금을 부과한다는 뜻을 문서로 계고(戒告)하여야 한다.
> ④ 행정청은 의무자가 제3항에 따른 계고에서 정한 기한까지 행정상 의무를 이행하지 아니한 경우 이행강제금의 부과 금액·사유·시기를 문서로 명확하게 적어 의무자에게 통지하여야 한다.
> ⑤ 행정청은 의무자가 행정상 의무를 이행할 때까지 이행강제금을 반복하여 부과할 수 있다. 다만, 의무자가 의무를 이행하면 새로운 이행강제금의 부과를 즉시 중지하되, 이미 부과한 이행강제금은 징수하여야 한다.
> ⑥ 행정청은 이행강제금을 부과받은 자가 납부기한까지 이행강제금을 내지 아니하면 국세강제징수의 예 또는 지방행정제재·부과금의 징수 등에 관한 법률에 따라 징수한다.
> [시행일: 2023.3.24.] 제31조

(2) 행정벌과의 구별

① **행정벌과 병과**: 이행강제금은 행정상 강제집행의 수단으로서 장래를 향한 의무이행을 목적으로 함에 비해 행정벌은 과거의 의무위반에 대한 제재를 주된 목적으로 하는 점이 서로 다르다. 따라서 양자는 목적이 서로 다르므로 병과가 가능하다.

간단 점검하기

이행강제금(집행벌)과 행정벌(과태료나 형벌)은 병과하여도 헌법상 이중처벌 금지의 원칙에 위반되지 않는다.
( ) 13. 지방직 9급

○

② **반복 부과**: 이행강제금은 의무이행을 확보하기 위한 수단이므로 의무가 이행될 때까지 반복 부과되는 것이 가능하다. 그러나 행정벌은 과거 위반행위에 대한 제재(처벌) 수단이므로 반복 부과될 수 없다.

관련판례 **무허가 건축행위** ★★★

건축법 제78조에 의한 무허가 건축행위에 대한 형사처벌과 건축법 제83조 제1항에 의한 시정명령 위반에 대한 이행강제금의 부과는 그 처벌 내지 제재대상이 되는 기본적 사실관계로서의 행위를 달리하며, 또한 그 보호법익과 목적에서도 차이가 있으므로 헌법 제13조 제1항이 금지하는 이중처벌에 해당한다고 할 수 없다(헌재 2004.2.26, 2001헌바80).
#무허가_건축물 #형사처벌_의무위반 #이행강제금_의무불이행 #병과_가능

2. 이행강제금의 근거 및 대상

(1) 근거

이행강제금에 대한 통칙 규정은 행정기본법 제31조가 있고, 개별법은 건축법 제80조, 부동산 실권리자명의 등기에 관한 법률 제6조, 농지법 제62조, 독점규제 및 공정거래에 관한 법률 제17조의3, 국토의 계획 및 이용에 관한 법률 제124조의2, 부동산 거래신고 등에 관한 법률 제18조에 근거 규정이 있다.

(2) 대상

① 우리나라에서는 과거 일본의 제도 및 이론의 영향을 받아 이행강제금은 오직 비대체적 작위의무 또는 부작위의무의 강제를 위해서만 사용되는 것으로 이해하였으나, 독일의 경우에는 우리의 집행벌에 해당하는 이행강제금이 대체적 작위의무를 강제하기 위해 활용되기도 하므로 이에 국한시킬 필요가 없다는 견해가 유력하게 주장되었다.

② 우리나라 건축법은 이행강제금과 대집행을 동일한 대상에 적용될 수 있도록 규정하여 이를 입법적으로 해결하였다.

관련판례

1 **이행강제금 대상** ★★★

전통적으로 행정대집행은 대체적 작위의무에 대한 강제집행수단으로, 이행강제금은 부작위의무나 비대체적 작위의무에 대한 강제집행수단으로 이해되어 왔으나, 이는 이행강제금제도의 본질에서 오는 제약은 아니며, 이행강제금은 대체적 작위의무의 위반에 대하여도 부과될 수 있다(헌재 2004.2.26, 2001헌바80).

2 행정대집행은 위반 행위자가 위법상태를 치유하지 않아 그 이행의 확보가 곤란하고 또한 이를 방치함이 심히 공익을 해할 것으로 인정될 때에 행정청 또는 제3자가 이를 치유하는 것인 반면, 이행강제금은 위반행위자 스스로가 이를 시정할 수 있는 기회를 부여하여 불필요한 행정력의 낭비를 억제하고 위반행위로 인한 경제적 이익을 환수하기 위한 제도로서 양 제도 각각의 장·단점이 있다. 따라서 개별사건에 있어서 위반내용, 위반자의 시정의지 등을 감안하여 허가권자는 행정대집행과 이행강제금을 선택적으로 활용할 수 있고, 행정대집행과 이행강제금 부과가 동시에 이루어지는 것이 아니라 허가권자의 합리적인 재량에 의해 선택하여 활용하는 이상 이를 중첩적인 제재에 해당한다고 볼 수 없다(대판 2011.10.25, 2009헌바140).

간단 점검하기

01 이행강제금은 부작위의무나 비대체적 작위의무에 대한 강제집행수단이기 때문에 대체적 작위의무의 위반에 대하여는 부과할 수 없다. ( )
15. 국가직 9급, 14·13. 지방직 9급

02 건축법상 위법건축물에 대하여 행정청은 대집행과 이행강제금을 선택적으로 활용할 수 있으며, 이러한 선택적 활용이 중첩적 제재에 해당한다고 볼 수 없다. ( ) 18. 국가직 7급

03 건축법상 이행강제금은 반복적으로 부과되어도 헌법상 이중처벌금지의 원칙이 적용될 여지가 없다. ( )
16. 지방직 9급

01 × 02 ○ 03 ○

3. 이행강제금의 성질

(1) 명령적 행위

① **행정행위의 성격**: 이행강제금의 부과는 명령적 행정행위(하명)이다. 따라서 이행강제금 부과처분의 상대방은 이행강제금의 납부의무를 부담한다.

② **침익적 처분**: 이행강제금을 부과하는 것은 침익적 처분이므로 행정절차법에서 정한 의견청취절차를 거쳐야 한다.

(2) 일신전속적 성격

판례는 건축법상 이행강제금 납부의무를 일신전속적 성질의 것으로 본다. 따라서 이행강제금의 납부의무가 상속인이나 다른 사람에게 이전되지 않으므로 납부의무자가 사망하면 이미 부과된 납부의무는 소멸된다.

관련판례 **이행강제금 - 일신전속적 의무** ★★★

이행강제금 납부의무는 상속인 기타의 사람에게 승계될 수 없는 일신전속적인 성질의 것이므로 이미 사망한 사람에게 이행강제금을 부과하는 내용의 처분이나 결정은 당연무효이고, 이행강제금을 부과받은 사람의 이의에 의하여 비송사건절차법에 의한 재판절차가 개시된 후에 그 이의한 사람이 사망한 때에는 사건 자체가 목적을 잃고 절차가 종료한다(대결 2006.12.8, 2006마470).

#이행강제금_납부의무_일신전속_의무 #이전불가 #사망_기존_납부의무_소멸

간단 점검하기

01 이행강제금 납부의무는 상속인 기타의 사람에게 승계될 수 없는 일신전속적인 성질의 것이므로 이미 사망한 사람에게 이행강제금을 부과하는 내용의 처분이나 결정은 당연무효이다.
( ) 18. 지방직 9급, 16 · 15. 국가직 9급, 13. 국가직 7급

02 사망한 건축주에 대하여 건축법상 이행강제금이 부과된 경우 그 이행강제금 납부의무는 상속인에게 승계된다.
( ) 16. 국가직 9급

01 ○ 02 ×

4. 부과절차

이행강제금(집행벌)의 부과절차는 개별법이 정한 바에 의한다. 우리나라의 개별법에서 가장 일반적인 건축법에 의한 절차를 중심으로 살펴본다. 건축법 제80조에 의한 이행강제금 부과 순서는 다음과 같다.

시정명령 → 명령불이행 → 이행강제금 부과 · 징수 계고 → 강제금 부과 → 미납부시 강제징수

(1) 시정명령

① 허가권자는 건축법 또는 건축법에 따른 명령이나 처분에 위반되는 대지나 건축물에 대하여 이 법에 따른 허가 또는 승인을 취소하거나 그 건축물의 건축주 등에게 공사의 중지를 명하거나 상당한 기간을 정하여 그 건축물의 해체 · 개축 · 증축 · 수선 · 용도변경 · 사용금지 · 사용제한, 그 밖에 필요한 조치를 명할 수 있다(건축법 제79조 제1항).

② 시정명령은 공사도중에 내려지는 경우가 일반적이나 건축물이 완공되거나 완공된 후 상당 기간이 경과된 이후에도 시정명령이 내려질 수 있다.

관련판례

1 건축물 완공 후 시정명령 ★★★

공무원들이 위법건축물임을 알지 못하여 공사 도중에 시정명령이 내려지지 않아 위법건축물이 완공되었다 하더라도, 공공복리의 증진이라는 위 목적의 달성을 위해서는 완공 후에라도 위법건축물임을 알게 된 이상 시정명령을 할 수 있다고 보아야 할 것이다(대결 2002.8.16, 2002마1022).

#건축물완공_시정명령_가능

2 건축법 개정 후 시정명령 ★★

위반 건축물이 개정 건축법 시행 이전에 건축된 것일지라도 행정청이 현행 건축법 시행 이후에 시정명령을 하고, 건축물의 소유자 등이 시정명령에 응하지 않은 경우에는 행정청은 현행 건축법에 따라 이행강제금을 부과할 수 있다(대판 2012.3.29, 2011두27919).

#건축법개정_이행강제금 #법개정_이전_위법건축물 #현행건축법_시정명령_이행강제금부과_가능

(2) 상당한 이행기간의 부여(2차 시정명령)

① 허가권자는 건축법 제79조 제1항에 따라 시정명령을 받은 후 시정기간 내에 시정명령을 이행하지 아니한 건축주 등에 대하여는 그 시정명령의 이행에 필요한 상당한 이행기한을 정하여 그 기한까지 시정명령을 이행하지 아니하면 이행강제금을 부과한다(건축법 제80조 제1항).❶

② 상당한 이행기간을 부여하지 않은 경우에는 하자 있는 행정행위에 해당하여 위법하게 된다.

❶ 이행강제금의 부과는 침익적 처분으로 행정절차상 의견청취 절차를 거쳐야 한다.

관련판례

1 2차 시정명령에 하자가 있는 경우 ★★★

행정청의 상대방이 시정명령을 이행할 의사가 없음이 명백하더라도 이행강제금 부과처분에 있어 시정명령이라는 요건이 면제되는 것은 아니고, 2차 시정명령은 1차 시정명령에서 정한 시정기간이 경과한 후에 다시 그 시정명령의 이행에 필요한 상당한 이행기한을 정하여 행해져야 하는데, 이 사건 2차 시정명령은 1차 시정명령에서 정한 시정기간의 만료일인 2008.6.30.이 경과하기 전인 2008.6.12.에 행해졌을 뿐 아니라 2차 시정명령에서 정한 시정기간의 만료일 또한 1차 시정명령의 그것보다 오히려 앞당겨진 2008.6.20.로 그 시정명령의 이행에 필요한 상당한 이행기한이라고 할 수 없다(대판 2010.6.24, 2010두3978).

#무허가건축_1차시정명령_2차시정명령 #시정명령_각_이행기간부여

2 시정명령 이행 기회가 제공되지 않은 경우 ★★

구 건축법(2014.5.28. 법률 제12701호로 개정되기 전의 것, 이하 같다) 제79조 제1항, 제80조 제1항, 제2항, 제4항 본문, 제5항의 내용, 체계 및 취지 등을 종합하면, 구 건축법상 이행강제금은 시정명령의 불이행이라는 과거의 위반행위에 대한 제재가 아니라, 시정명령을 이행하지 않고 있는 건축주·공사시공자·현장관리인·소유자·관리자 또는 점유자(이하 '건축주 등'이라 한다)에 대하여 다시 상당한 이행기한을 부여하고 기한 안에 시정명령을 이행하지 않으면 이행강제금이 부과된다는 사실을 고지함으로써 의무자에게 심리적 압박을 주어 시정명령에 따른 의무의 이행을 간접적으로 강제하는 행정상의 간접강제 수단에 해당한다. 그리고 구 건축법 제80조 제1항, 제4항에 의하면 문언상 최초의 시정명령이 있었던 날을 기준으로 1년

단위별로 2회에 한하여 이행강제금을 부과할 수 있고, 이 경우에도 매 1회 부과 시마다 구 건축법 제80조 제1항 단서에서 정한 1회분 상당액의 이행강제금을 부과한 다음 다시 시정명령의 이행에 필요한 상당한 이행기한을 정하여 그 기한까지 시정명령을 이행할 수 있는 기회(이하 '시정명령의 이행 기회'라 한다)를 준 후 비로소 다음 1회분 이행강제금을 부과할 수 있다.
따라서 비록 건축주 등이 장기간 시정명령을 이행하지 아니하였더라도, 그 기간 중에는 시정명령의 이행 기회가 제공되지 아니하였다가 뒤늦게 시정명령의 이행 기회가 제공된 경우라면, 시정명령의 이행 기회 제공을 전제로 한 1회분의 이행강제금만을 부과할 수 있고, 시정명령의 이행 기회가 제공되지 아니한 과거의 기간에 대한 이행강제금까지 한꺼번에 부과할 수는 없다. 그리고 이를 위반하여 이루어진 이행강제금 부과처분은 과거의 위반행위에 대한 제재가 아니라 행정상의 간접강제 수단이라는 이행강제금의 본질에 반하여 구 건축법 제80조 제1항 · 제4항 등 법규의 중요한 부분을 위반한 것으로서, 그러한 하자는 중대할 뿐만 아니라 객관적으로도 명백하다(대판 2016.7.14, 2015두46598).
#장기간_시정명령_불이행 #1회_이행명령_이행강제금부과 #1번부과만_정당

간단 점검하기

01 건축법상 이행강제금은 시정명령의 불이행이라는 과거의 위반행위에 대한 제재이므로, 건축주가 장기간 시정명령을 이행하지 않았다면 그 기간 중에 시정명령의 이행 기회가 제공되지 않았다가 뒤늦게 이행 기회가 제공된 경우라 하더라도 이행 기회가 제공되지 않은 과거의 기간에 대한 이행강제금까지 한꺼번에 부과할 수 있다. ( )
18. 국가직 9급, 17. 지방직 9급

(3) 계고

① 허가권자는 건축법 제1항 및 제2항에 따른 이행강제금을 부과하기 전에 제1항 및 제2항에 따른 이행강제금을 부과 · 징수한다는 뜻을 미리 문서로써 계고(戒告)하여야 한다(건축법 제80조 제3항).
② 위법한 계고 후에 이루어진 이행강제금 부과는 위법한 처분이 된다.

관련판례 위법한 계고 → 이행강제금 부과 예고 및 부과 처분은 위법 ★★★

사용자가 이행하여야 할 행정법상 의무의 내용을 초과하는 것을 '불이행 내용'으로 기재한 이행강제금 부과 예고서에 의하여 이행강제금 부과 예고를 한 다음 이를 이행하지 않았다는 이유로 이행강제금을 부과하였다면, 초과한 정도가 근소하다는 등의 특별한 사정이 없는 한 이행강제금 부과 예고는 이행강제금 제도의 취지에 반하는 것으로서 위법하고, 이에 터 잡은 이행강제금 부과처분 역시 위법하다(대판 2015.6.24, 2011두2170).
#택시근로자_부당승무정지 #임금상당액_미지급 #미지급액_초과산정_이행강제금부과_예고 #이행강제금부과_예고_위법

간단 점검하기

02 건축법상 허가권자는 이행강제금을 부과하기 전에 이행강제금을 부과 징수한다는 뜻을 미리 문서로써 계고하여야 한다. ( ) 19. 지방직 9급

03 사용자가 이행하여야 할 행정법상 의무의 내용을 초과하는 것을 '불이행 내용'으로 기재한 이행강제금 부과 예고서에 의하여 이행강제금 부과 예고를 한 다음 이를 이행하지 않았다는 이유로 이행강제금을 부과하였다면, 초과한 정도가 근소하다는 등의 특별한 사정이 없는 한 이행강제금 부과 예고는 이행강제금 제도의 취지에 반하는 것으로서 위법하고, 이에 터 잡은 이행강제금 부과처분 역시 위법하다. ( )
17. 지방직 9급

(4) 이행강제금의 내용과 정도

① 시정명령과 계고가 있었음에도 의무자가 기한 내 의무를 이행하지 아니한 경우 행정청은 이행강제금을 부과할 수 있다(건축법 제80조 제1항). 그러나 행정청이 의무자의 의무이행을 위법하게 거부한 경우 이행강제금을 부과할 수 없다(대판 2018.1.25, 2015두35116).
② 허가권자는 영리목적을 위한 위반이나 상습적 위반 등 대통령령으로 정하는 경우에 제1항에 따른 금액을 100분의 100의 범위에서 해당 지방자치단체의 조례로 정하는 바에 따라 가중하여야 한다(건축법 제80조 제2항).
③ 허가권자는 제1항 및 제2항에 따른 이행강제금을 부과하는 경우 금액, 부과 사유, 납부기한, 수납기관, 이의제기 방법 및 이의제기 기관 등을 구체적으로 밝힌 문서로 하여야 한다(건축법 제80조 제4항).

01 × **02** ○ **03** ○

④ 허가권자는 최초의 시정명령이 있었던 날을 기준으로 하여 1년에 2회 이내의 범위에서 해당 지방자치단체의 조례로 정하는 횟수만큼 그 시정명령이 이행될 때까지 반복하여 이행강제금을 부과·징수할 수 있다(건축법 제80조 제5항).

(5) 이행강제금의 징수

① **이행기간 경과 후 이행한 경우**: 허가권자는 시정명령을 받은 자가 이를 이행하면 새로운 이행강제금의 부과를 즉시 중지하되, 이미 부과된 이행강제금은 징수하여야 한다(건축법 제80조 제6항).

관련판례 이행기간 경과 후 이행한 경우

1 건축법상의 이행강제금은 시정명령의 불이행이라는 과거의 위반행위에 대한 제재가 아니라, 의무자에게 시정명령을 받은 의무의 이행을 명하고 그 이행기간 안에 의무를 이행하지 않으면 이행강제금이 부과된다는 사실을 고지함으로써 의무자에게 심리적 압박을 주어 의무의 이행을 간접적으로 강제하는 행정상의 간접강제 수단에 해당한다. 이러한 이행강제금의 본질상 시정명령을 받은 의무자가 이행강제금이 부과되기 전에 그 의무를 이행한 경우에는 비록 시정명령에서 정한 기간을 지나서 이행한 경우라도 이행강제금을 부과할 수 없다(대판 2018.1.25, 2015두35116).
#이행강제금_이행수단 #시정기간_후_이행 #이행강제금_부과×

2 장기미등기자가 이행강제금 부과 전에 등기신청의무를 이행하였다면 이행강제금의 부과로써 이행을 확보하고자 하는 목적은 이미 실현된 것이므로 부동산실명법 제6조 제2항에 규정된 기간이 지나서 등기신청의무를 이행한 경우라 하더라도 이행강제금을 부과할 수 없다(대판 2016.6.23, 2015두36454).
#장기미등기자_이행강제금부과전_등기의무이행_이행강제금부과×

3 국토의 계획 및 이용에 관한 법률(이하 '국토계획법'이라고 한다) 제124조의2 제5항이 이행명령을 받은 자가 그 명령을 이행하는 경우에 새로운 이행강제금의 부과를 즉시 중지하도록 규정한 것은 이행강제금의 본질상 이행강제금 부과로 이행을 확보하고자 한 목적이 이미 실현된 경우에는 그 이행강제금을 부과할 수 없다는 취지를 규정한 것으로서, 이에 의하여 부과가 중지되는 '새로운 이행강제금'에는 국토계획법 제124조의2 제3항의 규정에 의하여 반복 부과되는 이행강제금뿐만 아니라 이행명령 불이행에 따른 최초의 이행강제금도 포함된다. 따라서 이행명령을 받은 의무자가 그 명령을 이행한 경우에는 이행명령에서 정한 기간을 지나서 이행한 경우라도 최초의 이행강제금을 부과할 수 없다(대판 2014.12.11, 2013두15750).
#국토계획법_이행명령 · 이행_새로운_이행강제금_부과× #새로운_이행강제금_최초_이행강제금_포함

② **이행기간 경과 후 이행하지 않은 경우**

㉠ 허가권자는 이행강제금 부과처분을 받은 자가 이행강제금을 납부기한까지 내지 아니하면 지방행정제재·부과금의 징수 등에 관한 법률에 따라 징수한다(건축법 제80조 제7항).

㉡ 동법은 독촉·압류 등에 대하여 규정하고 있으며, 매각·청산 등의 절차는 국세징수법을 준용하도록 하고 있다.

㉢ 지방행정제재·부과금의 징수 등에 관한 법률 제8조에 의한 이행강제금의 독촉은 항고소송의 대상이 되는 행정처분에 해당한다(대판 2002.12.24, 2009두14507).

간단 점검하기

01 이행강제금은 장래의 의무이행을 심리적으로 강제하기 위한 것으로서 의무이행이 있을 때까지 반복하여 부과할 수 있다. ( ) 19. 서울시 7급

02 건축법상 시정명령 불이행에 대한 이행강제금 부과의 경우 허가권자는 최초의 시정명령이 있었던 날을 기준으로 하여 1년에 2회 이내의 범위에서 그 시정명령이 이행될 때까지 반복하여 이행강제금을 부과·징수할 수 있다. ( ) 14. 사회복지직

03 건축법 제79조 제1항에 따른 위반 건축물 등에 대한 시정명령을 받은 자가 이를 이행하면, 허가권자는 새로운 이행강제금의 부과를 즉시 중지하되 이미 부과된 이행강제금은 징수하여야 한다. ( ) 17. 지방직 9급

04 이행강제금은 과거의 의무불이행에 대한 제재의 기능을 지니고 있으므로, 이행강제금이 부과되기 전에 의무를 이행한 경우에도 시정명령에서 정한 기간을 지나서 이행한 경우라면 이행강제금을 부과할 수 있다. ( ) 19. 지방직 9급

간단 점검하기

05 건축법상 이행강제금 납부의 최초 독촉은 징수처분으로서 항고소송의 대상이 되는 행정처분이 될 수 있다. ( ) 19. 지방직 9급

01 ○ 02 ○ 03 ○ 04 × 05 ○

5. 구제수단

(1) 비송사건절차법에 의하는 경우(과태료형 이행강제금의 경우)

① 농지법상 이행강제금과 같이 비송사건절차법에 의하여 이행강제금을 결정하는 것으로 규정하고 있는 경우가 있다(농지법 제62조 제7항).

② 이와 같이 이행강제금 부과처분에 대하여 비송사건절차법에 의한 특별한 불복절차가 마련되어 있는 경우에는 이행강제금 부과처분은 항고소송의 대상이 되는 처분이 아니다.

(2) 일반 행정쟁송법에 의하는 경우(과징금형 이행강제금의 경우)

① 건축법상 이행강제금에 대한 불복방법의 규정이 없으므로 이행강제금 부과처분은 항고소송의 대상이 되는 처분에 해당한다.

② 해당 법률에서 특별한 불복방법을 규정하고 있지 아니한 경우로서, 부동산 실권리자명의 등기에 관한 법률에 의한 이행강제금에 대하여 불복하는 경우에는 행정심판이나 행정소송 등 일반행정쟁송의 방법으로 다투게 된다.

간단 점검하기

01 건축법상 이행강제금의 부과에 대해서는 항고소송을 제기할 수 없고 비송사건절차법에 따라 재판을 청구할 수 있다. ( ) 17. 지방직 9급

02 이행강제금의 부과처분에 대한 불복방법에 관하여 아무런 규정을 두고 있지 않는 경우에는 이행강제금 부과처분은 행정행위이므로 행정심판 또는 행정소송을 제기할 수 있다. ( ) 15. 국가직 7급

6 직접강제

1. 개설

(1) 의의

직접강제라 함은 의무자가 의무를 이행하지 않는 경우에 직접적으로 의무자의 신체 또는 재산에 실력을 가함으로써 행정상 필요한 상태를 실현하는 작용을 말한다.❶

❶ 실력으로 예방접종을 실시하는 것, 무허가영업소를 강제로 폐쇄하는 것, 촬영금지지역에서 촬영한 필름을 즉시 압수하는 것 등

(2) 대상

직접강제의 대상이 되는 의무에는 제한이 없으므로 대체적 작위의무, 비대체적 작위의무, 부작위의무, 수인의무 등 모든 의무가 대상이 된다.

간단 점검하기

03 직접강제는 행정법상의 의무불이행이 있는 경우에 직접 의무자의 신체나 재산에 실력을 가하여 의무의 이행이 있었던 것과 같은 상태를 실현하는 작용이다. ( ) 09. 국가직 9급

2. 다른 강제수단과의 구별

(1) 대집행과의 구별

구분	직접강제	대집행
대상	모든 의무	대체적 작위의무
비용 징수	없음	있음
집행 방식	직접 집행	직접 또는 제3자 집행

(2) 즉시강제와의 구별

구분	직접강제	즉시강제
의무불이행 전제 여부	○	×

01 × 02 ○ 03 ○

3. 근거

(1) 직접강제에 관한 일반 규정이 행정기본법에 규정되어 있으며(행정기본법 제32조), 개별법에서 예외적으로 인정되고 있다. 행정기본법에서는 직접강제의 보충성, 그 절차(계고와 구체적 내용의 통지) 등을 규정하여 일반법과 같은 역할을 할 수 있도록 하였다(동조 제1항·제2항·제3항, 2023년 3월 24일 시행 예정).

(2) 출입국관리법 제46조의 강제퇴거, 공중위생관리법 제11조의 폐쇄조치, 식품위생법 제79조의 영업소의 폐쇄조치, 학원의 설립·운영 및 과외교습에 관한 법률('학원법') 제19조의 학원 등에 대한 폐쇄 등이 있다.

관련판례 **직접강제 근거** ★★★

학원의 설립·운영에 관한 법률 제2조 제1호와 제6조 및 제19조 등의 관련 규정에 의하면, 같은 법상의 학원을 설립·운영하고자 하는 자는 소정의 시설과 설비를 갖추어 등록을 하여야 하고, 그와 같은 등록절차를 거치지 아니한 경우에는 관할 행정청이 직접 그 무등록 학원의 폐쇄를 위하여 출입제한 시설물의 설치와 같은 조치를 취할 수 있게 되어 있으나, 달리 무등록 학원의 설립·운영자에 대하여 그 폐쇄를 명할 수 있는 것으로는 규정하고 있지 아니하고, 위와 같은 폐쇄조치에 관한 규정이 그와 같은 폐쇄명령의 근거 규정이 된다고 할 수도 없다(대판 2001.2.23, 99두6002).

#무등록학원_출입제한_폐쇄조치_명령_가능 #직접_폐쇄조치_불가_근거×

4. 한계

직접강제는 강제집행수단 중에서도 가장 강력한 수단으로서 특히 국민의 기본권이 침해될 가능성이 높기 때문에, 비례의 원칙에 입각하여 최후수단으로 활용되어야 할 것이다(보충성의 원칙).

5. 직접강제에 대한 권리구제

(1) 행정쟁송

① 직접강제의 발동은 권력적 사실행위이지만 상대방의 수인의무를 요한다는 점에서 행정쟁송법상의 처분성을 가진다. 따라서 직접강제에 대하여 불복이 있는 경우에 행정심판 및 행정소송을 제기할 수 있다.

② 다만, 직접강제가 집행 이후에 곧 종료되는 경우가 많아 권리보호이익을 충족하지 못하는 경우가 많을 것이다.

(2) 손해배상 등

① 위법한 직접강제를 통해 손해를 입은 자는 특별규정이 없는 한 국가배상법이 정하는 바에 따라 국가나 지방자치단체를 상대로 손해배상을 청구할 수 있다.

② 직접강제 후에도 위법상태가 계속된다면 피해자는 결과제거의 청구를 주장할 수도 있다.

③ 위법한 직접강제에 대항하는 것은 정당방위이며 공무집행방해죄를 구성하는 것이 아니다.

④ 위법한 직접강제를 행한 공무원에게는 형사책임과 징계책임이 추궁될 수도 있다.

간단 점검하기

01 경찰관직무집행법은 직접강제에 관한 일반적 근거를 규정하고 있다.
( ) 14. 국가직 9급

간단 점검하기

02 사업장의 폐쇄, 외국인의 강제퇴거는 직접강제의 예에 해당한다. ( )
09. 지방직 9급

01 × 02 ○

6. 직접강제의 선별적 도입의 확대경향

(1) 현행법상 부작위의무위반의 경우에 벌칙 등 간접강제수단을 활용하고 있어서 그 실효성도 문제이지만, 의무불이행자를 전과자로 만들 가능성도 있는 등 벌칙의 의무이행확보수단으로서는 여러 가지 문제를 가지고 있다.

(2) 이러한 이유로 선별적으로 직접강제수단이 확대되고 있는 경향에 있으며, 우리나라에서도 이미 안전관리분야, 식품제조분야, 의약품제조분야, 환경보전분야 그 밖의 사회질서와 관련된 분야에서 무허가영업에 대한 직접강제를 도입하여 대처하고 있다.

(3) 직접강제에 대한 수단으로서 위생접객업의 경우에는 ① 간판 등 영업표지물의 제거·삭제, ② 해당 업소가 무허가업소임을 알리는 게시물 등의 부착, ③ 영업기구와 그 밖의 시설물을 사용할 수 없게 하는 봉인 등이 인정되고 있다.

7 행정상 강제징수

1. 의의

행정상 강제징수란 행정주체에 대한 공법상의 금전급부의무를 이행하지 않은 경우에 행정기관이 의무자의 재산에 실력을 가하여 의무가 이행된 것과 같은 상태를 실현하는 강제집행작용을 말한다.

2. 근거

(1) 행정상 강제징수에 관한 '실질적인' 일반법으로서는 국세징수법이 있다. 이는 각 개별법, 즉 지방세법, 공익사업을 위한 토지 등의 취득 및 보상에 관한 법률 등 많은 법률에서 국세체납처분의 예에 따라 강제징수하도록 규정하고 있기 때문에 공법상 강제징수에 관한 일반법적인 지위가 인정되는 것이다.

(2) 다만, 국세징수법은 국세에 관한 일반법일 뿐 행정상 강제징수의 일반법으로 볼 수는 없다는 반대 견해가 유력하게 주장되고 있다.

3. 절차

(1) 개설

독촉 → 재산의 압류 → 압류재산의 매각(환가처분) → 청산(충당)

국세징수법상 강제징수절차는 독촉과 체납처분으로 나누어지는데 체납처분은 압류·매각·청산의 3단계로 이루어진다.

(2) 독촉

① **의의**: 독촉이란 납세의무자에게 납세의무의 이행을 최고하고 최고기한까지 납부하지 않을 때에는 강제징수하겠다는 뜻을 알리는 통지행위이다.

간단 점검하기

01 행정상 강제징수는 행정상의 금전급부의무를 이행하지 않는 경우를 대상으로 한다. ( ) 17. 사회복지직

02 국세징수법은 행정상 강제징수에 관한 사실상 일반법의 지위를 갖는다. ( ) 15. 사회복지직

03 국세징수법에 의한 강제징수절차는 독촉과 체납처분으로, 체납처분은 다시 재산압류, 압류재산의 매각, 청산의 단계로 이루어진다. ( ) 15. 사회복지직

04 독촉은 이후에 행해지는 압류의 적법요건이 되며 최고기간 동안 조세채권의 소멸시효를 중단시키는 법적 효과를 갖는다. ( ) 18. 소방직 9급

05 행정상 강제징수에 있어 독촉은 처분성이 인정되나 최초 독촉 후에 동일한 내용에 대해 반복한 독촉은 처분성이 인정되지 않는다. ( ) 18. 경찰행정

01 ○ 02 ○ 03 ○ 04 ○ 05 ○

② 법적 성질 및 효과

㉠ 독촉은 준법률행위적 행정행위로서 강학상 통지에 해당한다.

㉡ 독촉이 있으면 국세징수권에 대한 시효중단의 효과 및 압류의 전제조건이 충족된다.

㉢ 판례는 동일한 내용의 독촉이 반복된 경우 대집행계고와 마찬가지로 최초의 독촉만이 항고소송의 대상이 되는 처분이라고 보고 있다.

관련판례 동일한 독촉을 반복한 경우 ★★★

보험자 또는 보험자단체가 부당이득금 또는 가산금의 납부를 독촉한 후 다시 동일한 내용의 독촉을 하는 경우 최초의 독촉만이 징수처분으로서 항고소송의 대상이 되는 행정처분이 되고 그 후에 한 동일한 내용의 독촉은 체납처분의 전제요건인 징수처분으로서 소멸시효 중단사유가 되는 독촉이 아니라 민법상의 단순한 최고에 불과하여 국민의 권리의무나 법률상의 지위에 직접적으로 영향을 미치는 것이 아니므로 항고소송의 대상이 되는 행정처분이라 할 수 없다(대판 1999.7.13, 97누119).

#최초독촉_처분성_시효중단사유 #2 · 3차독촉_처분성부정_단순최고

③ 방식과 기한

㉠ 원칙적으로 문서로 독촉장을 발급하여야 한다. 단, 납부기한 전 징수와 체납 국세가 1만원 미만일 경우 그리고 물적 납세의무를 부담하는 경우는 독촉장을 발부하지 아니한다(국세징수법 제10조 제1항).

㉡ 독촉장은 납기경과 후 10일 내 발부하며, 이 경우 20일 내의 납부기한을 부여하여야 한다(국세징수법 제10조 제1항 · 제2항).

> 국세징수법 제10조 【독촉】 ① 관할 세무서장은 납세자가 국세를 지정납부기한까지 완납하지 아니한 경우 지정납부기한이 지난 후 10일 이내에 체납된 국세에 대한 독촉장을 발급하여야 한다. 다만, 제9조에 따라 국세를 납부기한 전에 징수하거나 체납된 국세가 일정한 금액 미만인 경우 등 대통령령으로 정하는 경우에는 독촉장을 발급하지 아니할 수 있다.
> ② 관할 세무서장은 제1항 본문에 따라 독촉장을 발급하는 경우 독촉을 하는 날부터 20일 이내의 범위에서 기한을 정하여 발급한다.

④ 하자: 판례는 독촉절차 없이 한 압류처분을 취소사유로 보고 있다.

관련판례 독촉절차 없이 한 압류처분 ★★★

[1] 조세의 부과처분과 압류 등의 체납처분은 별개의 행정처분으로서 독립성을 가지므로 부과처분에 하자가 있더라도 그 부과처분이 취소되지 아니하는 한 그 부과처분에 의한 체납처분은 위법이라고 할 수는 없지만, 체납처분은 부과처분의 집행을 위한 절차에 불과하므로 그 부과처분에 중대하고도 명백한 하자가 있어 무효인 경우에는 그 부과처분의 집행을 위한 체납처분도 무효라 할 것이다

[2] 납세의무자가 세금을 납부기한까지 납부하지 아니하자 과세청이 그 징수를 위하여 압류처분에 이른 것이라면 비록 독촉절차 없이 압류처분을 하였다 하더라도 이러한 사유만으로는 압류처분을 무효로 되게 하는 중대하고도 명백한 하자로는 되지 않는다(대판 1987.9.22, 87누383).

#독촉절차×_압류처분_취소사유

간단 점검하기

판례에 의하면, 압류는 체납국세의 징수를 실현하기 위하여 체납자의 재산을 보전하는 강제행위로서 항고소송의 대상이 되는 처분이다. ( )

15. 사회복지직, 10. 국가직 7급

○

(3) 체납처분

① 압류(국세징수법 참조)

㉠ **개념**: 의무자의 재산에 대하여 사실상 · 법률상 처분을 금지시키는 강제보전행위이다.

㉡ **법적 성질**: 권력적 사실행위이며, 처분성이 인정된다.

㉢ **요건**: 국세와 가산금의 미납 그 밖의 법정사유가 있는 경우에 한다(제31조).

㉣ **절차**: 증표 및 압류 · 수색 통지서 소지하고 제시하여야 한다(제38조).

㉤ 대상재산

ⓐ 체납자의 소유 · 금전적 가치 · 양도성 있는 재산

ⓑ 동산 · 부동산 · 무체재산권 불문

ⓒ 일정한 재산은 압류금지(제41조)

ⓓ 급여채권의 압류 제한(원칙상 총액의 2분의 1 초과 불가)(제42조)

국세징수법 제41조【압류금지 재산】 다음 각 호의 재산은 압류할 수 없다.

1. 체납자 또는 그와 생계를 같이 하는 가족(사실상 혼인관계에 있는 사람을 포함한다. 이하 이 조에서 "동거가족"이라 한다)의 생활에 없어서는 아니 될 의복, 침구, 가구, 주방기구, 그 밖의 생활필수품
2. 체납자 또는 그 동거가족에게 필요한 3개월간의 식료품 또는 연료
3. 인감도장이나 그 밖에 직업에 필요한 도장
4. 제사 또는 예배에 필요한 물건, 비석 또는 묘지
5. 체납자 또는 그 동거가족의 장례에 필요한 물건
6. 족보 · 일기 등 체납자 또는 그 동거가족에게 필요한 장부 또는 서류
7. 직무 수행에 필요한 제복
8. 훈장이나 그 밖의 명예의 증표
9. 체납자 또는 그 동거가족의 학업에 필요한 서적과 기구
10. 발명 또는 저작에 관한 것으로서 공표되지 아니한 것
11. 주로 자기의 노동력으로 농업을 하는 사람에게 없어서는 아니 될 기구, 가축, 사료, 종자, 비료, 그 밖에 이에 준하는 물건
12. 주로 자기의 노동력으로 어업을 하는 사람에게 없어서는 아니 될 어망, 기구, 미끼, 새끼 물고기, 그 밖에 이에 준하는 물건
13. 전문직 종사자 · 기술자 · 노무자, 그 밖에 주로 자기의 육체적 또는 정신적 노동으로 직업 또는 사업에 종사하는 사람에게 없어서는 아니 될 기구, 비품, 그 밖에 이에 준하는 물건
14. 체납자 또는 그 동거가족의 일상생활에 필요한 안경 · 보청기 · 의치 · 의수족 · 지팡이 · 장애보조용 바퀴의자, 그 밖에 이에 준하는 신체보조기구 및 자동차관리법에 따른 경형자동차
15. 재해의 방지 또는 보안을 위하여 법령에 따라 설치하여야 하는 소방설비, 경보기구, 피난시설, 그 밖에 이에 준하는 물건
16. 법령에 따라 지급되는 사망급여금 또는 상이급여금(傷痍給與金)
17. 주택임대차보호법 제8조에 따라 우선변제를 받을 수 있는 금액
18. 체납자의 생계 유지에 필요한 소액금융재산으로서 대통령령으로 정하는 것

㉥ **압류재산의 선택**: 집행청의 재량이며, 적정한 비례를 유지하여야 한다. 초과압류금지(제32조) 및 제3자의 권리보호(제33조) 규정이 있다.

ⓢ **압류조서**: 압류조서(체납자에게 교부)(제34조), 수색(제35조), 질문 · 검사(제36조) 규정이 있다.

ⓞ **압류의 효력**: 사실상·법률상 처분금지(제43조), 과실취득권(제44조) 규정이 있으며, 시효중단 효과가 있다.

관련판례 **초과압류의 효력** ★★

세무공무원이 국세의 징수를 위해 납세자의 재산을 압류하는 경우 그 재산의 가액이 징수할 국세액을 초과한다 하여 위 압류가 당연무효의 처분이라고는 할 수 없다(대판 1986.11.11, 86누479).

#초과압류_당연무효×

ⓙ **압류의 해제**: 납부 또는 충당, 부과취소 등(제57조)의 경우에 해제되고, 체납자와 제3채무자에게 통지(제58조)하여야 한다.

ⓐ 필요적 해제

> 국세징수법 제57조 【압류 해제의 요건】 ① 관할 세무서장은 다음 각 호의 어느 하나에 해당하는 경우 압류를 즉시 해제하여야 한다.
> 1. 압류와 관계되는 체납액의 전부가 납부 또는 충당(국세환급금, 그 밖에 관할 세무서장이 세법상 납세자에게 지급할 의무가 있는 금전을 체납액과 대등액에서 소멸시키는 것을 말한다. 이하 이 조, 제60조 제1항 및 제71조 제5항에서 같다)된 경우
> 2. 국세 부과의 전부를 취소한 경우
> 3. 여러 재산을 한꺼번에 공매(公賣)하는 경우로서 일부 재산의 공매대금으로 체납액 전부를 징수한 경우
> 4. 총 재산의 추산(推算)가액이 강제징수비(압류에 관계되는 국세에 우선하는 국세기본법 제35조 제1항 제3호에 따른 채권 금액이 있는 경우 이를 포함한다)를 징수하면 남을 여지가 없어 강제징수를 종료할 필요가 있는 경우. 다만, 제59조에 따른 교부청구 또는 제61조에 따른 참가압류가 있는 경우로서 교부청구 또는 참가압류와 관계된 체납액을 기준으로 할 경우 남을 여지가 있는 경우는 제외한다.
> 5. 그 밖에 제1호부터 제4호까지의 규정에 준하는 사유로 압류할 필요가 없게 된 경우
>
> ③ 관할 세무서장은 제1항 제4호 본문에 따른 사유로 압류를 해제하려는 경우 제106조에 따른 국세체납정리위원회의 심의를 거쳐야 한다.

ⓑ 임의적 해제

> 국세징수법 제57조 【압류 해제의 요건】 ② 관할 세무서장은 다음 각 호의 어느 하나에 해당하는 경우 압류재산의 전부 또는 일부에 대하여 압류를 해제할 수 있다.
> 1. 압류 후 재산가격이 변동하여 체납액 전액을 현저히 초과한 경우
> 2. 압류와 관계되는 체납액의 일부가 납부 또는 충당된 경우
> 3. 국세 부과의 일부를 취소한 경우
> 4. 체납자가 압류할 수 있는 다른 재산을 제공하여 그 재산을 압류한 경우

간단 점검하기

01 체납자는 압류된 재산에 대하여 법률상의 처분을 할 수 있다. ( )
16. 교육행정직

02 세무공무원이 국세의 징수를 위해 납세자의 재산을 압류하는 경우 그 재산의 가액이 징수할 국세액을 초과한다면 당해 압류처분은 무효이다. ( )
17. 국가직 9급

01 × 02 ×

ⓒ 근거법령의 위헌결정: 압류의 근거법령이 위헌결정을 받은 경우 압류를 필요적으로 해제하여야 한다는 것이 판례의 입장이다.

관련판례 **근거법령의 위헌결정 ★★★**

압류의 필요적 해제사유를 규정한 국세징수법 제53조 제1항 제1호의 규정 성격(= 예시적 규정) 및 같은 호 소정의 '기타의 사유로 압류의 필요가 없게 된 때'에 과세처분 및 그 체납처분 절차의 근거 법령에 대한 위헌결정으로 후속 체납처분을 진행할 수 없어 체납세액에 충당할 가망이 없게 되는 등으로 압류의 근거를 상실하거나 압류를 지속할 필요성이 없게 된 경우가 포함되는지 여부(적극)(대판 2002.7.12, 2002두3317)

#압류_필요적_해제사유_예시규정 #압류_필요×_근거법령_위헌결정_포함

ⓧ 상속 또는 합병의 경우 체납처분의 속행

> 국세징수법 제27조【상속 또는 합병의 경우 강제징수의 속행 등】① 체납자의 재산에 대하여 강제징수를 시작한 후 체납자가 사망하였거나 체납자인 법인이 합병으로 소멸된 경우에도 그 재산에 대한 강제징수는 계속 진행하여야 한다.
> ② 제1항을 적용할 때 체납자가 사망한 후 체납자 명의의 재산에 대하여 한 압류는 그 재산을 상속한 상속인에 대하여 한 것으로 본다.

ⓚ 체납자의 소유가 아닌 제3자의 소유인 것을 압류하였다면 이는 당연무효이다.

> 국세징수법 제28조【제3자의 소유권 주장】① 압류한 재산에 대하여 소유권을 주장하고 반환을 청구하려는 제3자는 그 재산의 매각 5일 전까지 소유자로 확인할 만한 증거서류를 관할 세무서장에게 제출하여야 한다.

관련판례

체납처분으로서 압류의 요건을 규정한 국세징수법 제24조 각 항의 규정을 보면 어느 경우에나 압류의 대상을 납세자의 재산에 국한하고 있으므로, 납세자가 아닌 제3자의 재산을 대상으로 한 압류처분은 그 처분의 내용이 법률상 실현될 수 없는 것이어서 당연무효이다(대판 2012.4.12, 2010두4612).

② 매각

㉠ 매각의 의의: 체납자의 재산을 금전으로 바꾸는 것이다.

㉡ 매각의 요건

ⓐ 압류한 재산이어야 한다.

ⓑ 조세채권이 확정되어 있어야 한다.

ⓒ 압류에 관계된 조세채권에 관하여 국세기본법에 의한 이의신청, 심사청구 또는 심판청구가 계류 중에 있는 경우에는 그 결정이 확정되어야 한다.

ⓓ 공매개시일 현재 조세채권이 소멸되지 않아야 한다.

간단 점검하기

01 압류 후 부과처분의 근거법률이 위헌으로 결정된 경우에는 압류처분은 취소사유가 있는 것이 되므로 압류를 해제하여야 할 것이다. ( ) 08. 지방직 9급

간단 점검하기

02 체납자가 사망한 후 체납자 명의의 재산에 대하여 한 압류는 그 재산을 상속한 상속인에 대하여 한 것으로 본다. ( ) 10. 국가직 7급, 08. 지방직 7급

간단 점검하기

03 납세자가 아닌 제3자의 재산을 대상으로 한 압류처분은 당연무효이다. ( ) 18. 서울시 7급, 15. 지방직 9급

01 ○ 02 ○ 03 ○

ⓒ **매각의 방법과 대행**: 원칙적으로 공매에 의하고(제66조 제1항), 예외적인 경우 수의계약에 의한다(제67조 제1항). 이러한 공매는 세무서장이 하는 것을 원칙으로 하나(제66조 제1항), 예외적으로 자산관리공사에 대행하게 할 수 있다(제103조 제1항). 이 경우 자산관리공사가 대행하는 공매는 관할 세무서장이 한 것으로 본다(제103조 제1항 후단).

> 국세징수법 제66조【공매】① 관할 세무서장은 압류한 부동산 등, 동산, 유가증권, 그 밖의 재산권과 제52조 제2항에 따라 체납자를 대위하여 받은 물건(금전은 제외한다)을 대통령령으로 정하는 바에 따라 공매한다.
> ② 제1항에도 불구하고 관할 세무서장은 압류한 재산이 자본시장과 금융투자업에 관한 법률 제8조의2 제4항 제1호에 따른 증권시장(이하 "증권시장"이라 한다)에 상장된 증권인 경우 해당 시장에서 직접 매각할 수 있다.
> ③ 제1항 및 제2항에도 불구하고 제31조 제2항에 따라 압류한 재산은 그 압류와 관계되는 국세의 납세 의무가 확정되기 전에는 공매할 수 없다.
> ④ 제1항 및 제2항에도 불구하고 심판청구 등이 계속 중인 국세의 체납으로 압류한 재산은 그 신청 또는 청구에 대한 결정이나 소(訴)에 대한 판결이 확정되기 전에는 공매할 수 없다. 다만, 그 재산이 제67조 제2호에 해당하는 경우에는 그러하지 아니하다.
> 제67조【수의계약】관할 세무서장은 압류재산이 다음 각 호의 어느 하나에 해당하는 경우 수의계약으로 매각할 수 있다.
> 1. 수의계약으로 매각하지 아니하면 매각대금이 강제징수비 금액 이하가 될 것으로 예상되는 경우
> 2. 부패·변질 또는 감량되기 쉬운 재산으로서 속히 매각하지 아니하면 그 재산가액이 줄어들 우려가 있는 경우
> 3. 압류한 재산의 추산가격이 1천만원 미만인 경우
> 4. 법령으로 소지(所持) 또는 매매가 금지 및 제한된 재산인 경우
> 5. 제1회 공매 후 1년간 5회 이상 공매하여도 매각되지 아니한 경우
> 6. 공매가 공익(公益)을 위하여 적절하지 아니한 경우

ⓔ **공매의 법적 성질**: 공매는 우월한 공권력의 행사로서 행정처분에 해당하며, 법률행위적 행정행위로서 공법상 대리에 해당한다.

관련판례 **공매 - 처분성인정 ★★★**

과세관청이 체납처분으로서 행하는 공매는 우월한 공권력의 행사로서 행정소송의 대상이 되는 공법상의 행정처분이며 공매에 의하여 재산을 매수한 자는 그 공매처분이 취소된 경우에 그 취소처분의 위법을 주장하여 행정소송을 제기할 법률상 이익이 있다(대판 1984.9.25, 84누201).

#공매_처분성_인정

간단 점검하기

01 국세징수법상의 체납처분에서 압류재산의 매각은 공매를 통해서만 이루어지며 수의계약으로 해서는 안 된다. ( ) 15. 국가직 9급

간단 점검하기

02 과세관청이 체납처분으로 행하는 공매는 우월한 공권력을 행사로서 행정소송의 대상이 되는 행정처분이나, 공매에 의하여 재산을 매수한 자는 그 공매처분이 취소된 경우에 그 취소 처분의 위법을 주장하여 행정소송을 제기할 법률상 이익이 없다. ( ) 16. 지방직 9급

01 × 02 ×

ⓜ 공매의 공고 · 통지

ⓐ 세무서장이 공매를 하고자 할 때에는 법정의 일정사항을 공고하여야 하고(제72조 제1항), 공고한 후에는 즉시 그 내용을 체납자, 납세담보물 소유자와 공유자, 배우자 및 전세권 · 질권 · 저당권 그 밖의 권리를 가진 자에게 통지하여야 한다(제75조 제1항).

ⓑ 공매공고 기간은 10일 이상으로 한다. 다만, 그 재산을 보관하는 데에 많은 비용이 들거나 재산의 가액이 현저히 줄어들 우려가 있으면 이를 단축할 수 있다(제73조).

ⓒ 공매하기로 한 결정(공매결정)과 공매계획의 통지(공매통지), 공매를 한다는 공고(공매공고)는 취소소송의 대상인 처분성을 인정하지 않는다(대판 2011.3.24, 2010두25527).

관련판례

1 공매결정의 처분성 부정 ★★★

성업공사(현 자산관리공사)가 당해 부동산을 공매하기로 한 결정 자체는 내부적인 의사결정에 불과하여 항고소송의 대상이 되는 행정처분이라고 볼 수 없고, 또한 위 공사가 한 공매통지는 공매의 요건이 아니고 공매사실 그 자체를 체납자에게 알려주는데 불과한 것으로서 통지의 상대방인 골프장업자의 법적 지위나 권리의무에 직접 영향을 주는 것이 아니라고 할 것이므로 이것 역시 행정처분에 해당한다고 할 수 없다(대판 1998.6.26, 96누12030).

#공매결정_내부결정_처분성×

2 재공매결정의 처분성 부정 ★★★

한국자산공사가 당해 부동산을 인터넷을 통하여 재공매(입찰)하기로 한 결정 자체는 내부적인 의사결정에 불과하여 항고소송의 대상이 되는 행정처분이라고 볼 수 없고, 또한 한국자산공사가 공매통지는 공매의 요건이 아니라 공매사실 자체를 체납자에게 알려주는 데 불과한 것으로서, 통지의 상대방의 법적 지위나 권리 · 의무에 직접 영향을 주는 것이 아니라고 할 것이므로 이것 역시 행정처분에 해당한다고 할 수 없다(대판 2007.7.27, 2006두8464).

#인터넷_재공매결정_통지_처분성×

3 공매통지의 처분성 부정 ★★★

체납자 등에 대한 공매통지는 국가의 강제력에 의하여 진행되는 공매에서 체납자 등의 권리 내지 재산상의 이익을 보호하기 위하여 법률로 규정한 절차적 요건이라고 보아야 하며, 공매처분을 하면서 체납자 등에게 공매통지를 하지 않았거나 공매통지를 하였더라도 그것이 적법하지 아니한 경우에는 절차상의 흠이 있어 그 공매처분이 위법하게 되는 것이지만, 공매통지 자체가 그 상대방인 체납자 등의 법적 지위나 권리 · 의무에 직접적인 영향을 주는 행정처분에 해당한다고 할 것은 아니므로 다른 특별한 사정이 없는 한 체납자 등은 공매통지의 결여나 위법을 들어 공매처분의 취소 등을 구할 수 있는 것이지 공매통지 자체를 항고소송의 대상으로 삼아 그 취소 등을 구할 수는 없다(대판 2011.3.24, 2010두25527).

#공매통지_공매_절차 #공매통지_처분× #공매통지_하자 #공매_하자

ⓓ **공매통지의 흠결**: 공매통지는 공매의 절차적 요건이므로 공매통지를 행하지 않은 경우 절차에 하자로 공매는 위법하게 된다. 그러나 공매통지가 권리의무에 영향을 미치는 것이 아니므로 공매통지를 하지 않았다고 하여 공매가 무효가 되는 것은 아니다.

관련판례

1 공매통지 흠결 - 공매처분 위법○(취소사유) ★★★

공매처분을 하면서 체납자 등에게 공매통지를 하지 않았거나 공매통지를 하였더라도 그것이 적법하지 아니한 경우에는 절차상의 흠이 있어 그 공매처분은 위법하다. 다만, 공매통지의 목적이나 취지 등에 비추어 보면, 체납자 등은 자신에 대한 공매통지의 하자만을 공매처분의 위법사유로 주장할 수 있을 뿐 다른 권리자에 대한 공매통지의 하자를 들어 공매처분의 위법사유로 주장하는 것은 허용되지 않는다(대판 2008.11.20, 2007두18154).

#공매통지_흠결_절차_흠 #공매처분_위법 #자신_공매통지_하자 #공매처분_위법사유

[비교판례] 공매대행사실통지 흠결, 공매예고통지 흠결 - 공매처분 위법× ★

관할 행정청이 甲 또는 그 임차인에게 공매대행사실을 통지하지 않았다고 하더라도 그 후 공매통지서가 적법하게 송달되고 매수인이 매수대금을 납부하여 소유권이전등기까지 마쳤으므로 위와 같은 사정만으로 위 처분이 위법하게 된다고 볼 수 없고, 국세징수 관계 법령상 공매예고통지에 관한 규정이 없고 공매예고통지는 공매사실 자체를 체납자에게 알려주는 것에 불과하므로 공매예고통지가 없었다는 이유만으로 위 처분이 위법하게 되는 것은 아니다(대판 2013.6.28, 2011두18304).

#공매대행사실_통지× #공매통지서_적법_송달 #소유권이전 #공개처분_위법×
#공매예고통지×_공매처분_위법×

2 공매통지 흠결 - 공매처분 무효× ★★

체납자 등에 대한 공매통지는 국가의 강제력에 의하여 진행되는 공매절차에서 체납자 등의 권리 내지 재산상 이익을 보호하기 위하여 법률로 규정한 절차적 요건에 해당하지만, 그 통지를 하지 아니한 채 공매처분을 하였다 하여도 그 공매처분이 당연무효로 되는 것은 아니다(대판 2012.7.26, 2010다50625).

#공매통지_흠결_무효×

ⓑ **공매재산에 대한 평가 등이 잘못된 경우 매수인의 부당이득 문제**: 공매재산이 부당하게 저렴한 가격으로 공매되었다 하더라도 그러한 공매처분은 취소사유에 불과하여 취소 전까지는 유효하므로 매수인의 부당이득이 되지 않는다.

관련판례 부당하게 저렴한 가격으로 공매 - 공매처분 취소 전까지는 부당이득× ★★★

과세관청이 체납처분으로서 하는 공매에 있어서 공매재산에 대한 감정평가나 매각예정가격의 결정이 잘못되었다 하더라도, 그로 인하여 공매재산이 부당하게 저렴한 가격으로 공매됨으로써 공매처분이 위법하다고 볼 수 있는 경우에 공매재산의 소유자 등이 이를 이유로 적법한 절차에 따라 공매처분의 취소를 구하거나, 공매처분이 확정된 경우에는 위법한 재산권의 침해로서 불법행위의 요건을 충족하는 경우에 국가 등을 상대로 불법행위로 인한 손해배상을 청구할 수 있음은 별론으로 하고, 매수인이 공매절차에서 취득한 공매재산의 시가와 감정평가액과의 차액 상당을 법률상의 원인 없이 부당이득한 것이라고는 볼 수 없고, 이러한 이치는 공매재산에 부합된 물건이 있는데

간단 점검하기

01 공매통지가 적법하지 아니하면 특별한 사정이 없는 한 공매통지를 직접 항고소송의 대상으로 삼아 다툴 수 없고 통지 후에 이루어진 공매처분에 대하여 다투어야 한다. ( )
17. 국가직 9급

02 국세징수법상 체납자에 대한 공매통지는 국가의 강제력에 의하여 진행되는 공매에서 체납자의 권리 내지 재산상의 이익을 보호하기 위하여 법률로 규정한 절차적 요건으로, 이를 이행하지 않은 경우 그 공매처분은 위법하다. ( ) 17. 국가직 7급

간단 점검하기

03 과세관청의 체납자 등에 대한 공매통지는 국가의 강제력에 의하여 진행되는 공매절차에서 체납자 등의 권리 내지 재산상 이익을 보호하기 위하여 법률로 규정한 절차적 요건에 해당하지만, 그 통지를 하지 아니한 채 공매처분을 하였다 하여도 그 공매처분이 당연무효로 되는 것은 아니다. ( )
16. 지방직 9급

01 ○ 02 ○ 03 ○

도 이를 간과한 채 부합된 물건의 가액을 제외하고 감정평가를 함으로써 공매재산의 매각예정가격이 낮게 결정된 경우에 있어서도 마찬가지이다(대판 1997.4.8, 96다52915).
#공매재산_부당평가_차액_부당이득×

ⓢ **공매의 실시**: 공매는 공고한 날부터 10일이 지난 후에 한다. 다만, 그 재산을 보관하는 데에 많은 비용이 들거나 재산의 가액이 현저히 줄어들 우려가 있으면 이를 단축할 수 있다(제73조). 따라서 10일이 경과하지 아니한 상태에서의 공매는 위법하게 된다(대판 1974.2.26, 73누186).

ⓞ **재공매**

국세징수법 제87조 【재공매】 ① 관할 세무서장은 다음 각 호의 어느 하나에 해당하는 경우 재공매를 한다.
1. 재산을 공매하여도 매수신청인이 없거나 매수신청가격이 공매예정가격 미만인 경우
2. 제86조 제2호에 해당하는 사유로 매각결정을 취소한 경우
② 관할 세무서장은 재공매를 할 때마다 최초의 공매예정가격의 100분의 10에 해당하는 금액을 차례로 줄여 공매하며, 최초의 공매예정가격의 100분의 50에 해당하는 금액까지 차례로 줄여 공매하여도 매각되지 아니할 때에는 제68조에 따라 새로 공매예정가격을 정하여 재공매를 할 수 있다. 다만, 제82조 제5항에 따라 즉시 재입찰을 실시한 경우에는 최초의 공매예정가격을 줄이지 아니한다.

ⓩ **공매의 취소 및 정지**

국세징수법 제88조 【공매의 취소 및 정지】 ① 관할 세무서장은 다음 각 호의 어느 하나에 해당하는 경우 공매를 취소하여야 한다.
1. 해당 재산의 압류를 해제한 경우
2. 그 밖에 공매를 진행하기 곤란한 경우로서 대통령령으로 정하는 경우
② 관할 세무서장은 다음 각 호의 어느 하나에 해당하는 경우 공매를 정지하여야 한다.
1. 제105조에 따라 압류 또는 매각을 유예한 경우
2. 국세기본법 제57조 또는 행정소송법 제23조에 따라 강제징수에 대한 집행정지의 결정이 있는 경우
3. 그 밖에 공매를 정지하여야 할 필요가 있는 경우로서 대통령령으로 정하는 경우
③ 관할 세무서장은 매각결정기일 전에 공매를 취소한 경우 공매취소 사실을 공고하여야 한다.
④ 관할 세무서장은 제2항에 따라 공매를 정지한 후 그 사유가 소멸되어 공매를 계속할 필요가 있다고 인정하는 경우 즉시 공매를 속행하여야 한다.

③ **청산**

㉠ **의의**: 체납처분에 의하여 수령한 금전을 체납세금·담보채권에 배분하고, 잔여가 있으면 체납자에 되돌려주는 작용을 말한다.

㉡ 배분금전의 범위

> 국세징수법 제94조【배분금전의 범위】 배분금전은 다음 각 호의 금전으로 한다.
> 1. 압류한 금전
> 2. 채권 · 유가증권 · 그 밖의 재산권의 압류에 따라 체납자 또는 제3채무자로부터 받은 금전
> 3. 압류재산의 매각대금 및 그 매각대금의 예치 이자
> 4. 교부청구에 따라 받은 금전

㉢ 배분기일의 지정

> 국세징수법 제95조【배분기일의 지정】 ① 관할 세무서장은 제94조제2호 또는 제3호의 금전을 배분하려면 체납자, 제3채무자 또는 매수인으로부터 해당 금전을 받은 날부터 30일 이내에서 배분기일을 정하여 배분하여야 한다. 다만, 30일 이내에 배분계산서를 작성하기 곤란한 경우에는 배분기일을 30일 이내에서 연기할 수 있다.
> ② 관할 세무서장은 제1항에 따른 배분기일을 정한 경우 체납자, 채권신고대상채권자 및 배분요구를 한 채권자(이하 "체납자 등"이라 한다)에게 그 사실을 통지하여야 한다. 다만, 체납자 등이 외국에 있거나 있는 곳이 분명하지 아니한 경우 통지하지 아니할 수 있다.

㉣ 배분순서

> 국세징수법 제3조【징수의 순위】 체납액의 징수 순위는 다음 각 호의 순서에 따른다.
> 1. 강제징수비
> 2. 국세(가산세는 제외한다)
> 3. 가산세

④ 압류 · 매각의 유예

> 국세징수법 제105조【압류 · 매각의 유예】 ① 관할 세무서장은 체납자가 다음 각 호의 어느 하나에 해당하는 경우 체납자의 신청 또는 직권으로 그 체납액에 대하여 강제징수에 따른 재산의 압류 또는 압류재산의 매각을 대통령령으로 정하는 바에 따라 유예할 수 있다.
> 1. 국세청장이 성실납세자로 인정하는 기준에 해당하는 경우
> 2. 재산의 압류나 압류재산의 매각을 유예함으로써 체납자가 사업을 정상적으로 운영할 수 있게 되어 체납액의 징수가 가능하게 될 것이라고 관할 세무서장이 인정하는 경우
>
> ② 관할 세무서장은 제1항에 따라 유예를 하는 경우 필요하다고 인정하면 이미 압류한 재산의 압류를 해제할 수 있다.
> ③ 관할 세무서장은 제1항 및 제2항에 따라 재산의 압류를 유예하거나 압류를 해제하는 경우 그에 상당하는 납세담보의 제공을 요구할 수 있다. 다만, 성실납세자가 체납세액 납부계획서를 제출하고 제106조에 따른 국세체납정리위원회가 체납세액 납부계획의 타당성을 인정하는 경우에는 그러하지 아니하다.

④ 제1항에 따른 유예의 신청·승인·통지 등의 절차에 관하여 필요한 사항은 대통령령으로 정한다.
⑤ 압류·매각의 유예 취소와 체납액의 일시징수에 관하여는 제16조를 준용한다.

제97조【국가 또는 지방자치단체의 재산에 관한 권리의 매각대금의 배분】① 제56조 제1항에 따라 압류한 국가 또는 지방자치단체의 재산에 관한 체납자의 권리를 매각한 경우 다음 각 호의 순서에 따라 매각대금을 배분한다.
1. 국가 또는 지방자치단체가 체납자로부터 지급받지 못한 매각대금
2. 체납액
② 관할 세무서장은 제1항에 따라 배분하고 남은 금액은 체납자에게 지급한다.

간단 점검하기

01 국세징수법에 의하면 체납처분의 목적물인 총재산의 추산가액이 체납처분비에 충당하고 남을 여지가 없을 때에는 체납처분을 중지하여야 한다. ( ) 08. 국가직 7급

02 국세기본법에 의하면 강제징수절차에 불복하는 당사자는 심사청구 또는 심판청구를 거친 후 행정소송을 제기하여야 한다. ( ) 16. 교육행정직

03 독촉과 체납처분에 대하여 불복이 있는 자는 바로 취소소송을 제기할 수 있다. ( ) 15. 사회복지직

01 ○ 02 ○ 03 ×

4. 강제징수에 대한 구제수단

(1) 강제징수절차에 대한 불복 과정

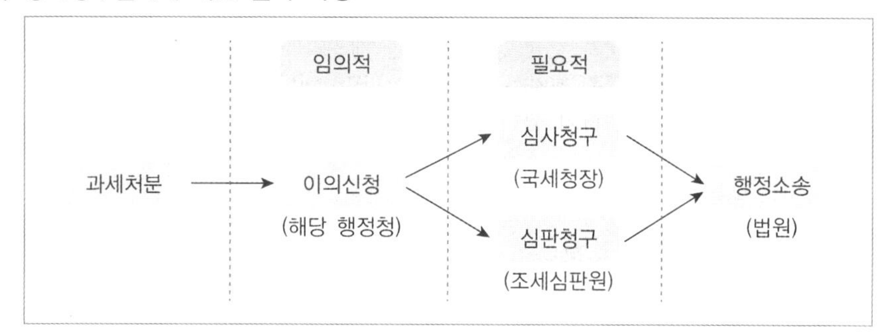

(2) 조세법에 따른 처분 등이 위법 또는 부당하다고 인정되는 경우에는 국세기본법상 쟁송절차에 따라 취소·변경을 청구할 수 있다.

(3) 따라서 조세법에 따른 처분의 취소·변경 등에 관한 구제는 국세기본법이 별도로 마련되어 있으므로 행정심판에 관한 일반법인 행정심판법의 적용은 배제된다.

(4) 국세에 불복하는 경우 우선 세무조사결과에 대한 서면통지나 과세예고통지 등을 받은 경우에는 30일 이내에 해당 지방자치단체의 장에게 통지된 내용에 따른 과세가 적법한지의 여부에 관한 심사(과세전적부심사)의 청구를 할 수 있다.
과세관청이 과세예고 통지 후 과세전적부심사 청구나 그에 대한 결정이 있기 전에 과세처분을 한 경우, 절차상 하자가 중대·명백하여 과세처분이 무효로 된다(대판 2016.12.27, 2016두49228).

(5) 과세처분이 행해지면 먼저 해당 세무서장이나 지방국세청장에게 이의신청을 할 수 있다. 이러한 이의신청절차는 임의적 절차이다.

(6) 반면, 행정심판절차에 해당하는 심사청구 또는 심판청구는 필요적 절차이다.❶ 다만, 심사청구와 심판청구는 둘 중 하나만 거치더라도 행정소송을 제기할 수 있다. 그러나 동일한 처분에 대하여 심사청구와 심판청구를 중복하여 제기할 수는 없다.

(7) 아래와 같이 강제징수절차에 불복하는 경우, 모든 청구기간은 '해당 처분(또는 결정)이 있음을 안 날(처분 또는 결정의 통지를 받은 때에는 그 받은 날)부터 90일 이내'이다.

❶
- **심사청구**: 국세청장에게 함
- **심판청구**: 국세심판원장에게 함

제2절 행정상 즉시강제

1 개설

1. 의의

행정상 즉시강제라 함은 목전의 급박한 행정상의 장해를 제거할 필요가 있으나 미리 의무를 명할 시간적 여유가 없을 때 또는 성질상 의무를 명하여서는 목적달성이 곤란한 때에 즉시 국민의 신체 또는 재산에 실력을 가하여 행정상의 필요한 상태를 실현하는 작용을 말한다.❷

2. 행정상 강제집행과의 구별

행정상 강제집행은 의무의 존재와 그 불이행을 전제로 하지만, 행정상 즉시강제는 의무가 존재하지 않으며 불이행도 전제하지 않는다는 점에서 차이가 있다.

3. 행정조사와의 구별

행정상 즉시강제와 행정조사는 그 목적과 내용을 달리한다. 즉, 행정상 즉시강제는 실력을 가하여 행정상 필요한 상태를 실현하는 것을 목적으로 하는 작용이지만, 행정조사는 그 자체가 목적이 아니라 행정작용을 위한 자료를 얻기 위한 예비적·보조적 수단으로서의 성질을 가진다는 점에서 서로 구별된다.

❷
전염병예방법상의 전염병환자의 강제격리, 소방기본법상의 화재건물 인근의 연소위험건물에 대한 강제처분 등

간단 점검하기

01 즉시강제란 법령 또는 행정처분에 의한 선행의 구체적 의무의 불이행으로 인한 목전의 급박한 장해를 제거할 필요가 있는 경우에 행정기관이 즉시 국민의 신체 또는 재산에 실력을 행사하여 행정상의 필요한 상태를 실현하는 작용을 말한다. ( ) 19. 국가직 9급

02 행정상 즉시강제는 의무불이행을 전제로 한다. ( ) 11. 서울시 9급

2 법적 성질

1. 행정상 즉시강제는 사실행위로서의 성질을 갖는다. 그러나 당사자의 신체나 재산에 대한 실력행사인 점에서, 단순한 비권력적 사실행위가 아니라 권력적 사실행위로서 평가되고 있다. 따라서 행정쟁송의 대상인 처분성이 인정되고 있다.
2. 그러나 즉시강제는 구체적인 의무부과행위이자 권력적 성질을 갖는 권력적 사실행위로서 상대방에 대하여 수인의무도 발생시키는 행위이므로, 실력행사라는 사실행위와 수인하명이라는 법적 행위가 결합된 합성행위라고 보는 견해도 유력하다.

간단 점검하기

03 직접강제와 즉시강제는 권력적 사실행위로서의 성격을 가지고 있다. ( ) 19. 사회복지직

01 × 02 × 03 ○

3 행정상 즉시강제의 근거

1. 이론적 근거

(1) 종래 대륙법계 국가에서는 즉시강제의 이론적 근거를 국가긴급권에서, 영미법계 국가에서는 불법방해와 자력제거에서 구했다.

(2) 그러나 오늘날의 법치국가에서는 국민의 자유나 재산에 침해를 가하는 행정상 즉시강제의 발동근거가 이론만으로는 정당화될 수 없는 것이고, 엄격한 실정법상 근거를 가져야 한다.

2. 실정법적 근거

(1) 현행법상으로는 행정상 즉시강제에 관한 일반 규정이 있으며, 개별법에 규정이 있었다. 행정기본법에 즉시강제의 요건과 보충성, 비례의 원칙, 현장 집행책임자의 증표제시의무 등을 규정하여 일반법적 역할을 하고 있다.

> 행정기본법 제30조【행정상 강제】① 행정청은 행정목적을 달성하기 위하여 필요한 경우에는 법률로 정하는 바에 따라 필요한 최소한의 범위에서 다음 각 호의 어느 하나에 해당하는 조치를 할 수 있다.
> 5. 즉시강제: 현재의 급박한 행정상의 장해를 제거하기 위한 경우로서 다음 각 목의 어느 하나에 해당하는 경우에 행정청이 곧바로 국민의 신체 또는 재산에 실력을 행사하여 행정목적을 달성하는 것
> 가. 행정청이 미리 행정상 의무 이행을 명할 시간적 여유가 없는 경우
> 나. 그 성질상 행정상 의무의 이행을 명하는 것만으로는 행정목적 달성이 곤란한 경우
>
> 제33조【즉시강제】① 즉시강제는 다른 수단으로는 행정목적을 달성할 수 없는 경우에만 허용되며, 이 경우에도 최소한으로만 실시하여야 한다.
> ② 즉시강제를 실시하기 위하여 현장에 파견되는 집행책임자는 그가 집행책임자임을 표시하는 증표를 보여 주어야 하며, 즉시강제의 이유와 내용을 고지하여야 한다.
> [시행일: 2023.3.24.] 제33조

(2) 개별법으로 경찰관직무집행법, 마약류관리에 관한 법, 검역법, 식품위생법, 감염병의 예방 및 관리에 관한 법률, 소방기본법 등이 있다.

4 행정상 즉시강제의 수단

1. 대인적 강제

사람의 신체에 실력을 가하여 행정상 필요한 상태를 실현하는 작용이다.

경찰관 직무집행법	보호조치, 위험발생방지조치, 범죄예방 · 제지, 장구 · 무기사용
개별법	강제격리(감염병예방법), 강제수용(마약류관리에 관한 법률), 강제건강진단(감염병예방법), 교통차단(감염병예방법), 동행명령(관세법), 원조강제(소방기본법)

간단 점검하기

01 행정상 즉시강제는 개인에게 미리 의무를 행할 시간적 여유가 없는 경우를 전제로 하므로 그 긴급성을 고려할 때 원칙적으로 법률적 근거를 요하지 아니한다. ( ) 19. 서울시 9급

간단 점검하기

02 행정상 즉시강제에 관한 일반법은 없고 개별법에 행정상 즉시강제에 해당하는 수단을 규정하고 있다. ( ) 17. 국가직 9급

간단 점검하기

03 감염병환자의 강제입원, 불법게임물의 폐기는 행정상 직접강제의 예이다. ( ) 15. 지방직 7급

04 마약중독자의 격리 및 치료를 위한 치료보호는 즉시강제에 해당한다. ( ) 12. 지방직 7급

05 소방기본법상 소방활동에 방해가 되는 물건 등에 대한 강제처분은 행정상 즉시강제에 해당한다. ( ) 19. 소방직 9급, 13. 국가직 9급

01 × 02 × 03 × 04 ○ 05 ○

2. 대물적 강제

물건에 실력을 가하여 행정상 필요한 상태를 실현하는 작용을 말한다.

경찰관 직무집행법	무기 등 물건의 임시영치, 위험발생방지조치 등
개별법	물건이나 시설의 이전·분산·소개(민방위기본법), 물건의 폐기·압수(식품위생법, 약사법, 검역법, 형의 집행 및 수용자의 처우에 관한 법률), 물건의 영치·몰수(형의 집행 및 수용자의 처우에 관한 법률, 관세법), 물건의 제거(옥외광고물 등 관리법), 물건의 수거·파기(청소년 보호법)

3. 대가택적 강제

소유자·관리자의 의사와 상관없이 타인의 가택·영업소 등을 출입·수색하는 작용을 말한다. 다만, 가택출입·수색을 행정조사로 보는 견해도 있다.

경찰관 직무집행법	가택 등 출입·검사·수색 등
개별법	가택출입(조세범처벌절차법)

Level up 불심검문

1. 법적 성질: 행정조사
2. 실정법적 근거 규정: 경찰관 직무집행법 제3조

기출

행정상 즉시강제에 해당하지 않는 것은? 12. 사회복지직, 12. 지방직 7급

① 감염병의 예방 및 관리에 관한 법률상의 감염병환자의 강제입원
② 경찰관직무집행법상의 보호조치
③ 건축법상의 이행강제금의 부과
④ 도로교통법상의 위법인공구조물에 대한 제거

해설 이행강제금은 강제집행에 해당한다.

정답 ③

5 행정상 즉시강제의 한계

1. 실체법적 한계

(1) 급박성

행정상 즉시강제는 사회통념상 위험발생이 확실하여야 한다. 이는 미국법에서의 경찰권의 발동에 관한 '명백하고 현존하는 위험(Clear and Present Danger)의 법리'와 유사한 것이다(행정기본법 제30조 제1항 제5호).

(2) 보충성

다른 위해방지조치를 행할 시간적 여유가 없거나 다른 조치로는 행정목적을 달성할 수 없는 경우이어야 한다(동법 제33조 제1항).

(3) 소극성

소극적으로 사회공공의 질서를 유지하기 위하여 필요한 범위 내에 그쳐야 하며, 적극적인 행정목적달성을 위하여 발동되어서는 안 된다.

(4) 비례성

행정목적달성에 적합한 수단이어야 하며(적합성의 원칙), 필요한 최소한도의 범위 내에서(필요성의 원칙), 공익과 사익간의 균형이 이루어져야 할 것이다(상당성의 원칙)(동법 제33조 제1항).

관련판례

[1] 즉시강제 - 예외적 수단 ★★★

행정강제는 행정상 강제집행을 원칙으로 하며, 법치국가적 요청인 예측가능성과 법적 안정성에 반하고, 기본권 침해의 소지가 큰 권력작용인 행정상 즉시강제는 어디까지나 예외적인 강제수단이라고 할 것이다.

[2] 즉시강제 - 비례원칙 적용 ★★

행정상 즉시강제는 엄격한 실정법상의 근거를 필요로 할 뿐만 아니라, 그 발동에 있어서는 법규의 범위 안에서도 다시 행정상의 장해가 목전에 급박하고, 다른 수단으로는 행정목적을 달성할 수 없는 경우이어야 하며, 이러한 경우에도 그 행사는 필요 최소한도에 그쳐야 함을 내용으로 하는 조리상의 한계에 기속된다.

[3] 불법게임물에 대한 즉시강제 근거 조항 - 정당성 인정 ★

불법게임물에 대하여 관계당사자에게 수거·폐기를 명하고 그 불이행을 기다려 직접강제 등 행정상의 강제집행으로 나아가는 원칙적인 방법으로는 목적달성이 곤란 하다고 할 수 있으므로, 이 사건 법률조항의 설정은 위와 같은 급박한 상황에 대처하기 위한 것으로서 그 불가피성과 정당성이 충분히 인정되는 것으로 판단된다. 이 사건 법률조항이 불법게임물의 수거·폐기에 관한 행정상 즉시강제를 허용함으로써 게임제공업주 등이 입게 되는 불이익보다는 이를 허용함으로써 보호되는 공익이 더 크다고 볼 수 있으므로, 법익의 균형성의 원칙에 위배되는 것도 아니라 할 것이다(헌재 2002.10.31, 2000헌가12).❶

#즉시강제_예외적수단 #근거_비례원칙적용 #불법게임물_영장×_수거·폐기_정당

2. 절차법적 한계(영장주의와의 관계)

(1) 영장필요설(적극설)

① 형사작용과 행정작용의 목적은 서로 다르다고 할 수 있으나, 헌법상 기본권보장의 취지는 같다.

② 즉시강제의 경우도 형사사법의 경우와 마찬가지로 신체와 재산에 대한 실력작용이라는 점에서 영장을 필요로 한다고 보는 견해이다.

(2) 영장불요설(소극설)

① 헌법상 영장주의란 연혁적으로 형사사법권의 행사인 강제조치로부터 국민의 기본권을 보장하기 위한 것이다.

② 모든 즉시강제에 대해 영장주의를 관철시키는 것은 실질적으로 즉시강제를 부정하는 결과를 초래한다.

간단 점검하기

01 행정강제는 행정상 강제집행을 원칙으로 하고, 행정상 즉시강제는 예외적으로 인정되는 강제수단이다. ( )
17. 국가직 9급

02 행정강제는 행정상 강제집행을 원칙으로 하므로 불법게임물에 대해서도 관계당사자에게 수거·폐기를 명하고 그 불이행시 직접강제 등 행정상 강제집행으로 나아가야 한다. ( )
19. 사회복지직

03 불법게임물을 발견한 경우 관계공무원으로 하여금 영장 없이 이를 수거하여 폐기하게 할 수 있도록 규정한 구 음반·비디오물 및 게임물에 관한 법률의 조항은 급박한 상황에 대처하기 위해 행정상 즉시강제를 행할 불가피성과 정당성이 인정되지 않으므로 헌법상 영장주의에 위배된다. ( )
17. 국가직 9급

❶ 불법 음반·비디오물 또는 게임물을 수거하여 폐기할 수 있다는 규정에 대한 위헌제청 사건이다.

01 ○ 02 × 03 ×

③ 헌법상의 영장주의가 행정상 즉시강제에는 적용되지 않는다고 보는 견해이다.

관련판례 **헌법재판소 결정(영장불요설)** ★★

영장주의가 행정상 즉시강제에도 적용되는지에 관하여는 논란이 있으나, 행정상 즉시강제는 상대방의 임의이행을 기다릴 시간적 여유가 없을 때 하명 없이 바로 실력을 행사하는 것으로서, 그 본질상 급박성을 요건으로 하고 있어 법관의 영장을 기다려서는 그 목적을 달성할 수 없다고 할 것이므로, 원칙적으로 영장주의가 적용되지 않는다고 보아야 할 것이다(헌재 2002.10.31, 2000헌가12).

(3) 절충설

① 통설과 대법원에 따르면, 원칙은 영장이 필요하다는 입장이며, 예외적으로 영장이 불필요하다고 본다.

② 헌법상 영장주의는 권력억제와 기본권보장적인 면에서 원칙적으로 행정상 즉시강제에도 그대로 적용되어야 할 것이나, 행정강제의 특질을 전혀 고려하지 않을 수 없으므로 행정목적 달성에 불가피하다고 인정할 만한 합리적인 이유가 있는 특수한 경우에 한하여 영장주의의 예외를 인정하자는 견해이다.

③ 그러나 대체적으로 불가피할 경우라 할지라도 일정한 경우에는 헌법상 영장주의가 적용된다고 한다.

㉠ 형사책임의 추궁과 관련이 있는 경우

㉡ 개인의 신체·재산·가택에 중대한 침해를 가할 수 있는 경우

관련판례 **대법원 판례(절충설)**

1 즉시강제 - 영장주의원칙 적용 ★★★

사전영장주의원칙은 인신보호를 위한 헌법상의 기속원리이기 때문에 인신의 자유를 제한하는 국가의 모든 영역(예컨대, 행정상의 즉시강제)에서도 존중되어야 하고 다만 사전영장주의를 고수하다가는 도저히 그 목적을 달성할 수 없는 지극히 예외적인 경우에만 형사절차에서와 같은 예외가 인정된다고 할 것이다(대판 1995.6.30, 93추83).

2 지방의회 증인 통행명령제도 - 영장주의 위반 ★★

지방의회에서의 사무감사·조사를 위한 증인의 동행명령장제도도 증인의 신체의 자유를 억압하여 일정 장소로 인치하는 것으로서 헌법 제12조 제3항의 "체포 또는 구속"에 준하는 사태로 보아야 하고, 거기에 현행범 체포와 같이 사후에 영장을 발부받지 아니하면 목적을 달성할 수 없는 긴박성이 있다고 인정할 수는 없으므로, 헌법 제12조 제3항에 의하여 법관이 발부한 영장의제시가 있어야 함에도 불구하고 동행명령장을 법관이 아닌 지방의회 의장이 발부하고 이에 기하여 증인의 신체의 자유를 침해하여 증인을 일정 장소에 인치하도록 규정된 조례안은 영장주의원칙을 규정한 헌법 제12조 제3항에 위반된 것이다(대판 1995.6.30, 93추83).

#즉시강제_사전영장주의 #극히_예외_사전영장예외_인정
#경북_증언·감정조례(안)_영장주의_위반 #영장주의_예외_적합×

간단 점검하기

즉시강제에서 영장주의가 적용되는가의 여부에 대하여 판례는 국민의 권익보호를 위하여 예외 없이 영장주의가 적용되어야 한다는 영장필요설의 입장을 취하고 있다. ( ) 13. 경찰행정

×

3 단기 동행보호 - 영장주의 합치 ★★

구 사회안전법 제11조 소정의 동행보호규정은 재범의 위험성이 현저한 자를 상대로 긴급히 보호할 필요가 있는 경우에 한하여 단기간의 동행보호를 허용한 것으로서 그 요건을 엄격히 해석하는 한, 동 규정 자체가 사전영장주의를 규정한 헌법규정에 반한다고 볼 수는 없다(대판 1997.6.13, 96다56115).

#단기_동행보호_영장×_가능

3. 행정절차법의 적용 여부

(1) 행정절차법에 사실행위에 대한 규정은 없다. 즉시강제에 대한 청문과 공청회 등 의견청취 절차를 거칠 것인지 여부가 문제된다.

(2) 즉시강제는 권력적 사실행위이므로 처분성이 인정되어 행정절차법의 적용대상이 된다. 다만, 행정절차법에서 사전통지, 의견청취, 이유제시 등에서 긴급히 처분을 할 필요가 있을 경우에는 사전절차를 제외할 수 있도록 하여 실제 적용되는 경우가 드물다.

6 행정상 즉시강제에 대한 구제

1. 적법한 즉시강제에 대한 구제

(1) 적법한 즉시강제로 인하여 개인이 손실을 입게 되고 그 손실이 특별한 희생에 해당한다면, 법이 정하는 바에 따라 손실보상을 해야 한다. 경찰관 직무집행법은 손실보상에 관한 규정을 두고 있다.

> 경찰관 직무집행법 제11조의2【손실보상】① 국가는 경찰관의 적법한 직무집행으로 인하여 다음 각 호의 어느 하나에 해당하는 손실을 입은 자에 대하여 정당한 보상을 하여야 한다.
> 1. 손실발생의 원인에 대하여 책임이 없는 자가 생명·신체 또는 재산상의 손실을 입은 경우(손실발생의 원인에 대하여 책임이 없는 자가 경찰관의 직무집행에 자발적으로 협조하거나 물건을 제공하여 생명·신체 또는 재산상의 손실을 입은 경우를 포함한다)
> 2. 손실발생의 원인에 대하여 책임이 있는 자가 자신의 책임에 상응하는 정도를 초과하는 생명·신체 또는 재산상의 손실을 입은 경우
>
> ② 제1항에 따른 보상을 청구할 수 있는 권리는 손실이 있음을 안 날부터 3년, 손실이 발생한 날부터 5년간 행사하지 아니하면 시효의 완성으로 소멸한다.

(2) 명문의 규정이 없는 경우에 관한 견해 대립

① 손해배상을 청구할 수 있다는 견해

② 수용유사침해이론, 수용적 침해이론 또는 희생보상의 법리에 의해 손실보상을 인정해야 한다는 견해

2. 위법한 즉시강제에 대한 구제

(1) 행정쟁송

① 즉시강제는 권력적 사실행위로서의 성질을 가지므로 행정심판과 행정소송의 대상이 된다.

② 즉시강제가 장기간에 걸쳐 계속되는 경우 행정쟁송을 통해 권리구제를 받을 실익이 존재한다.

③ 그러나 즉시강제는 단시간의 행위로서 종료하는 경우가 보통이므로 통상적인 권리보호의 이익이 존재하지 못하여 그 취소나 변경을 구할 실익이 없는 경우가 많다.

④ 다만, 즉시강제가 실행된 후라도 취소로 인하여 회복되는 법률상 이익이 있는 경우에는 그 취소를 구할 수 있다.

(2) 손해배상

① 위법한 즉시강제로 인하여 재산상의 손해를 받은 자는 국가에 대하여 배상을 청구할 수 있다.

② 즉시강제가 이미 종료하여 행정쟁송이 불가능한 통상적인 경우에는 그 행위로 인한 위법한 재산권침해행위에 대하여 손해배상을 청구하는 것이 실효적인 권리구제방법이 된다.

(3) 공법상 결과제거청구권

위법한 즉시강제로 인해 위법한 권리침해상태가 계속되고 있는 경우 상대방은 행정주체에 대해 그러한 위법상태를 제거해 줄 것을 청구할 수 있는 결과제거청구권을 갖는다. 이러한 청구는 공법상 당사자소송에 의한다.

(4) 인신보호법에 의한 구제

① 인신보호법은 위법한 행정처분 또는 사인(私人)에 의한 시설에의 수용으로 인하여 부당하게 인신의 자유를 제한당하고 있는 개인의 구제절차를 마련함으로써 헌법이 보장하고 있는 국민의 기본권을 보호하는 것을 목적으로 한다(인신보호법 제1조).

② 피수용자에 대한 수용이 위법하게 개시되거나 적법하게 수용된 후 그 사유가 소멸되었음에도 불구하고 계속 수용되어 있는 때에는 피수용자, 그 법정대리인, 후견인, 배우자, 직계혈족, 형제자매, 동거인, 고용주 또는 수용시설 종사자(이하 "구제청구자"라 한다)는 이 법으로 정하는 바에 따라 법원에 구제를 청구할 수 있다. 다만, 다른 법률에 구제절차가 있는 경우에는 상당한 기간 내에 그 법률에 따른 구제를 받을 수 없음이 명백하여야 한다(인신보호법 제3조).

(5) 정당방위

위법한 즉시강제에 대하여는 형법상의 정당방위의 법리에 따라 그에 저항할 수 있을 것인바, 이 경우의 저항행위는 공무집행방해죄를 구성하지 아니한다.

(6) 기타

감독권에 의한 취소·정지, 공무원의 징계, 공무원의 형사책임, 청원 및 소원 등의 방법이 있으나, 이는 간접적 내지는 우회적인 구제수단에 지나지 않는다.

간단 점검하기

01 행정상 즉시강제는 권력적 사실행위이므로, 항고소송의 대상이 되는 처분성이 인정된다. ( ) 19. 소방직 9급

02 즉시강제는 단기간에 그 행위가 완료되는 경우가 대부분이므로 대체로 권리보호의 이익이 없는 경우가 많다. ( ) 07. 대구 9급

03 권력적 사실행위인 즉시강제는 그 조치가 계속 중인 상태에 있는 경우에도 취소소송의 대상이 될 수는 없다. ( ) 18. 교육행정직

01 ○ 02 ○ 03 ×

제3절 행정조사

1 행정조사의 개념

1. 의의

(1) 행정조사라 함은 행정기관이 정책을 결정하거나 직무를 수행하는 데 필요한 정보나 자료를 수집하기 위하여 현장조사 · 문서열람 · 시료채취 등을 하거나 조사대상자에게 보고요구 · 자료제출요구 및 출석 · 진술요구를 행하는 활동을 말한다(행정조사기본법 제2조).

(2) 행정조사에는 상대방의 임의적인 협력을 전제로 하는 비권력적 행정조사(임의조사)와 실력행사를 요소로 하는 권력적 행정조사(강제조사)가 모두 포함된다. 좁은 의미에서는 후자만을 행정조사에 해당한다고 보기도 한다.

관련판례

세무조사는 국가의 과세권을 실현하기 위한 행정조사의 일종으로서 국세의 과세표준과 세액을 결정 또는 경정하기 위하여 질문을 하고 장부 · 서류 그 밖의 물건을 검사 · 조사하거나 그 제출을 명하는 일체의 행위를 말한다(대판 2017.3.16, 2014두8360).

(3) 행정조사를 행하는 행정기관에는 법령 및 조례 규칙에 따라 행정권한이 있는 기관뿐만 아니라 그 권한을 위임 또는 위탁받은 법인 · 단체 또는 그 기관이나 개인이 포함된다(행정조사기본법 제2조 제2호).

2. 행정상 즉시강제와의 구별

구분	행정조사	행정상 즉시강제
목적	자료수집을 위한 준비적 · 보조적 수단	행정상 필요한 구체적인 결과를 실현시키는 수단
강제	벌칙에 의하여 간접적으로 강제	직접적 실력행사
발동요건	급박성을 요하지 않음	급박성을 요함

2 행정조사의 종류

1. 성질에 의한 구분

권력적 조사	행정기관의 일방적인 명령 · 강제를 수단으로 하는 행정조사 (예 경찰관직무집행법 제3조의 불심검문, 소방기본법 제29조의 화재조사 등)
비권력적 조사	명령이나 강제를 수반하지 않는 행정조사 (예 여론조사, 임의적 공청회 등)

간단 점검하기

01 행정조사란 행정기관이 법령을 집행하거나 직무를 수행하는 데 필요한 문서를 수집하기 위하여 현장조사 · 문서열람 · 시료채취 등을 하거나 조사대상자에게 보고요구 · 자료제출요구 및 출석 · 진술요구를 행하는 활동을 말한다. ( ) 18. 경찰행정, 12. 지방직 9급

간단 점검하기

02 행정조사를 행하는 행정기관에는 법령 및 조례 규칙에 따라 행정권한이 있는 기관뿐만 아니라 그 권한을 위임 또는 위탁받은 법인 · 단체 또는 그 기관이나 개인이 포함된다. ( ) 18. 지방직 9급

01 × 02 ○

2. 수단에 의한 구분

강제조사	영업소에 들어가 강제적으로 장부나 서류를 조사하는 경우
임의조사	여론조사, 임의적 성격의 통계자료조사 등

3. 목적에 따른 구분

개별적 조사	법률이 정하는 개별적·구체적 목적을 위한 자료의 수집활동 (예 식품위생법상의 영업자의 식품생산실적 보고의무부과, 토지취득보상법상의 토지출입조사활동 등)
일반적 조사	일반적인 정책입안의 자료를 수집하기 위한 행정조사 (예 통계법에 의한 통계조사행위 등)

4. 대상에 따른 구분

대인적 조사	사람을 대상으로 하는 조사 (예 질문 등)
대물적 조사	물건을 대상으로 하는 조사 (예 물건의 수거나 검사 등)
대가택적 조사	영업소나 가택을 대상으로 하는 조사 (예 가택이나 영업소출입 등)

3 행정조사의 근거 및 한계

1. 일반법으로서 행정조사기본법

(1) 행정조사에 관한 일반법으로서 행정조사기본법이 제정되어 있다. 따라서 행정조사에 대하여 다른 법률에 특별한 규정이 있는 경우를 제외하고는 행정조사기본법이 적용된다. 다만, 조사대상자의 자발적인 협조를 얻어 실시하는 행정조사의 경우에는 그러하지 아니하다(행정조사기본법 제3조 제1항).

(2) 행정조사에 대한 개별법으로 경찰관직무집행법, 소방기본법, 법인세법, 통계법 등이 있다.

> 행정조사기본법 제3조 【적용범위】 ① 행정조사에 관하여 다른 법률에 특별한 규정이 있는 경우를 제외하고는 이 법으로 정하는 바에 따른다.
> ② 다음 각 호의 어느 하나에 해당하는 사항에 대하여는 이 법을 적용하지 아니한다.
> 1. 행정조사를 한다는 사실이나 조사내용이 공개될 경우 국가의 존립을 위태롭게 하거나 국가의 중대한 이익을 현저히 해칠 우려가 있는 국가안전보장·통일 및 외교에 관한 사항
> 2. 국방 및 안전에 관한 사항 중 다음 각 목의 어느 하나에 해당하는 사항
>   가. 군사시설·군사기밀보호 또는 방위사업에 관한 사항
>   나. 병역법·예비군법·민방위기본법·비상대비자원 관리법에 따른 징집·소집·동원 및 훈련에 관한 사항

간단 점검하기

01 근로기준법상 근로감독관의 직무에 관한 사항에 대하여는 행정조사기본법이 적용된다. ( ) 12. 지방직 9급

02 조세에 관한 사항도 행정조사기본법상 행정조사의 대상에 해당한다. ( ) 10. 지방직 9급

03 금융감독기관의 감독·검사 조사에 대하여는 행정조사기본법이 적용될 여지가 없다. ( ) 08. 지방직 7급

04 행정기관은 법령 등에서 행정조사를 규정하고 있는 경우에 한하여 행정조사를 실시할 수 있고, 규정이 없는 경우에는 조사대상자의 자발적 협력이 있는 경우에도 행정조사를 실시할 수 없다. ( ) 15. 지방직 7·9급, 14. 서울시 9급

3. 공공기관의 정보공개에 관한 법률 제4조 제3항의 정보에 관한 사항
4. 근로기준법 제101조에 따른 근로감독관의 직무에 관한 사항
5. 조세·형사·행형 및 보안처분에 관한 사항
6. 금융감독기관의 감독·검사·조사 및 감리에 관한 사항
7. 독점규제 및 공정거래에 관한 법률, 표시·광고의 공정화에 관한 법률, 하도급거래 공정화에 관한 법률, 가맹사업거래의 공정화에 관한 법률, 방문판매 등에 관한 법률, 전자상거래 등에서의 소비자보호에 관한 법률, 약관의 규제에 관한 법률 및 할부거래에 관한 법률에 따른 공정거래위원회의 법률위반 행위 조사에 관한 사항

③ 제2항에도 불구하고 제4조(행정조사의 기본원칙), 제5조(행정조사의 근거) 및 제28조(정보통신수단을 통한 행정조사)는 제2항 각 호의 사항에 대하여 적용한다.

point check 행정조사의 근거

1. 강제조사
   강제조사는 국민의 신체나 재산에 대한 제한을 야기하므로 법률유보원칙에 따라 당연히 법률의 근거를 요한다.
2. 임의조사
   임의조사는 당사자의 임의적 협력(자발적 협력)을 전제로 하므로 작용법적 근거는 필요하지 않으나, 해당 행정기관의 권한범위 내에 있는 경우에만 허용되는 것이므로 조직법적 근거는 필요하다.

> 행정조사기본법 제5조【행정조사의 근거】 행정기관은 법령 등에서 행정조사를 규정하고 있는 경우에 한하여 행정조사를 실시할 수 있다. 다만, 조사대상자의 자발적인 협조를 얻어 실시하는 행정조사의 경우에는 그러하지 아니하다.

간단 점검하기

05 헌법 제12조 제1항에서 규정하고 있는 적법절차의 원칙은 형사소송 절차에 국한되지 않고 모든 국가작용 전반에 대하여 적용되는 원칙이므로 세무공무원의 세무조사권의 행사에서도 적법절차의 원칙은 준수되어야 한다. ( ) 18. 국가직 9급

관련판례

헌법 제12조 제1항에서 규정하고 있는 적법절차의 원칙은 형사소송절차에 국한되지 아니하고 모든 국가작용 전반에 대하여 적용된다. 세무조사는 국가의 과세권을 실현하기 위한 행정조사의 일종으로서 과세자료의 수집 또는 신고내용의 정확성 검증 등을 위하여 필요불가결하며, 종국적으로는 조세의 탈루를 막고 납세자의 성실한 신고를 담보하는 중요한 기능을 수행한다. 이러한 세무공무원의 세무조사권의 행사에서도 적법절차의 원칙은 마땅히 준수되어야 한다(대판 2014.6.26, 2012두911).

2. 행정조사의 기본원칙(행정조사기본법 제4조)

(1) 필요성의 원칙

행정조사는 조사목적을 달성하는 데 필요한 최소한의 범위 안에서 실시하여야 하며, 다른 목적 등을 위하여 조사권을 남용하여서는 아니 된다.

(2) 적합성의 원칙

행정기관은 조사목적에 적합하도록 조사대상자를 선정하여 행정조사를 실시하여야 한다.

01 × 02 × 03 × 04 ×
05 ○

(3) 중복금지의 원칙

행정기관은 유사하거나 동일한 사안에 대하여는 공동조사 등을 실시함으로써 행정조사가 중복되지 아니하도록 하여야 한다.

(4) 유도의 원칙

행정조사는 법령 등의 위반에 대한 처벌보다는 법령 등을 준수하도록 유도하는 데 중점을 두어야 한다.

(5) 공표 · 비밀누설금지

다른 법률에 따르지 아니하고는 행정조사의 대상자 또는 행정조사의 내용을 공표하거나 직무상 알게 된 비밀을 누설하여서는 아니 된다.

(6) 목적 외 이용 제공금지

행정기관은 행정조사를 통하여 알게 된 정보를 다른 법률에 따라 내부에서 이용하거나 다른 기관에 제공하는 경우를 제외하고는 원래의 조사목적 이외의 용도로 이용하거나 타인에게 제공하여서는 아니 된다.

> 행정기본법 제4조【행정의 적극적 추진】① 행정은 공공의 이익을 위하여 적극적으로 추진되어야 한다.
> ② 국가와 지방자치단체는 소속 공무원이 공공의 이익을 위하여 적극적으로 직무를 수행할 수 있도록 제반 여건을 조성하고, 이와 관련된 시책 및 조치를 추진하여야 한다.
> ③ 제1항 및 제2항에 따른 행정의 적극적 추진 및 적극행정 활성화를 위한 시책의 구체적인 사항 등은 대통령령으로 정한다.

간단 점검하기

행정조사는 조사를 통해 법령 등의 위반사실을 발견하고 처벌하는데 중점을 두어야 한다. ( )

14. 서울시 9급, 10. 지방직 9급, 08. 지방직 7급

3. 행정조사의 한계

(1) 실체법적 한계

① **법령상 한계**: 행정조사는 근거법령에서 조사의 세부적 · 실체적 규정을 두고 있는 것이 일반적이다. 이 경우에 조사권자는 법률우위의 원칙에 따라 이들 규정을 위반해서는 안 된다.

② **행정법의 일반원칙상 한계**: 행정조사도 행정작용 일반의 경우처럼 법적합성, 목적적합성, 비례성, 보충성, 신뢰보호, 평등원칙 등의 적용을 받는다.

(2) 절차법적 한계

① 행정조사와 영장주의

㉠ **다수설**: 행정조사상 헌법 제12조 제3항 및 제16조의 영장주의는 권력적 조사에는 적용되나 비권력적 조사에는 적용되지 않는다.

㉡ **판례**: 행정조사에는 원칙적으로 영장주의가 적용되지 않는다고 한다. 다만, 범죄수사를 하면서 압수 · 수색을 하는 경우, 즉 형사책임을 추궁하는 경우에는 영장주의가 적용된다고 본다.

×

간단 점검하기

우편물 통관검사절차에서 이루어지는 우편물 개봉 등의 검사는 행정조사의 성격을 가지는 것으로서 수사기관의 강제처분이라고 할 수 없으므로, 압수·수색영장 없이 검사가 진행되었다 하더라도 특별한 사정이 없는 한 위법하다고 볼 수 없다. ( )

16. 국가직 9급, 15. 지방직 7급

관련판례

1 우편물 통관검사 – 영장불요 ★★★

우편물 통관검사절차에서 이루어지는 우편물의 개봉, 시료채취, 성분분석 등의 검사는 수출입물품에 대한 적정한 통관 등을 목적으로 한 행정조사의 성격을 가지는 것으로서 수사기관의 강제처분이라고 할 수 없으므로, 압수·수색영장 없이 우편물의 개봉, 시료채취, 성분분석 등 검사가 진행되었다 하더라도 특별한 사정이 없는 한 위법하다고 볼 수 없다(대판 2013.9.26, 2013도7718).

#우편물·개봉_행정조사 #시료채취_성분분석_검사_행정조사 #통관목적_행정조사 #행정조사_영장불요

2 범죄수사인 압수·수색 – 영장 필요 ★★★

마약류 불법거래 방지에 관한 특례법 제4조 제1항에 따른 조치의 일환으로 특정한 수출입물품을 개봉하여 검사하고 그 내용물의 점유를 취득한 행위는 위에서 본 수출입물품에 대한 적정한 통관 등을 목적으로 조사를 하는 경우와는 달리, 범죄수사인 압수 또는 수색에 해당하여 사전 또는 사후에 영장을 받아야 한다(대판 2017.7.18, 2014도8719).

#범죄수사_조사(압수·수색·점유)_영장필요 #통관목적_조사(개봉·시료채취)_영장불요

ⓒ 한편, 영장이 필요 없는 경우라 할지라도 영장주의의 취지는 존중되어야 하기 때문에 현행법은 대개의 경우 출입·검사를 함에 있어 권한을 표시하는 증표를 휴대하여 관계인에게 제시하도록 하고 있다(식품위생법 제22조 제2항).

② 행정조사와 진술거부권

㉠ 행정조사에 있어서 상대방은 원칙적으로 헌법 제12조에 따른 진술거부권을 갖지 않는다는 견해와 행정권행사에도 진술거부권을 갖는다는 견해가 있다.

㉡ 헌법 제12조에서 "누구든지 … 형사상 자기에게 불리한 진술을 강요당하지 아니한다."고 규정한 것은 형사절차에 있어서 진술거부권을 인정한 것이므로 행정조사를 위한 질문에는 적용되지 아니한다.

③ 행정절차법의 적용 여부

㉠ 행정조사에 대해서는 행정절차법에 명문의 규정이 없다. 따라서 원칙적으로 행정조사에는 행정절차법이 적용되지 않는다.

㉡ 다만, 행정조사가 처분에 해당하는 경우에는 동법상의 처분절차에 관한 규정이 적용된다.

④ 실력행사의 문제

㉠ 행정조사를 행하는 과정에서 상대방이 이에 불응하는 경우에 행정기관이 실력을 행사하여 이를 저지할 수 있는지에 대하여 견해가 나뉜다.

㉡ 다수의 견해는 현행법이 행정조사를 거부·방해하거나 기피한 자에 대하여 징역, 벌금, 구류, 과료 등의 별도의 벌칙규정을 두고 있음을 이유로 하여(식품위생법 제97조 제2호), 직접적인 실력행사 자체는 허용되지 않는 것으로 본다.

○

4. 행정조사의 주기 및 조사대상의 선정

행정조사기본법 제7조 【조사의 주기】 행정조사는 법령 등 또는 행정조사운영계획으로 정하는 바에 따라 정기적으로 실시함을 원칙으로 한다. 다만, 다음 각 호 중 어느 하나에 해당하는 경우에는 수시조사를 할 수 있다.
1. 법률에서 수시조사를 규정하고 있는 경우
2. 법령 등의 위반에 대하여 혐의가 있는 경우
3. 다른 행정기관으로부터 법령 등의 위반에 관한 혐의를 통보 또는 이첩받은 경우
4. 법령 등의 위반에 대한 신고를 받거나 민원이 접수된 경우
5. 그 밖에 행정조사의 필요성이 인정되는 사항으로서 대통령령으로 정하는 경우

제8조 【조사대상의 선정】 ① 행정기관의 장은 행정조사의 목적, 법령준수의 실적, 자율적인 준수를 위한 노력, 규모와 업종 등을 고려하여 명백하고 객관적인 기준에 따라 행정조사의 대상을 선정하여야 한다.
② 조사대상자는 조사대상 선정기준에 대한 열람을 행정기관의 장에게 신청할 수 있다.
③ 행정기관의 장이 제2항에 따라 열람신청을 받은 때에는 다음 각 호의 어느 하나에 해당하는 경우를 제외하고 신청인이 조사대상 선정기준을 열람할 수 있도록 하여야 한다.
1. 행정기관이 당해 행정조사업무를 수행할 수 없을 정도로 조사활동에 지장을 초래하는 경우
2. 내부고발자 등 제3자에 대한 보호가 필요한 경우
④ 제2항 및 제3항에 따른 행정조사 대상 선정기준의 열람방법이나 그 밖에 행정조사 대상 선정기준의 열람에 관하여 필요한 사항은 대통령령으로 정한다.

4 행정조사의 방법

1. 출석 · 진술요구

(1) 출석요구(서면 발송)

행정조사기본법 제9조 【출석 · 진술 요구】 ① 행정기관의 장이 조사대상자의 출석 · 진술을 요구하는 때에는 다음 각 호의 사항이 기재된 출석요구서를 발송하여야 한다.
1. 일시와 장소
2. 출석요구의 취지
3. 출석하여 진술하여야 하는 내용
4. 제출자료
5. 출석거부에 대한 제재(근거 법령 및 조항 포함)
6. 그 밖에 당해 행정조사와 관련하여 필요한 사항

간단 점검하기

01 행정조사는 법령 등 또는 행정조사운영계획으로 정하는 바에 따라 정기적으로 실시함을 원칙으로 하되 다른 행정기관으로부터 법령 등의 위반에 관한 혐의를 통보받은 때에는 수시조사를 할 수 있다. ( ) 18. 경찰행정

02 행정기관은 조사목적에 적합하도록 조사대상자를 선정하여 행정조사를 실시하여야 한다. ( ) 14. 서울시 9급

03 조사대상자는 법령 등에서 규정하고 있는 경우에 한하여 조사대상 선정기준에 대한 열람을 행정기관의 장에게 신청할 수 있다. ( ) 15. 지방직 9급

04 조사대상자가 조사대상 선정기준에 대한 열람을 신청한 경우에 행정기관은 그 열람이 당해 행정조사 업무를 수행할 수 없을 정도로 조사활동에 지장을 초래한다는 이유로 열람을 거부할 수 없다. ( ) 18. 지방직 9급

01 ○ 02 ○ 03 × 04 ×

(2) 출석일시의 변경신청

행정조사기본법 제9조【출석 · 진술 요구】② 조사대상자는 지정된 출석일시에 출석하는 경우 업무 또는 생활에 지장이 있는 때에는 행정기관의 장에게 출석일시를 변경하여 줄 것을 신청할 수 있으며, 변경신청을 받은 행정기관의 장은 행정조사의 목적을 달성할 수 있는 범위 안에서 출석일시를 변경할 수 있다.

(3) 1회 출석으로 종결

행정조사기본법 제9조【출석 · 진술 요구】③ 출석한 조사대상자가 제1항에 따른 출석요구서에 기재된 내용을 이행하지 아니하여 행정조사의 목적을 달성할 수 없는 경우를 제외하고는 조사원은 조사대상자의 1회 출석으로 당해 조사를 종결하여야 한다.

2. 현장조사

(1) 현장출입조사서 등의 발송

행정조사기본법 제11조【현장조사】① 조사원이 가택 · 사무실 또는 사업장 등에 출입하여 현장조사를 실시하는 경우에는 행정기관의 장은 다음 각 호의 사항이 기재된 현장출입조사서 또는 법령 등에서 현장조사시 제시하도록 규정하고 있는 문서를 조사대상자에게 발송하여야 한다.

1. 조사목적
2. 조사기간과 장소
3. 조사원의 성명과 직위
4. 조사범위와 내용
5. 제출자료
6. 조사거부에 대한 제재(근거 법령 및 조항 포함)
7. 그 밖에 당해 행정조사와 관련하여 필요한 사항

(2) 현장조사의 시간적 제한

간단 점검하기

조사대상자의 동의가 있는 경우 해가 뜨기 전이나 해가 진 뒤에도 현장조사가 가능하다. ( ) 17. 서울시 9급

○

행정조사기본법 제11조【현장조사】② 제1항에 따른 현장조사는 해가 뜨기 전이나 해가 진 뒤에는 할 수 없다. 다만, 다음 각 호의 어느 하나에 해당하는 경우에는 그러하지 아니하다.

1. 조사대상자(대리인 및 관리책임이 있는 자를 포함한다)가 동의한 경우
2. 사무실 또는 사업장 등의 업무시간에 행정조사를 실시하는 경우
3. 해가 뜬 후부터 해가 지기 전까지 행정조사를 실시하는 경우에는 조사목적의 달성이 불가능하거나 증거인멸로 인하여 조사대상자의 법령 등의 위반 여부를 확인할 수 없는 경우

(3) 조사원의 증표 휴대 · 제시

행정조사기본법 제11조【현장조사】③ 제1항 및 제2항에 따라 현장조사를 하는 조사원은 그 권한을 나타내는 증표를 지니고 이를 조사대상자에게 내보여야 한다.

3. 시료채취와 자료 등의 영치

(1) 시료채취

> 행정조사기본법 제12조 【시료채취】 ① 조사원이 조사목적의 달성을 위하여 시료채취를 하는 경우에는 그 시료의 소유자 및 관리자의 정상적인 경제활동을 방해하지 아니하는 범위 안에서 최소한도로 하여야 한다.
> ② 행정기관의 장은 제1항에 따른 시료채취로 조사대상자에게 손실을 입힌 때에는 대통령령으로 정하는 절차와 방법에 따라 그 손실을 보상하여야 한다.

(2) 자료 등의 영치

① 자료 등의 영치시 조사대상자의 입회

> 행정조사기본법 제13조 【자료 등의 영치】 ① 조사원이 현장조사 중에 자료·서류·물건 등(이하 이 조에서 "자료 등"이라 한다)을 영치하는 때에는 조사대상자 또는 그 대리인을 입회시켜야 한다.

② 사진촬영 등으로 영치에 갈음

> 행정조사기본법 제13조 【자료 등의 영치】 ② 조사원이 제1항에 따라 자료 등을 영치하는 경우에 조사대상자의 생활이나 영업이 사실상 불가능하게 될 우려가 있는 때에는 조사원은 자료 등을 사진으로 촬영하거나 사본을 작성하는 등의 방법으로 영치에 갈음할 수 있다. 다만, 증거인멸의 우려가 있는 자료 등을 영치하는 경우에는 그러하지 아니하다.

4. 필수적 공동조사사항

> 행정조사기본법 제14조 【공동조사】 ① 행정기관의 장은 다음 각 호의 어느 하나에 해당하는 행정조사를 하는 경우에는 공동조사를 하여야 한다.
> 1. 당해 행정기관 내의 2 이상의 부서가 동일하거나 유사한 업무분야에 대하여 동일한 조사대상자에게 행정조사를 실시하는 경우
> 2. 서로 다른 행정기관이 대통령령으로 정하는 분야에 대하여 동일한 조사대상자에게 행정조사를 실시하는 경우

5. 중복조사의 제한

> 행정조사기본법 제15조 【중복조사의 제한】 ① 제7조에 따라 정기조사 또는 수시조사를 실시한 행정기관의 장은 동일한 사안에 대하여 동일한 조사대상자를 재조사 하여서는 아니 된다. 다만, 당해 행정기관이 이미 조사를 받은 조사대상자에 대하여 위법행위가 의심되는 새로운 증거를 확보한 경우에는 그러하지 아니하다.
> ② 행정조사를 실시할 행정기관의 장은 행정조사를 실시하기 전에 다른 행정기관에서 동일한 조사대상자에게 동일하거나 유사한 사안에 대하여 행정조사를 실시하였는지 여부를 확인할 수 있다.

간단 점검하기

01 조사원이 조사목적의 달성을 위하여 시료채취를 하는 경우 이로 인하여 조사대상자에게 손실을 입힌 때에는 법령이 정하는 절차와 방법에 따라 그 손실을 보상하여야 한다. ( )
08. 지방직 7급

간단 점검하기

02 조사원이 현장조사 중에 자료·서류·물건 등을 영치하는 경우에 조사대상자의 생활이나 영업이 사실상 불가능하게 될 우려가 있는 때에는 조사원은 증거인멸의 우려가 있는 경우가 아니라면 사진촬영 등의 방법으로 영치에 갈음할 수 있다. ( )
18. 국가직 7급

간단 점검하기

03 행정조사기본법상 행정기관의 장은 당해 행정기관 내의 2 이상의 부서가 동일하거나 유사한 업무분야에 대하여 동일한 조사대상자에게 행정조사를 실시하는 경우에는 공동조사를 할 수 있다. ( ) 17. 경찰행정

간단 점검하기

04 정기조사 또는 수사조사를 실시한 행정기관의 장은 조사대상자의 자발적인 협조를 얻어 실시하는 경우가 아닌 한, 동일한 사안에 대하여 동일한 조사대상자를 재조사하여서는 아니 된다. ( ) 18. 지방직 9급

01 ○ 02 ○ 03 × 04 ×

③ 행정조사를 실시할 행정기관의 장이 제2항에 따른 사실을 확인하기 위하여 행정조사의 결과에 대한 자료를 요청하는 경우 요청받은 행정기관의 장은 특별한 사유가 없는 한 관련 자료를 제공하여야 한다.

6. 정보통신수단을 통한 행정조사

행정조사기본법 제28조【정보통신수단을 통한 행정조사】 ① 행정기관의 장은 인터넷 등 정보통신망을 통하여 조사대상자로 하여금 자료의 제출 등을 하게 할 수 있다.
② 행정기관의 장은 정보통신망을 통하여 자료의 제출 등을 받은 경우에는 조사대상자의 신상이나 사업비밀 등이 유출되지 아니하도록 제도적·기술적 보안조치를 강구하여야 한다.

간단 점검하기

01 행정기관의 장은 인터넷 등 정보통신망을 통하여 조사대상자로 하여금 자료의 제출 등을 하게 할 수 있다. ( ) 15. 지방직 9급

5 행정조사의 실시

1. 출석요구서 등의 통지(조사개시 7일 전까지 문서 또는 구두)

행정조사기본법 제17조【조사의 사전통지】 ① 행정조사를 실시하고자 하는 행정기관의 장은 제9조에 따른 출석요구서, 제10조에 따른 보고요구서·자료제출요구서 및 제11조에 따른 현장출입조사서(이하 "출석요구서 등"이라 한다)를 조사개시 7일 전까지 조사대상자에게 서면으로 통지하여야 한다. 다만, 다음 각 호의 어느 하나에 해당하는 경우에는 행정조사의 개시와 동시에 출석요구서등을 조사대상자에게 제시하거나 행정조사의 목적 등을 조사대상자에게 구두로 통지할 수 있다.
1. 행정조사를 실시하기 전에 관련 사항을 미리 통지하는 때에는 증거인멸 등으로 행정조사의 목적을 달성할 수 없다고 판단되는 경우
2. 통계법 제3조 제2호에 따른 지정통계의 작성을 위하여 조사하는 경우
3. 제5조 단서에 따라 조사대상자의 자발적인 협조를 얻어 실시하는 행정조사의 경우

② 행정기관의 장이 출석요구서등을 조사대상자에게 발송하는 경우 출석요구서등의 내용이 외부에 공개되지 아니하도록 필요한 조치를 하여야 한다.

간단 점검하기

02 적법절차의 원칙상 행정조사에 관한 사전통지와 이유제시를 하여야 한다. 다만, 긴급한 경우 또는 사전통지나 이유제시를 하면 조사의 목적을 달성할 수 없는 경우에는 예외를 인정할 수 있다. ( ) 16. 사회복지직

03 행정조사기본법에 따르면, 행정조사를 실시하는 경우 조사개시 7일 전까지 조사대상자에게 출석요구서, 보고요구서·자료제출요구서, 현장출입조사서를 서면으로 통지하여야 하나, 조사대상자의 자발적인 협조를 얻어 행정조사를 실시하는 경우에는 미리 서면으로 통지하지 않고 행정조사의 개시와 동시에 이를 조사대상자에게 제시할 수 있다. ( ) 18. 국가직 9급

2. 자발적인 협조에 따라 실시하는 행정조사

(1) 조사대상자의 조사거부 가능

행정조사기본법 제20조【자발적인 협조에 따라 실시하는 행정조사】 ① 행정기관의 장이 제5조 단서에 따라 조사대상자의 자발적인 협조를 얻어 행정조사를 실시하고자 하는 경우 조사대상자는 문서·전화·구두 등의 방법으로 당해 행정조사를 거부할 수 있다.

간단 점검하기

04 행정기관의 장이 조사대상자의 자발적인 협조를 얻어 행정조사를 실시하고자 하는 경우 조사대상자는 문서·전화·구두 등의 방법으로 당해 행정조사를 거부할 수 있다. ( ) 18. 국가직 7급

05 조사대상자는 조사원에게 공정한 행정조사를 기대하기 어려운 사정이 있다고 판단되는 경우에는 행정기관의 장에게 구두의 방법으로 당해 조사원의 교체를 신청할 수 있다. ( ) 18. 경찰행정

01 ○ 02 ○ 03 ○ 04 ○ 05 ×

(2) 무응답의 경우 거부 간주

> 행정조사기본법 제20조【자발적인 협조에 따라 실시하는 행정조사】② 제1항에 따른 행정조사에 대하여 조사대상자가 조사에 응할 것인지에 대한 응답을 하지 아니하는 경우에는 법령 등에 특별한 규정이 없는 한 그 조사를 거부한 것으로 본다.

3. 조사권 행사의 제한

(1) 추가조사의 제한

> 행정조사기본법 제23조【조사권 행사의 제한】① 조사원은 제9조부터 제11조까지에 따라 사전에 발송된 사항에 한하여 조사대상자를 조사하되, 사전통지한 사항과 관련된 추가적인 행정조사가 필요할 경우에는 조사대상자에게 추가조사의 필요성과 조사내용 등에 관한 사항을 서면이나 구두로 통보한 후 추가조사를 실시할 수 있다.

(2) 조사시 전문가의 입회

> 행정조사기본법 제23조【조사권 행사의 제한】② 조사대상자는 법률·회계 등에 대하여 전문지식이 있는 관계 전문가로 하여금 행정조사를 받는 과정에 입회하게 하거나 의견을 진술하게 할 수 있다.

(3) 조사과정의 녹음 및 녹화

> 행정조사기본법 제23조【조사권 행사의 제한】③ 조사대상자와 조사원은 조사과정을 방해하지 아니하는 범위 안에서 행정조사의 과정을 녹음하거나 녹화할 수 있다. 이 경우 녹음·녹화의 범위 등은 상호 협의하여 정하여야 한다.
> ④ 조사대상자와 조사원이 제3항에 따라 녹음이나 녹화를 하는 경우에는 사전에 이를 당해 행정기관의 장에게 통지하여야 한다.

(4) 조사결과의 통지

> 행정조사기본법 제24조【조사결과의 통지】행정기관의 장은 법령 등에 특별한 규정이 있는 경우를 제외하고는 행정조사의 결과를 확정한 날부터 7일 이내에 그 결과를 조사대상자에게 통지하여야 한다.

(5) 자율신고제도

> 행정조사기본법 제25조【자율신고제도】① 행정기관의 장은 법령 등에서 규정하고 있는 조사사항을 조사대상자로 하여금 스스로 신고하도록 하는 제도를 운영할 수 있다.
> ② 행정기관의 장은 조사대상자가 제1항에 따라 신고한 내용이 거짓의 신고라고 인정할 만한 근거가 있거나 신고내용을 신뢰할 수 없는 경우를 제외하고는 그 신고내용을 행정조사에 갈음할 수 있다.

간단 점검하기

01 조사대상자는 법률·회계 등에 대하여 전문지식이 있는 관계 전문가로 하여금 행정조사를 받는 과정에 입회하게 하거나 의견을 진술하게 할 수 있다. ( ) 15. 서울시 7급

02 조사대상자와 조사원은 조사과정을 방해하지 아니하는 범위 안에서 행정조사의 과정을 녹음하거나 녹화할 수 있다. ( ) 15. 서울시 7급

간단 점검하기

03 행정기관의 장은 법령 등에 특별한 규정이 있는 경우를 제외하고는 행정조사의 결과를 확정한 날로부터 7일 이내에 그 결과를 조사대상자에게 통지하여야 한다. ( ) 18. 서울시 7급

04 행정기관의 장은 법령 등에서 규정하고 있는 조사사항을 조사대상자로 하여금 스스로 신고하도록 하는 제도를 운영할 의무가 있다. ( ) 17. 국회직 8급

05 행정기관의 장은 조사대상자가 신고한 내용이 거짓의 신고라고 인정할 만한 근거가 있거나 신고내용을 신뢰할 수 없는 경우를 제외하고는 그 신고내용을 행정조사에 갈음하여야 한다. ( ) 12. 사회복지직

01 ○ **02** ○ **03** ○ **04** × **05** ×

6 위법한 행정조사의 효과

1. 문제상황

(1) 행정조사의 상대방이 조사를 거부하는 경우에 공무원이 실력행사를 하여 강제로 조사할 수 있는지 여부에 대해서는 견해가 대립한다.

(2) 행정조사의 위법이 있는 경우 이를 기초로 한 행정작용이 위법한 것으로 되는지가 문제된다. 다시 말해, 세무조사의 결과에 따르는 과세처분에서 세무조사가 위법하게 행해진 경우, 바로 과세처분이 위법하게 되는지 여부가 문제된다.

간단 점검하기

01 행정조사의 상대방이 조사를 거부하는 경우에 공무원이 실력행사를 하여 강제로 조사할 수 있는지 여부에 대해서는 견해가 대립한다. ( )
14. 국가직 9급

2. 학설

(1) 적극설

절차의 적법성보장의 원칙에 비추어 행정조사가 위법한 경우에는 해당 조사를 기초로 한 행정결정도 위법하다는 견해이다.

(2) 소극설

행정조사의 위법이 바로 행정행위를 위법하게 하지 않는다는 견해이다.

(3) 절충설

행정조사에 중대한 위법사유가 있는 경우에 한하여 행정행위의 위법성을 인정하자는 견해이다.

3. 판례

판례의 입장은 적극설을 취하고 있다.[1] 따라서 위법한 행정조사에 기초하여 행해진 과세처분은 위법하게 된다. 판례에 의하면 중복조사, 재조사, 부정목적의 조사, 강요된 조사, 영장 없는 채혈조사 등은 위법한 조사에 해당한다.

간단 점검하기

02 위법한 세무조사를 통하여 수집된 과세자료에 기초하여 과세처분을 하였더라도 그러한 사정만으로 그 과세처분이 위법하게 되는 것은 아니다. ( )
16. 국가직 9급

[1] 대판 2006.6.2, 2004두12070

관련판례

1 위법한 중복조사 → 과세처분 위법 ★★★

납세자에 대한 부가가치세부과처분이 종전의 부가가치세 경정조사와 같은 세목 및 같은 과세기간에 대하여 중복하여 실시된 위법한 세무조사에 기초하여 이루어진 것이어서 위법하다(대판 2006.6.2, 2004두12070).
#부가가치세_경정조사_중복조사 #중복조사_위법 #과세처분_위법

2 위법한 재조사 → 과세처분 위법 ★★★

세무공무원이 납세자 등을 접촉하여 상당한 시일에 걸쳐 질문검사권을 행사하여 과세요건사실을 조사·확인하고 일정한 기간 과세에 필요한 직접·간접의 자료를 검사·조사하고 수집하는 일련의 행위를 한 경우, 재조사가 금지되는 '세무조사'로 보아야 하고, 구 국세기본법 제81조의4 제2항을 위반한 위법한 재조사에 기초하여 이루어진 과세처분은 위법하다(대판 2017.12.13, 2015두3805).
#세무조사_질문·검사_조사·확인 #재조사_후_상속제부과_위법

01 ○ 02 ×

3 부정목적 세무조사 → 과세처분 위법 ★★★

세무조사가 과세자료의 수집 또는 신고내용의 정확성 검증이라는 본연의 목적이 아니라 부정한 목적을 위하여 행하여진 경우, 세무조사에 의하여 수집된 과세자료를 기초로 한 과세처분은 위법하다(대판 2016.12.15, 2016두47659).
#토지소유권반환_부정한_목적_세무조사 #세무조사_위법 #과세처분_위법

4 위법한 조사대상자 선정 → 과세처분 위법 ★★

세무조사대상 선정사유가 없음에도 세무조사대상으로 선정하여 과세자료를 수집하고 과세처분을 하는 것은 위법하다(대판 2014.6.26, 2012두911).

5 위법한 혈액채취조사 → 면허정지처분 위법 ★★

위법한 행정조사(음주운전 여부에 대한 조사 과정에서 운전자 본인의 동의를 받지 아니하고 법원의 영장도 없이 한 혈액 채취 조사) 결과를 근거로 한 운전면허 정지 · 취소 처분은 위법하다(대판 2016.12.27, 2014두46850).

관련판례 기타

1 조사자료 경정 ★★

수사 또는 세무조사 과정에서 작성된 자료에 의하여 납세신고내용의 오류 · 탈루를 경정하는 것은 원칙적으로 불가하나, 예외적으로 과세자료로 합리성과 진실성이 인정되는 경우에는 경정이 인정된다(대판 2007.10.26, 2006두16137).

2 세액 없음 결정 번복 ★★★

'세액 없음 결정'을 한 후 이를 번복하여 다시 부과처분을 하거나 일단 부과처분 후 이를 취소하고 행한 재부과처분은 신의칙이나 금반언에 위배되지 않으며, 이는 정당하다(대판 2009.12.24, 2007두5004).

7 행정조사에 대한 권리구제

1. 적법한 행정조사에 대한 권리구제

적법한 행정조사로 인하여 재산상의 손실을 받은 경우에, 그것이 사회적 제약을 넘는 특별한 희생에 해당하는 때에는 법률이 정하는 바에 따라 손실보상을 청구할 수 있다.❶

❶ 토지수용을 위한 출입조사에 대한 보상, 행정조사를 위한 시료채취 등

2. 위법한 행정조사에 대한 권리구제

(1) 행정쟁송

① 권력적 행정조사는 처분성이 인정되어 행정쟁송에 따른 구제가 가능하다. 예컨대, 판례는 세무조사결정의 처분성을 인정하여 항고소송의 대상이 된다고 보고 있다.

간단 점검하기

01 과세처분을 위한 행정청의 질문조사권이 행해지는 세무조사결정은 항고소송의 대상인 처분에 해당하지 아니한다. ( ) 14. 국가직 7·9급

관련판례 **세무조사결정 - 처분 ★★★**

부과처분을 위한 과세관청의 질문조사권이 행해지는 세무조사결정이 있는 경우 납세의무자는 세무공무원의 과세자료 수집을 위한 질문에 대답하고 검사를 수인하여야 할 법적 의무를 부담하게 되는 점, … 등을 종합하면, 세무조사결정은 납세의무자의 권리·의무에 직접 영향을 미치는 공권력의 행사에 따른 행정작용으로서 항고소송의 대상이 된다고 할 것이다(대판 2011.3.10, 2009두23617·23624).
#세무조사결정_수인의무_처분

② 행정조사가 비교적 장기간에 걸쳐 계속되는 경우에는 행정쟁송에 의하여 그 취소·변경을 구할 수 있다. 그러나 행정조사가 단기간의 침해로 행위가 종료된 경우에는 행정소송을 통하여 행정조사의 취소를 청구할 법률상 이익이 없다.

③ 행정조사가 이미 종료된 경우라도 그 취소로 회복되는 법률상 이익이 있는 경우에는 행정쟁송을 제기할 수 있다.

간단 점검하기

02 위법한 행정조사로 손해를 입은 국민은 국가배상법에 따른 손해배상을 청구할 수 있다. ( ) 16. 국가직 9급

(2) 행정상 손해배상

위법한 행정조사로 인하여 재산상의 손해를 받은 자는 국가에 대하여 손해배상을 청구할 수 있다. 위에서 본 바와 같이 행정조사가 취소소송에 의하여 구제되는 경우는 극히 예외적인 경우이므로, 손해배상의 청구는 행정조사의 구제수단으로 중요한 역할을 담당한다.

(3) 형사상 구제

무효인 행정조사에 대하여 정당방위의 인정 여부에 대하여 즉시강제에서와 마찬가지로 견해가 대립된다.

(4) 기타

이 밖에도 청원, 직권에 의한 취소·정지, 공무원의 형사상 책임·징계책임 제도 등 간접적으로 위법한 행정조사에 대한 구제제도로서 의의를 갖는다.

01 × 02 ○

제 3 장 행정벌

제1절 개설

1 의의

행정벌이란 행정법상의 의무위반행위(행정목적상의 명령 · 금지위반)에 대하여, 일반통치권에 의거하여 내려지는 의무위반자에 대한 제재를 말한다.

2 성질

1. 행정상 강제집행(특히 집행벌)과 구별

행정벌은 과거의 의무위반에 대하여 가해지는 제재로서의 성격을 가지는 데 반해, 집행벌은 의무의 불이행에 대하여 장래의 이행을 확보하기 위한 목적에서 행해지는 점에 차이가 있다.

2. 징계벌과의 구별

구분	행정벌	징계벌
법률관계	일반권력관계	특별권력관계
목적	일반사회질서유지	특별권력관계의 내부질서유지
대상	일반사회질서위반자	특별권력관계복종자
권력적 기초	일반통치권	특별권력
양자의 관계	• 양자 사이에는 일사부재리원칙이 적용되지 않음 → 양자의 병과 가능 • 형사소추선행의 원칙은 채택하고 있지 않음	

3. 형사벌과의 구별

행정벌(특히, 행정형벌)과 형사벌과의 성질상 구별에 대해서는 긍정설과 부정설이 대립하고 있으나, 양자를 상대적으로 구별하는 긍정설이 일반적인 입장이다.

형사범	행정범
• 자연범 • 법규를 기다리지 않고 반사회성 인정 • 국가의 기본질서	• 법정범 • 법으로 규정함으로써 반사회성 인정 • 국가의 파생질서

간단 점검하기

01 행정상 강제집행은 행정법상 개별 · 구체적인 의무의 불이행을 전제로 그 불이행한 의무를 장래에 향해 실현시키는 것을 목적으로 한다는 점에서 과거의 의무위반에 대한 제재로써 가하는 행정벌과 구별된다. ( ) 08. 국가직 7급

02 행정벌과 이행강제금은 장래에 의무의 이행을 강제하기 위한 제재로서 직접적으로 행정작용의 실효성을 확보하기 위한 수단이라는 점에서는 동일하다. ( ) 17. 국가직 9급

01 ○ 02 ×

3 행정벌의 근거

1. 죄형법정주의 인정 여부

(1) 다수설은 행정벌도 처벌의 일종이므로 법률에 근거가 있어야 한다고 보고 있다. 즉, 죄형법정주의는 형사벌만이 아니고 행정벌에도 타당하므로 법적 근거 없이는 행정벌을 가할 수 없다.

(2) 다만, 헌법재판소는 과태료인 행정질서벌에는 죄형법정주의가 적용되지 않는다고 판시한 바 있다.[1]

[1] 질서위반행위법정주의가 적용된다.

2. 위임 가능 여부

(1) 법률은 벌칙의 정립권을 법규명령에 위임할 수 있으나, 처벌의 대상이 되는 행위의 종류 등에 대하여 구체적으로 범위를 정하고 형량의 최고한도를 정해서 위임하여야 한다.

(2) 지방자치단체는 조례로써 조례위반행위에 대하여 1,000만원 이하의 과태료를 정할 수 있으며(지방자치법 제27조), 부정한 방법으로 사용료 등을 면한 자에게는 면한 금액의 5배 이내의 과태료를, 그리고 공공시설의 부정사용자에 대하여는 50만원 이하의 과태료를 부과할 수 있다(지방자치법 제139조 제2항).

4 행정벌의 종류 - 행정형벌과 행정질서벌

구분	행정형벌	행정질서벌
목적	행정목적 및 사회공익	행정질서
성질	행정목적의 직접적 침해에 대한 제재	단순한 행정상 의무태만에 대한 제재
처벌내용	형법상 형벌	과태료
형법총칙	원칙적으로 적용	적용되지 않음
고의 · 과실	필요	필요
처벌절차	형사소송법 (예외: 통고처분, 즉결심판)	질서위반행위규제법 (예외: 지방자치법)
양자의 병과 여부	• 대법원: 병과 가능(대판 2000.10.27, 2000도3874) • 헌법재판소: 병과 가능(헌재 1994.6.30, 92헌바38)	

관련판례 행정형벌과 행정질서벌의 대상 - 입법자의 재량

어떤 행정법규 위반행위에 대하여 이를 단지 간접적으로 행정상의 질서에 장해를 줄 위험성이 있음에 불과한 경우로 보아 행정질서벌인 과태료를 과할 것인가 아니면 직접적으로 행정목적과 공익을 침해한 행위로 보아 행정형벌을 과할 것인가, 그리고 행정형벌을 과할 경우 그 법정형의 형종과 형량을 어떻게 정할 것인가는 당해 위반행위가 위의 어느 경우에 해당하는가에 대한 법적 판단을 그르친 것이 아닌한 그 처벌내용은 기본적으로 입법권자가 제반사정을 고려하여 결정할 입법재량에 속하는 문제라고 할 수 있다(헌재 1994.4.28, 91헌바14).
#행정형벌_행정질서벌_대상_입법재량

제2절 행정형벌

1 행정형벌과 형법총칙

1. 형법 제8조는 "본법 총칙은 다른 법령에 정한 죄에 적용한다. 단, 그 법령에 특별한 규정이 있는 때에는 예외로 한다."고 규정하였다. 따라서 형법총칙은 원칙적으로 행정형벌에도 적용된다.
2. 본조의 해석과 관련하여 형법 제8조의 '특별한 규정'이란 개별법에서 그 특수성을 인정한 특별한 규정이 있을 때에는 형법총칙이 적용되지 않는다는 것을 의미한다.

2 행정형벌의 특수성

1. 고의 · 과실

(1) 의의

① 형법상의 고의란 죄의 성립요소인 사실에 대한 인식과 그를 실현하려는 의사를 말한다. 따라서 행위자가 행위 당시에 죄의 성립요소가 되는 사실들을 인식하고 이에 기해 행위를 했을 때 고의가 인정된다. 즉, 알고서 일부러 행하는 심리상태를 말한다.

> 형법 제13조【범의】죄의 성립요소인 사실을 인식하지 못한 행위는 벌하지 아니한다. 단 법률에 특별한 규정이 있는 경우에는 예외로 한다.

② 형법상의 과실이란 사회생활상 요구되는 주의의무를 태만히 하여 죄의 성립요소인 사실을 인식하지 못한 것을 말한다. 따라서 행위자가 행위 당시 부주의하여 법익침해 결과 발생을 예견하지 못하거나 회피하지 못하였을 때 과실이 인정된다. 즉, 부주의로 모르고 행하는 심리상태를 말한다.[1]

> 형법 제14조【과실】정상의 주의를 태만함으로 인하여 죄의 성립요소인 사실을 인식하지 못한 행위는 법률에 특별한 규정이 있는 경우에 한하여 처벌한다.

간단 점검하기

01 죄형법정주의 원칙 등 형벌법규의 해석 원리는 행정형벌에 관한 규정을 해석할 때도 적용되어야 한다. ( ) 19. 서울시 9급

02 행정형벌에는 특별한 규정이 있는 경우를 제외하고는 형법총칙이 적용된다. ( ) 09. 국가직 9급

[1]
- **무과실**: 주의의무를 다했음에도 법 위반 사실을 인식하지 못하고 행한 경우
- **중과실**: 과실이 중한 경우, 즉 조금만 주의했더라면 법 위반 사실을 인식할 수 있었을 경우

01 ○ 02 ○

(2) 형사범의 성립에는 원칙적으로 범의가 있음을 요건으로 하고(형법 제13조), 과실 있는 행위는 법률에 특별한 규정이 있는 경우에 한하여 처벌된다(형법 제14조). 이러한 원칙은 행정법에 대하여도 적용된다.

관련판례

행정상의 단속을 주안으로 하는 법규라 하더라도 '명문규정이 있거나 해석상 과실범도 벌할 뜻이 명확한 경우'를 제외하고는 형법의 원칙에 따라 '고의'가 있어야 벌할 수 있다(대판 2010.2.11, 2009도9807).

#행정범_고의_요건

(3) 판례는 관계법규의 해석상 과실범도 벌할 뜻이 명확한 경우에는 명문의 규정이 없더라도 과실범을 처벌할 수 있다는 입장을 취한다(대판 1991.11.12, 91도801).

관련판례

1 행정상의 단속을 주안으로 하는 법규라 하더라도 명문규정이 있거나 해석상 과실범도 벌할 뜻이 명확한 경우를 제외하고는 형법의 원칙에 따라 고의가 있어야 벌할 수 있다(대판 1986.7.22, 85도108).

#행정범_고의_처벌요건

2 구 대기환경보전법(1992.12.8. 법률 제4535호로 개정되기 전의 것)의 입법목적이나 제반 관계규정의 취지 등을 고려하면, 법정의 배출허용기준을 초과하는 배출가스를 배출하면서 자동차를 운행하는 행위를 처벌하는 위 법 제57조 제6호의 규정은 자동차의 운행자가 그 자동차에서 배출되는 배출가스가 소정의 운행 자동차 배출허용기준을 초과한다는 점을 실제로 인식하면서 운행한 고의범의 경우는 물론 과실로 인하여 그러한 내용을 인식하지 못한 과실범의 경우도 함께 처벌하는 규정이다(대판 1993.9.10, 92도1136).

#자동차_배출허용기준_초과

2. 타인의 행위에 대한 책임

(1) 형사범에 있어서는 현실의 범죄행위자를 처벌하지만, 행정범의 경우에는 반드시 현실의 행위자가 아니라 행정법상의 의무를 지는 자가 책임을 지는 경우도 있다.

(2) 미성년자·제한능력자의 위법행위에 대하여 법정대리인을 처벌하거나, 양벌규정을 두어 행위자 외에 사업주도 처벌하는 경우 등이 그 예에 속한다.

3. 법인의 책임

(1) 양벌규정이란 고용주(= 개인 또는 법인)에게 고용된 자(= 대표자, 대리인, 사용인, 그 밖의 종업원)이 그 고용주의 업무와 관련하여 법 위반행위를 한 경우, 고용주를 처벌하는 조항이다. 이와 같은 양벌규정이 있는 경우, 종업원이 고용주인 개인 또는 법인의 업무와 관련하여 법 위반행위를 했다면, 종업원은 벌칙규정에 의한 형벌책임을 지고, 고용주인 개인 또는 법인도 양벌규정에 의한 형벌책임을 지게 된다.[1]

간단 점검하기

01 행정형벌의 과벌은 행위자의 고의·과실을 요하지 않는다. ( ) 11. 사회복지직

02 감염병의 예방 및 관리에 관한 법률 제80조의 벌금은 과실범 처벌에 관한 명문규정이 있거나 해석상 과실범도 벌할 뜻이 명확한 경우를 제외하고는 형법의 원칙에 따라 고의가 있어야 벌할 수 있다. ( ) 18. 국회직 8급

03 과실범을 처벌한다는 명문의 규정이 없더라도 행정형벌 법규의 해석에 의하여 과실행위도 처벌한다는 뜻이 도출되는 경우에는 과실범도 처벌될 수 있다. ( ) 19. 국가직 9급, 12. 지방직 9급

04 구 대기환경보전법에 따라 배출허용기준을 초과하는 배출가스를 배출하는 자동차를 운행하는 행위를 처벌하는 규정은 과실범의 경우에 적용하지 아니한다. ( ) 14. 국가직 9급

[1] 직접 행위자에 대한 처벌규정이 없는 경우, 판례는 양벌규정은 위반행위의 이익귀속주체인 영업주에 대한 처벌규정이면서 동시에 행위자에 대한 처벌규정이 될 수 있다고 본다. 또한 명문규정이 없는 경우에도 관계규정 해석상 행위자 이외의 자도 벌할 뜻이 명확한 경우에는 행위자 이외의 자에 대한 처벌규정이 될 수 있다고 본다.

01 × 02 ○ 03 ○ 04 ×

도로법 제47조【고속국도 통행 방법 등】① 고속국도에서는 자동차만을 사용해서 통행하거나 출입하여야 한다.

제115조【벌칙】다음 각 호의 어느 하나에 해당하는 자는 1년 이하의 징역이나 1천만원 이하의 벌금에 처한다.

1. 제47조제1항을 위반하여 자동차를 사용하지 아니하고 고속국도를 통행하거나 출입한 자

제116조【양벌규정】법인의 대표자, 법인 또는 개인의 대리인, 사용인, 그 밖의 종업원이 그 법인 또는 개인의 업무에 관하여 제113조 제1항·제7항, 제114조, 제115조의 어느 하나에 해당하는 위반행위를 하면 그 행위자를 벌하는 외에 그 법인 또는 개인에게도 해당 조문의 벌금형을 과(科)하고, 제113조 제3항에 해당하는 위반행위를 하면 그 행위자를 벌하는 외에 그 법인 또는 개인을 5천만원 이하의 벌금에 처한다. 다만, 법인 또는 개인이 그 위반행위를 방지하기 위하여 해당 업무에 관하여 상당한 주의와 감독을 게을리 하지 아니한 경우에는 그러하지 아니하다.

체육시설의 설치·이용에 관한 법률 제39조【양벌규정】 법인의 대표자나 법인 또는 개인의 대리인, 사용인, 그 밖의 종업원이 그 법인 또는 개인의 업무에 관하여 제38조의 위반행위를 하면 그 행위자를 벌하는 외에 그 법인 또는 개인에게도 해당 조문의 벌금형을 과(科)한다. 다만, 법인 또는 개인이 그 위반행위를 방지하기 위하여 해당 업무에 관하여 상당한 주의와 감독을 게을리 하지 아니한 경우에는 그러하지 아니하다.

(2) 양벌규정이 있는 범위 내에서는 자연인이 아닌 법인도 범죄능력이 있다고 본다.

(3) 헌법재판소는 양벌규정에 의해 고용주(= 개인 또는 법인)이 형벌책임을 지는 경우, 종업원의 책임에 종속하는 것이 아니라, 종업원 등에 대한 선임·감독상의 과실(= 자신의 감독과실)로 인한 책임이라고 보았다.

관련판례 양벌규정에 의한 처벌 - 영업주의 자기책임

1 이 사건 법률조항은 영업주가 고용한 종업원 등이 그 업무와 관련하여 위반행위를 한 경우에, 그와 같은 종업원 등의 범죄행위에 대해 영업주가 비난받을 만한 행위가 있었는지 여부와는 전혀 관계없이 종업원 등의 범죄행위가 있으면 자동적으로 영업주도 처벌하도록 규정하고 있다. … 이 사건 법률조항은 아무런 비난받을 만한 행위를 한 바 없는 자에 대해서까지, 다른 사람의 범죄행위를 이유로 처벌하는 것으로서 형벌에 관한 책임주의에 반하므로 헌법에 위반된다(헌재 2009.7.30, 2008헌가10).

2 양벌규정에 의한 영업주의 처벌은 금지위반행위자인 종업원의 처벌에 종속하는 것이 아니라 독립하여 그 자신의 종업원에 대한 선임·감독상의 과실로 인하여 처벌되는 것이므로 종업원의 범죄성립이나 처벌이 영업주 처벌의 전제조건이 될 필요는 없다(대판 2006.2.24, 2005도7673).

(4) 지방자치단체도 법인이므로 그 공무원의 법 위반행위에 대해 양벌규정의 책임을 지는지가 문제된다.

간단 점검하기

01 행정범의 경우에는 법인의 대표자 또는 종업원 등의 행위자뿐 아니라 법인도 아울러 처벌하는 규정을 두는 경우가 있다. ( ) 12. 지방직 9급

간단 점검하기

02 종업원 등의 범죄에 대해 법인에게 어떠한 잘못이 있는지를 전혀 묻지 않고, 곧바로 그 종업원 등을 고용한 법인에게도 종업원 등에 대한 처벌조항에 규정된 벌금형을 과하도록 규정하는 것은 책임주의에 반한다. ( ) 17. 국가직 9급

03 종업원의 위반행위에 대해 사업주도 처벌하는 경우, 사업주가 지는 책임은 무과실책임이다. ( ) 12. 지방직 9급

04 영업주에 대한 양벌규정이 존재하는 경우 영업주의 처벌은 금지위반행위자인 종업원의 범죄성립이나 처벌을 전제로 하지 않는다. ( ) 17. 국가직 7급

01 ○ 02 ○ 03 × 04 ○

(5) 판례는 지방자치단체가 그 고유사무를 수행하던 중 공무원이 법 위반행위를 하면 지방자치단체가 양벌규정의 책임을 지는 법인에 해당한다고 본다. 그러나 지방자치단체가 국가로부터 위임받은 사무를 수행하던 중 공무원이 법 위반행위를 하면 지방자치단체는 양벌규정의 책임을 지는 법인에 해당하지 않는다고 본다.

관련판례

1 **지방자치단체의 양벌규정 책임** ★★★

[1] 국가가 본래 그의 사무의 일부를 지방자치단체의 장에게 위임하여 처리하게 하는 기관위임사무의 경우 지방자치단체는 국가기관의 일부로 볼 수 있고, 지방자치단체가 그 고유의 자치사무를 처리하는 경우 지방자치단체는 국가기관의 일부가 아니라 국가기관과는 별도의 독립한 공법인으로서 양벌규정에 의한 처벌대상이 되는 법인에 해당한다.

[2] 항만순찰 등의 업무가 지방자치단체의 장이 국가로부터 위임받은 기관위임사무에 해당하여, 해당 지방자치단체가 구 자동차관리법 제83조의 양벌규정에 따른 처벌대상이 될 수 없다(대판 2009.6.11, 2008도6530).

#지방자치단체사무_위임사무_고유사무 #자치사무_지방자치단체_주체
#항만순찰업무_기관위임사무 #위임사무_지방자치단체_주체×

2 **다단계판매원, 다단계판매회사** ★★

다단계판매원은 다단계판매업자의 통제·감독을 받으면서 다단계판매업자의 업무를 직접 또는 간접으로 수행하는 자로서, 적어도 구 방문판매 등에 관한 법률(2002.3.30. 법률 제6688호로 전문 개정되기 전의 것)의 양벌규정의 적용에 있어서는 다단계판매업자의 사용인의 지위에 있다고 봄이 상당하다(대판 2006.2.24, 2003도4966).

#다단계판매원 #다단계판매업자_지위·감독 #다단계판매원_다단계판매업자_사용인

4. 책임능력

형사범에서는 심신장애자의 행위는 형을 감경하거나 벌하지 않으며(형법 제10조), 농아자의 행위는 형을 감경하며(형법 제11조), 만 14세가 되지 아니한 자의 행위는 벌하지 않으나(형법 제9조), 행정범에 대하여는 이들 규정의 적용을 배제 또는 제한하는 규정을 두는 경우가 있다(담배사업법 제31조).

담배사업법 제31조【형법의 적용제한】이 법에 정한 죄를 범한 자에 대하여는 형법 제9조, 제10조 제2항, 제11조, 제16조, 제32조 제2항, 제38조 제1항 제2호 중 벌금경합에 관한 제한가중 규정과 동법 제53조의 규정은 이를 적용하지 아니한다. 다만, 징역형에 처할 경우 또는 징역형과 벌금형을 병과할 경우에 있어서의 징역형에 대하여는 그러하지 아니하다.

5. 공범

(1) 형법총칙의 공동정범(제30조), 교사범(제31조), 종범(제32조), 공범과 신분(제33조), 간접정범, 특수교사·방조(제34조)에 관한 규정이 행정범에 적용될 것인지가 문제된다.

간단 점검하기

01 지방자치단체 소속 공무원이 자치사무를 수행하던 중 법 위반행위를 한 경우 지방자치단체는 같은 법의 양벌규정에 따라 처벌되는 법인에 해당한다. ( ) 19. 서울시 9급

02 지방공무원이 자치사무를 수행하던 중 도로법을 위반한 경우 지방자치단체는 도로법의 양벌규정에 따라 처벌대상이 된다. ( ) 14. 지방직 9급, 12. 지방직 7급

03 지방자치단체가 국가로부터 위임받은 기관위임사무를 처리하는 경우, 지방자치단체는 양벌규정에 의한 처벌대상이 되는 법인에 해당된다. ( ) 18. 경찰행정

04 지방자치단체 소속 공무원이 지정항만순찰 등의 업무를 위해 관할관청의 승인 없이 개조한 승합차를 운행함으로써 구 자동차관리법을 위반한 경우, 해당 지방자치단체는 구 자동차관리법 제83조의 양벌규정에 따른 처벌대상이 될 수 없다. ( ) 17. 국가직 7급

01 ○ 02 ○ 03 × 04 ○

(2) 행정범에 있어서는 의무의 다양성 때문에 공동정범·교사범 및 종범에 관한 규정의 적용을 배제하는 경우(선박법 제39조), 종범감경규정의 적용을 배제하는 경우(담배사업법 제31조) 등이 있다.

6. 위법성의 인식

관련판례

행정청의 허가가 있어야 함에도 불구하고 허가를 받지 아니하여 처벌대상의 행위를 한 경우라도, 허가를 담당하는 공무원이 허가를 요하지 않는 것으로 잘못 알려 주어 이를 믿었기 때문에 허가를 받지 아니한 것이라면 허가를 받지 않더라도 죄가 되지 않는 것으로 착오를 일으킨 데 대하여 정당한 이유가 있는 경우에 해당하여 처벌할 수 없다(대판 1992.5.22, 91도2525).

3 행정형벌의 과벌절차

1. 일반적인 과벌절차

행정형벌도 원칙적으로 형사소송법이 정하는 절차에 의하여 과해지지만, 특별과벌절차로서 통고처분 및 즉결심판이라는 예외적인 과벌절차가 인정되고 있다.

2. 통고처분

(1) 의의

① 통고처분이라 함은 조세범·관세범·출입국사범·도로교통사범 등에 대하여 형사소송을 대신하여 행정청이 일정한 벌금 또는 과료에 상당하는 금액의 납부를 명하는 행위를 말한다.

② 통고처분제도는 경미한 법위반행위로 빈번히 발생하는 위반행위에 대해 행정공무원에 의한 전문적이면 신속한 제재를 통해 검찰 및 법원의 과중한 업무부담을 덜어주는 제도이다. 또한 통고처분은 벌금을 부과하는 것이 아니라 벌금 또는 과료에 상당하는 금액의 납부를 통고하는 준사법적 행위이므로 형벌과는 달리 전과자가 되지 않아 형벌의 비범죄화에 기여하고 있다.❶

(2) 통고처분권자

통고처분을 할 수 있는 자에는 국세청장·지방국세청장·세무서장·관세청장·세관장·출입국사무소장·경찰서장 등이 있다.

(3) 통고처분의 내용

통고처분의 내용은 벌금 또는 과료에 상당하는 금액, 몰수에 해당하는 물품, 추징금에 상당하는 금액 그 밖의 비용 등의 납부를 통고하는 것이다.

(4) 통고처분의 처분성 여부

① 대법원의 경우는 통고처분을 행정소송법상 처분으로 보지 않는다.

② 헌법재판소도 통고처분을 처분이 아니라고 본다.

간단 점검하기

01 행정청의 허가가 있어야 함에도 불구하고 허가를 받지 아니하여 처벌대상의 행위를 한 경우라도, 허가를 담당하는 공무원이 허가를 요하지 아니하는 것으로 잘못 알려주어 이를 믿었기 때문에 허가를 받지 아니하는 것이라면 허가를 받지 않더라도 죄가 되지 않는 것으로 착오를 일으킨 데 대하여 정당한 이유가 있는 경우에 해당하여 처벌할 수 없다. ( ) 11. 국회직 9급

간단 점검하기

02 행정형벌은 형사소송법이 정하는 절차에 따라 법원이 과벌하는 것이 원칙이다. ( ) 09. 국가직 9급

03 통고처분은 현행법상 조세범, 관세범, 출입국관리사범, 교통사범 등에 대하여 형사소송절차에 대신하여 벌금 또는 과료에 상당하는 금액의 납부를 명하는 것이다. ( ) 18. 소방직 9급, 12·09. 국가직 9급

❶ 통고처분은 벌금 및 과료에 해당하는 범칙금을 부과하는 절차이므로 행정형벌에서만 인정된다.

간단 점검하기

04 통고처분권자는 검사이다. ( ) 07. 서울시 9급

간단 점검하기

05 일반 형사소송절차에 앞선 절차로서의 통고처분은 그 자체로 상대방에게 금전납부의무를 부과하는 행위로서 항고소송의 대상이 된다. ( ) 17. 국가직 9급

01 ○ 02 ○ 03 ○ 04 × 05 ×

관련판례 **범칙금부과(통고처분) - 처분성 부정 ★★★**

도로교통법 제118조에서 규정하는 경찰서장의 통고처분은 행정소송의 대상이 되는 행정처분이 아니므로 그 처분의 취소를 구하는 소송은 부적법하고, 도로교통법상의 통고처분을 받은 자가 그 처분에 대하여 이의가 있는 경우에는 통고처분에 따른 범칙금의 납부를 이행하지 아니함으로써 경찰서장의 즉결심판청구에 의하여 법원의 심판을 받을 수 있게 될 뿐이다(대판 1995.6.29, 95누4674).

#경찰서장_통고처분(범칙금부과)_처분× #이의_납부불이행 #경찰서장_즉결심판

(5) 통고처분의 재량성 여부

통고처분을 할 것인지 여부에 재량이 있다는 것이 판례의 입장이다.

관련판례 **통고처분 - 재량행위 ★★**

통고처분을 할 것인지의 여부는 관세청장 또는 세관장의 재량에 맡겨져 있고, 따라서 관세청장 또는 세관장이 관세범에 대하여 통고처분을 하지 아니한 채 고발하였다는 것만으로는 그 고발 및 이에 기한 공소의 제기가 부적법하게 되는 것은 아니다(대판 2007.5.11, 2006도1993).

#통고처분_재량행위 #통고처분×_고발 · 공소제기_적법

(6) 통고처분의 효과

① **통고처분의 이행**: 통고처분을 받은 자가 법정기간 내에 통고된 내용에 따라 이행한 때에는 일사부재리원칙의 적용을 받아 다시 소추를 할 수 없다. 납부기간이 경과되어도 고발이 있기 전에 이행한 때에는 고발하지 아니한다.

관련판례

1 통고처분 이행 - 확정판결에 준하는 효력 인정 ★★

범칙금의 통고 및 납부 등에 관한 규정들의 내용과 취지 등에 비추어 볼 때, 범칙자가 경찰서장으로부터 범칙행위를 하였음을 이유로 범칙금의 통고를 받고 납부기간 내에 그 범칙금을 납부한 경우 범칙금의 납부에 확정판결에 준하는 효력이 인정됨에 따라 다시 벌받지 아니하게 되는 행위사실은 범칙금 통고의 이유에 기재된 당해 범칙행위 자체 및 그 범칙행위와 동일성이 인정되는 범칙행위에 한정된다고 해석함이 상당하다. … 범칙행위와 같은 일시, 장소에서 이루어진 행위라 하더라도 범칙행위의 동일성을 벗어난 형사범죄행위에 대하여는 범칙금의 납부에 따라 확정판결의 효력에 준하는 효력이 미치지 아니한다(대판 2002.11.22, 2001도849).

#통고처분_이행_확정판결 #동일성_인정_확정판결_준함

2 조세범칙행위에 대한 고발 후 통고처분

지방국세청장 또는 세무서장이 조세범칙행위에 대하여 고발을 한 후에 동일한 조세범칙행위에 대하여 통고처분을 하였더라도, 이는 법적 권한 소멸 후에 이루어진 것으로서 특별한 사정이 없는 한 효력이 없고, 조세범칙행위자가 이러한 통고처분을 이행하였더라도 조세범 처벌절차법 제15조 제3항에서 정한 일사부재리의 원칙이 적용될 수 없다(대판 2016.9.28, 2014도10748).

#고발후_통고처분 #통고처분_무효 #통고처분_이행_무효

간단 점검하기

01 도로교통법에 의한 경찰서장의 통고처분에 대한 항고소송은 부적법하고, 이에 대하여 이의가 있는 경우에는 통고처분에 따른 범칙금을 이행하지 아니함으로써 경찰서장의 즉결심판청구에 의하여 법원의 심판을 받을 수 있게 된다. ( ) 19. 국회직 8급, 12. 지방직 9급

간단 점검하기

02 법률에 따라 통고처분을 할 수 있으면 행정청은 통고처분을 하여야 하며, 통고처분 이외의 조치를 취할 재량은 없다. ( ) 15. 지방직 9급

03 관세청장 또는 세관장이 관세범에 대하여 통고처분을 하지 않은 채 고발하였다는 것만으로는 그 고발 및 이에 기한 공소의 제기가 부적법한 것은 아니다. ( ) 18. 경찰행정

간단 점검하기

04 범칙자가 범칙금을 납부하면 과형절차는 종료되고, 범칙자는 다시 형사소추되지 아니한다. ( ) 18. 경찰행정

05 통고처분에 따른 범칙금을 납부한 후에 동일한 사건에 대하여 다시 형사처벌을 하는 것이 일사부재리의 원칙에 반하는 것은 아니다. ( ) 19. 국가직 9급

06 통고처분에 의해 범칙금을 납부한 경우, 그 납부의 효력에 따라 다시 벌받지 아니하게 되는 행위사실은 범칙금 통고의 이유에 기재된 당해 범칙행위 자체에 한정될 뿐, 그 범칙행위와 동일성이 인정되는 범칙행위에는 미치지 않는다. ( ) 17. 국가직 7급

07 지방국세청장이 조세범칙행위에 대하여 형사고발을 한 후에 동일한 조세범칙행위에 대하여 한 통고처분은 특별한 사정이 없는 한 위법하지만 무효는 아니다. ( ) 18. 지방직 7급

01 ○ 02 × 03 ○ 04 ○
05 × 06 × 07 ×

② **통고처분의 불이행**: 법정기간 내에 통고된 내용을 이행하지 아니한 때에는 통고처분은 당연히 효력을 상실하고, 통고처분권자의 고발에 의하여 정식 형사소송절차가 이행된다. 검찰은 통고처분권자의 고발 없이는 기소할 수 없다.

③ **공소시효의 중단**: 통고처분이 있을 때에는 공소시효가 중단된다.

(7) 통고처분에 대한 권리구제

① 통고처분은 행정처분이 아니므로 항고소송으로 구제될 수 없다.

② 통고처분에 대한 규정이 개별법에 있으며 그 개별규정에서 구제수단을 각기 정하고 있으므로 행정쟁송의 대상에서 제외함이 헌법에 위반되는지 문제되나 헌법위반이 아니라는 것이 헌법재판소의 입장이다.

관련판례 통고처분 - 위헌성 ★★★

통고처분은 상대방의 임의의 승복을 그 발효요건으로 하기 때문에 그 자체만으로는 통고이행을 강제하거나 상대방에게 아무런 권리의무를 형성하지 않으므로 행정심판이나 행정소송의 대상으로서의 처분성을 부여할 수 없고, 통고처분에 대하여 이의가 있으면 통고내용을 이행하지 않음으로써 고발되어 형사재판절차에서 통고처분의 위법·부당함을 얼마든지 다툴 수 있기 때문에 관세법 제38조 제3항 제2호가 법관에 의한 재판받을 권리를 침해한다든가 적법절차의 원칙에 저촉된다고 볼 수 없다(헌재 1998.5.28, 96헌바4).

#통고처분_처분성부인_형사재판절차진행_합헌

3. 즉결심판

(1) 20만원 이하의 벌금·구류 또는 과료의 행정형벌은 즉결심판절차에 따라 경찰서장의 청구에 의하여 지방법원, 지원 또는 시·군법원의 판사에 의하여 과하여지며, 그 형은 경찰서장에 의해 집행된다.

(2) 즉결심판에 불복하는 자는 선고고지를 받은 날로부터 7일 이내에 정식재판을 청구할 수 있다(즉결심판에 관한 절차법 제11조).

제3절 행정질서벌

1 개설

1. 법적 근거

(1) 행정질서벌의 부과는 법률(지방자치단체 조례 포함)에 근거가 있어야 하는 바, 행정질서벌의 부과는 질서위반행위규제법에 의하도록 하여 질서위반행위 법정주의를 선언하고 있다.❶

간단 점검하기

01 통고처분을 받은 자가 통고처분의 내용을 이행하지 아니하면 권한 행정청은 일정기간 내에 고발할 수 있고, 그에 따라 형사소송절차로 이행되게 된다. ( ) 08. 국가직 9급

02 통고처분이 행하여지더라도 공소시효의 진행은 중단되지 않는다. ( ) 18. 경찰행정, 11. 지방직 7급

간단 점검하기

03 헌법재판소는 통고처분에 대해 행정심판이나 행정소송의 대상에서 제외하고 있는 관세법 제119조 제2항 제2호(구 제38조 제3항 제2호)가 법관에 의해 재판을 받을 권리를 침해한다든가 적법절차의 원칙을 위반하지 않는다고 보았다. ( ) 18. 경찰행정, 08. 국가직 9급

간단 점검하기

04 행정질서벌은 행정법상의 의무위반에 대한 제재로서 과태료를 과하는 금전적 제재수단을 말한다. ( ) 16. 국가직 9급, 16. 서울시 9급

05 지방자치단체의 조례상의 의무를 위반하여 과태료를 부과하는 행위는 질서위반행위에 해당되지 않는다. ( ) 19. 지방직 9급

❶ 행정질서벌은 행정법상의 의무위반에 대한 제재로서 과태료를 과하는 금전적 제재수단을 말한다.

01 ○ 02 × 03 ○ 04 ○ 05 ×

간단 점검하기

01 민법상의 의무를 위반하여 과태료를 부과하는 행위는 질서위반행위규제법상 질서위반행위에 해당한다. ( ) 19. 서울시 9급

02 질서위반행위란 법률(조례를 포함한다)상의 의무를 위반하여 과태료를 부과하는 행위를 말하고, 이에는 대통령령으로 정하는 법률에 따른 징계사유에 해당하여 과태료를 부과하는 행위가 포함된다. ( ) 11. 국가직 9급, 09. 국가직 7급

질서위반행위규제법 제2조 【정의】 이 법에서 사용하는 용어의 뜻은 다음과 같다.

1. "질서위반행위"란 법률(지방자치단체의 조례를 포함한다. 이하 같다)상의 의무를 위반하여 과태료를 부과하는 행위를 말한다. 다만, 다음 각 목의 어느 하나에 해당하는 행위를 제외한다.
   가. 대통령령으로 정하는 사법(私法)상 · 소송법상 의무를 위반하여 과태료를 부과하는 행위
   나. 대통령령으로 정하는 법률에 따른 징계사유에 해당하여 과태료를 부과하는 행위
2. "행정청"이란 행정에 관한 의사를 결정하여 표시하는 국가 또는 지방자치단체의 기관, 그 밖의 법령 또는 자치법규에 따라 행정권한을 가지고 있거나 위임 또는 위탁받은 공공단체나 그 기관 또는 사인(私人)을 말한다.
3. "당사자"란 질서위반행위를 한 자연인 또는 법인(법인이 아닌 사단 또는 재단으로서 대표자 또는 관리인이 있는 것을 포함한다. 이하 같다)을 말한다.

제6조 【질서위반행위 법정주의】 법률에 따르지 아니하고는 어떤 행위도 질서위반행위로 과태료를 부과하지 아니한다.

(2) 질서위반행위규제법은 행정질서벌의 성립요건, 절차, 징수 등에 관한 일반법이다. 그러나 사법상 · 소송법상 의무위반에 대해 부과되는 과태료, 징계사유에 해당하여 과태료를 부과하는 행위 등에는 적용이 없다.

간단 점검하기

03 과태료의 부과요건 · 절차 등에 관해 질서위반행위규제법의 규정과 다른 법률 규정이 있으면 그 규정을 우선 적용한다. ( ) 15. 서울시 7급

04 행정법규 위반행위에 대하여 과하여지는 과태료는 행정형벌이 아니라 행정질서벌에 해당한다. ( ) 16. 국가직 9급

(3) 다른 법률과의 관계

질서위반행위규제법 제5조 【다른 법률과의 관계】 과태료의 부과 · 징수, 재판 및 집행 등의 절차에 관한 다른 법률의 규정 중 이 법의 규정에 저촉되는 것은 이 법으로 정하는 바에 따른다.

(4) 행정질서벌은 형식적으로는 형벌이 아니기 때문에 형법총칙의 적용을 받지 않는다. 그런데 질서위반행위규제법이 제정되어 이에 의하면 고의 · 과실이 있어야 처벌할 수 있다.

질서위반행위규제법 제7조 【고의 또는 과실】 고의 또는 과실이 없는 질서위반행위는 과태료를 부과하지 아니한다.

2. 징계벌과 행정질서벌

징계벌과 행정질서벌은 모두 불이익한 처벌이지만 그 목적이나 성질이 다르므로, 징계벌을 부과한 후 행정질서벌을 부과할 수도 있다.

01 × 02 × 03 × 04 ○

관련판례

어떤 행정법규 위반행위에 대하여 이를 단지 간접적으로 행정상의 질서에 장해를 줄 위험성이 있음에 불과한 경우로 보아 행정질서벌인 과태료를 과할 것인가 아니면 직접적으로 행정목적과 공익을 침해한 행위로 보아 행정형벌을 과할 것인가, 그리고 행정형벌을 과할 경우 그 법정형의 형종과 형량을 어떻게 정할 것인가는 당해 위반행위가 위의 어느 경우에 해당하는가에 대한 법적 판단을 그르친 것이 아닌한 그 처벌내용은 기본적으로 입법권자가 제반사정을 고려하여 결정할 입법재량에 속하는 문제라고 할 수 있다(대판 1994.4.28, 91헌바14).

3. 행정형벌과 행정질서벌의 병과 여부

(1) 문제점

동일한 행정범에 대하여 행정형벌과 행정질서벌을 동시에 부과할 수 있는지 문제된다. 동시에 부과함을 '병과'라 하며 이에 대한 이중처벌금지의 원칙이나 일사부재리의 원칙과 관련하여 대법원과 헌법재판소의 견해가 다르다.

(2) 대법원

대법원 판례는 과태료와 형사처벌은 목적과 성질을 달리하는 별개의 것이므로 과태료 부과 후 형사처벌을 하더라도 일사부재리의 원칙에 위배되지 않는다고 한다.

관련판례

1 일사부재리의 효력은 확정재판이 있을 때에 발생하는 것이고 과태료는 행정법상의 질서벌에 불과하므로 과태료처분을 받고 이를 납부한 일이 있더라도 그 후에 형사처벌을 한다고 해서 일사부재리의 원칙에 어긋난다고 할 수 없다(대판 1989.6.13, 88도1983).
#거주이전 #퇴거 · 전입신고× #과태료(10만원)_형벌(징역8년_집행유예2년)

2 임시운행허가기간을 넘어 운행한 자가 등록된 차량에 관하여 그러한 행위를 한 경우라면 과태료의 제재만을 받게 되겠지만, 무등록 차량에 관하여 그러한 행위를 한 경우라면 과태료와 별도로 형사처벌의 대상이 된다(대판 1996.4.12, 96도158).
#무등록차량_임시운행허가기간_초과운행 #형사처벌 + 과태료

(3) 헌법재판소

헌법재판소는 동일한 행위를 대상으로 형벌과 과태료를 동시에 부과하는 것은 이중처벌금지의 원칙에 위배될 여지가 있다고 하나, 건축법상 이행강제금제도가 헌법에 위반되는 것은 아니라고 한다.

관련판례 무단용도변경 ★★★

[1] 헌법 제13조 제1항에서 말하는 "처벌"은 원칙으로 범죄에 대한 국가의 형벌권 실행으로서의 과벌을 의미하는 것이고, 국가가 행하는 일체의 제재나 불이익처분을 모두 그 "처벌"에 포함시킬 수는 없다 할 것이다.

[2] 다만, 행정질서벌로서의 과태료는 행정상 의무의 위반에 대하여 국가가 일반통치권에 기하여 과하는 제재로서 형벌(특히 행정형벌)과 목적 · 기능이 중복되는 면이 없지 않으므로, 동일한 행위를 대상으로 하여 형벌을 부과하면서 아울러 행정질서

간단 점검하기

01 어떤 행정법규 위반행위에 대해 과태료를 과할 것인지 행정형벌을 과할 것인지는 기본적으로 입법재량에 속한다. ( )
14. 지방직 9급, 12. 지방직 7급

간단 점검하기

02 과태료처분을 받고 이를 납부한 후에 형사처벌을 한다고 하여 일사부재리원칙에 반하지 않는다는 것이 대법원의 입장이다. ( )
15. 사회복지직, 14. 국가직 9급, 13. 지방직 7급, 12. 경찰행정, 08. 지방직 9급

간단 점검하기

03 헌법재판소의 결정에 따르면 행정질서벌과 행정형벌을 병과하면 이중처벌금지의 기본정신에 배치될 여지가 있다고 설시하고 있다. ( )
09. 국회직 9급

01 ○ 02 ○ 03 ○

벌로서의 과태료까지 부과한다면 그것은 이중처벌금지의 기본정신에 배치되어 국가 입법권의 남용으로 인정될 여지가 있음을 부정할 수 없다(헌재 1994.6.30, 92헌바38).

#무단용도변경(의원→사무실) #벌금(150만원)_과태료(28,620,380원) #과태료부과_정당

2 질서위반행위규제법

1. 개설

(1) 목적

질서위반행위규제법 제1조【목적】이 법은 법률상 의무의 효율적인 이행을 확보하고 국민의 권리와 이익을 보호하기 위하여 질서위반행위의 성립요건과 과태료의 부과·징수 및 재판 등에 관한 사항을 규정하는 것을 목적으로 한다.

(2) 시간적 한계

질서위반행위규제법 제3조【법 적용의 시간적 범위】① 질서위반행위의 성립과 과태료 처분은 행위시의 법률에 따른다.
② 질서위반행위 후 법률이 변경되어 그 행위가 질서위반행위에 해당하지 아니하게 되거나 과태료가 변경되기 전의 법률보다 가볍게 된 때에는 법률에 특별한 규정이 없는 한 변경된 법률을 적용한다.
③ 행정청의 과태료 처분이나 법원의 과태료 재판이 확정된 후 법률이 변경되어 그 행위가 질서위반행위에 해당하지 아니하게 된 때에는 변경된 법률에 특별한 규정이 없는 한 과태료의 징수 또는 집행을 면제한다.

(3) 장소적 한계

질서위반행위규제법 제4조【법 적용의 장소적 범위】① 이 법은 대한민국 영역 안에서 질서위반행위를 한 자에게 적용한다.
② 이 법은 대한민국 영역 밖에서 질서위반행위를 한 대한민국의 국민에게 적용한다.
③ 이 법은 대한민국 영역 밖에 있는 대한민국의 선박 또는 항공기 안에서 질서위반행위를 한 외국인에게 적용한다.

2. 질서위반행위의 성립

(1) 질서위반행위 법정주의

질서위반행위규제법 제6조【질서위반행위 법정주의】법률에 따르지 아니하고는 어떤 행위도 질서위반행위로 과태료를 부과하지 아니한다.

간단 점검하기

01 과태료를 부과하는 근거법령이 개정되어 행위시의 법률에 의하면 과태료 부과대상이었지만 재판시의 법률에 의하면 부과대상이 아니게 된 때에는 특별한 사정이 없는 한 과태료를 부과할 수 없다. ( ) 19. 국가직 9급

02 질서위반행위 후 법률이 변경되어 그 행위가 질서위반행위에 해당하지 아니하게 된 경우, 법률에 특별한 규정이 없는 한 질서위반행위의 성립은 행위시의 법률에 따른다. ( ) 18. 지방직 7급

03 법원의 과태료재판이 확정된 후 법률이 변경되어 그 행위가 질서위반행위에 해당하지 아니하게 된 때에는 변경된 법률에 특별한 규정이 없는 한 과태료의 집행을 면제한다. ( ) 19. 지방직 9급

04 행정청의 과태료 처분이나 법원의 과태료 재판이 확정된 후 법률이 변경되어 그 행위가 질서위반행위에 해당하지 아니하게 되더라도 변경된 법률에 특별한 규정이 없는 한 과태료의 징수 또는 집행은 면제되지 않는다. ( ) 13. 국가직 9급, 11. 지방직 7급, 10. 서울시 9급

05 질서위반행위는 행정질서벌이므로 대한민국 영역 밖에서 질서위반행위를 한 대한민국의 국민에게는 적용되지 않는다. ( ) 10. 지방직 9급

06 법률에 따르지 아니하고는 어떤 행위도 질서위반행위로 과태료를 부과하지 아니한다. ( ) 17. 교육행정직

07 과태료는 행정질서벌에 해당할 뿐 형벌이라고 할 수 없어 죄형법정주의의 규율대상에 해당하지 아니한다. ( ) 19. 국가직 9급

01 ○ 02 × 03 ○ 04 ×
05 × 06 ○ 07 ○

(2) 고의 또는 과실의 필요

> 질서위반행위규제법 제7조【고의 또는 과실】 고의 또는 과실이 없는 질서위반행위는 과태료를 부과하지 아니한다.

관련판례

질서위반행위규제법은 과태료의 부과대상인 질서위반행위에 대하여도 책임주의 원칙을 채택하여 제7조에서 "고의 또는 과실이 없는 질서위반행위는 과태료를 부과하지 아니한다."고 규정하고 있으므로, 질서위반행위를 한 자가 자신의 책임 없는 사유로 위반행위에 이르렀다고 주장하는 경우 법원으로서는 그 내용을 살펴 행위자에게 고의나 과실이 있는지를 따져보아야 한다(대결 2011.7.14, 2011마364).

(3) 위법성의 착오

> 질서위반행위규제법 제8조【위법성의 착오】 자신의 행위가 위법하지 아니한 것으로 오인하고 행한 질서위반행위는 그 오인에 정당한 이유가 있는 때에 한하여 과태료를 부과하지 아니한다.

(4) 책임연령

> 질서위반행위규제법 제9조【책임연령】 14세가 되지 아니한 자의 질서위반행위는 과태료를 부과하지 아니한다. 다만, 다른 법률에 특별한 규정이 있는 경우에는 그러하지 아니하다.

(5) 심신장애

> 질서위반행위규제법 제10조【심신장애】 ① 심신(心神)장애로 인하여 행위의 옳고 그름을 판단할 능력이 없거나 그 판단에 따른 행위를 할 능력이 없는 자의 질서위반행위는 과태료를 부과하지 아니한다.
> ② 심신장애로 인하여 제1항에 따른 능력이 미약한 자의 질서위반행위는 과태료를 감경한다.
> ③ 스스로 심신장애 상태를 일으켜 질서위반행위를 한 자에 대하여는 제1항 및 제2항을 적용하지 아니한다.

(6) 법인의 처리 등

> 질서위반행위규제법 제11조【법인의 처리 등】 ① 법인의 대표자, 법인 또는 개인의 대리인·사용인 및 그 밖의 종업원이 업무에 관하여 법인 또는 그 개인에게 부과된 법률상의 의무를 위반한 때에는 법인 또는 그 개인에게 과태료를 부과한다.
> ② 제7조부터 제10조까지의 규정은 도로교통법 제56조 제1항에 따른 고용주등을 같은 법 제160조 제3항에 따라 과태료를 부과하는 경우에는 적용하지 아니한다.

간단 점검하기

01 질서위반행위규제법에 규정된 과태료는 객관적인 법질서위반에 대한 제재라는 점에서 행위자의 고의나 과실은 요하지 아니한다. ( )
16. 국가직 9급, 15. 지방직 7급·국가직 7급

간단 점검하기

02 자신의 행위가 위법하지 아니한 것으로 오인하고 행한 질서위반행위는 그 오인에 정당한 이유가 있는 때에 한하여 과태료를 부과하지 아니한다. ( ) 19. 서울시 7급

03 위법성 착오는 과태료 부과에 영향을 미치지 않는다. ( )
16. 지방직 7급

04 다른 법률에 특별한 규정이 없는 경우, 14세가 되지 아니한 자의 질서위반행위는 과태료를 부과하지 아니한다. ( ) 20. 국가직 9급

간단 점검하기

05 질서위반행위규제법상 개인의 대리인이 업무에 관하여 그 개인에게 부과된 법률상의 의무를 위반한 때에는 행위자인 대리인에게 과태료를 부과한다. ( ) 17. 국가직 9급

01 × 02 ○ 03 × 04 ○ 05 ×

(7) 다수인의 질서위반행위 가담

질서위반행위규제법 제12조【다수인의 질서위반행위 가담】① 2인 이상이 질서위반행위에 가담한 때에는 각자가 질서위반행위를 한 것으로 본다.
② 신분에 의하여 성립하는 질서위반행위에 신분이 없는 자가 가담한 때에는 신분이 없는 자에 대하여도 질서위반행위가 성립한다.
③ 신분에 의하여 과태료를 감경 또는 가중하거나 과태료를 부과하지 아니하는 때에는 그 신분의 효과는 신분이 없는 자에게는 미치지 아니한다.

(8) 수개의 질서위반행위의 처리

질서위반행위규제법 제13조【수개의 질서위반행위의 처리】① 하나의 행위가 2 이상의 질서위반행위에 해당하는 경우에는 각 질서위반행위에 대하여 정한 과태료 중 가장 중한 과태료를 부과한다.
② 제1항의 경우를 제외하고 2 이상의 질서위반행위가 경합하는 경우에는 각 질서위반행위에 대하여 정한 과태료를 각각 부과한다. 다만, 다른 법령(지방자치단체의 조례를 포함한다. 이하 같다)에 특별한 규정이 있는 경우에는 그 법령으로 정하는 바에 따른다.

(9) 과태료의 산정

질서위반행위규제법 제14조【과태료의 산정】행정청 및 법원은 과태료를 정함에 있어서 다음 각 호의 사항을 고려하여야 한다.
1. 질서위반행위의 동기·목적·방법·결과
2. 질서위반행위 이후의 당사자의 태도와 정황
3. 질서위반행위자의 연령·재산상태·환경
4. 그 밖에 과태료의 산정에 필요하다고 인정되는 사유

(10) 과태료의 시효

질서위반행위규제법 제15조【과태료의 시효】① 과태료는 행정청의 과태료 부과처분이나 법원의 과태료 재판이 확정된 후 5년간 징수하지 아니하거나 집행하지 아니하면 시효로 인하여 소멸한다.
② 제1항에 따른 소멸시효의 중단·정지 등에 관하여는 국세기본법 제28조를 준용한다.

국세기본법 제28조【소멸시효의 중단과 정지】① 제27조에 따른 소멸시효는 다음 각 호의 사유로 중단된다.
1. 납부고지
2. 독촉
3. 교부청구
4. 압류

간단 점검하기

01 2인 이상이 질서위반행위에 가담한 때에는 각자가 질서위반행위를 한 것으로 본다. ( ) 14. 사회복지직

02 신분에 의하여 성립하는 질서위반행위에 신분이 없는 자가 가담한 때에는 신분이 없는 자에 대하여도 질서위반행위가 성립된다. ( )
18. 지방직 7급, 16. 서울시 9급, 15. 국가직 7급·지방직 9급

03 신분에 의하여 과태료를 감경 또는 가중하거나 과태료를 부과하지 아니하는 때에는, 그 신분의 효과는 신분이 없는 자에게는 미치지 아니한다. ( ) 18. 소방직 9급, 14. 국가직 7급, 10. 지방직 9급

04 하나의 행위가 2 이상의 질서위반행위에 해당하는 경우에는 각 질서위반행위에 대하여 정한 과태료를 합산하여 부과한다. ( )
19·16. 서울시 9급, 10. 지방직 9급, 09. 국가직 7급

간단 점검하기

05 과태료는 행정청의 과태료부과처분이 있은 후 3년간 징수하지 아니하면 시효로 인하여 소멸한다. ( )
19·15. 지방직 9급

01 ○ **02** ○ **03** ○ **04** × **05** ×

3. 행정청의 과태료의 부과 및 징수

(1) 사전통지 및 의견제출 등

질서위반행위규제법 제16조【사전통지 및 의견 제출 등】① 행정청이 질서위반행위에 대하여 과태료를 부과하고자 하는 때에는 미리 당사자(제11조 제2항에 따른 고용주 등을 포함한다. 이하 같다)에게 대통령령으로 정하는 사항을 통지하고, 10일 이상의 기간을 정하여 의견을 제출할 기회를 주어야 한다. 이 경우 지정된 기일까지 의견 제출이 없는 경우에는 의견이 없는 것으로 본다.
② 당사자는 의견 제출 기한 이내에 대통령령으로 정하는 방법에 따라 행정청에 의견을 진술하거나 필요한 자료를 제출할 수 있다.
③ 행정청은 제2항에 따라 당사자가 제출한 의견에 상당한 이유가 있는 경우에는 과태료를 부과하지 아니하거나 통지한 내용을 변경할 수 있다.

(2) 과태료의 부과

질서위반행위규제법 제17조【과태료의 부과】① 행정청은 제16조의 의견 제출 절차를 마친 후에 서면(당사자가 동의하는 경우에는 전자문서를 포함한다. 이하 이 조에서 같다)으로 과태료를 부과하여야 한다.
② 제1항에 따른 서면에는 질서위반행위, 과태료 금액, 그 밖에 대통령령으로 정하는 사항을 명시하여야 한다.

(3) 자진납부자에 대한 과태료 감경

질서위반행위규제법 제18조【자진납부자에 대한 과태료 감경】① 행정청은 당사자가 제16조에 따른 의견 제출 기한 이내에 과태료를 자진하여 납부하고자 하는 경우에는 대통령령으로 정하는 바에 따라 과태료를 감경할 수 있다.
② 당사자가 제1항에 따라 감경된 과태료를 납부한 경우에는 해당 질서위반행위에 대한 과태료 부과 및 징수절차는 종료한다.

(4) 과태료 부과의 제척기간

질서위반행위규제법 제19조【과태료 부과의 제척기간】① 행정청은 질서위반행위가 종료된 날(다수인이 질서위반행위에 가담한 경우에는 최종행위가 종료된 날을 말한다)부터 5년이 경과한 경우에는 해당 질서위반행위에 대하여 과태료를 부과할 수 없다.
② 제1항에도 불구하고 행정청은 제36조 또는 제44조에 따른 법원의 결정이 있는 경우에는 그 결정이 확정된 날부터 1년이 경과하기 전까지는 과태료를 정정부과 하는 등 해당 결정에 따라 필요한 처분을 할 수 있다.

간단 점검하기

01 행정청이 질서위반행위에 대하여 과태료를 부과하고자 하는 때에는 미리 당사자에게 대통령령으로 정하는 사항을 통지하고, 10일 이상의 기간을 정하여 의견을 제출할 기회를 주어야 한다. ( )
15. 지방직 9급, 13. 국가직 9급

간단 점검하기

02 행정청은 당사자가 의견제출기한 이내에 과태료를 자진납부 하고자 하는 경우에는 과태료를 감경할 수 있다. ( ) 12. 국회직 9급

간단 점검하기

03 질서위반행위가 종료된 날부터 5년이 경과한 경우에는 해당 질서위반행위에 대하여 과태료를 부과할 수 없는 바, 다수인이 질서위반행위에 가담한 경우에는 질서위반행위가 종료된 날은 최종행위가 종료된 날을 말한다. ( ) 15. 서울시 9급

01 ○ **02** ○ **03** ○

간단 점검하기

01 행정청의 과태료 부과에 불복하는 당사자는 과태료 부과 통지를 받은 날부터 60일 이내에 해당 행정청에 서면으로 이의제기를 할 수 있으나, 이 경우에도 행정청의 과태료 부과처분의 효력에는 영향을 미치지 아니한다. ( ) 15. 서울시 7·9급, 14. 국가직 7급

간단 점검하기

02 이의제기를 받은 행정청은 이의제기를 받은 날부터 14일 이내에 이에 대한 의견 및 증빙서류를 첨부하여 관할 법원에 통보하여야 하는 것이 원칙이다. ( ) 15. 서울시 9급

01 × 02 ○

(5) 이의제기

질서위반행위규제법 제20조【이의제기】① 행정청의 과태료 부과에 불복하는 당사자는 제17조 제1항에 따른 과태료 부과 통지를 받은 날부터 60일 이내에 해당 행정청에 서면으로 이의제기를 할 수 있다.
② 제1항에 따른 이의제기가 있는 경우에는 행정청의 과태료 부과처분은 그 효력을 상실한다.
③ 당사자는 행정청으로부터 제21조 제3항에 따른 통지를 받기 전까지는 행정청에 대하여 서면으로 이의제기를 철회할 수 있다.

(6) 법원에의 통보

질서위반행위규제법 제21조【법원에의 통보】① 제20조 제1항에 따른 이의제기를 받은 행정청은 이의제기를 받은 날부터 14일 이내에 이에 대한 의견 및 증빙서류를 첨부하여 관할 법원에 통보하여야 한다. 다만, 다음 각 호의 어느 하나에 해당하는 경우에는 그러하지 아니하다.
1. 당사자가 이의제기를 철회한 경우
2. 당사자의 이의제기에 이유가 있어 과태료를 부과할 필요가 없는 것으로 인정되는 경우
② 행정청은 사실상 또는 법률상 같은 원인으로 말미암아 다수인에게 과료를 부과할 필요가 있는 경우에는 다수인 가운데 1인에 대한 관할권이 있는 법원에 제1항에 따른 이의제기 사실을 통보할 수 있다.
③ 행정청이 제1항 및 제2항에 따라 관할 법원에 통보를 하거나 통보하지 아니하는 경우에는 그 사실을 즉시 당사자에게 통지하여야 한다.

(7) 질서위반행위의 조사

질서위반행위규제법 제22조【질서위반행위의 조사】① 행정청은 질서위반행위가 발생하였다는 합리적 의심이 있어 그에 대한 조사가 필요하다고 인정할 때에는 대통령령으로 정하는 바에 따라 다음 각 호의 조치를 할 수 있다.
1. 당사자 또는 참고인의 출석 요구 및 진술의 청취
2. 당사자에 대한 보고 명령 또는 자료 제출의 명령
② 행정청은 질서위반행위가 발생하였다는 합리적 의심이 있어 그에 대한 조사가 필요하다고 인정할 때에는 그 소속 직원으로 하여금 당사자의 사무소 또는 영업소에 출입하여 장부·서류 또는 그 밖의 물건을 검사하게 할 수 있다.
③ 제2항에 따른 검사를 하고자 하는 행정청 소속 직원은 당사자에게 검사 개시 7일 전까지 검사 대상 및 검사 이유, 그 밖에 대통령령으로 정하는 사항을 통지하여야 한다. 다만, 긴급을 요하거나 사전통지의 경우 증거인멸 등으로 검사목적을 달성할 수 없다고 인정되는 때에는 그러하지 아니하다.
④ 제2항에 따라 검사를 하는 직원은 그 권한을 표시하는 증표를 지니고 이를 관계인에게 내보여야 한다.
⑤ 제1항 및 제2항에 따른 조치 또는 검사는 그 목적 달성에 필요한 최소한에 그쳐야 한다.

(8) 자료제공 요청

질서위반행위규제법 제23조【자료제공의 요청】행정청은 과태료의 부과·징수를 위하여 필요한 때에는 관계 행정기관, 지방자치단체, 그 밖에 대통령령으로 정하는 공공기관(이하 "공공기관 등"이라 한다)의 장에게 그 필요성을 소명하여 자료 또는 정보의 제공을 요청할 수 있으며, 그 요청을 받은 공공기관 등의 장은 특별한 사정이 없는 한 이에 응하여야 한다.

(9) 가산금 징수 및 체납처분

질서위반행위규제법 제24조【가산금 징수 및 체납처분 등】① 행정청은 당사자가 납부기한까지 과태료를 납부하지 아니한 때에는 납부기한을 경과한 날부터 체납된 과태료에 대하여 100분의 3에 상당하는 가산금을 징수한다.
② 체납된 과태료를 납부하지 아니한 때에는 납부기한이 경과한 날부터 매 1개월이 경과할 때마다 체납된 과태료의 1천분의 12에 상당하는 가산금(이하 이 조에서 "중가산금"이라 한다)을 제1항에 따른 가산금에 가산하여 징수한다. 이 경우 중가산금을 가산하여 징수하는 기간은 60개월을 초과하지 못한다.
③ 행정청은 당사자가 제20조 제1항에 따른 기한 이내에 이의를 제기하지 아니하고 제1항에 따른 가산금을 납부하지 아니한 때에는 국세 또는 지방세 체납처분의 예에 따라 징수한다.

(10) 상속재산 등에 대한 집행

질서위반행위규제법 제24조의2【상속재산 등에 대한 집행】① 과태료는 당사자가 과태료 부과처분에 대하여 이의를 제기하지 아니한 채 제20조 제1항에 따른 기한이 종료한 후 사망한 경우에는 그 상속재산에 대하여 집행할 수 있다.
② 법인에 대한 과태료는 법인이 과태료 부과처분에 대하여 이의를 제기하지 아니한 채 제20조 제1항에 따른 기한이 종료한 후 합병에 의하여 소멸한 경우에는 합병 후 존속한 법인 또는 합병에 의하여 설립된 법인에 대하여 집행할 수 있다.

(11) 결손처분

질서위반행위규제법 제24조의4【결손처분】① 행정청은 당사자에게 다음 각 호의 어느 하나에 해당하는 사유가 있을 경우에는 결손처분을 할 수 있다.
1. 제15조 제1항에 따라 과태료의 소멸시효가 완성된 경우
2. 체납자의 행방이 분명하지 아니하거나 재산이 없는 등 징수할 수 없다고 인정되는 경우로서 대통령령으로 정하는 경우
② 행정청은 제1항 제2호에 따라 결손처분을 한 후 압류할 수 있는 다른 재산을 발견하였을 때에는 지체 없이 그 처분을 취소하고 체납처분을 하여야 한다.

간단 점검하기

01 질서위반행위규제법상 행정청은 당사자가 납부기한까지 과태료를 납부하지 아니한 때에는 납부기한을 경과한 날부터 체납된 과태료에 대하여 100분의 3에 상당하는 가산금을 징수한다. ( ) 17. 경찰행정

간단 점검하기

02 과태료는 당사자가 과태료 부과처분에 대하여 이의를 제기하지 아니한 채 질서위반행위규제법에 다른 이의제기 기한이 종료한 후 사망한 경우에는 그 상속재산에 대하여 집행할 수 있다. ( ) 16. 지방직 7급

01 ○ **02** ○

4. 질서위반행위의 재판 및 집행

(1) 취소소송과 헌법소원

① 과태료 부과에 대해서는 일반적으로 질서위반행위규제법이 적용되고 그 불복이 있을 경우 비송사건절차법을 준용하여 재판하므로, 과태료 부과처분은 행정소송의 대상이 되는 행정처분으로 볼 수 없다.

관련판례 과태료부과처분 - 처분성 부정 ★★★

서울시 수도조례 및 하수도사용조례에 기한 과태료의 부과 여부 및 그 당부는 최종적으로 질서위반행위규제법에 의한 절차에 의하여 판단되어야 한다고 할 것이므로, 그 과태료 부과처분은 행정청을 피고로 하는 행정소송의 대상이 되는 행정처분이라고 볼 수 없다(대판 2012.10.11, 2011두19369).

#수도조례_과태료부과 #행정처분×

② 질서위반행위규제법이 제정되기 전에, 헌법재판소는 과태료 부과처분에 대하여 처분권자에게 이의를 제기함으로써 과태료재판을 하여야 할 법원에 통지되면 당초 행정기관의 부과처분은 효력을 상실하므로 과태료 부과처분의 취소를 구할 소의 이익이 없어진다고 한 바 있다. 따라서 헌법소원에 의한 구제의 소익은 없다고 보아야 할 것이다.

(2) 관할 법원

> 질서위반행위규제법 제25조【관할 법원】과태료 사건은 다른 법령에 특별한 규정이 있는 경우를 제외하고는 당사자의 주소지의 지방법원 또는 그 지원의 관할로 한다.

(3) 재판과 항고

① 과태료 재판은 이유를 붙인 결정으로써 한다(질서위반행위규제법 제36조 제1항).

② 결정은 당사자와 검사에게 고지함으로써 효력이 생긴다(질서위반행위규제법 제37조 제1항).

③ 당사자와 검사는 과태료 재판에 대하여 즉시항고를 할 수 있다. 이 경우 항고는 집행정지의 효력이 있다(질서위반행위규제법 제38조 제1항).

(4) 과태료재판의 집행

> 질서위반행위규제법 제42조【과태료 재판의 집행】① 과태료 재판은 검사의 명령으로써 집행한다. 이 경우 그 명령은 집행력 있는 집행권원과 동일한 효력이 있다.
> ② 과태료 재판의 집행절차는 민사집행법에 따르거나 국세 또는 지방세 체납처분의 예에 따른다. 다만, 민사집행법에 따를 경우에는 집행을 하기 전에 과태료 재판의 송달은 하지 아니한다.
> ③ 과태료 재판의 집행에 대하여는 제24조 및 제24조의2를 준용한다. 이 경우 제24조의2 제1항 및 제2항 중 "과태료 부과처분에 대하여 이의를 제기하지 아니한 채 제20조 제1항에 따른 기한이 종료한 후"는 "과태료 재판이 확정된 후"로 본다.

간단 점검하기

01 질서위반행위규제법에 따라 행정청이 부과한 과태료처분은 행정소송의 대상인 행정처분에 해당한다. ( ) 17. 국가직 9급

02 지방자치법 제27조의 조례 위반에 대한 과태료의 경우에는 질서위반행위규제법이 적용되지 않으므로 그에 대한 불복이 있으면 항고소송을 제기할 수 있다. ( ) 16. 국회직 8급

간단 점검하기

03 과태료사건은 다른 법령에 특별한 규정이 있는 경우를 제외하고는 과태료를 부과한 행정청의 소재지를 관할하는 행정법원의 관할로 한다. ( ) 15. 서울시 9급

간단 점검하기

04 당사자와 검사는 과태료재판에 대하여 즉시항고를 할 수 있다. 이 경우 항고는 집행정지의 효력이 있다. ( ) 18. 소방직 9급, 14. 국가직 7급

05 과태료의 재판은 판사의 명령으로 집행하며, 이 경우 그 명령은 집행력 있는 집행권원과 동일한 효력이 있다. ( ) 12. 지방직 9급

01 × 02 × 03 × 04 ○ 05 ×

④ 검사는 제1항부터 제3항까지의 규정에 따른 과태료 재판을 집행한 경우 그 결과를 해당 행정청에 통보하여야 한다.

(5) 과태료재판 집행의 위탁

질서위반행위규제법 제43조【과태료 재판 집행의 위탁】① 검사는 과태료를 최초 부과한 행정청에 대하여 과태료 재판의 집행을 위탁할 수 있고, 위탁을 받은 행정청은 국세 또는 지방세 체납처분의 예에 따라 집행한다.
② 지방자치단체의 장이 제1항에 따라 집행을 위탁받은 경우에는 그 집행한 금원(金員)은 당해 지방자치단체의 수입으로 한다.

(6) 약식재판과 그 확정

질서위반행위규제법 제44조【약식재판】법원은 상당하다고 인정하는 때에는 제31조 제1항에 따른 심문 없이 과태료 재판을 할 수 있다.

제49조【약식재판의 확정】약식재판은 다음 각 호의 어느 하나에 해당하는 때에 확정된다.
1. 제45조에 따른 기간 이내에 이의신청이 없는 때
2. 이의신청에 대한 각하결정이 확정된 때
3. 당사자 또는 검사가 이의신청을 취하한 때

제50조【이의신청에 따른 정식재판절차로의 이행】① 법원이 이의신청이 적법하다고 인정하는 때에는 약식재판은 그 효력을 잃는다.
② 제1항의 경우 법원은 제31조 제1항에 따른 심문을 거쳐 다시 재판하여야 한다.

관련판례

1 과태료재판의 경우, 법원으로서는 기록상 현출되어 있는 사항에 관하여 직권으로 증거조사를 하고 이를 기초로 하여 판단할 수 있는 것이나, 그 경우 행정청의 과태료부과처분사유와 기본적 사실관계에서 동일성이 인정되는 한도 내에서만 과태료를 부과할 수 있다(대결 2012.10.19, 2012마1163).

2 법원이 비송사건절차법에 따라 과태료 재판을 할 때 관계 법령에서 규정하는 과태료 상한의 범위 내에서 위반의 동기와 정도, 결과 등 여러 인자를 고려하여 재량으로 그 액수를 정할 수 있고, 원심이 정한 과태료 액수가 법령이 정한 범위 내에서 이루어진 이상 그것이 현저히 부당하여 재량권 남용에 해당하지 않는 한 그 액수가 많다고 다투는 것은 적법한 재항고 이유가 될 수 없다(대결 2008.1.11, 2007마810).

간단 점검하기

01 과태료재판의 경우, 법원으로서는 기록상 현출되어 있는 사항에 관하여 직권으로 증거조사를 하고 이를 기초로 하여 판단할 수 있는 것이나, 그 경우 행정청의 과태료부과처분사유와 기본적 사실관계에서 동일성이 인정되는 한도 내에서만 과태료를 부과할 수 있다. ( ) 16. 경찰행정, 14. 국가직 7급

02 과태료의 고액·상습체납자는 검사의청구에 따라 법원의 결정으로써 30일의 범위 내에서 납부가 있을 때까지 감치될 수 있다. ( ) 12. 국가직 7급, 11. 지방직 9급

01 ○ 02 ○

5. 과태료의 실효성 제고

(1) 관허사업의 제한(질서위반행위규제법 제52조)

(2) 신용정보의 제공 등(질서위반행위규제법 제53조)

(3) 고액 · 상습체납자에 대한 제재(질서위반행위규제법 제54조)❶

(4) 자동차 관련 과태료체납자에 대한 자동차번호판의 영치(질서위반행위규제법 제55조)

❶ 법원은 검사의 청구에 따라 결정으로 30일의 범위 이내에서 과태료의 납부가 있을 때까지 특정한 사유에 해당하는 경우 체납자(법인인 경우 대표자를 말함)를 감치(監置)에 처할 수 있다.

6. 조례에 의한 행정질서벌

(1) 지방자치법 제27조에 의한 과태료(조례위반행위에 대한 과태료)

(2) 지방자치법 제139조에 의한 과태료(사용료 등 부정면제자 · 공공시설 부정사용자에 대한 과태료)

제 4 장 새로운 의무이행확보수단

제1절 개설

1 전통적 의무이행확보수단의 기능 약화

1. 대집행

(1) 일반적으로 위법건축물의 철거·개축 및 시정 등에 특히 많이 활용되는 수단이었으나, 오늘날에는 그 실효성이 대단히 약화되었다고 할 수 있다.

(2) 예컨대, 대형건축물인 경우 일단 건축물이 완성되면 이를 철거하거나 위법부분에 대하여 시정하는 것은 국가적으로나 개인적으로나 국가자산의 효율적 활용이라는 측면에서 사실상 어렵다.

2. 행정상 강제징수

(1) 수많은 조세체납의 경우, 체납처분을 위한 행정력이 뒤따르지 못하고 체납자의 명예 등을 고려하여 바로 강제권을 발동하는 것은 대단히 어려운 실정이다.

(2) 조세 이외의 공과금의 징수에 있어서도 개별법에서 조세체납처분의 예에 의하도록 규정하는 경우가 많이 있으나, 현실적으로 해당 규정에 따라 강제징수가 되는 경우는 드물다.

3. 행정벌

(1) 행정벌이 강제수단으로서 활용되는 경우, 일정한 법적·사실적 한계가 있다.

(2) 특히 벌칙에 있어서 행정청의 고발이 없는 경우에는 경찰이나 검찰이 이를 모두 파악하여 벌칙을 과하기란 어렵기 때문에 오히려 벌칙은 예외적으로 부과된다는 인식이 확산되고, 이러한 인식은 곧 준법정신을 약화시킨다.

(3) 또한 위반자 모두에게 벌칙을 부과하는 경우에는 전 국민의 전과자화 문제도 우려된다.

4. 인·허가의 취소·정지

이는 가장 실효성 있는 의무이행확보수단이라 할 수 있다. 그러나 이러한 경우에도 인·허가가 취소되면 국민은 생업을 잃게 되며, 자동차운송사업의 경우와 같이 일반공중이 이용하는 사업의 경우에는 이를 함부로 취소하기에는 어려움이 많으므로, 이러한 수단에도 일정한 한계가 있다.

2 새로운 의무이행확보수단의 등장

1. 새로운 수단의 등장배경

(1) 새로운 의무이행확보수단이 등장하게 된 것은 기존의 의무이행확보수단이 제 기능을 발휘하지 못하였기 때문이라 할 수 있다. 따라서 전통적인 의무이행확보수단을 보완하거나 대체할 새로운 의무이행확보수단이 요구되고 있다.

(2) 그러나 아직도 종합적이면서도 일반적인 새로운 의무이행확보수단의 체계가 마련되지 않고 있는 실정이며, 단편적으로 개별법령에서 강제수단이 채택되고 있다.

2. 새로운 수단의 종류 및 성격

(1) 새로운 수단의 종류

금전상의 제재, 공급거부, 관허사업의 제한, 명단의 공표, 차량 등의 사용금지, 수익적 행정행위의 정지 · 철회 · 폐쇄조치, 국외여행의 제한, 취업의 제한, 세무조사 등이 있다.

(2) 수단의 성격

행정상 제재수단의 일종으로 보는 견해와 새로운 의무확보수단으로서 규정짓는 견해로 나누어져 있다. 그러나 어느 견해에 의하더라도 간접적 의무확보수단에 해당한다는 점은 동일하다.

3. 새로운 수단의 한계

(1) 새로운 수단은 행정의 실효성 확보에는 유용하다는 장점이 있지만, 국민의 기본권 보장에는 큰 위험이 되고 남용될 우려도 있다.

(2) 따라서 새로운 수단에 대해서는 국민의 기본권을 보장하기 위하여 그 수단의 한계와 통제의 법리를 연구하는 것이 주요 과제가 된다.

제2절 금전적인 제재

1 과징금

1. 의의

(1) 본래의 과징금

① 행정법상 일정한 의무위반 또는 의무불이행에 대한 제재로서, 행정청이 부과하는 금전적인 부담을 의미한다.

② 이는 독점규제 및 공정거래에 관한 법률에 의하여 도입된 수단으로서, 원래는 주로 경제법상 의무❶를 위반한 자가 해당 위반행위로 경제적 이익을 얻을 것이 예정되어 있는 경우에, 해당 의무위반행위로 인한 불법적인 이익을 박탈하기 위하여 그 이익의 액수에 따라 과하여지는 일종의 행정과징금을 의미한다.

간단 점검하기

과징금이란 행정법상 의무를 불이행하였거나 위반한 자에 대하여 당해 위반행위로 얻은 경제적 이익을 박탈하기 위하여 부과하거나 또는 사업의 취소 · 정지에 갈음하여 부과되는 금전상의 제재를 말한다. ( ) 15. 지방직 7급

❶ 공정거래위원회의 가격인하명령에 응하여 가격을 인하시킬 의무 등

○

독점규제 및 공정거래에 관한 법률 제6조【과징금】공정거래위원회는 시장지배적사업자가 남용행위를 한 경우에는 당해 사업자에 대하여 대통령령이 정하는 매출액(대통령령이 정하는 사업자의 경우에는 영업이익을 말한다. 이하 같다)에 100분의 3을 곱한 금액을 초과하지 아니하는 범위 안에서 과징금을 부과할 수 있다. 다만, 매출액이 없거나 매출액의 산정이 곤란한 경우로서 대통령령이 정하는 경우(이하 "매출액이 없는 경우 등"이라 한다)에는 10억원을 초과하지 아니하는 범위 안에서 과징금을 부과할 수 있다.

(2) 변형된 형태의 과징금

① 변형된 과징금은 행정법규위반자에 대하여 의무위반을 이유로 인·허가 사업을 정지·취소하여야 할 경우에도, 국민 다수의 생활에 불편을 줄 것을 우려하여 사업은 계속하게 하되, 사업을 계속함으로써 얻는 이익을 박탈하는 행정제재금을 의미한다.❶

여객자동차 운수사업법 제88조【과징금 처분】① 국토교통부장관, 시·도지사 또는 시장·군수·구청장은 여객자동차 운수사업자가 제49조의15 제1항 또는 제85조 제1항 각 호의 어느 하나에 해당하여 사업정지 처분을 하여야 하는 경우에 그 사업정지 처분이 그 여객자동차 운수사업을 이용하는 사람들에게 심한 불편을 주거나 공익을 해칠 우려가 있는 때에는 그 사업정지 처분을 갈음하여 5천만원 이하의 과징금을 부과·징수할 수 있다.

② 이 경우의 과징금은 원칙적으로 영업정지 등에 갈음하여 부과하는 것이므로 동일한 법령에 의하여 영업정지 등과 병과할 수는 없다고 보아야 할 것이다. 또한 이 경우 과징금을 부과할 것인지 영업정지 등 행정처분을 내릴 것인지는 행정청의 재량에 속한다고 보는 것이 일반적이다.

관련판례

자동차운수사업면허조건 등을 위반한 사업자에 대하여 행정청이 행정제재수단으로 사업 정지를 명할 것인지, 과징금을 부과할 것인지, 과징금을 부과키로 한다면 그 금액은 얼마로 할 것인지에 관하여 재량권이 부여되었다 할 것이므로 과징금부과처분이 법이 정한 한도액을 초과하여 위법할 경우 법원으로서는 그 전부를 취소할 수밖에 없고, 그 한도액을 초과한 부분이나 법원이 적정하다고 인정되는 부분을 초과한 부분만을 취소할 수 없다(대판 1998.4.10, 98두2270).

2. 벌금·과태료와의 구별

(1) 공통점

양자는 일정한 행정법상 의무위반에 대한 금전적 불이익의 부과라는 점에서 공통점이 있다.

(2) 차이점

과징금은 ① 의무위반으로 발생한 경제적 이익의 환수에 중점을 두는 점, ② 과징금 부과행위는 행정행위로서 급부하명의 성질을 가진다는 점, ③ 그에 대한 권리구제는 항고소송 등의 절차를 거친다는 점 등에서 차이가 있다.

간단 점검하기

01 변형된 과징금은 인·허가 사업에 관한 법률상의 의무위반이 있음에도 불구하고 공익상 필요하여 그 인·허가 사업을 취소 정지시키지 않고 사업을 계속하되, 이에 갈음하여 사업을 계속함으로써 얻은 이익을 박탈하는 행정제재금이다. ( ) 14. 국회직 8급

❶
변형과징금의 목적은 영업정지처분을 받는 자에 대한 권리 및 피해의 최소화가 목적이 아닌 국민의 편의, 물가, 고용 등 공익을 위해서이다.

간단 점검하기

02 여객자동차 운수사업법 제88조의 과징금 부과처분과 관련하여 사업정지처분을 내릴 것인지 과징금을 부과할 것인지는 통상 행정청의 재량에 속한다. ( ) 19. 서울시 9급

간단 점검하기

03 과징금 부과처분이 재량행위라고 하더라도 법이 정한 한도액을 초과하여 위법한 경우에는 부과처분의 전부를 취소할 것이 아니라 한도액을 초과한 부분만 취소하여야 한다. ( ) 14. 지방직 7·9급, 12. 국가직 7급

01 ○ 02 ○ 03 ×

간단 점검하기

01 구 독점규제 및 공정거래에 관한 법률 제24조의2에 의한 부당내부거래 행위에 대한 과징금은 부당내부거래 억지라는 행정목적을 실현하기 위하여 그 위반행위에 대한 행정상의 제재금으로서의 기본적 성격에 부당이득환수적 요소도 부가되어 있는 것으로, 이는 헌법 제13조 제1항에서 금지하는 국가형벌권의 행사로서의 처벌에 해당하지 아니한다. ( ) 17. 지방직 7급

02 행정법규위반에 대하여 벌금 이외에 과징금을 함께 부과하는 것은 이중처벌금지원칙에 위반된다. ( ) 18. 교육행정직

01 ○ 02 ×

(3) 병과 여부

헌법재판소는 양자의 병과가 가능하다고 보고 있다.

관련판례

1 과징금 이중처벌 ★★

[1] 공정거래위원회로 하여금 부당내부거래를 한 사업자에 대하여 그 매출액의 2% 범위 내에서 과징금을 부과할 수 있도록 한 것이 이중처벌금지원칙, 적법절차원칙, 비례성원칙 등에 위반되는지 않는다.

[2] 과징금은 범죄에 대한 국가의 형벌권의 실행으로서의 과벌이 아니므로 행정법규 위반에 대하여 벌금이나 범칙금 이외에 과징금을 부과하는 것은 이중처벌금지의 원칙에 반하지 않는다(헌재 2003.7.24, 2001헌가25).

#과징금 #이중처벌금지원칙_위반×

2 행정처분과 형벌은 각각 그 권력적 기초, 대상, 목적이 다르다. 일정한 법규 위반 사실이 행정처분의 전제사실이자 형사법규의 위반 사실이 되는 경우에 동일한 행위에 관하여 독립적으로 행정처분이나 형벌을 부과하거나 이를 병과할 수 있다. 법규가 예외적으로 형사소추 선행 원칙을 규정하고 있지 않은 이상 형사판결 확정에 앞서 일정한 위반사실을 들어 행정처분을 하였다고 하여 절차적 위반이 있다고 할 수 없다(대판 2017.6.19, 2015두59808).

point check 과태료와 과징금의 비교

구분	과태료	과징금
성질	의무위반에 대한 질서벌	의무이행확보수단
부과주체	원칙적으로 행정청	행정청
금액책정기준	가벌성의 정도	의무위반 · 불이행시 예상수익
불복절차	질서위반행위규제법	행정쟁송법

3. 과징금의 법적 근거

(1) 과징금은 금전납부의무를 부담케 하는 침익적 작용이기 때문에 법치행정의 요청상 반드시 법적 근거가 있어야 한다.

(2) 현행법상 과징금에 대한 일반법은 존재하지 않고 과징금의 기준, 납부기한 연기 및 분할납부에 대한 규정이 행정기본법에 규정되어 있으며, 기타 개별법이 있다. 예컨대 독점규제 및 공정거래에 관한 법률 제6조 또는 제22조, 식품위생법 제82조, 여객자동차 운수사업법 제88조, 여신전문금융업법 제58조, 석탄산업법 제21조 제4항 등이 있다.

4. 부과기준

> 행정기본법 제28조【과징금의 기준】① 행정청은 법령 등에 따른 의무를 위반한 자에 대하여 법률로 정하는 바에 따라 그 위반행위에 대한 제재로서 과징금을 부과할 수 있다.
> ② 과징금의 근거가 되는 법률에는 과징금에 관한 다음 각 호의 사항을 명확하게 규정하여야 한다.
> 1. 부과·징수 주체
> 2. 부과 사유
> 3. 상한액
> 4. 가산금을 징수하려는 경우 그 사항
> 5. 과징금 또는 가산금 체납 시 강제징수를 하려는 경우 그 사항

5. 부과 및 징수

(1) 일반적으로 납입고지 함으로써 부과된다.

(2) 과징금을 납부하지 않을 경우 개별법의 정함에 따르거나 국세징수법 또는 지방세체납처분의 예에 의하고 있다.

(3) 과징금의 납부의무는 이행강제금과는 달리 일신전속적인 성질을 가지지 않으므로 부과 받은 자가 사망하면 상속인에게 승계된다.

(4) 침익적 행정행위로서 과징금부과처분은 행정소송의 대상이 되는 처분으로 원칙적으로 행정절차법이 적용된다.

관련판례

1 과징금 포괄승계 ★

부동산 실권리자명의 등기에 관한 법률 제5조에 의하여 부과된 과징금 채무는 대체적 급부가 가능한 의무이므로 위 과징금을 부과 받은 자가 사망한 경우 그 상속인에게 포괄승계 된다(대판 1999.5.14, 99두35).

#과징금 #포괄승계

2 부동산 실권리자명의 등기에 관한 법률 제3조 제1항, 제5조 제1항, 같은 법 시행령 제3조 제1항의 규정을 종합하면, 명의신탁자에 대하여 과징금을 부과할 것인지 여부는 기속행위에 해당하므로, 명의신탁이 조세를 포탈하거나 법령에 의한 제한을 회피할 목적이 아닌 경우에 한하여 그 과징금을 일정한 범위 내에서 감경할 수 있을 뿐이지 그에 대하여 과징금 부과처분을 하지 않거나 과징금을 전액 감면할 수 있는 것은 아니다(대판 2007.7.12, 2005두17287).

3 구 청소년보호법(1999.2.5. 법률 제5817호로 개정되기 전의 것) 제49조 제1항·제2항에 따른 같은법시행령(1999.6.30. 대통령령 제16461호로 개정되기 전의 것) 제40조 [별표 6]의 위반행위의종별에따른과징금처분기준은 법규명령이기는 하나 모법의 위임규정의 내용과 취지 및 헌법상의 과잉금지의 원칙과 평등의 원칙 등에 비추어 같은 유형의 위반행위라 하더라도 그 규모나 기간·사회적 비난 정도·위반행위로 인하여 다른 법률에 의하여 처벌받은 다른 사정·행위자의 개인적 사정 및 위반행위로 얻은 불법이익의 규모 등 여러 요소를 종합적으로 고려하여 사안에 따라 적정

간단 점검하기

01 과징금 부과·징수에 하자가 있는 경우, 납부의무자는 행정쟁송절차에 따라 다툴 수 있다. ( ) 12. 국가직 9급

간단 점검하기

02 부동산 실권리자명의 등기에 관한 법률상 실권리자명의 등기의무에 위반하여 부과된 과징금채무는 대체적 급부가 가능한 의무이므로 과징금을 부과받은 자가 사망한 경우 그 상속인에게 포괄 승계된다. ( )
14. 사회복지직, 12·07. 국가직 7급

03 부동산 실권리자명의 등기에 관한 법률 및 시행령상 명의신탁자에 대한 과징금부과처분은 기속행위의 성질을 갖는다. ( ) 09. 국가직 7급·지방직 7급

01 ○ 02 ○ 03 ○

간단 점검하기

01 과징금 부과처분의 기준을 정하는 경우에 여러 요소를 종합적으로 고려하여 사안에 따라 적정한 과징금의 액수를 정하여야 할 것이므로 그 수액은 최고한도액이 아니라 정액이다. ( ) 13. 국회직 9급

02 판례에 의하면 특별한 규정이 없는 한 신설회사에 대하여 분할하는 회사의 분할 전 법 위반행위를 이유로 과징금을 부과하는 것은 허용되지 않는다. ( ) 09. 지방직 7급

03 과징금부과처분의 경우 원칙적으로 위반자의 고의·과실을 요하지 아니하나, 위반자의 의무해태를 탓할 수 없는 정당한 사유가 있는 등의 특별한 사정이 있는 경우에는 이를 부과할 수 없다. ( ) 18. 국가직 7급

04 부과관청이 추후에 부과금 산정기준이 되는 새로운 자료가 나올 경우 과징금액이 변경될 수도 있다고 유보하며 과징금을 부과했다면, 새로운 자료가 나온 것을 이유로 새로이 부과처분을 할 수 있다. ( ) 18. 지방직 9급

01 × 02 ○ 03 ○ 04 ×

한 과징금의 액수를 정하여야 할 것이므로 그 수액은 정액이 아니라 최고한도액이다(대판 2001.3.9, 99두5207).

4 회사 분할 시 신설회사 또는 존속회사가 승계하는 것은 분할하는 회사의 권리와 의무이고, 분할하는 회사의 분할 전 법 위반행위를 이유로 과징금이 부과되기 전까지는 단순한 사실행위만 존재할 뿐 과징금과 관련하여 분할하는 회사에 승계 대상이 되는 어떠한 의무가 있다고 할 수 없으므로, 특별한 규정이 없는 한 신설회사에 대하여 분할하는 회사의 분할 전 법 위반행위를 이유로 과징금을 부과하는 것은 허용되지 않는다(대판 2011.5.26, 2008두18335).

5 구 여객자동차 운수사업법(2012.2.1. 법률 제11295호로 개정되기 전의 것) 제88조 제1항의 과징금부과처분은 제재적 행정처분으로서 여객자동차 운수사업에 관한 질서를 확립하고 여객의 원활한 운송과 여객자동차 운수사업의 종합적인 발달을 도모하여 공공복리를 증진한다는 행정목적의 달성을 위하여 행정법규 위반이라는 객관적 사실에 착안하여 가하는 제재이므로 반드시 현실적인 행위자가 아니라도 법령상 책임자로 규정된 자에게 부과되고 원칙적으로 위반자의 고의·과실을 요하지 아니하나, 위반자의 의무 해태를 탓할 수 없는 정당한 사유가 있는 등의 특별한 사정이 있는 경우에는 이를 부과할 수 없다(대판 2014.10.15, 2013두5005).

6 구 독점규제및공정거래에관한법률(1996.12.30. 법률 제5235호로 개정되기 전의 것) 제23조 제1항의 규정에 위반하여 불공정거래행위를 한 사업자에 대하여 같은 법 제24조의2 제1항의 규정에 의하여 부과되는 과징금은 행정법상의 의무를 위반한 자에 대하여 당해 위반행위로 얻게 된 경제적 이익을 박탈하기 위한 목적으로 부과하는 금전적인 제재로서, 같은 법이 규정한 범위 내에서 그 부과처분 당시까지 부과관청이 확인한 사실을 기초로 일의적으로 확정되어야 할 것이고, 그렇지 아니하고 부과관청이 과징금을 부과하면서 추후에 부과금 산정 기준이 되는 새로운 자료가 나올 경우에는 과징금액이 변경될 수도 있다고 유보한다든지, 실제로 추후에 새로운 자료가 나왔다고 하여 새로운 부과처분을 할 수는 없다 할 것인바, 왜냐하면 과징금의 부과와 같이 재산권의 직접적인 침해를 가져오는 처분을 변경하려면 법령에 그 요건 및 절차가 명백히 규정되어 있어야 할 것인데, 위와 같은 변경처분에 대한 법령상의 근거규정이 없고, 이를 인정하여야 할 합리적인 이유 또한 찾아 볼 수 없기 때문이다(대판 1999.5.28, 99두1571).

6. 과징금의 납부기한 연기 및 분할 납부

행정기본법 제29조【과징금의 납부기한 연기 및 분할 납부】 과징금은 한꺼번에 납부하는 것을 원칙으로 한다. 다만, 행정청은 과징금을 부과받은 자가 다음 각 호의 어느 하나에 해당하는 사유로 과징금 전액을 한꺼번에 내기 어렵다고 인정될 때에는 그 납부기한을 연기하거나 분할 납부하게 할 수 있으며, 이 경우 필요하다고 인정하면 담보를 제공하게 할 수 있다.

1. 재해 등으로 재산에 현저한 손실을 입은 경우
2. 사업 여건의 악화로 사업이 중대한 위기에 처한 경우
3. 과징금을 한꺼번에 내면 자금 사정에 현저한 어려움이 예상되는 경우
4. 그 밖에 제1호부터 제3호까지에 준하는 경우로서 대통령령으로 정하는 사유가 있는 경우

[시행일: 2021.9.24.]

7. 과징금부과의 제척기간

> 행정기본법 제23조【제재처분의 제척기간】① 행정청은 법령 등의 위반행위가 종료된 날부터 5년이 지나면 해당 위반행위에 대하여 제재처분(인허가의 정지·취소·철회, 등록 말소, 영업소 폐쇄와 정지를 갈음하는 과징금 부과를 말한다. 이하 이 조에서 같다)을 할 수 없다.
> ② 다음 각 호의 어느 하나에 해당하는 경우에는 제1항을 적용하지 아니한다.
> 1. 거짓이나 그 밖의 부정한 방법으로 인허가를 받거나 신고를 한 경우
> 2. 당사자가 인허가나 신고의 위법성을 알고 있었거나 중대한 과실로 알지 못한 경우
> 3. 정당한 사유 없이 행정청의 조사·출입·검사를 기피·방해·거부하여 제척기간이 지난 경우
> 4. 제재처분을 하지 아니하면 국민의 안전·생명 또는 환경을 심각하게 해치거나 해칠 우려가 있는 경우
>
> ③ 행정청은 제1항에도 불구하고 행정심판의 재결이나 법원의 판결에 따라 제재처분이 취소·철회된 경우에는 재결이나 판결이 확정된 날부터 1년(합의제행정기관은 2년)이 지나기 전까지는 그 취지에 따른 새로운 제재처분을 할 수 있다.
> ④ 다른 법률에서 제1항 및 제3항의 기간보다 짧거나 긴 기간을 규정하고 있으면 그 법률에서 정하는 바에 따른다.
> [시행일: 2023.3.24.]

2 가산금

1. 의의

가산금이란 국세나 지방세를 납부기한까지 납부하지 않는 경우에 국제징수법에 의해 납부기한이 경과한 즉시 고지세액에 가산하여 징수하는 금액(가산금)과, 납부기한 경과 후 일정기간까지도 납부하지 아니하는 경우 시간경과에 비례하여 추가적으로 가산하여 징수하는 금액(중가산금)을 말한다. 즉, 조세채권에 대한 일종의 연체금이다.

2. 구체적인 예

가산금의 예로는, 국세기본법의 규정에 의하여 조세체납자에게 부과하는 경우 이외에 관세법(제41조의3), 대기환경보전법(제35조 제5항)에도 유사한 규정이 있다. 다만, 국세기본법상 가산금은 삭제되고 가산세에 통합되었다.

3 가산세

1. 의의

세법에 규정하고 있는 의무의 성실한 이행을 확보하기 위하여 해당 세법에 의하여 산출한 금액에 가산하여 징수하는 금액을 말한다.

2. 구체적인 예

예컨대, 세법상 법정신고기간 내에 신고하여 납부하여야 할 의무가 있는 경우에 신고하지 아니하였거나 과소신고하였을 경우에는 일정비율의 납부불성실가산세라든가 신고불성실가산세 등이 과하여지는 것이 있다(소득세법 제81조 참조).

관련판례

1 세법상 가산세는 과세권의 행사 및 조세채권의 실현을 용이하게 하기 위하여 납세자가 정당한 사유 없이 법에 규정된 신고·납세의무 등을 위반한 경우에 법이 정하는 바에 의하여 부과하는 행정상의 제재로서, 납세자의 고의·과실은 고려되지 아니하고, 법령의 부지 또는 오인은 그 정당한 사유에 해당한다고 볼 수 없다(대판 2013.5.23, 2013두1829).

2 세법상 가산세는 과세권의 행사 및 조세채권의 실현을 용이하게 하기 위하여 납세의무자가 정당한 이유 없이 법에 규정된 신고, 납세 등 각종 의무를 위반한 경우에 법이 정하는 바에 따라 부과하는 행정상의 제재이다. 따라서 단순한 법률의 부지나 오해의 범위를 넘어 세법해석상 의의로 인한 견해의 대립이 있는 등으로 납세의무자가 의무를 알지 못하는 것이 무리가 아니었다고 할 수 있어서 그를 정당시할 수 있는 사정이 있을 때 또는 의무의 이행을 당사자에게 기대하는 것이 무리라고 하는 사정이 있을 때 등 의무를 게을리한 점을 탓할 수 없는 정당한 사유가 있는 경우에는 이러한 제재를 과할 수 없다(대판 2016.10.27, 2016두44711).

3 세법상 가산세는 과세권의 행사 및 조세채권의 실현을 용이하게 하기 위하여 납세자가 정당한 이유 없이 법에 규정된 신고, 납세 등 각종 의무를 위반한 경우에 개별세법이 정하는 바에 따라 부과되는 행정상의 제재로서 납세자의 고의, 과실은 고려되지 않는 반면, 납세의무자가 그 의무를 알지 못한 것이 무리가 아니었다고 할 수 있어 그를 정당시할 수 있는 사정이 있거나 그 의무의 이행을 당사자에게 기대하는 것이 무리라고 하는 사정이 있을 때 등 그 의무해태를 탓할 수 없는 정당한 사유가 있는 경우에는 이를 과할 수 없으나, 납세의무자가 세무공무원의 잘못된 설명을 믿고 그 신고납부의무를 이행하지 아니하였다 하더라도 그것이 관계 법령에 어긋나는 것임이 명백한 때에는 그러한 사유만으로 정당한 사유가 있다고 볼 수 없다(대판 2003.1.10, 2001두7886).

간단 점검하기

01 세법상 가산세를 부과할 때 납세자에게 조세납부를 거부 또는 지연하는데 고의 또는 과실이 있었는지는 원칙적으로 고려하지 않지만, 납세의무자의 의무해태를 탓할 수 없는 정당한 사유가 있는 경우에는 가산세를 부과할 수 없다. ( ) 18. 국가직 9급

02 세법상 가산세는 과세권 행사 및 조세채권 실현을 용이하게 하기 위하여 납세자가 정당한 이유 없이 법에 규정된 신고, 납세 등의 의무를 위반한 경우에 개별세법에 따라 부과하는 행정상 제재로서, 납세자의 고의·과실은 고려되지 아니하고 법령의 부지·착오 등은 그 의무위반을 탓할 수 없는 정당한 사유에 해당하지 아니한다. ( ) 19. 국가직 9급

03 세법상 가산세는 정당한 이유 없이 법에 규정된 신고·납세의무 등을 위반한 경우에 부과되는 행정상 제재로서 납세의무자가 세무공무원의 잘못된 설명을 믿고 그 신고납부의무를 이행하지 아니한 경우에는 그것이 관계 법령에 어긋나는 것임이 명백하다고 하더라도 정당한 사유가 있는 경우에 해당한다. ( ) 17. 지방직 7급

제3절 비금전적인 제재

1 공급거부

1. 의의

(1) 공급거부는 행정법상의 의무를 위반한 자에 대하여 행정상의 역무나 재화의 공급을 거부하는 행위를 말한다.

(2) 행정에 의하여 공급되는 각종의 역무 및 재화는 오늘날 국민생활에는 필수적이라는 점에서, 그러한 공급을 거부하는 것은 행정상 의무이행확보수단으로서 매우 실효성이 있다.

간단 점검하기

04 공급거부란 행정법상의 의무를 위반하거나 불이행한 자에 대해 일정한 재화나 서비스의 공급을 거부하는 행정작용을 말한다. ( ) 14. 경찰행정

01 ○ 02 ○ 03 × 04 ○

(3) 그러나 포르스트호프(E. Forsthoff)가 '복지국가에서의 공급거부는 야만적인 행위'라고 지적한 것처럼, 국민의 생존배려를 위한 급부행정을 주요 행정목표로 삼고 있는 현대복지국가에서 국민의 생활에 필수적인 역무와 재화의 공급을 거부하는 것은 헌법상 사회국가원리, 비례의 원칙, 부당결부금지원칙에 위반될 소지가 있다.

2. 법적 근거와 성질

(1) 법적 근거

① 공급거부는 국민의 권익을 침해하는 행위이므로 법치국가의 원칙상 반드시 법률의 근거를 요한다.

② 현행법상 공급거부가 인정되는 경우는 없다고 보아도 무방하다.

(2) 성질

① 판례는 행정청의 공급거부요청(대판 1996.3.22, 96누433)과 공급불가회신(대판 1995.11.21, 95누9099)은 전기공급자 등의 법적 지위에 변동을 가져오지 않는 권고적 성격으로서 처분성이 인정되지 않는다고 본다.

관련판례 공급거부요청 ★★★

행정청이 위법 건축물에 대한 시정명령을 하고 나서 위반자가 이를 이행하지 아니하여 전기·전화의 공급자에게 그 위법 건축물에 대한 전기·전화공급을 하지 말아 줄 것을 요청한 행위는 권고적 성격의 행위에 불과한 것으로서 전기·전화공급자나 특정인의 법률상 지위에 직접적인 변동을 가져오는 것은 아니므로 이를 항고소송의 대상이 되는 행정처분이라고 볼 수 없다(대판 1996.3.22, 96누433).

#전기 · 전화_공급거부요청_권고성격 #처분성부인

② 그러나 행정청의 수도의 공급거부(단수조치)는 항고소송의 대상이 되는 처분에 해당한다고 보았다(대판 1979.12.28, 79누218).

3. 공급거부의 한계

공급거부는 ① 보충적으로 적용되어야 하며, ② 법률에 명확한 근거가 있고, ③ 충분한 실체적 관련성이 있어야 한다. 특히, 수도법이나 전기법 등에서 급부주체는 '정당한 사유' 없이 공급을 거절할 수 없다고 규정한 것은 위 ③과 관련이 있다.

2 관허사업의 제한

1. 의의

관허사업의 제한이라 함은 행정법상의 의무를 위반하거나 불이행한 자에 대하여 각종 인·허가를 거부할 수 있게 함으로써 행정법상 의무의 준수 또는 의무의 이행을 확보하는 간접적 강제수단을 말한다.

간단 점검하기

01 행정상 공급거부에 대한 권리구제에 있어 단수처분은 항고소송의 대상이 되는 행정처분이므로 위법한 단수처분에 대해서는 행정소송을 제기하여 그 취소를 구할 수 있다. ( )
18. 경찰행정

간단 점검하기

02 행정법상 의무를 위반하거나 불이행한 자에 대하여 각종 인·허가를 거부할 수 있게 함으로써 행정법상 의무의 준수 또는 이행을 확보하는 직접적 강제수단을 관허사업의 제한이라 한다. ( ) 10. 국가직 7급

01 ○ 02 ×

2. 법적 근거 및 성질

(1) 관허사업의 제한은 권익을 침해하는 권력적 행위이므로 법률의 근거가 있어야 한다.

(2) 관허사업의 제한은 의무불이행에 대한 제재적 처분의 성격을 갖기도 하지만, 기본적으로는 의무이행을 확보하기 위한 수단이다.

3. 제재처분의 기준

> 행정기본법 제22조【제재처분의 기준】 ① 제재처분의 근거가 되는 법률에는 제재처분의 주체, 사유, 유형 및 상한을 명확하게 규정하여야 한다. 이 경우 제재처분의 유형 및 상한을 정할 때에는 해당 위반행위의 특수성 및 유사한 위반행위와의 형평성 등을 종합적으로 고려하여야 한다.
> ② 행정청은 재량이 있는 제재처분을 할 때에는 다음 각 호의 사항을 고려하여야 한다.
> 1. 위반행위의 동기, 목적 및 방법
> 2. 위반행위의 결과
> 3. 위반행위의 횟수
> 4. 그 밖에 제1호부터 제3호까지에 준하는 사항으로서 대통령령으로 정하는 사항
>
> [시행일: 2021.9.24.]

4. 제재처분의 제척기간

> 행정기본법 제23조【제재처분의 제척기간】 ① 행정청은 법령 등의 위반행위가 종료된 날부터 5년이 지나면 해당 위반행위에 대하여 제재처분(인허가의 정지 · 취소 · 철회, 등록 말소, 영업소 폐쇄와 정지를 갈음하는 과징금 부과를 말한다. 이하 이 조에서 같다)을 할 수 없다.
> ② 다음 각 호의 어느 하나에 해당하는 경우에는 제1항을 적용하지 아니한다.
> 1. 거짓이나 그 밖의 부정한 방법으로 인허가를 받거나 신고를 한 경우
> 2. 당사자가 인허가나 신고의 위법성을 알고 있었거나 중대한 과실로 알지 못한 경우
> 3. 정당한 사유 없이 행정청의 조사 · 출입 · 검사를 기피 · 방해 · 거부하여 제척기간이 지난 경우
> 4. 제재처분을 하지 아니하면 국민의 안전 · 생명 또는 환경을 심각하게 해치거나 해칠 우려가 있는 경우
>
> ③ 행정청은 제1항에도 불구하고 행정심판의 재결이나 법원의 판결에 따라 제재처분이 취소 · 철회된 경우에는 재결이나 판결이 확정된 날부터 1년(합의제행정기관은 2년)이 지나기 전까지는 그 취지에 따른 새로운 제재처분을 할 수 있다.
> ④ 다른 법률에서 제1항 및 제3항의 기간보다 짧거나 긴 기간을 규정하고 있으면 그 법률에서 정하는 바에 따른다.
> [시행일: 2023.3.24.]

5. 세금체납자의 관허사업제한

(1) 세무서장이나 지방자치단체의 장 등은 국세나 지방세를 일정한 사유 없이 체납한 자에 대하여 허가, 인가, 면허 및 등록과 그 갱신을 요하는 사업의 주무관서에 대하여 그 허가 등을 하지 않을 것을 요구할 수 있고, 국세나 지방세를 3회 이상 체납한 때에는 일정한 경우를 제외하고는 그 주무관서에 사업의 정지나 허가의 취소를 요구할 수 있다. 이 경우 이러한 요구를 받은 주무관서는 정당한 사유가 없는 한 이에 응하여야 한다(국제징수법 제7조, 지방세법 제7조 등).

(2) 이러한 수단은 전통적인 행정강제수단인 체납처분보다 당사자에게 미치는 효과 면에서 더 불리하게 작용하는 것이므로 그 사용에 있어서 비례성원칙 위반의 문제가 있다. 또한 납세의무자와 전혀 무관한 내용의 제재가 과해지는 점에서 부당결부금지원칙에 위반될 소지가 있다.[1]

6. 기타

관련판례

1 행정법규 위반에 대한 제재조치는 행정목적의 달성을 위하여 행정법규 위반이라는 객관적 사실에 착안하여 가하는 제재이므로, 반드시 현실적인 행위자가 아니라도 법령상 책임자로 규정된 자에게 부과되고, 특별한 사정이 없는 한 위반자에게 고의나 과실이 없더라도 부과할 수 있다. 이러한 법리는 구 대부업 등의 등록 및 금융이용자 보호에 관한 법률 제13조 제1항이 정하는 대부업자 등의 불법추심행위를 이유로 한 영업정지 처분에도 마찬가지로 적용된다(대판 2017.5.11, 2014두8773).

2 공정거래위원회가 하도급거래 공정화에 관한 법률 제25조 제1항에 의한 시정명령을 하는 경우에는 단순히 하도급대금의 발생 및 지급지연과 같은 제13조 등의 위반행위가 있었는가를 확인함에 그쳐서는 안 되고, 나아가 그 위반행위로 인한 결과가 그 당시까지 계속되고 있는지를 확인하여 비록 법 위반행위가 있었더라도 하도급대금 채무의 불발생 또는 변제, 상계, 정산 등 사유 여하를 불문하고 위반행위의 결과가 더 이상 존재하지 아니한다면, 그 결과의 시정을 명하는 내용의 시정명령을 할 여지는 없다고 보아야 한다(대판 2010.1.14, 2009두11843).

3 독점규제 및 공정거래에 관한 법률에 의한 시정명령이 지나치게 구체적인 경우 매일 매일 다소간의 변형을 거치면서 행해지는 수많은 거래에서 정합성이 떨어져 결국 무의미한 시정명령이 되므로 그 본질적인 속성상 다소간의 포괄성·추상성을 띨 수밖에 없다 할 것이고, 한편 시정명령 제도를 둔 취지에 비추어 시정명령의 내용은 과거의 위반행위에 대한 중지는 물론 가까운 장래에 반복될 우려가 있는 동일한 유형의 행위의 반복금지까지 명할 수는 있는 것으로 해석함이 상당하다(대판 2003.2.20, 2001두5347 전합).

간단 점검하기

01 세금납부의무 불이행에 따른 영업의 인·허가의 거부·정지는 즉시강제에 해당한다. ( ) 12. 지방직 7급

02 조세체납자의 관허사업제한을 명시하고 있는 국세징수법 관련규정은 부당결부금지원칙에 반하여 위헌이라는 것이 판례의 입장이다. ( ) 14. 국가직 9급

[1] 단, 이를 명시적으로 판단한 판례는 없다.

01 × 02 ×

제4절 행정상 공표

1 의의

1. 개념

행정상 공표라 함은 행정법상의 의무위반 또는 의무불이행이 있는 경우에 그의 성명, 위반사실 등을 일반에게 공개하여 명예 또는 신용의 침해를 위협함으로써 행정법상의 의무이행을 간접적으로 강제하는 수단이다.

간단 점검하기

01 명단의 공표란 행정법상의 의무위반 또는 불이행이 있는 경우 그 위반자의 성명, 위반사실 등을 일반에게 공개하여 명예 또는 신용에 침해를 가함으로써 심리적인 압박을 가하여 행정법상 의무이행을 확보하는 수단을 말한다. ( ) 14. 경찰행정, 10. 지방직 9급

02 행정상 공표는 의무위반자의 명예나 신용의 침해를 위협함으로써 직접적으로 행정법상 의무이행을 확보하는 수단이다. ( ) 10. 지방직 9급

2. 공표의 기능 및 문제점

(1) 기능

① 공표 그 자체는 공권력행사가 아니므로 절차의 제약 없이 간략하고 신속하게 발동한다.
② 행정형벌은 과형절차가 번잡하기 때문에 공표가 보다 경제적이다.
③ 실효성이 높으며, 직접 물리력을 행사하지 않고 목적을 달성한다.
④ 국민의 알 권리 실현에 기여한다.

(2) 문제점

① 남용될 경우 사전절차와 같은 현실적인 구제방법이 없으므로 구제가 곤란하다.
② 개인의 프라이버시권과 어떻게 조화를 이룰 것인가의 문제가 제기된다.

2 법적 성질 및 근거

1. 법적 성질

(1) 통설은 행정상 공표는 일정한 사실을 국민에게 알리는 비권력적 사실행위이며, 그 자체로는 아무런 법적 효과를 발생하지 않는다고 보고 있다. 그러나 공표에 의해 명예나 신용 등이 훼손될 수도 있으므로 권력적 사실행위로 보아야 한다는 유력한 반대견해도 있다.

(2) 이러한 점에서 행정상 공표제도는 실효성이 문제될 수 있지만, 오늘날의 정보화·신용사회에 있어서는 개인의 명예심 내지 수치심을 자극함으로써 개인에게 제재를 가하고, 아울러 간접적으로 의무이행을 확보한다는 성질을 가진다.

간단 점검하기

03 행정법상 의무위반자에 대한 명단의 공표는 법적인 근거가 없더라도 허용된다. ( ) 15. 사회복지직

2. 근거

(1) 법적 근거

현재 우리나라에서는 명단 등의 공표를 규정하고 있는 일반법은 없고, 몇몇 개별법에서 규정하고 있을 따름이다.[1]

[1] 식품위생법 제73조, 국세기본법 제85조의5, 청소년의 성보호에 관한 법률 제4장 이하 등

(2) 헌법재판소

청소년의 성범죄의 신상공개가 인격권 및 사생활의 비밀을 침해하지 않는다고 하였다(헌재 2003.6.26, 2002헌가14).

간단 점검하기

04 헌법재판소는 청소년 성매수자의 신상공개제도가 이중처벌금지원칙, 과잉금지원칙, 평등원칙, 적법절차원칙 등에 위반되지 않는다는 입장이다. ( ) 10. 지방직 9급

01 ○ 02 × 03 × 04 ○

3. 공표의 절차

(1) 절차의 법제화

공표대상자의 보호를 위해 공표의 가능성에 관해 규정하는 법률은 공표의 대상뿐만 아니라 공표의 절차와 방법 등에 관한 주요사항도 동시에 규정하여야 한다(국세기본법 제85조의5, 지방세법 제69조의2).

관련판례

민사상으로 타인의 명예를 훼손하는 행위를 한 경우에도 그것이 공공의 이해에 관한 사항으로서 그 목적이 오로지 공공의 이익을 위한 것일 때에는 진실한 사실이라는 증명이 있으면 그 행위에 위법성이 없고, 또한 그 증명이 없더라도 행위자가 그것이 진실이라고 믿을 만한 상당한 이유가 있는 경우에는 위법성이 없다고 보아야 할 것이며, 적시된 사실이 공공의 이익에 관한 것인지 여부는 당해 적시 사실의 구체적 내용, 당해 사실의 공표가 이루어진 상대방의 범위의 광협, 그 표현의 방법 등 그 표현 자체에 관한 제반 사항을 감안함과 동시에 그 표현에 의하여 훼손되거나 훼손될 수 있는 타인의 명예의 침해의 정도 등을 비교·고려하여 결정하여야 한다(대판 1998.7.14, 96다17527).

(2) 공표대상자의 의견진술

① 공표가 행정절차법상 처분에 해당하지 않는다고 할지라도, 공표대상자의 보호를 위해 행정절차법 제22조 제3항(의견제출)을 원용하여 공표를 하기 전에 공표대상자에게 의견진술의 기회를 부여하는 것이 필요하다.

② 예컨대, 공표를 하기 전에 공표대상자에게 의견진술의 기회를 부여하도록 규정하고 있는 법률도 있다(지방세법 제69조의2 제3항).

4. 공표의 한계(알 권리와 프라이버시권의 조화)

(1) 일반적으로 행정법상 의무위반자의 성명이나 위반사실을 공표하는 것은 상대방의 프라이버시보다 국민의 알권리가 앞서므로 허용된다고 볼 것이다.

(2) 그러나 의무위반과 관계없는 사항, 예컨대 축재과정이나 그 밖의 사생활을 공표하는 것은 부당결부금지의 원칙에 반할 뿐더러 프라이버시권을 침해하게 될 가능성이 크다.

3 위법한 공표에 대한 권리구제

1. 행정상 손해배상

(1) 공표가 위법하여 명예와 신용이 침해된 경우에는 손해배상을 청구할 수 있다.

(2) 다만, 개별 사안에서 공표가 진실이라고 믿었고 또 그렇게 믿을 만한 상당한 이유가 있는 경우에는 위법성이 부인되므로 손해배상이 부인될 수 있다.

간단 점검하기

01 국세기본법상에는 고액체납자의 명단공개제도에 대하여 규정하고 있다. ( ) 15. 국회직 8급

간단 점검하기

02 판례에 따르면, 위법한 공표에 의하여 명예·신용 등이 침해된 경우에는 행정상 손해배상청구소송을 제기하여 그 손해배상을 구할 수 없다. ( ) 10. 국회직 9급

01 ○ 02 ×

2. 항고쟁송

(1) 공표는 비권력적 사실행위이므로 처분성이 인정되지 않아 항고소송의 대상이 될 수 없다는 것이 일반적이다.

(2) 그러나 행정청의 공표로 명예·신용 등이 침해되므로 예외적으로 처분성을 인정해야 한다는 일부 견해도 있다.

관련판례

국가기관이 행정목적달성을 위하여 언론에 보도자료를 제공하는 등 이른바 행정상 공표의 방법으로 실명을 공개함으로써 타인의 명예를 훼손한 경우, 그 공표된 사람에 관하여 적시된 사실의 내용이 진실이라는 증명이 없더라도 국가기관이 공표 당시 이를 진실이라고 믿었고 또 그렇게 믿을 만한 상당한 이유가 있다면 위법성이 없는 것이고, 이 점은 언론을 포함한 사인에 의한 명예훼손의 경우에서와 마찬가지이다(대판 1993.11.26, 93다18389).

간단 점검하기

대법원은 국세청장이 부동산투기자의 명단을 언론사에 공표함으로써 명예를 훼손한 사건에서 손해배상책임을 인정하였다. ( ) 10. 지방직 9급

○

gosi.Hackers.com

해커스공무원 학원·인강
gosi.Hackers.com

제5편

손해전보

제1장 개설

제1절 행정구제제도 개설

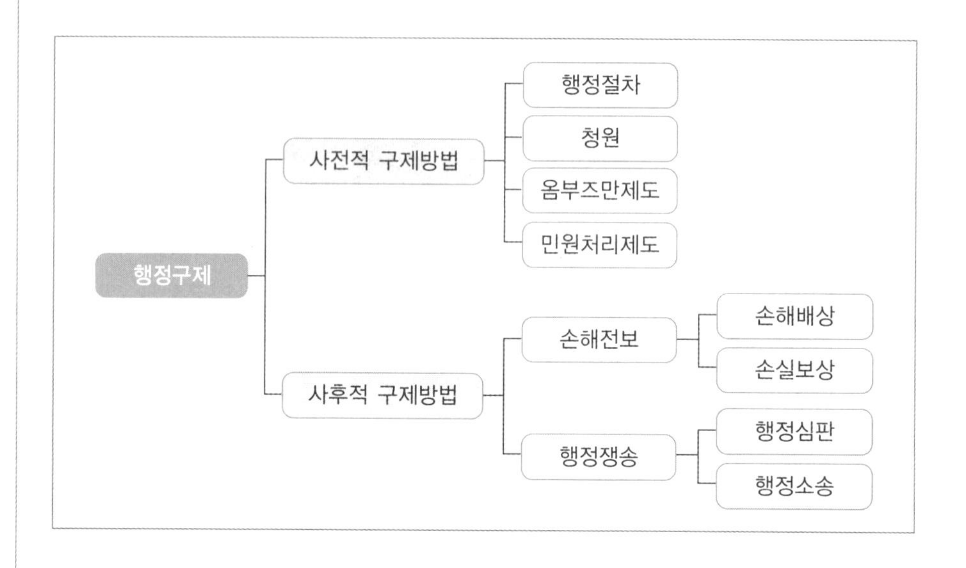

1 행정구제의 의의

행정구제라 함은 행정기관의 작용으로 자기의 권리 · 이익이 침해되었거나 될 것으로 주장하는 자가 행정기관이나 법원에 손해전보 또는 해당 행정작용의 취소 · 변경을 청구하거나 그 밖의 피해구제 또는 예방을 청구하고 이에 대하여 행정기관 또는 법원이 이를 심리하여 권리 · 이익의 보호에 관한 판정을 내리는 것을 말한다.

2 행정구제의 기본관념

1. 법원에 의한 권리구제
2. 행정국가주의에서 사법국가주의로 전환
3. 사후구제제도와 사전구제제도의 상호보완

제2절 옴부즈만 제도

1 의의 및 기능

1. 옴부즈만이란 공공기관(행정기관 · 검찰 · 공법인 등)이 법령상의 책무를 적정하게 수행하고 있는지 여부를 국민을 대신하여 감시하기 위하여 의회에 의하여 그 대리인으로 선출된 자를 말한다.
2. 옴부즈만은 스웨덴의 1809년 헌법에서 최초로 도입된 이래, 핀란드 · 덴마크 등에서 일반적으로 사용되고 있다.
3. 옴부즈만의 구체적 권한이나 기능은 국가마다 차이가 있으나, 일반적으로 행정기능의 확대 · 작용형식의 다양화 등으로 인해 발생하는 전통적인 행정구제제도의 결점을 보완하고, 부적정한 행정에 대하여 국민의 권익을 보다 실효적으로 보호하려는 것에 그 존재 의의가 있다.
4. 옴부즈만 제도는 권리보호의 사각지대에 국민의 대표기관인 의회가 개입을 시도하여 국민의 권익구제에 기여하는 기능을 한다.

2 장단점

장점	단점
• 시민의 접근용이 • 적은 비용으로 신속하게 처리 • 융통성 있는 행정처리 • 대민행정과 인구가 적은 사회에서 효용	• 행정감시기능의 중복 • 행정의 책임성과 비밀성 침해 • 시정요청 · 권고만 가능(시정권이 없음)

3 우리나라에 설치 가능성

우리나라 판례는 "합의제 행정기관인 옴부즈만(Ombudsman)을 집행기관의 장인 도지사소속으로 설치하는 데 있어서는 지방자치법 제116조 제1항의 규정에 따라 해당 지방자치단체의 조례로 정하면 되는 것이지 헌법이나 법령상으로 별도의 설치근거가 있어야 되는 것은 아니다(대판 1997.4.11, 96추138)."라고 하여 설치 가능성을 긍정하고 있다.

제3절 우리나라의 민원처리제도

1 감사원

감사원은 직권 또는 이해관계인의 심사청구에 의하여 각급 행정기관의 직무감찰을 시행하고, 감찰결과의 흠이나 행정상 모순을 발견한 때에는 관계기관에 대하여 그 시정이나 개선을 요구하며, 혹은 관계자의 문책을 요구하거나 고발조치를 취할 수 있다(감사원법 제32조 등).

2 정부합동민원센터

정부합동민원센터란 정부에 대한 민원을 접수·상담·처리하고, 민원업무를 개선함으로써 대민(對民)봉사행정을 적극적이고 능률적으로 수행하기 위하여 국민권익위원회 소속하에 설치된 행정기관이다.

3 국민권익위원회

1. 국민권익위원회의 설치 및 구성

(1) 국민권익위원회는 2008년 2월 29일 제정된 부패방지 및 국민권익위원회의 설치와 운영에 관한 법률[1]에 근거하여 설치·운영되고 있다.

(2) 국무총리 소속하에 설치되어 있으며, 그 설치는 필수적이다.

> 부패방지권익위법 제11조【국민권익위원회의 설치】① 고충민원의 처리와 이에 관련된 불합리한 행정제도를 개선하고, 부패의 발생을 예방하며 부패행위를 효율적으로 규제하도록 하기 위하여 국무총리 소속으로 국민권익위원회(이하 "위원회"라 한다)를 둔다.
> ② 위원회는 정부조직법 제2조에 따른 중앙행정기관으로서 그 권한에 속하는 사무를 독립적으로 수행한다.

(3) 동위원회는 위원장 1인을 포함한 15인 이내의 위원(3인의 부위원장과 3인의 상임위원을 포함)으로 구성한다.

> 부패방지권익위법 제13조【위원회의 구성】① 위원회는 위원장 1명을 포함한 15명의 위원(부위원장 3명과 상임위원 3명을 포함한다)으로 구성한다. 이 경우 부위원장은 각각 고충민원, 부패방지 업무 및 중앙행정심판위원회의 운영업무로 분장하여 위원장을 보좌한다. 다만, 중앙행정심판위원회의 구성에 관한 사항은 행정심판법에서 정하는 바에 따른다.
> ③ 위원장 및 부위원장은 국무총리의 제청으로 대통령이 임명하고, 상임위원은 위원장의 제청으로 대통령이 임명하며, 상임이 아닌 위원은 대통령이 임명 또는 위촉한다. 이 경우 상임이 아닌 위원 중 3명은 국회가, 3명은 대법원장이 각각 추천하는 자를 임명 또는 위촉한다.

[1] 약칭: 부패방지권익위법(이하 동일)

간단 점검하기

고충민원의 처리와 이에 관련된 불합리한 행정제도를 개선하고, 부패의 발생을 예방하여 부패행위를 효율적으로 규제하도록 하기 위하여 국무총리 소속으로 국민권익위원회를 설치하였다. ( ) 09. 국가직 9급·지방직 7급

○

(4) 행정심판법에 따른 중앙행정심판위원회의 운영에 관한 사항은 국민권익위원회의 권한의 범위에 속한다.

> 부패방지권익위법 제12조【기능】위원회는 다음 각호의 업무를 수행한다.
> 19. 행정심판법에 따른 중앙행정심판위원회의 운영에 관한 사항

(5) 위원(위원장 포함)의 임기는 3년으로 하되, 1차에 한하여 연임할 수 있다.

> 부패방지권익위법 제16조【직무상 독립과 신분보장】② 위원장과 위원의 임기는 각각 3년으로 하되 1차에 한하여 연임할 수 있다.

2. 시민고충처리위원회의 설치

(1) 지방자치단체 및 그 소속 기관에 관한 고충민원의 처리와 행정제도의 개선 등을 위하여 각 지방자치단체에 시민고충처리위원회를 둘 수 있다.

> 부패방지권익위법 제32조【시민고충처리위원회의 설치】① 지방자치단체 및 그 소속 기관에 관한 고충민원의 처리와 행정제도의 개선 등을 위하여 각 지방자치단체에 시민고충처리위원회를 둘 수 있다.

(2) 시민고충처리위원회의 설치는 임의적이다.

3. 고충민원의 처리

(1) 신청권자

국내에 거주하는 외국인을 포함하여 누구든지 국민권익위원회 또는 시민고충처리위원회에 고충민원을 신청할 수 있다.

(2) 이중신청의 허용

하나의 고충처리위원회에 대하여 고충민원을 제기한 신청인은 다른 고충처리위원회에 대하여도 고충민원을 신청할 수 있다.

> 부패방지권익위법 제39조【고충민원의 신청 및 접수】① 누구든지(국내에 거주하는 외국인을 포함한다) 위원회 또는 시민고충처리위원회(이하 이 장에서 "권익위원회"라 한다)에 고충민원을 신청할 수 있다. 이 경우 하나의 권익위원회에 대하여 고충민원을 제기한 신청인은 다른 권익위원회에 대하여도 고충민원을 신청할 수 있다.

(3) 문서신청의 원칙

고충처리위원회에 고충민원을 신청하고자 하는 자는 일정한 사항을 기재하여 문서(전자문서를 포함)로 이를 신청하여야 한다. 다만, 문서에 의할 수 없는 특별한 사정이 있는 경우에는 구술로 신청할 수 있다.

간단 점검하기

01 행정심판법에 따른 중앙행정심판위원회의 운영에 관한 사항은 국민권익위원회의 권한의 범위에 속한다. ( ) 09. 국가직 9급

02 국민권익위원회의 위원장과 위원의 임기는 각각 3년으로 하되 1차에 한하여 연임할 수 있다. ( ) 19. 소방직 9급

간단 점검하기

03 국내에 거주하는 외국인은 국민고충처리 민원인에 포함되지 않는다. ( ) 07. 서울시 9급

간단 점검하기

04 누구든지 국민권익위원회 또는 시민고충처리위원회에 고충민원을 신청할 수 있다. 이 경우 하나의 권익위원회에 대하여 고충민원을 제기한 신청인은 다른 권익위원회에 대하여도 고충민원을 신청할 수 있다. ( ) 09. 국가직 7급·지방직 7급

01 ○ 02 ○ 03 × 04 ○

부패방지권익위법 제39조 【고충민원의 신청 및 접수】 ② 권익위원회에 고충민원을 신청하고자 하는 자는 다음 각 호의 사항을 기재하여 문서(전자문서를 포함한다. 이하 같다)로 이를 신청하여야 한다. 다만, 문서에 의할 수 없는 특별한 사정이 있는 경우에는 구술로 신청할 수 있다.
1. 신청인의 이름과 주소(법인 또는 단체의 경우에는 그 명칭 및 주된 사무소의 소재지와 대표자의 이름)
2. 신청의 취지 · 이유와 고충민원신청의 원인이 된 사실내용
3. 그 밖에 관계 행정기관의 명칭 등 대통령령으로 정하는 사항

간단 점검하기

보세공장의 운영자 B는 A세관장이 과도한 검사 · 단속 · 관세부과를 하고 있다고 판단하여 국민권익위원회에 고충민원을 신청하였다. 이 경우 국민권익위원회는 B의 공장을 방문하여 현지에서 실지조사의 방법으로 고충민원을 조사할 수 있다. ( ) 09. 관세사

○

4. 조사의 방법

부패방지권익위법 제42조 【조사의 방법】 ① 권익위원회는 제41조에 따라 조사를 함에 있어서 필요하다고 인정하는 경우에는 다음 각 호의 조치를 할 수 있다.
1. 관계 행정기관 등에 대한 설명요구 또는 관련 자료 · 서류 등의 제출요구
2. 관계 행정기관 등의 직원 · 신청인 · 이해관계인이나 참고인의 출석 및 의견진술 등의 요구
3. 조사사항과 관계있다고 인정되는 장소 · 시설 등에 대한 실지조사
4. 감정의 의뢰

② 권익위원회의 직원이 제1항에 따라 실지조사를 하거나 진술을 듣는 경우에는 그 권한을 표시하는 증표를 지니고 이를 관계인에게 내보여야 한다.

③ 관계 행정기관등의 장은 제1항에 따른 권익위원회의 요구나 조사에 성실하게 응하고 이에 협조하여야 한다.

5. 시정 · 제도개선의 권고 및 의견의 표명

부패방지권익위법 제46조 【시정의 권고 및 의견의 표명】 ① 권익위원회는 고충민원에 대한 조사결과 처분 등이 위법 · 부당하다고 인정할 만한 상당한 이유가 있는 경우에는 관계 행정기관 등의 장에게 적절한 시정을 권고할 수 있다.

② 권익위원회는 고충민원에 대한 조사결과 신청인의 주장이 상당한 이유가 있다고 인정되는 사안에 대하여는 관계 행정기관 등의 장에게 의견을 표명할 수 있다.

제47조 【제도개선의 권고 및 의견의 표명】 권익위원회는 고충민원을 조사 · 처리하는 과정에서 법령 그 밖의 제도나 정책 등의 개선이 필요하다고 인정되는 경우에는 관계 행정기관 등의 장에게 이에 대한 합리적인 개선을 권고하거나 의견을 표명할 수 있다.

6. 결정의 통지

부패방지권익위법 제49조 【결정의 통지】 권익위원회는 고충민원의 결정내용을 지체 없이 신청인 및 관계 행정기관 등의 장에게 통지하여야 한다.

7. 처리결과의 통보

부패방지권익위법 제50조【처리결과의 통보 등】① 제46조 또는 제47조에 따른 권고 또는 의견을 받은 관계 행정기관 등의 장은 이를 존중하여야 하며, 그 권고 또는 의견을 받은 날부터 30일 이내에 그 처리결과를 권익위원회에 통보하여야 한다.
② 제1항에 따른 권고를 받은 관계 행정기관 등의 장이 그 권고내용을 이행하지 아니하는 경우에는 그 이유를 권익위원회에 문서로 통보하여야 한다.
③ 권익위원회는 제1항 또는 제2항에 따른 통보를 받은 경우에는 신청인에게 그 내용을 지체 없이 통보하여야 한다.

8. 감사의뢰와 공표

부패방지권익위법 제51조【감사의 의뢰】고충민원의 조사·처리과정에서 관계 행정기관 등의 직원이 고의 또는 중대한 과실로 위법·부당하게 업무를 처리한 사실을 발견한 경우 위원회는 감사원에, 시민고충처리위원회는 당해 지방자치단체에 감사를 의뢰할 수 있다.

제53조【공표】권익위원회는 다음 각 호의 사항을 공표할 수 있다. 다만, 다른 법률의 규정에 따라 공표가 제한되거나 개인의 사생활의 비밀이 침해될 우려가 있는 경우에는 그러하지 아니하다.
1. 제46조 및 제47조에 따른 권고 또는 의견표명의 내용
2. 제50조 제1항에 따른 처리결과
3. 제50조 제2항에 따른 권고내용의 불이행사유

제55조【부패행위의 신고】누구든지 부패행위를 알게 된 때에는 이를 위원회에 신고할 수 있다.

제72조【감사청구권】① 19세 이상의 국민은 공공기관의 사무처리가 법령위반 또는 부패행위로 인하여 공익을 현저히 해하는 경우 대통령령으로 정하는 일정한 수 이상의 국민의 연서로 감사원에 감사를 청구할 수 있다. 다만, 국회·법원·헌법재판소·선거관리위원회 또는 감사원의 사무에 대하여는 국회의장·대법원장·헌법재판소장·중앙선거관리위원회 위원장 또는 감사원장(이하 "당해 기관의 장"이라 한다)에게 감사를 청구하여야 한다.
② 제1항에도 불구하고 다음 각호의 어느 하나에 해당하는 사항은 감사청구의 대상에서 제외한다.
1. 국가의 기밀 및 안전보장에 관한 사항
2. 수사·재판 및 형집행(보안처분·보안관찰처분·보호처분·보호관찰처분·보호감호처분·치료감호처분·사회봉사명령을 포함한다)에 관한 사항
3. 사적인 권리관계 또는 개인의 사생활에 관한 사항
4. 다른 기관에서 감사하였거나 감사중인 사항. 다만, 다른 기관에서 감사한 사항이라도 새로운 사항이 발견되거나 중요사항이 감사에서 누락된 경우에는 그러하지 아니하다.
5. 그 밖에 감사를 실시하는 것이 적절하지 아니한 정당한 사유가 있는 경우로서 대통령령이 정하는 사항
③ 제1항에도 불구하고 지방자치단체와 그 장의 권한에 속하는 사무의 처리에 대한 감사청구는 지방자치법 제16조에 따른다.

간단 점검하기

01 국민권익위원회는 필요하다고 인정하는 경우 공공기관의 장에게 제도 개선의 권고를 할 수 있으며, 제도 개선 권고를 받은 공공기관의 장은 이를 제도 개선에 반영하여야 하며, 그 조치에 대한 결과를 국민권익위원회에 통보할 필요까지는 없다. ( ) 09. 국가직 9급

02 국민권익위원회의 권고에 따르지 않을시 문서로 사유를 통보해야 한다. ( ) 13. 지방직 9급

간단 점검하기

03 국민권익위원회는 고충민원신청의 내용에 대하여 감사원의 감사를 의뢰할 수 있다. ( ) 09. 관세사

04 누구든지 부패행위를 알게 된 때에는 이를 국민권익위원회에 신고할 수 있다. ( ) 19. 소방직 9급

05 18세 이상의 국민은 공공기관의 사무처리가 법령위반 또는 부패행위로 인하여 공익을 현저히 해하는 경우 대통령령으로 정하는 일정한 수 이상의 국민의 연서로 감사원에 감사를 청구할 수 있다. ( ) 09. 지방직 7급

01 × 02 ○ 03 ○ 04 ○ 05 ×

제 2 장 행정상 손해배상

제1절 개설

1 행정상 손해배상제도의 의의

1. 성질

행정상 손해배상제도는 국가 등 행정기관의 위법한 행정작용으로 인하여 국민에게 손해가 발생한 경우 국가가 이를 배상하여 주는 제도를 말한다.

2. 연혁

(1) 개설

① 근대 초기까지도 주권면책사상 또는 주권무오류사상에 기하여 공무원의 불법행위로 인하여 개인에게 손해가 발생한 경우에도 국가의 배상책임은 인정되지 않고 공무원의 개인적 책임만 제한적으로 인정되었다.

② 국가배상책임제도는 19세기 후반 이후 프랑스 판례에 의하여 확립된 것으로서, 이후 독일이나 영미 등의 국가에서도 법률 또는 판례를 통하여 받아들여졌다.

(2) 프랑스

① 프랑스의 국가책임법은 국사원의 판례를 통해 형성 · 발전되었다. 국가배상책임을 최초로 인정한 판례는 1873년의 블랑코(Blanco)판결이다.

② **위험책임의 법리**: 원칙적으로 과실책임주의를 취하고 있지만 무과실책임 또는 위험책임도 광범위하게 인정된다. 이러한 법리는 '위험의 사회화', '공적 부담 앞의 평등'을 실현하려는 것으로 이해된다.

③ **책임의 중첩이론**: 이 이론에 따르면 공무원의 불법행위로 인하여 공무원 개인이 책임을 부담하는 경우에도 그것이 직무행위와 관련이 있으면 국가 등이 중첩적으로 책임을 지게 된다. 이 경우 피해자인 국민은 공무원 개인 또는 국가에 대한 선택적 배상청구권이 인정된다.

(3) 독일

① **초기 위임이론(개인책임)**: 독일은 18세기 이른바 위임이론의 지배하에서 국가와 공무원과의 관계를 위임계약으로 보고 공무원의 위법행위는 이러한 위임계약에 반하는 것으로 보아, 위법행위의 결과는 공무원에게만 귀속하고 국가는 책임을 지지 않게 되는 국가무책임사상이 확립되었다. 따라서 공무원 개인이 사인으로서의 책임을 지게 되었다.

② **사법형식 행정작용 책임(대위책임)**: 19세기 중반에 위임이론이 극복되면서 기관책임으로서의 국가책임이 인정되게 되었으나, 이는 사법형식의 행정작용에 한정되었던 것이다.

③ **공행정영역의 책임(대위책임)**: 국가의 책임이 공행정영역으로 확대되는 것은 1910년 제국배상법이 제정되어 일부 주에서 실시되면서 비롯되었고, 이것이 바이마르 헌법 제131조에 규정되어 독일 전역의 모든 공무원을 대상으로 인정되었으며, 본(Bonn) 기본법 제34조가 이를 그대로 계승함으로써 국가배상제도가 정착되었다. 이는 공무원이 부담하여야 할 책임을 국가 등이 대신 인수하여 부담하는 간접적인 형태를 취하는 것이다.

④ **공행정영역의 책임(자기책임)**: 이러한 간접적인 국가배상책임에 대한 비판의 목소리가 높아지자 국가의 직접적인 책임을 규정한 국가배상책임법이 제정되었으나, 입법권한의 소재에 관한 다툼으로 1982년 10월 19일 독일 연방헌법재판소의 판결에 의해 무효선언되었다.

(4) 영 · 미

① 영국의 경우 "국왕은 악을 행하지 않는다(The king can do no wrong).", 미국의 경우 "주권자는 그 승낙 없이 소추되지 않는다."는 법리에 기하여 국가무책임원칙이 지배하고 있었다.

② 국가가 공무원의 불법행위에 대하여 책임을 부담하게 된 것은 근래의 일인데, 영국의 경우는 1947년 국왕소추법(Crown Proceeding Act)이, 미국의 경우는 1946년 연방불법행위청구권법(Federal Tort Claims Act)이 제정된 이후부터였다.

2 행정상 손실보상제도와의 관계

1. 양자(손해보상과 손실보상)의 구별

(1) 공통점

양자는 실질적 법치주의를 구현하기 위한 손해전보제도로서, 사후적인 구제수단이며 실체적인 구제제도이고, 금전적 구제라는 점에서 공통점이 있다.

(2) 차이점

구분	손해배상	손실보상
개념	위법한 행정활동 → 손해를 전보	적법한 행정활동 → 특별한 손실전보
기본이념	개인주의적 도의책임	단체주의적 사회공평부담
정의	보상적 정의	배분적 정의
발생원인	위법한 행정작용	개인의 특별한 희생
성립요건	위법성 + 고의 · 과실 + 손해의 발생	공공필요 + 특별한 희생 + 재산상 손해발생
헌법적 근거	헌법 제29조	헌법 제23조 제3항
적용법규	일반법으로 존재 (국가배상법)	개별법으로 존재 (개별법상 보상규정)
주관적 책임	고의 · 과실 필요	고의 · 과실 불요
전보의 내용	재산상 손해, 비재산적 손해	원칙적으로 재산상 손해

2. 양자의 융화경향

(1) 오늘날에는 도의적 비난을 가할 수 없는 무과실의 경우에도 배상하여야 한다는 무과실책임론이나 위험책임론이 등장하여 이 양자를 합하여 단일한 국가보상제도로 통일하려는 경향이 있다.

(2) 그러나 행정상 손해배상은 사법상의 불법행위이론을 바탕으로 하고 있고 행정상 손실보상은 손해배상과는 그 이념적 바탕이 다르다는 점에서, 양자를 구별할 필요는 여전히 존재한다. 실정법과 판례도 양자를 구별하고 있다.

(3) 손해배상과 손실보상의 융화경향

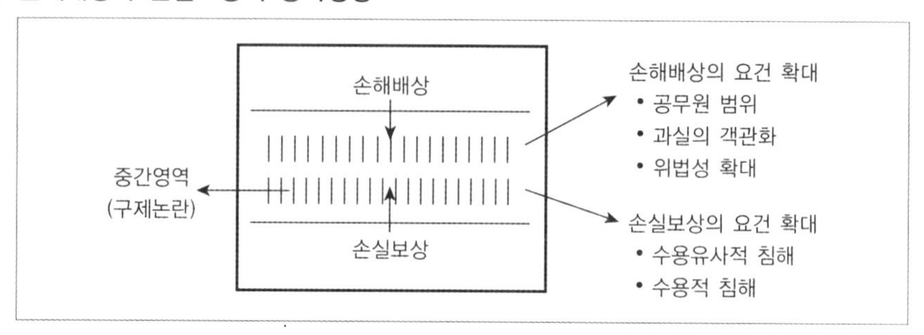

3 행정상 손해배상제도의 규범적 구조

1. 헌법의 구조

(1) 헌법규정의 내용

> 헌법 제29조 ① 공무원의 직무상 불법행위로 손해를 받은 국민은 법률이 정하는 바에 의하여 국가 또는 공공단체에 정당한 배상을 청구할 수 있다. 이 경우 공무원 자신의 책임은 면제되지 아니한다.
> ② 군인 · 군무원 · 경찰공무원 기타 법률이 정하는 자가 전투 · 훈련등 직무집행과 관련하여 받은 손해에 대하여는 법률이 정하는 보상외에 국가 또는 공공단체에 공무원의 직무상 불법행위로 인한 배상은 청구할 수 없다.

(2) 헌법규정의 성질

① 국가배상청구권은 단순한 재산권의 보장만을 의미하는 것이 아니고, 국민의 손해를 구제하기 위한 청구권의 성격도 가진다.

② 헌법재판소도 국가배상청구권을 재산권적 성질과 청구권적 성질을 아울러 가지는 것으로 보고 있다(헌재 1997.2.20, 96헌바24).

(3) 국가배상청구권의 제한

① **헌법 제29조 제2항에 의한 이중배상금지**: 헌법 제29조 제2항은 군인 · 경찰공무원 등의 국가배상 이중청구를 금지하고 있다.

② **헌법 제37조 제2항 등에 의한 제한**: 헌법 제29조의 규정에 의하여 보장된 국민의 손해배상청구권은 국가의 안전보장 · 질서유지 또는 공공복리를 위하여 필요한 경우에 법률로써 제한할 수 있다(헌법 제37조 제2항).

2. 국가배상법의 구조

(1) 국가배상법의 지위

적용 순위	적용법규	지위
1순위	우편법 등 (배상액의 정형화 또는 경감)	국가배상에 관한 특별법
2순위	국가배상법	국가배상에 관한 일반법
3순위	민법	손해배상에 관한 일반법

(2) 국가배상법의 성격

구분	공법설(다수설)	사법설(판례)
법적 성질	공법	사법
절차	당사자소송에 의함	민사소송에 의함
근거	• 실정법상 공·사법의 이원적 체계가 있다는 점 • 공법적 원인으로 야기되는 배상문제를 규율하는 법이라는 점 • 생명·신체의 침해로 인한 국가배상을 받을 권리는 압류와 양도가 금지되는 점	• 국가무책임의 원칙을 포기하고 사인과 같은 지위에서 책임을 지겠다는 것이 헌법의 태도라는 점 • 국가배상책임도 일반불법행위의 한 종류에 불과한 것이어서 국가배상법은 민법의 특별법으로서 사법의 성질을 갖는다는 점

관련판례 국가배상청구소송 ★★★

공무원의 직무상 불법행위로 손해를 받은 국민이 국가 또는 공공단체에 배상을 청구하는 경우 국가 또는 공공단체에 대하여 그의 불법행위를 이유로 손해배상을 구함은 국가배상법이 정한 바에 따른다 하여도 이 역시 민사상의 손해배상책임을 특별법인 국가배상법이 정한 데 불과하다(대판 1972.10.10, 69다701).

#국가배상법 #민사상_손해배상_특별법

(3) 국가배상청구권의 주체

① **국민**: 손해배상청구권은 위법한 공무집행으로 인해 손해를 입은 국민이 그 주체가 된다. 이때 국민은 한국국적을 가진 자연인과 법인이 포함된다.

② **외국인·외국법인**: 상호주의에 따르며, 외국인은 상호보증❶이 있는 경우에만 국가배상법이 적용된다.

> 국가배상법 제7조【외국인에 대한 책임】이 법은 외국인이 피해자인 경우에는 해당 국가와 상호보증이 있을 때에만 적용한다.

관련판례 상호보증 ★★★

[1] 상호보증은 외국의 법령, 판례 및 관례 등에 의하여 발생요건을 비교하여 인정되면 충분하고 반드시 당사국과의 조약이 체결되어 있을 필요는 없으며, 당해 외국에서 구체적으로 우리나라 국민에게 국가배상청구를 인정한 사례가 없더라도 실제로 인정될 것이라고 기대할 수 있는 상태이면 충분하다.

간단 점검하기

01 행정상 손해배상에 관하여는 국가배상법이 일반법적 지위를 갖는다고 본다. ( ) 15. 서울시 9급

간단 점검하기

02 국가배상법은 외국인이 피해자인 경우에는 상호의 보증이 있는 때에 한하여 적용된다. ( )
19. 소방직 9급, 17. 국가직 9급, 16·15. 서울시 9급

03 국가배상법상 상호보증을 위해 반드시 당사국과의 조약이 체결되어 있을 필요는 없다. ( ) 18. 경찰행정

❶
상호보증이란 피해자인 외국인의 본국에서 한국인도 손해배상을 청구할 수 있어야 함을 의미한다.

01 ○ 02 ○ 03 ○

간단 점검하기

일본 국가배상법이 국가배상청구권의 발생요건 및 상호보증에 관하여 우리나라 국가배상법과 동일한 내용을 규정하고 있는 점 등에 비추어 우리나라와 일본 사이에 우리나라 국가배상법 제7조가 정하는 상호보증이 있다. ( ) 19. 서울시 9급

[2] 일본 국가배상법 제1조 제1항, 제6조가 국가배상청구권의 발생요건 및 상호보증에 관하여 우리나라 국가배상법과 동일한 내용을 규정하고 있는 점 등에 비추어 우리나라와 일본 사이에 국가배상법 제7조가 정하는 상호보증이 있다(대판 2015.6.11, 2013다208388).

#상호보증 #조약_직접규정× #우리_동일_규정○ #간첩혐의_불법구금_일본인

③ 우리나라에 주둔하고 있는 미국군대의 구성원, 고용원 또는 한국증원부대구성원(카투사)의 공무집행 중의 행위에 대해서도 국가배상법 절차에 의하여 한국정부에 대하여 배상을 청구할 수 있다(한미행정협정 제23조 제5항).

(4) 국가배상법상 배상책임의 유형

① 공무원의 직무상 불법행위로 인한 배상책임(제2조)

② 영조물의 설치·관리상의 하자로 인한 배상책임(제5조)

Level up 헌법과 국가배상법의 규정 비교

1. 국가배상책임의 주체와 관련하여 헌법은 국가 또는 공공단체로 규정하고 있지만, 국가배상법은 국가 또는 지방자치단체로 범위를 한정하고 있어 위헌의 논의가 있다.
2. 헌법은 공무원의 직무상 불법행위로 인한 손해배상책임에 대해서만 규정하고 있지만, 국가배상법은 영조물의 설치·관리의 하자로 인한 손해배상책임까지 규정하고 있다.

구분	헌법	국가배상법
배상 책임의 주체	국가 또는 공공단체	국가 또는 지방자치단체
배상의 범위	공무원의 직무상 불법행위만	영조물의 설치·관리상 하자까지

제2절 공무원의 직무상 불법행위로 인한 손해배상책임

국가배상법 제2조 【배상책임】 ① 국가나 지방자치단체는 공무원 또는 공무를 위탁받은 사인(이하 "공무원"이라 한다)이 직무를 집행하면서 고의 또는 과실로 법령을 위반하여 타인에게 손해를 입히거나, 자동차손해배상 보장법에 따라 손해배상의 책임이 있을 때에는 이 법에 따라 그 손해를 배상하여야 한다. 다만, 군인·군무원·경찰공무원 또는 예비군대원이 전투·훈련 등 직무 집행과 관련하여 전사(戰死)·순직(殉職)하거나 공상(公傷)을 입은 경우에 본인이나 그 유족이 다른 법령에 따라 재해보상금·유족연금·상이연금 등의 보상을 지급받을 수 있을 때에는 이 법 및 민법에 따른 손해배상을 청구할 수 없다.

② 제1항 본문의 경우에 공무원에게 고의 또는 중대한 과실이 있으면 국가나 지방자치단체는 그 공무원에게 구상(求償)할 수 있다.

○

1 배상책임의 요건

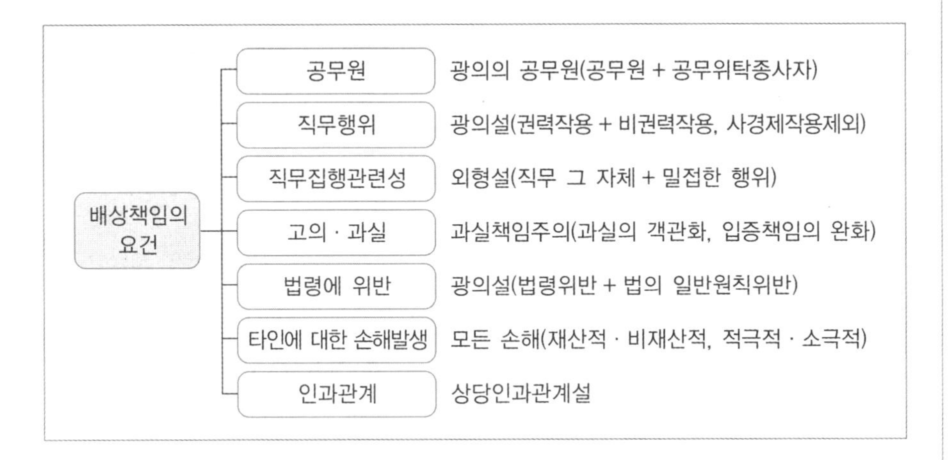

1. 공무원(공무원 또는 공무를 위탁받은 사인)

(1) 광의의 공무원

① **범위**: 국가공무원법 및 지방공무원법상의 공무원뿐만 아니라 사실상 공무를 위탁받아 실질적으로 그에 종사하는 자, 사실상의 공무원(기능적 공무원 개념)도 포함한다.

② 국가기관의 구성원과 기관

㉠ 행정부소속 공무원뿐만 아니라 입법부 · 사법부 소속 공무원도 포함된다. 국회의원, 검사, 판사, 헌법재판소 재판관도 당연히 포함된다.

㉡ 공무원은 자연인인 경우가 일반적이나, 기관 그 자체도 공무원의 개념에 포함된다(예 국회, 지방의회, 선거관리위원회 등).

③ 사인(私人) - 실질적으로 공무에 종사하는 자

관련판례 국가배상법 제2조상 공무원 ★★★

국가배상법 제2조 소정의 '공무원'이라 함은 국가공무원법이나 지방공무원법에 의하여 공무원으로서의 신분을 가진 자에 국한하지 않고, 널리 공무를 위탁받아 실질적으로 공무에 종사하고 있는 일체의 자를 가리키는 것으로서, 공무의 위탁이 일시적이고 한정적인 사항에 관한 활동을 위한 것이어도 달리 볼 것은 아니다(대판 2001.1.5, 98다39060).

#공무원_확대 #신분불문 #실질종사자 #일시적_한정적_활동_포함

관련판례 공무원의 개념에 포함되는 사인(私人)

1 통장 ★★★

통장이 전입신고서에 확인인을 찍는 행위는 공무를 위탁받아 실질적으로 공무를 수행하는 것이라고 보아야 할 것이므로, 원심이 이와 견해를 같이하여 위 소외 4를 국가배상법 제2조 소정의 공무원으로 본 판단은 정당하다(대판 1991.7.9, 91다5570).

간단 점검하기

01 국가배상법 제2조의 공무원은 국가공무원법 및 지방공무원법상의 공무원뿐만 아니라 널리 공무를 위탁받아 그에 종사하는 모든 자를 포함한다. ( ) 09. 국가직 9급

02 공무원에는 조직법상 의미의 공무원뿐만 아니라 기능적 의미의 공무원이 포함된다. ( ) 19. 사회복지직

간단 점검하기

03 판례에 의하면 사인이 지방자치단체로부터 공무를 위탁받아 공무에 종사하는 경우 공무의 위탁이 일시적이고 한정적인 사항에 관한 활동이라면 국가배상법상 공무원에 해당하지 아니한다. ( ) 17. 서울시 7급, 14 · 12. 지방직 9급, 10. 국가직 9급

간단 점검하기

04 판례에 의하면 통장이 전입신고서에 확인인을 찍는 행위는 공무를 위탁받아 실질적으로 공무를 수행하는 것이라고 보아야 하므로, 통장은 그 업무범위 내에서는 국가배상법 제2조 소정의 공무원에 해당한다. ( ) 10. 국가직 9급

01 ○ 02 ○ 03 × 04 ○

간단 점검하기

01 지방자치단체가 관할 동장으로 하여금 교통할아버지 봉사원을 선정하여 어린이 보호, 교통안내 등의 공무를 위탁하여 이를 집행하게 하였다면 교통할아버지는 국가배상법 제2조에 규정된 공무원에 해당한다. ( )
19. 소방직 9급, 12·09. 국가직 9급, 10. 지방직 9급

02 향토예비군도 그 동원기간 중에는 국가배상법 제2조 소정의 공무원 중에 포함된다. ( )
16. 경찰행정, 09. 국회직 9급

03 지방자치단체에 근무하는 청원경찰은 국가배상법 제2조에서 규정하는 공무원이다. ( ) 19. 소방직 9급

04 대법원은 시 청소차 운전수를 공무원으로 보지 아니하였다. ( )
10. 국가직 9급

2 교통할아버지 ★★★

지방자치단체가 '교통할아버지 봉사활동 계획'을 수립한 후 관할 동장으로 하여금 '교통할아버지'를 선정하게 하여 어린이 보호, 교통안내, 거리질서 확립 등의 공무를 위탁하여 집행하게 하던 중 '교통할아버지'로 선정된 노인이 위탁받은 업무 범위를 넘어 교차로 중앙에서 교통정리를 하다가 교통사고를 발생시킨 경우, 지방자치단체가 국가배상법 제2조 소정의 배상책임을 부담한다(대판 2001.1.5, 98다39060).

3 향토예비군 ★★★

향토예비군도 그 동원기간 중에는 국가배상법 제2조 소정의 공무원 중에 포함된다고 보는 것이 상당하다(대판 1970.5.26, 70다471).

4 군무원 ★★

육군 병기기계공작창 내규에 의하여 채용되어 군무수행을 위하여 채용되었으며 그는 소속부대 차량의 운전업무에 종사하였고 일정한 급료를 지급받았다면 공무원에 해당한다(대판 1970.11.24, 70다2253).

5 청원경찰 ★★

국가나 지방자치단체에 근무하는 청원경찰은 국가공무원법이나 지방공무원법상의 공무원은 아니지만, 직무상의 불법행위에 대하여도 민법이 아닌 국가배상법이 적용(대판 1993.7.13, 92다47564).

6 시청소차 운전수 ★★★

서울시 산하 구청소속의 청소차량 운전원이 지방잡급직원규정에 의하여 단순노무제공만을 행하는 기능직 잡급직원이라면 이는 지방공무원법 제2조 제2항 제7호 소정의 단순한 노무에 종사하는 별정직 공무원에 해당한다(대판 1980.9.24, 80다1051).

7 수산업협동조합 ★★★

구 수산청장으로부터 뱀장어에 대한 수출추천업무를 위탁받은 수산업협동조합이 수출제한조치를 취할 당시 국내 뱀장어 양식용 종묘의 부족으로 종묘확보에 지장을 초래할 우려가 있다고 판단하여 추천업무를 행하지 않은 것이 공무원으로서 타인에게 손해를 가한 때에 해당한다(대판 2003.11.14, 2002다55304).

#수산업협동조합_수출추천업무_수탁 #추천업무수행_공무원

간단 점검하기

05 의용소방대 설치 및 운영에 관한 법률에 따라 소방서장이 임명한 의용소방대원은 국가배상법 제2조에서 규정하는 공무원이 아니다. ( )
19. 소방직 9급

06 법령의 위탁에 의해 지방자치단체로부터 대집행을 수권 받은 구 한국토지공사는 지방자치단체의 기관으로서 국가배상법 제2조 소정의 공무원에 해당한다. ( )
19. 지방직 9급, 15. 지방직 7급

관련판례 공무원의 개념에 포함되지 않는 사인(私人)

1 의용소방대원 ★★★

소방법 제63조의 규정에 의하여 시, 읍, 면이 소방서장의 소방업무를 보조하게 하기 위하여 설치한 의용소방대를 국가기관이라고 할 수 없음은 물론, 또 그것이 이를 설치한 시, 읍, 면에 예속된 기관이라고도 할 수 없다(대판 1978.7.11, 78다584).

2 한국토지공사 ★★★

한국토지공사(현 한국토지주택공사)는 이러한 법령의 위탁에 의하여 대집행을 수권 받은 자로서 공무인 대집행을 실시함에 따르는 권리·의무 및 책임이 귀속되는 행정주체의 지위에 있다고 볼 것이지 지방자치단체 등의 기관으로서 국가배상법 제2조 소정의 공무원에 해당한다고 볼 것은 아니다(대판 2010.1.28, 2007다82950·82967).

#한국토지공사_수권_대집행 #한국토지공사_행정주체_공무원×

01 ○ 02 ○ 03 ○ 04 ×
05 ○ 06 ×

point check 국가배상법상 공무원에 포함되는지 여부

공무원 개념에 포함	공무원 개념에서 제외
• 검사, 통장, 집행관, 공탁공무원 • 소방공무원 • 시청소차운전수 • 소집 중인 향토예비군, 전경, 카투사 • 공무수탁사인 • 조세의 원천징수의무자 • 수당을 지급받는 교통할아버지 • 국가 또는 지방자치단체의 청원경찰 • 법관과 헌법재판관 • 수산협동조합	• 의용소방대원(학설은 비판적) • 시영버스 운전사 • 한국토지공사

(2) 특정여부

① 가해 공무원은 원칙적으로 특정되어야 하나, 반드시 특정될 필요가 없다고 보는 것이 통설 · 판례의 입장이다.

② 판례는 국가소속 전경들이 시위진압시 합리적이고 상당한 정도를 넘어 과도한 방법으로 진압하다가 시위참가자가 사망한 경우에도 국가배상책임을 인정하고 있다.❶

관련판례 **전투경찰들** ★★★

국가 소속 전투경찰들이 시위진압을 함에 있어서 합리적이고 상당하다고 인정되는 정도로 가능한 한 최루탄의 사용을 억제하고 또한 최대한 안전하고 평화로운 방법으로 시위진압을 하여 그 시위진압 과정에서 타인의 생명과 신체에 위해를 가하는 사태가 발생하지 아니하도록 하여야 하는데도, 이를 게을리한 채 합리적이고 상당하다고 인정되는 정도를 넘어 지나치게 과도한 방법으로 시위진압을 한 잘못으로 시위 참가자로 하여금 사망에 이르게 하였다는 이유로 국가의 손해배상 책임을 인정한다(대판 1995.11.10, 95다23897).

#전투경찰들 #공무원_특정× #조직과실_역무관실

2. 직무행위

(1) 직무행위의 범위

① 국가배상법상 직무는 공법상의 권력작용뿐만 아니라 공법상의 비권력작용(관리작용) 등 모든 공행정작용을 의미한다는 것이 판례의 입장이다.

② 다만, 순수 사경제작용은 직무의 범위에 포함되지 않는다.

③ 따라서 사경제주체로서의 활동에 대해서는 민법이 적용된다.

학설 구분	직무행위의 범위
협의설	권력작용
광의설(통설 · 판례)	권력작용 + 비권력작용(관리작용)
최광의설	권력작용 + 비권력작용 + 사경제작용

간단 점검하기

01 국가배상법상 과실을 판단할 경우 보통 일반의 공무원을 그 표준으로 하고, 반드시 누구의 행위인지 가해공무원을 특정하여야 한다. ( ) 12. 국가직 9급

❶ 이 경우 독일에서는 조직과실이론으로, 프랑스에서는 역무과실이론을 적용하고 있다.

간단 점검하기

02 국가배상의 요건인 '공무원의 직무'에는 국가나 지방자치단체의 비권력적 작용과 사경제 주체로서 하는 작용이 포함된다. ( ) 21. 국가직 9급

01 × 02 ×

간단 점검하기

01 국가배상법이 정한 배상청구의 요건인 공무원의 직무에는 권력적 작용만이 아니라 행정지도와 같은 비권력적 작용도 포함되나 단지 행정주체가 사경제 주체로서 하는 활동은 제외된다. ( ) 17. 지방직 7급, 17·13. 국가직 9급, 14. 서울시 9급

02 국가배상법 제2조의 직무행위에는 국가나 지방자치단체의 권력적 작용만이 포함되며 비권력적 작용은 포함되지 않는다. ( ) 19. 서울시 7급, 14. 서울시 9급

03 국가 또는 공공단체라 할지라도 사경제의 주체로 활동하였을 경우에는 그 손해배상의 책임에 국가배상법의 규정이 적용될 수 없고 민법이 적용된다. ( ) 12. 지방직 9급

04 국가의 철도운행사업은 국가가 공권력의 행사로 하는 것이 아니고 사경제적 작용이라 하여도 그로 인한 사고에 공무원이 관여하였을 경우 국가배상법에 따라 배상청구를 하는 배상절차를 거쳐야 한다. ( ) 16. 지방직 7급

간단 점검하기

05 직무행위의 범위에는 원칙적으로 공법상 권력작용을 중심으로 하여 공법상 비권력적 작용을 포함하는 것이므로 준법률행위적 행정행위나 사실행위, 부작위는 포함되지 않는다. ( ) 08. 지방직 9급

06 국가배상책임의 요건으로서 직무행위에는 국회의 입법작용도 포함된다. ( ) 15. 교육행정직

01 ○ 02 × 03 ○ 04 × 05 × 06 ○

관련판례

1 행정지도 ★★★

국가배상법이 정한 배상청구의 요건인 '공무원의 직무'에는 권력적 작용만이 아니라 행정지도와 같은 비권력적 작용도 포함되며 단지 행정주체가 사경제주체로서 하는 활동만 제외된다(대판 1998.7.10, 96다38971).

#국가배상법_직무행위 #권력작용_비권력작용(행정지도) #사경제작용_제외

2 시영아파트분양권부여 ★★

도로가설 등 공사로 인한 무허가건물의 강제철거와 관련하여 이루어지는 시나 구 등 지방자치단체의 철거건물 소유자에 대한 시영아파트분양권 부여 및 세입자에 대한 지원대책 등의 업무는 지방자치단체의 공권력 행사 기타 공행정작용과 관련된 활동으로 볼 것이지 단순한 사경제주체로서 하는 활동이라고는 볼 수 없다(대판 1991.7.26, 91다14819).

#시영아파트분양권부여_공권력행사

3 철도운행사업 ★★★

국가의 철도운행사업은 국가가 공권력의 행사로서 하는 것이 아니고 사경제적 작용이라 할 것이므로, 이로 인한 사고에 공무원이 간여하였다고 하더라도 국가배상법을 적용할 것이 아니고 일반 민법의 규정에 따라야 한다(대판 1999.6.22, 99다7008).

#철도운행사업_공무원간여_민법적용 #철도시설물_하자_국가배상법적용

(2) 직무의 내용

① **개설**: 직무행위에는 국가의 입법 · 사법 · 행정의 모든 국가작용이 포함된다. 특히 행정작용에는 법률행위적 · 준법률행위적 행정행위는 물론이고 사실행위, 부작위, 그리고 입법작용 등도 포함된다.

② **입법작용**

㉠ 입법작용은 직무행위에 포함시키는 것이 일반적이다. 그러나 구체적인 경우 입법과정상의 불법에 대하여 배상책임을 인정하기는 용이하지 않다.

㉡ 법률이 위헌으로 결정된 경우에는 입법기관의 입법상 고의 · 과실이 인정되어야 국가배상책임을 인정할 수 있는데, 구체적인 사안에서 개별 의원들의 고의 · 과실을 입증하기가 용이하지 않을 것이다.

㉢ 법규명령이 위헌 · 위법으로 결정된 경우 법규명령제정에 관여한 공무원의 입법상 고의 · 과실이 인정되어야 국가배상이 인정될 수 있다.

관련판례

1 거창사건 ★★★

[1] 국회의원의 입법행위는 그 입법 내용이 헌법의 문언에 명백히 위배됨에도 불구하고 국회가 굳이 당해 입법을 한 것과 같은 특수한 경우가 아닌 한 국가배상법 제2조 제1항 소정의 위법행위에 해당한다고 볼 수 없고,

[2] 국가가 일정한 사항에 관하여 헌법에 의하여 부과되는 구체적인 입법의무를 부담하고 있음에도 불구하고 그 입법에 필요한 상당한 기간이 경과하도록 고의 또는 과실로 이러한 입법의무를 이행하지 아니하는 등 극히 예외적인 사정이 인정되는 사안에 한정하여 국가배상법 소정의 배상책임이 인정될 수 있으며,

[3] 국가가 일정한 사항에 관하여 구체적인 입법의무 자체가 인정되지 않는 경우에는 애당초 부작위로 인한 불법행위가 성립할 여지가 없다(대판 2008.5.29, 2004다33469).

#거창사건(주민사살사건) #거창특별법_명예회복 #특별법개정안(보상금지급)_거부권행사 #별도_배상관련_명시적_위임입법× #입법부작위_불법행위성립×

2 위법한 시행령 ★★★

일반적으로 행정입법에 관여하는 공무원이 시행령이나 시행규칙을 제정함에 있어서 관계 법규를 알지 못하거나 필요한 지식을 갖추지 못하여 법률 등 상위법규의 해석을 그르치는 바람에 상위법규에 위반된 시행령 등을 제정하게 되었다면 그가 법률전문가가 아닌 행정공무원이라고 하여 과실이 없다고 할 수는 없으나, 상위법규에 대한 해석이 그 문언 자체만으로는 명백하지 아니하여 여러 견해가 있을 수 있는 데다가 이에 대한 선례나 학설·판례 등도 하나로 통일된 바 없어 해석상 다툼의 여지가 있는 경우, 그 공무원이 나름대로 합리적인 근거를 찾아 어느 하나의 견해에 따라 상위법규를 해석한 다음 그에 따라 시행령 등을 제정하게 되었다면, 그와 같은 상위법규의 해석이 나중에 대법원이 내린 해석과 같지 아니하여 결과적으로 당해 시행령 등의 규정이 위법한 것으로 되고 그에 따른 행정처분 역시 결과적으로 위법하게 되어 위법한 법령의 제정 및 법령의 부당집행이라는 결과를 가져오게 되었다고 하더라도, 그와 같은 직무처리 이상의 것을 당해 업무를 담당하는 성실한 평균적 공무원에게 기대하기 어려운 것이므로, 이러한 경우에까지 국가배상법상 공무원의 과실이 있다고 할 수는 없다(대판 1997.5.28, 95다15735).

#개발이익환수에관한법률시행령제정 #매입가격_명백×(매입가격/공시지가) #개발사업_완료시점(아파트착공일/아파트준공검사일) #상위법규_명백× #시행령제정_공무원_과실×

③ 사법작용

㉠ **문제점**: 사법작용은 직무행위에서 제외한다는 명문규정이 없으므로 법관의 직무활동도 직무행위에 포함된다. 그러나 법관의 직무상 독립성이 보장되어야 하고 또한 판결의 기판력이 보장되어야 하므로 제한된 범위 내에서만 법관의 직무행위에 대한 손해배상책임을 인정해야 한다.

㉡ **입법례**: 이에 대하여 영·미의 경우에는 법관의 독립을 근거로 면책을 정하고 있고, 독일의 경우에는 고의에 의한 오판의 경우에만 책임을 인정하고 있다.

㉢ **판례의 태도**: 판례는 판결이 상소심이나 재심에서 취소되었다고 하여 바로 위법한 행위가 되는 것은 아니며, 위법·부당한 목적 또는 명백한 권한남용과 같은 특별한 사정을 요하고 있다. 또한 판례는 심급제도의 존재를 국가배상책임의 제한근거로 들고 있다.

간단 점검하기

01 국회의원의 입법행위는 그 입법내용이 헌법의 문언에 명백히 위반됨에도 불구하고 국회가 굳이 당해 입법을 한 것과 같은 특수한 경우가 아닌 한 국가배상법 제2조 제1항 소정의 위법행위에 해당한다고 볼 수 없다. ( )
17. 경찰행정, 16. 지방직 9급·서울시 9급

02 국가가 일정한 사항에 관하여 헌법에 의하여 부과되는 구체적인 입법의무를 부담하고 있음에도 불구하고 그 입법에 필요한 상당한 기간이 경과하도록 고의·과실로 입법의무를 이행하지 아니하는 경우, 국가배상책임이 인정될 수 있다. ( ) 19. 국가직 9급

01 ○ **02** ○

간단 점검하기

01 법관의 재판행위가 위법행위로서 국가배상책임이 인정되려면 당해 법관이 위법 또는 부당한 목적을 가지고 재판하는 등 법관에게 부여된 권한의 취지에 명백히 어긋나게 이를 행사하였다고 인정할 특별한 사정이 있어야 한다. ( ) 17. 국가직 7급

관련판례 법관의 국가배상요건 ★★★

법관의 재판에 법령의 규정을 따르지 아니한 잘못이 있다 하더라도 이로써 바로 그 재판상 직무행위가 국가배상법 제2조 제1항에서 말하는 위법한 행위로 되어 국가의 손해배상책임이 발생하는 것은 아니고, 그 국가배상책임이 인정되려면 당해 법관이 위법 또는 부당한 목적을 가지고 재판을 하는 등 법관이 그에게 부여된 권한의 취지에 명백히 어긋나게 이를 행사하였다고 인정할 만한 특별한 사정이 있어야 한다고 해석함이 상당하다(대판 2001.4.24, 2000다16114).

#법관_위법행위 #위법 · 부당_목적 #특별_사정_법관_배상책임인정

관련판례 위법 · 부당한 목적이 없거나 시정절차가 있는 경우 - 배상청구 불가

1 배당표의 위법 ★★

임의경매절차에서 경매담당 법관의 오인에 의해 배당표 원안이 잘못 작성되고 그에 대해 불복절차가 제기되지 않아 실체적 권리관계와 다른 배당표가 확정된 경우, 경매담당 법관이 위법 · 부당한 목적을 가지고 있었다거나 법이 법관의 직무수행상 준수할 것을 요구하고 있는 기준을 현저히 위반하였다는 등의 자료를 찾아볼 수 없어 국가배상법상의 위법한 행위가 아니다(대판 2001.4.24, 2000다16114).

#임의경매_배당표_위법 #위법 · 부당_목적× #국가배상법_위법행위×

2 압수수색영장 ★★

압수수색할 물건의 기재가 누락된 압수수색영장을 발부한 법관이 위법 · 부당한 목적을 가지고 있었다거나 법이 직무수행상 준수할 것을 요구하고 있는 기준을 현저히 위반하였다는 등의 자료를 찾아볼 수 없다면 그와 같은 압수수색영장의 발부행위는 불법행위를 구성하지 않는다(대판 2001.10.12, 2001다47290).

#압수수색영장_법위반 #위법 · 부당_목적× #국가배상법_위법행위×

3 시정절차 구비 ★★

재판에 대하여 불복절차 또는 시정절차가 마련되어 있는 경우, 법관이나 다른 공무원의 귀책사유로 불복에 의한 시정을 구할 수 없었다거나 그와 같은 시정을 구할 수 없었던 부득이한 사정이 없는 한, 그와 같은 시정을 구하지 아니한 사람은 원칙적으로 국가배상에 의한 권리구제를 받을 수 없다(대판 2016.10.13, 2014다215499).

#시정절차있음_시정_구하지_않은_경우 #국가배상청구불가

4 등기신청의 첨부 서면으로 제출한 판결서가 위조된 것으로서 그 기재 사항 및 기재 형식이 일반적인 판결서의 작성 방식과 다르다는 점만을 근거로 판결서의 진정성립에 관하여 자세한 확인절차를 하지 않은 등기관의 직무상의 주의의무위반을 이유로 국가배상책임을 인정한 원심판결을 파기환송한 사례(대판 2005.2.25, 2003다13048).

간단 점검하기

02 재판에 대하여 불복절차 내지 시정절차 자체가 없는 경우, 부당한 재판으로 인하여 불이익 내지 손해를 입은 사람에게는 배상책임의 요건이 충족되는 한 국가배상책임이 인정될 수 있다. ( ) 19. 국가직 9급

01 ○ 02 ○

관련판례 위법 · 부당한 목적이 있거나 시정절차 없는 경우 - 배상청구 인정

1 헌법재판관의 청구기간오인 ★★★

헌법재판소 재판관이 청구기간 내에 제기된 헌법소원심판청구 사건에서 청구기간을 오인하여 각하결정을 한 경우, 이에 대한 불복절차 내지 시정절차가 없는 때에는 국가배상책임(위법성)을 인정할 수 있다(대판 2003.7.11, 99다24218).

2 위자료지급의무 ★★

헌법재판소 재판관의 위법한 직무집행의 결과 잘못된 각하결정을 함으로써 청구인으로 하여금 본안판단을 받을 기회를 상실하게 한 이상, 설령 본안판단을 하였더라도 어차피 청구가 기각되었을 것이라는 사정이 있다고 하더라도 잘못된 판단으로 인하여 헌법소원심판 청구인의 위와 같은 합리적인 기대를 침해한 것이고 이러한 기대는 인격적 이익으로서 보호할 가치가 있다고 할 것이므로 그 침해로 인한 정신상 고통에 대하여는 위자료를 지급할 의무가 있다(대판 2003.7.11, 99다24218).

#헌법재판관_청구기간오인_각하 #시정절차×_배상책임인정 #본안_기각_위자료지급의무

④ 검사의 공소제기 · 불기소처분의 경우

㉠ 기소편의주의가 인정되는 형사소송법 구조하에서 검사의 공소권 행사에 대한 위법성 인정의 범위를 제한적으로 판단해야 할지 문제된다.

㉡ 주로 검사가 공소를 제기하였으나 법원에서 무죄판결이 확정된 경우 또는 검사가 불기소처분을 하였으나 후에 헌법재판소에 의해 헌법소원청구가 인용된 경우가 문제된다.

㉢ 판례는 "검사의 공소권 행사가 당시의 정황에 비추어 경험칙이나 논리상 도저히 합리성을 긍정할 수 없는 정도에 이른 경우만 그 위법성을 인정할 수 있다."고 판시하고 있다(대판 2002.2.22, 2001다23447).

관련판례 감정서 은폐 ★★★

강도강간의 피해자가 제출한 팬티에 대한 국립과학수사연구소의 유전자검사결과 그 팬티에서 범인으로 지목되어 기소된 원고나 피해자의 남편과 다른 남자의 유전자형이 검출되었다는 감정결과를 검사가 공판과정에서 입수한 경우 그 감정서는 원고의 무죄를 입증할 수 있는 결정적인 증거에 해당하는데도 검사가 그 감정서를 법원에 제출하지 아니하고 은폐하였다면 검사의 그와 같은 행위는 위법하다고 보아 국가배상책임이 있다(대판 2002.2.22, 2001다23447).

#경찰_증거_은폐 #경찰행위_위법행위_국가배상인정

⑤ 기타

㉠ **준법률행위적 행정행위**: 판단 · 인식 등 정신작용의 표현에 대하여 법규에 따라 법률효과가 발생하기 때문에 손해발생의 원인행위가 되는 경우가 드물다. 그러나 허위의 인감증명서발급(대판 1991.7.9, 91다5570)과 같이 손해배상의 원인행위가 되는 경우에는 직무행위에 포함된다.

㉡ **부작위**: 직무행위에 당연히 포함된다. 그러나 부작위가 위법하기 위하여는 행정청의 작위의무가 있어야 할 것이다.

㉢ **행정상 사실행위**: 당연히 직무행위에 해당한다.

간단 점검하기

01 헌법재판소 재판관이 잘못된 각하결정을 하여 청구인으로 하여금 본안판단을 받을 기회를 상실하게 하였더라도, 본안판단에서 어차피 청구가 기각되었을 것이라는 사정이 있다면 국가배상책임이 인정되지 않는다. ( )
18. 지방직 7급

간단 점검하기

02 검사가 공판과정에서 피고인의 무죄를 입증할 수 있는 결정적인 증거를 입수하였으나 이를 법원에 제출하지 아니하여 유죄판결을 받았다면 국가배상이 인정된다. ( ) 08. 국회직 8급

01 × 02 ○

3. 직무집행관련성(집행함에 당하여)

(1) 외형설(통설 · 판례)

① 직무를 '집행함에 당하여'란 직무행위 그 자체는 물론이고 객관적으로 보아 직무행위의 외형을 갖추고 있는 행위를 말한다.

② 즉, 해당 행위가 정당한 권한 내의 행위인지 또는 행위자인 공무원이 직무집행의사를 가지고 있었는지 여부와는 관계없이 객관적으로 직무행위의 외형을 갖추고 있는지 여부에 따라 판단되어야 한다.

③ 외형설에 따르면 국가의 배상책임의 범위가 넓어짐으로써 국민의 권리보호에 기여한다.

(2) 판례

① 직무행위가 실질적으로 공무집행행위가 아니라는 사실을 피해자가 알았다고 하더라도 무방하다는 입장을 취하고 있다(대판 1966.6.28, 66다781).

② 특히 공무원의 출퇴근과 관련하여, 공무원이 통상적으로 근무하는 근무지로 출근하기 위하여 자기소유의 자동차를 운행하다가 교통사고를 일으킨 경우에는 직무집행관련성을 인정하지 않았지만, 공무원이 자신의 승용차를 운전하여 공무를 수행하고 돌아오던 중 교통사고로 동승한 다른 공무원을 사망하게 한 경우에는 직무집행관련성이 있다고 판시한 바 있다.

관련판례 **직무집행 외형설 ★★★**

국가배상법 제2조 제1항의 "직무를 집행함에 당하여"라 함은 직접 공무원의 직무집행행위이거나 그와 밀접한 관계에 있는 행위를 포함하고, 이를 판단함에 있어서는 행위 자체의 외관을 객관적으로 관찰하여 공무원의 직무행위로 보여질 때에는 비록 그것이 실질적으로 직무행위가 아니거나 또는 행위자로서는 주관적으로 공무집행의 의사가 없었다고 하더라도 그 행위는 공무원이 "직무를 집행함에 당하여" 한 것으로 보아야 한다(대판 1995.4.21, 93다14240).

#직무행위_외형설 #밀접_관련 #실질_직무×_무관 #주관적_의사_무관

관련판례 **외관상 직무행위를 인정한 경우**

1 교육 · 훈계행위 ★★★

상급자의 전입신병에 대한 교육 · 훈계행위는 적어도 외관상으로는 직무집행으로 보여지고 교육 · 훈계 중에 한 폭행도 그 직무집행과 밀접한 관련이 있는 것이므로 결국 그 폭행은 국가배상법 제2조 제1항 소정의 공무원이 직무를 집행함에 당하여 한 행위로 볼 수 있다(대판 1995.4.21, 93다14240).

#신병_교육 · 훈계행위_직무행위 #폭행_직무행위_관련행위

2 공무원증 위조 ★★★

인사업무담당 공무원이 다른 공무원의 공무원증 등을 위조한 행위에 대하여 실질적으로는 직무행위에 속하지 아니한다 할지라도 외관상으로 국가배상법 제2조 제1항의 직무집행관련성을 인정해야 한다(대판 2005.1.14, 2004다26805).

#울산세관_인사업무담당자 #다른_공무원증위조 #실질_직무행위× #외형_직무집행○

간단 점검하기

01 상급자가 전입사병인 하급자에게 암기사항에 관하여 교육하던 중 훈계하다가 도가 지나쳐 폭행한 경우에 그 폭행은 국가배상법상의 직무집행에 해당한다. ( ) 11. 국회직 8급

02 직무행위의 외형을 갖추고 있는 이상 상대방이 공무원의 행위가 실질적으로 공무집행행위가 아니라는 사정을 알았다 하더라도 국가배상책임이 인정된다. ( ) 06. 관세사

03 직무행위인지 여부는 당해 행위가 현실적으로 정당한 권한 내의 것인지를 묻지 않는다. ( ) 16. 사회복지직

04 판례에 의하면 인사업무 담당 공무원의 공무원증 등을 위조하여 대출받은 경우 인사업무 담당 공무원의 공무원증 위조행위는 실질적으로 직무행위에 속하지 아니하므로 대출은행은 국가배상청구를 할 수 없다. ( ) 15. 지방직 7급, 14. 지방직 9급

01 ○ 02 ○ 03 ○ 04 ×

3 성폭력범죄 수사 ★★

[1] 성폭력범죄의 담당 경찰관은 그 경찰서에 설치되어 있는 범인식별실을 사용하지 않은 채 공개된 장소인 형사과 사무실에서 피의자 41명을 한꺼번에 세워 놓고 피해자인 원고 1, 원고 2로 하여금 범행일시와 장소 별로 범인을 지목하게 하였다. 경찰관의 위와 같은 행위는 외관상 객관적으로 보아 직무집행행위이거나 그와 밀접한 관련이 있는 행위라고 봄이 상당하다.

[2] 성폭력범죄의 수사를 담당하거나 수사에 관여하는 경찰관이 위와 같은 직무상 의무에 반하여 피해자의 인적사항 등을 공개 또는 누설하였다면 국가는 그로 인하여 피해자가 입은 손해를 배상하여야 한다(대판 2008.6.12, 2007다64365).

#성폭력범죄_형사과_사무실_조사 #피해자_인적사항_공개_누설 #직무행위 #위법성_인정

4 독수리훈련 사전정찰 ★★★

육군중사가 자신의 개인소유 오토바이 뒷좌석에 같은 부대 소속 군인을 태우고 다음 날부터 실시예정인 훈련에 대비하여 사전 정찰차 훈련지역 일대를 살피고 귀대하던 중 교통사고가 일어났다면, 그가 비록 개인소유의 오토바이를 운전한 경우라 하더라도 실질적, 객관적으로 위 운전행위는 그에게 부여된 훈련지역의 사전 정찰임무를 수행하기 위한 직무와 밀접한 관련이 있다고 보아야 한다(대판 1994.5.27, 94다6741).

#육군중사_개인소유_무등록_오토바이 #독수리훈련_사전정찰 #귀대중_교통사고 #직무행위_관련

5 출장 후 퇴근 ★★★

미군부대 소속 선임하사관이 소속부대장의 명에 따라 공무차 예하부대로 출장을 감에 있어 부대에 공용차량이 없었던 까닭에 개인소유의 차량을 빌려 직접 운전하여 예하부대에 가서 공무를 보고나자 퇴근시간이 되어서 위 차량을 운전하여 집으로 운행하던 중 교통사고가 발생하였다면 위 선임하사관의 위 차량의 운행은 실질적, 객관적으로 그가 명령받은 위 출장명령을 수행하기 위한 직무와 밀접한 관련이 있는 것이라고 보아야 한다(대판 1988.3.22, 87다카1163).

#공무차_예하부대_출장 #공무후_퇴근_교통사고 #직무_관련성○

간단 점검하기

01 국가배상법 제2조 제1항의 직무집행행위를 판단함에 있어서 행위 자체의 외관을 객관적으로 관찰하여 공무원의 직무행위로 보여질 때는 실질적으로 직무행위가 아니거나 행위자 측의 주관적인 공무집행의사가 없었다고 해도 그 행위는 공무원이 직무를 집행하면서 한 것으로 보아야 한다. ( )
14. 국가직 7급 · 지방직 7급 · 서울시 9급

02 성폭력범죄의 수사를 담당하거나 수사에 관여하는 경찰관이 직무상 의무에 위반하여 피해자의 인적사항 등을 공개 또는 누설한 경우, 그로 인하여 피해자가 입은 손해에 대하여 국가는 배상책임을 진다. ( )
14. 국가직 7급

03 육군중사 甲이 다음 날 실시예정인 독수리 훈련에 대비하여 사전 정찰차 훈련지역 일대를 살피고 귀대하던 중 교통사고가 일어났다면, 甲이 비록 개인소유의 오토바이를 운전하였다 하더라도 실질적 · 객관적으로 위 甲의 운전행위는 그에게 부여된 훈련지역의 사전 정찰임무를 수행하기 위한 직무와 밀접한 관련이 있다고 보아야 한다. ( ) 16. 지방직 7급

관련판례 외관상 직무행위를 인정하지 않은 경우

1 자가용 출근 ★★★

공무원이 통상적으로 근무하는 근무지로 출근하기 위하여 자기 소유의 자동차를 운행하다가 자신의 과실로 교통사고를 일으킨 경우에는 특별한 사정이 없는 한 국가배상법 제2조 제1항 소정의 공무원이 '직무를 집행함에 당하여' 타인에게 불법행위를 한 것이라고 할 수 없다(대판 1996.5.31, 94다15271).

#통상_자가용_출근행위_직무행위_제외

2 세무공무원의 아파트입주권 매매행위 ★★

구청 공무원 甲이 주택정비계장으로 부임하기 이전에 그의 처 등과 공모하여 乙에게 무허가건물철거 세입자들에 대한 시영아파트 입주권 매매행위를 한 경우 이는 甲이 개인적으로 저지른 행위에 불과하고 당시 근무하던 세무과에서 수행하던 지방세 부과, 징수 등 본래의 직무와는 관련이 없는 행위로서 외형상으로도 직무범위 내에 속하는 행위라고 볼 수 없다(대판 1993.1.15, 92다8514).

#세무과_공무원_아파트입주권_매매행위 #직무행위_무관

간단 점검하기

04 공무원이 통상의 근무지로 자기소유 차량을 운전하여 출근하던 중 교통사고를 일으킨 경우, 특별한 사정이 없는 한 국가배상법 제2조 제1항에 따른 직무집행 관련성이 부정된다. ( )
18. 경찰행정

01 ○ 02 ○ 03 ○ 04 ○

point check 직무관련성 인정 여부

직무집행성 인정	직무집행성 부정
• 교육·훈계 중 폭행 • 훈련 중 꿩사냥 • 공무원증 위조행위 • 수사도중 고문행위 • 성폭행사건 피해자 인적사항 공개·누설 • 훈련지역 사전 정찰 후 부대 귀대 • 출장 후 퇴근 • 군용차량 상관의 이삿짐 운반행위 • 운전병 아닌 자의 군용차량 불법운전 • 학교 교수 장례식 참석차 차량운행	• 부대이탈 군인의 민간인 사살 • 공공사업용지의 협의취득 • 세무공무원의 재산 압류 중 절도행위 • 세무공무원의 아파트입주권 매매행위 • 가솔린 불법 처분 중 발화사고 • 군의관의 포경수술 • 자가용 출근행위 • 결혼식 참석을 위한 군용차량 운행 • 음주를 위해 군인의 군용차량 운행 • 시영버스 운전

4. 고의 또는 과실

(1) 의의

① 고의란 일정한 위법행위의 발생가능성을 인식하고 그 결과를 인용하는 것을 말한다.

② 과실이란 공무원이 그 직무를 수행함에 있어 해당 직무를 담당하는 평균적 공무원이 통상적으로 갖추어야 할 주의의무를 게을리한 것을 말한다(주의의무위반).

관련판례

어떠한 행정처분이 후에 항고소송에서 위법한 것으로서 취소되었다고 하더라도 그로써 곧 당해 행정처분이 공무원의 고의 또는 과실에 의한 불법행위를 구성한다고 단정할 수는 없지만, 그 행정처분의 담당공무원이 보통 일반의 공무원을 표준으로 하여 볼 때 객관적 주의의무를 결하여 그 행정처분이 객관적 정당성을 상실하였다고 인정될 정도에 이른 경우에는 국가배상법 제2조 소정의 국가배상책임의 요건을 충족하였다고 보아야 한다. 이때 객관적 정당성을 상실하였는지 여부는 침해행위가 되는 행정처분의 태양과 그 목적, 피해자의 관여 여부 및 관여의 정도, 침해된 이익의 종류와 손해의 정도 등 여러 사정을 종합하여 결정하되 손해의 전보책임을 국가 또는 지방자치단체에게 부담시킬 만한 실질적인 이유가 있는지도 살펴서 판단하여야 하며, 이는 행정청이 재결의 형식으로 처분을 한 경우에도 마찬가지이다(대판 2011.1.27, 2008다30703).

(2) 판단기준

① **해당 공무원을 기준**: 고의·과실 유무는 해당 공무원을 기준으로 판단할 것이지, 국가 등에 의한 공무원의 선임·감독상의 고의·과실을 기준으로 할 것은 아니다(대판 2003.11.27, 2001다33789).

② **과실책임주의**: 국가배상법 제2조상의 직무행위로 인한 행정상 손해배상책임은 과실책임을 규정하고 있다. 이 경우 과실에는 경과실과 중과실이 모두 포함된다.

③ **민법상 사용자책임(사용자 면책사유)**: 민법 제756조 제1항 단서에서는 사용자가 선임·감독상 과실이 없는 경우에는 책임을 면제하고 있음에 비하여 국가배상법 제2조에는 국가의 면책 규정이 없다. 따라서 국가의 책임은 공무원의 책임 여부로 결정된다.

간단 점검하기

01 국가배상에 있어 공무원의 직무집행상의 과실이라 함은 공무원이 그 직무를 수행함에 있어 당해 직무를 담당하는 평균인이 통상 갖추어야 할 주의의무를 게을리한 것을 말한다. ( ) 15. 서울시 9급

간단 점검하기

02 국가배상법상 과실은 행정처분의 담당공무원이 보통 일반의 공무원을 표준으로 하여 볼 때 객관적 주의의무를 결하여 그 행정처분이 객관적 정당성을 상실하였다고 인정될 정도에 이른 경우를 말한다. ( ) 10. 지방직 9급

간단 점검하기

03 국가배상법은 직무행위로 인한 행정상 손해배상에 대하여 무과실책임을 명시하고 있다. ( ) 15. 서울시 9급

04 국가나 지방자치단체는 공무원이 직무를 집행하면서 고의 또는 과실로 위법하게 타인에게 손해를 가한 때에 국가배상법상 배상책임을 지고, 공무원의 선임 및 감독에 상당한 주의를 한 경우에도 그 배상책임을 면할 수 없다. ( ) 18·17. 국가직 9급

01 ○ 02 ○ 03 × 04 ○

민법 제756조【사용자의 배상책임】 ① 타인을 사용하여 어느 사무에 종사하게 한 자는 피용자가 그 사무집행에 관하여 제삼자에게 가한 손해를 배상할 책임이 있다. 그러나 사용자가 피용자의 선임 및 그 사무감독에 상당한 주의를 한 때 또는 상당한 주의를 하여도 손해가 있을 경우에는 그러하지 아니하다.
② 사용자에 갈음하여 그 사무를 감독하는 자도 전항의 책임이 있다.
③ 전2항의 경우에 사용자 또는 감독자는 피용자에 대하여 구상권을 행사할 수 있다.

관련판례

경찰관은 범인의 체포 또는 도주의 방지, 타인 또는 경찰관의 생명·신체에 대한 방호, 공무집행에 대한 항거의 억제를 위하여 필요한 때에는 최소한의 범위 안에서 가스총을 사용할 수 있으나, 가스총은 통상의 용법대로 사용하는 경우 사람의 생명 또는 신체에 위해를 가할 수 있는 이른바 위해성 장비로서 그 탄환은 고무마개로 막혀 있어 사람에게 근접하여 발사하는 경우에는 고무마개가 가스와 함께 발사되어 인체에 위해를 가할 가능성이 있으므로, 이를 사용하는 경찰관으로서는 인체에 대한 위해를 방지하기 위하여 상대방과 근접한 거리에서 상대방의 얼굴을 향하여 이를 발사하지 않는 등 가스총 사용시 요구되는 최소한의 안전수칙을 준수함으로써 장비 사용으로 인한 사고 발생을 미리 막아야 할 주의의무가 있다(대판 2003.3.14, 2002다57218).

(3) 과실의 객관화 · 추상화(정형화)

① 과실의 객관화 · 추상화(정형화)란 해당 공무원의 주의의무수준은 과실의 판단기준으로 삼는 것이 아니라 직무상 요구되는 평균적 공무원의 주의의무수준(정도)를 과실의 판단기준으로 삼으려는 시도이다.

② 이에 의하면, 주의의무의 내용은 공무원의 직종과 지위에 의하여 객관적으로 정해져야 하며, 특정 공무원 개인의 지식 · 능력 · 경험의 여하에 따라 주관적으로 정해지는 것은 아니다.

③ 과실의 객관화 경향은 크게 ㉠ 고도화된 주의의무의 설정, ㉡ 조직과실이론 · 역무과실이론, ㉢ 위법성과 과실의 일원화 등으로 주장되고 있다.

간단 점검하기

과실개념을 객관화하려는 태도는 국가배상책임의 성립을 용이하게 하려는 의도를 지니고 있다. ( )

19. 사회복지직

○

관련판례

1 과실기준 ★★★

공무원의 직무집행상의 과실이라 함은 공무원이 그 직무를 수행함에 있어 당해직무를 담당하는 평균인이 보통(통상) 갖추어야 할 주의의무를 게을리한 것을 말하는 것이다(대판 1987.9.22, 87다카1164).

2 호적신고 ★★★

시, 구, 읍, 면의 호적공무원의 호적신고에 대한 심사는 신고인이 제출하는 법정의 첨부서류만에 의하여 법정의 요건을 구비하고 있는지, 절차에 부합하는지의 여부를 형식적으로만 심사하는 것이고, 그 신고사항의 실체적 진실과의 부합여부를 탐지하여 심사하여야 하는 것은 아니며, 등기공무원도 등기신청이 있는 경우에 당해 등기원인의 실질적 요건을 심사함이 없이 다만 그 외의 형식적 요건만을 심사하여 그것이 구비되어 있으면 가사 실질적 등기원인에 하자가 있다 하더라도 그 등기신청을 받아들여 등기하여야 하는 것이다(대판 1987.9.22, 87다카1164).

간단 점검하기

01 가해공무원의 과실 여부에 대한 입증책임은 원고에게 있다. ( )
14. 지방직 7급

02 직무행위가 위법하다고 판단되면 과실의 존재도 추정된다. ( )
15. 서울시 9급

간단 점검하기

03 판례에 의하면 규제권한을 행사하지 아니한 것이 직무상 의무를 위반하여 위법한 것으로 되는 경우에는 특별한 사정이 없는 한 과실도 인정된다. ( ) 11. 국가직 7급

01 ○ **02** × **03** ○

(4) 입증책임의 완화

① 원칙적으로 고의·과실의 입증책임은 원고에게 있다. 그러나 피해자가 가해공무원의 고의·과실의 존재를 입증하는 것은 어려운 일이다.
② 따라서 민사소송상의 '일응추정의 법리', '간접반증이론'을 원용하여 입증책임을 완화시킴으로써, 피해자의 권리구제를 두터이 하려는 경향이 있다.
③ 한편, 특정한 경우에는 공무원의 고의 또는 과실이 추정되는 경우도 있다.

관련판례

1 미니컵젤리 ★★★

[1] 구 식품위생법(2005.1.27. 법률 제7374호로 개정되기 전의 것) 제7조, 제9조, 제10조, 제16조 등 관련 규정이 식품의약품안전청장 및 관련 공무원에게 합리적인 재량에 따른 직무수행 권한을 부여한 것으로 해석된다고 하더라도, 식품의약품안전청장 등에게 그러한 권한을 부여한 취지와 목적에 비추어 볼 때 구체적인 상황 아래에서 식품의약품안전청장 등이 그 권한을 행사하지 아니한 것이 현저하게 합리성을 잃어 사회적 타당성이 없는 경우에는 직무상 의무를 위반한 것이 되어 위법하게 된다. 그리고 위와 같이 식약청장등이 그 권한을 행사하지 아니한 것이 직무상 의무를 위반하여 위법한 것으로 되는 경우에는 특별한 사정이 없는 한 과실도 인정된다.

[2] 어린이가 '미니컵 젤리'를 먹다가 질식하여 사망한 사안에서, 그 사고 발생 전에 미니컵 젤리에 대한 세계 각국의 규제 내용이 주로 곤약 등 미니컵 젤리의 성분과 용기의 규격에 대한 규제에 머물러 있었고, 대한민국 정부도 그 수준에 맞추어 미니컵 젤리의 기준과 규격, 표시 등을 규제하는 조치를 취하여 위 사고 발생 전까지 미니컵 젤리와 관련한 질식사고가 발생하지 않았던 점 등에 비추어, 비록 당시의 과학수준상 미니컵 젤리의 성분에 대하여 허위신고를 하더라도 그 진위를 가려내기 어려웠고, 위 사고 발생 후 시험 등을 통하여 그러한 허위신고의 가능성이 확인되고 곤약 등을 제외한 다른 성분을 함유한 미니컵 젤리로 인한 질식의 위험성이 드러났다고 하더라도, 위 사고 발생 무렵 식품의약품안전청장 및 관계 공무원이 그러한 위험성을 인식하거나 예견하기 어려웠던 점 등 여러 사정을 고려하여 보면, 식품의약품안전청장 및 관계 공무원이 위 사고 발생 시까지 구 식품위생법(2005.1.27. 법률 제7374호로 개정되기 전의 것)상의 규제 권한을 행사하여 미니컵 젤리의 수입·유통 등을 금지하거나 그 기준과 규격, 표시 등을 강화하고 그에 필요한 검사 등을 실시하는 조치를 취하지 않은 것이 현저하게 합리성을 잃어 사회적 타당성이 없다거나 객관적 정당성을 상실하여 위법하다고 할 수 있을 정도에까지 이르렀다고 보기 어렵고, 그 권한 불행사에 과실이 있다고 할 수도 없다고 한 원심의 판단이 정당하다(대판 2010.9.9, 2008다77795).

#규제권_불행사 #타당성결여_위법_과실인정

2 보전압류 ★★

국세가 확정되기 전에 보전압류를 한 후 보전압류에 의하여 징수하려는 국세의 전부 또는 일부가 확정되지 못하였다면 보전압류로 인하여 납세자가 입은 손해에 대하여 특별한 반증이 없는 한 과세관청의 담당공무원에게 고의 또는 과실이 있다(대판 2015.10.29, 2013다209534).

#보전압류_국세확정 #국세확정×_공무원_고의·과실_인정

(5) 법령해석의 잘못과 공무원의 과실인정 여부

① **법적 지식이 부족한 경우**: 과실을 인정한다(대판 2001.2.9, 98다52988등).

관련판례

1 건폐율산정 ★★★

법령에 대한 해석이 복잡, 미묘하여 워낙 어렵고, 이에 대한 학설, 판례조차 귀일되어 있지 않는 등의 특별한 사정이 없는 한 일반적으로 공무원이 관계 법규를 알지 못하거나 필요한 지식을 갖추지 못하고 법규의 해석을 그르쳐 행정처분을 하였다면 그가 법률전문가가 아닌 행정직 공무원이라고 하여 과실이 없다고는 할 수 없다(대판 2001.2.9, 98다52988).

#건폐율산정_잘못산정 #건축허가취소_위법_공무원과실인정

2 부담금부과 ★★

대법원의 판단으로 관계 법령의 해석이 확립되고 이어 상급 행정기관 내지 유관 행정부서로부터 시달된 업무지침이나 업무연락 등을 통하여 이를 충분히 인식할 수 있게 된 상태에서, 확립된 법령의 해석에 어긋나는 견해를 고집하여 계속하여 위법한 행정처분을 하거나 이에 준하는 행위로 평가될 수 있는 불이익을 처분상대방에게 주게 된다면, 이는 그 공무원의 고의 또는 과실로 인한 것이 되어 그 손해를 배상할 책임이 있다(대판 2007.5.10, 2005다31828).

#대법원_판단 #행정기관_업무지침 #위반_부담금부과 #고의 · 과실_인정

② **예외(학설 · 판례가 결여된 경우)**: 과실을 부정한다(대판 1995.10.13, 95다32747 등).

관련판례

1 정육점영업 ★★★

법령에 대한 해석이 그 문언 자체만으로는 명백하지 아니하여 여러 견해가 있을 수 있는데다가 이에 대한 선례나 학설, 판례 등도 귀일된 바 없어 의의가 없을 수 없는 경우에 관계 공무원이 그 나름대로 신중을 다하여 합리적인 근거를 찾아 그 중 어느 한 견해를 따라 내린 해석이 후에 대법원이 내린 입장과 같지 않아 결과적으로 잘못된 해석에 돌아가고, 이에 따른 처리가 역시 결과적으로 위법하게 되어 그 법령의 부당집행이라는 결과를 가져오게 되었다고 하더라도 그와 같은 처리방법 이상의 것을 성실한 평균적 공무원에게 기대하기는 어려운 일이고, 따라서 이러한 경우에까지 공무원의 과실을 인정할 수는 없다(대판 2010.4.29, 2009다97925).

#정육점_동일장소_영업가능 #계룡시_공무원_중복허가_불가통보 #공무원_허가불가통보_합리성_인정 #과실×

2 변리사시험 ★★★

비록 대법원판결에서 위 시행령 부칙 중 위 조항을 즉시 시행하도록 한 부분이 헌법에 위배된다고 판단하여 결과적으로 부칙 제정행위가 위법한 것으로 되고 그에 따른 불합격처분 역시 위법하게 되어 위법한 법령의 제정 및 법령의 부당집행이라는 결과를 가져오게 되었더라도, 이러한 경우에까지 국가배상책임의 성립요건인 공무원의 과실이 있다고 단정할 수 없다(대판 2013.4.26, 2011다14428).

#변리사시험_상대평가_변경 #시행령부칙_즉시_공포 · 시행_위헌결정
#불합격_추가합격 #시행령_부칙_관여_공무원_과실부정

간단 점검하기

01 공무원이 관계 법규를 알지 못하거나 법규의 해석을 그르쳐 행정처분을 한 경우라고 할지라도 법률전문가가 아닌 행정직 공무원인 경우에는 과실을 인정할 수 없다. ( )
21. 국가직 9급, 16. 지방직 9급, 16 · 14. 서울시 9급

02 행정청이 대법원의 법령해석과 어긋나는 견해를 고집하여 계속 위법한 행정처분을 해서 처분상대방에게 불이익을 주었다면 국가배상책임이 인정된다. ( ) 08. 국회직 8급

간단 점검하기

03 법령의 해석이 복잡 · 미묘하여 어렵고 학설 · 판례가 통일되지 않을 때에 공무원이 신중을 기해 그중 어느 한 설을 취하여 처리한 경우에는 그 해석이 결과적으로 위법한 것이었다 하더라도 국가배상법상 공무원의 과실을 인정할 수 없다. ( )
12. 국가직 9급, 10. 국가직 7급

04 행정입법에 관여한 공무원이 입법 당시의 다양한 요소를 고려하여 나름대로 합리적인 근거를 어느 하나의 견해에 따라 경과규정을 두는 등의 조치 없이 새 법령을 그대로 시행하거나 적용하였더라도 이러한 경우에까지 국가배상법 제2조 제1항에서 정한 국가배상책임의 성립요건인 공무원의 과실이 있다고 할 수는 없다. ( )
18. 국회직 8급

01 × 02 ○ 03 ○ 04 ○

③ 행정규칙의 기준에 따른 처분인 경우: 과실을 부정한다.

관련판례 이용업허가취소 ★★

1 편의(공익, 합목적) 재량의 경우에 한 처분에 있어 관계공무원이 공익성, 합목적성의 인정, 판단을 잘못하여 그 재량권의 범위를 넘어선 행정행위를 한 경우가 있다 하더라도 공익성 및 합목적성의 적절여부의 판단기준은 구체적 사안에 따라 각각 동일하다 할 수 없을 뿐만 아니라 구체적인 경우 어느 행정처분을 할 것인가에 관하여 행정청 내부에 일응의 기준을 정해 둔 경우 그 기준에 따른 행정처분을 하였다면 이에 관여한 공무원에게 그 직무상의 과실이 있다고 할 수 없다(대판 1984.7.24, 84다카597).

2 영업허가취소처분이 나중에 행정심판에 의하여 재량권을 일탈한 위법한 처분임이 판명되어 취소되었다고 하더라도 그 처분이 당시 시행되던 공중위생법시행규칙에 정하여진 행정처분의 기준에 따른 것인 이상 그 영업허가취소처분을 한 행정청 공무원에게 그와 같은 위법한 처분을 한 데 있어 어떤 직무집행상의 과실이 있다고 할 수는 없다(대판 1994.11.8, 94다26141).
#이용업허가취소_면도사_음란행위 #행정심판_이용업허가취소_취소 #허가취소_행정규칙_기준 #공무원_과실×

(6) 항고소송에서 처분이 취소된 경우

행정처분이 후에 행정심판이나 행정소송에게 취소된 경우 곧바로 공무원의 고의 또는 과실로 인한 불법행위를 구성할 것인가 문제된다. 개별적 사안에 따라 다르겠으나, 취소되었다는 사정만으로 공무원의 고의 또는 과실이 인정되지 않는다는 것이 판례의 입장이다.

관련판례 항고소송에서 처분이 취소된 경우 공무원의 책임

1 개간허가취소 ★★★

어떠한 행정처분이 후에 항고소송에서 취소되었다고 할지라도 그 기판력에 의하여 당해 행정처분이 곧바로 공무원의 고의 또는 과실로 인한 것으로서 불법행위를 구성한다고 단정할 수는 없는 것이다(대판 2000.5.12, 99다70600).
#개간허가_행정심판_허가취소 #담당공무원_객관적_주의의무위반×

2 통관보류처분 ★★

행정청의 통관보류처분이 후에 행정소송에서 취소되었으나 처분 당시에 선례나 학설, 판례 등이 아직 없었던 경우에 세관공무원이 이를 해석 · 적용함에 합리성을 인정하여 국가배상을 부정하였다(대판 2001.3.13, 2000다20731).

3 변리사시험 ★★★

변리사 제1차 시험을 '절대평가제'에서 '상대평가제'로 변경함에 따라 2002.5.26. 실시된 시험에서 불합격처분을 받았다가 그 후 위 조항을 즉시 시행한 부분이 헌법에 위배되어 무효라는 대법원판결이 내려졌다 하더라도 그것으로 공무원의 과실이 있다고 할 수 없다(대판 2013.4.26, 2011다14428).

간단 점검하기

01 재량권의 행사에 관하여 행정청 내부에 일응의 기준을 정해 둔 경우 그 기준에 따른 행정처분을 하였다면 이에 관여한 공무원에게 그 직무상의 과실이 있다고 할 수 없다. ( )
16. 국회직 8급

02 공무원이 재량준칙에 따라 행정처분을 하였는데 결과적으로 그 처분이 재량을 일탈남용하여 위법하게 된 때에는 그에게 직무집행상의 과실이 인정된다. ( ) 18. 경찰행정

간단 점검하기

03 어떠한 행정처분이 후에 항고소송에서 취소되었다고 할지라도 당해 행정처분이 곧바로 공무원의 고의 또는 과실로 인한 것으로서 불법행위를 구성한다고 단정할 수는 없다. ( )
18. 서울시 7급, 17. 국가직 9급, 16. 서울시 9급, 15. 지방직 7급

01 ○ 02 × 03 ○

(7) 처분의 근거법률이 처분 후 위헌결정된 경우

행정처분의 근거법률이 처분 이후에 위헌으로 결정된 경우 당해 법률을 적용한 공무원의 고의나 과실로 불법행위를 구성할 것인가 문제되나 헌법재판소와 대법원은 이를 인정하지 않는다.

관련판례

1 **행정심판법** ★★

청구인의 전화번호 등 개인정보가 기재된 증거서류의 제출 및 송달에 관한 근거규정인 행정심판법 제27조에 대하여 위헌결정이 선고된다 하더라도, 당시 청구인의 인적사항이 기재된 증거서류의 제출 및 송달에 관여한 공무원들로서는 그 행위 당시에 위 법률조항이 헌법에 위반되는지 여부를 심사할 권한이 없이 오로지 위 법률조항에 따라 증거자료를 제출하고 이를 송달하였을 뿐이라 할 것이므로 당해 공무원들에게 고의 또는 과실이 있다 할 수 없어 대한민국의 청구인에 대한 손해배상책임은 성립되지 아니한다 할 것이다(헌재 2009.9.24, 2008헌바23).

#행정심판법제27조_서류제출 · 송달_위헌결정 #송달관련_공무원_고의 · 과실부정

2 **긴급조치9호** ★★

형벌에 관한 법령이 헌법재판소의 위헌결정으로 소급하여 효력을 상실하거나 법원에서 위헌 · 무효로 선언된 경우, 위헌 선언 전 위 법령에 기초하여 수사가 개시되어 공소가 제기되고 유죄판결이 선고되었다는 사정만으로 국가의 손해배상책임이 발생하지 않는다(대판 2014.10.27, 2013다217962).

#긴급조치9호_위헌결정_무효 #국가배상책임_발생×

5. 법령에 위반(위법성)

(1) 법령의 범위

협의설	엄격한 의미의 법령(헌법, 법률, 대통령령, 총리령, 부령, 자치법규)만을 의미
광의설 (통설 · 판례)	엄격한 의미의 법령 + 인권존중, 권리남용금지, 신의성실 등 법의 일반원칙도 포함

관련판례

1 **법령위반 범위** ★★★

국가배상책임에 있어 공무원의 가해행위는 법령을 위반한 것이어야 하고, 법령을 위반하였다 함은 엄격한 의미의 법령 위반뿐 아니라 인권존중, 권력남용금지, 신의성실과 같이 공무원으로서 마땅히 지켜야 할 준칙이나 규범을 지키지 않고 위반한 경우를 포함하여 널리 그 행위가 객관적인 정당성을 결여하고 있음을 뜻하는 것이므로, 수사기관이 범죄수사를 하면서 지켜야 할 법규상 또는 조리상의 한계를 위반하였다면 이는 법령을 위반한 경우에 해당한다(대판 2020.4.29, 2015다224797).

#국가배상법_법령위반_범위 #법령_법_일반원칙(광의설)

간단 점검하기

01 헌법재판소는 처분이 있은 후에 근거법률이 위헌으로 결정된 경우, 그 법률을 적용한 공무원에게 고의 또는 과실이 있었다고 단정할 수 없다고 보았다. ( ) 12. 국가직 7급

02 형벌에 관한 법령이 헌법재판소의 위헌결정으로 소급하여 효력을 상실한 경우, 위헌 선언 전 그 법령에 기초하여 수사가 개시되어 공소가 제기되고 유죄판결이 선고되었더라도, 그러한 사정만으로 국가의 손해배상책임이 발생한다고 볼 수 없다. ( ) 19. 지방직 9급

간단 점검하기

03 국가배상책임에 있어서 공무원의 행위는 법령에 위반한 것이어야 하고, 법령위반이라 함은 엄격한 의미의 법령위반뿐만 아니라 인권존중, 권력남용금지, 신의성실 등의 위반도 포함하여 그 행위가 객관적인 정당성을 결여하고 있음을 의미한다. ( ) 17. 사회복지직

01 ○ 02 ○ 03 ○

2 법률 위반 ★★

성폭력범죄의 처벌 및 피해자보호 등에 관한 법률 제21조는 성폭력범죄의 수사 또는 재판을 담당하거나 이에 관여하는 공무원에 대하여 피해자의 인적사항과 사생활의 비밀을 엄수할 직무상 의무를 부과하고 있고, 이는 주로 성폭력범죄 피해자의 명예와 사생활의 평온을 보호하기 위한 것이므로, 성폭력범죄의 수사를 담당하거나 수사에 관여하는 경찰관이 위와 같은 직무상 의무에 반하여 피해자의 인적사항 등을 공개 또는 누설하였다면 국가는 그로 인하여 피해자가 입은 손해를 배상하여야 한다(대판 2008.6.12, 2007다64365).

#성폭력피해자보호_인적사항_사생활비밀_엄수 #인적사항공개_위법

3 일반원칙 위반 ★★

미국산 쇠고기 수입반대 촛불집회에 참석하였다가 현행범인으로 체포된 원고들에 대하여 피고 소속 여자 경찰관들이 유치장 입감을 위한 신체검사를 하면서 원고들에게 브래지어 탈의를 요구하여 이를 제출받는 이 사건 조치를 한 사실 등을 인정한 다음, 그 판시와 같은 사정, 즉 브래지어가 자살이나 자해에 이용될 수 있음을 이유로 유치인으로부터 이를 제출받도록 규정한 경찰업무편람은 법규명령이라고 볼 수 없는 점, 행정명령에 불과한 이 사건 호송규칙 … 브래지어를 이용한 자살이 물리적으로 불가능한 것은 아니더라도 유치인에게 피해가 덜 가는 수단을 강구하지 아니한 채 브래지어 탈의를 요구하는 것은 과잉금지의 원칙에 반한다. … 위법하다고 판단하였다(대판 2013.5.9, 2013다200438).

#경찰업무편람_브래지어탈의_가능 #경찰업무편람_법규명령× #행정규칙_부합 #일반원칙_위반_위법

(2) '법령에 위반'의 의미

① **문제의 소재**: 국가배상법상의 위법의 구체적 의미와 내용에 대해서는 학설의 대립이 있다. 즉, 위법의 대상 및 판단기준을 무엇으로 보느냐에 따라서 위법개념의 정의 및 내용이 다르게 이해될 수 있다.

학설		내용
결과불법설		• 가해행위의 결과인 손해의 불법을 의미한다고 보는 견해 • 위법성의 판단은 국민이 받은 손해가 결과적으로 시민법상의 원리에 비추어 수인되어야 할 것인지의 여부에 따라 판단
행위위법설	개설	• 행위의 법규범에의 위반을 의미한다고 보는 견해 • 위법성의 판단은 공무원의 행위가 법치행정원리에 부합하는지의 여부에 따라 판단
	협의의 행위위법설	항고소송에서의 위법성과 같이 공권력 행사 자체의 법에의 위반으로 이해하는 견해
	광의의 행위위법설	행위 자체의 위법뿐 아니라, 공무원의 '직무상 일반적 손해방지의무'의 위반을 포함하는 개념으로 이해하는 견해
상대적 위법성설		행위 자체의 적법·위법뿐만 아니라, 피침해이익의 성격과 침해의 정도 및 가해행위의 태양 등을 종합적으로 고려하여 행위가 객관적으로 정당성을 결한 경우를 의미한다고 보는 견해

② **판례**: 판례는 주로 행위위법설을 취하나, 상대적위법성설에 따라 판시하기도 하였다.

③ 절차상의 위법도 국가배상법상 법령 위반에 해당한다.

관련판례

1 경북대 화염병 ★★★

국가배상책임은 공무원의 직무집행이 법령에 위반한 것임을 요건으로 하는 것으로서, 공무원의 직무집행이 법령이 정한 요건과 절차에 따라 이루어진 것이라면 특별한 사정이 없는 한 이는 법령에 적합한 것이고 그 과정에서 개인의 권리가 침해되는 일이 생긴다고 하여 그 법령 적합성이 곧바로 부정되는 것은 아니라고 할 것인바, 불법시위를 진압하는 경찰관들의 직무집행이 법령에 위반한 것이라고 하기 위하여는 그 시위진압이 불필요하거나 또는 불법시위의 태양 및 시위 장소의 상황 등에서 예측되는 피해 발생의 구체적 위험성의 내용에 비추어 시위진압의 계속 수행 내지 그 방법 등이 현저히 합리성을 결하여 이를 위법하다고 평가할 수 있는 경우이어야 한다(대판 1997.7.25, 94다2480).

#경북대후문_화염병_화재 #경찰_적법_직무집행_위법성× #직무행위_위법_구체적판단

2 도주차량추적 ★★

경찰관이 교통법규 등을 위반하고 도주하는 차량을 순찰차로 추적하는 직무를 집행하는 중에 그 도주차량의 주행에 의하여 제3자가 손해를 입었다고 하더라도 그 추적이 당해 직무 목적을 수행하는 데에 불필요하다거나 또는 도주차량의 도주의 태양 및 도로교통상황 등으로부터 예측되는 피해발생의 구체적 위험성의 유무 및 내용에 비추어 추적의 개시 · 계속 혹은 추적의 방법이 상당하지 않다는 등의 특별한 사정이 없는 한 그 추적행위를 위법하다고 할 수는 없다(대판 2000.11.10, 2000다26807 · 26814).

#도주차량추적 #도주차량_제3자_손해 #경찰관_추적행위_적법

3 경찰관 기소의 합리성 ★★

교통사고의 초동수사를 담당한 경찰관 甲이 목격자 진술 등을 참작하여 乙이 신호를 위반하였다고 판단하여 乙이 기소되었으나 무죄판결이 확정된 사안에서, 제반 사정에 비추어 甲의 행위나 판단이 경험칙이나 논리칙상 도저히 합리성을 긍정할 수 없는 정도에 이르렀다고 볼 수 없다(대판 2013.2.15, 2012다203096).

#경찰관_기소 #무죄판결 #경험칙_논리상_합리성×_위법성인정

4 하향 전보인사 ★★

시청 소속 공무원이 시장을 부패방지위원회에 부패혐의자로 신고한 후 동사무소로 하향 전보된 사안에서, 그 전보인사 조치는 해당 공무원에 대한 다면평가 결과, 원활한 업무 수행의 필요성 등을 고려하여 이루어진 것으로 볼 여지도 있으므로, 사회통념상 용인될 수 없을 정도로 객관적 상당성을 결여하였다고 단정할 수 없어 불법행위를 구성하지 않는다(대판 2009.5.28, 2006다16215).

#하향_전보인사_당연_불법행위× #객관적_타당성_결여×_불법행위×

간단 점검하기

01 절차상의 위법도 국가배상법상 법령 위반에 해당한다. ( )
15. 교육행정직

간단 점검하기

02 공무원의 직무집행이 법령이 정한 요건과 절차에 따라 이루어진 것이라면 특별한 사정이 없는 한 이는 법령에 적합한 것이고, 그 과정에서 개인의 권리가 침해되는 일이 생긴다고 하여 그 법령적합성이 곧바로 부정되는 것은 아니다. ( )
18. 서울시 7급, 17. 경찰행정, 14. 지방직 7급

03 경찰관이 교통법규 등을 위반하고 도주하는 차량을 순찰차로 추적하는 직무를 집행하는 중에 그 도주차량의 주행에 의하여 제3자가 손해를 입었다고 하더라도 그 추적이 당해 직무목적을 수행하는 데에 불필요하다거나 추적의 개시 · 계속 혹은 추적의 방법이 상당하지 않다는 등의 특별한 사정이 없는 한 그 추적행위를 위법하다고 할 수는 없다. ( ) 18. 국가직 7급

01 × 02 ○ 03 ○

(3) 행정규칙위반과 재량위반의 경우 위법성 인정여부

① 행정규칙위반의 경우

㉠ **학설**: 행정규칙은 법규가 아니라는 입장에서 위법성을 부인하는 위법성부정설과 행정규칙도 내부적 구속력은 있으므로 정당한 이유 없이 이를 위반하였다면 위법하다고 보는 위법성긍정설이 대립한다.

㉡ **판례**: 행정규칙위반은 법령위반에 해당되지 않는다고 보는 것이 일반적이다.

관련판례 **행정규칙 위반** ★★

국가배상법 제2조에 이른바 법령에 위반하여라함은 일반적으로 위법행위를 함을 말하는 것이고, 단순한 행정적인 내부규칙에 위배하는 것을 포함하지 아니한다는 취지임은 소론과 같다(대판 1973.1.30, 72다2062).

#행정규칙위반_위법×

② **재량위반의 경우**: 재량행위도 재량을 일탈 · 남용하면 법령위반이 된다(대판 2006.7.28, 2004다759). 그러나 단순히 재량을 그르친 경우에는 법령위반에 포함되지 않는다.

(4) 부작위의 경우 위법성 인정여부

① **개설**: 부작위는 작위의무를 전제로 한다. 따라서 작위의무가 법령에 규정되어 있음에도 부작위했거나, 법령상 재량행위로 규정되어 명시적인 작위의무는 없지만 재량권이 영으로 수축되었음에도 불구하고 공무원이 행정권을 발동하지 아니하고 부작위한 때에는 위법성이 인정되어 국가배상책임을 진다.

② 조리에 의한 작위의무 인정 여부

㉠ 학설 대립

ⓐ **부정설**: 법치행정의 원칙상 법률의 근거가 없는 작위의무는 인정할 수 없다.

ⓑ **긍정설**: 피해자 구제라는 목적을 위해 조리상의 작위의무를 인정할 수 있다.

ⓒ **절충설**: 행정 각 분야에서의 객관적 법질서 및 법익의 종류, 침해의 정도 등을 구체적으로 고려해서 판단해야 한다.

㉡ **판례**: 형식적 의미의 법령에 명시적으로 작위의무가 규정되어 있지 않더라도 위험방지의 작위의무를 인정하고 있다.

관련판례

1 공무원의 부작위로 인한 국가배상책임을 인정하기 위하여는 공무원의 작위로 인한 국가배상책임을 인정하는 경우와 마찬가지로 '공무원이 그 직무를 집행함에 당하여 고의 또는 과실로 법령에 위반하여 타인에게 손해를 가한 때'라고 하는 국가배상법 제2조 제1항의 요건이 충족되어야 할 것인바, 여기서 '법령에 위반하여'라고 하는 것은 엄격하게 형식적 의미의 법령에 명시적으로 공무원의 작위의무가 규정되어 있는데도 이를 위반하는 경우만을 의미하는 것은 아니고, 국민의 생명, 신체, 재산 등에 대하여 절박하고 중대한 위험상태가 발생하였거나 발생할 우려가 있어

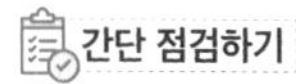
간단 점검하기

공무원의 부작위로 인한 국가배상책임을 인정하기 위하여는 공무원의 작위로 인한 국가배상책임을 인정하는 경우와 마찬가지로 국가배상법 제2조 제1항의 요건이 충족되어야 한다. ( )

13. 지방직 7급, 07. 국가직 7급

○

서 국민의 생명, 신체, 재산 등을 보호하는 것을 본래적 사명으로 하는 국가가 초법규적, 일차적으로 그 위험 배제에 나서지 아니하면 국민의 생명, 신체, 재산 등을 보호할 수 없는 경우에는 형식적 의미의 법령에 근거가 없더라도 국가나 관련 공무원에 대하여 그러한 위험을 배제할 작위의무를 인정할 수 있을 것이며, 이는 지방자치단체와 그 소속 공무원에 대하여도 마찬가지라 할 것이다(대판 2004.6.25, 2003다69652).

2 국가배상책임에 있어 공무원의 가해행위는 법령을 위반한 것이어야 하고, 법령을 위반하였다 함은 엄격한 의미의 법령 위반뿐 아니라 인권존중, 권력남용금지, 신의성실과 같이 공무원으로서 마땅히 지켜야 할 준칙이나 규범을 지키지 아니하고 위반한 경우를 포함하여 널리 그 행위가 객관적인 정당성을 결여하고 있음을 뜻하는 것이므로, 경찰관이 범죄수사를 함에 있어 경찰관으로서 의당 지켜야 할 법규상 또는 조리상의 한계를 위반하였다면 이는 법령을 위반한 경우에 해당한다(대판 2008.6.12, 2007다64365).

3 경찰은 범죄의 예방, 진압 및 수사와 함께 국민의 생명, 신체 및 재산의 보호 기타 공공의 안녕과 질서유지를 직무로 하고 있고, 직무의 원활한 수행을 위하여 경찰관 직무집행법, 형사소송법 등 관계 법령에 의하여 여러 가지 권한이 부여되어 있으므로, 구체적인 직무를 수행하는 경찰관으로서는 제반 상황에 대응하여 자신에게 부여된 여러 가지 권한을 적절하게 행사하여 필요한 조치를 할 수 있고, 그러한 권한은 일반적으로 경찰관의 전문적 판단에 기한 합리적인 재량에 위임되어 있으나, 경찰관에게 권한을 부여한 취지와 목적에 비추어 볼 때 구체적인 사정에 따라 경찰관이 권한을 행사하여 필요한 조치를 하지 아니하는 것이 현저하게 불합리하다고 인정되는 경우에는 권한의 불행사는 직무상 의무를 위반한 것이 되어 위법하게 된다(대판 2016.4.15, 2013다20427).

4 트랙터 위법성인정 ★★

트랙터를 방치한 권한의 불행사가 현저하게 불합리하다고 인정되는 경우, 직무상 의무를 위반한 것으로써 위법성이 인정된다(대판 1998.8.25, 98다16980).

#트랙터방치사건_위법성_인정

5 소방공무원의 행정권한 행사가 관계 법률의 규정 형식상 소방공무원의 재량에 맡겨져 있더라도 소방공무원에게 그러한 권한을 부여한 취지와 목적에 비추어 볼 때 구체적인 상황 아래에서 소방공무원이 권한을 행사하지 아니한 것이 현저하게 합리성을 잃어 사회적 타당성이 없는 경우에는 소방공무원의 직무상 의무를 위반한 것으로서 위법하게 된다(대판 2016.8.25, 2014다225083).

6 형식상 허가권자에게 재량에 의한 직무수행권한을 부여한 것처럼 되어 있더라도 시장 등에게 그러한 권한을 부여한 취지와 목적에 비추어 볼 때 구체적인 사정에 따라 시장 등이 그 권한을 행사하여 필요한 조치를 취하지 아니하는 것이 현저하게 불합리하다고 인정되는 경우에는 그러한 권한의 불행사는 직무상의 의무를 위반하는 것이 되어 위법하게 된다(대판 2001.3.9, 99다64278).

7 토석채취공사 암석 ★★

토석채취공사 도중 경사지를 굴러 내린 암석이 가스저장시설을 충격하여 화재가 발생한 사안에서, 토지형질변경허가권자에게 허가 당시 사업자로 하여금 위해방지시설을 설치하게 할 의무를 다하지 아니한 위법과 작업 도중 구체적인 위험이 발생하였음에도 작업을 중지시키는 등의 사고예방조치를 취하지 아니한 위법이 있다(대판 2001.3.9, 99다64278).

간단 점검하기

01 공무원의 직무상 의무는 명문의 규정이 없는 경우에도 관련 규정에 비추어 조리상 인정될 수 있다. ( )
12. 지방직 9급

02 판례에 의하면 공무원의 부작위로 인한 국가배상책임이 인정되기 위해서는 형식적 의미의 법률에 의한 공무원의 작위의무가 존재하여야 한다. ( )
17. 국가직 7급, 13. 서울시 7급, 10. 국가직 9급

간단 점검하기

03 경찰관직무집행법상 경찰관에게 재량에 의한 직무수행권한을 부여한 것처럼 되어 있으나, 경찰관에게 권한을 부여한 취지와 목적에 비추어 볼 때 구체적인 사정에 따라 경찰관이 그 권한을 행사하여 필요한 조치를 취하지 않는 것이 현저하게 불합리하다고 인정되는 경우에 권한의 불행사는 직무상 의무를 위반한 것으로 위법하다.
( ) 17. 국가직 7급

간단 점검하기

04 토석채취공사 도중 경사지를 굴러 내린 암석이 가스저장시설을 충격하여 화재가 발생한 경우, 토지형질변경허가권자에게 허가 당시 사업자로 하여금 위해방지시설을 설치하게 할 의무는 없다. ( ) 12. 국가직 7급

01 ○ 02 × 03 ○ 04 ×

간단 점검하기

인감증명사무를 처리하는 공무원은 인감증명이 타인과의 권리 의무에 관계되는 일에 사용되는 것을 예상하여 그 발급된 인감증명으로 인한 부정행위의 발생을 방지할·직무상의 의무가 있다.
( ) 15. 경찰행정, 12. 국가직 7급

8 인감증명은 인감 자체의 동일성과 거래행위자의 의사에 의한 것임을 확인하는 자료로서 일반인의 거래상 극히 중요한 기능을 갖고 있는 것이므로 인감증명사무를 처리하는 공무원으로서는 그것이 타인과의 권리의무에 관계되는 일에 사용되어 지는 것을 예상하여 그 발급된 인감으로 인한 부정행위의 발생을 방지할 직무상의 의무가 있다(대판 2004.3.26, 2003다54490).

9 오동도 배상인정 ★★

오동도 관리사무소의 '95재해대책업무세부추진실천계획'은 국민의 신체 및 재산의 안전을 위하여 공무원에게 직무의무를 부과하는 행동규범임이 명백하므로 이 계획에 위배하여 차량의 통제를 하지 아니한 과실로 피해가 발생하였다면 배상의무가 인정된다(대판 1997.9.9, 97다12907).

10 당뇨병 수용자 ★★

당뇨병 환자인 수용자가 합병증을 호소하였으나 적절한 조치를 취하지 않은 경우, 교도관의 주의의무 위반을 이유로 국가배상책임이 인정된다(대판 2005.3.10, 2004다65121).

11 [1] 국민의 생명 · 신체 · 재산 등에 대하여 절박하고 중대한 위험상태가 발생하였거나 발생할 상당한 우려가 있어서 국민의 생명 등을 보호하는 것을 본래적 사명으로 하는 국가가 초법규적 · 일차적으로 그 위험의 배제에 나서지 아니하면 국민의 생명 등을 보호할 수 없는 경우에는 형식적 의미의 법령에 근거가 없더라도 국가나 관련 공무원에 대하여 그러한 위험을 배제할 작위의무를 인정할 수 있을 것이다. 그러나 그와 같은 절박하고 중대한 위험상태가 발생하였거나 발생할 상당한 우려가 있는 경우가 아닌 한, 원칙적으로 공무원이 관련 법령에서 정하여진 대로 직무를 수행하였다면 그와 같은 공무원의 부작위를 가지고 '고의 또는 과실로 법령에 위반'하였다고 할 수는 없다.

[2] 甲이 경주보훈지청에 국가유공자에 대한 주택구입대부제도에 관하여 전화로 문의하고 대부신청서까지 제출하였으나, 담당 공무원에게서 지급보증서제도에 관한 안내를 받지 못하여 대부제도 이용을 포기하고 시중은행에서 대출을 받아 주택을 구입함으로써 결과적으로 더 많은 이자를 부담하게 되었다고 주장하며 국가를 상대로 정신적 손해의 배상을 구한 사안에서, 담당 공무원에게 지급보증서제도를 안내하거나 설명할 의무가 있음을 전제로 그 위반에 대한 국가배상책임을 인정한 원심판결에 법리오해의 위법이 있다(대판 2012.7.26, 2010다95666).

12 안내 위법성 부인 ★

개발제한구역인 하천부지 점용허가를 받아 개발제한구역인 하천부지에는 설치할 수 없는 컨테이너를 설치하여 컨테이너 설치가 위법하여 취소된 경우, 하천부지 점용허가만을 심사하여 정당하다는 판단으로 허가를 함에 있어서 컨테이너 설치가 위법하다는 등의 안내를 하지 않았다고 하더라도 그것만으로 위법성이 인정되는 것이 아니다(대판 2017.6.29, 2017다211726).

○

13 음주단속 즉시채혈 × ★★

경찰관이 음주운전 단속시 운전자의 요구에 따라 곧바로 채혈을 실시하지 않은 채 호흡측정기에 의한 음주측정을 하고 1시간 12분이 경과한 후에야 채혈을 하였다는 사정만으로는 위 행위가 법령에 위배된다거나 객관적 정당성을 상실하여 운전자가 음주운전 단속과정에서 받을 수 있는 권익이 현저하게 침해되었다고 단정하기 어렵다(대판 2008.4.24, 2006다32132).

14 형식적 심사 위조판결서 ★★★

등기신청의 첨부 서면으로 제출한 판결서가 위조된 것으로서 그 기재 사항 및 기재 형식이 일반적인 판결서의 작성 방식과 다르다는 점만을 근거로 판결서의 진정 성립에 관하여 자세한 확인절차를 하지 않은 등기관의 직무상의 주의의무위반을 이유로 국가배상책임을 인정할 수 없다(대판 2005.2.25, 2003다13048).

(5) 수익적 행정행위의 경우 위법성 인정여부

관련판례 **수익처분 위법성 ★★**

수익적 행정처분이 신청인에 대한 관계에서 국가배상법 제2조 제1항의 위법성이 있는 것으로 평가되기 위하여는 당해 행정처분에 관한 법령의 내용, 그 성질과 법률적 효과, 그로 인하여 신청인이 무익한 비용을 지출할 개연성에 관한 구체적 사정 등을 종합적으로 고려하여 객관적으로 보아 그 행위로 인하여 신청인이 손해를 입게 될 것임이 분명하다고 할 수 있어 신청인을 위하여도 당해 행정처분을 거부할 것이 요구되는 경우이어야 할 것이다(대판 2001.5.29, 99다37047).

#수익처분_위법성_예외적인_경우 #수익처분_신청인_손해발생_명확_위법

(6) 선결문제로서 위법성 판단

① 위법한 행정행위로 인하여 손해를 입은 개인이 국가배상소송을 제기한 경우 수소법원이 해당 행정행위의 위법 여부를 판단할 수 있는지가 문제된다.

② 통설 · 판례는 국가배상소송에서의 위법성 판단이 해당 행정행위의 효력을 부인하는 것은 아니므로 수소법원이 스스로 해당 행위의 위법 여부를 심리 · 판단할 수 있다고 보고 있다.

(7) 취소판결의 기판력이 국가배상소송에 미치는지 여부(취소소송의 위법과 국가배상의 위법)

취소판결의 기판력이 국가배상소송에 미치는지 여부는 취소소송에서의 위법개념과 국가배상소송에서의 위법개념을 어떻게 보느냐에 달려 있다. 이에 대하여 대체로 이를 동일하게 보는 견해(행위위법설)과 이를 달리 보는 견해(결과불법설, 상대적위법성설, 직무위반설 등)로 나누어 볼 수 있다.

(8) 판단시점 · 입증책임

① **판단시점**: 법령위반 여부의 판단시점은 공무원의 가해행위가 이루어지는 '행위시'가 된다.

② **입증책임**: 원칙적으로 피해자인 '원고'가 가해행위의 위법성을 입증하여야 한다.

6. 타인에 대한 손해발생

(1) 타인의 범위

① 이때의 타인에는 가해자인 공무원과 그의 위법한 직무행위에 가담한 자 이외의 모든 사람이 해당하며, 자연인과 법인이 포함된다.

② 따라서 공무원의 신분을 가진 자도 피해자로서 타인에 해당할 수 있다(예 관용차운전사의 과실로 인한 사고로 동승자인 공무원이 상해를 입은 경우 등).

③ 다만, 헌법과 국가공무원법은 공무원 중에서 군인·군무원·경찰공무원·(향토)예비군대원에 대하여는 특례를 인정하고 있다.

(2) 손해의 발생

① 손해라 함은 공무원의 가해행위로 인해 피해자가 입은 모든 불이익을 말하며, 반사적 이익의 침해는 제외된다고 보는 것이 일반적이다.

② 이러한 손해는 재산적 손해이든 비재산적 손해(생명·신체 등)이든 혹은 적극적 손해이든 소극적 손해(기대이익)이든 불문한다.

③ 타인의 권리가 침해되어 손해가 구체적으로 발생한 경우에만 배상청구가 가능하다. 따라서 기대이익이라도 발생한 경우에는 배상청구가 가능하나 발생하지 않은 경우에는 배상청구를 할 수 없다.

관련판례

일반적으로 국가 또는 지방자치단체가 권한을 행사할 때에는 국민에 대한 손해를 방지하여야 하고, 국민의 안전을 배려하여야 하며, 소속 공무원이 전적으로 또는 부수적으로라도 국민 개개인의 안전과 이익을 보호하기 위하여 법령에서 정한 직무상 의무를 위반하여 국민에게 손해를 가하면 상당인과관계가 인정되는 범위 안에서 국가 또는 지방자치단체가 배상책임을 부담하는 것이지만, 공무원이 직무를 수행하면서 근거되는 법령의 규정에 따라 구체적으로 의무를 부여받았어도 그것이 국민의 이익과는 관계없이 순전히 행정기관 내부의 질서를 유지하기 위한 것이거나, 또는 국민의 이익과 관련된 것이라도 직접 국민 개개인의 이익을 위한 것이 아니라 전체적으로 공공 일반의 이익을 도모하기 위한 것이라면 그 의무를 위반하여 국민에게 손해를 가하여도 국가 또는 지방자치단체는 배상책임을 부담하지 아니한다. 이때 공무원이 준수하여야 할 직무상 의무가 오로지 공공 일반의 전체적인 이익을 도모하기 위한 것에 불과한지 혹은 국민 개개인의 안전과 이익을 보호하기 위하여 설정된 것인지는 결국 근거 법령 전체의 기본적인 취지·목적과 그 의무를 부과하고 있는 개별 규정의 구체적 목적·내용 및 직무의 성질, 가해행위의 태양 및 피해의 정도 등의 제반 사정을 개별적·구체적으로 고려하여 판단하여야 한다(대판 2015.5.28, 2013다41431).

관련판례 진주의료원폐업 ★★★

甲 도지사가 도에서 설치·운영하는 乙 지방의료원을 폐업하겠다는 결정을 발표하고 그에 따라 폐업을 위한 일련의 조치가 이루어진 후 乙 지방의료원을 해산한다는 내용의 조례를 공포하고 乙 지방의료원의 청산절차가 마쳐진 사안에서 … 국가배상책임이 성립하기 위해서는 공무원의 직무집행이 위법하다는 점만으로는 부족하고, 그로 인해 타인의 권리·이익이 침해되어 구체적 손해가 발생하여야 한다(대판 2016.8.30, 2015두60617).

#지방의료원폐업_개인_구체적_손해발생× #국가배상_타인_구체적_손해발생

간단 점검하기

01 사인이 받은 손해란 생명·신체·재산상의 손해는 인정하지만, 정신상의 손해는 인정하지 않는다. ( ) 17. 사회복지직

02 국가배상의 대상이 되는 손해는 적극적 손해인지 소극적 손해인지를 불문하나 적어도 재산상의 손해이어야 하며 정신적 손해(위자료)는 포함되지 않는다. ( ) 09. 지방직 9급

간단 점검하기

03 공무원의 직무상 작위의무가 사회구성원 개인의 안전과 이익을 보호하기 위하여 설정된 것이어야 국가배상책임이 인정된다. ( ) 12. 지방직 7급

04 공무원의 직무상 의무위반에 대한 법령의 취지가 전체적으로 공공 일반의 이익을 도모하기 위한 것이라면 국가배상법 제2조의 배상책임이 인정된다. ( ) 19. 서울시 7급

05 공무원의 직무상 의무위반과 피해자가 입은 손해 사이에는 상당인과관계가 요구된다. ( ) 17. 교육행정직

01 × 02 × 03 ○ 04 × 05 ○

7. 인과관계가 있을 것

(1) 가해행위와 손해와의 사이에는 인과관계가 인정될 수 있어야 한다. 통설 · 판례는 상당인과관계설을 취한다.

(2) 상당인과관계란 경험칙상 어떤 원인이 있으면 어떤 결과가 발생할 개연성이 일반적이라고 생각되는 범위 안에서만 인과관계를 인정하는 것을 말한다.

(3) 상당인과관계 유무를 판단할 때에는 일반적인 결과발생의 개연성은 물론 직무상 의무를 부과한 법령이나 가해행위의 태양 및 피해의 정도를 종합적으로 고려하여야 한다(대판 2006.4.14, 2003다41746).

관련판례 **상당인과관계 ★★★**

공무원이 그와 같은 직무상 의무를 위반함으로 인하여 피해자가 입은 손해에 대하여는 상당인과관계가 인정되는 범위 내에서 국가가 배상책임을 지는 것이고, 이 때 상당인과관계의 유무를 판단함에 있어서는 일반적인 결과발생의 개연성은 물론 직무상 의무를 부과하는 법령 기타 행동규범의 목적, 그 수행하는 직무의 목적 내지 기능으로부터 예견가능한 행위 후의 사정, 가해행위의 태양 및 피해의 정도 등을 종합적으로 고려하여야 한다(대판 2003.4.25, 2001다59842).

#상당인과관계_결과발생_개연성_종합판단

관련판례

1 개명허가 위조 ★★

주민등록사무를 담당하는 공무원이 개명으로 인한 주민등록상 성명정정을 본적지 관할관청에 통보하지 아니한 직무상 의무위배행위와 甲과 같은 이름으로 개명허가를 받은 듯이 호적등본을 위조하여 주민등록상 성명을 위법하게 정정한 乙이 甲의 부동산에 관하여 불법적으로 근저당권설정등기를 경료함으로써 甲이 입은 손해 사이에는 상당인과관계가 있다(대판 2003.4.25, 2001다59842).

#개명_성명정정_본적지_통보× #호적등본_위조_근저당권설정
#통보의무위반_손해발생_상당인과관계_인정

2 경찰서 폭력방지 ★

경찰서 감방 내의 폭력행위를 방지하기 위한 경찰관의 주의의무 해태시 손해배상책임이 인정된다(대판 1993.9.28, 93다17546).

3 군부대 폭음탄 ★★

군부대에서 유출된 폭음탄이 범죄행위에 사용된 경우, 관리 책임자의 폭음탄 관리상의 과실과 그 범죄행위로 인한 피해자의 손해 사이에는 상당인과관계가 인정된다(대판 1998.2.16, 97다49534).

4 유흥주점감금 ★★★

[1] 유흥주점에 감금된 채 윤락을 강요받으며 생활하던 여종업원들이 유흥주점에 화재가 났을 때 미처 피신하지 못하고 유독가스에 질식해 사망한 사안에서, 지방자치단체의 담당 공무원이 위 유흥주점의 용도변경, 무허가 영업 및 시설기준에 위배된 개축에 대하여 시정명령 등 식품위생법상 취하여야 할 조치를 게을리 한 직무상 의무위반행위와 위 종업원들의 사망 사이에 상당인과관계가 존재하지 않는다.

간단 점검하기

01 주민등록사무를 담당하는 공무원은 개명과 같은 사유로 주민등록상의 성명을 정정한 경우에는 반드시 본적지 관할관청에 그 변경사항을 통보하여 본적지의 호적관서로 하여금 그 정정사항의 진위를 재확인할 수 있도록 할 직무상의 의무가 있다. ( )

12. 국가직 7급

간단 점검하기

02 유흥주점의 화재로 여종업원들이 사망한 경우, 담당공무원의 유흥주점의 용도변경, 무허가 영업 및 시설기준에 위배된 개축에 대하여 시정명령 등 식품위생법상 취하여야 할 조치를 게을리 한 직무상 의무위반행위와 여종업원들의 사망 사이에는 상당인과관계가 존재하지 아니한다. ( )

14. 지방직 9급

01 ○ 02 ○

[2] 유흥주점에 감금된 채 윤락을 강요받으며 생활하던 여종업원들이 유흥주점에 화재가 났을 때 미처 피신하지 못하고 유독가스에 질식해 사망한 사안에서, 소방공무원이 위 유흥주점에 대하여 화재 발생 전 실시한 소방점검 등에서 구 소방법상 방염 규정 위반에 대한 시정조치 및 화재 발생시 대피에 장애가 되는 잠금장치의 제거 등 시정조치를 명하지 않은 직무상 의무 위반은 현저히 불합리한 경우에 해당하여 위법하고, 이러한 직무상 의무 위반과 위 사망의 결과 사이에 상당인과관계가 존재한다(대판 2008.4.10, 2005다48994).

5 통로폐쇄 방지× ★★

주점에서 발생한 화재로 사망한 甲 등의 유족들이 乙 광역시를 상대로 손해배상을 구한 사안에서, 소방공무원들이 통로폐쇄 방지를 위한 적절한 지도·감독을 하지 않는 등 직무상 의무를 위반하였고, 소방공무원들의 직무상 의무 위반과 甲 등의 사망 사이에 상당인과관계가 인정된다(대판 2016.8.25, 2014다225083).

6 허위송달보고서 ★★

우편집배원이 압류 및 전부명령 결정 정본을 특별송달하는 과정에서 민사소송법을 위반하여 부적법한 송달을 하고도 적법한 송달을 한 것처럼 우편송달보고서를 작성하여 압류 및 전부의 효력이 발생한 것과 같은 외관을 형성시켰으나, 실제로는 압류 및 전부의 효력이 발생하지 아니하여 집행채권자로 하여금 피압류채권을 전부받지 못하게 함으로써 손해를 입게 한 경우에는, 우편집배원의 위와 같은 직무상 의무위반과 집행채권자의 손해 사이에는 상당인과관계가 있다(대판 2009.7.23, 2006다87798).

7 경락대금 ★★

경락대금까지 납부하였다가 경매법원 공무원의 공유자통지 등에 관한 절차상의 과오로 경락허가결정이 취소된 경우, 위 과오와 경락인의 손해 발생 사이에 상당인과관계가 인정된다(대판 2007.12.27, 2005다62747).

8 처분지체 ★★

지방자치단체장의 甲에 대한 건축허가신청 반려처분이 확정판결에 의하여 취소되었음에도 담당공무원들이 판결 취지에 따른 재처분을 지체하고, 그 후 건축허가를 하면서 위법한 내용의 부관을 부가한 다음 부관의 이행을 요구하면서 甲이 한 착공신고의 수리를 지체한 사안에서, 위 행정처분은 객관적 정당성을 상실한 것으로서 위와 같은 불법행위와 甲이 건물 준공이 지체된 기간 동안 얻지 못한 건물 차임 상당의 손해 사이에 상당인과관계가 인정된다(대판 2012.5.24, 2012다11297).

9 극동호사건 ★★★

선박안전법이나 유선 및 도선업법의 각 규정은 공공의 안전 외에 일반인의 인명과 재화의 안전보장도 그 목적으로 하는 것이라고 할 것이므로 국가 소속 선박검사관이나 시소속 공무원들이 직무상 의무를 위반하여 시설이 불량한 선박에 대하여 선박중간검사에 합격하였다 하여 선박검사증서를 발급하고, 해당 법규에 규정된 조치를 취함이 없이 계속 운항하게 함으로써 화재사고가 발생한 것이라면, 화재사고와 공무원들의 직무상 의무위반행위와의 사이에는 상당인과관계가 있다(대판 1993.2.12, 91다43466).

#여수오동도태풍피해사건 #극동호화재사고 #법규정_공익_사익보호성
#법규위반_사익침해_국가배상인정

간단 점검하기

01 소방공무원들이 다중이용업소인 주점의 비상구와 피난시설 등에 대한 점검을 소홀히 함으로써 주점의 피난통로 등에 중대한 피난 장애요인이 있음을 발견하지 못하여 업주들에 대한 적절한 지도·감독을 하지 아니한 경우 직무상 의무위반과 주점 손님들의 사망 사이에 상당인과관계가 인정된다. ( ) 19. 서울시 9급

02 우편집배원이 압류 및 전부명령 결정 정본을 특별송달함에 있어 부적법한 송달을 하고도 적법한 송달을 한 것처럼 보고서를 작성하여 압류 및 전부의 효력이 발생하지 않아 집행채권자가 피압류채권을 전부 받지 못한 경우 우편집배원의 직무상 의무 위반과 집행채권자의 손해 사이에는 상당인과관계가 있다. ( ) 19. 국회직 8급

01 ○ **02** ○

10 한우농장소음 ★★★

한우농장 주위 열차 통행으로 인한 소음진동이 참을 정도를 넘어 피해가 발생(한우의 유·사산, 성장지연, 수태율저하 등으로 인한 농장 휴업)한 경우 손해배상을 인정하였다(대판 2017.2.15, 2015다23321).

11 청주우암상가붕괴사건 ★★

소방법의 제 규정은 단순히 전체로서의 공공 일반의 안전을 도모하기 위한 것에서 더 나아가, 국민 개개인의 인명과 재화의 안전보장을 목적으로 하여 설정된 것이라고 할 것이므로, 소방공무원이 그와 같은 직무상 의무를 위반함으로써 국민들에게 어떤 피해가 발생한 경우에는 그 손해에 대하여 상당인과관계가 인정되는 범위 내에서 그 소방공무원이 소속된 지방자치단체가 배상책임을 지게 된다(대판 1998.5.8, 97다36613).

#소방법규_공익_사익보호성 #청주우암상가붕괴_상당인과관계× #상당인과관계부인_청구부인

12 범죄경력미기재 ★★★

[1] 공직선거법이 위와 같이 후보자가 되고자 하는 자와 그 소속 정당에게 전과기록을 조회할 권리를 부여하고 수사기관에 회보의무를 부과한 것은 … 개별적인 이익도 보호하기 위한 것이다.

[2] 공무원 甲이 내부전산망을 통해 乙에 대한 범죄경력자료를 조회하여 공직선거 및 선거부정방지법 위반죄로 실형을 선고받는 등 실효된 4건의 금고형 이상의 전과가 있음을 확인하고도 乙의 공직선거 후보자용 범죄경력조회 회보서에 이를 기재하지 않은 사안에서, 甲의 중과실을 인정하여 국가배상책임 외에 공무원 개인의 배상책임까지 인정한다(대판 2011.9.8, 2011다34521).

#전과기록조회권리_사익보호성인정 #범죄경력조회서_범죄기재누락_중과실_공무원책임인정

13 삼풍백화점붕괴 ★★★

여러 원인이 경합하여 손해가 발생한 경우 서초구청 공무원의 직무위반행위 자체만으로 곧바로 삼풍백화점붕괴와 상당인과관계를 인정할 수는 없다(대판 1999.12.21, 98다29797).

14 경매 담당 공무원이 이해관계인에 대한 기일통지를 잘못한 것이 원인이 되어 경락허가결정이 취소된 사안에서, 그 사이 경락대금을 완납하고 소유권이전등기를 마친 경락인에 대하여 국가배상책임을 인정한 사례(대판 2008.7.10, 2006다23664).

관련판례 기타

[1] 불법행위에 따른 형사책임은 사회의 법질서를 위반한 행위에 대한 책임을 묻는 것으로서 행위자에 대한 공적인 제재(형벌)를 그 내용으로 함에 비하여, 민사책임은 타인의 법익을 침해한 데 대하여 행위자의 개인적 책임을 묻는 것으로서 피해자에게 발생한 손해의 전보를 그 내용으로 하는 것이고, 손해배상제도는 손해의 공평·타당한 부담을 그 지도원리로 하는 것이므로, 형사상 범죄를 구성하지 아니하는 침해행위라고 하더라도 그것이 민사상 불법행위를 구성하는지 여부는 형사책임과 별개의 관점에서 검토하여야 한다.

[2] 경찰관이 범인을 제압하는 과정에서 총기를 사용하여 범인을 사망에 이르게 한 사안에서, 경찰관이 총기사용에 이르게 된 동기나 목적, 경위 등을 고려하여 형사사건에서 무죄판결이 확정되었더라도 당해 경찰관의 과실의 내용과 그로 인하여 발생한 결과의 중대함에 비추어 민사상 불법행위책임을 인정한 사례(대판 2008.2.1, 2006다6713).

간단 점검하기

01 공무원에게 부과된 직무상 의무의 내용이 공공일반의 이익을 위한 것이거나 행정기관의 내부질서를 규율하기 위한 경우에도 공무원이 그 직무상 의무를 위반하여 피해자가 입은 손해에 대하여서는 상당인과관계가 인정되는 범위 내에서 국가가 배상책임을 진다.
( ) 19. 국회직 8급, 15. 국가직 9급, 14. 국가직 7급

간단 점검하기

02 공무원의 가해행위에 대해 형사상 무죄판결이 있었더라도 그 가해행위를 이유로 국가배상책임이 인정될 수 있다.
( ) 17. 국가직 7급

01 × 02 ○

point check 국가배상책임의 확대를 위한 이론

1. 공무원개념의 확대
2. 직무행위에 부작위 · 사실행위까지 포함
3. 직무집행관련성에서 외형설을 인정
4. 과실의 객관화 · 추상화, 조직과실의 인정
5. 위법성에서 법령의 범위에 관하여 광의설을 취함
6. 입증책임에 있어서 일응추정의 법리 인정

2 손해배상책임

1. 배상책임자

(1) 국가 또는 지방자치단체

① 국가배상책임의 요건이 갖추어지면 국가나 지방자치단체는 피해자에게 손해를 배상하여야 한다(국가배상법 제2조 제1항 본문).

② 지방자치단체의 집행기관이 배상책임의 원인행위를 한 때에는 그 행위가 보통지방행정기관으로서의 직무에 해당하는 경우에는 국가가 배상책임을 지게 되며, 지방자치단체의 기관으로서의 직무에 해당하는 경우에는 지방자치단체가 배상책임을 진다.

(2) 지방자치단체 이외의 공공단체

① 헌법은 '국가 또는 공공단체'를 배상책임자로 하고 있으나, 국가배상법이 '국가 또는 지방자치단체'로 한정하고 있으므로 지방자치단체 이외의 공공단체(공공조합 · 영조물법인 등)의 배상책임에 대하여는 민법에 맡기고 있다.

② 이러한 국가배상법 규정에 대하여 위헌설과 합헌설의 대립이 있다.

(3) 비용부담자로서의 배상책임자

> 국가배상법 제6조【비용부담자 등의 책임】① 제2조 · 제3조 및 제5조에 따라 국가나 지방자치단체가 손해를 배상할 책임이 있는 경우에 공무원의 선임 · 감독 또는 영조물의 설치 · 관리를 맡은 자와 공무원의 봉급 · 급여, 그 밖의 비용 또는 영조물의 설치 · 관리 비용을 부담하는 자가 동일하지 아니하면 그 비용을 부담하는 자도 손해를 배상하여야 한다.
> ② 제1항의 경우에 손해를 배상한 자는 내부관계에서 그 손해를 배상할 책임이 있는 자에게 구상할 수 있다.

① 입법취지

㉠ 사무귀속주체(실질적 비용부담자)와 대외적 · 형식적 비용부담자가 동일하지 않은 경우 피해자는 양자 중 선택적으로 배상을 청구할 수 있다.

㉡ 동 규정은 피해자가 피고를 잘못 선택함으로써 불이익이 발생하는 것을 제도적으로 보완하여 국민의 배상청구권행사를 용이하게 한다.

간단 점검하기

01 헌법은 배상책임자를 국가 또는 지방자치단체로 규정하고 있으나, 국가배상법은 배상책임자를 국가 또는 공공단체로 규정하고 있다. ( )
15. 사회복지직, 11 · 07. 국가직 7급

02 공무원의 선임 · 감독을 맡은 자와 봉급 · 급여 기타의 비용을 부담하는 자가 동일하지 아니할 때에는 그 비용을 부담하는 자도 당해 공무원의 불법행위에 대하여 배상책임을 진다. ( )
14. 사회복지직

간단 점검하기

03 영조물의 설치 · 관리를 맡은 자와 영조물의 설치 · 관리의 비용을 부담하는 자가 다른 경우에는 피해자는 어느 쪽에 대하여도 선택적으로 손해배상을 청구할 수 있다. ( )
14. 서울시 7급, 08. 국가직 9급

04 사무귀속주체와 비용부담주체가 동일하지 아니한 경우에는 사무귀속주체가 손해를 우선적으로 배상하여야 한다. ( ) 16. 서울시 9급

01 × 02 ○ 03 ○ 04 ×

② 선임 · 감독자와 비용부담자의 의미

㉠ 선임 · 감독자는 사무의 귀속주체를 의미한다.

㉡ 비용부담자가 누구인지에 대해서는 견해의 다툼이 있다. 대체로 병합설의 입장을 취하고 있으나 개별적인 사안에 따라 판단이 다르기도 하다.

학설	비용부담자
형식적 비용부담자설	대외적으로 비용을 부담하는 자
실질적 비용부담자설	최종적으로 비용을 부담하는 자
병합설	형식적 비용부담자 + 실질적 비용부담자

③ 기관위임사무의 경우

㉠ 기관위임사무의 의의

ⓐ 기관위임사무는 법령에 의하여 국가 또는 상급지방자치단체로부터 지방자치단체의 집행기관(기관장)에게 처리가 위임된 사무를 말한다.

ⓑ 이 경우 기관위임사무를 집행하는 지방자치단체의 장은 국가 또는 상급지방자치단체의 기관의 지위에서 업무를 처리하므로 사무의 귀속주체는 국가 또는 상급지방자치단체가 된다.

㉡ 국가배상법 제2조의 배상책임자

ⓐ 원칙적으로 위임자의 비용과 책임에 의하여 수행되므로 손해배생책임은 위임자인 국가 또는 지방자치단체이다(실질적 비용부담자).

ⓑ 다만, 수임자가 담당공무원의 봉급 등 비용을 부담하는 경우에는 위임자인 국가 또는 지방자치단체뿐만 아니라 수임자인 지방자치단체에 대해서도 선택적으로 손해배상청구를 할 수 있다(형식적 비용부담자).

간단 점검하기

지방자치단체의 장이 기관위임된 국가행정사무를 처리하는 경우 그에 소요되는 경비의 실질적 · 궁극적 부담자는 국가라고 하더라도 당해 지방자치단체는 국가로부터 내부적으로 교부된 금원으로 그 사무에 필요한 경비를 대외적으로 지출하는 자이므로, 이러한 경우 지방자치단체는 국가배상법 제6조 제1항의 비용부담자로서 공무원의 직무상 불법행위로 인한 손해를 배상할 책임이 있다. ( ) 17. 지방직 9급

○

관련판례 비용부담자 - 실질적비용부담자 및 형식적비용부담자 ★★

1 국가배상법 제6조 제1항 소정의 '공무원의 봉급 · 급여 그 밖의 비용'이란 공무원의 인건비만을 가리키는 것이 아니라 해당 사무에 필요한 일체의 경비를 의미한다고 할 것이고, 적어도 대외적으로 그러한 경비를 지출하는 자는 경비의 실질적 · 궁극적 부담자가 아니더라도 그러한 경비를 부담하는 자에 포함된다(대판 1994.12.9, 94다38137).

#급여 · 비용_일체비용

2 국가사무 – 천안시장위임 ★★★

지방자치단체의 장이 기관위임된 국가행정사무를 처리하는 경우 그에 소요되는 경비의 실질적, 궁극적 부담자는 국가라고 하더라도 당해 지방자치단체는 국가로부터 내부적으로 교부된 금원으로 그 사무에 필요한 경비를 대외적으로 지출하는 자이므로, 이러한 경우 지방자치단체는 국가배상법 제6조 제1항 소정의 비용부담자로서 공무원의 불법행위로 인한 위 법에 의한 손해를 배상할 책임이 있다고 할 것이다(대판 1994.12.9, 94다38137).

#개별운송사업면허처분_기관위임사무 #국가_천안시장 #천안시_형식적비용부담자_배상책임_인정

④ 최종적 배상책임자(내부적 책임자)

㉠ 국가배상이 행해진 이후 손해를 배상한 자는 내부관계에서 그 손해를 배상할 책임이 있는 자에게 구상할 수 있다(제6조 제2항).

㉡ 이때 내부관계에서 손해를 배상할 책임이 있는 최종책임자는 공무원의 선임·감독자라고 보는 것이 일반적이다.

2. 국가배상책임의 성질

(1) 대위책임설

① 공무원의 위법한 직무행위로 인한 손해배상책임은 원칙적으로 공무원 개인이 져야 하나, 피해자에 대한 충실한 배상을 위해 국가 등이 가해자인 공무원을 대신하여 배상책임을 진다고 보는 입장이다.

② 우리나라 행정법학자들의 다수의 견해이다.

③ 대위책임설의 논거

㉠ 공무원의 위법행위는 수권의 범위를 넘어선 것으로서 국가 등은 원칙적으로 책임이 없다.

㉡ 국가배상법 제2조 제1항은 공무원 자신의 불법행위책임을 전제로 하고 있다.

㉢ 다만, 배상능력이 충분한 국가 등을 배상책임자로 하는 것이 피해자 구제에 유리하다.

㉣ 원래 공무원 개인의 책임을 국가가 대신하여 부담한 것이므로, 국가의 가해공무원에 대한 구상권이 인정되고 있다.

(2) 자기책임설

① 국가의 배상책임은 공무원의 책임을 대신하여 지는 것이 아니고, 그의 기관인 공무원의 행위라는 형식을 통하여 직접 자기의 책임으로 부담한다는 것이다.

② 우리나라 헌법학자들의 다수의 견해이다.

③ 자기책임설의 논거

㉠ 공무원의 행위는 국가의 기관의 지위에서 행하는 것이므로 그로 인한 효과는 위법·적법을 불문하고 국가에 귀속되어야 한다.

㉡ 국가배상법 제2조 제1항은 "국가나 지방자치단체는 … 배상하여야 한다."라고 규정하고 있다.

㉢ 헌법이나 국가배상법에 '공무원을 대신하여'라는 표현이 없다.

㉣ 공무원 자신에 관한 헌법규정, 공무원에 대한 구상권 제한에 관한 국가배상법의 규정은 국가의 배상책임의 성질과는 직접적으로 무관하다.

(3) 중간설

① 공무원의 고의·중과실에 대한 국가의 배상책임은 대위책임이나, 경과실의 경우는 자기책임의 성질을 가진다고 보는 입장이다.[1]

② 중간설의 논거는 국가배상법 제2조 제2항이 고의 또는 중과실의 경우에만 공무원에 대한 구상권을 인정하고, 경과실에 대해서는 구상권을 인정하지 않는다는 것을 들고 있다.

[1]
- **대위책임**: 구상권 인정
- **자기책임**: 구상권 부정

(4) 절충설

① 공무원의 고의·중과실에 의한 위법행위는 원칙적으로 국가기관의 행위로 볼 수 없으므로 공무원이 개인책임을 지나, 직무행위로서의 외형을 갖추고 있는 한 피해자 구제라는 관점에서 대외적으로 국가가 자기책임을 진다고 본다.

② 반면 경과실의 경우에는 국가의 기관으로서의 지위에서 행하는 것이므로 당연히 자기책임으로서 배상책임을 진다.

(5) 판례의 입장

① 우리 대법원의 입장은 종래 선택적 청구를 인정한 판례(자기책임설의 입장), 부정한 판례(대위책임설의 입장)로 혼동을 보여 왔다.

② 그러나 대법원 전원합의체 판결(대판 1996.2.15, 95다38677)에서 이러한 혼동을 정리하여 절충설의 입장을 취하고 있다.

관련판례 **건널목교통사고** ★★★

공무원의 위법행위가 고의·중과실에 기한 경우에는 비록 그 행위가 그의 직무와 관련된 것이라고 하더라도 위와 같은 행위는 그 본질에 있어서 기관행위로서의 품격을 상실하여 국가 등에게 그 책임을 귀속시킬 수 없으므로 공무원 개인에게 불법행위로 인한 손해배상책임을 부담시키되, 다만 이러한 경우에도 그 행위의 외관을 객관적으로 관찰하여 공무원의 직무집행으로 보여질 때에는 피해자인 국민을 두텁게 보호하기 위하여 국가 등이 공무원 개인과 중첩적으로 배상책임을 부담하되 국가 등이 배상책임을 지는 경우에는 공무원 개인에게 구상할 수 있도록 함으로써 궁극적으로 그 책임이 공무원 개인에게 귀속되도록 하려는 것이라고 봄이 합당할 것이다(대판 1996.2.15, 95다38677).

#건널목교통사고_중과실 #직무수행_외형_선택적청구○

3. 선택적 청구의 문제(공무원 개인의 대외적 책임)

(1) 선택적 청구를 부정하는 견해

① 자력능력이 충분한 국가 등이 배상하면 피해자의 구제는 충분하다.

② 공무원 개인의 대외적 책임을 인정하면 공무원의 직무집행을 위축시킬 우려가 있다.

③ 주로 대위책임설의 입장에서 주장되고 있다. 그러나 대위책임설의 입장이면서도 선택적 청구가 가능하다는 견해도 있다.

(2) 선택적 청구를 인정하는 견해

① 헌법 제29조 제1항 단서에서 "공무원 자신의 책임은 면제되지 아니한다."고 규정하고 있다.

② 공무원 개인의 대외적 책임을 부인하면 책임의식이 약해진다.

③ 주로 자기책임설의 입장에서 주장되고 있다. 그러나 자기책임설의 입장이면서도 대외적으로 국가책임만 인정하는 견해도 있다.

(3) 중간설

고의·중과실의 경우에는 선택적 청구를 부정(대외적 책임 부정)하고, 경과실의 경우에는 선택적 청구를 인정(대외적 책임 인정)하고 있다. 그러나 중간설의 입장이면서도 선택적 청구를 부인하는 견해도 있다.

간단 점검하기

공무원 책임에 대한 규정인 헌법 제29조 제1항 단서는 그 조항 자체로 공무원 개인의 구체적인 손해배상책임의 범위까지 규정한 것으로 보기는 어렵다. ( ) 18. 서울시 7급

○

(4) 절충설

고의·중과실의 경우에는 공무원의 개인의 책임은 여전히 존재하므로 선택적 청구가 가능하지만(대외적 책임 인정), 경과실의 경우에는 국가기관의 지위에서 한 행위로서 공무원 개인의 책임은 인정되지 않으므로 선택적 청구가 부정된다(대외적 책임 부정).

(5) 판례

① 판례는 절충설의 입장을 취하고 있다.

② 따라서 고의·중과실의 경우에는 선택적 청구를 할 수 있고(공무원의 대외적 책임 인정), 경과실의 경우에는 선택적 청구를 할 수 없다(공무원의 대외적 책임 부정).

관련판례

1 경과실 - 선택적청구 불가 ★★

공무원의 직무수행 중 경과실에 의한 불법행위로 타인에게 손해를 입힌 경우, 공무원 개인의 손해배상책임을 부정하였다(대판 1996.2.15, 95다38677).

2 중과실 - 선택적청구 인정 ★★★

공무원의 직무수행 중 중과실에 의한 불법행위로 타인에게 손해를 입힌 경우, 공무원 개인의 손해배상책임을 인정하였다(대판 2011.9.8, 2011다34521).

4. 공무원에 대한 구상(공무원 개인의 대내적 책임)

(1) 관련규정

국가배상법 제2조 제2항은 "공무원에게 고의 또는 중대한 과실이 있으면 국가나 지방자치단체는 그 공무원에게 구상할 수 있다."고 규정하고 있다.

(2) 대위책임설의 입장

① 대위책임설의 입장에서는 행위자인 공무원에 대한 구상은 당연히 인정된다.

② 이러한 구상권의 법적 성질은 부당이득반환청구권과 유사하다.

(3) 자기책임설의 입장

① 자기책임설의 입장에서는 구상권을 행사할 수 없다고 보는 것이 논리적이다.

② 그러나 자기책임설의 입장에서도 공무원은 국가에 대하여 직무상 성실의무를 부담하고 있으므로, 이의 위반을 이유로 행위자인 공무원에 대한 구상은 인정된다고 보고 있다.

③ 이러한 구상권의 법적 성질은 채무불이행에 기한 손해배상책임이다.

(4) 판례의 태도

① 판례는 고의·중과실의 경우에만 공무원에 대하여 구상권을 행사할 수 있고, 경과실의 경우에는 구상권을 행사할 수 없다고 판시하고 있다.

② 다만, 구상권의 범위는 해당 공무원의 직무내용, 불법행위 상황, 손해발생에 대한 공무원의 기여 정도, 해당 공무원의 근무태도 및 불법행위의 예방이나 손실분담 등에 대한 국가의 배려 정도를 고려하여 정해야 한다고 보고 있다.

간단 점검하기

01 공무원이 직무수행 중 불법행위로 타인에게 손해를 입힌 경우 공무원에게 경과실만 인정되는 때에는 공무원 개인은 손해배상책임을 부담하지 않는다. ( ) 15. 서울시 7급

02 국가나 지방자치단체가 배상책임을 지는 외에 공무원 개인도 고의 또는 중과실이 있는 경우에는 피해자에 대하여 불법행위로 인한 손해배상책임을 진다. ( ) 17. 국가직 9급

간단 점검하기

03 국가나 지방자치단체가 공무원의 위법한 직무집행으로 발생한 손해를 배상한 경우에 공무원에게 고의 또는 중과실이 있으면 국가나 지방자치단체는 그 공무원에게 구상권을 행사할 수 있다. ( ) 18. 서울시 7급, 17. 국가직 9급

04 국가 또는 지방자치단체가 공무원의 위법한 직무집행으로 발생한 손해에 대해 국가배상법에 따라 배상한 경우에 당해 공무원에게 구상권을 행사할 수 있는지에 대해 국가배상법은 규정을 두고 있지 않으나, 판례에 따르면 당해 공무원에게 고의 또는 중과실이 인정될 경우 국가 또는 지방자치단체는 그 공무원에게 구상권을 행사할 수 있다. ( ) 18. 국가직 9급

05 국가가 가해 공무원에 대하여 구상권을 행사하는 경우 국가가 배상한 배상액 전액에 대하여 구상권을 행사하여야 한다. ( ) 21. 국가직 9급

01 ○ 02 ○ 03 ○ 04 × 05 ×

5. 공무원의 국가에 대한 구상권

공무원이 피해자에 대한 개인책임이 없는 경과실로 피해자에게 손해를 입힌 경우 피해자에게 손해를 직접 배상하였다면 공무원은 원칙적으로 국가에 대해 구상권을 갖는다는 것이 판례의 입장이다.

관련판례

甲은 공무원으로서 직무 수행 중 경과실로 타인에게 손해를 입힌 것이어서 乙과 유족들에 대하여 손해배상책임을 부담하지 아니함에도 乙의 유족들에 대한 패소판결에 따라 그들에게 손해를 배상한 것이고, 이는 민법 제744조의 도의관념에 적합한 비채변제에 해당하여 乙과 유족들의 국가에 대한 손해배상청구권은 소멸하고 국가는 자신의 출연 없이 채무를 면하였으므로, 甲은 국가에 대하여 변제금액에 관하여 구상권을 취득한다(대판 2014.8.20, 2012다54478).
#공중보건의사_의료사고_과실 #본인_배상책임×_판결_배상 #국가_구상권취득

point check 국가배상책임의 성질에 관한 학설

구분	책임의 성질	선택적 청구 (공무원의 대외적 책임)	공무원에 대한 구상 (공무원의 대내적 책임)
대위책임설	원래 공무원 개인책임 → 국가가 대위책임	대체로 부정 (국가만 대외적 책임부담)	긍정 (부당이득반환청구권)
자기책임설	국가기관의 지위에서 행위 → 국가가 자기책임	대체로 긍정 (공무원 개인의 대외적 책임 병존)	원칙 부정, 의무위반을 이유로 긍정 (채무불이행의 일종)
중간설	• 고의 · 중과실 → 대위책임 • 경과실 → 자기책임	• 고의 · 중과실 → 부정 • 경과실 → 긍정	• 고의 · 중과실 → 긍정 • 경과실 → 부정
절충설	• 고의 · 중과실 →개인책임 → 대외적 자기책임 • 경과실 → 자기책임	• 고의 · 중과실 → 긍정(외관책임) • 경과실 → 부정(정책적 이유)	• 고의 · 중과실 → 긍정 • 경과실 → 부정

3 배상책임의 내용

1. 배상의 범위

(1) 원칙

배상은 원칙적으로 정당한 배상을 하여야 한다. 가해행위와 상당인과관계 있는 모든 손해, 즉 재산적 · 정신적 손해를 배상하여야 한다.

(2) 배상기준의 성질

① 국가배상법 제3조 제1항 · 제2항은 생명 · 신체의 손해에 대한 기준을 제시하고 있는바, 이 규정의 법적 성질에 대해서 견해의 대립이 있다.

② **기준액설(다수설 · 판례)**: 생명 · 신체에 대한 국가배상법상의 배상기준은 민법상의 배상에 비하여 균형을 잃을 정도로 불리하므로, 그것은 단순한 기준액에 불과하다고 보는 것이 국가배상법의 입법정신에 부합된다는 것이다(대판 1970.1.29, 69다1203).

간단 점검하기

01 경과실이 있는 공무원이 피해자에게 직접 손해를 배상하였다면 그것은 채무자 아닌 사람이 타인의 채무를 변제한 경우에 해당한다. ( )
15. 서울시 7급

02 국가공무원이 직무수행 중 경과실로 인한 불법행위로 국민에게 손해를 입힌 경우에 피해자에게 손해를 직접 배상하였다 하더라도 자신이 변제한 금액에 관하여 국가에 대하여 구상권을 취득할 수 없다. ( ) 16. 국가직 7급

03 국가배상법이 정하는 배상기준의 성격에 대하여 판례는 한정액설을 취함으로써 국가배상법이 정하는 배상금액 이상의 배상을 인정하지 아니한다. ( ) 08. 국가직 7급

01 ○ 02 × 03 ×

③ **한정액설**: 국가배상법상의 배상기준은 배상액의 상한을 규정한 제한규정으로 본다. 배상의 범위를 객관적으로 명백히 하여 당사자 사이의 분쟁의 소지를 없애고, 배상의 범위를 법정화한 것은 곧 그에 의한 배상액의 산정을 요구한 것이라고 할 수 있기 때문이라는 것이다.

(3) 이익의 공제

① **손익상계**: 피해자가 손해를 입은 동시에 이익을 얻은 경우에는 손해배상액에서 그 이익에 상당하는 금액을 공제하여야 한다(국가배상법 제3조의2 제1항).

② **중간이자의 공제**: 유족배상과 장해배상 및 장래에 필요한 요양비 등을 일시에 신청하는 경우에는 중간이자를 공제하여야 한다(국가배상법 제3조의2 제2항).

③ **중간이자의 공제방식**: 중간이자 공제방식은 대통령령으로 정한다(국가배상법 제3조의2 제3항).

관련판례

1 공무원이 공무집행 중 다른 공무원의 불법행위로 인하여 사망한 경우, 사망한 공무원의 유족들이 국가배상법에 의하여 국가 또는 지방자치단체로부터 사망한 공무원의 소극적 손해에 대한 손해배상금을 지급받았다면 공무원연금관리공단 등은 그 유족들에게 같은 종류의 급여인 유족보상금에서 그 상당액을 공제한 잔액만을 지급하면 되고, 그 유족들이 공무원연금관리공단 등으로부터 공무원연금법 소정의 유족보상금을 지급받았다면 국가 또는 지방자치단체는 그 유족들에게 사망한 공무원의 소극적 손해액에서 유족들이 지급받은 유족보상금 상당액을 공제한 잔액만을 지급하면 된다(대판 1998.11.19, 97다36873 전합).

2 행정기관의 위법한 행정지도로 일정기간 어업권을 행사하지 못하는 손해를 입은 자가 그 어업권을 타인에게 매도하여 매매대금 상당의 이득을 얻었더라도 그 이득은 손해배상책임의 원인이 되는 행위인 위법한 행정지도와 상당인과관계에 있다고 볼 수 없고, 행정기관이 배상하여야 할 손해는 위법한 행정지도로 피해자가 일정기간 어업권을 행사하지 못한 데 대한 것임에 반해 피해자가 얻은 이득은 어업권 자체의 매각대금이므로 위 이득이 위 손해의 범위에 대응하는 것이라고 볼 수도 없어, 피해자가 얻은 매매대금 상당의 이득을 행정기관이 배상하여야 할 손해액에서 공제할 수 없다(대판 2008.9.25, 2006다18228).

2. 배상청구권의 양도 · 압류의 금지

(1) 규정

생명 · 신체의 침해로 인한 국가배상을 받을 권리는 이를 양도하거나 압류하지 못한다(국가배상법 제4조). 그러나 재산권의 침해를 이유로 하는 국가배상청구권은 양도나 압류가 허용된다.

(2) 기능

국가배상청구권은 원칙적으로 재산적 권리이므로 법적 성질로는 양도나 압류가 금지된다고는 볼 수 없으나, 유족이나 신체의 침해를 받은 자를 보호하기 위한 사회보장적 견지에서 특히 금지한 것이다.

간단 점검하기

01 국가배상법 제2조 제1항을 적용할 때 피해자가 손해를 입은 동시에 이익을 얻은 경우에는 손해배상액에서 그 이익에 상당하는 금액을 빼야 한다. ( ) 18. 경찰행정

간단 점검하기

02 행정기관의 위법한 행정지도로 일정기간 어업권을 행사하지 못하는 손해를 입은 자가 그 어업권을 타인에게 매도하여 매매대금 상당의 이득을 얻은 경우 손해배상액의 산정에서 그 이득을 손익상계할 수 있다. ( ) 17. 지방직 9급

간단 점검하기

03 신체 · 생명의 침해로 인한 손해배상청구권은 양도할 수는 있지만 압류하지는 못한다. ( ) 11. 국가직 7급

01 ○ **02** × **03** ×

3. 배상청구권의 소멸시효

(1) 국가배상법에 특별한 규정이 없으므로, 민법의 규정에 의하여 피해자나 그 법정대리인이 손해 및 가해자를 안 날로부터 3년(국가배상법 제8조, 민법 제766조), 손해발생이 있었던 날로부터 5년(국가배상법 제8조, 국가재정법 제96조)이다.

(2) 가해사실을 안날은 공무원이 국가 또는 지방자치단체와의 간에 공법상의 근무관계가 있다는 사실을 알고, 그 불법행위가 직무를 집행함에 있어서 행해진 것이라고 판단하기에 족한 사실까지도 인식해야 하는 것을 의미한다.

관련판례

1 **가해사실을 안 날★**

가해자를 안다는 것은 피해자가 가해 공무원이 국가 또는 지방자치단체와의 간에 공법상의 근무관계가 있다는 사실을 알고, 또한 일반인이 당해 공무원의 불법행위가 국가 또는 지방자치단체의 직무를 집행함에 있어서 행해진 것이라고 판단하기에 족한 사실까지도 인식하는 것을 의미한다(대판 1989.11.14, 88다카32500).

#안날_근무관계_직무행위_인식

2 채권자가 동일한 목적을 달성하기 위하여 복수의 채권을 갖고 있는 경우, 어느 하나의 청구권을 행사하는 것이 다른 채권에 대한 소멸시효 중단의 효력이 있다고 할 수 없다(대판 2002.5.10, 2000다39735).

간단 점검하기

01 국가배상청구권은 피해자나 그 법정대리인이 그 손해 및 가해자를 안 날로부터 3년간 이를 행사하지 아니하면 시효로 인하여 소멸한다. ( )
18. 서울시 7급, 08. 국가직 7급

02 배상청구권의 시효와 관련하여 '가해자를 안다는 것'은 피해자나 그 법정대리인이 가해 공무원의 불법행위가 그 직무를 집행함에 있어서 행해진 것이라는 사실까지 인식함을 요구하지 않는다. ( ) 17. 국가직 7급

4. 군인 등에 대한 특례(이중배상금지)

(1) 개설

① 관련 규정

> 헌법 제29조 ② 군인·군무원·경찰공무원 기타 법률이 정하는 자가 전투·훈련 등 직무집행과 관련하여 받은 손해에 대하여는 법률이 정하는 보상외에 국가 또는 공공단체에 공무원의 직무상 불법행위로 인한 배상은 청구할 수 없다.
>
> 국가배상법 제2조【배상책임】① … 다만, 군인·군무원·경찰공무원 또는 예비군대원이 전투·훈련 등 직무 집행과 관련하여 전사(戰死)·순직(殉職)하거나 공상(公傷)을 입은 경우에 본인이나 그 유족이 다른 법령에 따라 재해보상금·유족연금·상이연금 등의 보상을 지급받을 수 있을 때에는 이 법 및 민법에 따른 손해배상을 청구할 수 없다.

② **취지**: 위험성 높은 직무종사자에게는 사회보장차원에서 간편하고 확실한 피해보상제도를 별도로 마련하되, 그것과 경합되는 국가배상청구는 배제하여 과도한 재정지출을 방지하고 분쟁을 사전에 방지하는 데 취지가 있다.

(2) 동조의 위헌 여부

① 헌법재판소는 동조가 위헌은 아니라고 판시하고 있다(헌재 1995.12.28, 95헌바3).

② 그러나 다수설은 군인 등에 대해서만 국가배상청구권을 제한하는 것은 평등원칙에 반한다고 보아 비판적인 입장을 취하고 있다.

간단 점검하기

03 경찰공무원이 전투·훈련 등 직무집행과 관련하여 전사·순직하거나 공상을 입은 경우에 본인이나 그 유족이 다른 법령에 따라 재해보상금이나 유족연금 등의 보상을 지급받은 때에는 국가배상법 및 민법에 따른 손해배상을 청구할 수 없다. ( ) 19. 국회직 8급

01 ○ 02 × 03 ○

(3) 적용내용

① 적용대상 및 요건

대상	군인 · 군무원 · 경찰공무원 또는 예비군대원[1]
요건	전투 · 훈련 등 직무집행과 관련하여 전사 · 순직 또는 공상을 입은 경우
내용	본인 또는 그 유족이 다른 법령의 규정에 의하여 재해보상금 · 유족연금 · 상이연금 등의 보상을 지급받을 수 있을 때 손해배상청구 불가

[1] 구 향토예비군대원

② 적용대상자

㉠ 군인, 군무원, 경찰공무원의 경우에는 국가배상청구권이 제한된다.

㉡ 예비군대원은 헌법에는 규정이 없으나 국가배상법에 규정되어 있다.

㉢ 전투경찰은 국가배상법 제2조 제1항 단서에 규정한 경찰공무원에 해당하므로 이중배상을 청구할 수 없다(헌재 1996.6.13, 94헌바39).

관련판례 전투경찰 경찰공무원 포함 ★★★

국가배상법 제2조 제1항 단서 중의 '경찰공무원'은 '경찰공무원법상의 경찰공무원'만을 의미한다고 단정하기 어렵고, 널리 경찰업무에 내재된 고도의 위험성을 고려하여 '경찰조직의 구성원을 이루는 공무원'을 특별취급하려는 취지로 파악함이 상당하므로 전투경찰순경은 헌법 제29조 제2항 및 국가배상법 제2조 제1항 단서 중의 '경찰공무원'에 해당한다(헌재 1996.6.13, 94헌마118).

㉣ 경비교도는 현역병으로 입영 후 전임되어 경비교도로 임용된 자는 군인신분을 상실하므로 동조 단서규정의 적용이 없다(대판 1998.2.10, 97다45914). 따라서 국가를 상대로 손해배상청구를 할 수 있다.

관련판례 경비교도 군인신분상실 ★★★

현역병으로 입영하여 소정의 군사교육을 마치고 병역법 제25조의 규정에 의하여 전임되어 구 교정시설경비교도대설치법(1997.1.13. 법률 제5291호로 개정되기 전의 것) 제3조에 의하여 경비교도로 임용된 자는, 군인의 신분을 상실하고 군인과는 다른 경비교도로서의 신분을 취득하게 되었다고 할 것이어서 국가배상법 제2조 제1항 단서가 정하는 군인 등에 해당하지 아니한다(대판 1998.2.10, 97다45914).

㉤ 공익근무요원은 군인에 해당하지 않으므로 국가에 대한 손해배상청구는 가능하다(대판 1997.3.28, 97다4036).

관련판례 공익근무요원 - 보충역편입 ★★★

공익근무요원은 병역법 제2조 제1항 제9호, 제5조 제1항의 규정에 의하면 국가기관 또는 지방자치단체의 공익목적수행에 필요한 경비 · 감시 · 보호 또는 행정업무 등의 지원과 국제협력 또는 예술 · 체육의 육성을 위하여 소집되어 공익분야에 종사하는 사람으로서 보충역에 편입되어 있는 자이기 때문에, … 국가배상법 제2조 제1항 단서의 규정에 의하여 국가배상법상 손해배상청구가 제한되는 군인 · 군무원 · 경찰공무원 또는 향토예비군대원에 해당한다고 할 수 없다(대판 1997.3.28, 97다4036).

간단 점검하기

01 국가배상법 제2조 제1항 단서에 군인 · 군무원 · 경찰공무원 또는 향토예비군대원에 대하여 이중배상에 관한 배제조항을 두고 있으며 헌법재판소와 대법원은 이중배상을 금지하는 이러한 단서를 합헌으로 보았다. ( )
11. 지방직 7급, 09. 지방직 7급

간단 점검하기

02 판례에 의하면 현역병으로 입대하여 소정의 군사교육을 마친 다음 교도소의 경비교도로 전임된 자는 국가배상법 제2조 제1항 단서 소정의 어느 신분에도 해당하지 않으므로 국가배상을 청구하는 것을 방해받지 않는다. ( ) 11. 지방직 7급

간단 점검하기

03 공익근무요원은 국가배상법 제2조 제1항 단서의 군인 · 군무원 · 경찰공무원 또는 예비군대원에 해당하지 않으므로 이중배상청구가 제한되지 않는다. ( ) 19. 서울시 7급

01 ○ 02 ○ 03 ○

③ 전투 · 훈련 등 직무집행과 관련하여 손해를 받았을 때

④ 본인 또는 유족이 다른 법령의 규정에 의해 보상금을 지급 받을 수 있을 것

㉠ 실제로 다른 법령에 의하여 보상지급을 받지 못한 경우에는 동조 단서규정이 적용되지 아니하며 국가배상을 청구할 수 있다.

관련판례 보상금지급× - 배상청구○ ★★★

군인 또는 경찰공무원으로서 교육훈련 또는 직무 수행중 상이(공무상의 질병 포함)를 입고 전역 또는 퇴직한 자라고 하더라도 국가유공자예우 등에 관한 법률에 의하여 국가보훈처장이 실시하는 신체검사에서 대통령령이 정하는 상이등급에 해당하는 신체의 장애를 입지 않은 것으로 판명되고 또한 군인연금법상의 재해보상 등을 받을 수 있는 장애등급에도 해당하지 않는 것으로 판명된 자는 위 각 법에 의한 적용 대상에서 제외되고, 따라서 그러한 자는 국가배상법 제2조 제1항 단서의 적용을 받지 않아 국가배상을 청구할 수 있다(대판 1997.2.14, 96다28066).

#보상금지급×_이중배상금지×_국가배상청구○

㉡ 다른 법령에 의한 보상금청구권이 시효로 소멸한 경우 동조 단서규정이 적용되어 국가배상을 청구할 수 없다고 보고 있다(대판 1997.2.14, 96다28066).

관련판례 보상금청구 시효완성 배상청구× ★★★

공상을 입은 군인이 국가배상법에 의한 손해배상청구 소송 도중에 국가유공자 등 예우 및 지원에 관한 법률에 의한 국가유공자 등록신청을 하였다가 인과관계가 없어 공상군경 요건에 해당되지 않는다는 이유로 비해당결정 통보를 받고 이에 불복하지 아니한 후 위 법률에 의한 보상금청구권과 군인연금법에 의한 재해보상금청구권이 모두 시효완성된 경우, 국가배상법 제2조 제1항 단서 소정의 '다른 법령에 의하여 보상을 받을 수 있는 경우'라 하여 국가배상청구를 할 수 없다(대판 2002.5.10, 2000다39735).

⑤ **손해배상금을 지급받은 다음 보상금지급청구의 경우:** 직무집행과 관련하여 공상을 입은 군인 등이 손해배상금을 지급받은 다음 보상금의 지급을 청구한 경우, 그 지급을 거부할 수 없다.

관련판례 배상금○ - 보상금○ ★★

국가배상법 제2조 제1항 단서가 보훈보상자법 등에 의한 보상을 받을 수 있는 경우 국가배상법에 따른 손해배상청구를 하지 못한다는 것을 넘어 국가배상법상 손해배상금을 받은 경우 보훈보상자법상 보상금 등 보훈급여금의 지급을 금지하는 것으로 해석하기는 어려운 점 등에 비추어, 국가보훈처장은 국가배상법에 따라 손해배상을 받았다는 사정을 들어 보상금 등 보훈급여금의 지급을 거부할 수 없다(대판 2017.2.3, 2015두60075).

#손해배상금수급_보상금지급○

간단 점검하기

01 판례에 의하면 재해보상금 · 유족연금 · 상이연금 등의 보상을 지급받을 수 없을 때에는 국가배상법에 의하여 배상을 청구할 수 있다. ( )

09. 지방직 7급

간단 점검하기

02 직무집행과 관련하여 공상을 입은 군인 등이 먼저 국가배상법에 따라 손해배상금을 지급받은 다음 보훈보상대상자 지원에 관한 법률이 정한 보상금 등 보훈급여금의 지급을 청구하는 경우, 국가배상법에 따라 손해배상을 받았다는 이유로 그 지급을 거부할 수 없다. ( ) 19. 국가직 9급

01 ○ **02** ○

(4) 사인과 군인의 공동불법행위의 경우의 구상문제

① **문제점**: 사인과 군인이 공동불법행위로 다른 군인에게 피해를 입힌 경우 그 사인이 피해자에게 배상한 경우에 국가에 대한 구상권 행사가 가능한지 여부가 문제된다.

② **대법원의 입장(부정설)**: 국가와 공동불법행위자와의 관계를 부진정연대채무관계로 보아 손해 전부를 배상할 의무를 인정하던 종래의 견해를 변경하여, 공동불법행위자는 자신의 책임부분에 대하여만 손해배상의무를 부담하고, 한편 국가에 대하여는 그 귀책부분의 구상을 청구할 수 없다고 판시하였다(대판 2001.2.15, 96다42420).

관련판례 **공동불법행위책임** ★★★

공동불법행위자 등이 부진정연대채무자로서 각자 피해자의 손해 전부를 배상할 의무를 부담하는 공동불법행위의 일반적인 경우와 달리 예외적으로 민간인은 피해 군인 등에 대하여 그 손해 중 국가 등이 민간인에 대한 구상의무를 부담한다면 그 내부적인 관계에서 부담하여야 할 부분을 제외한 나머지 자신의 부담부분에 한하여 손해배상의무를 부담하고, 한편 국가 등에 대하여는 그 귀책부분의 구상을 청구할 수 없다고 해석함이 상당하다 할 것이고, 이러한 해석이 손해의 공평·타당한 부담을 그 지도원리로 하는 손해배상제도의 이상에도 맞는다 할 것이다(대판 2001.2.15, 96다42420).
#종래_대법원_부진정연대채무 #현재_대법원_부진정연대채무× #공동불법행위책임_자신책임만_구상권행사×

③ **헌법재판소의 입장(종래 대법원의 입장 위헌)**: 헌법재판소는 민간인이 공동불법행위자로서 손해액 전부를 배상한 후에(부진정연대채무관계) 국가에 구상권을 행사할 수 없도록 해석하는 것은 헌법상 재산권보장 등의 규정에 반한다는 것이다.

관련판례 **공동불법행위책임** ★★

국가배상법 제2조 제1항 단서 중 군인에 관련되는 부분을, 일반국민이 직무집행 중인 군인과의 공동불법행위로 직무집행 중인 다른 군인에게 공상을 입혀 그 피해자에게 공동의 불법행위로 인한 손해를 배상한 다음 공동불법행위자인 군인의 부담부분에 관하여 국가에 대하여 구상권을 행사하는 것을 허용하지 않는다고 해석한다면, … 위와 같은 해석은 헌법 제37조 제2항에 의하여 기본권을 제한할 때 요구되는 비례의 원칙에 위배하여 일반국민의 재산권을 과잉제한하는 경우에 해당하여 헌법 제23조 제1항 및 제37조 제2항에도 위반된다(헌재 1994.12.29, 93헌바21).
#공동불법행위_민간인_배상금전액배상 #공동불법행위자_군인_배상부분_구상×_위헌
#위헌결정_후_대법원판례변경

4 자동차손해배상책임

국가배상법 제2조 【배상책임】 … 자동차손해배상 보장법에 따라 손해배상의 책임이 있을 때에는 이 법에 따라 그 손해를 배상하여야 한다.

자동차손해배상 보장법 제3조 【자동차손해배상책임】 자기를 위하여 자동차를 운행하는 자는 그 운행으로 다른 사람을 사망하게 하거나 부상하게 한 경우에는 그 손해를 배상할 책임을 진다. 다만, 다음 각 호의 어느 하나에 해당하면 그러하지 아니하다.

1. 승객이 아닌 자가 사망하거나 부상한 경우에 자기와 운전자가 자동차의 운행에 주의를 게을리 하지 아니하였고, 피해자 또는 자기 및 운전자 외의 제3자에게 고의 또는 과실이 있으며, 자동차의 구조상의 결함이나 기능상의 장해가 없었다는 것을 증명한 경우
2. 승객이 고의나 자살행위로 사망하거나 부상한 경우

1. 의의

(1) 공무원이 자동차 사고로 국가배상을 하는 경우, 국가배상법에서 자동차손해배상 보장법에 따라 손해배상 책임을 진다고 규정하고 있다. 따라서 이 경우 자동차손해배상 보장법에 따라 책임을 진다.

(2) 자동차손해배상 보장법상 배상책임은 "운행자성"만 인정되면 성립되는 무과실책임이므로 일반적인 국가배상법상 배상책임보다 성립이 용이하다. 따라서 배상이 쉽게 인정된다는 점에 그 취지가 있다.

관련판례

자동차손해배상 보장법 3조는 국가배상법과 저촉되는 범위 내에서 국가배상법의 관계 규정보다 우선 적용된다(대판 1970.3.24, 70다135).

2. 배상책임의 요건

(1) 개설

① 자동차손해배상 보장법에서 배상책임이 성립하기 위해서는 ㉠ 자기를 위하여 자동차를 운행하는 자가(운행자성), ㉡ 그 운행으로 인하여, ㉢ 다른 사람을 사망 또는 부상하게 하고, ㉣ 제3자의 고의·과실·자살 등 면책사유가 없어야 한다.

② '운행자성'이란 자동차에 대한 운행을 지배하여 그 이익을 누리는 경우를 말하며, 이의 판단은 여러 사정을 종합적으로 평가하여 판단한다.

③ 자동차손해배상 보장법상 배상책임은 승객의 고의나 자살행위로 인한 것이 아닌 한 운행자의 과실 여부를 불문하므로 무과실책임이다.

간단 점검하기

01 자동차손해배상 보장법은 배상책임의 성립요건에 관하여 국가배상법에 우선하여 적용된다. ( )
15. 지방직 9급

02 공무원이 그 직무를 집행하기 위하여 국가 또는 지방자치단체 소유의 관용차를 운행하는 경우, 그 자동차에 대한 운행지배나 운행이익은 그 공무원이 소속한 국가 또는 지방자치단체에 귀속된다고 할 것이므로 그 공무원이 자기를 위하여 관용차를 운행하는 자로서 자동차손해배상 보장법 제3조 소정의 손해배상책임의 주체가 될 수는 없다. ( ) 14. 경찰행정

01 ○ 02 ○

(2) 국가배상책임

① **공무원이 공무를 위해 관용차를 이용한 경우**: 국가 등이 자동차손해배상 보장법상 운행자성을 가지므로 국가 등은 운행자로서 자동차손해배상 보장법상 배상책임을 진다.

관련판례

자동차손해배상보장법 제3조 소정의 "자기를 위하여 자동차를 운행하는 자"라고 함은 자동차에 대한 운행을 지배하여 그 이익을 향수하는 책임주체로서의 지위에 있는 자를 뜻하는 것인바, 공무원이 그 직무를 집행하기 위하여 국가 또는 지방자치단체 소유의 관용차를 운행하는 경우, 그 자동차에 대한 운행지배나 운행이익은 그 공무원이 소속한 국가 또는 지방자치단체에 귀속된다고 할 것이고, 그 공무원 자신이 개인적으로 그 자동차에 대한 운행지배나 운행이익을 가지는 것이라고는 볼 수 없으므로, 그 공무원이 자기를 위하여 관용차를 운행하는 자로서 같은 법조 소정의 손해배상책임의 주체가 될 수는 없다(대판 1992.2.25, 91다12356).
#국가소유_관용차운행_운행지배_국가귀속 #국가_손해배상책임주체

② **공무원이 무단으로 관용차를 이용한 경우**: 공무원이 개인적인 용무를 위해 무단으로 국가 또는 지방자치단체 소유의 관용차를 운전하다 타인을 사망 또는 상해를 입힌 경우 국가 등에 운행자성이 있는 경우에는 국가 등이 자동차손해배상 보장법상 배상책임을 진다. 이 경우 운행자성이 인정되지 않으면 국가의 책임은 없다.

관련판례

1 운행자성 인정 ★★

국가소속 공무원이 관리권자의 허락을 받지 아니한 채 국가소유의 오토바이를 무단으로 사용하다가 교통사고가 발생한 경우에 있어 국가가 그 오토바이와 시동열쇠를 무단운전이 가능한 상태로 잘못 보관하였고 위 공무원으로서도 국가와의 고용관계에 비추어 위 오토바이를 잠시 운전하다가 본래의 위치에 갖다 놓았을 것이 예상되는 한편 피해자들로 위 무단운전의 점을 알지 못하고 또한 알 수도 없었던 일반 제3자인 점에 비추어 보면 국가가 위 공무원의 무단운전에도 불구하고 위 오토바이에 대한 객관적, 외형적인 운행지배 및 운행이익을 계속 가지고 있었다고 봄이 상당하다(대판 1988.1.19, 87다카2202).
#국가소유_오토바이 #무단사용_운행자성_인정

2 운행자성 불인정 ★★

군소속 차량의 운전수가 일과시간 후에 피해자의 적극적인 요청에 따라 동인의 개인적인 용무를 위하여 상사의 허락없이 무단으로 위 차를 운행하다가 사고가 일어났다면 군은 자동차손해배상보장법 제3조 소정의 자기를 위하여 자동차를 운행하는 자에 해당되지도 아니하며 위 사고가 위 운전수의 직무집행중의 과실에 기인된 것도 아니므로 군에 대하여 국가배상법상의 책임도 물을 수 없다(대판 1981.2.10, 80다2720).
#일과시간후_개인용무_상사허락×_운행

③ 공무원이 개인 소유의 자동차를 이용한 경우

㉠ 공무원이 사적용무를 위하여 자신 소유의 자동차를 이용한 경우에는 당연히 공무원 개인이 자동차손해배상 보장법상 책임을 진다.

㉡ 공무원이 공적용무를 위하여 자신 소유의 자동차를 이용한 경우에는 국가 등의 운행자성은 부정되어 개인이 자동차손해배상 보장법상의 책임을 진다. 이 경우 피해자는 공무원의 고의·과실을 입증하여 국가에 대한 국가배상책임을 청구할 수 있다.

관련판례 **자기소유의 자동차로 공무수행** ★★

공무원이 자기 소유의 자동차로 공무수행 중 사고를 일으킨 경우에는 그 손해배상책임은 자동차손해배상 보장법이 정한 바에 의하게 되어, 그 사고가 자동차를 운전한 공무원의 경과실에 의한 것인지 중과실 또는 고의에 의한 것인지를 가리지 않고 그 공무원이 자동차손해배상 보장법 제3조 소정의 '자기를 위하여 자동차를 운행하는 자'에 해당하는 한 손해배상책임을 부담한다(대판 1996.5.31, 94다15271).

간단 점검하기

01 공무원이 자기 소유의 자동차로 공무수행 중 사고를 일으킨 경우 공무원 개인은 경과실에 의한 것인지 중과실 또는 고의에 의한 것인지를 가리지 않고 자동차손해배상 보장법상의 운행자성이 인정되는 한 배상책임을 부담한다. ( )
15. 국회직 8급, 08. 국가직 7급

(3) 공무원 개인의 배상책임

① **관용차**: 관용차를 운행한 공무원은 관용차에 대한 운행자성이 인정되지 않으므로 자동차손해배상 보장법상 책임을 지지 않으나 고의·중과실의 경우에는 민법 제750조에 의한 불법행위 책임이 인정될 수 있다.

② **개인 소유 차량**: 공무원이 개인 소유 차량을 운행하다가 사고가 발생한 경우 자동차손해배상 보장법상 운행자성이 인정되므로 자동차손해배상 보장법상 책임을 지게 된다.

제3절 영조물의 설치·관리의 하자로 인한 배상책임

1 개설

> 국가배상법 제5조【공공시설 등의 하자로 인한 책임】① 도로·하천, 그 밖의 공공의 영조물(營造物)의 설치나 관리에 하자(瑕疵)가 있기 때문에 타인에게 손해를 발생하게 하였을 때에는 국가나 지방자치단체는 그 손해를 배상하여야 한다. 이 경우 제2조 제1항 단서, 제3조 및 제3조의2를 준용한다.
> ② 제1항을 적용할 때 손해의 원인에 대하여 책임을 질 자가 따로 있으면 국가나 지방자치단체는 그 자에게 구상할 수 있다.

1. 의의

헌법 제29조에 공무원의 직무상 불법행위책임은 규정이 있으나 영조물의 설치·관리의 하자로 인한 배상책임에 관한 규정은 없다. 이의 지위에 대해 헌법상의 지위를 인정하기도 하고, 법률상의 지위를 인정하기도 한다.

간단 점검하기

02 영조물의 설치·관리상 하자로 인한 국가배상에 관하여는 명문의 헌법상 근거가 없다. ( ) 16. 교육행정직

01 ○ 02 ○

2. 무과실책임

이 규정에 의한 국가 등의 배상책임은 공공의 영조물의 설치나 관리에 흠이 있다고 하는 객관적 사실에 의하여 발생하는 것으로, 설치나 관리를 담당한 공무원의 고의·과실의 유무를 불문하므로 무과실책임의 성질을 가진다. 다만, 흠이 있을 것을 필요로 하므로 완전한 위험책임이라고는 할 수 없다.

3. 민법 제758조와 관련

구분	국가배상법 제5조	민법 제758조
대상	영조물(자연공물, 인공공물 등)	공작물(자연공물 제외)
점유자의 면책규정	×	○

민법 제758조【공작물 등의 점유자, 소유자의 책임】① 공작물의 설치 또는 보존의 하자로 인하여 타인에게 손해를 가한 때에는 공작물점유자가 손해를 배상할 책임이 있다. 그러나 점유자가 손해의 방지에 필요한 주의를 해태하지 아니한 때에는 그 소유자가 손해를 배상할 책임이 있다.
② 전항의 규정은 수목의 재식 또는 보존에 하자있는 경우에 준용한다.
③ 제2항의 경우에 점유자 또는 소유자는 그 손해의 원인에 대한 책임있는 자에 대하여 구상권을 행사할 수 있다.

2 배상책임의 요건

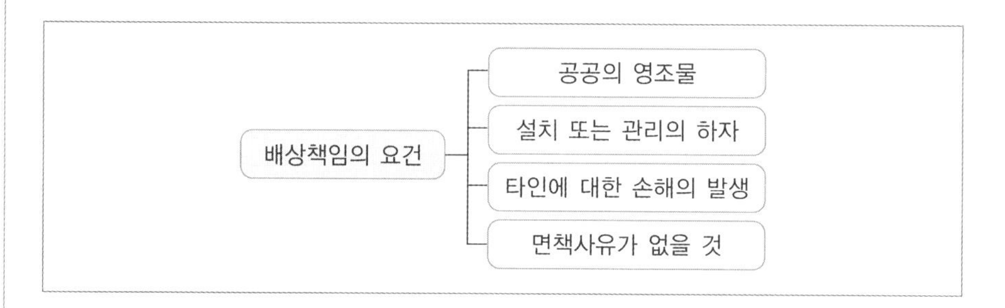

1. 공공의 영조물

(1) 본조의 '영조물'은 본래의 의미의 영조물(인적·물적 시설의 종합체)을 의미하는 것이 아니라, 직접 행정목적에 제공된 공물(유체물 내지 물적 설비)을 의미한다고 보는 것이 통설·판례의 입장이다.

(2) '공공의 영조물'은 국가 또는 지방자치단체가 소유권, 임차권 그 밖에 권원에 기하여 관리하고 있는 경우뿐만 아니라 사실상 관리하고 있는 경우도 포함한다(대판 1995.1.24, 94다45302).

간단 점검하기

01 국가배상법 제5조의 손해배상책임은 동법 제2조의 책임과 같이 과실책임주의로 규정되어 있다. ( )
09. 국가직 9급

간단 점검하기

02 국가배상법 제5조의 영조물은 민법 제758조의 공작물의 개념보다 넓다. ( ) 14. 서울시 7급

03 국가배상법 제5조는 민법 제758조와는 달리 동조는 점유자의 면책규정을 두고 있지 아니하다. ( )
14. 서울시 7급

간단 점검하기

04 영조물의 설치·관리상 하자로 인한 국가배상의 기초가 되는 '공공의 영조물'은 공공의 목적에 공여된 유체물 내지 물적 설비를 말한다. ( )
16. 교육행정직

05 국가배상법 제5조 제1항 소정의 공공의 영조물이라 함은 국가 또는 지방자치단체에 의하여 특정 공공의 목적에 공여된 유체물 내지 물적 설비를 말하며 국가 또는 지방자치단체가 소유권, 임차권 그 밖의 권한에 기하여 관리하고 있는 경우로 한정되고, 사실상의 관리를 하고 있는 경우는 포함되지 않는다. ( )
16. 국가직 9급, 14. 서울시 7급, 11. 지방직 9급

01 × 02 ○ 03 ○ 04 ○ 05 ×

관련판례 **사실상관리 포함** ★★★

국가배상법 제5조 제1항 소정의 "공공의 영조물"이라 함은 국가 또는 지방자치단체에 의하여 특정 공공의 목적에 공여된 유체물 내지 물적 설비를 지칭하며, … 국가 또는 지방자치단체가 소유권, 임차권 그 밖의 권한에 기하여 관리하고 있는 경우뿐만 아니라 사실상의 관리를 하고 있는 경우도 포함한다(대판 1995.1.24, 94다45302).

#공공_영조물_유체물_물적설비_관리_포함

(3) 유체물에는 개개의 물건(예 관용차 등)뿐만 아니라 물건의 집합체인 공공시설(예 도로 · 하천 · 항만 · 상수도 · 하수도 · 관공서청사 · 국공립학교 교사 등)도 포함된다. 그리고 부동산과 동산(예 자동차, 항공기, 경찰견 등)도 포함되며, 인공공물(예 도로 · 교량 등)뿐만 아니라 자연공물(예 하천 · 해면 등)도 포함된다.

(4) 영조물은 직접 행정목적에 제공된 공물을 의미하므로, 이와는 무관한 국 · 공유의 사물(국유재산 중 일반재산)은 여기에 포함되지 않는다. 일반재산의 설치 · 관리상 하자는 민법 제758조가 적용된다.

관련판례

1 국가배상법 제5조 소정의 공공의 영조물이란 공유나 사유임을 불문하고 행정주체에 의하여 특정공공의 목적에 공여된 유체물 또는 물적 설비를 의미하므로 사실상 군민의 통행에 제공되고 있던 도로 옆의 암벽으로부터 떨어진 낙석에 맞아 소외인이 사망하는 사고가 발생하였다고 하여도 동 사고지점 도로가 피고 군에 의하여 노선인정 기타 공용개시가 없었으면 이를 영조물이라 할 수 없다(대판 1981.7.7, 80다2478).

2 지방자치단체가 비탈사면인 언덕에 대하여 현장조사를 한 결과 붕괴의 위험이 있음을 발견하고 이를 붕괴위험지구로 지정하여 관리하여 오다가 붕괴를 예방하기 위하여 언덕에 옹벽을 설치하기로 하고 소외 회사에게 옹벽시설공사를 도급 주어 소외 회사가 공사를 시행하다가 깊이 3m의 구덩이를 파게 되었는데, 피해자가 공사현장 주변을 지나가다가 흙이 무너져 내리면서 위 구덩이에 추락하여 상해를 입게된 사안에서, 위 사고 당시 설치하고 있던 옹벽은 소외 회사가 공사를 도급받아 공사 중에 있었을 뿐만 아니라 아직 완성도 되지 아니하여 일반 공중의 이용에 제공되지 않고 있었던 이상 국가배상법 제5조 제1항 소정의 영조물에 해당한다고 할 수 없다(대판 1998.10.23, 98다17381).

point check 영조물 인정 여부

영조물을 인정한 경우	영조물을 부정한 경우
• 철도건널목의 자동경보기, 교통신호기 • 도로상의 맨홀, 공중변소, 상하수도 • 저수지, 홍수조절용 다목적 댐 • 정부청사, 관용자동차, 여의도광장 • 군견, 경찰견, 경찰마 • 도로, 육교, 하천, 제방 • 미군사용 매향리사격장 • 천호동굴(공적 보존물)	• 국유림 등 국유일반재산 • 폐천부지 • 공용지정을 갖추지 못한 도로 • 형체적 요소를 갖추지 못한 옹벽 • 나대지 상태의 시명의의 종합운동장 예정부지와 그 지상의 자동차경주를 위한 안전시설

간단 점검하기

01 국가 또는 지방자치단체가 관리하지만 사인의 소유에 속하는 공물에 대하여는 국가배상법 제5조가 적용되지 아니한다. ( ) 14. 국가직 7급

02 일반공중이 사용하는 공공용물 외에 행정주체가 직접 사용하는 공용물이나 하천과 같은 자연공물도 국가배상법 제5조의 '공공의 영조물'에 포함된다. ( ) 17. 지방직 9급

간단 점검하기

03 노선인정 기타 공용지정을 갖추지 못하였으나 사실상 군민의 통행에 제공되고 있던 도로는 국가배상법 제5조의 영조물에 해당한다. ( ) 10. 경찰행정

04 아직 물적 시설이 완성되지 아니하여 일반공중의 이용에 제공되지 않은 옹벽도 국가배상법상의 영조물에 해당한다. ( ) 11. 국회직 8급

01 × 02 ○ 03 × 04 ×

2. 설치 또는 관리의 하자

(1) 의의

① 영조물의 설치나 관리의 하자란 영조물이 통상적으로 갖추어야 할 안전성을 결하고 있는 것을 의미한다.

② 설치의 하자는 영조물의 설계에서 건조까지의 하자를 말하고, 관리의 하자는 영조물의 건조 후의 유지 · 수선상의 하자를 의미한다.

③ 통상적으로 갖추어야 할 안전성이 무엇인가에 대해서는 견해의 대립이 있다.

(2) 학설의 대립

① 객관설(다수설)

㉠ 영조물의 설치 · 관리가 불완전하여 통상적으로 갖추어야 할 객관적인 안전성을 결하여 타인에게 위해를 발생할 가능성이 있는 상태를 의미한다.

㉡ 이 견해에 따르면 관리자의 주관적인 관리의무위반이나 관리자의 재정상태 등은 요건으로 보지 않는다(무과실책임).

㉢ 국가배상법 제5조의 규정은 '설치 또는 관리의 하자'라고 표현되어 있고 '고의 또는 과실'이라는 표현은 없다.

㉣ 영조물책임을 과실책임으로 해석하게 되면 가해자인 국가의 입장만 중시하고 피해자인 국민의 입장을 가벼이 보게 되므로 불합리하다.

② 주관설(안전관리 의무위반설)

㉠ 영조물을 안전하게 보전하여야 할 의무가 있는 관리자가 그러한 관리의무를 위반한 것을 의미한다.

㉡ 이 견해에 따르면 영조물책임은 무과실책임이 아니라 설치 · 관리자의 주관적 귀책사유가 있어야 성립된다고 본다(과실책임).

㉢ 국가배상법 제5조의 규정은 '영조물의 하자'가 아니라 '영조물의 설치 · 관리의 하자'라고 표현하고 있다.

㉣ 의무위반을 성립요건으로 하여 귀책사유와 연계하는 것이 불법행위의 통일적인 해석에 유용하고 국가배상법 제5조의 적용범위를 합리적으로 제한하게 된다.

③ 절충설

㉠ 이 견해는 영조물 자체의 객관적인 하자뿐만 아니라 관리자의 관리의무위반이라는 주관적인 요소도 함께 고려해야 한다는 입장이다.

㉡ 영조물의 설치 · 관리와 관련된 손해는 물적 하자에 기인한 것이든, 관리행위상의 과오에 기인한 것이든 국가배상법 제5조의 영조물책임을 인정한다.

간단 점검하기

01 국가배상법 제5조 제1항상 영조물의 설치 · 관리의 하자라 함은 공공의 영조물이 일반적으로 갖추어야 할 안전성을 결한 상태를 말한다. ( )
16. 국가직 9급, 09. 국가직 7급

02 국가배상법 제5조의 영조물의 설치 · 관리상의 하자에 있어서 객관설은 하자를 객관적으로 판단하여 과실은 문제삼지 않는다. ( ) 05. 국가직 7급

01 ○ **02** ○

point check 영조물책임에서 객관설과 주관설

구분	객관설	주관설
요건	영조물이 통상 갖추어야 할 안전성의 결여	영조물 관리자의 주의의무위반
책임	무과실책임	과실책임
효과	피해자인 국민을 두텁게 보호	영조물책임의 범위를 합리적으로 제한

(3) 판례의 태도

① 우리나라의 판례가 어떤 입장을 취하고 있는지에 대해서는 평가가 다양하다. 기본적으로는 객관설의 입장에 있다고 볼 수 있다.

② 다만, 종전에는 객관설에 입각한 판례가 주류적이었으나, 오늘날에는 주관설 내지 절충설을 취하는 판례도 늘어나고 있다.

(4) 영조물의 설치·관리의 하자의 판단기준

① 일반적 판단기준(통상의 용도에 따른 안전성 결여)

㉠ **안전성의 정도**: 영조물의 설치·관리상 요구되는 안전성은 완전무결한 상태를 유지할 정도의 고도의 안전성을 말하는 것이 아니라 영조물의 위험성에 비례하여 사회통념상 일반적으로 요구되는 정도의 것을 의미한다.

관련판례 **방호울타리** ★★

차량을 운전하여 지방도 편도 1차로를 진행하던 중 커브길에서 중앙선을 침범하여 반대편 도로를 벗어나 도로 옆 계곡으로 떨어져 동승자인 乙이 사망한 사안에서, 좌로 굽은 도로에서 운전자가 무리하게 앞지르기를 시도하여 중앙선을 침범하여 반대편 도로로 미끄러질 경우까지 대비하여 도로 관리자인 지방자치단체가 차량용 방호울타리를 설치하지 않았다고 하여 도로에 통상 갖추어야 할 안전성이 결여된 설치·관리상의 하자가 있다고 보기 어렵다(대판 2013.10.24, 2013다208074).

#철원군_편도1차선 #커브_방호울타리_미설치_설치·관리_하자×

㉡ **통상적 용법에 따른 안전성**: 통상 갖추어야 할 안전성은 통상의 용도에 있어서 당해 영조물이 통상 구비해야 할 안전성이다. 따라서 영조물을 비정상적으로 이용하다가 발생한 사고에 있어서 통상 갖추어야 될 안전성만 갖추면 배상책임을 지지 않는다.

관련판례 **학교난간실족사건** ★★★

피고(학교)에게는 학생들이 원칙적으로 출입할 수 없는 위 난간에 넘어 들어가 흡연을 하다가 실족하는 이례적인 사고가 있을 것을 예상하여 위 복도나 화장실 창문에 위 난간에의 출입을 막기 위하여 출입금지장치나 추락위험을 알리는 경고표지판을 설치할 의무가 있다고 할 수 없고, 따라서 피고가 출입금지장치 등을 설치하지 아니하였다고 하더라도 그로써 사회통념상 일반적으로 요구되는 방호조치의무를 위반하여 위 학교시설에 설치 또는 관리에 하자가 있다고 볼 수는 없을 것이다(대판 1997.5.16, 96다54102).

#난간_흡연_실족사 #화장실난간_걷기_통상용도× #통상용도×_방호조치의무×

간단 점검하기

01 영조물의 설치 및 관리에 있어서 항상 완전무결한 상태를 유지할 정도의 고도의 안전성을 갖추지 아니하였다고 하여 영조물의 설치 또는 관리에 하자가 있다고 단정할 수 없다. ( )
17. 국가직 9급, 11. 지방직 9급

간단 점검하기

02 학생이 담배를 피우기 위하여 3층 건물 화장실 밖의 난간을 지나다가 실족하여 사망한 경우, 학교 관리자에게 그와 같은 이례적인 사고가 있을 것을 예상하여 화장실 창문에 난간으로의 출입을 막기 위한 출입금지장치나 추락위험을 알리는 경고표지판을 설치할 의무는 없으므로 학교시설의 설치·관리상의 하자는 인정되지 아니한다. ( ) 14. 국가직 7급

01 ○ 02 ○

ⓒ **안전성 구비 여부의 판단**: 안전성 구비 여부는 당해 영조물의 구조, 본래의 용법, 장소적 환경 및 이용 상황 등의 여러 사정을 종합적으로 고려하여 구체적 · 개별적으로 판단한다(대판 2000.1.14, 99다24201).

② **물적 하자의 구체적 판단기준**

㉠ **방호조치의무(안전관리의무)위반**: 영조물의 물적 하자는 그 영조물의 위험성에 비례하여 사회통념상 일반적으로 요구되는 정도의 방호조치의무를 다하지 않은 경우를 말한다.

㉡ **손해발생의 관리가능성(예견가능성과 회피가능성)이 없지 않을 것**: 객관적으로 보아 시간적 · 장소적으로 영조물의 기능상 결함으로 인한 손해발생의 예견가능성과 회피가능성이 없는 경우임이 입증되는 경우라면 영조물의 설치 · 관리상 하자를 인정할 수 없다.

간단 점검하기

01 주관적 요소를 고려하는 최근의 판례에 따르면 영조물의 결함이 영조물의 설치 · 관리자의 관리행위가 미칠 수 없는 상황 아래에 있는 것이 입증되는 경우 영조물의 설치 · 관리상의 하자를 인정할 수 없다. ( )

16. 국회직 8급

02 대법원은 손해발생의 예견가능성과 회피가능성이 없다면 영조물의 하자를 인정할 수 없다는 입장이다. ( )

11. 서울시 9급

01 ○ 02 ○

관련판례

국가배상법 제5조 제1항에 정해진 영조물의 설치 또는 관리의 하자라 함은 영조물이 그 용도에 따라 통상 갖추어야 할 안전성을 갖추지 못한 상태에 있음을 말하는 것이며, 다만 영조물이 완전무결한 상태에 있지 아니하고 그 기능상 어떠한 결함이 있다는 것만으로 영조물의 설치 또는 관리에 하자가 있다고 할 수 없는 것이고, 위와 같은 안전성의 구비 여부를 판단함에 있어서는 당해 영조물의 용도, 그 설치장소의 현황 및 이용 상황 등 제반 사정을 종합적으로 고려하여 설치 · 관리자가 그 영조물의 위험성에 비례하여 사회통념상 일반적으로 요구되는 정도의 방호조치의무를 다하였는지 여부를 그 기준으로 삼아야 하며, 만일 객관적으로 보아 시간적 · 장소적으로 영조물의 기능상 결함으로 인한 손해발생의 예견가능성과 회피가능성이 없는 경우 즉 그 영조물의 결함이 영조물의 설치 · 관리자의 관리행위가 미칠 수 없는 상황 아래에 있는 경우임이 입증되는 경우라면 영조물의 설치 · 관리상의 하자를 인정할 수 없다(대판 2001.7.27, 2000다65822).

③ **기능상 하자**: 기능상 하자(이용상 하자)는 영조물이 공공의 목적에 이용됨에 있어 그 이용상태 및 정도가 일정한 한도(수인한도)를 초과하여 제3자에게 사회통념상 참을 수 없는 피해를 입히는 경우를 말하는데, 이는 그 방지를 위해 노력한 정도 등을 종합적으로 고려하여 판단하여야 한다.

관련판례

1 김포공항소음 ★★★

[1] '영조물 설치 또는 하자'에 관한 제3자의 수인한도의 기준을 결정함에 있어서는 일반적으로 침해되는 권리나 이익의 성질과 침해의 정도뿐만 아니라 침해행위가 갖는 공공성의 내용과 정도, 그 지역환경의 특수성, 공법적인 규제에 의하여 확보하려는 환경기준, 침해를 방지 또는 경감시키거나 손해를 회피할 방안의 유무 및 그 난이 정도 등 여러 사정을 종합적으로 고려하여 구체적 사건에 따라 개별적으로 결정하여야 한다.

[2] 김포공항에서 발생하는 소음 등으로 인근 주민들이 입은 피해는 사회통념상 수인한도를 넘는 것으로서 김포공항의 설치 · 관리에 하자가 있다(대판 2005.1.27, 2003다49566).

#영조물하자_수인한도기준_종합적판단 #김포공항_소음_수인한도초과

2 매향리 사격장 소음

매향리 사격장에서 발생하는 소음 등으로 지역 주민들이 입은 피해는 사회통념상 참을 수 있는 정도를 넘는 것으로서 사격장의 설치 또는 관리에 하자가 있었다고 본 사례(대판 2004.3.12, 2002다14242).

간단 점검하기

판례는 사격장에서 발생하는 소음 등으로 지역주민들이 입은 피해가 수인한도를 넘는 경우 사격장의 설치 또는 관리에 하자가 있다고 한다. ( )

11. 지방직 9급, 07. 국가직 9급

(5) 유형별 고찰

① 인공공물과 자연공물

㉠ 인공공물은 해당 영조물이 통상 갖추어야 할 안전성이 확보된 상태에서 공적 목적에 제공되어야 하므로 영조물의 하자가 넓게 인정될 수 있다.

㉡ 자연공물은 자연상태에서 공적 목적에 제공되고 해당 영조물의 안전성은 연차적으로 강화되어야 하므로 이 한도 내에서 영조물의 하자 인정에 한계가 주어질 수 있다.

② 도로의 설치 · 관리의 하자

㉠ **일반적 판단**: 도로의 설치 · 관리상의 하자는 도로의 장소적인 조건, 도로의 구조, 교통량, 사고 시 교통사정, 도로의 이용 상황 등 제반사정을 종합적으로 고려하여 사회통념에 따라 구체적으로 판단하여야 한다.

㉡ **노면의 하자**: 노면의 하자는 전형적인 도로의 물적 하자이다. 다만, 그 하자가 단시간에 걸쳐 생긴 경우 안전조치를 취할 시간적인 여유가 없었을 때에는 예측가능성과 결과회피가능성이 없기 때문에 배상책임이 면제된다.

관련판례 도로 웅덩이 ★★★

관광버스가 국도상에 생긴 웅덩이를 피하기 위하여 중앙선을 침범운행한 과실로 마주오던 트럭과 충돌하여 발생한 교통사고에 대하여 국가의 공동불법행위자로서의 손해배상책임을 인정(대판 1993.6.25, 93다14424).

#노면_웅덩이_방치

㉢ **집중호우로 인한 통행상 안전의 결함**: 해당 도로의 구조, 장소적 환경과 이용상황 등 제반 사정을 종합하여 그와 같은 결함을 제거하여 원상으로 복구할 수 있었는데도 이를 방치한 것인지 여부를 개별적 · 구체적으로 심리하여 하자의 유무를 판단하여야 한다.

관련판례

1 장마철 빗물고임 - 하자○ ★★

장마철 집중호우로 종단면상 유(U)자형 도로의 가운데 부분에 차량 통행에 장애가 될 정도로 빗물이 고여 있어 그 곳을 진행하는 차량이 고인 빗물을 피하려고 중앙선을 침범하여 교통사고를 일으킨 사안에서 도로의 관리 · 보존상의 하자가 있다(대판 1998.2.13, 97다49800).

○

2 폭설로 고속도로에 고립 - 배상○ ★★

[1] 폭설로 차량 운전자 등이 고속도로에서 장시간 고립된 사안에서, 고속도로의 관리자가 고립구간의 교통정체를 충분히 예견할 수 있었음에도 교통제한 및 운행정지 등 필요한 조치를 충실히 이행하지 아니하였으므로 고속도로의 관리상 하자가 있다.

[2] 고속도로의 관리상 하자가 인정되는 이상 고속도로의 점유관리자는 그 하자가 불가항력에 의한 것이거나 손해의 방지에 필요한 주의를 해태하지 아니하였다는 점을 주장 · 입증하여야 비로소 그 책임을 면할 수 있다(대판 2008.3.13, 2007다29287 · 29294).

3 빙판 방치 ★★

강설의 특성, 기상적 요인과 지리적 요인, 이에 따른 도로의 상대적 안전성을 고려하면 겨울철 산간지역에 위치한 도로에 강설로 생긴 빙판을 그대로 방치하고 도로상황에 대한 경고나 위험표지판을 설치하지 않았다는 사정만으로 도로관리상의 하자가 있다고 볼 수 없다(대판 2000.4.25, 99다54998).

㉣ **낙하물 등 제3자의 행위로 장해물이 생긴 경우**: 도로상의 장해물로 인한 사고에 있어서는 당해 장해물을 발견하고 제거할 수 있는 합리적인 시간이 있었는지 여부(예견가능성과 회피가능성)에 따라 영조물의 하자 여부가 결정된다.

관련판례

1 고속도로 타이어 ★★★

트럭 앞바퀴가 고속도로상에 떨어져 있는 자동차 타이어에 걸려 중앙분리대를 넘어가 사고가 발생한 경우에 있어서 한국도로공사에게 도로의 보존상하자로 인한 손해배상책임을 인정하기 위하여는 도로에 타이어가 떨어져 있어 고속으로 주행하는 차량의 통행에 안전상의 결함이 있다는 것만으로 족하지 않고, 위 공사의 고속도로 안전성에 대한 순찰 등 감시체제, 타이어의 낙하시점, 위 공사가 타이어의 낙하사실을 신고받거나 직접 이를 발견하여 그로 인한 고속도로상의 안전성 결함을 알았음에도 사고방지조치를 취하지 아니하고 방치하였는지 여부, 혹은 이를 발견할 수 있었음에도 발견하지 못하였는지 여부 등 제반 사정을 심리하여 고속도로의 하자 유무를 판단하여야 한다(대판 1992.9.14, 92다3243).

#고속도로_타이어 #주행차량_통행_결함_제반사정고려

2 쇠파이프 튕김 ★★

승용차 운전자가 편도 2차선의 국도를 진행하다가 반대차선 진행차량의 바퀴에 튕기어 승용차 앞유리창을 뚫고 들어온 쇠파이프에 맞아 사망한 경우, 국가의 손해배상책임을 부정(대판 1997.4.22, 97다3194).

㉤ **낙석 동 동물출현의 경우**: 해당 장애물을 발견하고 제거할 수 있는 합리적인 시간 유무와 동물의 경우는 예견가능성과 보호망 설치 등을 기초로 면책 여부를 판단한다.

간단 점검하기

A가 운전하던 트럭의 앞바퀴가 고속도로상에 떨어져 있는 타이어에 걸려 중앙분리대를 넘어가 맞은편에서 오던 트럭과 충돌하여 부상을 입었다. 그런데 위 타이어가 사고지점 고속도로상에 떨어진 것은 사고가 발생하기 10분 내지 15분 전이었다. 이러한 경우, A는 국가배상책임을 물을 수 없다. ( )

11. 사회복지직

○

관련판례 **노면 돌멩이** ★

편도 2차선 도로의 1차선 상에 교통사고의 원인이 될 수 있는 크기의 돌멩이가 방치되어 있는 경우, 도로의 점유 · 관리자가 그에 대한 관리 가능성이 없다는 입증을 하지 못하는 한 이는 도로의 관리 · 보존상의 하자에 해당 한다(대판 1998.2.10, 97다32536).

ⓑ 신호기의 설치 · 관리상 하자

관련판례 **가변차로신호등 오작동** ★★★

만일 가변차로에 설치된 두 개의 신호기에서 서로 모순되는 신호가 들어오는 고장을 예방할 방법이 없음에도 그와 같은 신호기를 설치하여 그와 같은 고장을 발생하게 한 것이라면, 그 고장이 자연재해 등 외부요인에 의한 불가항력에 기인한 것이 아닌 한 그 자체로 설치 · 관리자의 방호조치의무를 다하지 못한 것으로서 신호등이 그 용도에 따라 통상 갖추어야 할 안전성을 갖추지 못한 상태에 있었다고 할 것이고, 따라서 설령 적정전압보다 낮은 저전압이 원인이 되어 위와 같은 오작동이 발생하였고 그 고장은 현재의 기술수준상 부득이한 것이라고 가정하더라도 그와 같은 사정만으로 손해발생의 예견가능성이나 회피가능성이 없어 영조물의 하자를 인정할 수 없는 경우라고 단정할 수 없다(대판 2001.7.27, 2000다56822).

#회피가능성_현재_기술수준_고려× #오작동회피_기술상_부득_회피가능성_개별적판단

간단 점검하기

가변차로에 설치된 2개의 신호등에서 서로 모순된 신호가 들어오는 오작동이 발생하였고 그 고장이 현재의 기술수준상 부득이하다는 사정만으로 영조물의 하자가 면책되는 것은 아니다.
( ) 10. 지방직 9급

관련판례 **점등식 시선유도시설** ★★

1 甲이 음주 상태에서 차량을 운전한 과실로 도로가에 설치된 철제울타리를 들이받는 사고가 발생하여 차량 조수석에 같이 탄 을이 사망한 사안에서, 사고지점 도로에 설치된 점등식 시선유도시설이 당시에 꺼져 있었다는 사정만으로는 사고지점 도로의 설치, 관리상의 어떠한 하자가 있었다고 할 수 없다(대판 2014.04.24. 2014다201087).

#점등식_시선유도시설_꺼짐_하자×

2 **교통신호기** ★★

교차로의 진행방향 신호기의 정지신호가 단선으로 소등되어 있는 상태에서 그대로 진행하다가 다른 방향의 진행신호에 따라 교차로에 진입한 차량과 충돌한 경우, 신호기의 적색신호가 소등된 기능상 결함이 있었다는 사정만으로 신호기의 설치 또는 관리상의 하자를 인정할 수 없다(대판 2000.2.25, 99다54004).

③ 하천의 설치 · 관리의 하자

㉠ **구체적 검토**: 다수설은 하천의 경우 강수량의 정확한 예측이 어렵고 제방의 축조에 막대한 비용이 소요되므로, 하천이 범람하여 수재가 발생할 때마다 손해 전부에 대하여 국가가 책임을 질 수는 없다고 본다.

㉡ **책임의 제한**: 제방시설에 통상 요구되는 안전성에 결함이 있어 수해가 발생한 경우에는 국가의 배상책임이 인정되지만, 그러한 한도를 초과하여 발생한 수해에 대해서는 국가의 배상책임이 제한된다고 보게 된다.

○

ⓒ 계획홍수위에 의한 제한

ⓐ **제방을 설치하지 않은 경우**: 행정청이 정당한 계획홍수위의 산정에 근거하여 제방을 설치하였다면 하자를 인정할 수 없지만, 사회통념상 제방 등 치수시설의 설치가 당연히 요청됨에도 불구하고 그것을 설치하지 아니한 경우에는 피해자가 수인해야 할 범위를 넘는다고 할 것이다.

ⓑ **제방을 설치한 경우**: 이 경우에는 계획홍수위에 상당하는 높이와 안전성을 구비하였는지의 여부, 계획홍수위의 산정이 정당한지의 여부 등을 고려하여 하자 여부도 판단하여야 한다.

관련판례 계획홍수위 ★

100년 발생빈도의 강우량을 기준으로 책정된 계획홍수위를 초과하여 600년 또는 1,000년 발생빈도의 강우량에 의한 하천의 범람은 예측가능성 및 회피가능성이 없는 불가항력적인 재해로서 그 영조물의 관리청에게 책임을 물을 수 없다(대판 2003.10.23, 2001다48057).

ⓔ **개수 중인 하천의 설치 · 관리의 하자**: 개수가 완료되거나 개수 중이라도 개수가 완료한 부분에서 계획홍수량에 따라 관리하고 있다면 설령 당초 계획홍수량의 책정이 잘못되었다고 하더라도 하천의 설치 · 관리에 하자가 없다.

관련판례 개수완료 계획홍수량 관리 ★★

관리청이 하천법 등 관련 규정에 의해 책정한 하천정비기본계획 등에 따라 개수를 완료한 하천 또는 아직 개수 중이라 하더라도 개수를 완료한 부분에 있어서는, 위 하천정비기본계획 등에서 정한 계획홍수량 및 계획홍수위를 충족하여 하천이 관리되고 있다면 당초부터 계획홍수량 및 계획홍수위를 잘못 책정하였다거나 그 후 이를 시급히 변경해야 할 사정이 생겼음에도 불구하고 이를 해태하였다는 등의 특별한 사정이 없는 한, 그 하천은 용도에 따라 통상 갖추어야 할 안전성을 갖추고 있다고 봄이 상당하다(대판 2007.9.21, 2005다65678).

#개수완료_계획홍수량_관리_하자×

간단 점검하기

관리청이 하천법 등 관련규정에 의해 책정한 하천정비기본계획 등에 따라 개수를 완료한 하천 또는 아직 개수 중이라 하더라도 개수를 완료한 부분에 있어서는, 위 하천정비기본계획 등에서 정한 계획홍수량 및 계획홍수위를 충족하여 하천이 관리되고 있다면 당초부터 계획홍수량 및 계획홍수위를 잘못 책정하였다거나 그 후 이를 시급히 변경해야 할 사정이 생겼음에도 불구하고 이를 해태하였다는 등의 특별한 사정이 없는 한, 그 하천은 용도에 따라 통상 갖추어야 할 안전성을 갖추고 있다고 보아야 한다. ( )

12. 사회복지직

○

관련판례 기타

1 **익사방지** ★★

甲이 함께 술을 마신 乙과 멱살을 잡고 시비하다가 국가가 설치 · 관리하는 제방도로에서 아래로 추락하여 지방자치단체가 설치 · 관리하는 우수토실에 빠져 익사한 사안에서, 제방도로와 우수토실의 설치 또는 관리에 하자가 없다(대판 2013.4.11, 2012다203133).

2 **급경사 방호벽** ★★★

급경사 내리막 커브길에 안전방호벽을 설치하지 않아 차량이 도로를 이탈하여 인도 및 인근 건물로 돌진한 사고에 대하여 지방자치단체에게 도로의 설치 · 관리상의 하자를 인정한다(대판 2004.6.11, 2003다62026).

3 주차방치 ★★

편도 1차선으로 도로교통법상 주차금지구역인 도로의 75% 정도를 차지한 채 불법 주차 되어 있던 차량을 5일간이나 방치한 경우 도로 관리상의 하자가 있다(대판 2002.9.27, 2002다15917).

(6) 하자의 입증책임

① 하자의 입증책임은 원칙적으로 원고인 피해자에게 있다. 그러나 피해자의 권리구제차원에서 일응추정의 이론이 적용되어, 공공의 영조물에 의하여 손해가 발생하였다는 사실이 입증되면 하자의 존재는 추정된다는 것이 다수의 입장이다.

② 따라서 피해자는 개연성만 입증하고 국가 측에서 영조물관리자로서의 하자가 존재하지 않음을 입증하도록 하는 것이 타당하다. 즉, 교통사고의 원인이 될 수 있는 돌멩이가 방치된 경우, 도로관리자가 관리의 가능성이 없다는 것을 입증하지 못하면 도로 관리·보존상의 하자가 인정된다(대판 1998.2.10, 97다32536).

간단 점검하기

국가배상청구소송에서 공공의 영조물에 하자가 있다는 입증책임은 피해자가 지지만, 관리주체에게 손해발생의 예견가능성과 회피가능성이 없다는 입증책임은 관리주체가 진다. ( )

17. 국가직 9급

○

3. 타인에 대한 손해의 발생

(1) 타인의 범위

타인의 범위에는 '공무원'도 포함될 수 있으며, 군인 등 일정한 공무원에 대하여는 국가배상법 제2조의 경우와 마찬가지로 특례가 인정된다.

(2) 손해의 발생

① '손해'란 정신적·재산적 손해, 적극적·소극적 손해를 불문한다.

② 영조물의 설치·관리상 하자와 손해발생 사이에는 상당인과관계가 있어야 한다.

③ 자연현상, 제3자 또는 피해자의 행위가 그 손해의 원인으로서 가세된 경우에도 하자와 손해발생 사이에 상당인과관계가 있는 한, 국가 등은 그 한도 내에서 책임을 지게 된다.

④ 하자와 손해발생 사이의 상당인과관계는 피해자가 입증하여야 한다.

4. 면책사유가 없을 것

(1) 불가항력

① 한계

㉠ **예견가능성**: 사회통념상 갖추어야 할 안전성을 갖추어 설치·관리의 흠이 없는 데에도 불구하고 예상할 수 없는 외력에 의하여 재해가 발생한 경우에는 불가항력에 의한 것으로 면책된다.

㉡ **결과회피조치의 가능성**: 위험발생의 예견가능성이 있다고 하여도 결과회피가 가능하지 않은 경우에는 손해배상책임이 면제된다.

② 불가항력은 제3자의 행위로 인한 경우도 있으며(예 공사표지판을 사고 직전의 선행하는 제3자의 차가 잘못하여 쓰러뜨린 경우 등), 자연력에 의한 경우도 있다(예 폭풍우·지진·낙뢰·눈사태 등). 이러한 경우에도 설치·관리의 흠과 제3자의 행위 및 자연력이 서로 경합하여 손해를 발생시킨 경우에는 경합된 범위 안에서 책임이 있다.

간단 점검하기

01 판례에 의하면 600년 또는 1,000년 발생빈도에 의한 하천범람은 불가항력적 재해로서 그 영조물 관리청에 책임을 물을 수 없다. ( ) 11. 서울시 9급

02 집중호우로 제방도로가 유실되면서 그곳을 걸어가던 보행자가 강물에 휩쓸려 익사한 경우, 사고 당일의 집중호우가 50년 빈도의 최대강우량에 해당한다는 사실만으로도 국가배상법 제5조상의 영조물의 설치 또는 관리의 하자로 인한 손해배상책임에서의 면책사유인 불가항력에 해당한다. ( )

15. 사회복지직

관련판례

1 **집중호우** ★★

집중호우로 국도변 산비탈이 무너져 내려 차량의 통행을 방해함으로써 일어난 교통사고에 대하여 국가의 도로에 대한 설치 또는 관리상의 하자책임을 인정하였다(대판 1993.6.8, 93다11678).

2 **50년 빈도의 최대강우량** ★★

집중호우로 제방도로가 유실되면서 보행자가 강물에 휩쓸려 익사한 경우, 당일의 집중호우가 50년 빈도의 최대강우량에 해당한다는 사실만으로는 불가항력으로 인한 면책을 인정하지 않았다(대판 2000.5.26, 99다53247).

3 **600년 또는 1,000년 빈도의 최대강우량** ★★

600년 또는 1,000년 발생빈도의 강우량에 의한 하천의 범람의 경우에는 불가항력으로 인한 면책을 인정한다(대판 2003.10.23, 2001다48057).

(2) 재정적 제약(예산부족)

① 일반적으로 재정적인 제약은 면책사유가 되지 않는다고 본다.

② 판례도 재정사정은 안전성을 요구하는 데 대한 참작사유로 볼 수는 있지만, 안전성을 결정지을 절대적 요건은 되지 못한다고 판시하고 있다(대판 1967.2.21, 66다1723).

관련판례 **재정적 제약 참작사유** ★★

영조물의 설치자의 재정사정이나 영조물의 사용목적에 의한 사정은 안전성을 요구하는데 대한 정도 문제로서 참작사유에는 해당할지언정 안전성을 결정지을 절대적 요건에는 해당하지 아니한다 할 것이다(대판 1967.2.21, 66다1723).

간단 점검하기

03 국가배상법 제5조 제1항의 공공의 영조물의 설치 또는 관리에 관한 하자로 인한 배상책임에서 영조물 설치의 하자 유무는 객관적 견지에서 본 안전성의 문제이고 그 설치자의 재정사정이나 영조물의 사용목적에 의한 사정은 안전성을 결정지을 절대적 요건에는 해당하지 않는다. ( )

16 · 08. 국가직 9급, 11. 지방직 9급

(3) 피해자의 과실

피해자에게 과실이 있었던 경우에는 피해자의 과실에 의하여 확대된 손해의 한도 내에서 영조물 관리주체의 책임이 부분적으로 감면된다고 보는 것이 타당하다.

관련판례 **피해자과실 참작** ★★

공군사격장 주변지역에서 발생하는 소음 등으로 피해를 입은 주민들이 국가를 상대로 손해배상을 청구한 사안에서, 사격장의 소음피해를 인식하거나 과실로 인식하지 못하고 이주한 일부 주민들의 경우, 국가의 손해배상책임을 완전히 면제할 수는 없다고 하더라도, 손해배상액을 산정함에 있어 그와 같은 사정을 전혀 참작하지 아니하여 감경조차 아니 한 것은 현저히 불합리하고, 불법행위로 인한 손해배상액의 산정에 관한 법리를 오해한 잘못이 있다(대판 2010.11.11, 2008다57975).

#공군사격장주변_지역주민 #소음피해_인식 #과실_인식× #국가책임_감경

간단 점검하기

04 소음 등의 공해로 인한 법적 쟁송이 제기되거나 그 피해에 대한 보상이 실시되는 등 피해지역임이 구체적으로 드러나고 이러한 사실이 그 지역에 널리 알려진 이후에 이주하여 오는 경우에는 위와 같은 위험에의 접근에 따른 가해자의 면책여부를 보다 적극적으로 인정할 여지가 있다. ( )

17. 지방직 9급

01 ○ 02 × 03 ○ 04 ○

5. 국가배상책임의 경합

(1) 영조물하자와 제3자의 행위 또는 자연현상의 경합

영조물하자와 다른 자연적 사실이나 제3자의 행위 등이 경합하여 손해가 발생한 경우 영조물하자의 의해 발생한 것으로 보아야 한다.

관련판례 **경합 - 영조물책임** ★★

1 영조물의 설치 또는 관리상의 하자로 인한 사고라 함은 영조물의 설치 또는 관리상의 하자만이 손해발생의 원인이 되는 경우만을 말하는 것이 아니고, 다른 자연적 사실이나 제3자의 행위 또는 피해자의 행위와 경합하여 손해가 발생하더라도 영조물의 설치 또는 관리상의 하자가 공동원인의 하나가 되는 이상 그 손해는 영조물의 설치 또는 관리상의 하자에 의하여 발생한 것이라고 해석함이 상당하다(대판 1994. 11.22, 94다32924).

#영조물하자_제3자행위_자연현상 #영조물하자

2 甲 주식회사 등이 시공한 도로공사구간에서 침수사고가 발생하자, 국가가 이로 인해 피해를 입은 피해자 乙에게 손해를 배상한 사안에서, 제반 사정에 비추어 甲 회사 등의 시공상 과실과 공사구간의 도로를 설치 · 관리하는 국가의 영조물 설치 · 관리상의 하자가 경합하여 침수사고가 발생하였으므로 국가와 甲 회사 등은 乙에게 공동불법행위 책임을 부담하고, 다만 국가와 甲 회사 등의 내부 구상관계에서 국가에 침수사고 발생에 어떠한 어떠한 과실이 있다고 보기 어려우므로 국가로서는 甲 회사 등에 배상액 전액을 구상할 수 있다고 본 원심판단은 정당하다(대판 2012.3.15, 2011다52727).

(2) 국가배상법 제2조와 제5조의 경합

① 공무원의 직무상 불법행위와 영조물의 설치 · 관리의 하자가 경합하여 손해가 발생하는 경우에는 피해자는 국가배상법 제2조와 제5조 중 어느 것에 의하더라도 배상을 청구할 수 있다.

② 예컨대 소방차의 기계의 흠과 운전사의 과실이 경합하여 사람을 사상하는 경우에는 양 책임이 중복적으로 성립되므로 어느 규정에 의하여도 청구할 수 있다.

③ 다만, 입증책임과 관련하여 국가배상법 제5조는 무과실책임주의를 인정하고 있으므로 피해자는 이를 주장하는 것이 보다 용이할 것이다.

(3) 영조물책임의 감면사유와 공무원 과실의 경합

영조물책임에 불가항력 등의 감면사유가 있는 경우에도 공무원의 과실로 피해가 확대된 경우 그 한도 내에서 국가배상법 제2조의 배상책임이 인정된다.

3 배상책임

1. 배상책임자

(1) 배상책임자(피해자에 대한 배상책임자)

① 영조물 설치나 관리의 하자에 대해서는 원칙적으로 국가나 지방자치단체가 배상책임자가 된다(국가배상법 제5조 제1항).

간단 점검하기

다른 자연적 사실이나 제3자의 행위 또는 피해자의 행위와 경합하여 손해가 발생하였더라도 영조물의 설치 · 관리상의 하자가 공동원인의 하나가 된 이상 그 손해는 영조물의 설치 · 관리상의 하자에 의하여 발생한 것이라고 보아야 한다. ( )

18. 지방직 9급, 08. 국가직 9급

○

② 다만, 설치·관리를 맡은 자와 그 비용을 부담한 자가 서로 다른 때에는 비용부담자도 배상책임자에 해당한다(국가배상법 제6조 제1항). 따라서 피해자는 그 어느 쪽에 대하여도 선택적으로 청구할 수 있다.

③ 한편, 비용부담자를 누구로 볼 것인가에 대하여 다툼이 있다.

㉠ **형식적 비용부담자설**: 대외적으로 비용을 부담하는 자를 비용부담자로 보는 견해

㉡ **병존설(판례)**: 형식적 비용부담자와 실질적 비용부담자 모두를 비용부담자로 보는 견해

④ 판례는 설치관리자의 책임과 비용부담자의 책임은 부진정연대채무관계에 있다고 보고 있다.

(2) 기관위임사무의 경우

① 일반적인 경우

㉠ 공무원의 직무상 불법행위책임에서 본 바와 같이 기관위임사무의 경우 수임기관은 위임청의 기관의 지위에 지나지 않으므로 국가 또는 상급지방자치단체로부터 기관위임사무를 처리하는 경우 주체는 국가 또는 상급지방자치단체가 된다.

㉡ 다만, 국가나 지방자치단체도 비용부담자로서 책임을 진다.

관련판례

[1] 도지사가 그의 권한에 속하는 사무를 소속 시장 또는 군수에게 위임하여 시장, 군수로 하여금 그 사무를 처리하게 하는 소위 기관위임의 경우에는, 지방자치단체장인 시장, 군수는 도 산하 행정기관의 지위에서 그 사무를 처리하는 것이므로, 시장, 군수 또는 그들을 보조하는 시, 군 소속 공무원이 그 위임받은 사무를 집행함에 있어 고의 또는 과실로 타인에게 손해를 가하였다면 그 사무의 귀속 주체인 도가 손해배상책임을 진다.

[2] 피고 군의 군수는 경상북도지사로부터 위 사무를 기관위임받은 것에 불과하므로 위 사무를 처리하는 담당공무원이 피고 군 소속이라고 하여도 피고 군에게는 원칙적으로 국가배상책임이 없다고 할 것이지만, 위 담당공무원이 피고 군 소속 지방공무원으로서 피고 군이 이들에 대한 봉급을 부담한다면 피고 군도 국가배상법 제6조 소정의 비용부담자로서 국가배상책임이 있다고 볼 것이다(대판 1994.1.11, 92다29528).

#경북도지사_안동군수 #자연석채취허가_채취료징수사무 # 기관위임사무_위법 #경상북도_귀속주체 #안동군_안동군수_봉급지급자 #안동군_배상책임인정

② 도로법의 경우

㉠ 도로법은 일반국도의 관리청은 국토교통부장관으로, 광역자치단체의 관할구역 내의 국도의 관리청은 광역자치단체장으로 규정하고 있다(도로법 제23조). 판례는 도로법상 도로관리 위임을 기관위임사무로 보고 있다.

㉡ 도로관리사무의 위임이 기관위임사무에 해당하면 관리주체는 국가 또는 상급지방자치단체가 되어 배상책임을 진다. 관리청이 소속한 주체인 지방자치단체의 경우에는 비용부담자로서 책임을 질 수 있다.

관련판례

1 기관위임 – 영조물책임의 주체 ★★

국가로부터 기관위임 받은 경우, 영조물책임의 주체는 위임자인 국가이다(대판 1991.12.24, 91다34097).

2 기관위임 – 사무귀속의 주체 ★★

지방자치단체의 기관위임의 경우 사무귀속의 주체는 위임자인 상위 지방자치단체이다(대판 1996.11.8, 96다21331).

3 교통신호기 ★★★

도로교통법 제3조 제1항은 특별시장 · 광역시장 또는 시장 · 군수(광역시의 군수를 제외)는 도로에서의 위험을 방지하고 교통의 안전과 원활한 소통을 확보하기 위하여 필요하다고 인정하는 때에는 신호기 및 안전표지를 설치하고 이를 관리하여야 하도록 규정하고, 도로교통법시행령 제71조의2 제1항 제1호는 특별시장 · 광역시장이 위 법률규정에 의한 신호기 및 안전표지의 설치 · 관리에 관한 권한을 지방경찰청장에게 위임하는 것으로 규정하고 있는바, 이와 같이 행정권한이 기관위임된 경우 권한을 위임받은 기관은 권한을 위임한 기관이 속하는 지방자치단체의 산하 행정기관의 지위에서 그 사무를 처리하는 것이므로 사무귀속의 주체가 달라진다고 할 수 없고, 따라서 권한을 위임받은 기관 소속의 공무원이 위임사무처리에 있어 고의 또는 과실로 타인에게 손해를 가하였거나 위임사무로 설치 · 관리하는 영조물의 하자로 타인에게 손해를 발생하게 한 경우에는 권한을 위임한 관청이 소속된 지방자치단체가 국가배상법 제2조 또는 제5조에 의한 배상책임을 부담하고, 권한을 위임받은 관청이 속하는 지방자치단체 또는 국가가 국가배상법 제2조 또는 제5조에 의한 배상책임을 부담하는 것이 아니므로, 지방자치단체장이 교통신호기를 설치하여 그 관리권한이 도로교통법 제71조의2 제1항의 규정에 의하여 관할 지방경찰청장에게 위임되어 지방자치단체 소속 공무원과 지방경찰청 소속 공무원이 합동근무하는 교통종합관제센터에서 그 관리업무를 담당하던 중 위 신호기가 고장난 채 방치되어 교통사고가 발생한 경우, 국가배상법 제2조 또는 제5조에 의한 배상책임을 부담하는 것은 지방경찰청장이 소속된 국가가 아니라, 그 권한을 위임한 지방자치단체장이 소속된 지방자치단체라고 할 것이나, 한편 국가배상법 제6조 제1항은 같은 법 제2조, 제3조 및 제5조의 규정에 의하여 국가 또는 지방자치단체가 손해를 배상할 책임이 있는 경우에 공무원의 선임 · 감독 또는 영조물의 설치 · 관리를 맡은 자와 공무원의 봉급 · 급여 기타의 비용 또는 영조물의 설치 · 관리의 비용을 부담하는 자가 동일하지 아니한 경우에는 그 비용을 부담하는 자도 손해를 배상하여야 한다고 규정하고 있으므로 교통신호기를 관리하는 지방경찰청장 산하 경찰관들에 대한 봉급을 부담하는 국가도 국가배상법 제6조 제1항에 의한 배상책임을 부담한다(대판 1999.6.25, 99다11120).

4 여의도광장 ★★★

[1] 여의도광장의 관리는 광장의 관리에 관한 별도의 법령이나 규정이 없으므로 서울특별시는 여의도광장을 도로법 제2조 제2항 소정의 "도로와 일체가 되어 그 효용을 다하게 하는 시설"로 보고 같은 법의 규정을 적용하여 관리하고 있으며, 그 관리사무 중 일부를 영등포구청장에게 권한위임하고 있어, 여의도광장의 관리청이 본래 서울특별시장이라 하더라도 그 관리사무의 일부가 영등포구청장에게 위임되었다면, 그 위임된 관리사무에 관한 한 여의도광장의 관리청은 영등포구청장이 되고, 같은 법 제56조에 의하면 도로에 관한 비용은 건설부장관이 관리하는 도로 이외의 도로에 관한 것은 관리청이 속하는 지방자치단체의

간단 점검하기

지방자치단체장이 설치하여 관할 지방경찰청장에게 관리권한이 위임된 교통신호기 고장에 의한 교통사고가 발생한 경우 해당 지방자치단체뿐만 아니라 국가도 손해배상책임을 진다. ( )
16. 국가직 7급, 13. 국가직 9급, 10. 지방직 9급

○

부담으로 하도록 되어 있어 여의도광장의 관리비용부담자는 그 위임된 관리사무에 관한 한 관리를 위임받은 영등포구청장이 속한 영등포구가 되므로, 영등포구는 여의도광장에서 차량진입으로 일어난 인신사고에 관하여 국가배상법 제6조 소정의 비용부담자로서의 손해배상책임이 있다.

[2] 차량진입으로 인한 인신사고 당시에는 차도와의 경계선 일부에만 이동식쇠기둥이 설치되어 있고 나머지 부분에는 별다른 차단시설물이 없었으며 경비원도 없었던 것은, 평소 시민의 휴식공간으로 이용되는 여의도광장이 통상 요구되는 안전성을 결여하고 있었다 할 것이고, 만약 사고 후에 설치된 차단시설물이 이미 설치되어 있었고 경비원이 배치되어 있었더라면 가해자가 승용차를 운전하여 광장 내로 진입하는 것을 막을 수 있었거나, 설사 차량진입을 완전히 막지는 못하더라도 최소한 진입시에 차단시설물을 충격하면서 발생하는 소리나 경비원의 경고를 듣고 많은 사람들이 대피할 수 있었다고 보이므로, 차량진입으로 인한 사고와 여의도광장의 관리상의 하자 사이에는 상당인과관계가 있다(대판 1995.2.24, 94다57671).

5 국도관리 ★

[1] 도로법 제22조 제2항에 의하여 지방자치단체의 장인 시장이 국도의 관리청이 되었다 하더라도 이는 시장이 국가로부터 관리업무를 위임받아 국가행정기관의 지위에서 집행하는 것이므로 국가는 도로관리상 하자로 인한 손해배상책임을 면할 수 없다.

[2] 시가 국도의 관리상 비용부담자로서 책임을 지는 것은 국가배상법이 정한 자신의 고유한 배상책임이므로 도로의 하자로 인한 손해에 대하여 시는 부진정연대채무자인 공동불법행위자와의 내부관계에서 배상책임을 분담하는 관계에 있으며, 국가배상법 제6조 제2항의 규정은 도로의 관리주체인 국가와 그 비용을 부담하는 경제주체인 시 상호간에 내부적으로 구상의 범위를 정하는데 적용될 뿐 이를 들어 구상권자인 공동불법행위자에게 대항할 수 없다(대판 1993.1.26, 92다2684).

간단 점검하기

01 지방자치단체의 장인 시장이 국도의 관리청이 되었다 하더라도 국가는 도로관리상 하자로 인한 손해배상책임을 면할 수 없다. ( ) 15. 경찰행정

(3) 최종책임자(종국적 배상책임자)

① **손해원인책임자에 대한 구상**: 국가 등이 손해를 배상한 경우 손해의 원인에 대하여 책임을 져야 하는 자(예 공사의 수급인, 영조물의 파손자 등)가 따로 있을 때에는 국가 등은 이들에게 구상할 수 있다(국가배상법 제5조 제2항).

② **관리주체와 비용부담자 사이의 최종적 책임의 분담**

㉠ **관리주체설**: 공공영조물의 설치 · 관리자가 손해를 방지할 위치에 있고 그에 따른 손해는 궁극적으로 관리주체 측의 잘못으로 인해 발생한 것이므로, 책임의 원칙에 따라 관리책임의 주체가 최종적인 책임자라고 보는 견해이다.

㉡ **비용부담주체설**: 해당 사무의 비용을 실질적으로 부담하는 자(실질적 비용부담자)가 최종적인 책임자라고 보는 견해이다.

㉢ **기여도설**: 실제 사안에서 손해발생의 기여도에 따라 개별적으로 부담자를 정하여야 한다는 견해이다.

㉣ **판례**: 판례가 어떠한 입장을 취하고 있는지에 대해서는 여러 가지로 견해가 나뉜다. 원칙적으로는 관리주체설의 입장을 취하고 있지만, 기여도설을 취한 판례도 있다고 보는 것이 일반적인 입장이다.

간단 점검하기

02 영조물의 설치 · 관리상의 하자로 인한 손해의 원인에 대하여 책임을 질 사람이 따로 있는 경우에는 국가 · 지방자치단체는 그 사람에게 구상할 수 있다. ( )

17. 지방직 7급, 09. 국가직 7급

01 ○ 02 ○

③ **양자의 관계**: 설치·관리자와 비용부담자가 동시에 최종책임자가 되는 경우, 양자의 관계는 어떠한가에 대하여 판례는 부진정연대채무관계에 있다고 한다.

(4) 원인자에 대한 구상

손해의 원인에 대하여 책임을 질 자가 따로 있으면 국가나 지방자치단체는 그 자에게 구상할 수 있다(국가배상법 제5조 제2항). 원인자는 영조물을 불완전하게 만든 공사책임자, 도로를 파손시킨 운전자 등이 된다. 예를 들어, 성수대교가 붕괴되었을 당시 서울시가 건설회사에 구상권을 행사한 것이 이에 해당하는 예이다.

2. 배상의 범위

(1) 배상액은 영조물의 설치·관리의 하자와 상당인과관계가 있는 모든 손해액이다.

(2) 국가배상법은 공무원의 직무행위로 인한 손해배상의 경우에 '배상기준'을 정하고 있으며, 이 규정이 제5조에도 준용된다. 그리고 군인 등에 관한 특례규정(제2조 단서), 공제에 관한 규정(제3조의2) 등도 적용된다.

제4절 손해배상청구의 절차

1 행정절차에 의한 경우

1. 배상심의회에 대한 임의적 결정전치주의

(1) 국가배상법 제9조는 "이 법에 따른 손해배상의 소송은 배상심의회의 배상신청을 하지 아니하고도 제기할 수 있다."라고 규정하고 있다.

(2) 따라서 피해자인 국민은 배상심의회에 대한 배상신청을 거쳐 손해배상소송을 제기할 수도 있고, 이를 거치지 않고도 직접 소송을 제기할 수도 있다.

2. 배상심의회

(1) 배상심의회는 '합의제 행정관청'으로 배상의 심의·결정 및 송달을 행한다.

(2) 배상심의회에는 상급심의회인 본부심의회(법무부)와 특별심의회(국방부)가 있으며, 각 상급심의회 소속하에 지구심의회를 두고 있다. 본부심의회와 지구심의회는 법무부장관의 지휘를 받는다.

3. 배상심의회의 심의·결정

(1) 결정신청

배상금을 지급받고자 하는 자는 그 주소지·소재지 또는 배상원인발생지를 관할하는 배상심의회에 배상금지급의 신청을 하여야 한다.

간단 점검하기

01 영조물의 설치·관리 하자로 인한 손해배상의 경우 피해자의 위자료 청구는 포함되지 않는다. ( ) 08. 국회직 8급

02 국가배상소송은 배상심의회에서 배상신청을 하지 아니하고도 제기할 수 있다. ( ) 15. 사회복지직

01 × 02 ○

(2) **배상심의회의 심의 · 결정**

배상신청을 받은 배상심의회는 증인심문 · 감정 · 검증 등의 증거조사를 한 후 심의를 거쳐 4주일 이내에 배상결정(지급 또는 기각의 결정)을 하여야 하고, 결정이 있은 날로부터 1주일 이내에 결정정본을 신청인에게 송달하여야 한다.

(3) **재심신청**

지구심의회에서 배상신청이 기각(일부기각된 경우를 포함) 또는 각하된 신청인은 결정정본이 송달된 날로부터 2주일 이내에 해당 심의회를 거쳐 본부심의회 또는 특별심의회에 재심을 신청할 수 있다.

4. 배상결정의 효력

(1) 배상결정을 받은 신청인은 지체없이 그 결정에 대한 동의서를 첨부하여 국가 또는 지방자치단체에 대하여 배상금지급을 청구하여야 한다. 배상심의회의 배상결정은 신청인이 동의하여야 효력이 발생한다.

(2) 판례는 국가배상법에 의한 배상심의회의 결정은 행정처분이 아니므로 행정소송의 대상이 되지 않는다고 판시하고 있다(대판 1981.2.10, 80누317).

(3) 신청인은 배상결정에 동의한 이후에도 손해배상청구소송을 제기할 수 있다.

간단 점검하기

01 판례에 따르면 국가배상법상 배상심의회에 의한 배상결정은 행정처분이 아니다. ( ) 08. 선관위 9급

02 국가배상법상 배상신청인은 배상심의회의 배상결정에 동의하여 배상금을 수령한 이후에도 손해배상소송을 제기하여 배상금의 증액을 청구할 수 있다. ( ) 06. 국가직 7급

2 사법절차에 의한 경우

1. 개설

배상심의회의 결정에 불복하는 경우에는 일반적인 재판절차를 거치게 된다. 이에는 국가배상청구 자체를 소송대상으로 하는 일반절차와 다른 소송제기에 배상청구소송을 병합하는 특별절차 등이 있다.

2. 일반절차에 의한 경우

(1) 국가배상법을 공법으로 보느냐 사법으로 보느냐에 따라 행정소송에 의할 것인지 민사소송에 의할 것인지가 결정된다.

(2) 다수설은 공법상 당사자소송에 의하여야 한다고 보고 있지만, 재판실무에 있어서는 민사소송절차에 의한다.

(3) 국가배상청구소송에서도 일반적인 민사소송에서와 마찬가지로 가집행선고를 할 수 있다.

간단 점검하기

03 국가배상책임을 공법적 책임으로 보는 견해는 국가배상청구소송은 당사자소송으로 제기되어야 한다고 보나, 재판실무에서는 민사소송으로 다루고 있다. ( ) 15. 서울시 9급, 07. 국가직 7급

04 처분의 위법을 원인으로 하는 국가배상청구권은 그 원인관계에 비추어 공권으로 보는 것이 판례의 입장이다. ( ) 07. 국가직 7급

3. 특별절차에 의한 경우

(1) 특별절차란 손해배상청구소송을 해당 행정작용에 대한 취소소송과 병합하여 제기하는 것을 말한다(행정소송법 제10조 제1항).

(2) 예컨대, 위법한 영업허가취소처분으로 손해를 입은 국민은 해당 처분에 대한 취소소송과 손해배상청구소송을 병합하여 제기할 수 있다.

(3) 이러한 병합절차는 분쟁의 1회적 해결에 의하여 소송경제를 도모하기 위한 절차이다.

01 ○ 02 × 03 ○ 04 ×

4. 손해배상의 피고

(1) 국가, 강원지방경찰청장, 전라남도, 서울특별시, 행정자치부 중 국가배상법에 따라 손해배상의 피고가 될 수 있는 것은 국가, 전라남도, 서울특별시이다.

(2) 서울특별시 소속의 공무원이 공무집행 중 폭행을 가하여 손해를 입힌 경우에 피해자는 서울특별시를 피고로 하여 손해배상청구소송을 제기하여야 한다.

간단 점검하기

국가, 강원지방경찰청장, 전라남도, 서울특별시, 행정자치부 중 국가배상법에 따라 손해배상의 피고가 될 수 있는 것은 국가, 전라남도, 서울특별시이다.
( ) 11. 경찰행정

○

제 3 장 행정상 손실보상

제1절 개설

1 개념

1. 의의

(1) 행정상 손실보상이란 적법한 공권력행사로 사유재산에 가하여진 특별한 희생에 대하여 사유재산의 보장과 공평부담의 견지에서 행정주체가 이를 조정하기 위하여 행하는 조절적인 재산적 보상을 말한다.

(2) 즉, 국가 등 행정주체가 공익사업을 수행하는 과정에서 개인의 재산권을 수용·사용·제한하는 경우에 그로 인한 특별한 손실을 공평부담의 견지에서 전보하는 제도이다.

2. 개념적 징표

(1) '적법한 행위'로 인한 손실보상 → '위법한 행위'를 원인으로 하는 행정상 손해배상과 구별

(2) 적법한 '공권력 행사'로 인한 손실보상 → '비권력작용'인 사법상 계약에 의한 급부와 구별

(3) 사인의 '재산권' 행사의 제약에 대한 손실보상 → 사람의 '생명·신체'에 대한 보상은 제외

(4) '특별한 희생'에 대한 보상 → 수인한도 내에 있는 '사회적 제약'과 구별

3. 손실보상청구권의 성질

(1) 공권설(통설)

손실보상은 그 원인행위인 권력작용과 일체성의 관계에 있으므로 그 권력작용의 법적 효과로 보아야 한다. 따라서 손실보상의무의 이행관계는 공법관계이며 그에 관한 소송은 공법상 당사자소송에 의한다고 본다.

(2) 판례

① **전통적 판례(사권)**: 손실보상의 원인행위가 비록 공법적인 것이라 할지라도 이에 대한 손실보상은 당사자의 의사 또는 직접 법률의 규정에 의거한 사법상의 채권·채무이다. 따라서 손실보상청구권은 사권이며 그에 관한 소송은 민사소송에 의한다고 본다.

간단 점검하기

01 행정상 손실보상은 원칙적으로 적법한 공권력행사로 인한 손해의 전보제도로서 위법한 공권력행사로 인한 침해에 대한 보상인 국가배상제도와는 다르다. ( ) 14. 서울시 7급

02 손실보상청구권을 발생시키는 침해는 재산권에 대한 것이면 족하며 재산권의 종류는 불문한다. ( ) 14. 서울시 7·9급

03 손실보상청구권의 성질에 관하여 대법원은 전통적으로 사권설의 입장에서 민사소송으로 다루어 왔으나, 최근에는 당사자소송으로 보는 판례도 나타나고 있다. ( ) 11. 국가직 9급

01 ○ 02 ○ 03 ○

② **최근의 판례(공권)**: 하천구역에 편입된 토지에 대한 손실보상청구의 경우, 종전에는 1984년 12월 31일을 기준으로 하여 그 이전에 하천구역으로 편입된 경우에는 민사소송으로 처리하고 그 이후에 편입된 경우에는 공법상 당사자소송으로 처리해 왔지만, 판례를 변경하여 그 이전에 하천구역으로 편입된 경우에도 공법상 당사자소송에 의하여야 한다고 판시하고 있다(대판 2006.5.18, 2004다6207).

관련판례 사권으로 본 경우

어업면허 ★★★

구 수산업법(1995.12.30. 법률 제5131호로 개정되기 전의 것) 제81조 제1항 제1호는 법 제34조 제1호 내지 제5호와 제35조 제8호(제34조 제1항 제1호 내지 제5호에 해당하는 경우에 한한다)의 규정에 해당되는 사유로 인하여 허가어업을 제한하는 등의 처분을 받았거나 어업면허 유효기간의 연장이 허가되지 아니함으로써 손실을 입은 자는 행정관청에 대하여 보상을 청구할 수 있다고 규정하고 있는바, 이러한 어업면허에 대한 처분 등이 행정처분에 해당된다 하여도 이로 인한 손실은 사법상의 권리인 어업권에 대한 손실을 본질적 내용으로 하고 있는 것으로서 그 보상청구권은 공법상의 권리가 아니라 사법상의 권리이고, 따라서 같은 법 제81조 제1항 제1호 소정의 요건에 해당한다고 하여 보상을 청구하려는 자는 행정관청이 그 보상청구를 거부하거나 보상금액을 결정한 경우라도 이에 대한 행정소송을 제기할 것이 아니라 면허어업에 대한 처분을 한 행정관청(또는 그 처분을 요청한 행정관청)이 속한 권리 주체인 지방자치단체(또는 국가)를 상대로 민사소송으로 직접 손실보상금지급청구를 하여야 하고, 이러한 법리는 농어촌진흥공사가 농업을 목적으로 하는 매립 또는 간척사업을 시행함으로 인하여 같은 법 제41조의 규정에 의한 어업의 허가를 받은 자가 더 이상 허가어업에 종사하지 못하여 입게 된 손실보상청구에도 같이 보아야 한다(대판 1998.2.27, 97다46450).

관련판례 공권으로 본 경우

1 하천구역 토지 ★★★

하천법상 하천구역에 편입된 토지에 대하여 손실보상청구권은 공권이며 그에 관한 쟁송은 공법상 당사자소송에 의한다(대판 2006.5.18, 2004다6207).

2 농업손실 ★★★

구 공익사업을 위한 토지 등의 취득 및 보상에 관한 법률상 … 농업손실보상청구권은 공익사업의 시행 등 적법한 공권력의 행사에 의한 재산상의 특별한 희생에 대하여 전체적인 공평부담의 견지에서 공익사업의 주체가 그 손해를 보상하여 주는 손실보상의 일종으로 공법상의 권리임이 분명하므로 그에 관한 쟁송은 민사소송이 아닌 행정소송절차에 의하여야 할 것이다(대판 2011.10.13, 2009다43461).

3 사업폐지 ★★★

구 공익사업법상 공익사업으로 인한 사업폐지 등에 대한 보상청구권은 공익사업의 시행 등 적법한 공권력의 행사에 의한 재산상 특별한 희생에 대하여 전체적인 공평부담의 견지에서 공익사업의 주체가 손해를 보상하여 주는 손실보상의 일종으로 공법상 권리임이 분명하다(대판 2012.10.11, 2010다23210).

간단 점검하기

01 손실보상청구권이 공법상 권리인 경우 손실보상금의 지급을 구하거나 손실보상청구권의 확인을 구하는 손실보상관계소송은 판례상 당사자소송이다. ( ) 14. 국회직 8급

간단 점검하기

02 판례에 의하면 하천법상 하천구역 편입토지에 대한 손실보상청구권은 사법상 권리이므로 그에 관한 쟁송은 민사소송절차에 의하여야 한다. ( ) 17. 지방직 9급, 14. 지방직 9급, 12. 국가직 7급, 11. 지방직 9급

03 공익사업을 위한 토지 등의 취득 및 보상에 관한 법률상 토지수용에 따른 권리구제에서 농업손실에 대한 보상청구권은 행정소송법상 당사자소송에 의해야 한다. ( ) 17. 사회복지직

04 공익사업을 위한 토지 등의 취득 및 보상에 관한 법률에 따른 사업폐지 등에 대한 보상청구권은 사법상 권리로서 그에 관한 소송은 민사소송절차에 의하여야 한다. ( ) 19. 지방직 9급

01 ○ 02 × 03 ○ 04 ×

2 행정상 손실보상의 근거

1. 이론적 근거

행정상 손실보상의 이론적 근거에 대하여는 ① 기득권설, ② 은혜설, ③ 공용징수설 등이 주장되었으나, 오늘날은 특별희생에 대한 조절적 보상이라고 보는 특별희생설이 일반적인 견해이다.

2. 실정법적 근거

(1) 헌법규정의 변천

제1·2공화국 헌법	상당한 보상
제3공화국 헌법	정당한 보상
제4공화국 헌법	보상의 기준과 방법은 법률로써 정한다.
제5공화국 헌법	보상은 공익 및 관계자의 이익을 정당하게 형량하여 법률로써 정한다.
현행 헌법	보상은 법률로써 하되, 정당한 보상을 지급하여야 한다.

(2) 헌법 제23조 제3항의 의미

① 현행 헌법 제23조 제3항은 "공공필요에 의한 재산권의 수용·사용 또는 제한 및 그에 대한 보상은 법률로써 하되, 정당한 보상을 지급하여야 한다."라고 규정하고 있다.

② 이 규정은 재산권에 대한 침해의 목적, 침해의 유형, 보상의 기준 등을 의회가 법률의 형태로 정하도록 하여 침해법정주의를 취한 것으로 평가할 수 있다.

③ 이러한 헌법규정에 따라 다수의 개별법이 공용수용에 관한 법적 근거·요건을 규정하고 아울러 그에 따르는 손실에 대한 보상규정을 두고 있다.

(3) 개별법적 근거

손실보상에 관한 일반법은 없다. 다만, 공익사업을 위한 토지 등의 취득 및 보상에 관한 법률이 공익사업을 위한 토지 등의 취득과 보상에 관해서는 일반법이므로 손실보상에 관해서 일반적으로 적용되고 있을 따름이다.

3. 헌법규정의 성질(보상규정이 없는 경우 보상청구 여부)

(1) 헌법 제23조 제3항의 성질

만약 재산권을 제한하는 법률에 공용침해의 근거는 있지만 보상규정이 없는 경우, 그 법률이 위헌인지 여부와 손실보상을 어떻게 청구할 수 있는지에 대해 견해의 대립이 있다. 이는 헌법 제23조 제3항 규정을 불가분조항으로 해석할지 여부와도 관련이 있다.❶

간단 점검하기

01 평등의 원칙으로부터 파생된 '공적 부담 앞의 평등'은 손실보상의 이론적 근거가 될 수 있다. ( )
17. 지방직 9급

02 손실보상의 이론적 근거로서 특별희생설에 의하면 공공복리와 개인의 권리 사이에 충돌이 있는 경우에는 개인의 권리가 우선한다. ( )
17. 국가직 9급

❶
불가분조항(부대조항, Junktim-Klausel)이란 공공필요에 따라 사인의 재산권행사를 제약하는 공권력행사의 근거규정과 이에 따르는 손실보상의 기준·방법·범위에 관한 규정은 모두 하나의 법률로 규정되어야 한다는 것을 말한다. 문제는 재산권을 제한하는 법률에 공용침해의 근거는 있지만 보상규정이 없을 때, 동 법률이 위헌인지 여부와 손실보상을 청구할 수 있는지 여부이다. 이에 대해서는 견해의 대립이 있다.

간단 점검하기

03 헌법 제23조 제3항이 손실보상의 헌법적 근거가 된다. ( )
14. 서울시 9급·국가직 9급

04 손실보상에 관한 일반법으로 손실보상법이 있다. ( ) 17. 경찰행정

05 헌법은 보상청구권의 근거뿐만 아니라 보상의 기준과 방법에 관해서도 법률에 유보하고 있다. ( )
12. 국가직 7급

01 ○ 02 × 03 ○ 04 ×
05 ○

관련판례

헌법 제23조 제3항은 "공공필요에 의한 재산권의 수용·사용 또는 제한 및 그에 대한 보상은 법률로써 하되, 정당한 보상을 지급하여야 한다"라고 규정하고 있는 바, 이 헌법의 규정은 보상청구권의 근거에 관하여서 뿐만 아니라 보상의 기준과 방법에 관하여서도 법률의 규정에 유보하고 있는 것으로 보아야 하고, 위 구 토지수용법과 지가공시법의 규정들은 바로 헌법에서 유보하고 있는 그 법률의 규정들로 보아야 할 것이다(대판 1993.7.13, 93누2131).

(2) 학설

① 방침규정설(입법지침설)

㉠ 헌법상 손실보상에 관한 규정은 입법의 방침을 정한 것에 불과한 프로그램규정이라 한다.

㉡ 손실보상에 관한 구체적인 사항이 법률로써 정해져야만 개인은 손실보상청구권을 갖게 된다는 것이다.

㉢ 현대 자유주의적 법치국가에서는 용인될 수 없다는 비판이 있다.

② 위헌무효설(입법자에 대한 직접효력설)

㉠ 이 견해는 헌법 제23조 제3항을 불가분조항으로 해석한다.

㉡ 손실보상 여부는 법률에 근거하여야 하므로, 이러한 규정을 포함하지 않고 재산권 제약을 허용하는 법률은 위헌·무효의 법률이고, 이에 근거한 행정작용은 위법이다.

㉢ 이에 대해 당사자는 행정소송을 제기할 수 있고, 재산상 손해를 받은 경우에는 국가배상청구를 할 수 있다.

㉣ 이 견해에 대해서는 공무원의 고의·과실을 인정하기 어려워 국가배상을 통한 구제가 현실적으로 힘들다는 비판이 있다.

③ 직접효력설(국민에 대한 직접효력설)

㉠ 이 견해는 헌법 제23조 제3항을 불가분조항이 아니라고 해석한다.

㉡ 개인의 손실보상청구권은 헌법규정으로부터 직접 도출된다는 입장에서 법률에 보상규정이 없는 경우에는 직접 헌법상의 보상규정, 즉 헌법 제23조 제3항에 근거하여 보상을 청구할 수 있다.

㉢ 즉, 헌법이 '보상은 법률로써 하되'라고 규정한 것은 보상의 구체적 내용이나 방법을 법률에 유보한 것일 뿐 보상의 여부까지 법률에 유보한 것으로 해석할 필요가 없으므로, 헌법규정을 직접 근거로 해서 손실보상청구를 할 수 있다.

㉣ 이 견해에 대해서는 헌법의 문리해석상 허용하기 힘들고, 보상의 내용과 절차를 사법부가 결정하게 된다는 점에서 권력분립의 원칙에 반한다는 비판이 있다.

④ 유추적용설(간접효력규정설)

㉠ 법률에 손실보상의 근거규정이 없는 경우에는 헌법 제23조 제1항(재산권보장) 및 제11조(평등원칙)에 근거하여, 헌법 제23조 제3항 및 관계규정의 유추해석을 통하여 보상을 청구할 수 있다.

㉡ 독일에서 발전된 수용유사침해이론을 도입하여 이를 손실보상의 문제로 해결하려 한다.

간단 점검하기

01 헌법 제23조 제3항을 불가분조항으로 볼 경우, 보상규정을 두지 아니한 수용 법률은 헌법위반이 된다. ( ) 17. 지방직 9급

간단 점검하기

02 헌법 제23조 제3항을 국민에 대한 직접적인 효력이 있는 규정으로 보는 견해는 동 조항의 재산권의 수용·사용·제한 규정과 보상규정을 불가분조항으로 본다. ( ) 17. 국가직 9급

01 ○ **02** ×

㉢ 이 견해에 대해서는 헌법 제23조 제1항은 재산권의 존속보장에 관한 규정이지 가치보장에 관한 규정은 아니며, 위법행위라고 하면서 적법행위에 관한 규정을 유추하는 것은 불합리하다는 비판이 있다.

(3) 판례의 태도

① 대법원은 이에 대하여 일관된 입장을 보이지 못하고 있다. 즉, 방침규정설, 직접효력설, 유추적용설 등 여러 입장에서 판시하고 있어 어느 입장을 취하는지 명확하게 단정할 수는 없다.

② 판례는 구체적인 상황에 따라

㉠ 직접적인 근거규정이 없는 경우에도 관련규정의 유추해석이 가능한 경우에는 유추해석을 통해 손실보상을 인정하기도 하며(하천법상 제외지의 보상)

㉡ 법규에 보상규정이 없을 때에 공적 목적(공적 부담)을 위한 것임에도 손실보상 대신 불법행위로 처리하기도 한다.

관련판례 **유추적용판례** ★★

1 공공사업의 시행 결과 그 공공사업의 시행이 기업지 밖에 미치는 간접손실에 관하여 그 피해자와 사업시행자 사이에 협의가 이루어지지 아니하고 그 보상에 관한 명문의 근거 법령이 없는 경우라고 하더라도, 헌법 제23조 제3항은 "공공필요에 의한 재산권의 수용·사용 또는 제한 및 그에 대한 보상은 법률로써 하되, 정당한 보상을 지급하여야 한다."고 규정하고 있고, 이에 따라 국민의 재산권을 침해하는 행위 그 자체는 반드시 형식적 법률에 근거하여야 하며, 토지수용법 등의 개별 법률에서 공익사업에 필요한 재산권 침해의 근거와 아울러 그로 인한 손실보상 규정을 두고 있는 점, 공공용지의취득및손실보상에관한특례법 제3조 제1항은 "공공사업을 위한 토지 등의 취득 또는 사용으로 인하여 토지 등의 소유자가 입은 손실은 사업시행자가 이를 보상하여야 한다."고 규정하고, 같은법시행규칙 제23조의2 내지 7에서 공공사업시행지구 밖에 위치한 영업과 공작물 등에 대한 간접손실에 대하여도 일정한 조건하에서 이를 보상하도록 규정하고 있는 점에 비추어, 공공사업의 시행으로 인하여 그러한 손실이 발생하리라는 것을 쉽게 예견할 수 있고 그 손실의 범위도 구체적으로 이를 특정할 수 있는 경우라면 그 손실의 보상에 관하여 공공용지의취득및손실보상에관한특례법시행규칙의 관련 규정 등을 유추적용할 수 있다고 해석함이 상당하다(대판 1999.10.8, 99다27231).

2 하천법상 국유화된 제외지의 소유자에 대한 손실보상은 동 법규를 유추적용하여 손실보상을 인정한다(대판 1987.7.21, 84누126).

3 관련규정의 유추해석이 가능한 경우, 유추해석으로 손실보상을 인정한다(대판 2006.4.28, 2004두12278).

4 법률에 근거 없는 재산권의 수용 또는 사용은 불법행위를 구성한다(대판 1966.10.18, 66다1715).

5 보상규정을 두지 않았다는 사실만으로 근거법률을 위헌으로 볼 수 없고, 보상규정이 없는 한 손실보상청구를 할 수 없다(대판 1996.6.28, 94다54511).

③ 헌법재판소는 분리이론에 입각하여 위헌무효설에 가까운 입장을 취하고 있다고 보는 것이 일반적이다.[1]

간단 점검하기

01 손실보상규정의 흠결시 권리구제에 대해 대법원은 일관되게 위헌무효설을 따르고 있다. ( ) 04. 국가직 9급

02 대법원은 헌법 제23조 제3항의 규정에도 불구하고 보상에 관한 구체적 사항이 법률로써 정해져 있지 아니한 때에는 손실보상을 인정할 수 없다고 한다. ( ) 14. 국회직 8급

[1] 경계이론과 분리이론에 대하여는 후술 참조(p.762)

01 × 02 ×

제2절 손실보상의 요건

1 개설

1. 가치보장과 존속보장 개설

손실보상과 관련하여 '보상'에 중점을 두는 입장(가치보장)과 '보상의 요건'에 중점을 두는 입장(존속보장)이 대립하고 있다.

2. 가치보장

전자는 재산권의 '가치보장'을 중시하여 손실보상의 요건 중 '특별한 희생'을 강조한다. 이 입장은 재산권을 금전적 가치로만 평가하여 공공의 필요가 있는 경우에는 국가는 당연히 재산권을 침해할 수 있고 사후적으로 보상해 주는 것으로 충분하다고 본다.

3. 존속보장

후자는 재산권의 '존속보장'을 중시하여 손실보상의 요건 중 공공의 필요를 강조한다. 이 입장은 재산권을 단순히 금전적 가치로만 평가하지 않고 국민의 인격적 자유와 관계있는 것으로 이해하여 가치보장 이전에 존속보장이 선행되어야 한다고 본다.

point check 가치보장과 존속보장의 비교

가치보장	존속보장
'보상'에 중점	'보상의 요건'에 중점
보상요건 중 '특별한 희생'을 강조	보상요건 중 '공공의 필요'를 강조
재산권의 금전적 가치 강조	재산권의 인격적 자유 강조
"인용하라, 그리고 청산하라."	"방어하라, 그리고 청산하라."
보상에 대해서만 다툴 수 있음	공공의 필요성에 대해서도 다툴 수 있음

2 손실보상의 구체적 요건

헌법 제23조 ① 모든 국민의 재산권은 보장된다. 그 내용과 한계는 법률로 정한다.
② 재산권의 행사는 공공복리에 적합하도록 하여야 한다.
③ 공공필요에 의한 재산권의 수용·사용 또는 제한 및 그에 대한 보상은 법률로써 하되, 정당한 보상을 지급하여야 한다.

손실보상의 요건
- 공공의 필요
- 법률에 근거한 적법한 침해
- 재산권에 대한 공권적 침해
- 의도적인 재산권 침해
- 특별한 희생의 발생
- 보상규정의 존재

1. 공공의 필요

(1) 개념

① 공공의 필요는 일정한 공익사업을 시행하거나 공공복리를 달성하기 위해 재산권의 제한이 불가피한 경우를 말한다.

② 공공의 필요에 의한 제한은 개인의 재산권을 침해하는 것이므로 공익과 사익을 비교형량하여 공익이 큰 경우에 공공필요가 인정될 것이다.

③ 기본권 일반의 제한사유인 '공공복리'보다 '공공필요'의 공익성을 더 좁게 해석하고 있다(헌재 2014.10.30, 2011헌바172).❶

(2) 범위

① 순수 국고목적을 위한 것은 공공필요에 해당하지 않는다.

관련판례 고급골프장 - 공익성이 낮은 사업 ★★

'관광휴양지 조성사업' 중에는 고급골프장, 고급리조트 등(이하 '고급골프장 등'이라 한다)의 사업과 같이 입법목적에 대한 기여도가 낮을 뿐만 아니라, 대중의 이용·접근가능성이 작아 공익성이 낮은 사업도 있다. 또한 고급골프장 등 사업은 그 특성상 사업 운영 과정에서 발생하는 지방세수 확보와 지역경제 활성화는 부수적인 공익일 뿐이고, 이 정도의 공익이 그 사업으로 인하여 강제수용 당하는 주민들의 기본권침해를 정당화할 정도로 우월하다고 볼 수는 없다(헌재 2014.10.30, 2011헌바172 등).

#고급골프장_공익성_낮은_사업 #기본권침해_정당× #사경제적_목적_수용×

② 사기업이라도 공공복리적 기능을 수행하는 경우에는 공공필요에 해당하게 되어 타인의 토지를 수용할 수 있다.

관련판례 공공필요성 인정 기준 ★★★

1 헌법 제23조 제3항은 정당한 보상을 전제로 하여 재산권의 수용 등에 관한 가능성을 규정하고 있지만, 재산권 수용의 주체를 한정하지 않고 있다. 위 헌법조항의 핵심은 당해 수용이 공공필요에 부합하는가, 정당한 보상이 지급되고 있는가 여부 등에 있는 것이지, 그 수용의 주체가 국가인지 민간기업인지 여부에 달려 있다고 볼 수 없다. 또한 국가 등의 공적 기관이 직접 수용의 주체가 되는 것이든 그러한 공적 기관의 최종적인 허부판단과 승인결정하에 민간기업이 수용의 주체가 되는 것이든, 양자 사이에 공공필요에 대한 판단과 수용의 범위에 있어서 본질적인 차이를 가져올 것으로 보이지 않는다. 따라서 위 수용 등의 주체를 국가 등의 공적 기관에 한정하여 해석할 이유가 없다.

---

❶
헌법 제37조 ② 국민의 모든 자유와 권리는 국가안전보장·질서유지 또는 공공복리를 위하여 필요한 경우에 한하여 법률로써 제한할 수 있으며, 제한하는 경우에도 자유와 권리의 본질적인 내용을 침해할 수 없다.

간단 점검하기

01 순수 국고목적의 작용이라 하더라도 공공필요성이 인정된다는 것이 일치된 견해이다. ( ) 09. 관세사

간단 점검하기

02 헌법재판소는 헌법 제23조 제3항의 공공필요는 국민의 재산권을 그 의사에 반하여 강제적으로라도 취득해야 할 공익적 필요성을 의미하고, 이 요건 중 공익성은 기본권 일반의 제한사유인 공공복리보다 좁은 것으로 보고 있다. ( ) 17. 국가직 9급

03 민간기업을 토지수용의 주체로 정한 법률조항도 헌법 제23조 제3항에서 정한 공공필요를 충족하면 헌법에 위반되지 아니한다. ( ) 16. 서울시 9급

01 × 02 ○ 03 ○

오늘날 산업단지의 개발에 투입되는 자본은 대규모로 요구될 수 있는데, 이러한 경우 산업단지개발의 사업시행자를 국가나 지방자치단체로 제한한다면 예산상의 제약으로 인해 개발사업의 추진에 어려움이 있을 수 있고, 만약 이른바 공영개발방식만을 고수할 경우에는 수요에 맞지 않는 산업단지가 개발되어 자원이 비효율적으로 소모될 개연성도 있다. 또한 기업으로 하여금 산업단지를 직접 개발하도록 한다면, 기업들의 참여를 유도할 수 있는 측면도 있을 것이다. 그렇다면 민간기업을 수용의 주체로 규정한 자체를 두고 위헌이라고 할 수 없으며, 나아가 이 사건 수용조항을 통해 민간기업에게 사업시행에 필요한 토지를 수용할 수 있도록 규정할 필요가 있다는 입법자의 인식에도 합리적인 이유가 있다 할 것이다(헌재 2009.9.24, 2007헌바114).

2 '필요성'이 인정되기 위해서는 공용수용을 통하여 달성하려는 공익과 그로 인하여 재산권을 침해당하는 사인의 이익 사이의 형량에서 사인의 재산권침해를 정당화할 정도의 공익의 우월성이 인정되어야 하며, 사업시행자가 사인인 경우에는 그 사업시행으로 획득할 수 있는 공익이 현저히 해태되지 않도록 보장하는 제도적 규율도 갖추어져 있어야 한다(헌재 2014.10.30, 2011헌바172 등).
#고급골프장_공익성_낮은_사업 #강제수용_정당성× #강제수용_관련법률_헌법불합치

③ 사기업이 내국인이 아닌 외국인을 대상으로 하는 관광 및 서비스사업도 공익사업으로 인정한 바 있다.❶

2. 법률에 근거한 적법한 침해

(1) 침해의 의의

공공의 필요에 의한 행정작용에 의해 사인의 재산권에 대한 국가의 의도적인 침해가 있어야 한다. 여기에서 침해란 '재산적 가치를 파괴하거나 감소시키는 것과 같은 실질적 침해뿐 아니라 재산권자의 재산의 향유 · 사용을 박탈 · 억제하는 것'도 포함한다.

(2) 침해의 유형

재산권의 침해란 재산권을 박탈하는 '수용', 일시사용을 의미하는 '사용', 개인의 사용 · 수익을 한정하는 '제한' 등을 의미한다. 넓은 의미로 수용이라 할 때에는 수용 · 사용 · 제한을 모두 내포하는 개념이다.

(3) 침해의 방식

침해의 방식은 일반적으로 법률에 근거하여 이루어지는 행정행위에 의한 것이 일반적이겠지만, 법률에 의하여 직접 개인의 재산권을 침해하는 경우도 있다. 전자를 '행정수용'이라 하고, 후자를 '법률수용'이라 한다. 법률수용은 예외적으로만 허용되는 것으로서 그러한 법률은 처분적 법률의 성질을 가진다.

(4) 침해의 적법성

손실보상의 원인이 되는 개인의 재산에 대한 침해는 적법한 것이어야 한다. 여기서 적법한 것이라고 함은 법률에 근거한 것임을 의미한다. 따라서 공권력이 법령에 위반하여, 즉 위법하게 개인의 재산권을 침해한 때에는 국가배상의 원인이 될 뿐, 엄격한 의미의 손실보상의 원인은 되지 않는다고 보아야 한다.

❶ 워커힐 관광 서비스 제공사업(대판 1971.10.22, 71다1716).

간단 점검하기

01 손실보상은 원칙적으로 재산 · 생명 · 신체의 침해에 대한 보상이다. ( ) 05. 서울시 9급

02 손실보상이 인정되기 위해서는 재산권에 대한 침해가 현실적으로 발생하여야 하는 것은 아니다. ( ) 15. 경찰행정, 12. 국가직 9급

01 × 02 ×

3. 재산권에 대한 공권적 침해

(1) 재산권의 의의

① 여기서 재산권이라 함은 소유권뿐만 아니라 법에 의하여 보호되고 있는 일체의 재산적 가치 있는 권리를 의미한다.

② 이에는 사법상의 권리(예 물권 · 채권 · 재산적 가치 있는 회원권 · 저작권 등)만이 아니라, 공법상의 권리(예 공유수면매립권 등)도 포함한다.

간단 점검하기

손실보상청구권을 공권으로 보게 되면 손실보상청구권을 발생시키는 침해의 대상이 되는 재산권에는 공법상의 권리만이 포함될 뿐 사법상의 권리는 포함되지 않는다. ( ) 17. 국가직 9급

관련판례 어업권 ★★★

어업허가는 일정한 종류의 어업을 일반적으로 금지하였다가 일정한 경우 이를 해제하여 주는 것으로서 어업면허에 의하여 취득하게 되는 어업권과는 그 성질이 다른 것이기는 하나, 어업허가를 받은 자가 그 허가에 따라 해당 어업을 함으로써 재산적인 이익을 얻는 면에서 보면 어업허가를 받은 자의 해당 어업을 할 수 있는 지위는 재산권으로 보호받을 가치가 있고 … 정당한 어업허가를 받고 공유수면매립사업지구 내에서 허가어업에 종사하고 있던 어민들에 대하여 손실보상을 할 의무가 있는 사업시행자가 손실보상의무를 이행하지 아니한 채 공유수면매립공사를 시행함으로써 실질적이고 현실적인 침해를 가한 때에는 불법행위를 구성하는 것이고, 이 경우 허가어업자들이 입게 되는 손해는 그 손실보상금 상당액이다(대판 1999.11.23, 98다11529).

#어업면허_재산권보호 #공유수면매립사업_어업권침해_보상 #보상×_불법행위 #배상금_보상금_상당액

③ 손실보상의 대상이 되는 재산권은 반드시 적법할 필요가 없으므로 위법한 경우에도 보상의 대상이 되나 위법의 정도가 사회통념상 용인하기 어려울 정도일 경우에는 보상의 대상에서 제외된다.

관련판례 위법건축물 ★★★

토지수용법상의 사업인정 고시 이전에 건축되고 공공사업용지 내의 토지에 정착한 지장물인 건물은 통상 적법한 건축허가를 받았는지 여부에 관계없이 손실보상의 대상이 되나, 주거용 건물이 아닌 위법 건축물의 경우에는 관계 법령의 입법 취지와 그 법령에 위반된 행위에 대한 비난가능성과 위법성의 정도, 합법화될 가능성, 사회통념상 거래 객체가 되는지 여부 등을 종합하여 구체적 · 개별적으로 판단한 결과 그 위법의 정도가 관계 법령의 규정이나 사회통념상 용인할 수 없을 정도로 크고 객관적으로도 합법화될 가능성이 거의 없어 거래의 객체도 되지 아니하는 경우에는 예외적으로 수용보상 대상이 되지 아니한다(대판 2001.4.13, 2000두6411).

#도시공원조성사업 #허가면적초과_건축(운동시설_등_비주거용) #합법화가능성× #수용보상_대상×

④ 현존하는 구체적인 재산가치이어야 하므로, 영업기회 · 이득가능성 · 지가상승가능성 등과 같은 기대이익은 여기서 제외된다. 또한 자연적 · 문화적 · 학술적 가치는 특별한 사정이 없는 한, 손실보상의 대상이 되지 아니한다는 것이 판례의 입장이다(대판 1989.9.12, 88누11216).

×

관련판례 **철새도래지** ★★★

문화적, 학술적 가치는 특별한 사정이 없는 한 그 토지의 부동산으로서의 경제적, 재산적 가치를 높여 주는 것이 아니므로 토지수용법 제51조 소정의 손실보상의 대상이 될 수 없으니, 이 사건 토지가 철새 도래지로서 자연 문화적인 학술가치를 지녔다 하더라도 손실보상의 대상이 될 수 없다(대판 1989.9.12, 88누11216).

#철새도래지_낙동강하구 #자연문화적_학술가치 #손실보상대상×

⑤ **공익사업을 위한 토지 등의 취득 및 보상에 관한 법률의 규정:** 동법이 예시한 손실보상의 대상이 되는 재산권으로는 토지소유권뿐만 아니라 ㉠ 토지 및 이에 관한 소유권 외의 권리, ㉡ 토지와 함께 공익사업을 위하여 필요로 하는 입목, 건물 그 밖의 토지에 정착한 물건 및 이에 관한 소유권 외의 권리, ㉢ 광업권·어업권 또는 물의 사용에 관한 권리, ㉣ 토지에 속한 흙·돌·모래 또는 자갈에 관한 권리, ㉤ 영업의 손실 등도 보상의 대상이 된다(동법 제3조, 제77조).

(2) 비재산적 법익의 침해

① 현행 손실보상 관련법령은 재산적 법익의 침해를 중심으로 규정하고 있다.

② 따라서 생명·신체 등 비재산적 법익이 침해된 경우는 헌법 제23조 제3항이 예정하고 있지 않은 경우이다. 이러한 비재산적 법익의 침해에 대해서는 희생보상청구권이 논의되고 있다.

(3) 공권적인 침해

① 손실보상이 성립하기 위해서는 공권력 행사로 인한 침해이어야 한다.

② 따라서 비권력적인 침해나 임의매수에 따른 대가의 지급은 손실보상청구의 대상이 아니다.

4. 의도적인 재산권 침해

(1) 침해의 태양

① 공공필요에 따른 행정작용에 의해 사인의 재산권 행사가 제약되어야 한다.

② 헌법 제23조 제3항은 수용·사용 또는 제한을 규정하고 있으나, 이 외에도 재산권이 제약되는 양상은 다양하게 나타날 수 있는바, 이에 의하여 재산적 가치가 감소되는 경우에도 재산권행사가 제약된다고 하여야 한다.

(2) 침해의 의도성

① 개인의 재산권에 대한 침해가 공권력의 주체에 의하여 의욕되고 지향되었거나 아니면 최소한 상대방의 재산권의 손실에 대한 직접적인 원인이 되어야 한다.

② 따라서 의도되지 않은 비전형적인 침해의 경우에는 헌법 제23조 제3항의 적용영역에 포함되지 않는다. 이러한 경우에 논의되는 이론이 수용적 침해이론이다.

(3) 침해로 인한 손실의 발생

손실보상이 인정되기 위해서는 재산권에 대한 침해가 현실적으로 발생하여야 하며, 공익사업과 손실 사이에 상당인과관계가 성립되어야 한다는 것이 판례의 입장이다.

간단 점검하기

문화적·학술적 가치는 특별한 사정이 없는 한 그 토지의 부동산으로서의 경제적·재산적 가치를 높여주는 것이므로 토지수용법 제51조 소정의 손실보상의 대상이 된다. ( ) 16. 경찰행정

×

간단 점검하기

01 공유수면매립면허의 고시가 있는 경우 그 사업이 시행되므로, 그로 인하여 곧바로 손실이 발생한다고 할 수 있고 실질적이고 현실적인 피해가 발생할 때를 기다릴 필요 없이 손실보상청구권이 발생한다. ( ) 14. 국회직 8급

관련판례

구 공유수면매립법(1999.2.8. 법률 제5911호로 전부 개정되기 전의 것) 제17조가 "매립의 면허를 받은 자는 제16조 제1항의 규정에 의한 보상이나 시설을 한 후가 아니면 그 보상을 받을 권리를 가진 자에게 손실을 미칠 공사에 착수할 수 없다. 다만, 그 권리를 가진 자의 동의를 받았을 때에는 예외로 한다."고 규정하고 있으나, 손실보상은 공공필요에 의한 행정작용에 의하여 사인에게 발생한 특별한 희생에 대한 전보라는 점에서 그 사인에게 특별한 희생이 발생하여야 하는 것은 당연히 요구되는 것이고, 공유수면매립면허의 고시가 있다고 하여 반드시 그 사업이 시행되고 그로 인하여 손실이 발생한다고 할 수 없으므로, 매립면허 고시 이후 매립공사가 실행되어 관행어업권자에게 실질적이고 현실적인 피해가 발생한 경우에만 공유수면매립법에서 정하는 손실보상청구권이 발생하였다고 할 것이다(대판 2010.12.9, 2007두6571).

간단 점검하기

02 손실보상은 공공필요에 의한 행정작용에 의하여 사인에게 발생한 특별한 희생에 대한 전보이므로 재산권침해로 인한 손실이 특별한 희생에 해당하여야 한다. ( ) 17. 국가직 9급

03 손실보상은 공공필요에 의한 행정작용에 의하여 사인에게 발생한 특별한 희생에 대한 전보이므로 재산권침해로 인한 손실이 특별한 희생에 해당하여야 한다. ( ) 17. 국가직 9급

04 재산권의 사회적 제약에 해당하는 공용제한에 대해서는 보상규정을 두지 않아도 된다. ( ) 18. 국회직 8급

05 손실보상은 당해 재산권 자체에 내재하는 사회적인 제약에 해당하는 경우에는 인정되지 않는다. ( ) 04. 국가직 9급

5. 특별한 희생의 발생

(1) 개설

손실보상의 요건을 충족하기 위해서는 특별한 희생이 발생한 경우이어야 한다. 개인의 재산권 침해가 수인가능한 사회적 제약의 범위를 넘어 다른 사항과 비교하여 특별한 희생을 당한 경우이어야 한다. 특별한 희생이 무엇인지에 대한 기준과 그 구체적인 내용을 살펴본다.

(2) 형식적 기준설

① **개설**: 이 설은 평등원칙을 형식적으로 해석하여, 침해행위가 '일반적인 것인가, 개별적인 것인가'라는 형식적 기준에 의하여 사회적 제약과 특별한 희생을 구별하는 견해로서, 이는 다시 개별행위설과 특별희생설로 구분된다.

② **개별행위설**: 행정기관의 개별적인 행위에 의해 특정인의 재산권이 제약되었는가의 여부를 기준으로 하여 논의하는 것이다. 이에 의하면 동일한 상황에 있는 모든 사람이 동일한 방식으로 재산권이 제약되는 경우에는 특별희생의 존재를 부정한다.

③ **특별희생설**: 특정 개인이나 집단을 다른 개인이나 집단과 비교하여 그들만에 대하여 특별히 관련되고, 특별한 희생을 강요하는 재산권 제약행위가 행해질 때에 특별희생의 존재를 인정한다.

(3) 실질적 기준설

학설	특별한 희생으로 보는 경우
보호가치설	재산권 중 보호가치 있는 부분에 대해 제한하는 경우
수인한도설	침해행위의 본질성과 강도를 기준으로 재산권의 배타적 지배를 침해하여 수인한도를 넘은 경우
사적효용설	당사자의 재산권의 주관적인 이용목적을 불가능하게 하는 경우
목적위배설	개인의 재산권에 종래와는 다른 목적을 부여하기 위하여 그 본래적 기능을 박탈하는 경우
상황구속성설	토지의 지리적 위치 · 성질 · 경관 등에 따라 사회적 제약에 차이가 있으므로 이에 따라 보상 여부에 차이를 두어야 한다는 견해

01 × 02 ○ 03 ○ 04 ○ 05 ○

(4) 절충설(통설 및 판례 - 복수기준설)

형식적 표준과 실질적 표준을 아울러 고려하는 견해로서 통설의 입장이다. 즉, 형식적 표준에 따라 특정인 또는 특정집단에 대하여 생긴 손실에 대해서 보상해 주되, 이 경우에도 실질적 표준에 비추어 재산권에 대한 침해가 종래 인정되어 오던 재산권의 목적에 위배되거나(목적위배설), 개인의 주관적인 이용목적 내지 효용 가치를 불가능하게 하는 정도이어서(사적 효용설), 수인한도를 넘어선 경우로 판단되면(수인한도설) 이는 보상을 요하는 특별한 희생이라고 본다.

관련판례

1 공공용물에 관하여 적법한 개발행위 등이 이루어짐으로 말미암아 이에 대한 일정범위의 사람들의 일반사용이 종전에 비하여 제한받게 되었다 하더라도 특별한 사정이 없는 한 그로 인한 불이익은 손실보상의 대상이 되는 특별한 손실에 해당한다고 할 수 없다(대판 2002.2.26, 99다35300).
#대천해수욕장_관광지조성_백사장 #어선어업자_백사장사용불가 #어선어업자_특별희생×

2 산림 내에서의 토석채취허가는 산지관리법 소정의 토석채취제한지역에 속하는 경우에 허용되지 아니함은 물론이나 그에 해당하는 지역이 아니라 하여 반드시 허가하여야 하는 것으로 해석할 수는 없고 허가권자는 신청지 내의 임황과 지황 등의 사항 등에 비추어 국토 및 자연의 보전 등의 중대한 공익상 필요가 있을 때에는 재량으로 그 허가를 거부할 수 있는 것이다. 따라서 그 자체로 중대한 공익상의 필요가 있는 공익사업이 시행되어 토석채취허가를 연장받지 못하게 되었다고 하더라도 토석채취허가가 연장되지 않게 됨으로 인한 손실과 공익사업 사이에 상당인과관계가 있다고 할 수 없을 뿐 아니라, 특별한 사정이 없는 한 그러한 손실이 적법한 공권력의 행사로 가하여진 재산상의 특별한 희생으로서 손실보상의 대상이 된다고 볼 수도 없다(대판 2009.6.23, 2009두2672).

3 입법자는 토지재산권의 제한에 관한 전반적인 법체계, 외국의 입법례 등과 기타 현실적인 요소들을 종합적으로 참작하여 국민의 재산권과 도시계획사업을 통하여 달성하려는 공익 모두를 실현하기에 적정하다고 판단되는 기간을 정해야 한다. 그러나 어떠한 경우라도 토지의 사적 이용권이 배제된 상태에서 토지소유자로 하여금 10년이상을 아무런 보상없이 수인하도록 하는 것은 공익실현의 관점에서도 정당화될 수 없는 과도한 제한으로서 헌법상의 재산권보장에 위배된다고 보아야 한다(헌재 1999.10.21, 97헌바26).

4 도시정비법 제65조 제2항은 정비기반시설의 설치와 관련된 비용의 적정한 분담과 그 시설의 원활한 확보 및 효율적인 유지·관리의 관점에서 정비기반시설과 그 부지의 소유·관리·유지 관계를 정한 규정인데, 같은 항 전단에 따른 정비기반시설의 소유권 귀속은 헌법 제23조 제3항의 수용에 해당하지 않고, 이 사건 법률조항이 그에 대한 보상의 의미를 가지는 것도 아니므로, 이 사건 법률조항에 관하여 정당한 보상의 원칙이 적용될 여지가 없다(헌재 2013.10.24, 2011헌바35).

간단 점검하기

01 공공용물에 관하여 적법한 개발행위 등이 이루어짐으로 말미암아 이에 대한 일정범위의 사람들의 일반사용이 종전에 비하여 제한받게 되었다 하더라도 특별한 사정이 없는 한 그로 인한 불이익은 손실보상의 대상이 되는 특별한 손실에 해당한다고 할 수 없다. ( ) 18. 서울시 9급, 12. 지방직 7급, 11. 국가직 9급

02 공익사업의 시행으로 토석채취허가를 연장 받지 못한 경우 그로 인한 손실은 적법한 공권력의 행사로 가하여진 재산상의 특별한 희생으로서 손실보상의 대상이 된다. ( ) 18. 서울시 9급

03 사적 이용권이 배제된 상태에서 토지소유자로 하여금 10년 이상을 아무런 보상 없이 수인하도록 하는 것은 헌법상 재산권보장에 위배된다. ( ) 11. 서울시 9급

01 ○ 02 × 03 ○

6. 보상규정의 존재

(1) 현행 헌법은 보상규정에 관하여 법률로써 정하도록 하고 있다.

(2) 헌법 제23조의 법적 성격에 관하여 직접효력설이나 유추적용설에 의하면 보상규정이 반드시 필요한 것은 아니지만, 위헌무효설에 의하면 보상규정은 필수적인 요건이 된다.

(3) 헌법재판소는 개발제한구역의 지정으로 인하여 종전의 용도대로 사용할 수 없음에도 불구하고 보상규정을 두지 않은 것은 헌법 제23조에 합치하지 않는다고 결정하였다(헌재 1998.12.24, 89헌마214 등 병합). 이러한 헌법재판소의 결정에 따라 개발제한구역의 지정 및 관리에 관한 특별조치법이 제정·시행되고 있다.

3 경계이론과 분리이론

1. 의의

> 헌법 제23조 ① 모든 국민의 재산권은 보장된다. 그 내용과 한계는 법률로 정한다.
> ② 재산권의 행사는 공공복리에 적합하도록 하여야 한다.
> ③ 공공필요에 의한 재산권의 수용·사용 또는 제한 및 그에 대한 보상은 법률로써 하되, 정당한 보상을 지급하여야 한다.

간단 점검하기

분리이론과 경계이론은 재산권의 내용 한계설정과 공용침해를 보다 합리적으로 구분하려는 이론이다. ( )

18. 교육행정직

(1) 우리 헌법 제23조를 어떻게 해석하는가에 따라 보상규정이 없고 특별한 희생이 발생하는 경우 보상여부가 달리 결정된다.

(2) 헌법 제23조 제1항·제2항은 재산권의 내용과 한계규정으로, 제3항은 공용침해규정으로 해석하고 있다.

(3) 경계이론과 분리이론은 헌법 제23조 제1항·제2항과 제3항을 분리하여 해석할 것인지에 대하여 견해가 나누어진다.

2. 경계이론

(1) 의의 및 내용

① 경계이론은 전통적 견해로 헌법 제23조 제1항·제2항·제3항의 규정을 재산권의 제한이 일정한 한계를 벗어나면 특별한 희생으로 보아 보상하여야 한다는 이론이다.

② 재산권의 수용, 사용, 제한에 대하여 이론적 기준을 두는 것이 아니라 대체로 수용은 소유권을 박탈하는 것이므로 특별한 희생에 해당하며, 사용과 제한은 사회적 제약으로 보았던 것이 일반적이다.

③ 경계이론은 존속보장보다는 재산권의 수용 및 보상을 허용하면서 개별적으로 보상하는 것을 인정하는 견해이다.

(2) 연혁

우리나라 대법원과 독일의 연방최고법원의 입장이다.

○

3. 분리이론

(1) 의의 및 내용

① 분리이론은 헌법 제23조 제1항·제2항을 재산권의 내용과 한계 규정으로 해석하고, 제3항을 공용침해와 손실보상 규정으로 해석하여 이를 구분하는 이론이다.

② 법률의 규정에 의한 재산권 제한이 '일반적인 공익'을 위한 일반적·추상적 재산권 정의를 목적으로 하는 경우는 헌법 제23조 제1항·제2항의 재산권의 내용과 한계 관련문제로 보고, 재산권의 제한이 '특정한 공익'을 위한 개별적·구체적 기존 재산권 박탈 내지 축소를 목적으로 하는 경우는 헌법 제23조 제3항의 공용침해와 손실보상의 문제로 본다.

③ 분리이론은 가치보장인 수용 및 보상을 제한하고, 존속보장을 강화하려는 견해이다.

(2) 재산권의 내용적 제한과 조정조치(조절의무)

① 재산권의 내용적 제한이 사회적 제약을 넘어 과도한 제한이 되는 경우 비례의 원칙 및 평등의 원칙에 반하여 위헌 문제가 제기될 수 있다. 이 경우 국가는 위헌성을 해소하기 위해 조정조치가 필요하다.

② 조정조치는 일차적으로 경과규정, 예외규정, 해제규정, 국가침해의 제한 등 비금전적 구제가 행해져야 하고, 2차적으로 손실보상, 매수청구 등 금전적 보상이 주어져야 한다.

(3) 연혁

분리이론은 독일 연방헌법재판소(자갈채취판결)에 의해 도입된 이론이다. 우리 헌법재판소도 개발제한구역지정에 대한 손실보상 관련 결정에서 분리이론에 입각한 경우도 있다.

4. 구 도시계획법상 개발제한구역 관련 문제

(1) 문제의 소재

구 도시계획법은 개발제한구역 지정에 대한 근거는 규정하고 있었으나 보상에 대한 근거는 규정하지 않았다.

(2) 대법원의 입장

대법원은 개발제한구역 지정으로 인하여 토지소유자가 재산권 행사에 제한을 받았더라도 이는 재산권의 사회적 제약의 범위 내에 있으므로 보상규정을 두지 않았더라도 위헌이 아니라고 보았다. 이는 경계이론에 입각한 것으로 해석된다.

관련판례

도시계획법 제21조의 규정에 의하여 개발제한구역 안에 있는 토지의 소유자는 재산상의 권리 행사에 많은 제한을 받게 되고 그 한도 내에서 일반 토지소유자에 비하여 불이익을 받게 됨은 명백하지만, '도시의 무질서한 확산을 방지하고 도시주변의 자연환경을 보전하여 도시민의 건전한 생활환경을 확보하기 위하여 또는 국방부장관의 요청이 있어 보안상 도시의 개발을 제한할 필요가 있다고 인정되는 때'(도시계획법 제21조 제1항)에 한하여 가하여지는 그와 같은 제한으로 인한 토지소유자의 불이익은 공공의

간단 점검하기

01 사회적 제약을 벗어나는 무보상의 공용침해에 대하여, 경계이론은 보상을 통한 가치의 보장에 중점을 두고 있음에 비하여, 분리이론은 당해 침해행위의 폐지를 주장함으로써 위헌적 침해의 억제에 중점을 두고 있다. ( ) 08. 국가직 7급

02 재산권의 사회적 제약과 공용침해는 별개의 제도가 아니라 재산권 규제의 강도에 따라서 상대적으로 구분되는 것으로, 사회적 제약의 경계를 벗어나면 보상의무가 있는 공용침해로 전환된다고 보는 경계이론은 독일의 연방헌법재판소의 판결에서 유래한다. ( ) 08. 국가직 7급

간단 점검하기

03 대법원은 개발제한구역지정으로 인한 재산권제약을 공공의 복리에 적합한 것으로 보아 손실보상을 인정하지 않는다. ( ) 12. 서울시 9급

01 ○ 02 × 03 ○

복리를 위하여 감수하지 아니하면 안 될 정도의 것이라고 인정되므로, 그에 대하여 손실보상의 규정을 두지 아니하였다 하여 도시계획법 제21조의 규정을 헌법 제23조 제3항, 제11조 제1항 및 제37조 제2항에 위배되는 것으로 볼 수 없다(대판 1996.6.28, 94다54511).

(3) 헌법재판소의 입장

헌법재판소는 분리이론에 입각하여 개발제한구역의 지정으로 인한 재산권 행사의 제한이 헌법 제23조 제1항·제2항의 재산권의 내용과 한계 문제에 해당하고, 그 지정으로 인해 토지를 종래의 용도로 사용할 수 없는 사람들에게는 비례원칙에 반하는 재산권 제한이 발생하였으므로, 입법자는 이에 대한 조정조치를 할 의무가 있다고 보았다.

관련판례

[1] 헌법상의 재산권은 토지소유자가 이용가능한 모든 용도로 토지를 자유로이 최대한 사용할 권리나 가장 경제적 또는 효율적으로 사용할 수 있는 권리를 보장하는 것을 의미하지는 않는다. 입법자는 중요한 공익상의 이유로 토지를 일정 용도로 사용하는 권리를 제한할 수 있다. 따라서 토지의 개발이나 건축은 합헌적 법률로 정한 재산권의 내용과 한계내에서만 가능한 것일 뿐만 아니라 토지재산권의 강한 사회성 내지는 공공성으로 말미암아 이에 대하여는 다른 재산권에 비하여 보다 강한 제한과 의무가 부과될 수 있다.

[2] 개발제한구역을 지정하여 그 안에서는 건축물의 건축 등을 할 수 없도록 하고 있는 도시계획법 제21조는 헌법 제23조 제1항, 제2항에 따라 토지재산권에 관한 권리와 의무를 일반·추상적으로 확정하는 규정으로서 재산권을 형성하는 규정인 동시에 공익적 요청에 따른 재산권의 사회적 제약을 구체화하는 규정인바, 토지재산권은 강한 사회성, 공공성을 지니고 있어 이에 대하여는 다른 재산권에 비하여 보다 강한 제한과 의무를 부과할 수 있으나, 그렇다고 하더라도 다른 기본권을 제한하는 입법과 마찬가지로 비례성원칙을 준수하여야 하고, 재산권의 본질적 내용인 사용·수익권과 처분권을 부인하여서는 아니된다.

[3] 개발제한구역 지정으로 인하여 토지를 종래의 목적으로도 사용할 수 없거나 또는 더 이상 법적으로 허용된 토지이용의 방법이 없기 때문에 실질적으로 토지의 사용·수익의 길이 없는 경우에는 토지소유자가 수인해야 하는 사회적 제약의 한계를 넘는 것으로 보아야 한다.

[4] 개발제한구역의 지정으로 인한 개발가능성의 소멸과 그에 따른 지가의 하락이나 지가상승률의 상대적 감소는 토지소유자가 감수해야 하는 사회적 제약의 범주에 속하는 것으로 보아야 한다. 자신의 토지를 장래에 건축이나 개발목적으로 사용할 수 있으리라는 기대가능성이나 신뢰 및 이에 따른 지가상승의 기회는 원칙적으로 재산권의 보호범위에 속하지 않는다. 구역지정 당시의 상태대로 토지를 사용·수익·처분할 수 있는 이상, 구역지정에 따른 단순한 토지이용의 제한은 원칙적으로 재산권에 내재하는 사회적 제약의 범주를 넘지 않는다.

[5] 도시계획법 제21조에 의한 재산권의 제한은 개발제한구역으로 지정된 토지를 원칙적으로 지정 당시의 지목과 토지현황에 의한 이용방법에 따라 사용할 수 있는 한, 재산권에 내재하는 사회적 제약을 비례의 원칙에 합치하게 합헌적으로 구체화한 것이라고 할 것이나, 종래의 지목과 토지현황에 의한 이용방법에 따른 토지의 사용도 할 수 없거나 실질적으로 사용·수익을 전혀 할 수 없는 예외적인 경우에

간단 점검하기

헌법재판소는 개발제한구역제도를 공용침해가 아니라 재산권의 내용과 한계에 관한 문제로 본다. ( )

13. 서울시 7급

○

도 아무런 보상없이 이를 감수하도록 하고 있는 한, 비례의 원칙에 위반되어 당해 토지소유자의 재산권을 과도하게 침해하는 것으로서 헌법에 위반된다.

[6] 도시계획법 제21조에 규정된 개발제한구역제도 그 자체는 원칙적으로 합헌적인 규정인데, 다만 개발제한구역의 지정으로 말미암아 일부 토지소유자에게 사회적 제약의 범위를 넘는 가혹한 부담이 발생하는 예외적인 경우에 대하여 보상규정을 두지 않은 것에 위헌성이 있는 것이고, 보상의 구체적 기준과 방법은 헌법재판소가 결정할 성질의 것이 아니라 광범위한 입법형성권을 가진 입법자가 입법정책적으로 정할 사항이므로, 입법자가 보상입법을 마련함으로써 위헌적인 상태를 제거할 때까지 위 조항을 형식적으로 존속케 하기 위하여 헌법불합치결정을 하는 것인바, 입법자는 되도록 빠른 시일내에 보상입법을 하여 위헌적 상태를 제거할 의무가 있고, 행정청은 보상입법이 마련되기 전에는 새로 개발제한구역을 지정하여서는 아니되며, 토지소유자는 보상입법을 기다려 그에 따른 권리행사를 할 수 있을 뿐 개발제한구역의 지정이나 그에 따른 토지재산권의 제한 그 자체의 효력을 다투거나 위 조항에 위반하여 행한 자신들의 행위의 정당성을 주장할 수는 없다.

[7] 입법자가 도시계획법 제21조를 통하여 국민의 재산권을 비례의 원칙에 부합하게 합헌적으로 제한하기 위해서는, 수인의 한계를 넘어 가혹한 부담이 발생하는 예외적인 경우에는 이를 완화하는 보상규정을 두어야 한다. 이러한 보상규정은 입법자가 헌법 제23조 제1항 및 제2항에 의하여 재산권의 내용을 구체적으로 형성하고 공공의 이익을 위하여 재산권을 제한하는 과정에서 이를 합헌적으로 규율하기 위하여 두어야 하는 규정이다. 재산권의 침해와 공익간의 비례성을 다시 회복하기 위한 방법은 헌법상 반드시 금전보상만을 해야 하는 것은 아니다. 입법자는 지정의 해제 또는 토지매수청구권제도와 같이 금전보상에 갈음하거나 기타 손실을 완화할 수 있는 제도를 보완하는 등 여러 가지 다른 방법을 사용할 수 있다(헌재 1998.12.24, 89헌마214).

Level up 경계이론과 분리이론

경계이론	• 헌법 제23조를 재산권의 제한규정으로 해석 • 재산권 침해 수용, 보상여부 문제 • 특별희생 여부로 보상 결정 • 가치보장 중시
분리이론	• 헌법 제23조 제1항·제2항을 재산권의 내용과 한계로 해석 • 헌법 제23조 제3항을 공용침해와 손실보상 사항으로 해석 • 재산권의 본질적 침해(가혹한 부담 등)의 경우 조정조치 필요 • 1차 조정조치로 지정해제 등 비금전적 구제 • 2차 조정조치로 손실보상, 매수청구 등 금전보상 • 존속보장 중시

point check 개발제한구역지정으로 인한 부담에 대해 대법원과 헌법재판소의 입장 차이

대법원	• 특별한 희생이 아니라 합리적 제한(사회적 제약), 보상 불요(不要) • 경계이론의 입장(대판 1995.4.28, 95누627)
헌법재판소	• 종전의 용도대로 사용할 수 없음에도 보상규정을 두지 않음은 헌법 불합치 • 분리이론의 입장(헌재 1998.12.24, 89헌마214 등)

간단 점검하기

01 헌법재판소는 구 도시계획법상 개발제한구역의 지정으로 일부 토지대인의 소유자에게 사회적 제약의 범위를 넘는 가혹한 부담이 발생하는 경우에 보상규정을 두지 않은 것은 위헌성이 있는 것이고, 보상의 구체적 기준과 방법은 입법자가 입법 정책적으로 정할 사항이라고 결정하였다. ( ) 14. 지방직 9급

02 개발제한구역지정으로 말미암아 일부 토지소유자에게 사회적 제약의 범위를 넘는 가혹한 부담이 발생하는 예외적인 경우임에도 보상규정을 두지 않은 것이 위헌이라는 견해는 보상을 통한 가치의 보장을 강조하는 입장이다. ( ) 08. 국가직 7급

03 개발제한구역의 지정으로 인한 지가의 하락은 토지소유자가 수인해야 하는 사회적 제약의 한계를 넘는 것으로, 아무런 보상 없이 이를 감수하도록 하고 있는 한, 헌법에 위반된다. ( ) 12. 국가직 7급

04 개발제한구역 지정으로 인한 지가의 하락은 원칙적으로 토지소유자가 감수해야 하는 사회적 제약의 범주에 속하나, 지가의 하락이 20% 이상으로 과도한 경우에는 특별한 희생에 해당한다. ( ) 18. 서울시 9급

05 토지를 종래의 목적으로도 사용할 수 없는 경우에는 토지소유자가 수인해야 할 사회적 제약의 한계를 넘는 것으로 보아야 한다. ( ) 19. 사회복지직

간단 점검하기

06 헌법재판소는 재산권의 제한이 특별한 희생에 해당하는 경우에 보상규정을 두지 않는 것은 위헌이라고 하면서도 단순위헌이 아닌 헌법불합치결정을 하였다. ( ) 14. 지방직 9급, 11. 국가직 9급

01 ○ 02 × 03 × 04 ×
05 ○ 06 ○

기출

甲은 개발제한구역 내 소재한, 지목은 대지이나 건축되지 아니한 토지(나대지)의 소유자이다. 甲은 당해 토지가 개발제한구역으로 지정됨으로써 건축을 할 수 없게 되어 사용 및 수익이 불가능하게 되었다. 이 사례에 대한 설명으로 옳지 않은 것은? 13. 서울시 7급

① 헌법재판소는 개발제한구역제도를 공용침해가 아니라 재산권의 내용과 한계에 관한 문제로 본다.
② 헌법재판소의 판례이론에 의할 경우 사례의 근거법률에 손실보상에 관한 규정이 없음에도 불구하고 행정청이 甲에게 손실보상을 하는 것은 국회 입법권의 침해이다.
③ 헌법재판소의 판례이론에 의할 경우 사례와 같은 경우 법률에 조정적 보상규정을 두지 않는 것은 비례의 원칙을 위반하여 위헌이다.
④ 대법원의 판례이론에 의할 경우 법률에 손실보상에 관한 규정이 없는 때에도 관련 법률의 유추해석 등을 통하여 甲에게 손실보상이 주어질 수 있다.
⑤ 헌법재판소의 판례이론에 의할 경우 甲은 개발제한구역의 지정에 대한 취소소송과 손해배상청구소송을 통하여 재산권 침해의 구제를 받을 수 있다.

해설 헌법재판소의 판례이론에 의할 경우 甲은 개발제한구역의 지정에 대한 취소소송과 손해배상청구소송을 통하여 재산권 침해의 구제를 받을 수 없고, 보상입법을 기다려 그에 따른 권리행사를 할 수 있을 뿐이다.

정답 ⑤

제3절 손실보상의 기준과 내용

1 손실보상의 기준

1. 헌법상 보상기준 – 정당한 보상

(1) 완전보상설(다수설)

이 견해는 피수용재산이 가지는 재산권 자체에 대한 완전한 보상이어야 한다고 보는 견해이다.

객관적 가치보상설	제약되는 재산권이 가지는 객관적 시장가치만을 보상하여야 한다고 보는 견해
손실전부보상설	행정작용을 원인으로 하여 발생한 손실의 전부를 보상하여야 한다는 견해로서 행정작용으로 인한 부대적 성질의 손실(영업상의 손실, 이전비용 등)도 보상의 대상이 됨

(2) 상당보상설

이 견해는 재산권의 사회적 구속성과 침해행위의 공공성에 비추어 사회국가 원리에 입각한 기준에 따른 적정한 보상이면 족하다는 견해이다.

합리적 보상설	사회통념에 비추어 객관적으로 공정하고 타당한 것이면 된다는 견해
완전보상원칙설	완전한 보상이 원칙이나 합리적 이유 있으면 그 이하의 보상도 허용된다는 견해

(3) 우리 헌법상의 기준

① 헌법 제23조 제3항의 '정당한 보상'의 의미에 대하여 ㉠ 완전보상으로 이해하는 입장, ㉡ 상당보상으로 이해하는 입장의 대립이 있다.

② 우리나라의 대법원과 헌법재판소는 완전보상의 원칙을 선언하고 있다(대판 1993.7.13, 93누2131 ; 헌재 1995.4.20, 93헌바20).

관련판례

1 정당보상 ★★★

"정당한 보상"이라 함은 원칙적으로 피수용재산의 객관적인 재산가치를 완전하게 보상하여야 한다는 완전보상을 뜻하는 것이라 할 것이나, 투기적인 거래에 의하여 형성되는 가격은 정상적인 객관적 재산가치로는 볼 수 없으므로 이를 배제한다고 하여 완전보상의 원칙에 어긋나는 것은 아니며, 공익사업의 시행으로 지가가 상승하여 발생하는 개발이익은 궁극적으로는 국민 모두에게 귀속되어야 할 성질의 것이므로 이는 완전보상의 범위에 포함되는 피수용토지의 객관적 가치 내지 피수용자의 손실이라고는 볼 수 없다(대판 1993.7.13, 93누2131).
#정당보상_완전보상 #투기이익_개발이익_제외

2 개발이익배제 ★★

개발이익을 배제하고, 공시기준일부터 재결시까지의 시점보정을 인근토지의 가격변동률과 도매물가상승률 등에 의하여 행하도록 규정한 것은 … 헌법상의 정당보상의 원칙에 위배되는 것이 아니며, 또한 위 헌법조항의 법률유보를 넘어섰다거나 과잉금지의 원칙에 위배되었다고 볼 수 없다(헌재 1995.4.20, 93헌바20 등).
#개발이익배제보상_합헌

2. 토지보상법상 보상의 구체적 기준과 내용

(1) 보상주체와 보상대상자

① 토지보상법상 보상주체는 사업시행자이다(제61조 후단).

② 보상대상자는 공익사업에 필요한 토지의 소유자 및 관계인이다(제61조). 관계인은 토지에 관한 소유권 이외의 지역권·전세권 등 권리를 가지거나 그 토지에 있는 물건에 관한 소유권 등을 가진 자를 말한다(제2조 제5호).

간단 점검하기

01 헌법 제23조 제3항의 정당한 보상이란 원칙적으로 피수용재산의 객관적인 재산가치를 완전하게 보상하는 것이어야 한다는 완전보상을 뜻한다. ( ) 19. 사회복지직, 14. 서울시 9급

02 손실보상에서 피수용재산의 객관적인 재산가치를 완전하게 보상한다는 것은 불가능하므로 보상은 상당한 보상이면 족하다는 것이 대법원의 입장이다. ( ) 14. 서울시 9급

간단 점검하기

03 공시지가에 의한 보상은 헌법상 정당보상의 원칙에 위배되지 아니한다. ( ) 12. 지방직 7급

04 헌법 제23조 제3항에서 규정한 정당한 보상이란 원칙적으로 피수용재산의 객관적인 재산가치를 완전하게 보상하여야 한다는 완전보상을 뜻하는 것이지만, 공익사업의 시행으로 인한 개발이익은 완전보상의 범위에 포함되는 피수용토지의 객관적 가치 내지 피수용자의 손실이라고는 볼 수 없다. ( ) 17. 경찰행정

05 공익사업의 시행으로 인한 개발이익을 손실보상액에서 배제하는 것은 헌법상 정당보상의 원칙에 위반되지 않는다. ( ) 17·12. 국가직 9급, 16. 서울시 9급, 11. 지방직 9급

01 ○ 02 × 03 ○ 04 ○ 05 ○

토지보상법 제4조【공익사업】이 법에 따라 토지 등을 취득하거나 사용할 수 있는 사업은 다음 각 호의 어느 하나에 해당하는 사업이어야 한다.
1. 국방·군사에 관한 사업
2. 관계 법률에 따라 허가·인가·승인·지정 등을 받아 공익을 목적으로 시행하는 철도·도로·공항·항만·주차장·공영차고지·화물터미널·궤도(軌道)·하천·제방·댐·운하·수도·하수도·하수종말처리·폐수처리·사방(砂防)·방풍(防風)·방화(防火)·방조(防潮)·방수(防水)·저수지·용수로·배수로·석유비축·송유·폐기물처리·전기·전기통신·방송·가스 및 기상 관측에 관한 사업
3. 국가나 지방자치단체가 설치하는 청사·공장·연구소·시험소·보건시설·문화시설·공원·수목원·광장·운동장·시장·묘지·화장장·도축장 또는 그 밖의 공공용 시설에 관한 사업
4. 관계 법률에 따라 허가·인가·승인·지정 등을 받아 공익을 목적으로 시행하는 학교·도서관·박물관 및 미술관 건립에 관한 사업
5. 국가, 지방자치단체, 공공기관의 운영에 관한 법률 제4조에 따른 공공기관, 지방공기업법에 따른 지방공기업 또는 국가나 지방자치단체가 지정한 자가 임대나 양도의 목적으로 시행하는 주택 건설 또는 택지 및 산업단지 조성에 관한 사업
6. 제1호부터 제5호까지의 사업을 시행하기 위하여 필요한 통로, 교량, 전선로, 재료 적치장 또는 그 밖의 부속시설에 관한 사업
7. 제1호부터 제5호까지의 사업을 시행하기 위하여 필요한 주택, 공장 등의 이주단지 조성에 관한 사업
8. 그 밖에 별표에 규정된 법률에 따라 토지 등을 수용하거나 사용할 수 있는 사업

(2) 공용수용의 경우

토지보상법 제70조【취득하는 토지의 보상】① 협의나 재결에 의하여 취득하는 토지에 대하여는 부동산 가격공시에 관한 법률에 따른 공시지가를 기준으로 하여 보상하되, 그 공시기준일부터 가격시점까지의 관계 법령에 따른 그 토지의 이용계획, 해당 공익사업으로 인한 지가의 영향을 받지 아니하는 지역의 대통령령으로 정하는 지가변동률, 생산자물가상승률(한국은행법 제86조에 따라 한국은행이 조사·발표하는 생산자물가지수에 따라 산정된 비율을 말한다)과 그 밖에 그 토지의 위치·형상·환경·이용상황 등을 고려하여 평가한 적정가격으로 보상하여야 한다.
② 토지에 대한 보상액은 가격시점에서의 현실적인 이용상황과 일반적인 이용방법에 의한 객관적 상황을 고려하여 산정하되, 일시적인 이용상황과 토지소유자나 관계인이 갖는 주관적 가치 및 특별한 용도에 사용할 것을 전제로 한 경우 등은 고려하지 아니한다.
③ 사업인정 전 협의에 의한 취득의 경우에 제1항에 따른 공시지가는 해당 토지의 가격시점 당시 공시된 공시지가 중 가격시점과 가장 가까운 시점에 공시된 공시지가로 한다.
④ 사업인정 후의 취득의 경우에 제1항에 따른 공시지가는 사업인정고시일 전의 시점을 공시기준일로 하는 공시지가로서, 해당 토지에 관한 협의

의 성립 또는 재결 당시 공시된 공시지가 중 그 사업인정고시일과 가장 가까운 시점에 공시된 공시지가로 한다.
⑤ 제3항 및 제4항에도 불구하고 공익사업의 계획 또는 시행이 공고되거나 고시됨으로 인하여 취득하여야 할 토지의 가격이 변동되었다고 인정되는 경우에는 제1항에 따른 공시지가는 해당 공고일 또는 고시일 전의 시점을 공시기준일로 하는 공시지가로서 그 토지의 가격시점 당시 공시된 공시지가 중 그 공익사업의 공고일 또는 고시일과 가장 가까운 시점에 공시된 공시지가로 한다.

① **시가보상의 원칙**: 공시지가 기준+상황보정과 시점보정+물가 · 지가변동률 참조(동조 제1항)
② **개발이익 배제(동조 제3항 내지 제5항)**
㉠ **공시지가 기준**: 이용상황을 고려하여 표준공시지가 보정
㉡ **공시지가 기준일**: 사업인정 시점을 기준으로 표준공시지가 기준
㉢ 지가변동률, 물가상승률 등 참작 결정
㉣ 사업시행자의 재산상태나 사업시행자가 당해 공익사업으로 취득하게 될 이익은 고려하지 않는다.

관련판례

1 공시지가보상 ★★★

'부동산 가격공시 및 감정평가에 관한 법률'에 의한 공시지가를 기준으로 토지수용으로 인한 손실보상액을 산정하되, 개발이익을 배제하고 공시기준일부터 재결 시까지의 시점보정을 인근 토지의 가격변동률과 생산자물가상승률에 의하도록 한 것은 공시기준일의 표준지의 객관적 가치를 정당하게 반영하는 것이고 표준지의 선정과 시점보정의 방법이 적정하므로, 이 사건 토지보상조항은 헌법 제23조 제3항이 규정한 정당보상의 원칙에 위배되지 않는다(헌재 2013.12.26, 2011헌바162).
#표준공시지가_보상_정당보상_위배×

2 토지수용보상액은 토지수용법 제46조 제2항 등 관계 법령에서 규정한 바에 따라 산정하여야 하는 것으로서, 지가공시및토지등의평가에관한법률 제10조의2 규정에 따라 결정 · 공시된 개별공시지가를 기준으로 하여 산정하여야 하는 것은 아니며, 관계 법령에 따라 보상액을 산정한 결과 그 보상액이 당해 토지의 개별공시지가를 기준으로 하여 산정한 지가보다 저렴하게 되었다는 사정만으로 그 보상액 산정이 잘못되어 위법한 것이라고 할 수는 없다(대판 2002.3.29, 2000두10106).

3 개발이익

공익사업을 위한 토지 등의 취득 및 보상에 관한 법률 제67조 제2항은 '보상액을 산정할 경우에 해당 공익사업으로 인하여 토지 등의 가격이 변동되었을 때에는 이를 고려하지 아니한다'라고 규정하고 있는바, 수용 대상 토지의 보상액을 산정함에 있어 해당 공익사업의 시행을 직접 목적으로 하는 계획의 승인, 고시로 인한 가격변동은 이를 고려함이 없이 재결 당시의 가격을 기준으로 하여 적정가격을 정하여야 하나, 해당 공익사업과는 관계없는 다른 사업의 시행으로 인한 개발이익은 이를 포함한 가격으로 평가하여야 하고, 개발이익이 해당 공익사업의 사업인정고시일 후에 발생한 경우에도 마찬가지이다(대판 2014.2.27, 2013두21182).

간단 점검하기

01 수용대상 토지에 대한 손실보상액을 평가함에 있어서는 수용재결 당시의 이용상황, 주위환경 등을 기준으로 하여야 하는 것이고, 여기서의 수용대상 토지의 현실이용상황은 법령의 규정이나 토지소유자의 주관적 의도 등에 의하여 의제되어야 한다. ( )
16. 경찰행정

02 토지수용으로 인한 보상액을 산정함에 있어서 당해 공공사업과 관계없는 다른 사업의 시행으로 인한 개발이익은 이를 배제하지 아니한 가격으로 평가하여야 한다. ( ) 19. 소방직 9급

03 판례에 따르면 시가보다 낮은 공시지가라 하더라도 헌법 제23조 제3항이 규정한 정당보상의 원칙에 위배되는 것은 아니라고 본다. ( )
08. 지방직 9급

04 수용대상 토지의 보상가격이 당해 토지의 개별공시지가를 기준으로 하여 산정한 것보다 저렴하게 되었다는 사정만으로 그 보상액 산정이 위법한 것은 아니다. ( )
16. 서울시 9급, 08. 지방직 9급

01 × **02** ○ **03** ○ **04** ○

4 당해 수용사업의 시행으로 인한 개발이익은 수용대상토지의 수용 당시의 객관적 가치에 포함되지 아니하는 것이므로 수용대상토지에 대한 손실보상액을 산정함에 있어서 구 토지수용법(1991.12.31. 법률 제4483호로 개정되기 전의 것) 제46조 제2항에 의하여 손실보상액 산정의 기준이 되는 지가공시및토지등의평가에관한법률에 의한 공시지가에 당해 수용사업의 시행으로 인한 개발이익이 포함되어 있을 경우 그 공시지가에서 그러한 개발이익을 배제한 다음 이를 기준으로 하여 손실보상액을 평가하고, 반대로 그 공시지가가 당해 수용사업의 시행으로 지가가 동결된 관계로 개발이익을 배제한 자연적 지가상승분도 반영하지 못한 경우에는 그 자연적 지가상승률을 산출하여 이를 기타사항으로 참작하여 손실보상액을 평가하는 것이 정당보상의 원리에 합당하다(대판 1993.7.27, 92누11084).

5 문화재보호구역의 확대 지정이 당해 공공사업인 택지개발사업의 시행을 직접 목적으로 하여 가하여진 것이 아님이 명백하므로 토지의 수용보상액은 그러한 공법상 제한을 받는 상태대로 평가하여야 한다(대판 2005.2.18, 2003두14222).

③ **수용당하지 않은 토지소유자에 대한 개발이익의 환수**: 공익사업을 위하여 토지를 수용당한 토지소유자에게 개발로 인한 손실을 보상하는 한편, 이러한 토지소유자와 수용당하지 않은 토지소유자나 개발사업자 등과의 불균형을 막기 위하여 공익사업의 시행을 이유로 한 개발이익을 환수하고 있다(개발이익환수법 제13조).

> 개발이익환수에 관한 법률 제13조【부담률】납부 의무자가 납부하여야 할 개발부담금은 제8조에 따라 산정된 개발이익에 다음 각 호의 구분에 따른 부담률을 곱하여 산정한다.
> 1. 제5조 제1항 제1호부터 제6호까지의 개발사업: 100분의 20
> 2. 제5조 제1항 제7호 및 제8호의 개발사업: 100분의 25. 다만, 국토의 계획 및 이용에 관한 법률 제38조에 따른 개발제한구역에서 제5조 제1항 제7호 및 제8호의 개발사업을 시행하는 경우로서 납부 의무자가 개발제한구역으로 지정될 당시부터 토지 소유자인 경우에는 100분의 20으로 한다.

간단 점검하기

토지수용으로 인한 손실보상액은 당해 공공사업의 시행을 직접 목적으로 하는 계획의 승인·고시로 인한 가격변동을 고려함이 없이 수용재결 당시의 가격을 기준으로 하여 정하여야 한다.
( ) 14. 국가직 7급

○

(3) 공용사용의 경우

> 토지보상법 제71조【사용하는 토지의 보상 등】① 협의 또는 재결에 의하여 사용하는 토지에 대하여는 그 토지와 인근 유사토지의 지료(地料), 임대료, 사용방법, 사용기간 및 그 토지의 가격 등을 고려하여 평가한 적정가격으로 보상하여야 한다.
> ② 사용하는 토지와 그 지하 및 지상의 공간 사용에 대한 구체적인 보상액 산정 및 평가방법은 투자비용, 예상수익 및 거래가격 등을 고려하여 국토교통부령으로 정한다.
>
> 제72조【사용하는 토지의 매수청구 등】사업인정고시가 된 후 다음 각 호의 어느 하나에 해당할 때에는 해당 토지소유자는 사업시행자에게 해당 토지의 매수를 청구하거나 관할 토지수용위원회에 그 토지의 수용을 청구할 수 있다. 이 경우 관계인은 사업시행자나 관할 토지수용위원회에 그 권리의 존속(存續)을 청구할 수 있다.

> 1. 토지를 사용하는 기간이 3년 이상인 경우
> 2. 토지의 사용으로 인하여 토지의 형질이 변경되는 경우
> 3. 사용하려는 토지에 그 토지소유자의 건축물이 있는 경우

① **사용하는 토지에 대한 보상**: 협의 또는 재결에 의하여 사용하는 토지는 여러 사항을 참작하여 평가한 적정가격으로 보상하여야 한다(토지보상법 제71조 제1항).

② **사용하는 토지의 매수청구**: 사업인정고시가 있은 후 일정한 경우에는 해당 토지소유자는 사업시행자에게 그 토지의 매수를 청구하거나 관할 토지수용위원회에 그 토지의 수용을 청구할 수 있다(토지보상법 제72조).

(4) 공용제한의 경우

① **문제점**: 공용제한은 개인의 재산권에 대한 공법상의 제한으로서 헌법상 보장된 재산권의 침해가 되는 것이므로 손실보상의 문제가 발생한다. 공용제한에 대하여 보상규정을 둔 법률도 있으나(예 도로법 제92조 등), 대부분은 사회적 제약에 해당한다고 보아 명시적인 보상규정을 두고 있지 않다.

② **공용제한의 보상기준**: 이에 대해서는 상당인과관계설, 지가하락설, 실손전보설, 지대설, 공용지역권설정설 등이 주장되고 있다.

2 손실보상의 개별적 내용

1. 개설

종래 보상의 내용은 주로 손실된 재산적 가치에 대한 보상이었으나, 오늘날 손실보상의 내용은 점차 다양화되고 확장되는 경향을 보이고 있다. 즉, 토지소유권 이외에도 그와 관련되는 부대적 손실까지 확대되고 있고, 생활보상과 사업손실보상도 보상의 내용으로 부각되고 있다.

2. 손실보상내용의 변천

대인적 보상	수용목적물의 객관적인 가치가 아니라 피수용자가 해당 수용목적물을 이용함으로써 얻고 있는 편익가치를 기준으로 이루어지는 보상
대물적 보상	재산권에 대한 보상이 객관적인 시장가치를 기준으로 하여 이루어지는 것
생활보상	재산권 침해로 인하여 생활근거를 상실하게 되는 재산권의 피수용자 등에 대하여 생존배려적인 측면에서 생활재건에 필요한 보상을 해주는 것

3. 재산권 보상

(1) 토지의 보상

① **손실보상의 내용**: 토지에 대한 손실보상으로 수용보상(토지보상법 제70조), 사용보상(동법 제71조), 사용토지의 매수·수용의 청구(동법 제72조) 및 잔여지의 보상·수용청구(동법 제73조, 제74조)를 규정하고 있다.

② **보상액의 산정시기**: 보상액의 산정은 소유자와 사업시행자의 협의의 경우에는 협의 성립 당시의 가격을 기준으로 하고, 토지수용위원회에서 재결의 경우에는 수용 또는 사용의 재결 당시의 가격을 기준으로 한다(동법 제67조 제1항).

관련판례 **보상액 산정시기 ★★**

산지전용기간이 만료될 때까지 목적사업을 완료하지 못한 경우, 사업시행으로 토지의 형상이 변경된 부분은 공익사업을 위한 토지 등의 취득 및 보상에 관한 법률에 의한 보상에서 불법 형질변경된 토지로 보아 형질변경될 당시의 토지이용상황을 기준으로 보상금을 산정한다. 산지복구의무가 면제될 사정이 있는 경우, 형질변경이 이루어진 상태가 토지에 대한 보상의 기준이 되는 '현실적인 이용상황'이다(대판 2017.4.7, 2016두61808).

#산지전용기간_만료시_목적사업_완료×_형질변경시_기준 #산지복구의무_면제_형질변경후_기준

(2) 토지 이외의 재산권 보상(부대적 보상)

① 건축물 등에 대한 보상

토지보상법 제75조【건축물 등 물건에 대한 보상】① 건축물·입목·공작물과 그 밖에 토지에 정착한 물건(이하 "건축물 등"이라 한다)에 대하여는 이전에 필요한 비용(이하 "이전비"라 한다)으로 보상하여야 한다. 다만, 다음 각 호의 어느 하나에 해당하는 경우에는 해당 물건의 가격으로 보상하여야 한다.

1. 건축물 등을 이전하기 어렵거나 그 이전으로 인하여 건축물 등을 종래의 목적대로 사용할 수 없게 된 경우
2. 건축물 등의 이전비가 그 물건의 가격을 넘는 경우
3. 사업시행자가 공익사업에 직접 사용할 목적으로 취득하는 경우

② 농작물에 대한 손실은 그 종류와 성장의 정도 등을 종합적으로 고려하여 보상하여야 한다.

③ 토지에 속한 흙·돌·모래 또는 자갈(흙·돌·모래 또는 자갈이 해당 토지와 별도로 취득 또는 사용의 대상이 되는 경우만 해당한다)에 대하여는 거래가격 등을 고려하여 평가한 적정가격으로 보상하여야 한다.

④ 분묘에 대하여는 이장(移葬)에 드는 비용 등을 산정하여 보상하여야 한다.

⑤ 사업시행자는 사업예정지에 있는 건축물 등이 제1항 제1호 또는 제2호에 해당하는 경우에는 관할 토지수용위원회에 그 물건의 수용 재결을 신청할 수 있다.

⑥ 제1항부터 제4항까지의 규정에 따른 물건 및 그 밖의 물건에 대한 보상액의 구체적인 산정 및 평가방법과 보상기준은 국토교통부령으로 정한다.

간단 점검하기

분묘의 이전에 대하여는 이장에 소용되는 비용 등을 산정하여 보상하여야 한다. ( ) 06. 국가직 9급

○

관련판례

1 지장물인 건물은 그 건물이 적법한 건축허가를 받아 건축된 것인지 여부에 관계없이 토지수용법상의 사업인정의 고시 이전에 건축된 건물이기만 하면 손실보상의 대상이 됨이 명백하다(대판 2000.3.10, 99두10896).

2 공익사업을 위한 토지 등의 취득 및 보상에 관한 법률 제78조 제1항, 공익사업을 위한 토지 등의 취득 및 보상에 관한 법률 시행령 제40조 제3항 제2호 규정의 문언, 내용 및 입법 취지 등을 종합하여 보면, 위 법 제78조 제1항에 정한 이주대책의 대상이 되는 주거용 건축물이란 위 시행령 제40조 제3항 제2호의 '공익사업을 위한 관계 법령에 의한 고시 등이 있은 날' 당시 건축물의 용도가 주거용인 건물을 의미한다고 해석되므로, 그 당시 주거용 건물이 아니었던 건물이 그 이후에 주거용으로 용도 변경된 경우에는 건축 허가를 받았는지 여부에 상관없이 수용재결 내지 협의계약 체결 당시 주거용으로 사용된 건물이라 할지라도 이주대책대상이 되는 주거용 건축물이 될 수 없다(대판 2009.2.26, 2007두13340).

② 잔여지 또는 잔여 건축물의 손실에 대한 보상과 매수청구

토지보상법 제73조【잔여지의 손실과 공사비 보상】① 사업시행자는 동일한 소유자에게 속하는 일단의 토지의 일부가 취득되거나 사용됨으로 인하여 잔여지의 가격이 감소하거나 그 밖의 손실이 있을 때 또는 잔여지에 통로·도랑·담장 등의 신설이나 그 밖의 공사가 필요할 때에는 국토교통부령으로 정하는 바에 따라 그 손실이나 공사의 비용을 보상하여야 한다. 다만, 잔여지의 가격 감소분과 잔여지에 대한 공사의 비용을 합한 금액이 잔여지의 가격보다 큰 경우에는 사업시행자는 그 잔여지를 매수할 수 있다.

제74조【잔여지 등의 매수 및 수용 청구】① 동일한 소유자에게 속하는 일단의 토지의 일부가 협의에 의하여 매수되거나 수용됨으로 인하여 잔여지를 종래의 목적에 사용하는 것이 현저히 곤란할 때에는 해당 토지소유자는 사업시행자에게 잔여지를 매수하여 줄 것을 청구할 수 있으며, 사업인정 이후에는 관할 토지수용위원회에 수용을 청구할 수 있다. 이 경우 수용의 청구는 매수에 관한 협의가 성립되지 아니한 경우에만 할 수 있으며, 그 사업의 공사완료일까지 하여야 한다.

제75조의2【잔여 건축물의 손실에 대한 보상 등】① 사업시행자는 동일한 소유자에게 속하는 일단의 건축물의 일부가 취득되거나 사용됨으로 인하여 잔여 건축물의 가격이 감소하거나 그 밖의 손실이 있을 때에는 국토교통부령으로 정하는 바에 따라 그 손실을 보상하여야 한다. 다만, 잔여 건축물의 가격 감소분과 보수비(건축물의 나머지 부분을 종래의 목적대로 사용할 수 있도록 그 유용성을 동일하게 유지하는 데에 일반적으로 필요하다고 볼 수 있는 공사에 사용되는 비용을 말한다. 다만, 건축법 등 관계 법령에 따라 요구되는 시설 개선에 필요한 비용은 포함하지 아니한다)를 합한 금액이 잔여 건축물의 가격보다 큰 경우에는 사업시행자는 그 잔여 건축물을 매수할 수 있다.
② 동일한 소유자에게 속하는 일단의 건축물의 일부가 협의에 의하여 매수되거나 수용됨으로 인하여 잔여 건축물을 종래의 목적에 사용하는 것이 현저히 곤란할 때에는 그 건축물소유자는 사업시행자에게 잔

간단 점검하기

01 지장물인 건물은 그 건물이 적법한 건축허가를 받아 건축된 것인지 여부에 관계없이 토지수용법상의 사업인정의 고시 이전에 건축된 건물이기만 하면 손실보상의 대상이 된다. ( )
16. 경찰행정, 11. 지방직 7급

02 공익사업을 위한 관계법령에 의한 고시 등이 있은 날 당시 주거용 건물이 아니었던 건물이 그 이후에 주거용으로 불법 용도변경된 경우에도 이주대책대상이 되는 주거용 건축물이 될 수 있다. ( ) 11. 사회복지직

간단 점검하기

03 공익사업을 위한 토지 등의 취득 및 보상에 관한 법률상 잔여지수용의 청구는 사업시행자가 관할 토지수용위원회에 하여야 하고, 토지소유자는 사업시행자에게 잔여지 수용을 청구해 줄 것을 요청할 수 있다. ( )
19. 서울시 7급

04 공익사업을 위한 토지 등의 취득 및 보상에 관한 법률상의 잔여지 수용 청구는 매수에 관한 협의가 성립되지 아니한 경우에만 할 수 있으며, 그 사업의 공사완료일까지 하여야 한다.
( ) 11. 국가직 7급, 19. 소방직 9급

01 ○ **02** × **03** × **04** ○

여 건축물을 매수하여 줄 것을 청구할 수 있으며, 사업인정 이후에는 관할 토지수용위원회에 수용을 청구할 수 있다. 이 경우 수용 청구는 매수에 관한 협의가 성립되지 아니한 경우에만 하되, 그 사업의 공사 완료일까지 하여야 한다.

간단 점검하기

01 잔여지가 이용은 가능하지만 그 이용에 많은 비용이 소요되는 경우에는 잔여지수용을 청구할 수 있다. ( ) 11. 국가직 7급

02 잔여지수용청구권은 그 요건을 구비한 때에 형성권의 성질을 가지며 잔여지수용청구권의 행사기간은 제척기간이다. ( ) 11. 국가직 7급, 08. 지방직 7급

03 잔여지 수용의 청구가 있으면 그 잔여지에 관하여 권리를 가진 자는 사업시행자에게 그 권리의 존속을 청구할 수 없다. ( ) 11. 국가직 7급

04 공익사업을 위한 토지 등의 취득 및 보상에 관한 법률상 잔여지 수용청구권은 형성권적 성질을 가지므로, 잔여지 수용청구를 받아들이지 않은 재결에 대하여 토지소유자가 불복하여 제기하는 소송은 보상금증감청구소송에 해당한다. ( ) 17. 지방직 9급

05 공익사업을 위한 토지 등의 취득 및 보상에 관한 법률에 의한 잔여지 수용청구를 받아들이지 않은 토지수용위원회의 재결에 대하여 토지소유자가 불복하여 제기하는 소송은 항고소송에 해당한다. ( ) 19. 지방직 9급

01 ○ 02 ○ 03 × 04 ○ 05 ×

관련판례 잔여지

1 사업시행자가 동일한 토지소유자에 속하는 일단의 토지 일부를 취득함으로 인하여 잔여지의 가격이 감소하거나 그 밖의 손실이 있을 때 등에는 잔여지를 종래의 목적으로 사용하는 것이 가능한 경우라도 잔여지 손실보상의 대상이 되며, 잔여지를 종래의 목적에 사용하는 것이 불가능하거나 현저히 곤란한 경우이어야만 잔여지 손실보상청구를 할 수 있는 것이 아니다. 마찬가지로 잔여 영업시설 손실보상의 요건인 "공익사업에 영업시설의 일부가 편입됨으로 인하여 잔여시설에 그 시설을 새로이 설치하거나 잔여시설을 보수하지 아니하고는 그 영업을 계속할 수 없는 경우"란 잔여 영업시설에 시설을 새로이 설치하거나 잔여 영업시설을 보수하지 아니하고는 그 영업이 전부 불가능하거나 곤란하게 되는 경우만을 의미하는 것이 아니라, 공익사업에 영업시설 일부가 편입됨으로써 잔여 영업시설의 운영에 일정한 지장이 초래되고, 이에 따라 종전처럼 정상적인 영업을 계속하기 위해서는 잔여 영업시설에 시설을 새로 설치하거나 잔여 영업시설을 보수할 필요가 있는 경우도 포함된다고 해석함이 타당하다(대판 2018.7.20, 2015두4044).

#잔여지_종래목적_사용가능_보상 #잔여영업시설_종래영업지장_보상 #공장용지_시설_일부_도로편입 #진출입협소_대형트럭진출입_곤란 #공장_효율적_운영_차질_보상

2 구 토지수용법(1999.2.8. 법률 제5909호로 개정되기 전의 것) 제48조 제1항에서 규정한 '종래의 목적'이라 함은 수용재결 당시에 당해 잔여지가 현실적으로 사용되고 있는 구체적인 용도를 의미하고, '사용하는 것이 현저히 곤란한 때'라고 함은 물리적으로 사용하는 것이 곤란하게 된 경우는 물론 사회적, 경제적으로 사용하는 것이 곤란하게 된 경우, 즉 절대적으로 이용 불가능한 경우만이 아니라 이용은 가능하나 많은 비용이 소요되는 경우를 포함한다(대판 2005.1.28, 2002두4679).

3 [1] 공익사업을 위한 토지 등의 취득 및 보상에 관한 법률(이하 '토지보상법'이라고 한다) 제73조 제1항 본문은 "사업시행자는 동일한 소유자에게 속하는 일단의 토지의 일부가 취득되거나 사용됨으로 인하여 잔여지의 가격이 감소하거나 그 밖의 손실이 있을 때 또는 잔여지에 통로 · 도랑 · 담장 등의 신설이나 그 밖의 공사가 필요할 때에는 국토교통부령으로 정하는 바에 따라 그 손실이나 공사의 비용을 보상하여야 한다."라고 규정하고 있다.

[2] 여기서 특정한 공익사업의 사업시행자가 보상하여야 하는 손실은, 동일한 소유자에게 속하는 일단의 토지 중 일부를 사업시행자가 그 공익사업을 위하여 취득하거나 사용함으로 인하여 잔여지에 발생하는 것임을 전제로 한다. 따라서 이러한 잔여지에 대하여 현실적 이용상황 변경 또는 사용가치 및 교환가치의 하락 등이 발생하였더라도, 그 손실이 토지의 일부가 공익사업에 취득되거나 사용됨으로 인하여 발생하는 것이 아니라면 특별한 사정이 없는 한 토지보상법 제73조 제1항 본문에 따른 잔여지 손실보상 대상에 해당한다고 볼 수 없다(대판 2017.7.11, 2017두40860).

4 잔여건물 가치하락 ★★★

잔여건물에 대하여 보수만으로 보전될 수 없는 가치하락이 있는 경우에는, 동일한 토지소유자의 소유에 속하는 일단의 토지 일부가 공공사업용지로 편입됨으로써 잔여지의 가격이 하락한 경우에는 공공사업용지로 편입되는 토지의 가격으로 환산한 잔여지의 가격에서 가격이 하락된 잔여지의 평가액을 차감한 잔액을 손실액으로 평가하도록 되어 있는 공공용지의취득및손실보상에관한특례법시행규칙 제26조 제2항을 유추적용하여 잔여건물의 가치하락분에 대한 감가보상을 인정함이 상당하다(대판 2001.9.25, 2000두2426).

#잔여건물_가치하락_보상(유추적용) #잔여건물_보수비보상_인정 #잔여건물_가치하락_보상○

5 [1] 구 '공익사업을 위한 토지 등의 취득 및 보상에 관한 법률'(2007.10.17. 법률 제8665호로 개정되기 전의 것) 제74조 제1항에 규정되어 있는 잔여지 수용청구권은 손실보상의 일환으로 토지소유자에게 부여되는 권리로서 그 요건을 구비한 때에는 잔여지를 수용하는 토지수용위원회의 재결이 없더라도 그 청구에 의하여 수용의 효과가 발생하는 형성권적 성질을 가지므로, 잔여지 수용청구를 받아들이지 않은 토지수용위원회의 재결에 대하여 토지소유자가 불복하여 제기하는 소송은 위 법 제85조 제2항에 규정되어 있는 '보상금의 증감에 관한 소송'에 해당하여 사업시행자를 피고로 하여야 한다.

[2] 구 '공익사업을 위한 토지 등의 취득 및 보상에 관한 법률'(2007.10.17. 법률 제8665호로 개정되기 전의 것) 제74조 제1항에 의하면, 잔여지 수용청구는 사업시행자와 사이에 매수에 관한 협의가 성립되지 아니한 경우 일단의 토지의 일부에 대한 관할 토지수용위원회의 수용재결이 있기 전까지 관할 토지수용위원회에 하여야 하고, 잔여지 수용청구권의 행사기간은 제척기간으로서, 토지소유자가 그 행사기간 내에 잔여지 수용청구권을 행사하지 아니하면 그 권리가 소멸한다. 또한 위 조항의 문언 내용 등에 비추어 볼 때, 잔여지 수용청구의 의사표시는 관할 토지수용위원회에 하여야 하는 것으로서, 관할 토지수용위원회가 사업시행자에게 잔여지 수용청구의 의사표시를 수령할 권한을 부여하였다고 인정할 만한 사정이 없는 한, 사업시행자에게 한 잔여지 매수청구의 의사표시를 관할 토지수용위원회에 한 잔여지 수용청구의 의사표시로 볼 수는 없다(대판 2010.8.19, 2008두822).

③ 권리의 보상

> 토지보상법 제76조【권리의 보상】① 광업권·어업권·양식업권 및 물(용수시설을 포함한다) 등의 사용에 관한 권리에 대하여는 투자비용, 예상 수익 및 거래가격 등을 고려하여 평가한 적정가격으로 보상하여야 한다.

④ 영업·농업·임금 손실의 보상

> 토지보상법 제77조【영업의 손실 등에 대한 보상】① 영업을 폐업하거나 휴업함에 따른 영업손실에 대하여는 영업이익과 시설의 이전비용 등을 고려하여 보상하여야 한다.
> ② 농업의 손실에 대하여는 농지의 단위면적당 소득 등을 고려하여 실제 경작자에게 보상하여야 한다. 다만, 농지소유자가 해당 지역에 거주하는 농민인 경우에는 농지소유자와 실제 경작자가 협의하는 바에 따라 보상할 수 있다.

간단 점검하기

01 공익사업을 위한 토지 등의 취득 및 보상에 관한 법률상 잔여지에 현실적 이용 상황 변경 또는 사용가치 및 교환가치의 하락 등이 발생하였더라도 그 손실이 토지가 공익사업에 취득·사용됨으로써 발생한 것이 아닌 경우에는 손실보상의 대상이 되지 않는다. ( ) 19. 서울시 7급

02 건물의 일부만 수용되어 잔여부분을 보수하여 사용할 수 있는 경우 그 건물 전체의 가격에서 수용된 부분의 비율에 해당하는 금액과 건물 보수비를 손실보상액으로 평가하여 보상하면 되고, 잔여건물에 대한 가치하락까지 보상해야 하는 것은 아니다. ( ) 14. 국가직 7급

간단 점검하기

03 광업권·어업권·양식업권 및 물 등의 사용에 관한 권리에 대하여는 투자비용, 예상수익 및 거래가격 등을 고려하여 평가한 적정가격으로 보상하여야 한다. ( ) 11. 지방직 7급

04 영업을 폐지하는 경우 영업손실에 대해서는 영업이익과 시설의 이전비용 등을 참작하여 보상하여야 한다. ( ) 06. 국가직 9급

05 농업의 손실에 대하여는 농지의 단위면적당 소득 등을 고려하여 실제 경작자에게 보상하여야 하지만, 농지소유자가 해당 지역에 거주하는 농민인 경우에는 농지소유자와 실제 경작자가 협의하는 바에 따라 보상할 수 있다. ( ) 11. 지방직 7급

01 ○ 02 × 03 ○ 04 ○ 05 ○

③ 휴직하거나 실직하는 근로자의 임금손실에 대하여는 근로기준법에 따른 평균임금 등을 고려하여 보상하여야 한다.

관련판례

1 농지개량사업 시행지역 내의 토지 등 소유자가 토지사용에 관한 승낙을 하였더라도 그에 대한 정당한 보상을 받은 바가 없다면 농지개량사업 시행자는 토지 소유자 및 승계인에 대하여 보상할 의무가 있고, 그러한 보상 없이 타인의 토지를 점유·사용하는 것은 법률상 원인 없이 이득을 얻은 때에 해당한다(대판 2016.6.23, 2016다206369).

2 영업손실에 관한 보상에 있어 공특법 시행규칙 제24조 제2항 제1호 내지 제3호에 의한 영업의 폐지로 볼 것인지 아니면 영업의 휴업으로 볼 것인지를 구별하는 기준은 당해 영업을 그 영업소 소재지나 인접 시·군 또는 구 지역 안의 다른 장소로 이전하는 것이 가능한지의 여부에 달려 있고, 이러한 이전가능 여부는 법령상의 이전장애사유 유무와 당해 영업의 종류와 특성, 영업시설의 규모, 인접 지역의 현황과 특성, 그 이전을 위하여 당사자가 들인 노력 등과 인근 주민들의 이전 반대 등과 같은 사실상의 이전장애사유 유무 등을 종합하여 판단하여야 한다(대판 2006.9.8, 2004두7672).

3 영업상 손실 ★★★

'영업상의 손실'이란 수용의 대상이 된 토지·건물 등을 이용하여 영업을 하다가 그 토지·건물 등이 수용됨으로 인하여 영업을 할 수 없거나 제한을 받게 됨으로 인하여 생기는 직접적인 손실을 말하는 것이므로 위 규정은 영업을 하기 위하여 투자한 비용이나 그 영업을 통하여 얻을 것으로 기대되는 이익에 대한 손실보상의 근거규정이 될 수 없다(대판 2006.1.27, 2003두13106).

#영업상_손실_직접손실 #간접손실_기대이익_제외 #관광휴양사업_자체_영업×_보상
#지하수·온천개별_설계비용_보상×

4. 정신적 보상

(1) 현행 공익사업을 위한 토지 등의 취득 및 보상에 관한 법률은 재산권 침해로 인한 대물적 보상을 원칙으로 하고 있기 때문에 보상대상에 정신적 손실을 포함시키지 않고 있다.

(2) 예컨대 행정중심복합도시의 건설 등 대규모 공익사업으로 인하여 토지를 수용당하는 주민들이 조상 대대로 지켜 왔던 고향땅을 떠나게 됨으로써 받게 되는 정신적인 피해에 대해서는 보상의 대상에 포함시키지 않고 있다. 현행 대물주의에 입각한 보상제도의 문제점이다.

5. 생활(권)보상

(1) 의의

① 생활권보상이란 재산권의 객관적 가치를 보상하더라도 남게 되는 당사자의 생활근거의 상실로 인한 손실을 생존배려적인 측면에서 보상하는 것을 말한다.

간단 점검하기

01 휴직하는 근로자의 임금손실에 대해서는 근로기준법에 의한 평균임금 등을 참작하여 보상하여야 한다. ( ) 06. 국가직 9급

02 영업손실에 관한 보상에 있어서 영업의 휴업과 폐지를 구별하는 기준은 당해 영업을 다른 장소로 실제로 이전하였는지의 여부에 달려있는 것이 아니라 당해 영업을 그 영업소 소재지나 인접 시·군 또는 구 지역 안의 다른 장소로 이전하는 것이 가능한지의 여부에 달려 있다. ( ) 08. 지방직 7급

03 손실보상이 이루어지는 재산권에는 지가상승에 대한 기대이익이나 영업이익의 가능성이 포함되지 아니한다. ( ) 11. 사회복지직, 05. 국가직 9급

간단 점검하기

04 현행 공익사업을 위한 토지 등의 취득 및 보상에 관한 법률상 토지의 경우에 보상액을 결정함에 있어 사업시행자가 당해 공익사업으로 취득하게 될 이익도 고려해야 한다. ( ) 12. 서울시 9급

간단 점검하기

05 생활보상은 피수용자가 종전과 같은 생활을 유지할 수 있도록 실질적으로 보장하는 보상을 말한다. ( ) 15. 국회직 8급

01 ○ 02 ○ 03 ○ 04 × 05 ○

② 재산권 보장의 개념에 부대적 손실까지 포함시키는 것이 일반적 견해이며 주거의 총체가치의 보상, 영업상 손실의 보상, 이전료보상, 소수잔존자보상 등이 그 내용이 된다. 따라서 생활보상은 재산의 교환적 가치의 보상에 그치는 것이 아니라 유기체적 생활을 종전과 마찬가지 수준으로 보상하게 된다.

(2) 생활보상의 특색

① 생활보상은 일정한 수입, 일정한 이윤 또는 일정한 생활비 등 보상액이 객관적으로 산출되므로 주관적 성격이 강한 대인적 보상보다는 객관적 성격이 강하다.

② 생활보상의 경우 수용의 대상과 보상의 대상이 일치되는 대물보상에 비해 보상의 대상이 훨씬 확대된다.

③ 생활보상은 피수용자에게 수용이 없었던 것과 같은 상태를 확보시켜 주는 것을 내용으로 하기 때문에 보상의 역사에 있어서 최종 단계의 보상으로서의 의미를 갖는다.

(3) 생활보상의 근거

① 헌법 제23조 제3항

㉠ 헌법 제23조 제3항은 "공공필요에 의한 재산권의 수용·사용 또는 제한 및 그에 대한 보상은 법률로써 하되 정당한 보상을 지급하여야 한다."라고 규정하고 있는바, 이는 대물적 보상의 원칙을 천명하고 있는 것으로 보인다.

㉡ 따라서 이 규정에 의해서는 수용목적물에 대한 보상 및 그것과 직결되어 있는 부대적 손실의 보상은 보장되고 있으나 협의의 생활보상, 즉 이주대책 등까지 보장되는 것으로 볼 수 없다.

② **헌법 제34조**: 헌법 제34조는 "모든 국민은 인간다운 생활을 할 권리를 가진다."고 규정하고 있는바, 생활보상의 내용을 사회국가적 원리에 따라 생존배려적인 측면에서 인정될 필요가 있으므로 동규정도 생활보상의 근거로 들 수 있다.

관련판례

구 공공용지의취득및손실보상에관한특례법(2002.2.4. 법률 제6656호로 폐지) 제8조 제1항은 "사업시행자는 공공사업의 시행에 필요한 토지 등을 제공함으로 인하여 생활근거를 상실하게 되는 자(이하 '이주자'라고 한다)를 위하여 대통령령이 정하는 바에 따라 이주대책을 수립 실시한다."고 규정하고 있는바, 위 특례법상의 이주대책은 공공사업의 시행에 필요한 토지 등을 제공함으로 인하여 생활의 근거를 상실하게 되는 이주자들을 위하여 사업시행자가 '기본적인 생활시설이 포함된' 택지를 조성하거나 그 지상에 주택을 건설하여 이주자들에게 이를 '그 투입비용 원가만의 부담하에' 개별 공급하는 것으로서, 그 본래의 취지에 있어 이주자들에 대하여 종전의 생활상태를 원상으로 회복시키면서 동시에 인간다운 생활을 보장하여 주기 위한 이른바 생활보상의 일환으로 국가의 적극적이고 정책적인 배려에 의하여 마련된 제도라 할 것이다(대판 2003.7.25, 2001다57778).

간단 점검하기

판례에 의하면 이주대책은 그 본래의 취지에 있어 이주자들에 대하여 종전의 생활상태를 원상으로 회복시키면서 동시에 인간다운 생활을 보장하여 주기 위한 이른바 생활보상의 일환으로 국가의 적극적이고 정책적인 배려에 의하여 마련된 제도이다. ( )

11. 지방직 9급,
10. 지방직 7급·서울시 9급

○

(4) 생활보상의 내용

① 이주대책

㉠ 의의: 이주대책이란 공익사업의 시행으로 인하여 생활의 근거를 상실하게 되는 자(이주대상자)를 종전과 같은 생활상태를 유지할 수 있도록 다른 지역으로 이주시키는 것을 말한다(토지보상법 제78조 제1항). 이주대책은 생활보상의 일종으로 생계대책이 포함되어야 한다.❶

㉡ 이주대책의 수립의무

ⓐ 사업시행자는 법령에서 정한 일정한 경우 이주대책을 수립할 의무가 있다.

ⓑ 이주대책의 수립은 사업시행자의 의무이지만 이주대책의 내용결정(특별공급주택의 수량, 특별공급대상자의 선정 등)은 사업시행자의 재량에 맡겨져 있다.

❶ 대판 1994.5.24, 92다35783

> 토지보상법 제78조【이주대책의 수립 등】① 사업시행자는 공익사업의 시행으로 인하여 주거용 건축물을 제공함에 따라 생활의 근거를 상실하게 되는 자(이하 "이주대책대상자"라 한다)를 위하여 대통령령으로 정하는 바에 따라 이주대책을 수립·실시하거나 이주정착금을 지급하여야 한다.
> ② 사업시행자는 제1항에 따라 이주대책을 수립하려면 미리 관할 지방자치단체의 장과 협의하여야 한다.
>
> 시행령 제40조【이주대책의 수립·실시】② 이주대책은 국토교통부령으로 정하는 부득이한 사유가 있는 경우를 제외하고는 이주대책대상자 중 이주정착지에 이주를 희망하는 자의 가구 수가 10호(戶) 이상인 경우에 수립·실시한다. 다만, 사업시행자가 택지개발촉진법 또는 주택법 등 관계 법령에 따라 이주대책대상자에게 택지 또는 주택을 공급한 경우(사업시행자의 알선에 의하여 공급한 경우를 포함한다)에는 이주대책을 수립·실시한 것으로 본다.
>
> 시행규칙 제53조【이주정착금 등】① 영 제40조 제2항 본문에서 "국토교통부령으로 정하는 부득이한 사유"란 다음 각 호의 어느 하나에 해당하는 경우를 말한다.
> 1. 공익사업시행지구의 인근에 택지 조성에 적합한 토지가 없는 경우
> 2. 이주대책에 필요한 비용이 당해 공익사업의 본래의 목적을 위한 소요비용을 초과하는 등 이주대책의 수립·실시로 인하여 당해 공익사업의 시행이 사실상 곤란하게 되는 경우

간단 점검하기

01 사업시행자가 이주대책을 수립하고자 하는 때에는 미리 관할 지방자치단체의 장과 협의하여야 한다. ( )
10. 지방직 7급

관련판례

1 이주대책 수립의무 ★★

사업시행자의 이주대책 수립·실시의무를 정하고 있는 구 공익사업법 제78조 제1항은 물론 이주대책의 내용에 관하여 규정하고 있는 같은 조 제4항 본문 역시 당사자의 합의 또는 사업시행자의 재량에 의하여 적용을 배제할 수 없는 강행법규이다(대판 2011.6.23, 2007다63089·63096).

#이주대책수립·실시_기속행위(강행법규) #이주대책내용_재량행위

간단 점검하기

02 이주대책은 이주자들에게 종전의 생활상태를 회복시키기 위한 생활보상의 일환으로서 국가의 정책적인 배려에 의하여 마련된 제도이므로, 이주대책의 실시 여부는 입법자의 입법정책적 재량의 영역에 속한다. ( )
17. 국가직 9급

01 ○ 02 ○

2 이주대책 실시여부 재량 ★★★

이주대책은 헌법 제23조 제3항에 규정된 정당한 보상에 포함되는 것이라기보다는 이에 부가하여 이주자들에게 종전의 생활상태를 회복시키기 위한 생활보상의 일환으로서 국가의 정책적인 배려에 의하여 마련된 제도라고 볼 것이다. 따라서 이주대책의 실시 여부는 입법자의 입법정책적 재량의 영역에 속하므로 공익사업을위한토지등의취득및보상에관한법률시행령 제40조 제3항 제3호(이하 '이 사건 조항'이라 한다)가 이주대책의 대상자에서 세입자를 제외하고 있는 것이 세입자의 재산권을 침해하는 것이라 볼 수 없다(헌재 2006.2.23, 2004헌마19).

#고양관광문화단지조성사업 #주거용건물_세입자_제외

3 구 도시개발법(2007.4.11. 법률 제8376호로 개정되기 전의 것) 제23조, 공익사업을 위한 토지 등의 취득 및 보상에 관한 법률 제78조 제1항, 같은 법 시행령 제40조 제3항 제2호의 문언, 내용 및 입법 취지 등을 종합하여 보면, 위 시행령 제40조 제3항 제2호에서 말하는 '공익사업을 위한 관계 법령에 의한 고시 등이 있은 날'은 이주대책대상자와 아닌 자를 정하는 기준이지만, 나아가 사업시행자가 이주대책대상자 중에서 이주대책을 수립·실시하여야 할 자와 이주정착금을 지급하여야 할 자를 정하는 기준이 되는 것은 아니므로, 사업시행자는 이주대책기준을 정하여 이주대책대상자 중에서 이주대책을 수립·실시하여야 할 자를 선정하여 그들에게 공급할 택지 또는 주택의 내용이나 수량을 정할 수 있고, 이를 정하는 데 재량을 가지므로, 이를 위해 사업시행자가 설정한 기준은 그것이 객관적으로 합리적이 아니라거나 타당하지 않다고 볼 만한 다른 특별한 사정이 없는 한 존중되어야 한다(대판 2009.3.12, 2008두12610).

ⓒ **이주대책수립자**: 이주대책은 수립하는 자는 사업시행자이며, 사업시행자가 이주대책을 수립하고자 하는 때에는 미리 관할 지방자치단체의 장과 협의하여야 한다(토지보상법 제78조 제1항·제2항).

ⓓ **이주대책대상자**

ⓐ **법령상 이주대책대상자**: 공익사업의 시행으로 인하여 주거용 건축물을 제공함에 따라 생활의 근거를 상실하게 되는 자

ⓑ **임의적(시혜적) 이주대책대상자(세입자)**: 사업시행자는 법상 이주대책대상자가 아닌 세입자도 임의적으로 이주대책대상자에 포함시킬 수 있다. 이주대책의 수립에 의해 이주대책대상자에 포함된 세입자 등은 영구임대주택 입주권 등 이주대책을 청구할 권리를 가지며 이주대책에서 제외되거나 거부된 경우에는 항고소송으로 구제 가능하다.

관련판례

1 이주대책확대 ★★

[1] 사업시행자는 해당 공익사업의 성격, 구체적인 경위나 내용, 그 원만한 시행을 위한 필요 등 제반 사정을 고려하여 법이 정한 이주대책대상자를 포함하여 그 밖의 이해관계인에게까지 넓혀 이주대책 수립 등을 시행할 수 있다고 할 것이다.

[2] 사업시행자가 이와 같이 이주대책 수립 등의 시행 범위를 넓힌 경우에, 그 내용은 법이 정한 이주대책대상자에 관한 것과 그 밖의 이해관계인에 관한 것으로 구분되고, 그 밖의 이해관계인에 관한 이주대책 수립 등은 법적 의무가 없는

간단 점검하기

01 헌법재판소는 헌법 제23조 제3항의 정당한 보상에 세입자의 이주대책까지 포함된다고 본다. ( )
18. 교육행정직

02 도시개발사업의 사업시행자는 이주대책기준을 정하여 이주대책대상자 가운데 이주대책을 수립·실시하여야 할 자를 선정하여 그들에게 공급할 택지 등을 정하는 데 재량을 갖는다.
( ) 15. 국회직 8급, 10. 지방직 7급

03 사업시행자는 이주대책을 수립할 의무를 질 뿐, 그 내용결정에 있어서 재량권을 갖는 것은 아니다. ( )
10. 지방직 7급

간단 점검하기

04 공익사업을 위한 토지 등의 취득 및 보상에 관한 법률상 해당 공익사업의 성격, 구체적인 경위나 내용, 원만한 시행을 위한 필요 등 제반 사정을 고려하여, 사업시행자는 법이 정한 이주대책대상자를 포함하여 그 밖의 이해관계인에게까지 넓혀 이주대책 수립 등을 시행할 수 있다. ( )
18. 지방직 7급

01 × 02 ○ 03 × 04 ○

시혜적인 것으로 보아야 한다. 따라서 시혜적으로 시행되는 이주대책 수립 등의 경우에 그 대상자(이하 '시혜적인 이주대책대상자'라 한다)의 범위나 그들에 대한 이주대책 수립 등의 내용을 어떻게 정할 것인지에 관하여는 사업시행자에게 폭넓은 재량이 있다고 할 것이다(대판 2015.7.23, 2012두22911).
#사업시행자_이주대책_확대 #법정이주대책_시혜적_이주대책 #사업시행자_넓은_재량

2 구 공익사업을 위한 토지 등의 취득 및 보상에 관한 법률(2007.10.17. 법률 제8665호로 개정되기 전의 것) 제2조, 제78조에 의하면, 세입자는 사업시행자가 취득 또는 사용할 토지에 관하여 임대차 등에 의한 권리를 가진 관계인으로서, 같은 법 시행규칙 제54조 제2항 본문에 해당하는 경우에는 주거이전에 필요한 비용을 보상받을 권리가 있다. 그런데 이러한 주거이전비는 당해 공익사업 시행지구 안에 거주하는 세입자들의 조기이주를 장려하여 사업추진을 원활하게 하려는 정책적인 목적과 주거이전으로 인하여 특별한 어려움을 겪게 될 세입자들을 대상으로 하는 사회보장적인 차원에서 지급되는 금원의 성격을 가진다(대판 2008.5.29, 2007다8129).

간단 점검하기

01 대법원은 공익사업을 위한 토지 등의 취득 및 보상에 관한 법령상 공익사업의 시행에 따라 이주하는 주거용 건축물의 세입자에게 지급하는 주거이전비와 이사비는 사회보장적 차원에서 지급하는 금원의 성격을 갖는다고 본다. ( ) 10. 서울시 9급

ⓜ 이주대책의 내용

> 토지보상법 제78조【이주대책의 수립 등】④ 이주대책의 내용에는 이주정착지(이주대책의 실시로 건설하는 주택단지를 포함한다)에 대한 도로, 급수시설, 배수시설, 그 밖의 공공시설 등 통상적인 수준의 생활기본시설이 포함되어야 하며, 이에 필요한 비용은 사업시행자가 부담한다. 다만, 행정청이 아닌 사업시행자가 이주대책을 수립·실시하는 경우에 지방자치단체는 비용의 일부를 보조할 수 있다.
> ⑤ 주거용 건물의 거주자에 대하여는 주거 이전에 필요한 비용과 가재도구 등 동산의 운반에 필요한 비용을 산정하여 보상하여야 한다.
> ⑥ 공익사업의 시행으로 인하여 영위하던 농업·어업을 계속할 수 없게 되어 다른 지역으로 이주하는 농민·어민이 받을 보상금이 없거나 그 총액이 국토교통부령으로 정하는 금액에 미치지 못하는 경우에는 그 금액 또는 그 차액을 보상하여야 한다.

ⓑ 이주대책대상자(이주자)의 법적 성질

ⓐ **이주대책계획수립청구권**: 사업시행자는 이주대책을 실시할 의무가 있다. 따라서 이주대책대상자는 개별적인 이주대책청구권은 없다고 할지라도 이주대책수립청구권은 발생한다고 할 수 있다. 따라서 이주대책수립청구를 했음에도 불구하고 이를 거부하면 부작위에 대한 행정심판이나 행정소송으로 구제가 가능하다.

ⓑ **분양신청권의 확정시기**: 이주대책이 수립되면 이주대책대상자는 분양신청권을 취득하며, 수분양권의 발생시기는 사업시행자가 이주대책대상자로 확인·결정한 때에 발생한다.

간단 점검하기

02 이주대책의 내용에는 이주정착지에 대한 도로·급수시설·배수시설 그 밖의 공공시설 등 통상적인 수준의 생활기본시설이 포함되어야 한다. ( ) 10. 서울시 9급

03 공익사업을 위한 토지 등의 취득 및 보상에 관한 법률상 행정청이 아닌 사업시행자가 이주대책을 수립·실시하는 경우에 이주정착지에 대한 도로 등 통상적인 생활기본시설에 필요한 비용은 지방자치단체가 부담하여야 한다. ( ) 15. 지방직 9급

04 주거용 건물의 거주자에 대하여는 주거이전에 필요한 비용과 가재도구 등 동산의 운반에 필요한 비용을 보상하여야 한다. ( ) 16. 국가직 7급

관련판례 수분양권발생 ★★★

[1] 사업시행자에게 이주대책의 수립·실시의무를 부과하고 있다고 하여 그 규정 자체만에 의하여 이주자에게 사업시행자가 수립한 이주대책상의 택지분양권이나 아파트 입주권 등을 받을 수 있는 구체적인 권리(수분양권)가 직접 발생하는 것이라고는 도저히 볼 수 없으며, 사업시행자가 이주대책에 관한 구체적인 계획을 수립

01 ○ 02 ○ 03 × 04 ○

하여 이를 해당자에게 통지 내지 공고한 후, 이주자가 수분양권을 취득하기를 희망하여 이주대책에 정한 절차에 따라 사업시행자에게 이주대책대상자 선정신청을 하고 사업시행자가 이를 받아들여 이주대책대상자로 확인 · 결정하여야만 비로소 구체적인 수분양권이 발생하게 된다.

[2] 수분양권의 취득을 희망하는 이주자가 소정의 절차에 따라 이주대책대상자 선정신청을 한 데 대하여 사업시행자가 이주대책대상자가 아니라고 하여 위 확인 · 결정 등의 처분을 하지 않고 이를 제외시키거나 또는 거부조치한 경우에는, 이주자로서는 당연히 사업시행자를 상대로 항고소송에 의하여 그 제외처분 또는 거부처분의 취소를 구할 수 있다고 보아야 한다(대판 1994.5.24, 92다35783).
#수분양권_통지 · 공고_신청_확인 · 결정_구체화 #이주대책대상자_제외 · 거부_거부처분

ⓒ **이주정착금지급**: 사업시행자는 법 제78조 제1항에 따라 다음 중 어느 하나에 해당하는 경우에는 이주대책대상자에게 국토교통부령으로 정하는 바에 따라 이주정착금을 지급하여야 한다(토지보상법 시행령 제41조).

1. 이주대책을 수립 · 실시하지 아니하는 경우
2. 이주대책대상자가 이주정착지가 아닌 다른 지역으로 이주하려는 경우

ⓢ **주거이전비 지급**: 주거용 건물의 거주자에 대하여는 주거 이전에 필요한 비용과 가재도구 등 동산의 운반에 필요한 비용을 산정하여 보상하여야 한다(토지보상법 제78조 제5항). 판례는 주거이전비 보상청구권은 공법상 권리이며, 주거이전비 보상 청구소송은 행정소송에 의해야 한다고 한다.

관련판례 **보상청구권** ★★★

적법하게 시행된 공익사업으로 인하여 이주하게 된 주거용 건축물 세입자의 주거이전비 보상청구권은 공법상의 권리이고, 따라서 그 보상을 둘러싼 쟁송은 민사소송이 아니라 공법상의 법률관계를 대상으로 하는 행정소송, 즉 행정소송법 제3조 제2호에 규정된 당사자소송의 대상에 해당한다고 보아야 한다(대판 2019.4.23, 2018두55326).
#주거이전비보상청구권_공권_행정소송

② 생활대책

㉠ 생활대책은 종전과 같은 경제수준을 유지할 수 있도록 하는 조치로서 생활비보상(이농비, 이어비 보상), 상업용지, 농업용지 등 용지의 공급, 직업훈련, 고용 또는 알선, 고용상담, 보상금에 대한 조세감면조치 등을 말한다.

㉡ 생활대책에 대해서는 토지보상법에 명문의 규정이 없다. 대법원은 사업시행자가 스스로 생활대책을 수립하는 경우 생활대책 역시 헌법 제23조 제3항의 정당한 보상에 포함되는 것으로 인정한 바 있다.

간단 점검하기

01 이주대책은 생활보상의 한 내용이므로 이주대책이 수립되면 이주자들에게는 구체적인 권리가 발생하며, 사업시행자의 확인 · 결정이 있어야만 구체적인 수분양권이 발생하는 것은 아니다. ( ) 16. 국가직 7급

02 공익사업을 위한 토지 등의 취득 및 보상에 관한 법률상 공익사업 시행자가 하는 이주대책대상자 확인 · 결정은 행정소송의 대상인 행정처분에 해당한다. ( ) 17. 국가직 9급

01 × **02** ○

간단 점검하기

01 헌법재판소는 생업의 근거를 상실하게 된 자에 대하여 일정 규모의 상업용지 또는 상가분양권 등을 공급하는 생활대책은 헌법 제23조 제3항에 규정된 정당한 보상에 포함된다고 결정하였다. ( ) 14. 지방직 9급

간단 점검하기

02 생활대책대상자 선정기준에 해당하는 자는 자신을 생활대책대상자에서 제외하거나 선정을 거부한 사업시행자를 상대로 항고소송을 제기할 수 있다. ( ) 15. 국회직 8급

01 × 02 ○

관련판례 **생활대책 생활보상** ★★★

1 '생업의 근거를 상실하게 된 자에 대하여 일정 규모의 상업용지 또는 상가분양권 등을 공급하는' 생활대책은 헌법 제23조 제3항에 규정된 정당한 보상에 포함되는 것이라기보다는 생활보상의 일환으로서 국가의 정책적인 배려에 의하여 마련된 제도이므로, 그 실시 여부는 입법자의 입법정책적 재량의 영역에 속한다(헌재 2013.7.25, 2012헌바71).

#생활대책_헌법제23조제3항보상× #생활대책_실시여부_재량

2 공공사업의 시행 결과 공공사업의 기업지 밖에서 발생한 간접손실에 관하여 그 피해자와 사업시행자 사이에 협의가 이루어지지 아니하고 그 보상에 관한 명문의 근거 법령이 없는 경우라고 하더라도, 헌법 제23조 제3항은 "공공필요에 의한 재산권의 수용·사용 또는 제한 및 그에 대한 보상은 법률로써 하되, 정당한 보상을 지급하여야 한다."고 규정하고 있고, 이에 따라 국민의 재산권을 침해하는 행위 그 자체는 반드시 형식적 법률에 근거하여야 하며, 토지수용법 등의 개별 법률에서 공익사업에 필요한 재산권 침해의 근거와 아울러 그로 인한 손실보상 규정을 두고 있는 점, 공공용지의취득및손실보상에관한특례법 제3조 제1항은 "공공사업을 위한 토지 등의 취득 또는 사용으로 인하여 토지 등의 소유자가 입은 손실은 사업시행자가 이를 보상하여야 한다."고 규정하고, 같은법시행규칙 제23조의2 내지 7에서 공공사업시행지구 밖에 위치한 영업과 공작물 등에 대한 간접손실에 대하여도 일정한 조건하에서 이를 보상하도록 규정하고 있는 점에 비추어, 공공사업의 시행으로 인하여 그러한 손실이 발생하리라는 것을 쉽게 예견할 수 있고 그 손실의 범위도 구체적으로 이를 특정할 수 있는 경우라면 그 손실의 보상에 관하여 공공용지의취득및손실보상에관한특례법시행규칙의 관련 규정 등을 유추적용할 수 있다고 해석함이 상당하다(대법원 1999.6.11, 97다56150).

3 생활대책대상자제외 쟁송 ★★★

사업시행자 스스로 공익사업의 원활한 시행을 위하여 생활대책을 수립·실시할 수 있도록 하는 내부규정을 두고 이에 따라 생활대책대상자 선정기준을 마련하여 생활대책을 수립·실시하는 경우, 생활대책대상자 선정기준에 해당하는 자가 자신을 생활대책대상자에서 제외하거나 선정을 거부한 사업시행자를 상대로 항고소송을 제기할 수 있다(대판 2011.10.13, 2008두17905).

#생활대책대상자_제외_거부_항고소송

6. 사업손실보상(간접손실보상)

(1) 의의

① 대규모 공공사업의 시행 또는 완성 후의 시설이 간접적으로 사업지 범위 밖에 위치한 타인의 토지 등의 재산에 손실을 가하는 경우의 보상을 말한다. 간접손실보상이라고도 한다.

② 사업손실보상은 생활보상의 내용으로 설명하기도 하나, 손실보상의 당사자나 보상대상이 생활보상의 경우와는 달리 간접적이라는 점에서 서로 구별되는 것이 타당하다.

(2) 법률적 근거

사업손실보상의 근거로 토지보상법 제79조 제2항에서 "공익사업이 시행되는 지역 밖에 있는 토지등이 공익사업의 시행으로 인하여 본래의 기능을 다할 수 없게 되는 경우에는 국토교통부령으로 정하는 바에 따라 그 손실을 보상하여야 한다."고 규정하고 있다.

(3) 토지보상법상 보상유형

공익사업시행지구밖의 대지 등에 대한 보상(제59조), 공익사업시행지구밖의 건축물에 대한 보상(제60조), 소수잔존자에 대한 보상(제61조), 공익사업시행지구밖의 공작물등에 대한 보상(제62조), 공익사업시행지구밖의 어업의 피해에 대한 보상(제63조), 공익사업시행지구밖의 영업손실에 대한 보상(제64조), 공익사업시행지구밖의 농업의 손실에 대한 보상(제65조) 등이 있다.

관련판례 간접손실 ★★★

공유수면매립사업의 시행으로 그 사업대상지역에서 어업활동을 하던 조합원들의 조업이 불가능하게 되어 일부 위탁판매장에서의 위탁판매사업을 중단하게 된 경우, 그로 인해 수산업협동조합이 상실하게 된 위탁판매수수료 수입은 사업시행자의 매립사업으로 인한 직접적인 영업손실이 아니고 간접적인 영업손실이라고 하더라도 … 특별한 희생에 해당하고, '위 위탁판매수수료 수입손실은 헌법 제23조 제3항에 규정한 손실보상의 대상이 되고, 그 손실에 관하여 구 공유수면매립법(1997.4.10. 법률 제5335호로 개정되기 전의 것) 또는 그 밖의 법령에 직접적인 보상규정이 없더라도 공공용지의취득및손실보상에관한특례법시행규칙상의 각 규정을 유추적용하여 그에 관한 보상을 인정하는 것이 타당하다(대판 1999.10.8, 99다27231).

#화성군_공유수면매립사업 #어민_직접손실 #조합_판매수수료_간접손실 #직접규정×_유추적용

간단 점검하기

01 공공사업의 시행으로 인하여 사업지구 밖에서 수산제조업에 대한 간접손실이 발생하리라는 것을 쉽게 예견 할 수 있고 그 손실의 범위도 구체적으로 특정할 수 있는 경우라면, 그 손실의 보상에 관하여 구 공공용지의 취득 및 손실보상에 관한 특례법 시행규칙의 간접보상 규정을 유추적용할 수 있다. ( ) 15. 국회직 8급

제4절 손실보상의 방법과 불복절차

1 손실보상의 방법 및 원칙

1. 금전보상의 원칙

(1) 손실보상은 금전보상을 원칙으로 한다(토지보상법 제63조 제1항).

(2) 금전의 지급방법은 선불, 개별불, 전액일시불을 원칙으로 한다. 반면에 후불, 일괄불, 분할불은 예외적으로 인정된다.

2. 그 밖의 방법

(1) 현물보상

① 이는 수용할 물건에 대신하여 일정한 시설물이나 다른 토지를 제공하는 보상방법이다.

② 도시 및 주거환경정비법상의 재개발사업에 의한 주택 그 밖의 시설물 분양, 농어촌정비법과 도시개발법의 환지처분 등이 그 예라고 할 수 있다.

간단 점검하기

02 공익사업을 위한 토지 등의 취득 및 보상에 관한 법률상 손실보상은 원칙적으로 토지 등의 현물로 보상하여야 하고, 현금으로 지급하는 것은 다른 법률에 특별한 규정이 있는 경우에 예외적으로 허용된다. ( ) 17. 국가직 9급

01 ○ 02 ×

(2) 채권보상

① **임의적 채권보상**: 사업시행자·국가·지방자치단체 그 밖에 대통령령이 정하는 정부투자기관 및 공공단체인 경우로서 ㉠ 토지소유자 또는 관계인이 원하는 경우, ㉡ 사업인정을 받은 사업에 있어서 대통령령이 정하는 부재부동산소유자의 토지에 대한 보상금이 대통령령으로 정하는 1억원 이상의 일정금액을 초과하는 경우 그 초과하는 금액에 대하여 해당 기업자가 발행하는 채권으로 지급할 수 있다(토지보상법 제63조 제7항).

② **필요적 채권보상**: 토지투기가 우려되는 지역으로서 대통령령으로 정하는 지역에서 다음 각 호의 어느 하나에 해당하는 공익사업을 시행하는 자 중 대통령령으로 정하는 공공기관의 운영에 관한 법률에 따라 지정·고시된 공공기관 및 공공단체는 제7항에도 불구하고 제7항 제2호에 따른 부재부동산 소유자의 토지에 대한 보상금 중 대통령령으로 정하는 1억원 이상의 일정 금액을 초과하는 부분에 대하여는 해당 사업시행자가 발행하는 채권으로 지급하여야 한다(토지보상법 제63조 제8항).

③ **상환기간**: 상환기간은 5년을 넘지 아니하는 범위 내에서 정하여야 하며, 이자를 지급하여야 하며, 이자율은 정기예금 내지 국고채 금리로 한다(토지보상법 제63조 제9항).

(3) 매수보상

① 이는 물건에 대한 이용제한에 따라 종래의 이용목적에 따라 물건을 사용하기가 곤란하게 된 경우에 상대방에게 그 물건의 매수청구권을 인정하고 그에 따라 그 물건을 매수함으로써 실질적으로 보상을 행하는 방법을 말한다.

② 토지보상법, 국토의 계획 및 이용에 관한 법률, 징발재산정리에 관한 특별조치법, 항공법에 의한 토지매수청구권 등에서 그 예를 찾아 볼 수 있다.

3. 보상의 원칙

(1) 사전보상·전액보상의 원칙

① 사업시행자는 해당 공익사업을 위한 공사에 착수하기 이전에 토지소유자와 관계인에게 보상액 전액(全額)을 지급하여야 한다. 다만, 제38조에 따른 천재지변시의 토지 사용과 제39조에 따른 시급한 토지 사용의 경우 또는 토지소유자 및 관계인의 승낙이 있는 경우에는 그러하지 아니하다(토지보상법 제62조).

② 후급으로 지불하는 경우 지연이자 등에 대한 부담은 보상책임자가 한다.

관련판례

기업자의 토지수용으로 인한 손실보상금 지급의무는 그 수용의 시기로부터 발생하고, 현실적으로 구체적인 손실보상금액이 재결이나 행정소송의 절차에 의하여 확정되어진다 하여 달리 볼 것이 아니며 재결절차에서 정한 보상액과 행정소송절차에서 정한 보상금액의 차액 역시 수용과 대가관계에 있는 손실보상의 일부이므로 동 차액이 수용의 시기에 지급되지 않은 이상 이에 대한 지연손해금이 발생하는 것은 당연하다(대판 1991.12.24, 91누308).

간단 점검하기

01 토지투기가 우려되는 지역으로서 대통령령이 정하는 지역 안에서 택지개발촉진법상의 택지개발사업을 시행하는 공공단체는 부재부동산 소유자의 토지에 대한 보상금 중 대통령령이 정하는 1억원 이상의 일정금액을 초과하는 부분에 대하여는 해당 사업시행자가 발행하는 채권으로 지급할 수 있다. ( ) 11. 지방직 7급

02 행정상 손실보상에 있어서 채권보상이 의무적으로 요구되는 경우도 있다. ( ) 11. 지방직 7급

간단 점검하기

03 공익사업을 시행하는 경우에는 사전보상이 원칙이나, 천재지변시의 토지 사용의 경우에는 사업시행자가 후급할 수 있고 이때의 지연이자는 부담하지 않는다. ( ) 08. 지방직 9급

04 손실보상의 지급에서는 개인별 보상의 원칙이 적용된다. ( ) 12. 국가직 9급

01 × 02 ○ 03 × 04 ○

(2) 개인별 보상의 원칙

손실보상은 토지소유자나 관계인에게 개인별로 하여야 한다. 다만, 개인별로 보상액을 산정할 수 없을 때에는 그러하지 아니하다(토지보상법 제64조). 이는 물건별로 보상하는 것이 아니다.

(3) 일괄보상의 원칙

사업시행자는 동일한 사업지역에 보상시기를 달리하는 동일인 소유의 토지 등이 여러 개 있는 경우 토지소유자나 관계인이 요구할 때에는 한꺼번에 보상금을 지급하도록 하여야 한다(토지보상법 제65조).

(4) 사업시행이익과의 상계금지의 원칙

사업시행자는 동일한 소유자에게 속하는 일단(一團)의 토지의 일부를 취득하거나 사용하는 경우 해당 공익사업의 시행으로 인하여 잔여지(殘餘地)의 가격이 증가하거나 그 밖의 이익이 발생한 경우에도 그 이익을 그 취득 또는 사용으로 인한 손실과 상계(相計)할 수 없다(토지보상법 제66조).

(5) 사업시행자보상의 원칙

공익사업에 필요한 토지 등의 취득 또는 사용으로 인하여 토지소유자나 관계인이 입은 손실은 사업시행자가 보상하여야 한다(토지보상법 제61조).

(6) 시가보상의 원칙(가격기준시점)

① 보상액의 산정은 협의에 의한 경우에는 협의 성립 당시의 가격을, 재결에 의한 경우에는 수용 또는 사용의 재결 당시의 가격을 기준으로 한다(토지보상법 제67조 제1항).

② 보상액을 산정할 경우에 해당 공익사업으로 인하여 토지 등의 가격이 변동되었을 때에는 이를 고려하지 아니한다(토지보상법 제67조 제2항).

2 손실보상액의 결정과 불복

토지보상법 제20조【사업인정】① 사업시행자는 제19조에 따라 토지 등을 수용하거나 사용하려면 대통령령으로 정하는 바에 따라 국토교통부장관의 사업인정을 받아야 한다.

제22조【사업인정의 고시】① 국토교통부장관은 제20조에 따른 사업인정을 하였을 때에는 지체 없이 그 뜻을 사업시행자, 토지소유자 및 관계인, 관계 시·도지사에게 통지하고 사업시행자의 성명이나 명칭, 사업의 종류, 사업지역 및 수용하거나 사용할 토지의 세목을 관보에 고시하여야 한다.

③ 사업인정은 제1항에 따라 고시한 날부터 그 효력이 발생한다.

제23조【사업인정의 실효】① 사업시행자가 제22조 제1항에 따른 사업인정의 고시(이하 "사업인정고시"라 한다)가 된 날부터 1년 이내에 제28조 제1항에 따른 재결신청을 하지 아니한 경우에는 사업인정고시가 된 날부터 1년이 되는 날의 다음 날에 사업인정은 그 효력을 상실한다.

② 사업시행자는 제1항에 따라 사업인정이 실효됨으로 인하여 토지소유자나 관계인이 입은 손실을 보상하여야 한다.

간단 점검하기

01 동일한 사업지역에 보상시기를 달리하는 동일인 소유의 토지 등이 여러 개 있는 경우 토지소유자나 관계인이 요구할 때에는 한꺼번에 보상금을 지급하도록 하여야 한다. ( ) 17. 서울시 9급, 13. 국가직 9급, 11. 지방직 7급

02 사업시행자는 동일한 소유자에게 속하는 일단의 토지의 일부를 취득하거나 사용하는 경우 해당 공익사업의 시행으로 인하여 잔여지의 가격이 증가하거나 그 밖의 이익이 발생한 경우에도 그 이익을 그 취득 또는 사용으로 인한 손실과 상계할 수 없다. ( ) 13. 국가직 9급

03 공익사업에 필요한 토지 등의 취득 및 사용으로 인하여 토지소유자나 관계인이 입은 손실은 사업시행자가 보상하여야 한다. ( ) 20. 국회직 9급

04 공익사업을 위한 토지 등의 취득 및 보상에 관한 법률상 보상액의 산정은 협의에 의한 경우에는 협의 성립 당시의 가격을, 재결에 의한 경우에는 수용 또는 사용의 재결 당시의 가격을 기준으로 한다. ( ) 18. 경찰행정

01 ○ 02 ○ 03 ○ 04 ○

1. 당사자의 협의에 의하는 경우

> 토지보상법 제16조【협의】 사업시행자는 토지 등에 대한 보상에 관하여 토지소유자 및 관계인과 성실하게 협의하여야 하며, 협의의 절차 및 방법 등 협의에 필요한 사항은 대통령령으로 정한다.
>
> 제17조【계약의 체결】 사업시행자는 제16조에 따른 협의가 성립되었을 때에는 토지소유자 및 관계인과 계약을 체결하여야 한다.

(1) 협의전치주의

손실보상에 관한 당사자 사이의 협의는 행정청의 일방적 결정의 전 단계로서 행해진다.

(2) 협의의 법적 성질

협의의 법적 성질에 대하여 판례는 사법상 계약으로 보고 있으나, 다수설은 공법상 계약으로 이해하고 있다.

(3) 협의의 확인과 성질

① 협의가 성립되었을 때에는, 사업시행자는 수용재결신청기간 내에 해당 토지소유자 및 관계인의 동의를 얻어 대통령령이 정하는 바에 의하여 관할토지수용위원회에 협의성립의 확인을 신청할 수 있다(토지보상법 제29조 제1항).

② 이때의 확인은 토지보상법에 의한 재결로 보며, 사업시행자 · 토지소유자 및 관계인은 그 확인된 협의의 성립이나 내용을 다툴 수 없다(토지보상법 제29조 제3항 · 제4항).

관련판례 협의성립 ★★★

1 공익사업을 위한 토지 등의 취득 및 보상에 관한 법률(이하 '공익사업법'이라고 한다)에 의한 보상합의는 공공기관이 사경제주체로서 행하는 사법상 계약의 실질을 가지는 것으로서, … 공익사업법에 의한 보상을 하면서 손실보상금에 관한 당사자 간의 합의가 성립하면 그 합의 내용대로 구속력이 있고, 손실보상금에 관한 합의 내용이 공익사업법에서 정하는 손실보상 기준에 맞지 않는다고 하더라도 합의가 적법하게 취소되는 등의 특별한 사정이 없는 한 추가로 공익사업법상 기준에 따른 손실보상금 청구를 할 수는 없다(대판 2013.8.22, 2012다3517).
#협의성립(합의)_사법상계약 #합의성립_공익사업법_일치×_보상청구불가

2 공공용지의 취득 및 손실보상에 관한 특례에 의한 토지 등의 협의취득은 공공사업에 필요한 토지 등을 공공용지의 절차에 의하지 아니하고 협의에 의하여 사업시행자가 취득하는 것으로서 그 법적성질은 사법상의 매매계약과 다를 것이 없는바, 그 협의취득에 따르는 보상금의 지급행위는 토지 등의 권리이전에 대한 반대급여의 교부행위에 지나지 아니하므로 그 역시 사법상의 행위라고 볼 수밖에 없으므로 이는 헌법소원심판의 대상이 되는 공권력의 행사라고 볼 수 없다(헌재 1992.11.12, 90헌마160).

간단 점검하기

01 공익사업을 위한 토지 등의 취득 및 보상에 관한 법률에 의한 보상합의는 공공기관이 사경제주체로서 행하는 사법상 계약의 실질을 가진다. ( )
19. 지방직 9급

02 공익사업을 위한 토지 등의 취득 및 보상에 관한 법령에 의한 협의취득은 사법상의 법률행위이므로, 이에 관한 분쟁은 민사소송의 대상이다. ( )
19. 국가직 9급

03 손실보상금에 관한 당사자 간의 합의가 성립하면, 그 합의내용이 토지보상법에서 정하는 손실보상 기준에 맞지 않는다고 하더라도 합의가 적법하게 취소되는 등의 특별한 사정이 없는 한 추가로 토지보상법상 기준에 따른 손실보상금 청구를 할 수 없다.
( ) 18. 국가직 7급

04 공공사업에 필요한 토지 등의 협의취득에 기한 손실보상금의 환수통보는 사법상의 이행청구에 해당하는 것으로서 항고소송의 대상이 될 수 없다.
( ) 15. 지방직 7급

01 ○ 02 ○ 03 ○ 04 ○

2. 행정청의 재결 또는 결정에 의하는 경우

> 토지보상법 제28조【재결의 신청】① 제26조에 따른 협의가 성립되지 아니하거나 협의를 할 수 없을 때(제26조 제2항 단서에 따른 협의 요구가 없을 때를 포함한다)에는 사업시행자는 사업인정고시가 된 날부터 1년 이내에 대통령령으로 정하는 바에 따라 관할 토지수용위원회에 재결을 신청할 수 있다.
> ② 제1항에 따라 재결을 신청하는 자는 국토교통부령으로 정하는 바에 따라 수수료를 내야 한다.
>
> 토지보상법 제49조【설치】토지 등의 수용과 사용에 관한 재결을 하기 위하여 국토교통부에 중앙토지수용위원회를 두고, 특별시·광역시·도·특별자치도(이하 "시·도"라 한다)에 지방토지수용위원회를 둔다.
>
> 제51조【관할】① 제49조에 따른 중앙토지수용위원회(이하 "중앙토지수용위원회"라 한다)는 다음 각 호의 사업의 재결에 관한 사항을 관장한다.
> 1. 국가 또는 시·도가 사업시행자인 사업
> 2. 수용하거나 사용할 토지가 둘 이상의 시·도에 걸쳐 있는 사업
>
> ② 제49조에 따른 지방토지수용위원회(이하 "지방토지수용위원회"라 한다)는 제1항 각 호 외의 사업의 재결에 관한 사항을 관장한다.

(1) 토지수용위원회 재결 신청

① 당사자 사이에 보상금에 관한 협의가 이루어지지 아니하거나 협의할 수 없을 때에는 사업시행자는 사업인정고시일부터 1년 이내에 관할 토지수용위원회에 재결을 신청할 수 있다.

② 관할 토지수용위원회에 대한 재결신청은 사업시행자만 할 수 있다.

③ 토지소유자 및 이해관계인은 토지수용위원회에 재결을 신청할 수 없고, 대통령령으로 정하는 바에 따라 서면으로 사업시행자에게 재결을 신청할 것을 청구할 수 있다(토지보상법 제30조 제1항).

④ 사업시행자는 재결신청의 청구를 받았을 때에는 그 청구를 받은 날부터 60일 이내에 대통령령으로 정하는 바에 따라 관할 토지수용위원회에 재결을 신청하여야 한다(토지보상법 제30조 제2항).

⑤ 사업시행자가 제2항에 따른 기간을 넘겨서 재결을 신청하였을 때에는 그 지연된 기간에 대하여 소송촉진 등에 관한 특례법 제3조에 따른 법정이율을 적용하여 산정한 금액을 관할 토지수용위원회에서 재결한 보상금에 가산(加算)하여 지급하여야 한다(토지보상법 제30조 제3항).

간단 점검하기

01 공익사업을 위한 토지 등의 취득 및 보상에 관한 법률상 협의가 성립되지 아니하거나 협의를 할 수 없을 때에는 사업시행자는 사업인정고시가 된 날부터 1년 이내에 대통령령으로 정하는 바에 따라 관할 토지수용위원회에 재결을 신청할 수 있다. ( ) 19. 국회직 8급

02 공익사업을 위한 토지 등의 취득 및 보상에 관한 법률상 사업인정고시가 된 후 협의가 성립되지 아니하였을 때에는 토지소유자와 관계인은 대통령령으로 정하는 바에 따라 서면으로 사업시행자에게 재결을 신청할 것을 청구할 수 있다. ( ) 19. 국회직 8급

(2) 재결사항

> 토지보상법 제50조【재결사항】① 토지수용위원회의 재결사항은 다음 각 호와 같다.
> 1. 수용하거나 사용할 토지의 구역 및 사용방법
> 2. 손실보상
> 3. 수용 또는 사용의 개시일과 기간
> 4. 그 밖에 이 법 및 다른 법률에서 규정한 사항
>
> ② 토지수용위원회는 사업시행자, 토지소유자 또는 관계인이 신청한 범위에서 재결하여야 한다. 다만, 제1항 제2호의 손실보상의 경우에는 증액재결(增額裁決)을 할 수 있다.

간단 점검하기

03 토지수용위원회는 손실보상의 신청범위와 관계없이 손실보상의 증액재결을 할 수 없다. ( ) 11. 국가직 9급

01 ○ 02 ○ 03 ×

간단 점검하기

토지수용위원회의 수용재결이 있은 후라고 하더라도 토지소유자와 사업시행자가 다시 협의하여 토지 등의 취득 · 사용 및 그에 대한 보상에 관하여 임의로 계약을 체결할 수 있다.

( ) 18. 국가직 7급

○

관련판례

1 구 토지수용법(2002.2.4. 법률 제6656호 공익사업을 위한 토지 등의 취득 및 보상에 관한 법률 부칙 제2조로 폐지)은 수용·사용의 일차 단계인 사업인정에 속하는 부분은 사업의 공익성 판단으로 사업인정기관에 일임하고 그 이후의 구체적인 수용·사용의 결정은 토지수용위원회에 맡기고 있는바, 이와 같은 토지수용절차의 2분화 및 사업인정의 성격과 토지수용위원회의 재결사항을 열거하고 있는 같은 법 제29조 제2항의 규정 내용에 비추어 볼 때, 토지수용위원회는 행정쟁송에 의하여 사업인정이 취소되지 않는 한 그 기능상 사업인정 자체를 무의미하게 하는, 즉 사업의 시행이 불가능하게 되는 것과 같은 재결을 행할 수는 없다(대판 2007.1.11, 2004두8538).

2 토지수용위원회의 수용재결이 있은 후라고 하더라도 토지소유자 등과 사업시행자가 다시 협의하여 토지 등의 취득이나 사용 및 그에 대한 보상에 관하여 임의로 계약을 체결할 수 있다고 보아야 한다(대판 2017.4.13, 2016두64241).

토지보상법 제40조【보상금의 지급 또는 공탁】① 사업시행자는 제38조 또는 제39조에 따른 사용의 경우를 제외하고는 수용 또는 사용의 개시일(토지수용위원회가 재결로써 결정한 수용 또는 사용을 시작하는 날을 말한다. 이하 같다)까지 관할 토지수용위원회가 재결한 보상금을 지급하여야 한다.
② 사업시행자는 다음 각 호의 어느 하나에 해당할 때에는 수용 또는 사용의 개시일까지 수용하거나 사용하려는 토지등의 소재지의 공탁소에 보상금을 공탁(供託)할 수 있다.
1. 보상금을 받을 자가 그 수령을 거부하거나 보상금을 수령할 수 없을 때
2. 사업시행자의 과실 없이 보상금을 받을 자를 알 수 없을 때
3. 관할 토지수용위원회가 재결한 보상금에 대하여 사업시행자가 불복할 때
4. 압류나 가압류에 의하여 보상금의 지급이 금지되었을 때

제42조【재결의 실효】① 사업시행자가 수용 또는 사용의 개시일까지 관할 토지수용위원회가 재결한 보상금을 지급하거나 공탁하지 아니하였을 때에는 해당 토지수용위원회의 재결은 효력을 상실한다.
② 사업시행자는 제1항에 따라 재결의 효력이 상실됨으로 인하여 토지소유자 또는 관계인이 입은 손실을 보상하여야 한다.

제43조【토지 또는 물건의 인도 등】토지소유자 및 관계인과 그 밖에 토지소유자나 관계인에 포함되지 아니하는 자로서 수용하거나 사용할 토지나 그 토지에 있는 물건에 관한 권리를 가진 자는 수용 또는 사용의 개시일까지 그 토지나 물건을 사업시행자에게 인도하거나 이전하여야 한다.

제45조【권리의 취득 · 소멸 및 제한】① 사업시행자는 수용의 개시일에 토지나 물건의 소유권을 취득하며, 그 토지나 물건에 관한 다른 권리는 이와 동시에 소멸한다.

(3) 이의신청

① 재결에 대한 이의신청(임의적 절차)

> 토지보상법 제83조【이의의 신청】① 중앙토지수용위원회의 제34조에 따른 재결에 이의가 있는 자는 중앙토지수용위원회에 이의를 신청할 수 있다.
> ② 지방토지수용위원회의 제34조에 따른 재결에 이의가 있는 자는 해당 지방토지수용위원회를 거쳐 중앙토지수용위원회에 이의를 신청할 수 있다.
> ③ 제1항 및 제2항에 따른 이의의 신청은 재결서의 정본을 받은 날부터 30일 이내에 하여야 한다.

관련판례

토지수용위원회의 수용재결에 대한 이의절차는 실질적으로 행정심판의 성질을 갖는 것이므로 토지수용법에 특별한 규정이 있는 것을 제외하고는 행정심판법의 규정이 적용된다고 할 것이다(대판 1992.6.9, 92누565).

② 이의신청에 대한 재결의 취소 · 변경

> 토지보상법 제84조【이의신청에 대한 재결】① 중앙토지수용위원회는 제83조에 따른 이의신청을 받은 경우 제34조에 따른 재결이 위법하거나 부당하다고 인정할 때에는 그 재결의 전부 또는 일부를 취소하거나 보상액을 변경할 수 있다.
> ② 제1항에 따라 보상금이 늘어난 경우 사업시행자는 재결의 취소 또는 변경의 재결서 정본을 받은 날부터 30일 이내에 보상금을 받을 자에게 그 늘어난 보상금을 지급하여야 한다. 다만, 제40조 제2항 제1호 · 제2호 또는 제4호에 해당할 때에는 그 금액을 공탁할 수 있다.

3. 행정소송

> 토지보상법 제85조【행정소송의 제기】① 사업시행자, 토지소유자 또는 관계인은 제34조에 따른 재결에 불복할 때에는 재결서를 받은 날부터 90일 이내에, 이의신청을 거쳤을 때에는 이의신청에 대한 재결서를 받은 날부터 60일 이내에 각각 행정소송을 제기할 수 있다. 이 경우 사업시행자는 행정소송을 제기하기 전에 제84조에 따라 늘어난 보상금을 공탁하여야 하며, 보상금을 받을 자는 공탁된 보상금을 소송이 종결될 때까지 수령할 수 없다.
> ② 제1항에 따라 제기하려는 행정소송이 보상금의 증감(增減)에 관한 소송인 경우 그 소송을 제기하는 자가 토지소유자 또는 관계인일 때에는 사업시행자를, 사업시행자일 때에는 토지소유자 또는 관계인을 각각 피고로 한다.
>
> 제88조【처분효력의 부정지】제83조에 따른 이의의 신청이나 제85조에 따른 행정소송의 제기는 사업의 진행 및 토지의 수용 또는 사용을 정지시키지 아니한다.

간단 점검하기

01 중앙토지수용위원회의 재결에 이의가 있는 자는 중앙토지수용위원회에, 지방토지수용위원회의 재결에 이의가 있는 자는 해당 지방토지수용위원회를 거쳐 중앙토지수용위원회에 이의를 신청할 수 있다. ( )
15. 국회직 8급

02 甲의 토지는 공익사업의 대상지역으로 공익사업을 위한 토지 등의 취득 및 보상에 관한 법률에 따라 사업인정절차를 거쳐 甲의 토지에 대한 수용재결이 있었다. 이 수용재결에 대해 항고소송으로 다투려면 우선적으로 이의재결을 거쳐야만 한다. ( )
16. 서울시 7급

03 공익사업을 위한 토지 등의 취득 및 보상에 관한 법률에 따른 토지수용에 대한 이의신청은 행정심판으로서의 성질을 가지며 이에 관한 규정은 행정심판법에 대한 특별규정이다. ( )
16. 국회직 8급

04 공익사업을 위한 토지 등의 취득 및 보상에 관한 법률상 토지수용위원회의 수용재결에 대한 이의절차는 실질적으로 행정심판의 성질을 갖는 것이므로 동법에 특별한 규정이 있는 것을 제외하고는 행정심판법의 규정이 적용된다. ( ) 17. 지방직 9급

간단 점검하기

05 사업시행자, 토지소유자 또는 관계인은 토지수용위원회의 재결에 불복할 때에는 재결서를 받은 날부터 90일 이내에 행정소송을 제기할 수 있다.
( ) 11. 지방직 7급 변형

06 중앙토지수용위원회의 이의재결에 대한 행정소송은 재결서를 받은 날부터 60일 이내에 제기해야 한다. ( )
18. 교육행정직 변형

07 공익사업을 위한 토지 등의 취득 및 보상에 관한 법률상 수용재결이나 이의신청에 대한 재결에 불복하는 행정소송의 제기는 사업의 진행 및 토지 수용 또는 사용을 정지시키지 아니한다.
( ) 17. 지방직 9급

01 ○ **02** × **03** ○ **04** ○
05 ○ **06** ○ **07** ○

(1) 행정소송의 제기

① 사업시행자, 토지소유자 또는 관계인은 재결에 불복할 때에는 재결서를 받은 날부터 90일 이내에, 이의신청을 거쳤을 때에는 이의신청에 대한 재결서를 받은 날부터 60일 이내에 각각 행정소송을 제기할 수 있다.

② 행정소송을 제기하는 경우 행정소송법상 제소기간은 적용되지 아니하며, 이의신청이나 행정소송을 제기하더라도 사업의 진행이나 토지의 수용 또는 사용이 정지되는 것이 아니다.

③ 토지소유자가 사업시행자를 상대로 손실보상을 청구할 경우 재결절차를 거치지 아니하고 바로 사업시행자를 상대로 손실보상을 청구할 수 있었는지 문제되나, 판례는 이를 부인하고 있다.

관련판례

구 공익사업을 위한 토지 등의 취득 및 보상에 관한 법률(2007.10.17. 법률 제8665호로 개정되기 전의 것, 이하 '구 공익사업법'이라 한다) 제77조 제1항, 제4항, 구 공익사업을 위한 토지 등의 취득 및 보상에 관한 법률 시행규칙(2007.4.12. 건설교통부령 제556호로 개정되기 전의 것) 제45조, 제46조, 제47조와 구 공익사업법 제26조, 제28조, 제30조, 제34조, 제50조, 제61조, 제83조 내지 제85조의 규정 내용 및 입법 취지 등을 종합하여 보면, 공익사업으로 인하여 영업을 폐지하거나 휴업하는 자가 사업시행자에게서 구 공익사업법 제77조 제1항에 따라 영업손실에 대한 보상을 받기 위해서는 구 공익사업법 제34조, 제50조 등에 규정된 재결절차를 거친 다음 재결에 대하여 불복이 있는 때에 비로소 구 공익사업법 제83조 내지 제85조에 따라 권리구제를 받을 수 있을 뿐, 이러한 재결절차를 거치지 않은 채 곧바로 사업시행자를 상대로 손실보상을 청구하는 것은 허용되지 않는다고 보는 것이 타당하다(대판 2011.9.29, 2009두10963).

④ 현행 토지보상법 제85조상 행정소송의 대상을 원처분으로 할 것인지 재결로 할 것인지 다툼이 있었으나, 현재의 통설과 판례는 원처분주의를 취하고 있다.

관련판례 **소송대상** ★★★

수용재결에 불복하여 취소소송을 제기하는 때에는 이의신청을 거친 경우에도 수용재결을 한 중앙토지수용위원회 또는 지방토지수용위원회를 피고로 하여 수용재결의 취소를 구하여야 하고, 다만 이의신청에 대한 재결 자체에 고유한 위법이 있음을 이유로 하는 경우에는 그 이의재결을 한 중앙토지수용위원회를 피고로 하여 이의재결의 취소를 구할 수 있다고 보아야 한다(대판 2010.1.28, 2008두1504).

#재결취소소송 #원처분주의 #재결기관_중앙토지수용위원회 · 지방토지수용위원회 #소송물_원처분_재결

(2) 보상금증감청구소송

① **의의**: 재결의 내용 중 보상금만의 증액 또는 감액을 행정소송을 통하여 청구하는 것을 보상금증감청구소송이라 한다. 이 경우 소송의 제기자가 토지소유자나 관계인인 경우에는 사업시행자를, 소송의 제기자가 사업시행자인 경우에는 토지소유자나 관계인을 각각 피고로 하여 제기하여야 한다(토지보상법 제85조 제2항).

간단 점검하기

01 토지소유자가 손실보상금 액수를 다투고자 할 경우 토지수용위원회를 상대로 재결 취소소송(항고소송)을 제기하는 것이 아니라 사업시행자를 상대로 보상금증감청구소송(당사자소송)을 제기하여야 한다. ( )
16. 서울시 9급 변형

02 보상금증감에 관한 행정소송의 경우 그 소송을 제기하는 자가 토지소유자 또는 관계인일 때에는 사업시행자를, 사업시행자일 때에는 토지소유자 또는 관계인을 각각 피고로 한다. ( )
17. 경찰행정, 11. 지방직 7급

03 甲이 수용재결에서 정해진 보상금에 불복하여 보상금의 증액을 청구하려면 수용재결에 대한 취소소송을 제기하여야 한다. ( ) 16. 서울시 7급

04 공익사업으로 인하여 영업을 폐지하거나 휴업하는 자는 구 공익사업을 위한 토지 등의 취득 및 보상에 관한 법률에 규정된 재결절차를 거치지 않은 채 곧바로 사업시행자를 상대로 영업손실보상을 청구할 수 없다. ( )
19. 국회직 8급

01 ○ 02 ○ 03 × 04 ○

② **법적 성질 및 소송형태(형식적 당사자소송)**

㉠ 보상금증감청구소송은 보상금의 증액청구에서 인용은 초과하는 금액의 지급을 명하는 판결이므로 이는 이행소송의 성질을 가진다. 감액청구에서 인용은 감액된 금액을 확인함에 그치므로 확인소송의 성질을 가진다.

㉡ 현행법 규정은 종래의 규정과는 달리 피고에서 토지수용위원회를 제외하고 사업자나 토지소유자로 하여 보상금증감청구소송을 형식적 당사자소송임을 분명히 하고 있다.

③ **소송당사자**

㉠ 원고는 토지소유자와 관계인 그리고 사업시행자도 가능하다. 관계인은 사업지에 지상권 · 지역권 · 전세권 · 저당권 · 사용대차 또는 임대차에 따른 권리 또는 그 밖에 권리자를 말한다.

㉡ 피고는 토지소유자와 관계인이 원고인 경우에는 사업시행자가가 되며, 사업시행자가 원고인 경우에는 토지소유자와 관계인이 피고가 된다.

㉢ 종래에는 사업시행자가 피고가 되는 경우 토지수용위원회도 공동으로 피고가 되었으나 현행법에서 토지수용위원회를 피고에서 제외하였다.

간단 점검하기

수용재결에서 결정된 손실보상금의 증액을 위해 제기하는 보상금증감청구소송은 항고소송의 일종이다.
( ) 13. 국회직 8급

×

관련판례 **여러 보상항목 중 일부에 대한 불복** ★★★

여러 보상항목들 중 일부에 관해서만 불복하는 경우에는 그 부분에 관해서만 개별적으로 불복의 사유를 주장하여 행정소송을 제기할 수 있다. 이러한 보상금 증감 소송에서 법원의 심판범위는 하나의 재결 내에서 소송당사자가 구체적으로 불복신청을 한 보상항목들로 제한된다(대판 2018.5.15, 2017두41221).

#여러_필지_토지 #일부_불복 #심판범위_제한

제5절 손해전보를 위한 그 밖의 제도

1 개설

1. 손해전보를 위한 그 밖의 제도의 필요성

손해전보에 대한 가장 전형적인 형태로서 앞에서 본 바와 같이 행정상 손해배상과 손실보상을 들 수 있다. 양 제도에 의한 구제방법이나 절차 등은 헌법적 근거와 법률로써 어느 정도 정비되어 있다고 할 수 있다. 그러나 현실에 있어서는 행정작용으로 인하여 개인이 입게 되는 각종의 피해에 대한 구제제도로서는 충분하지 못한 문제가 있다.

2. 구체적인 유형

(1) 위법 · 무책한 공무원의 직무행위의 경우 → 수용유사침해이론이 논의되는 영역

(2) 비의욕적 공용침해(결과적 손실)의 경우 → 수용적 침해이론이 논의되는 영역

(3) 비재산적 법익에 대한 적법한 침해의 경우 → 희생보상청구권이 논의되는 영역

2 수용유사침해보상

간단 점검하기

수용유사적 침해란 공용침해의 요건을 구비하였으나 보상규정을 결하고 있는 경우를 말한다. ( ) 05. 서울시 9급

1. 의의

(1) 수용유사침해의 보상이라 함은 위법 · 무책한 공용침해(공공필요에 의한 재산권의 수용 · 사용 · 제한)로 인해 특별한 희생을 입은 자에 대한 보상을 의미한다.

(2) 즉, 적법한 공권력행사로 인한 손실보상의 요건은 갖추고 있으나 전보에 관한 규정을 결하고 있는 경우에도 재산권 보장과 공적 부담 앞의 평등이라는 견지에서 보상을 인정하자는 이론이다.

(3) 수용유사침해보상이론은 보상을 직접 목적으로 하는 것으로서 경계이론에 근거하고 있다. 분리이론은 재산권의 한계와 내용을 기준으로 위헌성의 제거를 목적하는 것이다.

2. 성립배경

(1) 이 이론은 손해배상제도와 손실보상제도로 해결되지 않은 영역에 존재하는 국가책임을 해결하기 위하여 독일에서 판례를 통하여 형성된 것이다.

(2) 즉, 헌법상의 손실보상규정에서 표현되어 있는 불가분조항원칙의 위반에 대한 권리구제이론으로서 발전된 것이다.

3. 수용유사침해의 성립요건

(1) 공권력의 행사

(2) 공용침해

(3) 재산권에 대한 침해

(4) 특별한 희생의 발생

(5) 침해의 위법성(보상규정의 결여)

○

4. 국가배상과의 구별

구분	국가배상	수용유사침해
청구권의 성립요건	공무원의 불법행위	특별희생
보상의 범위	완전배상원칙	완전보상원칙
특별법상 제한	특별법상 제한 다수	없음
청구절차	임의적 전심절차	행정상 당사자소송
소멸시효	민법의 규정에 따라 안 날로부터 3년	국가재정법에 따라 5년

5. 우리나라에서의 인정문제

(1) 학설

수용유사침해에 대한 보상과 관련하여 우리나라에서 동 이론을 받아들일 수 있는가 여부에 대해 견해가 대립하고 있는바, 이는 헌법 제23조 제3항의 해석과 관련된 문제이다. 즉, 독일에서 인정되고 있는 것과 같이 유추적용설을 취하는 견해와 독일에서와는 달리 직접효력설이나 위헌무효설을 취하는 견해로 나눌 수 있다.

(2) 판례

① 공무원에 의한 강제증여(문화방송주식 15만주)사건에서 서울고등법원은 수용유사적 침해를 인정하여 손실보상청구권을 인정하였으나(서울고법 1992.12.24, 92나20073), 대법원은 이를 증여계약으로 인정하여 손실보상청구권을 부인하였다(대판 1993.10.26, 93다6409).

② 우리 판례는 문화방송주식 강제증여사건에서 수용유사침해이론을 언급하기는 하였으나 해당 사건은 수용유사침해이론으로 해결할 사건이 아니라고 하였으므로, 수용유사침해이론을 부정했는지는 불분명하다.

관련판례 문화방송주식 강제증여 ★★★

수용유사적 침해의 이론은 국가 기타 공권력의 주체가 위법하게 공권력을 행사하여 국민의 재산권을 침해하였고 그 효과가 실제에 있어서 수용과 다름없을 때에는 적법한 수용이 있는 것과 마찬가지로 국민이 그로 인한 손실의 보상을 청구할 수 있다는 것인데, 1980.6.말경의 비상계엄 당시 국군보안사령부 정보처장이 언론통폐합조치의 일환으로 사인 소유의 방송사 주식을 강압적으로 국가에 증여하게 한 것이 위 수용유사행위에 해당되지 않는다(대판 1993.10.26, 93다6409).

#문화방송주식_강제증여_수용유사침해×

3 수용적 침해보상

1. 개설

(1) 의의

① 수용적 침해라 함은 적법한 행정작용의 이형적 · 비의도적인 부수적 결과로서 타인의 재산권에 가해진 침해를 말한다.

② 수용적 침해는 비의도적 비정형적인 재산권침해로서 책임원인은 불문하고 결과에 대해 책임을 묻는 것으로 결과책임론에 근거한다. 이를 간접손실에 대한 보상이라고도 한다.

③ 예컨대, 지하철공사가 장기간 계속됨으로 인해 인근 상점이 오랫동안 영업을 하지 못한 경우 또는 도시계획으로써 도로구역으로 고시되었으나 공사를 함이 없이 오랫동안 방치해 둠으로 인하여 고시지역 내의 가옥주 등이 심대한 불이익을 입고 있는 경우 등이 이에 해당한다.

간단 점검하기

도시계획결정으로 도로구역으로 고시되었으나 공사를 하지 않고 오랫동안 방치함으로써 고시구역 내의 토지소유자가 큰 재산상의 불이익을 입게 되는 경우, 이에 대한 보상이론으로 가장 타당한 것은 수용적 침해보상 이론이다.
( ) 09. 서울시 9급

○

(2) 공용수용 · 수용유사적 침해와 구별

구분	공용수용	수용유사적 침해	수용적 침해
결과 의도 여부	의도	의도	비의도
적법성 여부	적법	위법(보상규정결여)	적법

2. 요건

(1) 재산권의 침해

(2) 적법한 행정작용의 부수적 결과로 인한 침해

(3) 침해의 직접성

(4) 특별한 희생

3. 우리나라에서 인정문제

(1) 우리나라에서 수용적 침해이론을 인정할 수 있는지 여부에 대하여 구체적인 판례가 없다.

(2) 학설은 이를 인정해야 한다는 견해와 이를 부정하는 견해가 대립하고 있다. 그러나 국민의 권익구제적인 측면에서는 헌법 제23조 제3항을 유추적용하여 보상함이 타당할 것이다.

4 비재산적 법익침해에 대한 손실보상(희생보상)

1. 의의 및 근거

(1) 희생보상이란 생명 · 건강 · 명예 · 자유 등과 같은 비재산적 법익의 침해에 대한 보상을 말한다.

(2) 예컨대 국가기관의 검정을 받은 약품을 복용하여 뜻밖의 질병에 걸린 경우, 범인을 향해 발사한 총탄이 범인을 관통하여 옆 사람에게 상해를 입힌 경우 또는 예방접종으로 인한 신체침해에 대한 보상 등을 들 수 있다.

2. 희생보상의 요건

(1) 행정상 공권력 행사

(2) 공공필요에 의한 적법한 행위

(3) 비재산권에 대한 침해

(4) 특별한 희생

3. 보상의 내용

(1) 독일의 판례는 비재산적 권리침해에 대한 보상청구는 인정하되, 다만 그 보상은 해당 침해행위로 인한 재산적 손해(의료시 · 소득상실분 및 소송비용 등)만을 내용으로 하고, 정신적 손해는 포함하지 않는다는 입장이다. 위자료는 배제되고 있다.

(2) 한편 보상액의 산정에 있어 공동과실 · 과실상계 등의 적용이 있다.

4. 우리나라의 경우

(1) 일반적 제도로서의 희생보상청구권

우리나라의 경우 희생보상청구권을 헌법상 기본권규정(제10조, 제12조)과 평등조항(제11조)을 직접근거로 하여 헌법 제23조 제3항을 유추적용하여 보상을 청구할 수 있다는 견해가 있다. 실정법의 규정이 없는 경우, 이를 인정한 판례는 없다.

(2) 개별법상 희생보상청구권

앞서 본 바와 같이 우리 실정법상 일반적인 제도로서 희생보상청구권은 인정되지 않는다. 그러나 개별법령상으로는 희생보상청구권이 인정되는 경우가 있다. 즉, 소방기본법 제24조, 제39조와 산림자원의 조성 및 관리에 관한 법률 제55조, 감염병예방 및 관리에 관한 법률 제71조 등이 그 예에 해당한다.

기출

구 전염병예방법 제54조의2에 의하면 국가는 동법 규정에 의하여 예방접종을 받은 자가 그 예방접종으로 인하여 질병에 걸리거나 장애인이 된 때나 사망한 때에는 대통령령이 정하는 기준과 절차에 따라 보상을 하여야 한다. 이러한 보상과 관련이 깊은 것은? 06. 선관위 9급

① 희생보상청구
② 공법상 결과제거청구
③ 생활보상
④ 간접손실보상

정답 ①

제6절 공법상 위험책임

1 의의

공법상 위험책임이란 공익목적을 위하여 형성된 특별한 위험상태의 실현에 의하여 발생한 손해에 대한 무과실배상책임을 말한다. 예컨대 총기에 의한 손해의 경우, 총기사용의 대상이 된 범죄혐의자가 입은 손해에 대하여는 과실책임 여부가 문제되고, 총기사용의 대상이 아닌 제3자가 입은 손해에 대하여는 공법상 위험책임 여부가 문제된다. 또한 행정청에 의한 비위생적인 건물의 소각작업 중에 인근가옥이 연소되는 경우 등도 이에 해당한다.

2 근거

1. 이론적 근거

공법상 위험책임의 이론적 근거는 위험이론이다. 위험이론은 국가의 행위는 비록 과실 없이 수행되어도 일정한 상황에서는 위험을 가져올 수도 있고, 그 위험이 현실화되어 개인이 피해나 손실을 입으면 그것만으로 국가는 피해자에게 보상하여야 한다는 이론이다.

2. 실정법상 근거

공법상 위험책임을 인정하기 위하여는 실정법상 근거가 있어야 한다. 그런데 우리나라의 실정법상은 공법상 위험책임을 인정한 것은 없는 것으로 보인다.

제7절 결과제거청구권

1 개설

1. 의의

결과제거청구권이란 위법한 행정작용의 결과로서 남아 있는 상태로 인하여 자기의 법률상 이익을 침해받고 있는 자가 행정주체를 상대로 하여 그 위법한 상태를 제거하여 침해 이전의 상태로 회복하여 줄 것을 청구하는 실체법상의 권리를 말한다.

2. 필요성

(1) 동 청구권은 독일의 학설 · 판례에 의하여 발전한 것으로 손해배상제도의 결함을 보완하기 위하여 인정된 제도이다.

간단 점검하기

공법상 결과제거청구권은 공행정작용으로 인하여 야기된 위법한 상태를 제거하여 그 원상회복을 목적으로 하는 권리이다. ( ) 10. 지방직 7급

○

(2) 예컨대 토지수용재결이 취소되었음에도 불구하고 기업자인 행정주체가 그 토지를 반환하지 않고 있는 경우에 이를 반환받고자 하는 경우, 공직자의 직무수행 중의 발언으로 명예를 훼손당한 자가 그 발언의 철회를 요구하고자 하는 경우에 활용될 수 있다.

3. 성질

(1) 물권적 청구권성 여부

① 결과제거청구권은 행정청의 정당한 권원 없는 행위로 말미암아 사인의 물권적 지배권이 침해될 경우에 성립한다고 보아 물권적 청구권이라는 견해도 있다.

② 그러나 명예훼손발언과 같은 비재산적 침해의 경우에도 결과제거청구권이 적용될 수 있으므로, 물권적 청구권으로 한정하는 것은 타당하지 않다는 것이 다수의 견해이다.

(2) 개인적 공권성 여부

① 결과제거청구권을 사권으로 보는 견해도 있으나, 다수설은 공권의 성질을 가진다고 보고 있다. 즉, 결과제거청구권은 행정주체의 공행정작용으로 인해 야기된 위법상태를 제거하는 데 목적이 있으므로 공권으로 보는 것이 타당하다.

② 다만, 우리 소송실무에서는 결과제거청구권을 민법상 방해배제청구권과 다르지 않다고 보아 사권으로 파악하고 있다.

(3) 손해배상청구권과의 관계

구분	손해배상청구권	결과제거청구권
성질	채권적 성질	채권적 · 물권적 성질
요건	고의 · 과실을 요함	고의 · 과실을 요하지 않으며, 위법상태가 존재하면 족함
내용	금전배상	위법상태를 제거하는 원상회복청구
관계	양 권리는 서로 다르므로 원상회복이 되어도 손해가 남아 있으면 병합청구가 가능하다.	

2 법적 근거

1. 법치행정원리(헌법 제107조), 기본권규정(헌법 제10조, 제37조 제1항), 민법상의 관계규정(민법 제213조, 제214조)의 유추적용에서 찾는 견해

2. 헌법 제10조, 제23조 제1항 전단, 제29조와 민법 제213조, 제214조에서 찾는 견해도 있고, 결과제거청구권을 민법상 소유권에 기한 방해배제청구권으로 보는 견해

3. 민법상 소유권에 의한 방해배제청구권의 근거규정인 민법 제213조, 제214조에서 찾는 견해

간단 점검하기

타인의 법률상 이익을 침해하는 것뿐만 아니라, 사실상의 이익을 침해하는 경우에도 결과제거청구권이 성립한다. ( ) 05. 서울시 9급

3 성립요건

1. 행정주체의 공행정작용으로 인한 침해
2. 법률상의 이익의 침해
3. 관계이익의 보호가치성
4. 위법한 상태의 존재
5. 위법한 상태의 계속
6. 결과제거의 가능성 · 허용성 · 기대가능성

4 내용 및 한계

1. 내용

(1) 원상회복의 청구

(2) 직접적인 결과의 제거

동 청구권에 의해서는 행정작용으로 발생한 직접적인 위법적 결과의 제거만이 대상이 된다. 해당 행정작용으로 인한 부수적인 불이익의 제거는 다른 청구권의 대상이 될 뿐이다.

(3) 적극적 청구권

행정청의 침해의 소극적 배제를 내용으로 하는 방어권이 아니라, 위법하게 설치된 시설의 철거나 공무원의 명예훼손적 발언의 취소 등과 같이 행정청의 적극적인 행위를 구하는 권리이다.

(4) 국가배상청구권과의 관계

결과제거청구권은 직접적인 결과의 제거만을 그 내용으로 하므로, 결과제거 이후에도 그것만으로 전보되지 않은 손해가 여전히 남아 있는 경우에는 국가배상청구가 가능하다.

2. 한계(가능성)

(1) 결과제거로 인하여 원래의 상태나 이와 같은 가치를 갖는 상태의 회복이 사실상 가능하고, 법률상으로 허용되어야 하며, 그것이 의무자에게 기대가능하여야 한다(예 예술품 파손).

(2) 다수설은 원상회복조치에 과다한 비용이 소요되는 경우에는 수인한도를 넘어서는 것으로서 결과제거청구권은 인정되지 않는다고 본다. 이 경우에는 손해배상이나 손실보상만이 문제된다.

(3) 동 청구권은 위법적인 상태가 그 사이에 적법하게 된 경우에는 더 이상 주장되지 못한다(예 위법하게 편입된 토지의 적법한 수용).

(4) 위법한 상태발생에 대해 피해자에게도 과실이 있는 경우에는 민법상 과실상계에 관한 규정이 유추적용될 수 있다(예 피해자도 비용의 일부부담).

×

5 쟁송절차

1. 결과제거청구권을 공법상 권리로 보는 한 이에 대한 소송은 행정소송 그중에서도 공법상 당사자소송이 될 것이다. 당사자 소송은 독자적으로 제기할 수도 있고, 처분 등에 대한 취소소송의 관련청구소송으로 병합하여 제기할 수도 있다.
2. 다만, 우리 소송실무에서는 결과제거청구권을 사법상 방해제거청구권과 다르지 않다고 보아 민사소송으로 다루고 있다.

3. 행정상 손해전보제도의 비교

구분	요건	내용
행정상 손해배상	위법 · 유책	재산적 · 비재산적 침해
행정상 손실보상	적법 · 무책	재산적 침해, 의도적 침해
수용유사적 침해보상	위법 · 무책	보상규정의 결여
수용적 침해보상	적법 · 무책	비의도적 침해, 부수적 결과책임
희생보상청구권	적법 · 무책	생명 · 신체 등의 비재산적 침해
결과제거청구권	위법 · 무책	원상회복

해커스공무원 학원·인강
gosi.Hackers.com

제6편

행정쟁송

제1장 행정심판

제1절 행정상 쟁송제도

1 행정쟁송의 의의

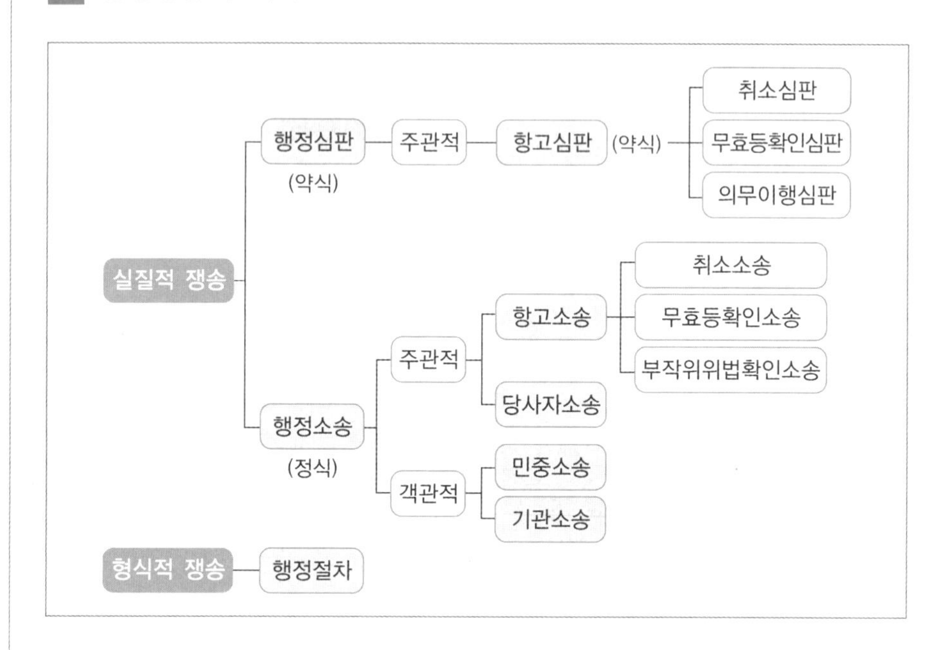

1. 행정쟁송의 개념

(1) 광의의 행정쟁송

광의의 행정쟁송이란 행정상의 법률관계에 관한 분쟁이나 의문이 있는 경우에 이해관계자의 쟁송제기에 의해 일정한 판정기관이 그것을 판정하는 절차를 총칭한다.

(2) 협의의 행정쟁송

협의의 행정쟁송이란 광의의 행정쟁송 중에서 특히 일반법원과는 계통을 달리하는 행정조직 내의 특별기관이 행정상의 법률관계에 관한 분쟁을 재결하는 절차를 총칭한다.

2. 행정상 쟁송의 존재이유(기능)

(1) 국민의 권리구제기능(주된 기능)

(2) 행정의 자기통제기능(부수적 기능)

(3) 우리나라의 행정쟁송제도는 행정통제기능보다는 권리구제기능에 중점을 두고 있다.

2 행정쟁송의 종류

1. 정식쟁송과 약식쟁송

(1) 정식쟁송은 심리절차에 있어서 당사자에게 구술변론보장, 판정기관의 독립성 등 분쟁의 공정한 해결을 위해 절차적인 측면에서 보장되고 있는 쟁송유형으로서, 행정소송이 이에 해당한다.

(2) 약식쟁송은 이러한 요건을 갖추고 있지 못한 쟁송을 말하며, 행정심판이 이에 해당한다.

2. 항고쟁송과 당사자쟁송

(1) 항고쟁송은 이미 행하여진 행정청의 처분의 위법 또는 부당을 이유로 그 취소·변경을 구하는 쟁송이다. 실정법상으로는 이의신청(국세기본법 제66조), 심판청구(국세기본법 제67조), 행정심판(행정심판법 제1조) 및 항고소송(행정소송법 제3조 제1호) 등으로 불린다.

(2) 당사자쟁송은 행정법상 대등한 두 당사자 사이에서의 법률관계의 형성·존부에 관한 다툼에 대하여 그 심판을 구하는 절차를 말한다. 실정법상으로는 재결(토지보상법 제84조), 당사자소송(행정소송법 제3조 제2호) 등으로 불린다.

3. 시심적 쟁송과 복심적 쟁송

(1) 시심적 쟁송은 행정법관계의 형성이나 존부에 관한 1차적 행정작용 자체가 쟁송의 형식을 거쳐 행하여지는 경우의 절차를 말하며, 당사자쟁송이 이에 해당한다.

(2) 복심적 쟁송은 이미 행하여진 행정기관의 처분의 위법이나 부당을 다투어서 이의 재심사를 구하는 쟁송을 말하며, 항고쟁송이 이에 해당한다.

4. 주관적 쟁송과 객관적 쟁송

(1) 주관적 쟁송

① 행정청의 처분으로 인해 개인의 권리·이익이 침해된 경우 그 구제를 구하는 쟁송이다.

② 권리 또는 법률상 이익의 침해를 받은 자만이 제기할 수 있다. 즉, 소의 이익을 가진 자가 제기할 수 있다.

③ 통상적인 행정쟁송(당사자쟁송과 항고쟁송)이 이에 해당한다.

(2) 객관적 쟁송

① 행정의 적법·타당성 확보를 위하여 인정되며 공익을 주된 보호목적으로 하는 쟁송이다.

② 이러한 객관적 쟁송은 법률의 명시적 규정이 있는 경우에만 인정된다.

③ 민중쟁송(예 선거인 명부에 대한 쟁송)과 기관쟁송(예 지방의회와 지방자치단체의 장, 국가기관과 지방자치단체의 장)이 여기에 해당한다.

5. 행정심판과 행정소송

행정심판은 행정법상의 분쟁에 대하여 행정기관이 스스로 심리하고 판정하는 쟁송절차로서 약식쟁송을 말하며, 행정소송은 법원이 주체가 되어 행정법상의 분쟁을 해결하는 절차로서 정식쟁송을 말한다.

point check 행정심판과 행정소송

구분	행정심판	행정소송
목적	• 1차적: 행정의 적법성 보장 • 2차적: 국민의 권리구제	• 1차적: 국민의 권리구제 • 2차적: 행정의 적법성 보장
본질	행정통제적 요소가 강함	행정구제적 요소가 강함
존재이유	자율적 통제, 전문성 확보	타율적 통제, 독립성 확보
성질	행정 작용 + 준사법적 작용	사법 작용
쟁송대상	위법 · 부당(법률문제 · 공익문제)	위법(법률문제)
판정기관	행정부(행정심판위원회)	사법부(법원)
판정절차	약식쟁송	정식쟁송
제소기간	• 취소심판: 안 날로부터 90일, 있은 날로부터 180일 • 무효등확인심판: 기간제한 없음	• 취소소송: 안 날로부터 90일, 있은 날로부터 1년 • 무효등확인소송: 기간제한 없음
심리방식	구술심리 또는 서면심리	구술심리원칙
공개 여부	비공개원칙	공개원칙
인정유형	• 취소심판 • 무효등확인심판 • 의무이행심판	• 취소소송 • 무효등확인소송 • 부작위위법확인소송
	• 당사자심판 × • 민중심판 × • 기관심판 ×	• 당사자소송 ○ • 민중소송 ○ • 기관소송 ○
판결의 종류	• 취소재결 • 사정재결(취소심판과 부작위에 대한 의무이행심판에 인정)	• 취소판결만 가능 • 사정판결(취소소송에만 인정되고 부작위위법확인소송에는 인정되지 않음)
적극적 변경 여부	적극적인 변경도 가능	소극적인 변경만 가능(일부취소)
판결의 기속력 확보수단	시정명령 + 직접처분권 인정	간접강제만 가능
고지제도	명문규정 있음	명문규정 없음
공통점	• 법률상 이익(청구인적격, 원고적격) • 개괄주의 • 대심구조 • 집행부정지의 원칙 • 불고불리의 원칙 • 불이익변경금지의 원칙 • 보충적 직권심리주의 • 사정재결 · 판결 인정	

3 이의신청과 재심청구

1. 이의신청

(1) 개념

이의신청은 행정청의 위법 · 부당한 처분으로 인하여 그 권리 · 이익이 침해된 자의 청구에 의하여 처분청 자신이 이를 재심사하는 절차를 말한다. 이의신청은 종래 개별법에 규정이 있는 경우에만 인정되었으나 행정기본법에서 행정처분에 대해 이의가 있는 당사자는 누구나 해당 행정청에 이의신청 할 수 있도록 규정하여 개별법에 규정이 없는 경우에도 이의신청이 가능하게 되었다.

(2) 시행일

개별법에 규정이 있는 경우에는 개별법에 따라 이의신청이 가능하나, 개별법에 규정이 없는 경우 이의신청은 행정기본법 규정의 시행일인 2023년 3월 24일 이후에 가능하다.

> 행정기본법 제36조【처분에 대한 이의신청】 ① 행정청의 처분(행정심판법 제3조에 따라 같은 법에 따른 행정심판의 대상이 되는 처분을 말한다. 이하 이 조에서 같다)에 이의가 있는 당사자는 처분을 받은 날부터 30일 이내에 해당 행정청에 이의신청을 할 수 있다.
> ② 행정청은 제1항에 따른 이의신청을 받으면 그 신청을 받은 날부터 14일 이내에 그 이의신청에 대한 결과를 신청인에게 통지하여야 한다. 다만, 부득이한 사유로 14일 이내에 통지할 수 없는 경우에는 그 기간을 만료일 다음 날부터 기산하여 10일의 범위에서 한 차례 연장할 수 있으며, 연장 사유를 신청인에게 통지하여야 한다.
> ③ 제1항에 따라 이의신청을 한 경우에도 그 이의신청과 관계없이 행정심판법에 따른 행정심판 또는 행정소송법에 따른 행정소송을 제기할 수 있다.
> ④ 이의신청에 대한 결과를 통지받은 후 행정심판 또는 행정소송을 제기하려는 자는 그 결과를 통지받은 날(제2항에 따른 통지기간 내에 결과를 통지받지 못한 경우에는 같은 항에 따른 통지기간이 만료되는 날의 다음 날을 말한다)부터 90일 이내에 행정심판 또는 행정소송을 제기할 수 있다.
> ⑤ 다른 법률에서 이의신청과 이에 준하는 절차에 대하여 정하고 있는 경우에도 그 법률에서 규정하지 아니한 사항에 관하여는 이 조에서 정하는 바에 따른다.
> ⑥ 제1항부터 제5항까지에서 규정한 사항 외에 이의신청의 방법 및 절차 등에 관한 사항은 대통령령으로 정한다.
> ⑦ 다음 각 호의 어느 하나에 해당하는 사항에 관하여는 이 조를 적용하지 아니한다.
> 1. 공무원 인사 관계 법령에 따른 징계 등 처분에 관한 사항
> 2. 국가인권위원회법 제30조에 따른 진정에 대한 국가인권위원회의 결정
> 3. 노동위원회법 제2조의2에 따라 노동위원회의 의결을 거쳐 행하는 사항
> 4. 형사, 행형 및 보안처분 관계 법령에 따라 행하는 사항
> 5. 외국인의 출입국 · 난민인정 · 귀화 · 국적회복에 관한 사항
> 6. 과태료 부과 및 징수에 관한 사항
>
> [시행일: 2023.3.24.]

2. 재심사

(1) 의의

처분의 당사자가 처분이 행정심판, 행정소송 및 쟁송을 통하여 다툴 수 없게 된 경우(법원의 확정판결이 있는 경우는 제외한다)라도 특정한 경우 해당 처분을 한 행정청에 처분을 취소 · 철회하거나 변경하여 줄 것을 신청할 수 있으며(행정기본법 제37조 제1항), 이 신청에 당해 행정청이 심사하는 것을 재심사라 한다.

(2) 시행일

개별법에 규정이 있는 경우에는 개별법에 따라 재심사신청이 가능하나, 개별법에 규정이 없는 경우 재심사는 행정기본법 규정의 시행일인 2023년 3월 24일 이후에 가능하다.

행정기본법 제37조【처분의 재심사】① 당사자는 처분(제재처분 및 행정상 강제는 제외한다. 이하 이 조에서 같다)이 행정심판, 행정소송 및 그 밖의 쟁송을 통하여 다툴 수 없게 된 경우(법원의 확정판결이 있는 경우는 제외한다)라도 다음 각 호의 어느 하나에 해당하는 경우에는 해당 처분을 한 행정청에 처분을 취소 · 철회하거나 변경하여 줄 것을 신청할 수 있다.

1. 처분의 근거가 된 사실관계 또는 법률관계가 추후에 당사자에게 유리하게 바뀐 경우
2. 당사자에게 유리한 결정을 가져다주었을 새로운 증거가 있는 경우
3. 민사소송법 제451조에 따른 재심사유에 준하는 사유가 발생한 경우 등 대통령령으로 정하는 경우

② 제1항에 따른 신청은 해당 처분의 절차, 행정심판, 행정소송 및 그 밖의 쟁송에서 당사자가 중대한 과실 없이 제1항 각 호의 사유를 주장하지 못한 경우에만 할 수 있다.

③ 제1항에 따른 신청은 당사자가 제1항 각 호의 사유를 안 날부터 60일 이내에 하여야 한다. 다만, 처분이 있은 날부터 5년이 지나면 신청할 수 없다.

④ 제1항에 따른 신청을 받은 행정청은 특별한 사정이 없으면 신청을 받은 날부터 90일(합의제행정기관은 180일) 이내에 처분의 재심사 결과(재심사 여부와 처분의 유지 · 취소 · 철회 · 변경 등에 대한 결정을 포함한다)를 신청인에게 통지하여야 한다. 다만, 부득이한 사유로 90일(합의제행정기관은 180일) 이내에 통지할 수 없는 경우에는 그 기간을 만료일 다음 날부터 기산하여 90일(합의제행정기관은 180일)의 범위에서 한 차례 연장할 수 있으며, 연장 사유를 신청인에게 통지하여야 한다.

⑤ 제4항에 따른 처분의 재심사 결과 중 처분을 유지하는 결과에 대해서는 행정심판, 행정소송 및 그 밖의 쟁송수단을 통하여 불복할 수 없다.

⑥ 행정청의 제18조에 따른 취소와 제19조에 따른 철회는 처분의 재심사에 의하여 영향을 받지 아니한다.

⑦ 제1항부터 제6항까지에서 규정한 사항 외에 처분의 재심사의 방법 및 절차 등에 관한 사항은 대통령령으로 정한다.

⑧ 다음 각 호의 어느 하나에 해당하는 사항에 관하여는 이 조를 적용하지 아니한다.

1. 공무원 인사 관계 법령에 따른 징계 등 처분에 관한 사항
2. 노동위원회법 제2조의2에 따라 노동위원회의 의결을 거쳐 행하는 사항

3. 형사, 행형 및 보안처분 관계 법령에 따라 행하는 사항
4. 외국인의 출입국·난민인정·귀화·국적회복에 관한 사항
5. 과태료 부과 및 징수에 관한 사항
6. 개별 법률에서 그 적용을 배제하고 있는 경우
[시행일: 2023.3.24.]

제2절 행정심판제도

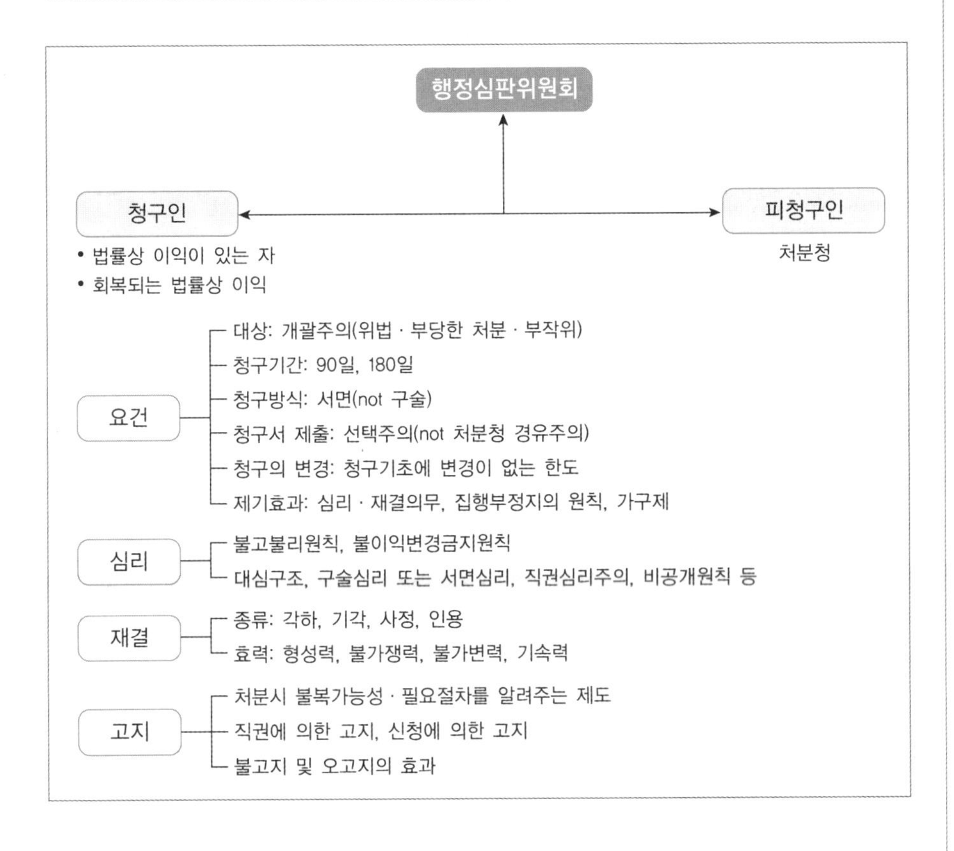

1 행정심판의 개설

1. 개념

(1) 행정심판이란 행정청의 위법·부당한 처분으로 인하여 권익이 침해된 자가 행정기관에 대하여 그 시정을 구하는 일련의 쟁송절차를 말한다.

(2) 실정법상 이의신청, 심사청구, 심판청구, 행정심판 등의 여러 가지 명칭으로 불리고 있다.

(3) 행정심판은 일반적으로 분쟁에 대한 심판작용이면서 동시에 그 자체가 행정행위라는 이중적 성격을 가지고 있다.

(4) 행정심판법은 행정심판에 관한 일반법이므로 다른 법률에 특별한 규정이 있는 경우를 제외하고는 행정심판법이 적용된다.

2. 구별개념

(1) 이의신청과의 구별

① 이의신청은 행정청의 위법 · 부당한 처분으로 인하여 그 권리 · 이익이 침해된 자의 청구에 의하여 처분청 자신이 이를 재심사하는 절차를 말한다.

② 이의신청은 각 단행법에 의하여 개별적으로 인정되고 있으며 대표적인 예가 국세기본법상의 이의신청을 들 수 있다(국세기본법 제55조 제3항).

point check 이의신청과 행정심판

이의신청	행정심판
• 개별법에서 인정(일정한 경우 행정심판) • 해당 행정청(처분청)이 심사 • 각 개별법에 의하여 일정한 처분 등에만 인정 • 행정청의 모든 결정이 대상 • 결정에 불가변력이 발생(다수견해)	• 일반법(행정심판법)이 존재 • 행정심판위원회가 심사 · 재결 • 모든 위법 또는 부당한 처분에 인정 • 처분이 대상 • 재결에 불가변력이 발생

간단 점검하기

01 이의신청이 민원처리에 관한 법률의 민원 이의신청과 같이 별도의 행정심판절차가 존재하고 행정심판과는 성질을 달리하는 경우에는 그 이의신청은 행정심판과는 다른 것으로 본다. ( ) 16. 국회직 8급

02 이의신청은 그것이 준사법적 절차의 성격을 띠어 실질적으로 행정심판의 성질을 가지더라도 이를 행정심판으로 볼 수 없다. ( ) 16. 국회직 8급

관련판례

1 재산세 취소 ★★

과세처분에 관한 불복절차과정에서 불복사유가 옳다고 인정하여 이에 따라 필요한 처분을 하였을 경우에는, 불복제도와 이에 따른 시정방법을 인정하고 있는 국세기본법 취지에 비추어 볼 때 동일 사항에 관하여 특별한 사유 없이 이를 번복하고 종전과 동일한 처분을 하는 것은 허용될 수 없다. 따라서 과세관청이 과세처분에 대한 이의신청절차에서 납세자의 이의신청 사유가 옳다고 인정하여 과세처분을 직권으로 취소한 경우, 납세자가 허위의 자료를 제출하는 등 부정한 방법에 기초하여 직권취소 되었다는 등의 특별한 사유가 없는데도 이를 번복하고 종전과 동일한 과세처분을 하는 것은 위법하다(대판 2017.3.9, 2016두56790).

#재산세부과_불복_직권취소_불가변력발생

2 지방자치법 제140조 제3항에서 정한 이의신청은 행정청의 위법 · 부당한 처분에 대하여 행정기관이 심판하는 행정심판과는 구별되는 별개의 제도이나, 이의신청과 행정심판은 모두 본질에 있어 행정처분으로 인하여 권리나 이익을 침해당한 상대방의 권리구제에 목적이 있고, 행정소송에 앞서 먼저 행정기관의 판단을 받는 데에 목적을 둔 엄격한 형식을 요하지 않는 서면행위이므로, 이의신청을 제기해야 할 사람이 처분청에 표제를 '행정심판청구서'로 한 서류를 제출한 경우라 할지라도 서류의 내용에 이의신청 요건에 맞는 불복취지와 사유가 충분히 기재되어 있다면 표제에도 불구하고 이를 처분에 대한 이의신청으로 볼 수 있다(대판 2012.3.29, 2011두26886).

간단 점검하기

03 이의신청을 제기해야 할 사람이 처분청에 표제를 행정심판청구서로 한 서류를 제출한 경우라 할지라도 서류의 내용에 이의신청 요건에 맞는 불복취지와 사유가 충분히 기재되어 있다면 이를 처분에 대한 이의신청으로 볼 수 있다. ( ) 18. 경찰행정

(2) 청원과의 구별

청원은 쟁송수단이라기보다는 국민의 정치적 의사표시를 보장하는 제도이지만, 행정심판은 국민의 권익이 침해되었을 때 이를 구제하는 쟁송수단이다.

01 ○ 02 × 03 ○

3. 행정심판의 기능과 문제점

(1) 행정심판의 기능

① 행정의 자기통제기능
② 국민의 권리구제수단기능
③ 분쟁의 신속한 해결
④ 행정청의 전문지식의 활용
⑤ 소송경제의 확보

(2) 행정심판의 문제점

① 청구인적격의 엄격성
② 행정심판의 객관성 보장 미흡

2 행정심판의 종류

1. 개설

행정심판법에는 행정심판으로서 취소심판, 무효등확인심판, 의무이행심판으로 규정되어 있다. 행정소송법과 달리 행정심판법에는 항고심판만이 규정되어 있다. 그 밖에도 행정심판법 외에 개별법에서 전문성 등의 이유로 특별한 행정심판이 규정되어 있는데 특허심판, 조세심판 등이 이에 해당된다.

2. 취소심판

(1) 의의

① 행정청의 위법 또는 부당한 공권력의 행사 또는 그 거부나 그 밖에 이에 준하는 행정작용으로 권익을 침해당한 자가 그 취소 또는 변경을 구하는 행정심판이다(행정심판법 제2조 제1항, 제5조 제1호).
② 취소에는 적극적 처분의 취소뿐만 아니라 소극적 처분인 거부처분의 취소를 포함한다. 변경이란 취소소송에서와 달리 적극적 변경을 의미한다.

(2) 성질

① **형성적 쟁송설(통설)**: 취소심판은 법률관계를 성립시킨 처분의 효력을 다투어 그 취소·변경에 의하여 해당 법률관계를 소멸 또는 변경시키는 성질의 심판이라고 보는 입장이다.
② **확인적 쟁송설**: 취소심판은 행정청의 처분의 위법성·부당성을 확인하는 성질의 심판이라고 보는 입장이다.

(3) 특수성

① 청구기간의 제한(알게 된 날부터 90일, 있었던 날부터 180일)
② 집행부정지의 원칙
③ 심리절차의 비공개원칙, 구술심리 또는 서면심리
④ 사정재결의 인정
⑤ 행정심판위원회의 형성적 재결(처분의 취소재결·변경재결·변경명령재결)

간단 점검하기

01 행정심판법상 행정심판의 종류로는 취소심판, 무효등확인심판, 부작위위법확인심판이 있다. ( )
10. 지방직 9급

02 행정심판법에서 규정한 행정심판의 종류로는 행정소송법상 항고소송에 대응하는 취소심판, 무효등확인심판, 의무이행심판과 당사자소송에 대응하는 당사자심판이 있다. ( )
17. 국가직 9급

03 행정심판법상 행정심판은 위법한 처분·부작위뿐만 아니라 부당한 처분·부작위에 대해서도 다툴 수 있다. ( ) 12·09. 지방직 7급

01 × 02 × 03 ○

3. 무효등확인심판

(1) 의의

① 행정청의 처분의 효력 유무 또는 존재 여부에 대한 확인을 구하는 심판을 말한다(행정심판법 제5조 제2호).

② 무효등확인심판은 해당 처분의 무효, 유효, 실효, 존재 또는 부존재의 확인을 구하는 행정심판이다. 따라서 무효등확인심판에는 처분무효확인심판, 처분유효확인심판, 처분실효확인심판, 처분존재확인심판 및 처분부존재확인심판이 있다.

(2) 성질

① **형성적 쟁송설**: 무효사유와 취소사유의 상대성을 전제로 하여, 무효등확인심판도 행정작용의 효력관계를 다투는 것으로서 본질적으로는 형성적 쟁송으로서의 성질을 가진다.

② **확인적 쟁송설**: 무효등확인심판은 적극적으로 처분의 효력을 소멸시키는 것이 아니라, 다만 해당 처분이 무효임을 확인하는 데 그치는 것이라고 한다.

③ **준형성적 쟁송설(통설)**: 무효등확인심판은 실질적으로는 확인쟁송이나, 형식적으로는 처분의 효력 유무 등을 직접 소송의 대상으로 한다는 점에서 형성적 쟁송으로서의 성질을 아울러 가지는 것으로 본다.

(3) 특수성

① 심판제기기간의 제한을 받지 않는다.

② 사정재결에 관한 규정의 적용이 배제된다.

③ 취소심판과 같이 제3자에게도 효력을 미친다.

4. 의무이행심판

(1) 의의

행정청의 위법 또는 부당한 거부처분 또는 부작위로 인하여 권익의 침해를 당한 자의 청구에 의하여 일정한 처분을 하도록 하는 심판이다(동법 제5조 제3호).

(2) 성질(이행쟁송)

① 의무이행심판은 행정청에 일정한 처분을 할 것을 명하는 심판이므로 이행쟁송의 성질을 가진다고 볼 수 있다.

② **장래의 의무이행심판**: 통설은 의무이행심판은 당사자의 신청에 대하여 피청구인이 일정한 처분을 해야 할 법률상 의무의 이행기가 도래하여 현실화된 경우, 그 이행의무의 존재를 주장하는 행정심판만이 가능하고, 장래의 이행쟁송에는 허용되지 않는다고 한다.

(3) 특수성

① 행정심판의 제기기간의 적용을 받지 않는다. 단, 거부처분에 대한 의무이행심판의 경우에는 제한이 있다.

② 집행정지에 관한 규정의 적용이 배제되며, 임시처분이 가능하다.

간단 점검하기

01 행정청의 위법·부당한 거부처분이나 부작위에 대하여 일정한 처분을 하도록 하는 의무이행심판은 현행법상 인정된다. ( )
16. 국가직 9급, 14. 서울시 9급

02 거부처분은 취소심판의 대상이므로 거부처분의 상대방은 이에 대하여 취소심판만 청구할 수 있다. ( )
17. 서울시 9급

03 의무이행심판은 행정청의 적극적인 행위로 인한 침해로부터 권익을 보호하는 기능을 한다. ( )
14. 서울시 9급

01 ○ 02 × 03 ×

point check 행정심판의 종류

구분	취소심판	무효등확인심판	의무이행심판
의의	행정청의 위법 또는 부당한 처분의 취소 또는 변경을 구하는 심판	처분의 효력 유무 또는 존재 여부에 대한 확인을 구하는 심판	행정청의 위법 또는 부당한 거부처분 또는 부작위에 대하여 일정한 처분을 하도록 하는 심판
성질	형성적 쟁송	준형성적 쟁송	이행쟁송
인용재결	처분취소(변경)재결	유효·무효·실효·존재·부존재확인재결	• 처분재결 • 처분명령재결
특징	• 청구기간의 제한 ○ • 집행정지결정 ○ • 사정재결규정 적용 ○	• 청구기간의 제한 × • 집행정지결정 ○ • 사정재결규정 적용 ×	• 청구기간 제한 × (거부처분 제한 ○) • 집행정지결정 ×, 임시처분 ○ • 사정재결규정 적용 ○

3 행정심판의 대상

1. 개괄주의

(1) 개괄주의의 채택

현행 행정심판법은 제3조 제1항에서 "행정청의 처분 또는 부작위에 대하여 다른 법률에 특별한 규정이 있는 경우를 제외하고는 이 법에 의하여 행정심판을 제기할 수 있다."고 하여 개괄주의를 채택하고 있다.

(2) 심판대상에서 제외

다만, 행정심판법상 심판사항이 될 수 없는 경우로서 ① 대통령의 처분 또는 부작위(제3조 제2항), ② 행정심판의 재결(제51조) 등이 있다. 그리고 행정소송에서와 마찬가지로 통고처분, 검사의 불기소처분 등과 같이 다른 구제절차가 마련되어 있는 경우에도 행정심판의 대상에서 제외된다.

2. 처분

처분은 행정청이 행하는 구체적 사실에 관한 법집행으로서의 공권력의 행사 또는 그 거부와 그 밖에 이에 준하는 행정작용을 말한다(행정심판법 제2조 제1항 제1호). 행정심판에서는 위법한 처분뿐만 아니라 부당한 처분도 대상으로 하고 있다는 점에서 위법한 처분만을 대상으로 하고 있는 행정소송과 다르다.

3. 부작위

(1) 행정심판법 제2조는 부작위를 '행정청이 당사자의 신청에 대하여 상당한 기간 내에 일정한 처분을 하여야 함에도 불구하고 이를 하지 아니하는 것'이라고 정의하고 있다.

(2) 따라서 ① 당사자의 신청, ② 상당한 기간의 경과, ③ 처분을 하여야 법률상 의무의 존재, ④ 처분을 하지 않았을 것 등의 요건이 충족되어야 부작위에 해당한다.

(3) 부작위도 행정심판이 대상이 되므로 위법뿐만 아니라 부당한 부작위도 행정심판의 대상이 된다.

간단 점검하기

01 행정심판법상 행정청의 처분 또는 부작위에 대하여는 다른 법률에 특별한 규정이 있는 경우 외에는 이 법에 따라 행정심판을 청구할 수 있다. ( ) 17. 경찰행정

02 행정심판사항에 대해 개괄주의가 채택되고 있다. ( ) 09. 지방직 7급

03 행정심판법상 대통령의 처분 또는 부작위에 대하여는 다른 법률에서 행정심판을 청구할 수 있도록 정한 경우 외에는 행정심판을 청구할 수 없다. ( ) 19. 국가직 9급

04 행정심판에서 처분의 적법성 여부뿐만 아니라 법원이 판단할 수 없는 처분의 당·부당의 문제에 관해서도 심사를 받을 수 있다. ( ) 18. 경찰행정

01 ○ 02 ○ 03 ○ 04 ○

4 당사자와 관계인

1. 심판청구의 당사자

(1) 청구인

① 의의

㉠ 청구인이란 심판청구의 대상인 처분 또는 부작위에 불복하여 그의 취소 또는 변경 등을 구하는 심판청구를 제기하는 자를 말한다. 심판청구는 법률상 이익이 있는 자만이 할 수 있다.

㉡ 청구인은 처분의 상대방인지, 제3자인지 여부를 불문하며, 또한 자연인인지, 법인인지 여부를 불문한다.

㉢ 법인이 아닌 사단 또는 재단으로서 대표자 또는 관리인이 정하여져 있는 경우에는 그 사단이나 재단의 이름으로 행정심판을 청구할 수 있다(행정심판법 제14조).

② 법률상 이익이 있는 자

㉠ **법률상 이익**: 법률상 이익의 의미에 관하여 ⓐ 권리구제설, ⓑ 법률상 보호이익설(다수설), ⓒ 보호가치이익설, ⓓ 적법성보장설 등의 견해 대립이 있다.❶

㉡ **회복되는 법률상 이익(협의의 소익)**: 처분의 효과가 기간의 경과, 처분의 집행 그 밖의 사유로 인하여 소멸된 뒤에도 그 처분의 취소로 인하여 회복되는 법률상 이익이 있는 자의 경우에는 취소심판을 청구할 수 있다(동법 제13조 제1항 후단).

> 행정심판법 제13조【청구인 적격】③ 의무이행심판은 처분을 신청한 자로서 행정청의 거부처분 또는 부작위에 대하여 일정한 처분을 구할 법률상 이익이 있는 자가 청구할 수 있다.

③ 선정대표자의 선정 및 해임

㉠ **선정대표자 선정 권고**: 여러 명의 청구인이 공동으로 심판청구를 할 때에는 청구인들 중에서 3명 이하의 선정대표자를 선정할 수 있다(동법 제15조 제1항). 청구인이 선정대표자를 선정하지 아니한 경우에 위원회가 필요하다고 인정하면 청구인들에게 선정대표자를 선정할 것을 권고할 수 있다(동조 제2항).

㉡ **선정대표자의 행위**: 선정대표자는 다른 청구인을 위하여 그 사건에 관한 모든 행위를 할 수 있다. 다만, 심판청구를 취하하려면 다른 청구인들의 동의를 받아야 하며, 이 경우 동의를 받은 사실을 서면으로 소명하여야 한다(동조 제3항). 선정대표자가 선정되면 다른 청구인들은 그 선정대표자를 통해서만 그 사건에 관한 행위를 할 수 있다(동조 제4항).

㉢ **선정대표자의 해임 등**: 선정대표자를 선정한 청구인들은 필요하다고 인정하면 선정대표자를 해임하거나 변경할 수 있다. 이 경우 청구인들은 그 사실을 지체 없이 위원회에 서면으로 알려야 한다(동조 제5항).

간단 점검하기

01 종중이나 교회와 같은 비법인사단은 사단 자체의 명의로 행정심판을 청구할 수 없고 대표자가 청구인이 되어 행정심판을 청구하여야 한다. ( )
18. 국가직 9급

❶
자세한 내용은 행정소송의 원고적격 부분 참조

간단 점검하기

02 행정심판의 경우 여러 명의 청구인이 공동으로 심판청구를 할 때에는 청구인들 중에서 3명 이하의 선정대표자를 선정할 수 있다. ( )
18. 국회직 8급, 12. 지방직 9급

01 × **02** ○

관련판례

행정심판절차에서 청구인들이 당사자가 아닌 자를 선정대표자로 선정하였더라도 행정심판법 제11조에 위반되어 그 선정행위는 그 효력이 없다(대판 1991.1.25, 90누7791).

④ **상속인이나 합병으로 인한 청구인의 지위승계(당연승계)**: 청구인이 사망한 경우에는 상속인이나 그 밖에 법령에 따라 심판청구의 대상에 관계되는 권리나 이익을 승계한 자가 청구인의 지위를 승계한다(동법 제16조 제1항).

⑤ **권리 양수로 인한 청구인의 지위승계(허가승계)**: 심판청구의 대상과 관계되는 권리나 이익을 양수한 자는 위원회의 허가를 받아 청구인의 지위를 승계할 수 있다(동조 제5항). 지위승계를 허가하지 아니한 경우 신청인은 결정서 정본을 받은 날부터 7일 이내에 행정심판위원회에 이의신청할 수 있다(동조 제8항).

(2) 피청구인

① **피청구인의 적격(처분청 등)**

㉠ **처분청**: 행정심판은 처분을 한 행정청(의무이행심판의 경우에는 청구인의 신청을 받은 행정청)을 피청구인으로 하여 청구하여야 한다(행정심판법 제17조 제1항 본문).

㉡ **승계청**: 심판청구의 대상과 관계되는 권한이 다른 행정청에 승계된 경우에는 권한을 승계한 행정청을 피청구인으로 하여야 한다(동항 단서).

② **피청구인의 경정(신청 또는 직권)**

㉠ 청구인이 피청구인을 잘못 지정한 경우에는 위원회는 직권으로 또는 당사자의 신청에 의하여 결정으로써 피청구인을 경정(更正)할 수 있다(제17조 제2항).

㉡ 위원회는 행정심판이 청구된 후에 제1항 단서의 사유(권한이 다른 행정청에 승계된 경우)가 발생하면 직권으로 또는 당사자의 신청에 의하여 결정으로써 피청구인을 경정한다(동조 제5항).

③ **피청구인 결정서 정본 당사자에게 송달(종전과 새로운 피청구인 포함)**: 위원회는 제2항에 따라 피청구인을 경정하는 결정을 하면 결정서 정본을 당사자(종전의 피청구인과 새로운 피청구인을 포함한다. 이하 제6항에서 같다)에게 송달하여야 한다(동조 제3항).

④ **피청구인 경정의 효력(소급효)**: 제2항에 따른 결정이 있으면 종전의 피청구인에 대한 심판청구는 취하되고 종전의 피청구인에 대한 행정심판이 청구된 때에 새로운 피청구인에 대한 행정심판이 청구된 것으로 본다(동조 제4항).

⑤ **피청구인 경정 결정에 대한 이의신청(7일 이내 위원회에)**: 당사자는 위원회의 경정결정에 대하여 결정서 정본을 받은 날부터 7일 이내에 위원회에 이의신청을 할 수 있다(동조 제6항).

간단 점검하기

01 행정심판절차에서 청구인들이 당사자 아닌 자를 선정대표자로 선정한 행위는 무효이다. ( ) 08. 국회직 8급

간단 점검하기

02 행정심판의 대상과 관련되는 권리나 이익을 양수한 특정승계인은 행정심판위원회의 허가를 받아 청구인의 지위를 승계할 수 있다. ( ) 18. 국가직 9급 · 국회직 8급

간단 점검하기

03 서울시 종로구청장이 행한 행정처분에 대한 행정심판의 피청구인은 서울시장이다. ( ) 04. 국가직 7급

04 의무이행심판의 경우에는 청구인의 신청을 받은 행정청을 피청구인으로 하여 행정심판을 청구하여야 한다. ( ) 15. 경찰행정

05 청구인이 피청구인을 잘못 지정한 경우에는 행정심판위원회는 직권으로 또는 당사자의 신청에 의하여 결정으로써 피청구인을 경정할 수 있다. ( ) 18. 국회직 8급

06 피청구인의 경정이 있으면 심판청구는 피청구인의 경정시에 제기된 것으로 본다. ( ) 18. 서울시 7급

01 ○ 02 ○ 03 × 04 ○
05 ○ 06 ×

2. 심판청구의 관계인

(1) 참가인(심판참가)

① 신청에 의한 심판참가

㉠ **참가자(이해관계 있는 제3자나 행정청, 의결 전까지)**: 행정심판의 결과에 이해관계가 있는 제3자나 행정청은 해당 심판청구에 대한 제7조 제6항 또는 제8조 제7항에 따른 위원회나 소위원회의 의결이 있기 전까지 그 사건에 대하여 심판참가를 할 수 있다(행정심판법 제20조 제1항).

㉡ **위원회 참가 여부 결정**: 위원회는 제2항에 따라 참가신청을 받으면 허가 여부를 결정하고, 지체 없이 신청인에게는 결정서 정본을, 당사자와 다른 참가인에게는 결정서 등본을 송달하여야 한다(동조 제5항).

㉢ **이의신청(7일 이내에 위원회에)**: 신청인은 제5항에 따라 송달을 받은 날부터 7일 이내에 위원회에 이의신청을 할 수 있다(동조 제6항).

② 요구에 의한 참가

㉠ **위원회의 요구**: 위원회는 필요하다고 인정하면 그 행정심판 결과에 이해관계가 있는 제3자나 행정청에 그 사건 심판에 참가할 것을 요구할 수 있다(제21조 제1항).

㉡ **참가 여부 통지**: 제1항의 요구를 받은 제3자나 행정청은 지체 없이 그 사건 심판에 참가할 것인지 여부를 위원회에 통지하여야 한다(동조 제2항).

③ **참가인의 지위**: 참가인은 행정심판 절차에서 당사자가 할 수 있는 심판절차상의 행위를 할 수 있다(제22조 제1항).

(2) 대리인

① **청구인의 대리인**: 청구인은 법정대리인 외에 다음 각 호의 어느 하나에 해당하는 자를 대리인으로 선임할 수 있다(행정심판법 제18조 제1항).

> 1. 청구인의 배우자, 청구인 또는 배우자의 사촌 이내의 혈족
> 2. 청구인이 법인이거나 제14조에 따른 청구인 능력이 있는 법인이 아닌 사단 또는 재단인 경우 그 소속 임직원
> 3. 변호사
> 4. 다른 법률에 따라 심판청구를 대리할 수 있는 자
> 5. 그 밖에 위원회의 허가를 받은 자

② **피청구인의 대리인**: 피청구인은 그 소속직원 또는 제1항 제3호부터 제5호까지의 어느 하나에 해당하는 자를 대리인으로 선임할 수 있다.

③ **대리인 행위 및 효과**: 대리인도 선정대표자와 마찬가지로 청구인과 피청구인들을 위하여 그 사건에 관한 모든 행위를 할 수 있으며, 대리인이 선정되면 다른 청구인들과 피청구인은 그 선정대표자를 통해서만 그 사건에 관한 행위를 할 수 있다(동조 제3항).

④ **대리행위의 귀속**: 대리인의 행위의 효력은 청구인이나 피청구인에 귀속된다.

간단 점검하기

01 행정심판의 결과에 이해관계가 있는 제3자 또는 행정청은 행정심판위원회의 허가를 받아 그 사건에 참가할 수 있다. ( ) 15. 사회복지직

02 행정심판위원회는 필요하다고 인정하면 그 심판결과에 이해관계가 있는 제3자에게 그 사건 심판에 참가할 것을 요구할 수 있으며, 이 요구를 받은 제3자는 지체없이 참가 여부를 위원회에 통지하여야 한다. ( ) 15. 국회직 8급

03 참가인은 행정심판절차에서 당사자가 할 수 있는 심판절차상의 행위를 할 수 있다. ( ) 18. 국회직 8급

01 ○ 02 ○ 03 ○

(3) 국선대리인

① 청구인이 경제적 능력으로 인해 대리인을 선임할 수 없는 경우에는 위원회에 국선대리인을 선임하여 줄 것을 신청할 수 있다(행정심판법 제18조의2 제1항).

② 위원회는 제1항의 신청에 따른 국선대리인 선정 여부에 대한 결정을 하고, 지체없이 청구인에게 그 결과를 통지하여야 한다. 이 경우 위원회는 심판청구가 명백히 부적법하거나 이유 없는 경우 또는 권리의 남용이라고 인정되는 경우에는 국선대리인을 선정하지 아니할 수 있다(동조 제2항).

5 행정심판기관(행정심판위원회)

1. 개설

(1) 의의

행정심판기관이란 행정심판청구를 수리하여 재결하는 권한을 가진 행정기관을 말한다. 종래에는 재결기관인 재결청과 의결기관인 행정심판위원회를 구별하였으나, 현행 행정심판법은 행정심판위원회에서 심리와 재결을 행한다.

(2) 성질

행정심판위원회는 비상설 합의제 행정청이다.

2. 행정심판위원회의 종류

행정심판법상 심판기관으로는 해당 행정청 소속 행정심판위원회, 중앙행정심판위원회, 시·도행정심판위원회, 직근상급청 소속 행정심판위원회가 있다.
개별법에 의해 설치되는 특별행정심판위원회로는 소청심사위원회, 조세심판원, 중앙토지수용위원회 등이 있다.

(1) 해당 행정청 소속의 행정심판위원회

다음 각 호의 행정청 또는 그 소속 행정청(행정기관의 계층구조와 관계없이 그 감독을 받거나 위탁을 받은 모든 행정청을 말하되, 위탁을 받은 행정청은 그 위탁받은 사무에 관하여는 위탁한 행정청의 소속 행정청으로 본다. 이하 같다)의 처분 또는 부작위에 대한 행정심판의 청구(이하 '심판청구'라 한다)에 대하여는 다음 각 호의 행정청에 두는 행정심판위원회에서 심리·재결한다(행정심판법 제6조 제1항).

> 1. 감사원, 국가정보원장, 그 밖에 대통령령으로 정하는 대통령 소속기관의 장(대통령비서실장, 국가안보실장, 대통령경호처장, 방송통신위원회)
> 2. 국회사무총장·법원행정처장·헌법재판소사무처장 및 중앙선거관리위원회사무총장
> 3. 국가인권위원회 그 밖에 지위·성격의 독립성과 특수성 등이 인정되어 대통령령으로 정하는 행정청(고위공직자범죄수사처장)

간단 점검하기

01 행정심판 청구인이 경제적 능력으로 인해 대리인을 선임할 수 없는 경우에는 행정심판위원회에 국선대리인을 선임하여 줄 것을 신청할 수 있다. ( ) 19. 국가직 9급

간단 점검하기

02 행정심판위원회가 행정심판사건을 심리하여 직접 재결을 내린다. ( ) 11. 국가직 7급, 10. 지방직 9급

03 행정심판법은 권리구제의 실효성을 확보하기 위해서 심리·의결기능과 재결기능을 분리시키고 있다. ( ) 09. 국가직 9급

간단 점검하기

04 서울특별시장의 처분에 대한 행정심판은 중앙행정심판위원회에서 심리·재결한다. ( ) 15. 서울시 7급

05 법원행정처장의 부당한 처분에 대해서는 중앙행정심판위원회에 행정심판을 제기할 수 있다. ( ) 15. 서울시 7급

06 국가인권위원회의 처분 또는 부작위에 대한 행정심판의 청구는 국민권익위원회에 두는 중앙행정심판위원회에서 심리·재결한다. ( ) 18. 국회직 8급

01 ○ 02 ○ 03 × 04 ○ 05 × 06 ×

(2) 중앙행정심판위원회

다음 각 호의 행정청의 처분 또는 부작위에 대한 심판청구에 대하여는 부패방지 및 국민권익위원회의 설치와 운영에 관한 법률에 따른 국민권익위원회(이하 '국민권익위원회'라 한다)에 두는 중앙행정심판위원회에서 심리·재결한다(동조 제2항).

> 1. 법 제6조 제1항에 따른 행정청 외의 국가행정기관의 장 또는 그 소속 행정청
> 2. 특별시장·광역시장·도지사·특별자치도지사(특별시·광역시·도 또는 특별자치도의 교육감을 포함한다. 이하 '시·도지사'라 한다) 또는 특별시·광역시·도·특별자치도(이하 '시·도'라 한다)의 의회(의장, 위원회의 위원장, 사무처장 등 의회 소속 모든 행정청을 포함한다)
> 3. 지방자치법에 따른 지방자치단체조합 등 관계 법률에 따라 국가·지방자치단체·공공법인 등이 공동으로 설립한 행정청. 다만, 제3항 제3호에 해당하는 행정청은 제외한다.

(3) 시·도행정심판위원회

다음 각 호의 행정청의 처분 또는 부작위에 대한 심판청구에 대하여는 시·도지사 소속으로 두는 행정심판위원회에서 심리·재결한다(동법 제6조 제3항).

> 1. 시·도 소속 행정청
> 2. 시·도의 관할구역에 있는 시·군·자치구의 장, 소속 행정청 또는 시·군·자치구의 의회(의장, 위원회의 위원장, 사무국장, 사무과장 등 의회 소속 모든 행정청을 포함한다)
> 3. 시·도의 관할구역에 있는 둘 이상의 지방자치단체(시·군·자치구를 말한다)·공공법인 등이 공동으로 설립한 행정청

(4) 직근상급행정기관 소속 행정심판위원회

제6조 제2항 제1호에도 불구하고 대통령령으로 정하는 국가행정기관(법무부, 대검찰청 소속 특별지방행정기관 등) 소속 특별지방행정기관의 장의 처분 또는 부작위에 대한 심판청구에 대하여는 해당 행정청의 직근상급행정기관에 두는 행정심판위원회에서 심리·재결한다(동조 제4항).

(5) 특별행정심판위원회로서의 제3기관

> 특허법 제132조의2【특허취소신청】① 누구든지 특허권의 설정등록일부터 등록공고일 후 6개월이 되는 날까지 그 특허가 다음 각 호의 어느 하나에 해당하는 경우에는 특허심판원장에게 특허취소신청을 할 수 있다. 이 경우 청구범위의 청구항이 둘 이상인 경우에는 청구항마다 특허취소신청을 할 수 있다.
> 1. 제29조 (같은 조 제1항 제1호에 해당하는 경우와 같은 호에 해당하는 발명에 의하여 쉽게 발명할 수 있는 경우는 제외한다)에 위반된 경우
> 2. 제36조 제1항부터 제3항까지의 규정에 위반된 경우
>
> ② 제1항에도 불구하고 특허공보에 게재된 제87조 제3항 제7호에 따른 선행기술에 기초한 이유로는 특허취소신청을 할 수 없다.

간단 점검하기

01 시·도의 관할구역에 있는 둘 이상의 시·군·자치구 등이 공동으로 설립한 행정청의 처분에 대하여는 시·도지사 소속 행정심판위원회에서 심리·재결한다. ( ) 15. 지방직 9급

02 종로구청장의 처분이나 부작위에 대한 행정심판청구는 서울특별시 행정심판위원회에서 심리·재결하여야 한다. ( ) 19. 서울시 9급

01 ○ **02** ○

국세기본법 제67조 【조세심판원】 ① 심판청구에 대한 결정을 하기 위하여 국무총리 소속으로 조세심판원을 둔다.

3. 행정심판위원회의 구성

(1) 행정심판위원회

① **구성원**: 행정심판위원회(중앙행정심판위원회는 제외한다. 이하 이 조에서 같다)는 위원장 1명을 포함한 50명 이내의 위원으로 구성한다(동법 제7조 제1항).

② **위원장 및 직무대행**: 행정심판위원회의 위원장은 그 행정심판위원회가 소속된 행정청이 되며, 위원장이 없거나 부득이한 사유로 직무를 수행할 수 없거나 위원장이 필요하다고 인정하는 경우에는 다음의 순서에 따라 위원이 위원장의 직무를 대행한다(동조 제2항).

㉠ 위원장이 사전에 지명한 위원

㉡ 제4항에 따라 지명된 공무원인 위원[1]

③ **공무원 아닌 위원장**: 시 · 도지사 소속으로 두는 행정심판위원회의 경우에는 해당 지방자치단체의 조례로 정하는 바에 따라 공무원이 아닌 위원을 위원장으로 정할 수 있다. 이 경우 위원장은 비상임으로 한다(동조 제3항).

④ 행정심판위원회의 위원은 해당 행정심판위원회가 소속된 행정청이 다음 각 호의 어느 하나에 해당하는 사람 중에서 성별을 고려하여 위촉하거나 그 소속 공무원 중에서 지명한다(동조 제4항).

1. 변호사 자격을 취득한 후 5년 이상의 실무 경험이 있는 사람
2. 고등교육법 제2조 제1호부터 제6호까지의 규정에 따른 학교에서 조교수 이상으로 재직하거나 재직하였던 사람
3. 행정기관의 4급 이상 공무원이었거나 고위공무원단에 속하는 공무원이었던 사람
4. 박사학위를 취득한 후 해당 분야에서 5년 이상 근무한 경험이 있는 사람
5. 그 밖에 행정심판과 관련된 분야의 지식과 경험이 풍부한 사람

(2) 중앙행정심판위원회

① **구성원**: 중앙행정심판위원회는 위원장 1명을 포함한 70명 이내의 위원으로 구성하되, 위원 중 상임위원은 4명 이내로 한다(동법 제8조 제1항).

② **위원장**: 중앙행정심판위원회의 위원장은 국민권익위원회의 부위원장 중 1명이 되며, 위원장이 없거나 부득이한 사유로 직무를 수행할 수 없거나 위원장이 필요하다고 인정하는 경우에는 상임위원(상임으로 재직한 기간이 긴 위원 순서로, 재직기간이 같은 경우에는 연장자 순서로 한다)이 위원장의 직무를 대행한다(동조 제2항).

③ **상임위원**: 중앙행정심판위원회의 상임위원은 일반직공무원으로서 국가공무원법 제26조의5에 따른 임기제공무원으로 임명하되, 3급 이상 공무원 또는 고위공무원단에 속하는 일반직공무원으로 3년 이상 근무한 사람이나 그 밖에 행정심판에 관한 지식과 경험이 풍부한 사람 중에서 중앙행

[1] 2명 이상인 경우에는 직급 또는 고위공무원단에 속하는 공무원의 직무등급이 높은 위원 순서로, 직급 또는 직무등급도 같은 경우에는 위원 재직기간이 긴 위원 순서로, 재직기간도 같은 경우에는 연장자 순서로 한다.

간단 점검하기

01 예외적으로 당해 지방자치단체의 조례에서 시 · 도행정심판위원회의 위원장을 공무원이 아닌 위원으로 정한 경우에 그는 상임으로 직무를 수행한다. ( ) 18. 교육행정직

간단 점검하기

02 중앙행정심판위원회는 위원장 1명을 포함하여 70명 이내의 위원으로 구성한다. ( ) 19. 소방직 9급

03 중앙행정심판위원회의 위원장은 국민권익위원회의 부위원장 중 1명이 되며 필요한 경우에는 상임위원이 그 직무를 대행한다. ( ) 11. 지방직 9급

01 × 02 ○ 03 ○

정심판위원회 위원장의 제청으로 국무총리를 거쳐 대통령이 임명한다(제8조 제3항).

④ **비상임위원**: 중앙행정심판위원회의 비상임위원은 제7조 제4항 각 호의 어느 하나에 해당하는 사람 중에서 중앙행정심판위원회 위원장의 제청으로 국무총리가 성별을 고려하여 위촉한다(동조 제4항).

4. 행정심판위원회의 회의

(1) 행정심판위원회의 회의

① **구성원(원칙)**: 행정심판위원회의 회의는 위원장과 위원장이 회의마다 지정하는 8명의 위원(그중 제4항에 따른 위촉위원은 6명 이상으로 하되, 제3항에 따라 위원장이 공무원이 아닌 경우에는 5명 이상으로 한다)으로 구성한다.

② **구성원(예외)**: 국회규칙, 대법원규칙, 헌법재판소규칙, 중앙선거관리위원회규칙 또는 대통령령(제6조 제3항에 따라 시·도지사 소속으로 두는 행정심판위원회의 경우에는 해당 지방자치단체의 조례)으로 정하는 바에 따라 위원장과 위원장이 회의마다 지정하는 6명의 위원(그중 제4항에 따른 위촉위원은 5명 이상으로 하되, 제3항에 따라 공무원이 아닌 위원이 위원장인 경우에는 4명 이상으로 한다)으로 구성할 수 있다(동법 제7조 제5항).

③ **의결정족수**: 행정심판위원회는 제5항에 따른 구성원 과반수의 출석과 출석위원 과반수의 찬성으로 의결한다(동조 제6항).

(2) 중앙행정심판위원회의 회의

① **구성원**: 중앙행정심판위원회의 회의(제6항에 따른 소위원회 회의는 제외한다)는 위원장, 상임위원 및 위원장이 회의마다 지정하는 비상임위원을 포함하여 총 9명으로 구성한다(동법 제8조 제5항).

② **자동차운전면허 관련 소위원회**: 중앙행정심판위원회는 심판청구사건(이하 '사건'이라 한다) 중 도로교통법에 따른 자동차운전면허 행정처분에 관한 사건(소위원회가 중앙행정심판위원회에서 심리·의결하도록 결정한 사건은 제외한다)을 심리·의결하게 하기 위하여 4명의 위원으로 구성하는 소위원회를 둘 수 있다(동조 제6항).

③ **의결정족수**: 중앙행정심판위원회 및 소위원회는 각각 구성원 과반수의 출석과 출석위원 과반수의 찬성으로 의결한다(동조 제7항).

간단 점검하기

중앙행정심판위원회의 회의는 소위원회 회의를 제외하고 위원장, 상임위원 및 위원장이 회의마다 지정하는 비상임위원을 포함하여 총 7명으로 구성한다.
( ) 19. 국회직 8급

×

5. 위원의 임기 및 신분보장

(1) 임기

① 중앙행정심판위원회 상임위원의 임기는 3년으로 하며, 1차에 한하여 연임할 수 있다(제9조 제2항).

② 행정심판위원회 위원과 중앙행정심판위원회의 위원의 임기는 2년으로 하되, 2차에 한하여 연임할 수 있다(동조 제3항).

(2) 결격사유 등

① **결격사유**: 다음의 어느 하나에 해당하는 사람은 행정심판위원회의 위원이 될 수 없으며, 위원이 이에 해당하게 된 때에는 당연히 퇴직한다(동법 제9조 제4항).

㉠ 대한민국 국민이 아닌 사람

㉡ 국가공무원법 제33조 각 호의 어느 하나에 해당하는 사람

② **신분보장**: 위촉된 위원은 금고(禁錮) 이상의 형을 선고받거나 부득이한 사유로 장기간 직무를 수행할 수 없게 되는 경우 외에는 임기 중 그의 의사와 다르게 해촉(解囑)되지 아니한다(동조 제5항).

6. 위원 등(위원과 직원)의 제척 · 기피 · 회피

(1) 의의

제척 · 기피 · 회피란 심판청구사건에 대한 심리 · 의결의 공정성을 확보하기 위하여, 위원은 물론 행정심판위원회의 직원이 구체적 사건에 대하여 특정한 관계에 있을 때 그 사건의 직무집행에서 배제하는 제도를 말한다.

(2) 결정절차

① 위원회의 위원은 다음 각 호의 어느 하나에 해당하는 경우에는 그 사건의 심리 · 의결에서 제척(除斥)된다. 이 경우 제척결정은 위원회의 위원장이 직권으로 또는 당사자의 신청에 의하여 한다(동법 제10조 제1항).

> 1. 위원 또는 그 배우자나 배우자이었던 사람이 사건의 당사자이거나 사건에 관하여 공동 권리자 또는 의무자인 경우
> 2. 위원이 사건의 당사자와 친족이거나 친족이었던 경우
> 3. 위원이 사건에 관하여 증언이나 감정(鑑定)을 한 경우
> 4. 위원이 당사자의 대리인으로서 사건에 관여하거나 관여하였던 경우
> 5. 위원이 사건의 대상이 된 처분 또는 부작위에 관여한 경우

② 위원에 대한 제척신청이나 기피신청은 그 사유를 소명(疏明)한 문서로 하여야 한다. 다만, 불가피한 경우에는 신청한 날부터 3일 이내에 신청 사유를 소명할 수 있는 자료를 제출하여야 한다(동조 제3항).

③ 위원장은 제척신청이나 기피신청을 받으면 제척 또는 기피 여부에 대한 결정을 하고, 지체 없이 신청인에게 결정서 정본(正本)을 송달하여야 한다(동조 제6항).

④ 위원회의 회의에 참석하는 위원이 제척사유 또는 기피사유에 해당되는 것을 알게 되었을 때에는 스스로 그 사건의 심리 · 의결에서 회피할 수 있다. 이 경우 회피하고자 하는 위원은 위원장에게 그 사유를 소명하여야 한다(제7항).

⑤ 사건의 심리 · 의결에 관한 사무에 관여하는 위원 아닌 직원에게도 제1항부터 제7항까지의 규정을 준용한다(제8항).

간단 점검하기

01 행정심판위원회의 위원에 대한 기피신청은 그 사유를 소명한 문서로 하여야 한다. ( ) 15. 서울시 7급

간단 점검하기

02 행정심판에 있어서 사건의 심리 · 재결에 관한 사무에 관여하는 직원에게는 행정심판법 제10조의 위원의 제척 · 기피 · 회피가 적용되지 않는다. ( ) 15. 지방직 9급

01 ○ 02 ×

7. 행정심판위원회의 권한과 의무

(1) 권한

① **심리권**

② **심리권에 부수된 권한**: 증거조사권, 대표선정권고권, 청구인의 지위승계허가권, 대리인 선임허가권, 피청구인 경정결정권, 심판참가 허가 및 요구권, 청구의 변경허가권, 보정명령권 등

③ **의결 · 재결권**

㉠ 심판에 관한 의결 · 재결권(동법 제5장 · 제6장)

㉡ 집행정지(임시처분)와 사정재결에 관한 결정권

④ **시정조치요구권**

㉠ 중앙행정심판위원회는 심판청구를 심리 · 의결함에 있어서 처분 또는 부작위의 근거가 되는 명령 등(대통령령 · 총리령 · 부령 · 훈령 · 예규 · 고시 · 조례 · 규칙 등을 말함)이 법령에 근거가 없거나 상위 법령에 위배되거나 국민에게 과도한 부담을 주는 등 현저하게 불합리하다고 인정되는 경우에는 관계 행정기관에 대하여 해당 명령 등의 개정 · 폐지 등 적절한 시정조치를 요청할 수 있다. 이 경우 중앙행정심판위원회는 시정조치를 요청한 사실을 법제처장에게 통보하여야 한다(동법 제59조 제1항).

㉡ ㉠의 시정조치를 요청받은 관계 행정기관은 정당한 사유가 없는 한 이에 따라야 한다(동조 제2항).

⑤ **이행명령권 · 직접처분권(거부처분과 부작위, 동법 제50조)**

㉠ 위원회는 피청구인이 제49조 제3항(이행을 명하는 처분이 있음)에도 불구하고 처분을 하지 아니하는 경우에는 당사자가 신청하면 기간을 정하여 서면으로 시정을 명하고 그 기간에 이행하지 아니하면 직접 처분을 할 수 있다. 다만, 그 처분의 성질이나 그 밖의 불가피한 사유로 위원회가 직접 처분을 할 수 없는 경우에는 그러하지 아니하다(제50조 제1항).

㉡ 위원회는 제1항 본문에 따라 직접 처분을 하였을 때에는 그 사실을 해당 행정청에 통보하여야 하며, 그 통보를 받은 행정청은 위원회가 한 처분을 자기가 한 처분으로 보아 관계 법령에 따라 관리 · 감독 등 필요한 조치를 하여야 한다(동조 제2항).

⑥ **배상명령권(거부처분과 부작위의 불이행시 동법 제50조의2)**: 위원회는 피청구인이 제49조 제2항(제49조 제4항에서 준용하는 경우를 포함한다) 또는 제3항에 따른 처분을 하지 아니하면 청구인의 신청에 의하여 결정으로 상당한 기간을 정하고 피청구인이 그 기간 내에 이행하지 아니하는 경우에는 그 지연기간에 따라 일정한 배상을 하도록 명하거나 즉시 배상을 할 것을 명할 수 있다(동법 제50조의2 제1항).

(2) 의무

증거서류 등 송달 및 반환의무, 심판청구 통지의무 등이 있다.

6 행정심판의 청구

1. 행정심판의 제기요건

(1) 행정심판청구의 방식

① 서면주의

㉠ 심판청구는 서면으로 하여야 한다(행정심판법 제28조 제1항).

㉡ 처분에 대한 심판청구의 경우에는 심판청구서에 다음 각 호의 사항이 포함되어야 한다(동조 제2항).

> 1. 청구인의 이름과 주소 또는 사무소(주소 또는 사무소 외의 장소에서 송달받기를 원하면 송달장소를 추가로 적어야 한다)
> 2. 피청구인과 위원회
> 3. 심판청구의 대상이 되는 처분의 내용
> 4. 처분이 있음을 알게 된 날
> 5. 심판청구의 취지와 이유
> 6. 피청구인의 행정심판 고지 유무와 그 내용

㉢ 부작위에 대한 심판청구의 경우에는 제2항 제1호 · 제2호 · 제5호의 사항과 그 부작위의 전제가 되는 신청의 내용과 날짜를 적어야 한다(동조 제3항).

㉣ 청구인이 법인이거나 제14조에 따른 청구인 능력이 있는 법인이 아닌 사단 또는 재단이거나 행정심판이 선정대표자나 대리인에 의하여 청구되는 것일 때에는 제2항 또는 제3항의 사항과 함께 그 대표자 · 관리인 · 선정대표자 또는 대리인의 이름과 주소를 적어야 한다(동조 제4항).

㉤ 심판청구서에는 청구인 · 대표자 · 관리인 · 선정대표자 또는 대리인이 서명하거나 날인하여야 한다(동조 제5항).

② **완화된 서면주의**: 행정심판청구는 엄격한 형식을 요하지 아니하는 서면행위이므로 서면의 표제나 형식 여하에 불구하고 행정심판으로 본다(대판 1999.6.22, 99두2772). 따라서 비록 진정서나 신청서라는 형식으로 제출되었다 하더라도 행정심판청구에 해당한다.

관련판례

1 **학사제명취소신청서** ★★★

그 밖에 청구인의 주소, 대리인의 이름과 주소, 재결청, 처분이 있은 것을 안 날, 처분을 한 행정청의 고지의 유무 및 그 내용, 대리인의 날인과 그 자격을 소명하는 서면 등의 불비한 점은 있으나 행정심판청구는 엄격한 형식을 요하지 아니하는 서면행위이어서 어느 것이나 그 보정이 가능한 것이므로, 결국 위 학사제명취소신청서는 행정소송의 전치 요건인 행정심판청구서로서 원고는 적법한 행정심판청구를 한 것으로 보아야 할 것이다(대판 1990.6.8, 90누851).

#학사제명처분취소 #어머님_대신_요건_미비 #행정심판청구서_실질_인정

간단 점검하기

01 행정심판의 청구는 서면으로 하여야 하며 구술에 의한 청구는 허용되지 아니한다. ( )
09. 국가직 9급 · 지방직 9급

간단 점검하기

02 행정심판청구는 엄격한 형식을 요하지 않는 서면행위로 해석된다. ( )
18. 서울시 9급

01 ○ 02 ○

간단 점검하기

01 '진정'이라는 표현을 사용하면 그 것이 실제로 행정심판의 실체를 가지더라도 행정심판으로 다룰 수 없다. ( ) 16. 국회직 8급

2 비록 제목이 '진정서'로 되어 있고, 재결청의 표시, 심판청구의 취지 및 이유, 처분을 한 행정청의 고지의 유무 및 그 내용 등 행정심판법 제19조 제2항 소정의 사항들을 구분하여 기재하고 있지 아니하여 행정심판청구서로서의 형식을 다 갖추고 있다고 볼 수는 없으나, 피청구인인 처분청과 청구인의 이름과 주소가 기재되어 있고, 청구인의 기명이 되어 있으며, 문서의 기재 내용에 의하여 심판청구의 대상이 되는 행정처분의 내용과 심판청구의 취지 및 이유, 처분이 있은 것을 안 날을 알 수 있는 경우, 위 문서에 기재되어 있지 않은 재결청, 처분을 한 행정청의 고지의 유무 등의 내용과 날인 등의 불비한 점은 보정이 가능하므로 위 문서를 행정처분에 대한 행정심판청구로 보는 것이 옳다(대판 2000.6.9, 98두2621).

간단 점검하기

02 행정심판을 청구하려는 자는 행정심판위원회뿐만 아니라 피청구인인 행정청에도 행정심판청구서를 제출할 수 있으나 행정소송을 제기하려는 자는 법원에 소장을 제출하여야 한다. ( ) 18. 국가직 9급

03 행정심판청구서는 피청구인인 행정청을 거쳐 행정심판위원회에 제출하여야 한다. ( ) 17. 국회직 8급

04 심판청구서를 받은 행정청은 그 심판청구가 이유 있다고 인정할 때에는 심판청구의 취지에 따라 처분을 취소·변경 또는 확인을 하거나 신청에 따른 처분을 할 수 있고, 이를 청구인에게 알리고 행정심판위원회에 그 증명서류를 제출하여야 한다. ( ) 11. 지방직 9급

01 × 02 ○ 03 × 04 ○

(2) 심판청구서 제출 등

① **선택적 제출절차(행정청 또는 행정심판위원회)**: 행정심판을 청구하려는 자는 제28조에 따라 심판청구서를 작성하여 피청구인이나 위원회에 제출하여야 한다. 이 경우 피청구인의 수만큼 심판청구서 부본을 함께 제출하여야 한다(동법 제23조 제1항).

② **피청구인의 심판청구서의 접수·처리**

㉠ **정당한 권한 있는 행정청에의 송부**: 행정청이 제58조에 따른 고지를 하지 아니하거나 잘못 고지하여 청구인이 심판청구서를 다른 행정기관에 제출한 경우에는 그 행정기관은 그 심판청구서를 지체 없이 정당한 권한이 있는 피청구인에게 보내야 한다(동법 제23조 제2항).

㉡ **자율적 시정**

ⓐ 제23조 제1항·제2항 또는 제26조 제1항에 따라 심판청구서를 받은 피청구인은 그 심판청구가 이유 있다고 인정하면 심판청구의 취지에 따라 직권으로 처분을 취소·변경하거나 확인을 하거나 신청에 따른 처분('직권취소 등')을 할 수 있다. 이 경우 서면으로 청구인에게 알려야 한다(동법 제25조 제1항).

ⓑ 피청구인은 제1항에 따라 직권취소 등을 하였을 때에는 청구인이 심판청구를 취하한 경우가 아니면 제24조 제1항 본문에 따라 심판청구서·답변서를 보낼 때 직권취소 등의 사실을 증명하는 서류를 위원회에 함께 제출하여야 한다(동조 제2항).

㉢ **행정심판위원회에의 송부 등**

ⓐ 피청구인이 제23조 제1항·제2항 또는 제26조 제1항에 따라 심판청구서를 접수하거나 송부받으면 10일 이내에 심판청구서(제23조 제1항·제2항의 경우만 해당된다)와 답변서를 위원회에 보내야 한다. 다만, 청구인이 심판청구를 취하한 경우에는 그러하지 아니하다(제24조 제1항).

ⓑ 피청구인은 처분의 상대방이 아닌 제3자가 심판청구를 한 경우에는 지체 없이 처분의 상대방에게 그 사실을 알려야 한다. 이 경우 심판청구서 사본을 함께 송달하여야 한다(동조 제2항).

ⓒ 피청구인이 제1항 본문에 따라 심판청구서를 보낼 때에는 심판청구서에 위원회가 표시되지 아니하였거나 잘못 표시된 경우에도 정당한 권한이 있는 위원회에 보내야 한다(동조 제3항).

ⓓ 피청구인은 제1항 본문에 따라 답변서를 보낼 때에는 청구인의 수만큼 답변서 부본을 함께 보내되, 답변서에는 다음 각 호의 사항을 명확하게 적어야 한다(동법 제4항).

> 1. 처분이나 부작위의 근거와 이유
> 2. 심판청구의 취지와 이유에 대응하는 답변
> 3. 제2항에 해당하는 경우에는 처분의 상대방의 이름 · 주소 · 연락처와 제2항의 의무 이행 여부

ⓔ 제2항과 제3항의 경우에 피청구인은 송부 사실을 지체 없이 청구인에게 알려야 한다(동법 제5항).

ⓕ 중앙행정심판위원회에서 심리 · 재결하는 사건인 경우 피청구인은 제1항에 따라 위원회에 심판청구서 또는 답변서를 보낼 때에는 소관 중앙행정기관의 장에게도 그 심판청구 · 답변의 내용을 알려야 한다(동법 제6항).

③ **위원회의 심판청구서 등의 접수 · 처리**

㉠ 위원회는 제23조 제1항에 따라 심판청구서를 받으면 지체 없이 피청구인에게 심판청구서 부본을 보내야 한다(제26조 제1항).

㉡ 위원회는 제24조 제1항 본문에 따라 피청구인으로부터 답변서가 제출되면 답변서 부본을 청구인에게 송달하여야 한다(동조 제2항).

(3) 심판청구기간

> 행정심판법 제27조【심판청구의 기간】① 행정심판은 처분이 있음을 알게 된 날부터 90일 이내에 청구하여야 한다.
> ② 청구인이 천재지변, 전쟁, 사변(事變), 그 밖의 불가항력으로 인하여 제1항에서 정한 기간에 심판청구를 할 수 없었을 때에는 그 사유가 소멸한 날부터 14일 이내에 행정심판을 청구할 수 있다. 다만, 국외에서 행정심판을 청구하는 경우에는 그 기간을 30일로 한다.
> ③ 행정심판은 처분이 있었던 날부터 180일이 지나면 청구하지 못한다. 다만, 정당한 사유가 있는 경우에는 그러하지 아니하다.
> ④ 제1항과 제2항의 기간은 불변기간(不變期間)으로 한다.
> ⑤ 행정청이 심판청구 기간을 제1항에 규정된 기간보다 긴 기간으로 잘못 알린 경우 그 잘못 알린 기간에 심판청구가 있으면 그 행정심판은 제1항에 규정된 기간에 청구된 것으로 본다.
> ⑥ 행정청이 심판청구 기간을 알리지 아니한 경우에는 제3항에 규정된 기간에 심판청구를 할 수 있다.
> ⑦ 제1항부터 제6항까지의 규정은 무효등확인심판청구와 부작위에 대한 의무이행심판청구에는 적용하지 아니한다.

Level up 소송유형별 심판청구기간

청구기간이 제한되는 행정심판	청구기간이 제한되지 않은 행정심판
취소심판	무효확인심판
거부처분에 대한 의무이행 심판	부작위에 대한 의무이행심판

간단 점검하기

01 행정심판은 처분이 있음을 알게 된 날부터 60일 이내에 청구하여야 한다. ( ) 16. 경찰행정

02 청구인이 천재지변, 전쟁, 사변, 그 밖의 불가항력으로 인하여 행정심판법 제27조 제1항의 기간에 심판청구를 할 수 없었을 때에는 그 사유가 소멸한 날부터 14일 이내에 행정심판을 청구할 수 있다. 다만, 국외에서 행정심판을 청구하는 경우에는 그 기간을 30일로 한다. ( ) 16. 경찰행정, 10. 서울시 9급

03 행정심판은 처분이 있었던 날부터 1년이 지나면 청구하지 못한다. 다만, 정당한 사유가 있는 경우에는 그러하지 아니하다. ( ) 19. 소방직 9급

04 서면에 의한 처분에 있어서 행정심판 청구기간을 실제보다 긴 기간으로 잘못 고지한 경우에는 그 잘못 고지된 기간 내에 청구하면 된다. ( ) 10. 서울시 9급

05 행정청이 처분을 할 때에 처분의 상대방에게 심판청구 기간을 알리지 아니한 경우에는 처분이 있었던 날부터 180일까지가 취소심판이나 의무이행심판의 청구기간이 된다. ( ) 19. 서울시 9급

06 행정청이 행정심판청구기간 등을 고지하지 아니하였다고 하여도 처분의 상대방이 처분이 있었다는 사실을 알았을 경우에는 처분이 있은 날로부터 90일 이내에 심판청구를 하여야 한다. ( ) 15. 지방직 9급

07 거부처분에 대한 의무이행심판에는 심판청구에 기간상의 제한이 없으나 부작위에 대한 의무이행심판에는 심판청구에 기간상의 제한이 있다. ( ) 14. 서울시 9급

08 무효등확인심판에는 심판청구기간의 제한이 없다. ( ) 13. 서울시 7급

01 × 02 ○ 03 × 04 ○
05 ○ 06 × 07 × 08 ○

① **원칙적인 기간**: 행정심판은 처분이 있음을 알게 된 날부터 90일 이내에 청구하여야 한다(동법 제27조 제1항). 기간은 불변기간(不變期間)으로 한다(동조 제4항). 또 행정심판은 처분이 있었던 날부터 180일이 지나면 청구하지 못한다. 다만, 정당한 사유가 있는 경우에는 그러하지 아니하다(동조 제3항).

㉠ '처분이 있음을 알게 된 날'의 의미

ⓐ '처분이 있음을 알게 된 날'이란 통지·공고 기타의 방법으로 처분이 있었음을 현실적으로 알게 된 날을 의미한다.

ⓑ 판례에 의하면 처분을 기재한 서류가 당사자의 주소에 송달되는 등으로 사회통념상 처분이 있음을 당사자가 알 수 있는 상태에 놓여진 때에는 반증이 없는 한 그 처분이 있음을 알았다고 추정한다.

ⓒ 추정은 구체적으로 판단하며 아파트 경비원이 납세고지서를 수령한 경우 경비원은 수령권한을 묵시적으로 위임 받았다고 보아 수령 자체는 적법하므로 송달은 된 것으로 추정한다. 그러나 경비원이 수령한 날을 납세의무자가 부과처분이 있음을 안 날로 추정할 수 없다고 한다.

관련판례

1 경비원 수령 ★★★

[1] 행정심판법 제18조 제1항 소정의 '처분이 있음을 안 날'이라 함은 당사자가 통지·공고 기타의 방법에 의하여 당해 처분이 있었다는 사실을 현실적으로 안 날을 의미하고, 추상적으로 알 수 있었던 날을 의미하는 것은 아니라 할 것이며, 다만 처분을 기재한 서류가 당사자의 주소에 송달되는 등으로 사회통념상 처분이 있음을 당사자가 알 수 있는 상태에 놓여진 때에는 반증이 없는 한 그 처분이 있음을 알았다고 추정할 수는 있다.

[2] 아파트 경비원이 관례에 따라 부재중인 납부의무자에게 배달되는 과징금부과처분의 납부고지서를 수령한 경우, 납부의무자가 아파트 경비원에게 우편물 등의 수령권한을 위임한 것으로 볼 수는 있을지언정, 과징금부과처분의 대상으로 된 사항에 관하여 납부의무자를 대신하여 처리할 권한까지 위임한 것으로 볼 수는 없고, 설사 위 경비원이 위 납부고지서를 수령한 때에 위 부과처분이 있음을 알았다고 하더라도 이로써 납부의무자 자신이 그 부과처분이 있음을 안 것과 동일하게 볼 수는 없다(대판 2002.8.27, 2002두3850).
#안날_현실_안날 #안날_사회통념_판단 #경비원_과징금부과처분_수령_안날×

2 통상 고시 또는 공고에 의하여 행정처분을 하는 경우에는 그 처분의 상대방이 불특정 다수인이고, 그 처분의 효력이 불특정 다수인에게 일률적으로 적용되는 것이므로, 그 행정처분에 이해관계를 갖는 자는 고시 또는 공고가 있었다는 사실을 현실적으로 알았는지 여부에 관계없이 고시가 효력을 발생하는 날에 행정처분이 있음을 알았다고 보아야 하고, 따라서 그에 대한 취소소송은 그 날로부터 90일 이내에 제기하여야 한다(대판 2006.4.14, 2004두3847).

㉡ **고시 · 공고의 경우**: 고시 또는 공고를 통하여 처분을 하는 경우 상대방이 특정인인지 아니면 불특정인인지에 따라 기산점을 달리 하고 있다. 고시 또는 공고의 대상이 특정인인 경우에는 상대방이 현실적으로 안 날을, 불특정인일 경우에는 공고 또는 고시의 효력이 발생한 날을 '처분이 있음을 알게 된 날'로 보고 있다.

관련판례

1 특정인 대상 - 공고 ★★★

특정인에 대한 행정처분을 주소불명 등의 이유로 송달할 수 없어 관보 · 공보 · 게시판 · 일간신문 등에 공고한 경우에는, 공고가 효력을 발생하는 날에 상대방이 그 행정처분이 있음을 알았다고 볼 수는 없고, 상대방이 당해 처분이 있었다는 사실을 현실적으로 안 날에 그 처분이 있음을 알았다고 보아야 한다(대판 2006.4.28, 2005두14851).

#용인시장_특정인_주민등록직권말소_수취인주소불명_송달불가_공고 #공고_효력발생일_안날×

2 불특정 다수인 대상 - 고시 ★★★

통상 고시 또는 공고에 의하여 행정처분을 하는 경우에는 그 처분의 상대방이 불특정 다수인이고, 그 처분의 효력이 불특정 다수인에게 일률적으로 똑같이 적용됨으로 인하여 고시일 또는 공고일에 그 행정처분이 있음을 알았던 것으로 의제하여 행정심판 청구기간을 기산하는 것이므로, 관리처분계획에 이해관계를 갖는 자는 고시가 있었다는 사실을 현실적으로 알았는지 여부에 관계없이 고시가 효력을 발생하는 날인 고시가 있은 후 5일이 경과한 날에 관리처분계획인가 처분이 있음을 알았다고 보아야 할 것이다(대판 1995.8.22, 94누5694).

#관리처분계획인가_고시 #불특정다수_대상 #처분_안날_고시_효력발생일

㉢ **'처분이 있었던 날'의 의미**: '처분이 있었던 날'은 처분이 통지에 의하여 외부에 표시되고 효력이 발생한 날을 의미한다.

관련판례 **행정처분이 있은 날** ★★★

건축허가처분과 같이 상대방이 있는 행정처분에 있어서는 달리 특별한 규정이 없는 한 그 처분을 하였음을 상대방에게 고지하여야 그 효력이 발생한다고 할 것이어서 위의 행정처분이 있은 날이라 함은 위와 같이 그 행정처분의 효력이 발생한 날을 말한다(대판 1977.11.22, 77누195).

#있은날_효력발생일

② 예외적인 기간

㉠ **90일에 대한 예외(불가항력에 의한 경우)**: 청구인이 천재지변 · 전쟁 · 사변(事變) 그 밖의 불가항력으로 인하여 처분이 있음을 알게 된 날로부터 90일 이내에 행정심판을 청구할 수 없었을 때에는 그 사유가 소멸한 날로부터 14일(국외에서는 30일) 이내에 심판을 청구할 수 있다(동법 제27조 제2항). 기간은 불변기간(不變期間)으로 한다(동조 제4항).

간단 점검하기

01 통상 고시 또는 공고에 의하여 행정처분을 하는 경우에 행정처분이 있었음을 안 날이란 행정처분의 이해관계를 갖는 자가 고시 또는 공고가 있었다는 사실을 현실적으로 안 날이 된다. ( ) 17. 사회복지직

02 고시 또는 공고에 의하여 행정처분을 하는 경우에는 고시 또는 공고의 효력 발생일을 처분이 있는 날로 보아 그날로부터 180일 이내에 행정심판을 청구할 수 있다. ( ) 18. 서울시 7급

간단 점검하기

03 행정심판청구기간에 관하여 처분이 있었던 날이라 함은 효력이 발생한 날을 말한다. ( ) 10. 서울시 9급

01 × 02 × 03 ○

㉡ **180일에 대한 예외(정당한 사유가 있는 경우)**: 처분이 있은 날로부터 180일 이내에 심판청구를 제기하지 못한 정당한 사유가 있는 경우에는 180일이 경과한 뒤에도 행정심판을 제기할 수 있다(동조 제3항 단서).

㉢ **제3자효 행정행위의 경우**: 원칙적으로는 위의 법정기간이 적용된다. 그러나 제3자는 행정처분이 있음을 알 수 있는 경우가 많지 않으므로 정당한 사유가 있는 경우에는 180일이 경과되어도 행정심판을 제기할 수 있다고 해야 할 것이다.

관련판례 임시이사선임 ★★★

행정처분의 상대방이 아닌 제3자는 일반적으로 처분이 있는 것을 바로 알 수 없는 처지에 있으므로 처분이 있은 날로부터 180일이 경과하더라도 특별한 사유가 없는 한 구 행정심판법(1995.12.6. 법률 제5000호로 개정되기 전의 것) 제18조 제3항 단서 소정의 정당한 사유가 있는 것으로 보아 심판청구가 가능하나, 그 제3자가 어떤 경위로든 행정처분이 있음을 알았거나 쉽게 알 수 있는 등 같은 법 제18조 제1항 소정의 심판청구기간 내에 심판청구가 가능하였다는 사정이 있는 경우에는 그 때로부터 60일(현재 90일) 이내에 심판청구를 하여야 하고, 이 경우 제3자가 그 청구기간을 지키지 못하였음에 정당한 사유가 있는지 여부는 문제가 되지 아니한다(대판 2002.5.24, 2000두3641).
#임시이사선임처분 #제3자_모름_180일예외_인정 #제3자_안 경우_90일내_제소

㉣ 심판청구기간의 오고지 및 불고지의 경우

ⓐ **오고지**: 행정청이 청구기간을 처분이 있음을 알게 된 날로부터 90일보다 긴 기간으로 잘못 알린 경우 그 잘못 알린 기간에 심판청구가 있으면 그 행정심판은 정당한 기간에 청구된 것으로 본다(동조 제5항).

ⓑ **불고지**: 행정청이 심판청구 기간을 알리지 아니한 경우에는 처분이 있었던 날로부터 180일 이내에 심판청구를 할 수 있다(동조 제6항).

2. 심판청구의 변경

(1) 청구변경의 유형

① **일반적 변경(임의적 변경)**: 청구인은 청구의 기초에 변경이 없는 범위에서 청구의 취지나 이유를 변경할 수 있다(동법 제29조 제1항).

② **처분변경으로 인한 청구 변경**: 행정심판이 청구된 후에 피청구인이 새로운 처분을 하거나 심판청구의 대상인 처분을 변경한 경우에는 청구인은 새로운 처분이나 변경된 처분에 맞추어 청구의 취지나 이유를 변경할 수 있다(동조 제2항).

(2) 청구변경 요건 및 허부 결정과 이의신청

① **청구요건 및 절차**

㉠ 청구의 변경은 서면으로 신청하여야 한다. 이 경우 피청구인과 참가인의 수만큼 청구변경신청서 부본을 함께 제출하여야 한다(동조 제3항).

㉡ 위원회는 청구변경신청서 부본을 피청구인과 참가인에게 송달하여야 한다(동조 제4항).

간단 점검하기

01 행정처분의 직접 상대방이 아닌 제3자는 특별한 사정이 없는 한 180일 기간 적용을 배제할 정당한 사유가 있는 경우에 해당한다고 보아 180일이 경과한 뒤에도 심판청구를 제기할 수 있다고 함이 대법원 판례의 태도이다. ( ) 10. 국회직 8급

02 행정처분의 직접 상대방이 아닌 제3자는 행정심판법 제27조 제3항 소정의 심판청구의 제척기간 내에 처분이 있었음을 알았다는 특별한 사정이 없는 한 그 제척기간의 적용을 배제할 같은 조항 단서 소정의 정당한 사유가 있는 때에 해당한다. ( ) 16. 서울시 7급

간단 점검하기

03 청구인은 청구의 기초에 변경이 없는 범위 안에서 청구의 취지 또는 이유를 변경할 수 있다. ( ) 08. 국회직 8급

04 행정심판 청구 후 피청구인인 행정청이 새로운 처분을 하거나 대상인 처분을 변경한 때에는 청구인은 새로운 처분이나 변경된 처분에 맞추어 청구의 취지 또는 이유를 변경할 수 있다. ( ) 15. 지방직 9급

01 ○ 02 ○ 03 ○ 04 ○

ⓒ 제4항의 경우 위원회는 기간을 정하여 피청구인과 참가인에게 청구변경 신청에 대한 의견을 제출하도록 할 수 있으며, 피청구인과 참가인이 그 기간에 의견을 제출하지 아니하면 의견이 없는 것으로 본다(동조 제5항).

② 허부결정 및 이의신청

㉠ 위원회는 청구변경 신청에 대하여 허가할 것인지 여부를 결정하고, 지체 없이 신청인에게는 결정서 정본을, 당사자 및 참가인에게는 결정서 등본을 송달하여야 한다(동조 제6항).

㉡ 신청인은 제6항에 따라 송달을 받은 날부터 7일 이내에 위원회에 이의신청을 할 수 있다(동조 제7항).

(3) 변경의 효력(소급효)

청구의 변경결정이 있으면 처음 행정심판이 청구되었을 때부터 변경된 청구의 취지나 이유로 행정심판이 청구된 것으로 본다(동조 제8항).

3. 행정심판 제기의 효과

(1) 행정심판위원회에 대한 효과(심리 · 재결 의무)

행정심판이 제기되면 행정심판위원회는 심리하여 재결할 의무가 있다.

(2) 처분에 대한 효과

① **집행부정지 원칙**: 심판청구는 처분의 효력이나 그 집행 또는 절차의 속행(續行)에 영향을 주지 아니한다(동법 제30조 제1항). 따라서 행정심판법은 집행부정지 원칙을 취하고 있다.

② 집행정지(예외적으로 인정)

㉠ 집행정지 요건

ⓐ 적극적 요건(제30조 제2항)

- 집행정지대상인 처분의 존재
- 심판청구의 계속
- 중대한 손해가 생기는 것을 예방할 필요성
- 긴급한 필요의 존재

point check 행정심판법과 행정소송법상 집행정지 요건

행정심판법	행정소송법
• 집행정지대상인 처분의 존재 • 심판청구의 계속 • 중대한 손해가 생기는 것을 예방 • 긴급한 필요의 존재	• 집행정지대상인 처분의 존재 • 소송청구의 계속 • 회복하기 어려운 손해를 예방 • 긴급한 필요의 존재

ⓑ 소극적 요건

- 공공복리에 중대한 영향을 미칠 우려가 있을 때에는 허용되지 않는다(동법 제30조 제3항). 비례원칙이 적용된다.
- 본안의 이유 없음이 너무나 명백한 경우에는 허용되지 않는다(다수설).

간단 점검하기

01 행정심판법은 집행부정지의 원칙을 취하면서도 예외적으로 일정한 요건 하에 집행정지를 인정한다. ( ) 09. 국가직 9급

02 행정소송법이 집행정지의 요건 중 하나로 중대한 손해가 생기는 것을 예방할 필요성에 관하여 규정하고 있는 반면, 행정심판법은 집행정지의 요건 중 하나로 회복하기 어려운 손해를 예방할 필요성에 관하여 규정하고 있다. ( ) 17. 국회직 8급

01 ○ 02 ×

ⓛ **집행정지 결정의 대상**: 처분의 효력, 집행, 절차의 일부 또는 전부

ⓐ 위원회는 직권으로 또는 당사자의 신청에 의하여 처분의 효력, 처분의 집행 또는 절차의 속행의 전부 또는 일부의 정지(집행정지)를 결정할 수 있다(동조 제2항).

ⓑ 처분의 효력정지는 처분의 집행 또는 절차의 속행을 정지함으로써 그 목적을 달성할 수 있을 때에는 허용되지 아니한다(동조 제2항 단서).

ⓒ 집행정지결정의 절차

ⓐ 위원회의 결정(원칙)

ⓑ 위원장 직권 결정(예외)

- 위원회의 심리 · 결정을 기다릴 경우 중대한 손해가 생길 우려가 있다고 인정되면 위원장은 직권으로 위원회의 심리 · 결정을 갈음하는 결정을 할 수 있다.
- 이 경우 위원장은 지체 없이 위원회에 그 사실을 보고하고 추인(追認)을 받아야 하며,
- 위원회의 추인을 받지 못하면 위원장은 집행정지 또는 집행정지 취소에 관한 결정을 취소하여야 한다(동조 제6항).

ⓔ **집행정지결정의 취소**: 위원회는 집행정지 또는 집행정지의 취소에 관하여 심리 · 결정하면 지체 없이 당사자에게 결정서 정본을 송달하여야 한다(동조 제7항).

③ 임시처분(가처분)

㉠ **의의**: 집행정지처분의 대상이 되지 않는 거부처분과 부작위에 대한 구제수단이 미흡한 점을 고려하여 이를 인정한 것으로 의미가 있다. 예를 들어 국가시험 1차시험에서 불합격된 자가 행정심판을 청구한 경우 일단 2차시험을 볼 수 있는 자격을 임시로 부여한 후 1차시험 불합격처분의 위법 여부를 판단하는 것으로, 이로 인해 국민의 권익 구제가 확대된다.

ⓛ 요건

ⓐ 처분 또는 부작위가 위법 · 부당하다고 상당히 의심되는 경우

ⓑ 처분 또는 부작위 때문에 당사자가 받을 우려가 있는 중대한 불이익이나 당사자에게 생길 급박한 위험을 막기 위하여 임시지위를 정할 필요

ⓒ 위원회의 결정(직권 또는 신청)

ⓔ **보충성**: 임시처분은 집행정지로 목적을 달성할 수 있는 경우에는 허용되지 아니한다(동법 제31조 제3항).

4. 심판청구 등의 취하

청구인과 참가인은 심판청구에 대하여 위원회의 의결이 있을 때까지 서면으로 심판청구를 취하할 수 있다(동법 제42조 제1항 · 제2항).

간단 점검하기

01 행정심판위원회는 당사자의 신청 또는 직권에 의하여 집행정지결정을 할 수 있다. ( ) 13. 국회직 9급

02 공공복리에 중대한 영향을 미칠 우려가 있을 때에는 행정심판법 및 행정소송법상의 집행정지가 모두 허용되지 아니한다. ( ) 17. 국회직 8급

간단 점검하기

03 행정심판법은 행정소송법과는 달리 집행정지뿐만 아니라 임시처분도 규정하고 있다. ( ) 18. 국가직 9급

04 행정심판위원회는 심판청구된 행정청의 부작위가 위법 · 부당하다고 상당히 의심되는 경우로서 당사자가 받을 우려가 있는 중대한 불이익이나 당사자에게 생길 급박한 위험을 막기 위하여 임시지위를 정할 필요가 있는 경우 직권 또는 당사자의 신청에 의하여 임시처분을 결정할 수 있다. ( ) 18. 국가직 7급

05 행정심판위원회는 임시처분을 결정한 후에 임시처분이 공공복리에 중대한 영향을 미치는 경우에는 직권으로 또는 당사자의 신청에 의하여 이 결정을 취소할 수 있다. ( ) 19. 지방직 9급

06 임시처분은 집행정지로 목적을 달성할 수 있는 경우에는 허용되지 않는다. ( ) 17. 교육행정직

07 임시처분은 의무이행심판을 인정하면서도 가처분제도를 인정하지 않아 제한된 재결의 실효성을 제고하기 위한 것이므로 집행정지로 그 목적을 달성할 수 있는 경우에도 허용된다. ( ) 16. 서울시 7급, 14. 지방직 9급, 11. 국가직 7급

01 ○ 02 ○ 03 ○ 04 ○
05 ○ 06 ○ 07 ×

7 행정심판의 심리

1. 심리의 내용

(1) 요건심리(형식적 심리, 본안 전 심리)

① 요건심리는 해당 심판청구가 그 제기요건을 갖추고 있는지 여부를 심리하는 것을 말한다.

② 요건심리의 결과 심판청구가 제기요건을 갖추지 못한 부적법한 것인 때에는 이를 각하한다.

③ 요건을 갖추지 못하여 부적법한 경우 보정을 명하거나 직권으로 보정할 수 있다(동법 제32조). 보정기간 경과 후까지 보정이 없다 하여 당연히 행정심판이 취하되는 것은 아니다(대판 1983.4.26, 82누76).
따라서 그 결함을 보정한 행정심판을 다시 제출하였다면 적법하게 치유되었다고 해석한다.

(2) 본안심리(실질적 심리)

① 본안심리는 요건심리의 결과 심판청구를 적법한 것으로 받아들여, 해당 심판청구의 내용에 관하여 실질적으로 심사하는 것을 말한다.

② 본안심리는 해당 심판청구에 대하여 인용 또는 기각의 판정을 하기 위한 심리이다.

2. 심리의 범위

(1) 불고불리의 원칙 및 불이익변경금지의 원칙

① 위원회는 심판청구의 대상이 되는 처분 또는 부작위 외의 사항에 대하여는 재결하지 못한다(동법 제47조 제1항). 위원회는 당사자가 신청한 사항에 대하여 그 범위 내에서 심리·판단하여야 한다는 원칙을 불고불리의 원칙이라 한다.

② 위원회는 심판청구의 대상이 되는 처분보다 청구인에게 불리한 재결을 하지 못한다(동조 제2항). 이를 불이익변경금지의 원칙이라 한다.

(2) 법률문제, 재량문제와 사실문제

① 행정심판의 심리에서 심판청구의 대상인 처분이나 부작위에 관한 법률문제와 사실문제는 당연히 심리의 대상이 된다.

② 처분이나 부작위의 적법·위법의 문제는 심리의 대상이 된다. 또한 당·부당의 문제도 심리의 대상이 된다. 행정소송에서 당·부당이 심리의 대상이 아니므로 이 점이 서로 다르다.

3. 심리의 절차

(1) 심리절차의 구조와 원리

① **대심구조(쌍방향심리주의·당사자주의)**: 대심주의는 대립되는 분쟁 당사자들의 공격·방어를 통하여 심리를 진행하는 소송원칙을 말한다. 행정심판법은 여러 규정에서 이를 전제로 하여 규정하고 있다.

간단 점검하기

행정심판위원회는 심판청구의 대상이 되는 처분 외의 다른 처분 또는 부작위에 대하여도 재결할 수 있다. ( )

16. 교육행정직, 10. 국가직 9급

×

② 증거조사(직권 또는 신청)

㉠ 위원회는 사건을 심리하기 위하여 필요하면 직권으로 또는 당사자의 신청에 의하여 다음 각 호의 방법에 따라 증거조사를 할 수 있다(제36조 제1항).

> 1. 당사자나 관계인(관계 행정기관 소속 공무원을 포함한다. 이하 같다)을 위원회의 회의에 출석하게 하여 신문(訊問)하는 방법
> 2. 당사자나 관계인이 가지고 있는 문서 · 장부 · 물건 또는 그 밖의 증거자료의 제출을 요구하고 영치(領置)하는 방법
> 3. 특별한 학식과 경험을 가진 제3자에게 감정을 요구하는 방법
> 4. 당사자 또는 관계인의 주소 · 거소 · 사업장이나 그 밖의 필요한 장소에 출입하여 당사자 또는 관계인에게 질문하거나 서류 · 물건 등을 조사 · 검증하는 방법

㉡ 위원회는 필요하면 위원회가 소속된 행정청의 직원이나 다른 행정기관에 촉탁하여 제1항의 증거조사를 하게 할 수 있다(동조 제2항).

㉢ 제1항에 따른 증거조사를 수행하는 사람은 그 신분을 나타내는 증표를 지니고 이를 당사자나 관계인에게 내보여야 한다(동조 제3항).

㉣ 제1항에 따른 당사자 등은 위원회의 조사나 요구 등에 성실하게 협조하여야 한다(동조 제4항).

③ 직권심리주의 가미: 위원회는 필요하면 당사자가 주장하지 아니한 사실에 대하여도 심리할 수 있다(동법 제39조). 행정심판법은 당사자주의, 처분권주의를 원칙으로 하면서도 당사자가 주장하지 아니한 사실에 대하여도 심리할 수 있도록 하여 직권주의를 인정하고 있다. 따라서 행정심판법은 당사자주의를 원칙으로 하면서 직권주의를 가미하고 있다.

④ 구술심리 또는 서면심리

㉠ 행정심판의 심리는 구술심리 또는 서면심리로 한다. 다만, 당사자가 구술심리를 신청한 때에는 서면심리만으로 결정할 수 있다고 인정되는 경우 외에는 구술심리를 하여야 한다(동법 제40조 제1항). 행정심판의 심리방식에 대해서는 행정심판위원회의 선택에 맡기고 있다.

㉡ 위원회는 구술심리 신청을 받으면 그 허가 여부를 결정하여 신청인에게 알려야 한다(동조 제2항). 통지는 간이통지방법으로 할 수 있다(동조 제3항).

⑤ 비공개주의

㉠ 위원회에서 위원이 발언한 내용이나 그 밖에 공개되면 위원회의 심리 · 재결의 공정성을 해칠 우려가 있는 사항으로서 대통령령으로 정하는 사항은 공개하지 아니한다(동법 제41조).

㉡ 비공개주의란 행정심판위원회의 심리와 재결과정을 일반에게 공개하지 않는 것으로 행정심판법에는 이에 관한 규정은 없다. 그러나 위의 규정에 비추어 비공개주의를 채택하고 있다고 한다.

간단 점검하기

01 행정심판위원회는 필요하면 당사자가 주장하지 아니한 사실에 대하여도 심리할 수 있다. ( ) 19. 지방직 9급, 16. 지방직 9급

02 행정심판의 심리는 구술심리 또는 서면심리로 한다. ( ) 10. 지방직 9급

03 행정심판의 심리는 당사자가 구술심리를 신청한 경우를 제외하고는 서면심리주의를 원칙으로 하고 있다. ( ) 16. 서울시 7급

01 ○ 02 ○ 03 ×

(2) 당사자의 절차적 권리

① **위원 · 직원에 대한 기피신청권**: 당사자는 위원에게 공정한 심리 · 의결을 기대하기 어려운 사정이 있으면 위원장에게 기피신청을 할 수 있다(동법 제10조 제2항).

② **보충서면 제출권**

㉠ 당사자는 심판청구서 · 보정서 · 답변서 · 참가신청서 등에서 주장한 사실을 보충하고 다른 당사자의 주장을 다시 반박하기 위하여 필요하면 위원회에 보충서면을 제출할 수 있다. 이 경우 다른 당사자의 수만큼 보충서면 부본을 함께 제출하여야 한다(제33조 제1항).

㉡ 위원회는 필요하다고 인정하면 보충서면의 제출기한을 정할 수 있다(동조 제2항).

㉢ 위원회는 제1항에 따라 보충서면을 받으면 지체 없이 다른 당사자에게 그 부본을 송달하여야 한다(동조 제3항).

③ **증거서류 및 물적 증거 제출권**

㉠ 당사자는 심판청구서 · 보정서 · 답변서 · 참가신청서 · 보충서면 등에 덧붙여 그 주장을 뒷받침하는 증거서류나 증거물을 제출할 수 있다(제34조 제1항).

㉡ 제1항의 증거서류에는 다른 당사자의 수만큼 증거서류 부본을 함께 제출하여야 한다(동조 제2항).

㉢ 위원회는 당사자가 제출한 증거서류의 부본을 지체 없이 다른 당사자에게 송달하여야 한다(동조 제3항).

④ 구술심리신청권(제40조 제1항)

⑤ 증거조사신청권(제36조 제1항)

⑥ 심리기일변경신청권(제38조 제2항)

(3) 위원회의 자료 제출 요구권 및 행정청의 의견제출권

① 위원회는 사건 심리에 필요하면 관계 행정기관이 보관 중인 관련 문서, 장부, 그 밖에 필요한 자료를 제출할 것을 요구할 수 있다(동법 제35조 제1항).

② 위원회는 필요하다고 인정하면 사건과 관련된 법령을 주관하는 행정기관이나 그 밖의 관계 행정기관의 장 또는 그 소속 공무원에게 위원회 회의에 참석하여 의견을 진술할 것을 요구하거나 의견서를 제출할 것을 요구할 수 있다(동조 제2항).

③ 관계 행정기관의 장은 특별한 사정이 없으면 제1항과 제2항에 따른 위원회의 요구에 따라야 한다(동조 제3항).

④ 중앙행정심판위원회에서 심리 · 재결하는 심판청구의 경우 소관 중앙행정기관의 장은 의견서를 제출하거나 위원회에 출석하여 의견을 진술할 수 있다(동조 제4항).

(4) 절차의 병합과 분리

위원회는 필요하면 관련되는 심판청구를 병합하여 심리하거나 병합된 관련 청구를 분리하여 심리할 수 있다(동법 제37조).

(5) 심리기일의 지정과 변경

① **지정**: 심리기일은 위원회가 직권으로 지정한다(동법 제38조 제1항).

② **변경**

㉠ **직권 또는 신청**: 심리기일의 변경은 직권으로 또는 당사자의 신청에 의하여 한다(동조 제2항).

㉡ **당사자**: 위원회는 심리기일이 변경되면 지체 없이 그 사실과 사유를 당사자에게 알려야 한다(동조 제3항).

㉢ **통지방법(서면 혹은 간이통지방법)**: 심리기일의 통지나 심리기일 변경의 통지는 서면으로 하거나 심판청구서에 적힌 전화, 휴대전화를 이용한 문자전송, 팩시밀리 또는 전자우편 등 간편한 통지 방법으로 할 수 있다(동조 제4항).

(6) 위법판단의 기준시

① 위법 · 부당 여부의 판단은 처분시를 기준으로 한다(대판 2001.7.27, 99두5092).

② 의무이행심판의 경우 그 대상이 부작위이라면 재결시를 기준으로 위법 여부를 판단한다.

③ 처분의 위법 · 부당 여부의 판단을 처분 당시 존재하였거나 행정청에 제출되었던 자료뿐만 아니라 재결 당시까지 제출된 모든 자료를 종합하여 처분 당시 존재하였던 객관적 사실을 확정하고 그 사실에 기초하여 할 수 있다는 것이 판례의 입장이다.

관련판례 **위법판단기준 ★★★**

행정심판에 있어서 행정처분의 위법 · 부당 여부는 원칙적으로 처분시를 기준으로 판단하여야 할 것이나, 재결청은 처분 당시 존재하였거나 행정청에 제출되었던 자료뿐만 아니라, 재결 당시까지 제출된 모든 자료를 종합하여 처분 당시 존재하였던 객관적 사실을 확정하고 그 사실에 기초하여 처분의 위법 · 부당 여부를 판단할 수 있다(대판 2001.7.27, 99두5092).

#공원사업시행허가처분취소 #재결당시까지_자료종합_처분시_객관사실_확정

(7) 처분사유의 추가 · 변경

항고소송에서의 처분사유의 추가 · 변경의 법리는 행정심판 단계에서도 적용된다는 것이 판례의 입장이다.

관련판례 **처분사유 추가 · 변경 ★★★**

행정처분의 취소를 구하는 항고소송에서 처분청은 당초 처분의 근거로 삼은 사유와 기본적 사실관계가 동일성이 있다고 인정되는 한도 내에서만 다른 사유를 추가 또는 변경할 수 있고, 이러한 법리는 행정심판 단계에서도 그대로 적용된다(대판 2014.5.16, 2013두26118).

#처분사유_추가 · 변경_행정심판_적용

간단 점검하기

01 행정처분의 취소를 구하는 항고소송에서 처분청은 당초 처분의 근거로 삼은 사유와 기본적 사실관계가 동일성이 있다고 인정되는 한도 내에서만 다른 사유를 추가 또는 변경할 수 있다는 법리는 행정심판 단계에서도 그대로 적용된다. ( ) 18. 지방직 7급

02 행정심판에서는 항고소송에서와 달리 처분청이 당초 처분의 근거로 삼은 사유와 기본적 사실관계가 동일성이 인정되지 않는 다른 사유를 처분사유로 추가하거나 변경할 수 있다. ( ) 18. 국가직 9급

01 ○ **02** ×

8 행정심판의 재결

1. 재결의 의의

(1) 의의

재결은 행정법상 법률관계에 관한 분쟁에 대하여 행정심판위원회가 행하는 판단의 표시를 말한다.

(2) 법적 성질

① 재결은 행정행위로서 확인행위의 성질을 갖는다.
② 재결은 행정심판기관이 행정법상의 분쟁에 대하여 일정한 심리절차를 거쳐 당해 분쟁을 해결하는 결정으로써 재판작용(사법작용)과 유사하므로 준사법작용이다.
③ 준사법작용인 재결은 불가변력이 발생한다.

2. 재결절차 등

(1) 위원회의 심리 · 재결

① 행정심판법은 행정심판사건의 심리 · 의결기관과 재결기관을 통일하고 있다.
② 행정청은 위원회의 재결에 대하여 수정재결을 하거나 재의요구를 하지 못한다.

(2) 재결기간

① 재결은 피청구인 또는 위원회가 심판청구서를 받은 날부터 60일 이내에 하여야 한다. 다만, 부득이한 사정이 있는 경우에는 위원장이 직권으로 30일을 연장할 수 있다(동법 제45조 제1항).
② 위원장은 재결기간을 연장할 경우에는 재결기간이 끝나기 7일 전까지 당사자에게 알려야 한다(동조 제2항).
③ 심판청구가 적법하지 아니하여 보정한 경우 보정기간은 재결 기간에 산입하지 아니한다(동법 제32조 제5항).
④ 재결기간은 훈시규정이다.

(3) 재결의 방식

① 재결은 서면으로 한다(동법 제46조 제1항).
② 재결서에 적는 이유에는 주문 내용이 정당하다는 것을 인정할 수 있는 정도의 판단을 표시하여야 한다(동조 제3항).

(4) 재결의 범위

① 위원회는 심판청구의 대상이 되는 처분 또는 부작위 외의 사항에 대하여는 재결하지 못한다(동법 제47조 제1항). 이를 불고불리의 원칙이라 한다.
② 위원회는 심판청구의 대상이 되는 처분보다 청구인에게 불리한 재결을 하지 못한다(동조 제2항). 이를 불이익변경금지의 원칙이라 한다.
③ 위원회는 처분의 위법 여부뿐만 아니라 당 · 부당도 판단할 수 있다(동법 제1조).

간단 점검하기

01 재결은 피청구인인 행정청이 행정심판청구서를 받은 날로부터 90일 이내에 하여야 한다. ( ) 08. 지방직 9급

02 재결기간은 부득이한 사정이 있는 경우 직권으로 30일을 연장할 수 있다. ( ) 11. 국회직 8급

간단 점검하기

03 행정심판위원회는 필요하다고 판단하는 경우에는 심판청구의 대상이 되는 처분보다 청구인에게 불리한 재결을 할 수 있다. ( ) 18. 교육행정직

01 × 02 ○ 03 ×

간단 점검하기

01 행정심판법에 따른 서류의 송달에 관하여는 행정절차법 중 송달에 관한 규정을 준용한다. ( ) 19. 국가직 9급

02 행정심판 재결의 효력발생시기는 청구인에게 재결서 정본이 송달된 때이다. ( ) 06. 지방직 9급

간단 점검하기

03 행정심판위원회는 취소심판청구가 이유 있다고 인정하는 경우에도 이를 인용하는 것이 공공복리에 크게 위배된다고 인정하면 그 심판청구를 기각하는 재결을 할 수 있다. ( ) 17. 국가직 9급

04 행정심판위원회는 사정재결을 함에 있어서 청구인에 대하여 상당한 구제방법을 취하거나 피청구인에게 상당한 구제방법을 취할 것을 명할 수 있으나, 재결주문에 그 처분 등이 위법 또는 부당함을 명시할 필요는 없다. ( ) 15. 국회직 8급

05 사정재결은 취소심판 · 의무이행심판에만 인정된다. ( ) 14. 서울시 9급

06 행정심판위원회는 무효확인심판의 청구가 이유가 있더라도 이를 인용하는 것이 공공복리에 크게 위배된다고 인정하면 그 청구를 기각하는 재결을 할 수 있다. ( ) 18. 국회직 8급

01 × 02 ○ 03 ○ 04 × 05 ○ 06 ×

(5) 재결의 송달 · 효력발생

① 위원회는 지체 없이 당사자에게 재결서의 정본을 송달하여야 한다. 이 경우 중앙행정심판위원회는 재결 결과를 소관 중앙행정기관의 장에게도 알려야 한다(동법 제48조 제1항).

> 행정심판법 제57조【서류의 송달】 이 법에 따른 서류의 송달에 관하여는 민사소송법 중 송달에 관한 규정을 준용한다.

② 재결은 청구인에게 재결서 정본이 송달되었을 때에 그 효력이 생긴다(동조 제2항).

③ 등본 송달

㉠ 위원회는 재결서의 등본을 지체 없이 참가인에게 송달하여야 한다(동조 제3항).

㉡ 처분의 상대방이 아닌 제3자가 심판청구를 한 경우 위원회는 재결서의 등본을 지체 없이 피청구인을 거쳐 처분의 상대방에게 송달하여야 한다(동조 제4항).

3. 재결의 종류

(1) 각하재결

각하재결은 심판청구의 요건심리의 결과 그 제기요건 상에 흠결이 있는 부적법한 것이라 하여 본안심리를 거부하는 재결을 말한다(동법 제43조 제1항). 요건재결이라고도 한다.

(2) 기각재결

① 기각재결은 본안심리의 결과 심판청구가 이유 없다고 하여 청구를 배척하고 원처분을 시인하는 재결이다(동법 제43조 제2항).

② 기각재결이 있은 후에도 처분청은 해당 처분을 직권으로 취소 · 변경할 수 있다. 즉, 기각재결에는 기속력이 인정되지 않는다.

(3) 사정재결

① 위원회는 심판청구가 이유 있다고 인정되는 경우에도 이를 인용(認容)하는 것이 공공복리에 크게 위배된다고 인정하면 그 심판청구를 기각하는 재결을 할 수 있다(동법 제44조 제1항 전단).

② 위원회는 재결의 주문(主文)에서 그 처분 또는 부작위가 위법하거나 부당하다는 것을 구체적으로 밝혀야 한다(동조 제1항 후단).

③ 직접 청구인에 대하여 상당한 구제방법을 취하거나 피청구인에게 상당한 구제방법을 취할 것을 명할 수 있다(손해배상이나 제해시설의 설치 등)(동조 제2항).

④ 취소심판 · 의무이행심판에만 적용되며 무효등확인심판에는 적용되지 않는다(동조 제3항).

(4) 인용재결

① **의의**: 인용재결은 본안심리의 결과 심판청구가 이유 있다고 인정하여 청구의 취지를 받아들이는 재결이다. 이는 청구의 취지를 받아들이는 재결이므로, 청구의 내용에 따라 취소·변경·변경명령재결, 무효등확인재결 및 이행재결로 나누어진다.

② **취소·변경·변경명령재결**

㉠ 취소심판의 청구가 이유 있다고 인정하여, 해당 처분을 취소(취소재결) 또는 변경하거나(변경재결) 피청구인인 처분청에 대하여 처분을 다른 처분으로 변경을 명하는 내용의 재결(변경명령재결)이다(동법 제43조 제3항).

㉡ 취소재결, 변경재결은 형성재결의 성질을, 변경명령재결은 이행재결의 성질을 가진다.

㉢ 취소재결에서 취소에는 전부취소뿐만 아니라 일부취소도 포함되며, 변경재결에서 변경은 원처분을 다른 적극적인 변경이 포함된다.

③ **확인재결**: 무효등확인심판의 청구가 이유 있다고 인정하여, 해당 처분의 효력 유무 또는 존재 여부를 확인하는 재결이다(동법 제43조 제4항). 이에는 무효확인재결, 유효확인재결, 부존재확인재결, 존재확인재결이 포함되며, 명문규정이 없으나 실효확인재결도 인정된다.

④ **이행재결**

㉠ 위원회는 의무이행심판의 청구가 이유 있다고 인정하면 지체 없이 신청에 따른 처분을 하거나(처분재결) 처분을 할 것을 피청구인에게 명한다(처분명령재결)(동법 제43조 제5항).

㉡ 처분재결은 형성재결의 성질을 가지면 처분명령재결은 이행재결의 성질을 가진다.

4. 재결의 효력

(1) 행정행위로서 재결의 효력

① 재결도 행정행위의 일종으로서 내용상 구속력·공정력·구성요건적 효력·형식적 존속력과 실질적 존속력 등의 효력을 갖는다.

② 그러나 명령재결이 아닌 형성재결의 경우, 위원회로부터 재결을 통보받은 처분청이 행하는 재결결과의 통보는 사실행위이지 행정행위는 아니므로, 행정소송의 대상이 되지 아니하며, 공정력이 발생하는 것도 아니다.

관련판례 **취소재결결과통보** ★★

형성재결에 의하여 이미 취소된 처분에 대한 취소는 처분이 소멸되었음을 알려주는 단순한 통지에 불과하므로 항고소송의 대상이 되지 않는다(대판 1998.4.24, 97누17131 ; 대판 1997.5.30, 96누14678).

(2) 형성력

① 재결의 내용에 따라 기존의 법률관계의 변동을 가져오는 효력(대세효)이다. 재결이 있으면 해당 행정처분은 별도의 행정처분을 기다릴 것 없이 당연히 취소되어 소멸된다. 판례의 입장도 같다(대판 1998.4.24, 97누17131).

간단 점검하기

01 행정심판에서는 변경재결과 같이 원처분을 적극적으로 변경하는 것도 가능하다. ( ) 15. 서울시 9급

02 취소심판의 재결로서 처분취소재결, 처분변경재결, 처분변경명령재결을 할 수 있으며, 처분취소명령재결은 할 수 없다. ( ) 19. 서울시 7급

03 취소심판의 인용재결에는 취소재결·변경재결·취소명령재결·변경명령재결이 있다. ( ) 17. 서울시 9급

간단 점검하기

04 행정심판법상 행정심판위원회는 의무이행심판의 청구가 이유가 있다고 인정하면 지체 없이 신청에 따른 처분을 하거나 처분을 할 것을 피청구인에게 명한다. ( )
19. 국회직 8급, 10. 국가직 9급

05 의무이행심판의 재결에서 처분재결은 형성재결의 성질을, 처분명령재결은 이행재결의 성격을 가지고 있다.
( ) 16. 서울시 7급

간단 점검하기

06 행정심판위원회가 처분을 취소하거나 변경하는 재결을 하면, 행정청은 재결의 기속력에 따라 처분을 취소 또는 변경하는 처분을 하여야 하고, 이를 통하여 당해 처분은 처분시에 소급하여 소멸되거나 변경된다. ( )
17. 서울시 9급

07 행정심판에서 행정심판위원회에 의한 형성적 재결이 있은 경우에는 그 대상이 된 행정처분은 재결 자체에 의하여 당연히 취소되어 소멸된다. ( )
18. 경찰행정

01 ○ 02 ○ 03 × 04 ○
05 ○ 06 × 07 ○

② 행정심판법은 위원회가 스스로 취소·변경하거나 처분청에 취소·변경을 명령할 수 있다고 규정하고 있는데 형성력은 전자의 경우에만 발생한다고 본다. 후자의 경우에는 기속력이 발생한다.

(3) 불가쟁력

재결 그 자체에 고유한 위법이 있는 경우 행정소송의 제기가 가능하나, 그 제소기간(행정소송법 제20조)이 경과하면 더 이상 그 효력을 다툴 수 없게 된다.

(4) 불가변력

재결은 쟁송절차를 거쳐 행하여지는 판단행위이므로, 일단 재결이 행하여진 이상 설령 그것이 위법하다 하더라도 재결청 스스로도 이를 취소·변경할 수 없는 효력을 말한다.

(5) 기속력

① 의의

㉠ **관계행정청 기속**: 심판청구를 인용하는 재결은 피청구인인 행정청과 그 밖의 관계행정청을 기속(羈束)한다(행정심판법 제49조 제1항).

㉡ **인용재결에 인정**: 재결의 기속력은 인용재결에 인정되는 것이고, 기각재결에는 인정되지 않는다. 기각재결 후에 처분청은 직권으로 원처분을 취소·변경할 수 있다. 다른 한편 인용재결이 내려진 경우 재결의 기속력으로 처분청은 이에 불복하여 항고소송을 제기할 수 없다(대판 1998.5.8, 97누15432).

② 기속력의 내용

㉠ 반복금지효(소극적 의무)

ⓐ 재결에 의하여 취소되거나 무효 또는 부존재로 확인되는 처분이 당사자의 신청을 거부하는 것을 내용으로 하는 경우에는 그 처분을 한 행정청은 재결의 취지에 따라 다시 이전의 신청에 대한 처분을 하여야 한다(동조 제2항).

ⓑ 재결의 취지에 반하는 처분을 다시 하여서는 안 된다는 반복금지의무는 일종의 부작위의무이기도 하다.

ⓒ 처분청은 같은 사정 하에서 같은 이유로 동일인에 대하여 같은 내용의 처분을 반복하여서는 안 된다. 그러나 위법사유를 보완하여 행하는 처분은 재결의 기속력에 반하는 것이 아니다.

ⓓ 동일성 여부는 기본적 사실관계의 동일여부로 판단하므로 동일인이 아니거나 기본적 사실관계가 동일하지 아니한 경우에는 동일한 처분을 할 수 있다.

관련판례 **주택건설사업계획승인신청반려 ★★★**

종전 처분이 재결에 의하여 취소되었다 하더라도 종전 처분시와는 다른 사유를 들어서 처분을 하는 것은 기속력에 저촉되지 않는다고 할 것이며, 여기에서 동일 사유인지 다른 사유인지는 종전 처분에 관하여 위법한 것으로 재결에서 판단된 사유와 기본적 사실관계에 있어 동일성이 인정되는 사유인지 여부에 따라 판단되어야 한다(대판 2005.12.9, 2003두7705).

#종전처분사유_주변_환경·풍치·미관_해침 #인용재결 #당해처분사유_교통여건(진입도로계획불합리) #동일성_없음

간단 점검하기

01 의무이행심판에 관한 재결이 있게 되면 재결기관은 그것이 위법·부당하다고 생각되는 경우에도 스스로 이를 취소 또는 변경할 수 없다. ( ) 08. 국회직 8급

간단 점검하기

02 행정심판법상 심판청구를 인용하는 재결은 청구인과 피청구인, 그 밖의 관계행정청을 기속한다. ( ) 19. 국회직 8급

03 처분청은 위원회의 재결에 대하여 수정재결이나 재의를 요구할 수가 있다. ( ) 14. 국회직 8급

04 인용재결에 대하여 처분청은 행정소송으로 불복할 수 있다. ( ) 06. 관세사

05 행정심판 재결의 기속력은 인용재결뿐만 아니라 각하재결과 기각재결에도 인정되는 효력이다. ( ) 18. 서울시 9급

06 처분청은 기각재결을 받은 후에도 정당한 이유가 있으면 원처분을 취소·변경할 수 있다. ( ) 13. 지방직 9급

01 ○ 02 × 03 × 04 × 05 × 06 ○

ⓛ 재처분의무(적극적 의무)

ⓐ **이행재결**: 당사자의 신청을 거부하거나 부작위로 방치한 처분의 이행을 명하는 재결이 있으면 행정청은 지체 없이 이전의 신청에 대하여 재결의 취지에 따라 처분을 하여야 한다(동조 제3항).

ⓑ **거부처분에 대한 취소재결 · 무효확인재결**: 재결에 의하여 취소되거나 무효 또는 부존재로 확인되는 처분이 당사자의 신청을 거부하는 것을 내용으로 하는 경우에는 그 처분을 한 행정청은 재결의 취지에 따라 다시 이전의 신청에 대한 처분을 하여야 한다(동조 제2항).

ⓒ **신청에 따른 처분이 절차의 위법 또는 부당을 이유로 재결로써 취소된 경우**: 재결의 취지에 따른 처분을 해야 한다(동조 제4항). 따라서 행정청이 절차적 하자를 시정한 후 재처분을 하는 것은 기속력에 반하지 않는다(대판 1986.11.11, 85누231).

ⓓ **변경명령재결**: 취소심판에 있어서 변경을 명하는 재결이 있을 때 기속력(동법 제49조 제1항)에 의해 처분청은 당해 처분을 변경하여야 한다.

ⓒ **결과제거의무(원상회복의무)**: 행정청은 위법 · 부당한 처분에 의해 야기된 위법상태를 제거하여 원상회복할 의무가 있다.

ⓡ 공고 · 고지의무

ⓐ 법령의 규정에 따라 공고하거나 고시한 처분이 재결로써 취소되거나 변경되면 처분을 한 행정청은 지체 없이 그 처분이 취소 또는 변경되었다는 것을 공고하거나 고시하여야 한다(동조 제5항).

ⓑ 법령의 규정에 따라 처분의 상대방 외의 이해관계인에게 통지된 처분이 재결로써 취소되거나 변경되면 처분을 한 행정청은 지체 없이 그 이해관계인에게 그 처분이 취소 또는 변경되었다는 것을 알려야 한다(동조 제6항).

③ 기속력의 범위

ⓖ **주관적 범위**: 기속력은 피청구인인 행정청뿐만 아니라 그 밖의 모든 관계행정청을 기속한다(제49조 제1항).

ⓛ 객관적 범위

ⓐ 기속력은 재결의 주문 및 그 전제가 된 요건사실의 인정과 효력의 판단에만 미치고 이와 직접 관계가 없는 방론이나 간접사실에 대한 판단에까지 미치지 않는다. 즉, 기본적 사실관계에서 동일성이 인정되는 범위에 한하여 기속력이 미친다.

ⓑ 재결에 적시된 위법사유를 보완하여 행한 행정청의 새로운 처분은 재결의 기속력에 저촉되지 않는다.

관련판례

1 기속력 범위 ★★★

재결의 기속력은 재결의 주문 및 그 전제가 된 요건사실의 인정과 판단, 즉 처분 등의 구체적 위법사유에 관한 판단에만 미친다고 할 것이다(대판 2005.12.9, 2003두7705).

간단 점검하기

01 당사자의 신청을 거부하거나 부작위로 방치한 처분의 이행을 명하는 재결이 있으면 행정청은 지체 없이 이전의 신청에 대하여 재결의 취지에 따라 처분을 하여야 한다. ( )
17. 사회복지직, 16. 지방직 9급

02 당사자의 신청을 거부하는 처분에 대한 취소심판에서 인용재결이 내려진 경우, 의무이행심판과 달리 행정청은 재처분의무를 지지 않는다. ( )
19. 지방직 9급

03 취소재결의 기속력으로서 재처분의무가 없으므로 현행법상 거부처분에 불복할 때에는 취소심판보다 의무이행심판이 더 효과적이다. ( )
19. 서울시 7급

04 판례에 따르면, 처분의 절차적 위법사유로 인용재결이 있었으나 행정청이 절차적 위법사유를 시정한 후 행정청이 종전과 같은 처분을 하는 것은 재결의 기속력에 반한다. ( )
17. 사회복지직

간단 점검하기

05 법령의 규정에 의하여 공고한 처분이 재결로써 취소된 때에는 처분청은 지체 없이 그 처분이 취소되었음을 공고하여야 한다. ( )
16. 교육행정직, 10. 국가직 9급

01 ○ 02 × 03 × 04 ×
05 ○

2 해임처분 ★★

사립학교 교원이 어떠한 징계처분을 받아 위원회에 소청심사청구를 하였고, 이에 대하여 위원회가 그 징계사유 자체가 인정되지 않는다는 이유로 징계양정의 당부에 대해서는 나아가 판단하지 않은 채 징계처분을 취소하는 결정을 한 경우, 그에 대하여 학교법인 등이 제기한 행정소송 절차에서 심리한 결과 징계사유 중 일부 사유는 인정된다고 판단이 되면 법원으로서는 위원회의 결정을 취소하여야 한다(대판 2013.7.25, 2012두12297).

#교사_징계해임처분 #소청_징계취소 #학교_행정소송_품위손상_인정 #법원_재결취소

3 재조사결정 ★★

처분청이 재조사 결정의 주문 및 그 전제가 된 요건사실의 인정과 판단, 즉 처분의 구체적 위법사유에 관한 판단에 반하여 당초 처분을 그대로 유지하는 것이 재조사 결정의 기속력에 저촉된다(대판 2017.5.11, 2015두37549).

#부가가치세심판청구_재조사결정 #처분청_재조사×_종전처분유지_기속력_저촉

4 행정심판의 재결은 피청구인인 행정청을 기속하는 효력을 가지므로 재결청이 취소심판의 청구가 이유 있다고 인정하여 처분청에 처분을 취소할 것을 명하면 처분청으로서는 재결의 취지에 따라 처분을 취소하여야 하지만, 나아가 재결에 판결에서와 같은 기판력이 인정되는 것은 아니어서 재결이 확정된 경우에도 처분의 기초가 된 사실관계나 법률적 판단이 확정되고 당사자들이나 법원이 이에 기속되어 모순되는 주장이나 판단을 할 수 없게 되는 것은 아니다(대판 2015.11.27, 2013다6759).

(6) 기속력의 확보수단으로서의 강제(직접강제와 간접강제)

① 위원회의 직접 처분

㉠ 거부나 부작위에 대한 이행재결

ⓐ 위원회는 피청구인이 제49조 제3항(거부나 부작위로 방치한 처분의 이행재결)에도 불구하고 처분을 하지 아니하는 경우에는 당사자가 신청하면 기간을 정하여 서면으로 시정을 명하고 그 기간에 이행하지 아니하면 직접 처분을 할 수 있다(동법 제50조 제1항 본문).

ⓑ 위원회의 직접 처분권은 거부나 부작위로 방치된 처분에만 이행재결의 경우에 인정된다. 따라서 취소재결이나 무효등확인재결에는 재처분의무만 발생함과 달리 이행재결에는 재처분의무와 함께 직접 처분권이 인정된다.

ⓒ 행정심판법상 행정심판위원회에는 직접 처분권이 인정되나, 행정소송법상 법원에는 직접 처분권이 인정되지 않는다.

ⓓ 다만, 그 처분의 성질이나 그 밖의 불가피한 사유로 위원회가 직접 처분을 할 수 없는 경우에는 그러하지 아니하다(동법 제50조 제1항 단서).

㉡ **위원회의 행정청에 통보**: 위원회는 제1항 본문에 따라 직접 처분을 하였을 때에는 그 사실을 해당 행정청에 통보하여야 하며, 그 통보를 받은 행정청은 위원회가 한 처분을 자기가 한 처분으로 보아 관계 법령에 따라 관리·감독 등 필요한 조치를 하여야 한다(동조 제2항).

간단 점검하기

01 행정심판의 재결이 확정되었다 하더라도 처분의 기초가 된 사실관계나 법률적 판단이 확정되는 것은 아니므로 당사자들이나 법원이 이에 기속되어 모순되는 주장이나 판단을 할 수 없게 되는 것은 아니다. ( )
17. 지방직 7급

02 행정심판위원회는 처분이행명령재결이 있음에도 피청구인이 처분을 하지 않은 경우 당사자의 신청에 의해 기간을 정하여 서면으로 시정을 명하고 그 기간 안에 이행하지 않으면 원칙적으로 직접 처분을 할 수 있다. ( )
17. 교육행정직

03 처분청이 처분이행명령재결에 따른 처분을 하지 아니한 경우에는 행정심판위원회는 당사자의 신청 여부를 불문하고 직권으로 직접처분을 할 수 있다. ( )
19. 서울시 7급, 11. 국가직 7급

04 행정심판위원회는 피청구인이 거부처분의 취소재결에도 불구하고 처분을 하지 아니하는 경우에는 당사자가 신청하면 기간을 정하여 서면으로 시정을 명하고, 그 기간에 이행하지 아니하면 직접처분을 할 수 있다. ( )
18. 지방직 7급

05 행정심판위원회는 직접 처분을 하였을 때에는 그 사실을 해당 행정청에 통보하여야 하며, 그 통보를 받은 행정청은 행정심판위원회가 한 처분을 자기가 한 처분으로 보아 관계 법령에 따라 관리·감독 등 필요한 조치를 하여야 한다. ( ) 14. 지방직 9급

01 ○ 02 ○ 03 × 04 ×
05 ○

② 위원회의 간접강제

㉠ **배상명령 및 즉시 배상**: 위원회는 피청구인이 제49조 제2항(제49조 제4항에서 준용하는 경우를 포함한다) 또는 제3항에 따른 처분을 하지 아니하면(인용재결에 따른 재처분을 하지 않은 경우) 청구인의 신청에 의하여 결정으로 상당한 기간을 정하고 피청구인이 그 기간 내에 이행하지 아니하는 경우에는 그 지연기간에 따라 일정한 배상을 하도록 명하거나 즉시 배상을 할 것을 명할 수 있다(동법 제50조의2 제1항).

㉡ **사정변경**: 위원회는 사정의 변경이 있는 경우에는 당사자의 신청에 의하여 제1항에 따른 결정의 내용을 변경할 수 있다(동조 제2항).

㉢ **의견청취**: 위원회는 제1항 또는 제2항에 따른 결정을 하기 전에 신청 상대방의 의견을 들어야 한다(동조 제3항).

㉣ **불복**: 청구인은 제1항 또는 제2항에 따른 결정에 불복하는 경우 그 결정에 대하여 행정소송을 제기할 수 있다(동조 제4항).

㉤ **효력**: 제1항 또는 제2항에 따른 결정의 효력은 피청구인인 행정청이 소속된 국가 · 지방자치단체 또는 공공단체에 미치며, 결정서 정본은 제4항에 따른 소송제기와 관계없이 민사집행법에 따른 강제집행에 관하여는 집행권원과 같은 효력을 가진다. 이 경우 집행문은 위원장의 명에 따라 위원회가 소속된 행정청 소속 공무원이 부여한다(동조 제5항).

㉥ **강제집행**: 간접강제 결정에 기초한 강제집행에 관하여 이 법에 특별한 규정이 없는 사항에 대하여는 민사집행법의 규정을 준용한다(동조 제6항).

5. 재결에 대한 불복

(1) 재심판청구의 금지

심판청구에 대한 재결이 있으면 그 재결 및 같은 처분 또는 부작위에 대하여 다시 심판청구를 청구할 수 없다(동법 제51조).

(2) 재결에 대한 행정소송

① 행정소송은 원처분주의를 취하고 있으므로, 재결에 대한 행정소송은 재결 자체에 고유한 위법이 있는 경우에 한한다(행정소송법 제19조 단서).

② 이 경우에는 행정심판을 다시 제기할 수 없으므로(행정심판법 제51조), 바로 취소소송을 제기하여야 한다.

(3) 처분청의 불복가능성

① **부정설(판례)**: 행정심판의 재결이 처분청 자신 또는 감독청에 의해 행해진다는 점 및 재결은 피청구인인 행정청과 그 밖의 관계행정청을 구속한다고 규정하고 있는 행정심판법 제49조 제1항에 근거하여 처분청은 행정심판의 재결에 대해 불복할 수 없다고 본다. 판례도 이러한 입장이다(대판 1998.5.8, 97누15432).

② **제한적 긍정설**: 원칙적으로는 행정심판의 인용재결에 대한 처분청의 행정소송 제기가능성을 부정하나, 자치사무에 속하는 처분에 대한 행정심판의 인용재결에 대하여는 지방자치단체의 장이 행정소송을 제기할 수 있다고 보아야 한다는 견해이다.

간단 점검하기

01 행정심판법은 의무이행심판이나 거부처분 취소심판의 실효성 확보수단으로서 간접강제를 규정하고 있다. ( )
14. 지방직 9급

02 행정심판위원회는 재처분의무가 있는 피청구인이 재처분의무를 이행하지 아니하면 지연기간에 따라 일정한 배상을 하도록 명할 수는 있으나 즉시 배상을 할 것을 명할 수는 없다. ( )
18. 서울시 7급

03 청구인은 행정심판위원회의 간접강제결정에 불복하는 경우 그 결정에 대하여 행정소송을 제기할 수 있다.
( ) 19. 지방직 9급

간단 점검하기

04 청구인은 심판청구에 대한 재결이 있는 경우 당해 재결에 대하여 이의가 있으면 재심청구를 하여 다툴 수 있다.
( ) 12. 지방직 7급, 10. 국가직 9급

05 행정심판의 재결에 고유한 위법이 있는 경우에는 재결에 대하여 다시 행정심판을 청구할 수 있다. ( )
17. 국회직 8급

06 시 · 도 행정심판위원회의 기각재결이 내려진 경우 청구인은 중앙행정심판위원회에 그 재결에 대하여 다시 행정심판을 청구할 수 있다. ( )
16. 지방직 9급

01 ○ 02 × 03 ○ 04 ×
05 × 06 ×

간단 점검하기

01 행정심판위원회는 당사자의 권리 및 권한의 범위에서 당사자의 동의를 받아 행정심판 청구의 신속하고 공정한 해결을 위하여 조정을 할 수 있으나, 그 조정이 공공복리에 적합하지 아니하거나 해당 처분의 성질에 반하는 경우에는 그러하지 아니하다. ( )

18. 지방직 7급

간단 점검하기

02 행정심판위원회는 재결을 한 후 증거서류 등의 반환 신청을 받으면 청구인이 제출한 문서·장부·물건이나 그 밖의 증거자료의 원본을 지체 없이 제출자에게 반환하여야 한다. ( )

12. 지방직 7급

03 중앙행정심판위원회는 심판청구를 심리·재결할 때에 처분 또는 부작위의 근거가 되는 명령 등이 법령에 근거가 없거나 상위법령에 위배되거나 국민에게 과도한 부담을 주는 등 크게 불합리하면 관계행정기관에 그 명령 등의 개정·폐지 등 적절한 시정조치를 요청할 수 있다. ( )

14. 경찰행정, 08. 국가직 7급

01 ○ 02 ○ 03 ○

6. 조정

(1) 위원회는 당사자의 권리 및 권한의 범위에서 당사자의 동의를 받아 심판청구의 신속하고 공정한 해결을 위하여 조정을 할 수 있다. 다만, 그 조정이 공공복리에 적합하지 아니하거나 해당 처분의 성질에 반하는 경우에는 그러하지 아니하다(동법 제43조의2 제1항).

(2) 조정은 당사자가 합의한 사항을 조정서에 기재한 후 당사자가 서명 또는 날인하고 위원회가 이를 확인함으로써 성립한다(동조 제3항).

(3) 조정은 확정판결과 동일한 효력이 발생한다(동조 제4항).

7. 보칙

행정심판법 제55조【증거서류 등의 반환】 위원회는 재결을 한 후 증거서류 등의 반환 신청을 받으면 신청인이 제출한 문서·장부·물건이나 그 밖의 증거자료의 원본(原本)을 지체 없이 제출자에게 반환하여야 한다.

제59조【불합리한 법령 등의 개선】 ① 중앙행정심판위원회는 심판청구를 심리·재결할 때에 처분 또는 부작위의 근거가 되는 명령 등(대통령령·총리령·부령·훈령·예규·고시·조례·규칙 등을 말한다. 이하 같다)이 법령에 근거가 없거나 상위 법령에 위배되거나 국민에게 과도한 부담을 주는 등 크게 불합리하면 관계 행정기관에 그 명령 등의 개정·폐지 등 적절한 시정조치를 요청할 수 있다. 이 경우 중앙행정심판위원회는 시정조치를 요청한 사실을 법제처장에게 통보하여야 한다.
② 제1항에 따른 요청을 받은 관계 행정기관은 정당한 사유가 없으면 이에 따라야 한다.

9 고지제도

행정심판법 제58조【고지】 ① 행정청이 처분을 할 때에는 처분의 상대방에게 다음 각 호의 사항을 알려야 한다.
1. 해당 처분에 대하여 행정심판을 청구할 수 있는지
2. 행정심판을 청구하는 경우의 심판청구 절차 및 심판청구 기간
② 행정청은 이해관계인이 요구하면 다음 각 호의 사항을 지체없이 알려 주어야 한다. 이 경우 서면으로 알려 줄 것을 요구받으면 서면으로 알려 주어야 한다.
1. 해당 처분이 행정심판의 대상이 되는 처분인지
2. 행정심판의 대상이 되는 경우 소관 위원회 및 심판청구 기간

1. 개설

(1) 의의

① **개념:** 고지제도란 행정청이 처분을 할 때 상대방에게 해당 처분에 대하여 행정심판을 제기할 경우 필요한 사항(심판청구절차·청구기간 등)을 고지할 의무를 지우는 제도를 말한다.

② **기능**: 고지제도는 ㉠ 행정심판청구의 기회보장, ㉡ 행정의 적정화, ㉢ 행정심판제도의 활성화 등을 보장하는 기능이 있다.

(2) 성질

고지는 비권력적 사실행위이다. 따라서 고지 그 자체로서는 아무런 법적 효과도 발생하지 않으므로 고지의무를 위반하여도 위법하게 되지 않으므로 행정쟁송의 대상이 되지 아니한다.

(3) 종류

고지제도에는 행정청이 반드시 하여야 하는 직권고지와 이해관계인의 신청에 의한 고지의 두 종류가 있다.[1]

2. 직권에 의한 고지

(1) 의의

행정청이 처분을 할 때에는 처분의 상대방에게 고지하여야 한다(행정심판법 제58조 제1항).

(2) 고지의 대상

① 고지의 대상이 되는 처분은 서면에 의한 처분만이 아니라 구두에 의한 처분도 포함된다.

② 처분은 행정심판법상 행정쟁송의 대상이 될 수 있는 모든 처분뿐만 아니라 특별법상 쟁송대상까지 포함한다. 즉, 다른 법령에 의한 이의신청(토지보상법 제83조 등), 심사청구(국세기본법 제65조 등), 심판청구(국세기본법 제67조 등) 등이 있다.

③ 신청에 따른 처분이 있는 경우(수익적 행정행위의 경우)에는 상대방이 다툴 이유가 없기 때문에 고지가 불필요하다.

(3) 고지의 주체와 상대방

① 고지의 주체는 국가나 지방자치단체의 행정청이다. 물론 행정권한의 위임 또는 위탁을 받은 행정기관 등도 포함된다.

② 고지의 상대방은 해당 처분의 상대방을 의미한다. 제3자효 있는 행위의 경우에는 제3자에게도 고지함이 바람직하다. 제3자는 고지를 신청할 수 있다.

(4) 고지의 내용

① 해당 처분에 대하여 행정심판을 제기할 수 있는지 여부

② 제기하는 경우의 심판청구절차 및 청구기간에 관한 사항

(5) 고지방법 및 시기

① 행정심판법은 고지의 방법에 대해서 아무런 규정을 두고 있지 않다. 따라서 고지는 서면으로도 가능하고 구술로도 가능하다고 볼 것이다. 다만, 처분은 원칙적으로 문서에 의하므로 행정심판의 고지도 처분시에 서면으로 하는 것이 일반적이다.

② 처분시에 하여야 할 것이나, 처분 후에도 합리적으로 판단되는 기간 내에 고지를 하면 불고지의 하자는 치유된다.

간단 점검하기

01 고지는 행정심판법에 규정된 심판청구에 필요한 사항을 구체적으로 알려주는 비권력적 사실행위로 고지 자체는 아무런 법적 효과를 발생하지 않는다. ( ) 04. 국회직 8급

[1] 고지에 관해서는 행정심판법 외에도 규정이 있다.

간단 점검하기

02 고지에 관해서는 행정심판법 외에도 규정이 있다. ( ) 06. 경기 9급

간단 점검하기

03 행정청이 처분을 서면으로 하는 경우 상대방과 제3자에게 행정심판을 제기할 수 있는지 여부와 제기하는 경우의 행정심판절차 및 청구기간을 직접 알려야 한다. ( ) 18. 지방직 9급

01 ○ 02 ○ 03 ×

간단 점검하기

신청에 의하여 고지하는 경우 해당 처분이 행정심판의 대상이 되는 처분인지에 대하여 고지하여야 한다. ( )

11. 국회직 8급

3. 신청에 의한 고지

(1) 의의

행정청은 이해관계인으로부터 해당 처분이 행정심판의 대상이 되는 처분인지의 여부와 행정심판의 대상이 되는 경우에 재결청 및 청구기간에 관하여 알려줄 것을 요구받은 때에는 지체 없이 이를 알려야 한다. 이 경우 서면으로 알려줄 것을 요구받은 때에는 서면으로 알려야 한다(행정심판법 제58조 제2항).

(2) 고지의 대상

신청에 의한 고지의 대상은 직권에 의한 고지와 마찬가지로 서면에 의한 처분과 구술에 의한 처분이다.

(3) 고지신청권자

이해관계인이 고지신청권자이다. 이해관계인에는 처분의 상대방뿐만 아니라 법률상 이익이 침해된 제3자도 포함된다.

(4) 고지의 내용

고지의 내용은 직권에 의한 고지와 같이 해당 처분이 행정심판을 제기할 수 있는지 여부, 제기하는 경우의 심판청구절차 및 청구기간에 관한 사항이다.

(5) 고지의 방법과 시기

고지의 방법에는 제한이 없다. 다만, 서면으로 요구한 경우에는 서면으로 알려 주어야 한다(동법 제42조 제2항).

point check 고지의 종류

구분	직권에 의한 고지(동법 제42조 제1항)	신청에 의한 고지(동법 제42조 제2항)
고지의 대상	모든 처분(서면 + 말)	모든 처분
고지의 내용	심판청구제기 가능 여부, 심판청구절차, 청구기간	심판대상인 처분인지 여부, 소관위원회, 청구기간
고지의 상대방	처분의 직접 상대방	이해관계인(상대방 + 제3자)
고지의 방법	제한 없음 (단, 서면으로 하는 것이 일반적임)	제한 없음 (단, 청구권자가 요구시 서면으로 함)
고지의 시기	처분시에 하는 것이 원칙	지체 없이 하여야 함

4. 불고지 및 오고지의 효과

(1) 불고지의 효과

① 경유절차

㉠ 고지를 하지 않아 청구인이 심판청구서를 소정의 행정기관이 아닌 다른 행정기관에 제출한 때에는, 해당 행정기관은 그 심판청구서를 지체없이 정당한 행정청에 이송하고, 그 사실을 청구인에게 통지하여야 한다(동법 제23조 제2항).

㉡ 이 경우 심판청구기간의 계산에 있어서는 당초의 행정기관에 심판청구서가 제출된 때에 정당한 행정청에 심판청구가 제기된 것으로 본다(동법 제23조 제4항).

○

② **청구기간**: 심판청구기간을 고지하지 아니한 때에는, 그 기간은 해당 처분이 있은 날로부터 180일이 된다. 개별법상 심판청구기간이 행정심판청구기간보다 짧은 경우라도 행정청이 그 개별법상의 심판청구기간을 알려주지 아니하였다면 행정심판법이 정한 심판청구기간 내에 심판청구가 가능하다는 것이 판례의 입장이다.

관련판례 **불고지** ★★★

지방자치법에서 이의제출기간을 행정심판법 제18조 제3항 소정기간 보다 짧게 정하였다고 하여도 같은 법 제42조 제1항 소정의 고지의무에 관하여 달리 정하고 있지 아니한 이상 도로관리청인 피고가 이 사건 도로점용료 상당 부당이득금의 징수고지서를 발부함에 있어서 원고들에게 이의제출기간 등을 알려주지 아니하였다면 원고들은 지방자치법상의 이의제출기간에 구애됨이 없이 행정심판법 제18조 제6항, 제3항의 규정에 의하여 징수고지처분이 있은 날로부터 180일 이내에 이의를 제출할 수 있다고 보아야 할 것이다(대판 1990.7.10, 89누6839).

#지방자치법_이의제출기간_불고지 #행정심판법적용_있은날_180일이내

(2) 오고지의 효과

① **경유절차**: 행정청이 고지를 잘못하여 청구인이 정당한 행정청이 아닌 다른 행정청에 심판청구서를 제출한 때에도, 위의 불고지의 경우와 같다.

② **청구기간**: 행정청이 소정의 심판청구기간보다 길게 고지한 때에는, 그 고지된 기간 내에 심판청구가 제기되면, 그것이 법정의 청구기간을 경과한 것인 때에도, 적법한 기간 내에 제기된 것으로 의제된다(동법 제27조 제5항). 행정소송법에는 오고지에 관한 규정이 적용되지 않는다(대판 2001.5.8, 2000두6916).

(3) 불고지 또는 오고지와 처분의 효력

처분을 함에 있어 불고지 또는 오고지의 경우 그것이 해당 처분의 절차의 하자가 되어 해당 처분이 위법하게 되는지에 관하여 견해의 대립이 있으나 부정적으로 보아야 할 것이다. 즉, 불고지나 오고지는 처분 자체의 효력에 직접 영향을 미치지 않는다 할 것이다. 판례도 이러한 입장을 취하고 있다(대판 1987.11.24, 87누529).

10. 특별행정심판

행정심판법 제4조【특별행정심판 등】① 사안(事案)의 전문성과 특수성을 살리기 위하여 특히 필요한 경우 외에는 이 법에 따른 행정심판을 갈음하는 특별한 행정불복절차(이하 "특별행정심판"이라 한다)나 이 법에 따른 행정심판 절차에 대한 특례를 다른 법률로 정할 수 없다.
② 다른 법률에서 특별행정심판이나 이 법에 따른 행정심판 절차에 대한 특례를 정한 경우에도 그 법률에서 규정하지 아니한 사항에 관하여는 이 법에서 정하는 바에 따른다.
③ 관계 행정기관의 장이 특별행정심판 또는 이 법에 따른 행정심판 절차에 대한 특례를 신설하거나 변경하는 법령을 제정·개정할 때에는 미리 중앙행정심판위원회와 협의하여야 한다.

간단 점검하기

01 행정청이 처분을 하면서 고지의무를 이행하지 않은 경우 또는 잘못 고지한 경우 당해 처분은 위법하다. ( )
12. 국회직 8급

간단 점검하기

02 행정심판법상 사안의 전문성과 특수성을 살리기 위하여 특히 필요한 경우 외에는 이 법에 따른 행정심판을 갈음하는 특별한 행정불복절차나 이 법에 따른 행정심판절차에 대한 특례를 다른 법률로 정할 수 있다. ( )
17. 경찰행정

03 행정심판법상 다른 법률에서 특별행정심판이나 이 법에 따른 행정심판절차에 대한 특례를 정한 경우에도 그 법률에서 규정하지 아니한 사항에 관하여는 이 법에서 정하는 바에 따른다. ( ) 17. 경찰행정

04 특별행정심판 또는 행정심판법에 따른 행정심판절차에 대한 특례를 신설하거나 변경하는 법령을 제정·개정할 때 중앙행정심판위원회와 사전에 협의하여야 하는 것은 아니다. ( )
18. 국회직 8급

01 × 02 × 03 ○ 04 ×

제 2 장 행정소송

제1절 개설

1 행정소송의 의의

1. 의의

행정소송이란 행정법규의 해석 · 적용에 관한 소송으로서, 행정법상의 법률관계에 대한 분쟁에 대하여 심리 · 판단하는 정식재판절차를 말한다.

2. 개념적 징표

(1) 행정소송은 '법원'이 '사법작용'으로서 행하는 재판이다.

(2) 행정소송은 '행정사건'에 관한 재판이다.

(3) 행정소송은 '정식절차'에 의한 재판이다.

간단 점검하기

행정소송은 행정청의 위법한 처분 등으로 인한 국민의 권리 또는 이익의 침해를 구제하고 공법상 권리관계 또는 법률적용에 관한 다툼을 적정하게 해결함을 목적으로 한다. ( )

17. 서울시 7급

○

2 행정소송의 기능

1. 권리구제기능

위법한 행정작용으로 인하여 국민이 권리(또는 법률상 이익)를 침해받은 경우, 침해받은 자는 위법한 행정작용에 대하여 행정소송을 제기함으로써 자신의 권리의 구제를 도모할 수 있다.

2. 행정통제기능

법원은 행정소송을 통해 '행정청의 처분 등의 위법', '국가 또는 공공단체의 기관이 법률에 위반되는 행위' 등을 심사함으로써 행정통제기능(적법성 보장기능)을 수행한다(행정소송법 제3조, 제4조 등 참조).

3 행정소송의 유형

1. 대륙법계(행정국가형)

(1) 프랑스나 독일과 같은 대륙법계의 소송의 유형은 일반법원과는 다른 계통의 행정법원으로 하여금 민사소송절차와는 다른 특수한 소송절차에 의하여 행정사건을 심판하도록 하는 행정소송제도를 실시하고 있다.

(2) 오늘날 대륙법계국가에서도 행정소송도 법적 분쟁을 법원이 법을 적용하여 심판하는 재판작용인 점에서는 민사소송과 동일하므로 행정소송과 민사소송은 이 점에서는 공통의 성질을 가진다고 본다. 따라서 행정재판도 사법작용이 됨으로써 사법국가화하고 있다.

2. 영 · 미법계(사법국가형)

(1) 영국이나 미국과 같은 영 · 미법계의 소송의 유형은 행정권의 특권을 인정하지 않고 행정권과 사인간의 관계도 원칙적으로 사인 상호간의 관계를 규율하는 보통법에 의해 규율된다고 본다. 따라서 행정사건도 일반 사법법원의 관할에 속하는 것으로 보고 원칙적으로 민사사건과 동일한 소송절차에 따르는 것으로 본다.

(2) 오늘날 영미국가에서도 행정부 내에 여러 행정심판기관이 설치되고, 행정사건에 대한 특수한 소송절차가 인정되는 경우도 있다. 따라서 행정사건의 특수성을 부분 인정함으로써 행정국가형도 가미하고 있다.

3. 우리나라

(1) 사법국가형

우리나라의 행정소송제도는 행정사건에 대한 최종적인 심판권을 사법권인 대법원에 부여하여 행정사건에 대한 관할을 일반 사법법원에 맡김으로써 사법국가의 형태를 취하고 있다.

(2) 행정국가형 가미

행정사건에는 민사소송절차와는 다른 특수한 소송절차를 인정하고 있는 점에서 일정 부분 행정국가형을 가미하고 있다.

제2절 행정소송의 한계

1 개설

1. 행정소송법은 행정소송사항에 관하여 개괄주의를 취하여 행정권의 위법한 처분 그 밖의 공권력의 작용에 대한 국민의 권리구제를 널리 인정하고 있다.
2. 그러나 행정소송은 기본적으로 사법작용의 일종이므로 당연히 사법권이 인정되는 한계 내에서만 인정된다.
3. 이러한 한계로 논의되는 것이 ① 헌법 명문규정상의 한계, ② 사법권의 본질에 의한 한계, ③ 권력분립원칙에서 오는 한계 등이다.

2 헌법 명문규정상의 한계

헌법 명문규정상의 한계로는 ① 헌법재판소의 권한사항, ② 군사법원의 관할사항, ③ 국회의원의 징계 · 자격심사에 관한 분쟁사항 등이 있다.

3 사법권의 본질에 의한 한계

1. 구체적 사건성을 결여한 사건

(1) 학술 · 예술상의 문제 또는 단순한 사실문제

① **학술 · 예술상 문제**: 순수한 학술 또는 예술적 차원에서의 진위확인 · 논쟁 · 우열의 평가나 단순한 사실관계의 확인 · 판단 등은 구체적 권리의무관계에 관한 것이 아니므로 행정소송의 대상이 아니다.

② **사실행위**

㉠ **비권력적 사실행위**: 비권력적 사실행위는 일반적으로 개인의 권리 · 의무관계에 직접 영향을 미치는 것이 아니므로 행정소송의 대상이 될 수 없다.

관련판례 독립운동오기 ★★

국가보훈처장 등이 발행한 책자 등에서 독립운동가 등의 활동상을 잘못 기술하였다는 등의 이유로 그 사실관계의 확인을 구하거나, 국가보훈처장의 서훈추천서의 행사, 불행사가 당연무효 또는 위법임의 확인을 구하는 청구가 항고소송의 대상이 되지 않는다(대판 1990.11.23, 90누3553).

#독립운동가_활동상_오기 #오기_활동 · 평가_확인 #사실행위_항고소송불가

㉡ **권력적 사실행위**: 권력적 사실행위는 그 권력적 성질로 인해 당사자간의 권리 · 의무관계에 영향을 미치므로 행정소송의 대상이 될 수 있다.

(2) 반사적 이익

행정소송을 제기하기 위해서는 법률상 이익이 있어야 하므로, 반사적 이익이나 사실상 이익의 유무는 법원의 심판대상이 되지 않는다. 그러나 오늘날은 공권개념의 확대, 재량권의 영으로의 수축 등의 이론에 의하여 소의 이익 내지 원고적격의 범위가 넓어져 가고 있다.

(3) 법령의 효력과 해석

① **추상적 규범통제의 불인정**: 헌법은 구체적 규범통제를 규정하고 있으므로 법의 일반적 · 추상적 효력과 해석에 관한 분쟁은 구체적인 권리 · 의무에 관한 분쟁이 아니므로 원칙적으로 행정소송의 대상이 될 수 없다.

② **처분적 법규에 대한 사법심사 인정**: 법령 자체가 직접 국민의 권리 · 의무에 영향을 미치는 경우에는 예외적으로 행정소송의 대상이 될 수 있으므로 법원의 통제가 가능하다.

③ **구체적 규범통제의 인정**: 법령의 위헌 · 위법 여부는 구체적인 사건을 해결하기 위한 재판의 전제가 된 경우에만 간접적으로 통제할 수 있다.

간단 점검하기

01 단순한 사실관계의 존부 등의 문제는 행정소송의 대상이 되지 아니한다. ( ) 09. 지방직 9급

02 법률상 이익의 침해가 아닌 단순한 반사적 이익의 침해의 경우 소송의 대상이 되지 못한다. ( ) 09. 관세사

01 ○ 02 ○

(4) 객관적 소송 · 단체소송

① 객관적 소송

㉠ 객관적 소송은 공익이나 다른 사람의 이익을 위하여 소송을 제기하는 것이므로, 주관적 소송관에 입각한 사법본질론에 따라 법률에 특별한 규정(행정소송법 제45조)이 있는 경우에만 인정된다.

㉡ 따라서 법률에 규정이 없으면 민중소송 · 기관소송 등의 객관적 소송은 인정되지 않는다.

② **단체소송**: 객관적 소송과 관련하여 특히 환경법 분야 등에서 공익소송으로서의 다수 당사자소송, 즉 독일에서의 단체소송, 미국에서의 집단소송이 활발히 논의되고 있다. 그러나 이러한 경우에도 법률에 규정이 없는 경우에는 쟁송이 인정되지 않는다.

point check 단체소송의 종류

이기적 단체소송	• 단체가 그의 구성원의 집단적 이익을 방어 또는 관철하기 위하여 단체의 이름으로 제기하는 행정소송을 말한다. • 예컨대, 특정인에게 의사자격을 부여한 행정처분에 대하여 의사회가 기존의사회 전체 이익을 위하여 해당 처분의 취소소송을 제기하는 것이 이에 해당한다.
이타적 단체소송	• 이타적 단체소송은 어느 단체가 단체 자체의 이익이나 단체구성원의 이익을 직접적으로 방어 또는 관철하기 위한 것이 아니라, 어떤 제도나 문화적 가치의 보존이나 환경에 대한 훼손방지 및 그 보호와 같은 공익추구를 목적으로 제기하는 행정소송을 말한다. • 예컨대, 환경피해를 대신하여 환경단체가 소송을 제기하는 경우가 이에 해당한다. • 현행법상 개인정보 보호를 위한 집단소송이 이에 해당한다(개인정보 보호법 참조).

2. 법령의 적용으로 해결할 수 없는 분쟁

(1) 통치행위

통치행위는 고도의 정치적 성질로 사법심사의 대상에서 제외되는 행위이므로 통치행위가 비록 개인의 권리 · 의무에 영향을 미친다고 하더라도 법령을 적용하여 사법심사를 할 수 없다.

간단 점검하기

01 통치행위는 행정소송의 대상에서 제외된다는 것이 우리의 학설과 판례의 경향이다. ( )
09. 지방직 9급 · 국가직 9급

(2) 재량행위 및 판단여지

재량행위는 재량을 일탈 · 남용하지 않는 한 행정소송에 의한 심사의 대상이 될 수 없다. 다만, 재량행위가 소송의 대상이 된 경우 법원은 이를 기각할 것인가 각하할 것인가 문제되나 대체로 법원에서 일탈 · 남용 여부를 판단하여 인용하거나 기각하고 있다.

(3) 권리주체 간의 분쟁이 아닌 사건(특별권력관계에서의 분쟁의 문제)

특별권력관계에 대한 사법심사가 제한된다는 것이 전통적 견해였으나 현재 특별권력관계에서도 사법심사가 원칙적으로 가능하다고 본다.

간단 점검하기

02 특별권력관계에서의 행위가 행정처분의 성질을 갖더라도 전면적으로 사법심사의 대상이 되지 않는다. ( )
09. 세무사

01 ○ 02 ×

4 권력분립원칙에서 오는 한계

1. 개설

(1) 행정청이 법에서 명령되는 처분을 행하지 않거나 법에 반하는 처분을 한 경우, 법원이 판결로써 행정청에 일정한 처분을 행할 것을 명하거나(이행판결) 또는 법원이 행정청을 대신하여 판결로써 직접 어떠한 처분을 행할 수 있는지(적극적 형성판결)가 문제된다.

(2) 즉, 의무이행소송이나 예방적 부작위소송과 같은 법정외항고소송(무명항고소송)의 인정이 권력분립원칙에 반하는지가 문제될 수 있다.

2. 의무이행소송

(1) 의의

의무이행소송이란 상대방의 신청에 대하여 행정청이 일정한 처분을 하여야 할 법적 의무가 있음에도 이를 방치하거나 거부하는 경우, 행정청에 해당 처분을 할 것을 명하는 내용의 판결을 구하는 소송을 말한다.

(2) 인정 여부

① **학설의 대립**: 독일의 행정법원법과는 달리 우리 행정소송법에는 의무이행소송에 관한 명문규정이 없으므로, 그 인정 여부와 관련하여 학설이 대립하고 있다.

㉠ **적극설**: 적극설은 ⓐ 권력분립의 참뜻은 권력 상호간의 견제와 균형을 도모함으로써 권력의 남용을 막고 개인의 권리를 보장하는 데 있으며, ⓑ 행정소송법 제4조의 항고소송의 유형은 예시적인 것이라는 점을 논거로 하고 있다.

㉡ **소극설**: 소극설은 ⓐ 명문의 규정이 없는 이상 권력분립의 취지에 따라 행정에 관한 제1차적 판단권은 행정권에 귀속시켜야 하고, ⓑ 행정소송법 제4조의 항고소송의 유형은 열거적 · 제한적인 것이라는 점을 논거로 하고 있다.

㉢ **절충설(제한적 허용설)**: 의무이행소송을 원칙적으로 부인하면서도 ⓐ 행정청에 제1차적 판단권을 행사하게 할 것도 없을 정도로 처분요건이 일의적으로 정하여져 있고, ⓑ 사전에 구제하지 않으면 회복할 수 없는 손해가 발생할 우려가 있으며, ⓒ 다른 구제방법이 없는 경우에만 의무이행소송이 인정된다고 본다.

② **판례의 태도**: 판례는 의무이행소송의 인정 여부에 대하여 일관되게 소극설을 따르고 있다(대판 1990.11.23, 90누3553).

관련판례 의무이행소송 ★★★

행정소송법상 행정청의 부작위에 대하여는 부작위위법확인소송만 인정되고 작위의무의 이행이나 확인을 구하는 행정소송은 허용될 수 없다(대판 1992.11.10, 92누1629).

간단 점검하기

01 행정소송법상 의무이행소송을 규정하고 있지 않다. ( )
16. 지방직 9급, 11. 지방직 7급

02 대법원 판례는 의무이행소송이나 적극적 형성판결을 구하는 행정소송을 인정하지 아니한다. ( )
14. 국가직 9급

01 ○ 02 ○

3. 예방적 부작위청구소송

(1) 의의

예방적 부작위청구소송이란 행정청의 공권력 행사에 의해 국민의 권익이 침해될 것이 예상되는 경우에 미리 그 예상되는 침해적 처분을 하지 말 것(부작위)을 구하는 내용의 행정소송을 말한다. 예방적 부작위청구소송은 일종의 소극적 형태의 의무이행소송이라고 할 수 있다.

(2) 인정 여부

부작위청구소송의 인정 여부에 대하여도 의무이행소송에서와 마찬가지로 소극설, 적극설, 절충설이 대립한다. 판례는 소극설을 취한다(대판 2006.5.25, 2003두11988).

관련판례 **예방적 부작위청구소송**

1 부작위청구 ★★★

행정소송법상 행정청이 일정한 처분을 하지 못하도록 그 부작위를 구하는 청구는 허용되지 않는 부적법한 소송이라 할 것이므로, 피고 국민건강보험공단은 이 사건 고시를 적용하여 요양급여비용을 결정하여서는 아니 된다는 내용의 원고들의 위 피고에 대한 이 사건 청구는 부적법하다 할 것이다(대판 2006.5.26, 2003두11988).
#부작위청구소송불가 #건강보험요양급여비용_결정불가_소송부인

2 준공처분의 거부를 구하는 청구 ★★★

건축건물의 준공처분을 하여서는 아니 된다는 내용의 부작위를 구하는 청구는 행정소송에서 허용되지 아니하는 것이므로 부적법하다(대판 1987.3.24, 86누182).
#건축건물_준공처분거부청구 #부작위청구_행정소송_허용불가

4. 작위의무확인소송

행정청에 대해 일정한 작위의무가 있음을 확인하는 것을 법원에 청구하는 소송을 작위의무확인소송이다. 우리 판례는 이 소송을 인정하지 않는다.

관련판례 **작위의무확인소송** ★★

국가보훈처장 등에게, 독립운동가들에 대한 서훈추천권의 행사가 적정하지 아니하였으니 이를 바로잡아 다시 추천하고, 잘못 기술된 독립운동가의 활동상을 고쳐 독립운동사 등의 책자를 다시 편찬, 보급하고, 독립기념관 전시관의 해설문, 전시물 중 잘못된 부분을 고쳐 다시 전시 및 배치할 의무가 있음의 확인을 구하는 청구는 작위의무확인소송으로서 항고소송의 대상이 되지 아니한다(대판 1990.11.23, 90누3553).
#독립운동가_서훈재추천_활동_정정_책자_재출판 #작위의무확인소송_항고소송대상×

간단 점검하기

01 행정소송법상 행정청이 일정한 처분을 하지 못하도록 그 부작위를 구하는 청구는 허용되지 않는 부적법한 소송이다. ( ) 15. 지방직 9급

02 신축건물의 준공처분을 하여서는 아니된다는 내용의 부작위를 청구하는 행정소송은 예외적으로 허용된다. ( ) 18. 교육행정직

01 ○ 02 ×

제3절 행정소송의 종류

1 내용에 의한 분류

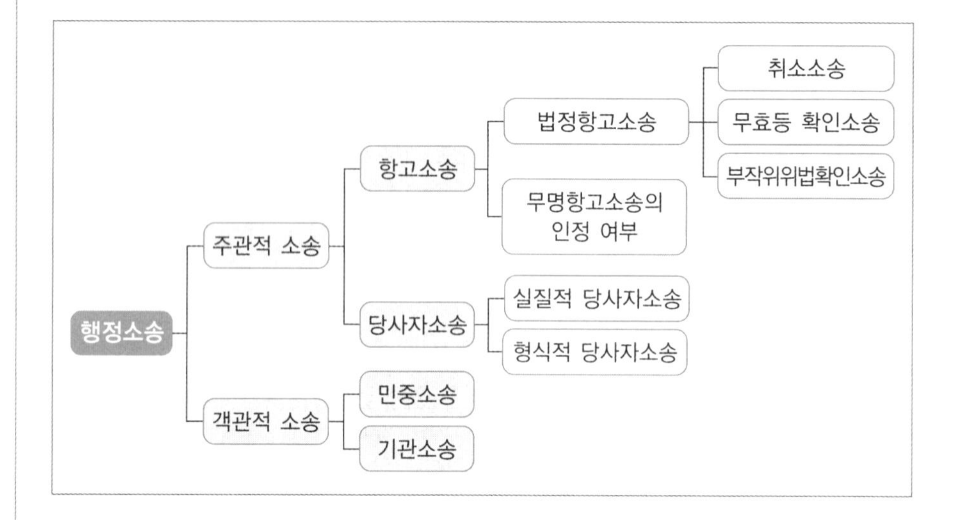

1. 개설

(1) 주관적 소송이란 개인의 권리의 구제를 주된 내용으로 하는 행정소송을 말하고, 객관적 소송이란 개인의 권리·이익이 아니라 행정법규의 적정한 적용의 보장을 주된 내용으로 하는 행정소송을 말한다. 주관적 소송은 다시 항고소송과 당사자소송으로, 객관적 소송은 민중소송과 기관소송으로 구분된다.

(2) 행정소송법은 행정소송을 소송의 내용에 따라 항고소송·당사자소송·민중소송 및 기관소송으로 대별하고, 항고소송을 다시 취소소송, 무효등 확인소송, 부작위위법확인소송으로 세분화하고 있다.

2. 항고소송

(1) 의의

항고소송이란 행정청의 처분 등이나 부작위에 대하여 제기하는 소송을 총칭한다. 행정소송법이 명문으로 규정하고 있는 항고소송의 형태는 취소소송, 무효등 확인소송 및 부작위위법확인소송의 3종이 있는데 이를 법정항고소송이라고 한다. 이 밖에 무명항고소송(법정외항고소송)이 있는데 앞서 살펴본 의무이행소송, 예방적 부작위청구소송 등이 이에 해당한다.

(2) 법정항고소송

① 취소소송
② 무효등 확인소송
③ 부작위위법확인소송

간단 점검하기

01 행정청이 처분을 하면서 고지의무를 이행하지 않은 경우 또는 잘못 고지한 경우 당해 처분은 위법하다. ( )
12. 국회직 8급

간단 점검하기

02 행정소송법 제3조에서는 행정소송을 취소소송, 당사자소송, 민중소송, 기관소송으로 구분한다. ( )
12. 지방직 9급

03 항고소송이란 행정청의 처분 등이나 부작위에 대하여 제기하는 소송이다. ( ) 17. 경찰행정

04 행정소송법상 항고소송은 취소소송 무효등 확인소송 부작위위법확인소송 당사자소송으로 구분한다. ( )
21. 소방직 9급

01 × 02 × 03 ○ 04 ×

(3) 무명항고소송(법정외항고소송)

① 무명항고소송에 해당하는 것으로서 의무이행소송, 예방적 부작위소송 등이 있다.

② 이러한 무명항고소송을 인정할 것인지 대해서, 학설은 앞서 살펴본 바와 같이 소극설 · 적극설 · 절충설이 대립한다.

③ 판례는 일관되게 무명항고소송을 인정하지 않고 있다.

3. 당사자소송

(1) 의의

당사자소송이란 행정청의 처분 등을 원인으로 하는 법률관계에 관한 소송 그 밖에 공법상의 법률관계에 대한 소송으로서 그 법률관계의 한쪽 당사자를 피고로 하는 소송이다.

(2) 종류

① 실질적 당사자소송

㉠ '공법상의 법률관계에 관한 소송으로서 그 법률관계의 한쪽 당사자를 피고로 하는 소송'(행정소송법 제3조 제2호)을 말한다.

㉡ 전형적인 예로서 공법상 계약에 관한 소송, 공법상의 신분 또는 지위의 확인에 관한 소송, 공법상의 금전청구소송 등이 있다.

② 형식적 당사자소송

㉠ 실질적으로는 행정청의 처분이나 재결 등을 다투게 되지만, 형식적으로는 그 법률관계의 일방 당사자를 피고로 하는 소송을 말한다.

㉡ 예컨대 토지수용위원회의 재결과 관련하여, 관계법이 그 보상액에 관한 다툼을 토지소유자와 기업자가 각각 원고 또는 피고로 되어 다투게 하도록 규정하고 있다면 그에 따른 소송은 형식적 당사자소송이 된다.

4. 민중소송

(1) 민중소송이란 국가 또는 공공단체의 기관이 법률에 위반되는 행위를 한 때에 직접 자기의 법률상 이익과 관계없이 그 시정을 구하기 위하여 제기하는 소송이다.

(2) 그 예로서는 일반선거인이 제기하는 선거소송(공직선거법 제222조)과 일반투표인이 제기하는 국민투표무효소송(국민투표법 제92조)이 있다.

> 행정소송법 제45조 【소의 제기】 민중소송 및 기관소송은 법률이 정한 경우에 법률에 정한 자에 한하여 제기할 수 있다.
>
> 제46조 【준용규정】 ① 민중소송 또는 기관소송으로써 처분등의 취소를 구하는 소송에는 그 성질에 반하지 아니하는 한 취소소송에 관한 규정을 준용한다.
> ② 민중소송 또는 기관소송으로써 처분등의 효력 유무 또는 존재 여부나 부작위의 위법의 확인을 구하는 소송에는 그 성질에 반하지 아니하는 한 각각 무효등 확인소송 또는 부작위위법확인소송에 관한 규정을 준용한다.
> ③ 민중소송 또는 기관소송으로서 제1항 및 제2항에 규정된 소송외의 소송에는 그 성질에 반하지 아니하는 한 당사자소송에 관한 규정을 준용한다.

간단 점검하기

01 당사자소송이란 행정청의 처분 등을 원인으로 하는 법률관계에 관한 소송 그 밖에 공법상의 법률관계에 관한 소송으로서 그 법률관계의 한쪽 당사자를 피고로 하는 소송이다. ( )
17. 경찰행정, 12. 지방직 9급

간단 점검하기

02 민중소송이란 국가 또는 공공단체의 기관이 법률에 위반되는 행위를 한 때에 직접 자기의 법률상 이익과 관계없이 그 시정을 구하기 위하여 제기하는 소송이다. ( ) 17. 경찰행정

03 공직선거법상 선거소송은 민중소송이다. ( ) 14. 서울시 7급

04 국민투표법상 국민투표무효소송은 기관소송의 예에 속한다. ( )
07. 관세사

05 주민투표법상 주민소송은 행정소송법 제3조에서 규정하고 있는 민중소송에 해당한다. ( )
13. 국가직 7급 · 세무사

06 민중소송은 특별히 법률의 규정이 있을 때에 한하여 예외적으로 인정된다. ( ) 16. 국회직 8급

07 행정소송법에서는 민중소송으로써 처분 등의 취소를 구하는 소송에는 그 성질에 반하지 아니하는 한 취소소송에 관한 규정을 준용한다. ( )
18. 교육행정직

01 ○ 02 ○ 03 ○ 04 ×
05 ○ 06 ○ 07 ○

5. 기관소송

(1) 기관소송이란 국가 또는 공공단체의 기관 상호간에 있어서의 권한의 존부 또는 그 행사에 관한 다툼이 있을 때에 이에 대하여 제기하는 소송이다.

(2) 그 예로서 지방자치단체의 장이 지방의회의 재의결사항이 법령에 위배되는 것임을 이유로 의회를 피고로 하여 대법원에 제소하는 것이 있다.

2 성질에 의한 분류

1. 형성의 소

형성의 소란 다투어지는 행정행위의 취소·변경을 통해 행정법상의 법률관계를 발생·변경 또는 소멸시키는 판결을 구하는 소송이다. 취소소송이 이에 해당하나, 이 경우에도 새로운 법률관계를 발생시키는 적극적인 형성의 소는 허용되지 않는다고 보아야 한다. 형성소송의 인용판결은 형성판결이 된다.

2. 이행의 소

이행의 소란 이행청구권의 확정과 피고에 대한 이행명령을 구하는 소송이다. 우리 행정소송법상으로는 인정되어 있지 않는 의무이행소송이나, 이행명령을 구하는 당사자소송이 이행의 소에 속한다.

3. 확인의 소

확인의 소란 권리 또는 법률관계의 존재 또는 부존재의 확정, 선언을 구하는 소송이다. 무효등 확인소송 및 부작위위법확인소송과 공법상의 법률관계의 존부의 확인을 구하는 당사자소송이 이에 속한다.

간단 점검하기

01 국가 또는 공공단체의 기관이 법률에 위반되는 행위를 한 때에 직접 자기의 법률상 이익과 관계없이 그 시정을 구하기 위하여 제기하는 소송을 기관소송이라 한다. ( ) 21. 소방직 9급

02 기관소송이란 국가 또는 공공단체의 기관 상호 간에 있어서의 권한의 존부 또는 그 행사에 관한 다툼이 있는 때에 이에 대하여 제기하는 소송이다. 다만, 헌법재판소법 제2조의 규정에 의하여 헌법재판소의 관장사항으로 되는 소송은 제외한다. ( ) 17. 경찰행정

03 기관소송은 개별법률에 특별한 규정이 있는 경우에 인정되고 그 법률에 정한 자만이 제기할 수 있다. ( ) 09. 국가직 7급

04 기관소송으로서 처분 등의 취소를 구하는 소송에는 그 성질에 반하지 아니하는 한 취소소송에 관한 규정이 적용된다. ( ) 09. 국가직 7급

05 지방자치단체의 장의 재의요구에도 불구하고 지방의회가 조례안을 재의결한 경우 단체장이 지방의회를 상대로 제기하는 소송은 기관소송이다. ( ) 18. 교육행정직

01 × **02** ○ **03** ○ **04** ○ **05** ○

제4절 취소소송

1 취소소송 개관

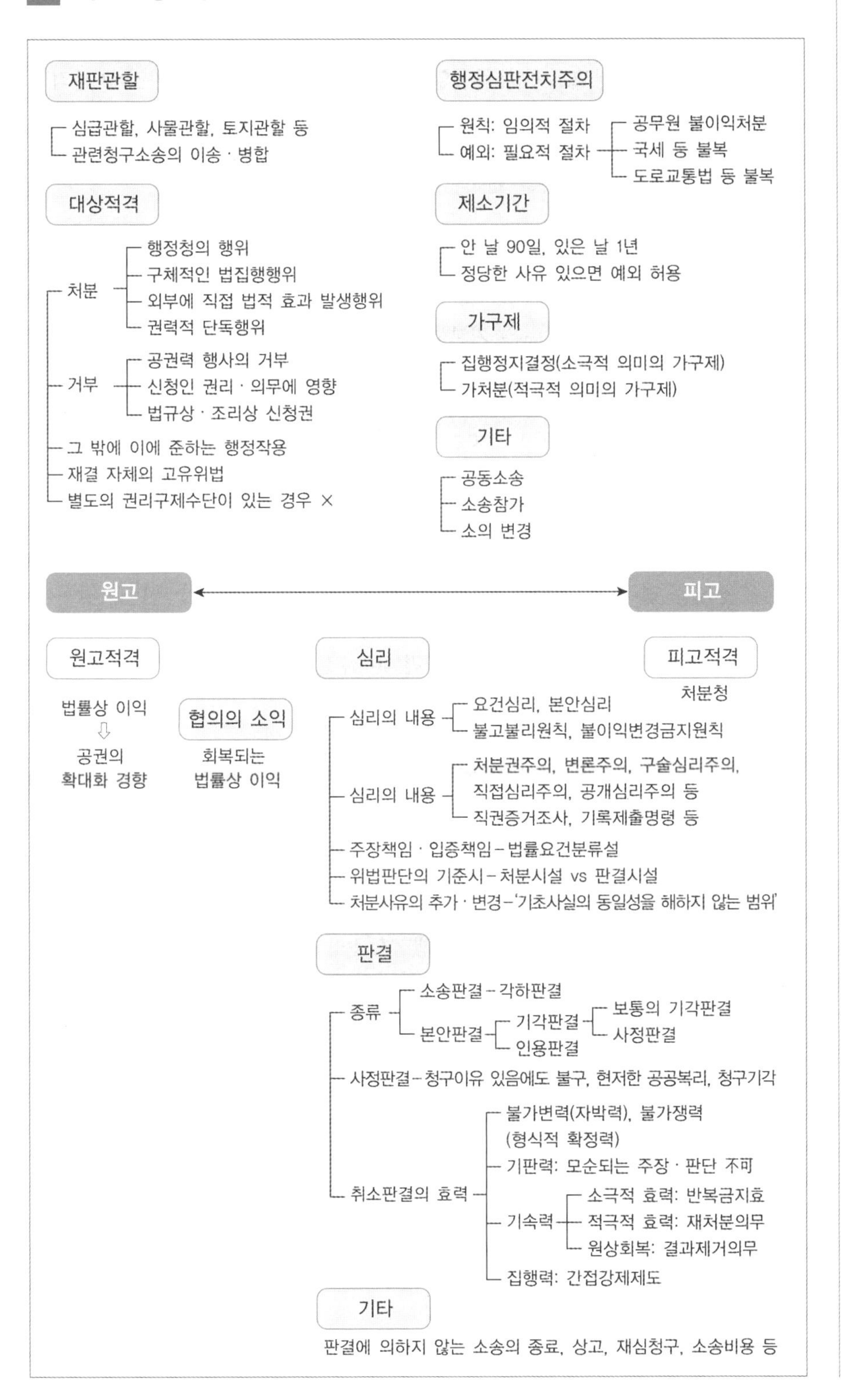

간단 점검하기

취소소송이란 행정청의 위법한 처분 등을 취소 또는 변경하는 소송을 말한다. ( ) 12. 지방직 9급

O

1. 개설

(1) 의의

① 취소소송이란 행정청의 위법한 처분 등을 취소 또는 변경하는 소송을 말한다. 취소소송은 위법처분으로 인해 발생한 위법상태의 제거를 위한 소송형식이다.

② 취소소송은 항고소송의 중심일 뿐만 아니라 행정소송의 가장 기본적인 소송이다.

③ 무효인 행정행위라 하더라도 무효선언을 구하는 의미의 취소소송을 제기하는 것은 허용된다는 것이 판례의 입장이다.

(2) 성질

① **주관적 소송**: 취소소송은 개인의 권익구제를 직접 목적으로 하는 주관적 소송이다.

② **복심적 소송**: 취소소송은 기본처분의 적법 여부를 심사하는 것이므로 복심적 소송이다.

③ **형성소송인지 여부**: 취소소송의 성질에 대해 형성소송설, 확인소송설, 준형성소송설 등의 대립이 있지만, 형성소송설이 통설 · 판례의 입장이다.

(3) 소송물

① **개념**: 소송에서 분쟁의 대상이 되는 사항을 소송물이라 한다. 소송물은 소송의 기본단위로서 소의 병합, 처분사유의 추가 · 변경, 소의 변경을 결정하는 경우와 기판력의 객관적 범위를 정함 등에 있어서 의미를 갖는다.

② 학설

㉠ **처분의 위법성 일반으로 보는 견해(다수설, 판례)**

ⓐ 취소소송의 소송물은 처분의 위법성 일반(추상적 위법)이라는 견해이다. 다수의 견해이며, 판례의 입장이다.

ⓑ 이 견해에 의하면 하나의 행정행위에 대해서 위법사유는 여러 개가 있으나, 소송물은 추상적인 위법성 하나가 된다는 것이다. 개개의 위법사유에 관한 주장은 단순한 공격방어방법에 지나지 않는다고 보며 취소소송에서 판결의 기판력은 처분의 위법 또는 적법 일반에 대하여 미친다고 한다.

ⓒ 분쟁의 일회적 해결과 행정작용의 조기확정의 보장은 장점으로 들고 있으나 재판에서 다투어지지 않은 사항에 대하여도 기판력이 미치게 되어 기판력의 범위를 부당히 확대한다는 비판이 있다.

ⓓ 이 견해에 의하면 취소소송에서 기각판결은 받은 경우 다른 위법사유를 들어 취소소송을 제기할 수 없을 뿐만 아니라 다른 위법사유를 들어 국가배상청구소송을 제기할 수 없게 된다.

관련판례

1 과세처분 소송물 ★★★

과세처분이란 법률에 규정된 과세요건이 충족됨으로써 객관적, 추상적으로 성립한 조세채권의 내용을 구체적으로 확인하여 확정하는 절차로서, 과세처분취소소송의 소송물은 그 취소원인이 되는 위법성 일반이다(대판 1990.3.23, 89누5386).
#법인세부과처분_소송물_위법성_일반

2 처분사유 교환 · 변경 ★★

과세처분취소소송의 소송물은 과세관청이 결정한 세액의 객관적 존부이므로, 과세관청으로서는 소송 도중 사실심 변론종결시까지 당해 처분에서 인정한 과세표준 또는 세액의 정당성을 뒷받침할 수 있는 새로운 자료를 제출하거나 처분의 동일성이 유지되는 범위 내에서 그 사유를 교환 · 변경할 수 있는 것이다(대판 1997.5.16, 96누8796).
#과세처분_사유_교환 · 변경 #동일성유지_사실심변론종결전까지

3 기판력범위 ★★★

취소판결의 기판력은 소송물로 된 행정처분의 위법성 존부에 관한 판단 그 자체에만 미치는 것이므로 전소와 후소가 그 소송물을 달리하는 경우에는 전소 확정판결의 기판력이 후소에 미치지 아니한다(대판 1996.4.26, 95누5820).
#소송물_처분_위법성 #전소_후소_소송물_이동(異同)_기판력범위결정

㉡ **처분의 개개의 위법사유로 보는 견해**: 처분의 개개의 위법사유가 취소소송의 소송물이라고 보는 견해이다. 이 견해에 의하면 취소소송의 판결의 기판력은 개개의 위법사유에 한정되므로, 청구기각판결의 경우에 원고는 후소에서 전소에서 주장한 것과 다른 위법사유를 주장할 수 있게 된다.

2. 취소소송의 재판관할

(1) 심급관할

취소소송은 지방법원급인 '행정법원'을 제1심 법원으로 하며, '고등법원'이 항소심을, '대법원'이 상고심을 담당하는 3심제를 채택하고 있다. 행정법원이 설치되지 않은 지역에서는 지방법원 본원이 사건을 관할한다.

(2) 사물관할

취소소송은 제1심 행정법원의 판사 3인으로 구성된 '합의부'에서 담당한다. 다만, 행정법원의 경우 단독판사가 심판할 것으로 행정법원 합의부가 결정한 사건의 심판권은 단독판사가 행사한다(법원조직법 제7조 제3항).

(3) 토지관할

① 보통관할

㉠ '피고인 행정청의 소재지'를 관할하는 행정법원이 그 관할법원이다(행정소송법 제9조 제1항).

㉡ 다음 중 어느 하나에 해당하는 피고에 대하여 취소소송을 제기하는 경우에는 대법원소재지를 관할하는 행정법원에 제기할 수 있다(행정소송법 제9조 제2항).

간단 점검하기

01 취소소송의 제1심 관할법원은 원고의 소재지를 관할하는 행정법원으로 한다. ( ) 15. 서울시 7급

02 경찰청장을 피고로 하여 취소소송을 제기하는 경우, 대법원소재지를 관할하는 행정법원이 제1심 관할법원으로 될 수 있다. ( ) 18. 경찰행정

03 국가의 사무를 위임 또는 위탁받은 공공단체 또는 그 장에 대하여 취소소송을 제기하는 경우에는 대법원소재지를 관할하는 행정법원에 제기할 수 있다. ( ) 15. 서울시 7급

01 × **02** ○ **03** ○

ⓐ 중앙행정기관, 중앙행정기관의 부속기관과 합의제행정기관 또는 그 장

ⓑ 국가의 사무를 위임 또는 위탁받은 공공단체 또는 그 장

② **특별관할**: 토지의 수용 그 밖의 부동산 또는 특정의 장소에 관계되는 처분 등에 대한 취소소송은 그 '부동산 또는 장소의 주소지'를 관할하는 행정법원에 이를 제기할 수 있다(행정소송법 제9조 제3항).

③ **합의관할과 변론관할 가능성**

㉠ 행정소송법은 전속관할제도를 취하지 않고 있으므로 임의관할이 가능하다. 따라서 보통관할과 특별관할이 경합하는 경우에 임의적 선택이 가능하다.

㉡ 민사소송법상 인정되는 당사자가 합의하면 원고 소재지 관할법원 등이 제1심 관할법원으로 할 수 있는 합의관할(민사소송법 제29조), 그리고 관할 없는 법원에 소가 잘못 제기된 경우 피고가 항변하지 않고 본안 변론을 함으로써 당해 법원에 관할권이 발생하는 변론관할(민사소송법 제30조)이 인정된다.

간단 점검하기

01 토지의 수용 기타 부동산 또는 특정의 장소에 관계되는 처분 등에 대한 취소소송은 그 부동산 또는 장소의 소재지를 관할하는 행정법원에 이를 제기할 수 있다. ( ) 15. 서울시 7급

(4) 관할법원에의 이송

① **관할 또는 심급을 달리하는 법원에 제기한 경우**

㉠ 법원은 소송의 전부 또는 일부가 그 관할에 속하지 아니함을 인정할 때에는 결정으로 관할법원에 이송한다(민사소송법 제34조 제1항).

㉡ 위 규정은 원고의 고의 또는 중대한 과실 없이 행정소송을 심급을 달리하는 법원에 잘못 제기한 경우에도 법원은 관할법원에 이송해야 한다(민사소송법 제7조).

② **행정사건을 민사사건으로 제기한 경우**: 행정소송을 심급을 달리하는 법원에 잘못 제기한 경우, 법원은 관할법원에 이송하도록 규정(행정소송법 제7조)되어 있으므로 판례도 이러한 입장이다.

관련판례 **관할 이송** ★★★

원고가 고의 또는 중대한 과실 없이 행정소송으로 제기하여야 할 사건을 민사소송으로 잘못 제기한 경우, 수소법원으로서는 만약 행정소송에 대한 관할도 동시에 가지고 있다면 이를 행정소송으로 심리 · 판단하여야 하고, 행정소송에 대한 관할을 가지고 있지 아니하다면 … 이를 부적법한 소라고 하여 각하할 것이 아니라 관할법원에 이송하여야 한다(대판 2017.11.9, 2015다215526).

#행정소송_민사소송_잘못제기 #민사법원_행정법원_이송

간단 점검하기

02 원고의 고의 또는 중대한 과실 없이 행정소송이 심급을 달리하는 법원에 잘못 제기된 경우에 수소법원은 관할법원에 이송한다. ( ) 10. 국가직 7급

(5) 관련청구소송의 이송 · 병합

① **제도의 취지**: 관련청구소송의 병합 · 이송은 관련되는 청구를 하나의 소송절차에서 통일적으로 심판함으로써 소송경제의 도모, 판결의 모순 · 저촉을 방지하기 위해서 인정된다.

② **관련청구의 범위(행정소송법 제10조 제1항)**

㉠ 해당 처분이나 재결과 관련되는 손해배상(예 영업정지처분에 대한 취소소송과 국가배상청구소송) · 부당이득반환(예 과세처분에 대한 취소소송과 부당이득반환청구소송) · 원상회복(예 토지수용재결에 대한 취소소송과 토지반환청구소송) 등 청구소송

01 ○ 02 ○

㉡ 해당 처분이나 재결과 관련되는 취소소송(예 조세체납처분에서 압류처분 취소소송과 공매처분 취소소송)

③ 관련청구소송의 이송

㉠ **관련청구소송을 취소소송계속법원으로 이송**: 취소소송과 관련청구소송이 다른 법원에 계속되고 있는 경우 관련청구소송이 계속된 법원은 당사자의 신청 또는 직권으로 이를 취소소송이 계속된 법원으로 이송할 수 있는데 이를 관련청구소송의 이송이라 한다(행정소송법 제10조 제1항).

㉡ 이송의 요건

ⓐ 취소소송과 관련청구소송이 각각 다른 법원에 계속 중일 것

ⓑ 이송의 상당성(법원이 인정하는 경우에 이송)

ⓒ 당사자의 신청 또는 직권

㉢ 이송의 효과

ⓐ 이송이 확정되면 그 결정은 기속력이 발생하여 이송 받는 법원을 구속하므로, 소송을 이송 받은 법원은 이송결정에 따라야 하고 사건을 다시 다른 법원에 이송하지 못한다(민사소송법 제38조).

ⓑ 이송결정이 확정된 때에는 당해 관련 청구소송은 처음부터 이송받은 법원에 계속(係屬)된 것으로 본다(민사소송법 제40조).

④ 관련청구소송의 병합

㉠ 병합의 의의 및 취지

ⓐ 관련청구소송을 병합하여 하나의 소송절차에서 심리하는 것을 말한다.

ⓑ 상호관련성 있는 여러 청구를 하나의 절차에서 심판함으로써 심리의 중복, 재판의 모순저촉을 방지하고 신속하게 재판을 진행시키기 위한 제도이다. 관련청구의 이송 및 병합은 주된 청구가 무효확인소송, 부작위위법확인소송, 당사자소송에도 인정된다.

> 행정소송법 제10조【관련청구소송의 이송 및 병합】② 취소소송에는 사실심의 변론종결시까지 관련청구소송을 병합하거나 피고외의 자를 상대로 한 관련청구소송을 취소소송이 계속된 법원에 병합하여 제기할 수 있다.

㉡ 병합의 요건

ⓐ **각 청구소송이 적법할 것**: 관련청구소송의 병합은 본래의 항고소송이 적법할 것을 요건으로 하는 것이어서 본래의 항고소송이 부적법하여 각하되면 그에 병합된 관련청구도 소송요건을 흠결한 부적합한 것으로 각하된다.

간단 점검하기

01 관련청구소송의 이송은 그 소송이 계속되어 있는 법원이 당해 소송을 취소소송이 계속되어 있는 법원에 이송하는 것이 상당하다고 인정하는 때에 당사자의 신청 또는 직권에 의하여 할 수 있다. ( ) 09. 국가직 7급

02 당해 처분의 취소를 선결문제로 하는 부당이득반환청구소송이 다른 법원에 계속되고 있는 경우에 이를 당해 처분의 취소소송이 계속된 법원으로 이송할 수 있다. ( ) 09. 지방직 7급

03 당해 처분의 취소소송을 당해 처분이 원인이 되어 발생한 손해배상청구소송이 계속된 법원으로 이송할 수 있다. ( ) 09. 지방직 7급

04 관련청구소송은 이송결정이 확정된 때부터 이송받은 법원에 계속된 것으로 본다. ( ) 09. 세무사

05 위법한 처분으로 인해 손해가 발생한 경우에 손해를 입은 자는 취소소송과 국가배상청구소송을 동시에 제기할 수 있다. ( ) 11. 서울시 9급

06 甲은 건물 1층에서 담배소매인 지정을 받아 담배소매업을 하고 있었는데 관할 구청장 A는 법령상의 거리제한규정을 위반하여 그 영업소에서 30미터 떨어진 인접 아파트 상가에서 乙이 담배소매업을 할 수 있도록 담배소매인 신규지정처분을 하였다. 甲은 乙에게 발령된 담배소매인 신규지정처분에 대한 취소소송을 제기하면서 그 신규지정처분의 위법을 이유로 하는 손해배상청구소송을 그 취소소송에 병합하여 제기할 수 있다. ( ) 15. 변호사

01 ○ 02 ○ 03 × 04 ×
05 ○ 06 ○

관련판례

택지개발사업지구 내에서 화훼소매업을 하던 甲과 乙이 재결절차를 거치지 않고 사업시행자를 상대로 주된 청구인 영업손실보상금 청구에 생활대책대상자 선정 관련청구소송을 병합하여 제기한 사안에서, 영업손실보상금청구의 소가 부적법하여 각하되는 이상 생활대책대상자 선정 관련청구소송 역시 부적법하여 각하되어야 한다(대판 2011. 9.29, 2009두10963).

#생활대책대상자선정_취소소송_각하 #영업손실보상금청구(병합청구)_각하

ⓑ **주된 취소소송 등의 대상인 처분 등과 관련되는 소송이 병합될 것**: 관련청구소송의 이송은 주된 취소소송 계속된 법원으로 이송·병합되어야 한다. 따라서 반대의 경우로 이송·병합되는 것이 아니다.

ⓒ **사실심변론종결 이전일 것**: 관련청구의 병합은 사실심변론종결 전에 행해져야 한다. 사실심변론종결 전이면 원시적 병합이든 추가적 병합이든 가능하다.

ⓒ 병합의 종류와 형태

ⓐ 객관적 병합과 주관적 병합

객관적 병합	주관적 병합
• 단순당사자(1명의 원고와 1명의 피고) 사이에서 복수청구의 병합 • 허가취소 + 손해배상청구(양자 원고 동일) • 무효확인청구 + 처분취소청구(동일 원고가 병합청구함은 불가, 다만 주위적·예비적 청구는 가능) • 병합제기, 추가적 병합	• 복수당사자(수인의 또는 수인에 대한) 사이에서 복수청구의 병합 • 도로점용허가취소로 인한 수인의 점용료반환청구(원고 다수) • 단순 주관적 병합, 주관적·예비적 병합, 주관적·추가적 병합

ⓑ 원시적 병합과 추가적 병합

원시적 병합	추가적 병합
• 취소소송의 제기 시에 병합제기하는 경우 • 행정소송법 제10조 제2항 전단, 제15조	• 계속 중인 취소소송에 사후적으로 병합하는 경우 • 행정소송법 제10조 제2항 후단

ⓒ **주위적·예비적 병합**: 특정인의 주위적 청구가 허용되지 아니하거나 이유 없는 경우를 대비하여 예비적 청구를 병합하여 제기하는 예비적 병합도 관련청구소송의 한 형태에 해당한다(대판 1971.2. 25, 70누125).

간단 점검하기

01 甲은 A시장의 영업허가 취소처분이 위법함을 이유로 국가배상청구소송을 제기하였다. 이 국가배상청구소송을 제기한 이후에 영업허가취소처분에 대한 취소소송을 제기한 경우 그 취소소송은 국가배상청구소송에 병합할 수 있다. ( ) 17. 국회직 8급

02 관련청구소송의 병합에 있어서는 취소소송의 적법성이 전제되어야 하며, 사실심 변론종결 전에 관련청구가 병합되어야 한다. ( ) 10. 국회직 8급

03 무효확인과 취소 청구는 서로 양립할 수 없는 청구이므로 예비적 병합은 허용되지 아니하고 단순병합이나 선택적 병합만이 가능하다. ( ) 15. 국가직 9급

01 × 02 ○ 03 ×

관련판례

1 **단순병합** ★★★

행정처분에 대한 무효확인과 취소청구는 서로 양립할 수 없는 청구로서 주위적·예비적 청구로서만 병합이 가능하고 선택적 청구로서의 병합이나 단순병합은 허용되지 아니한다(대판 1999.8.20, 97누6889).

#환지계획무효확인청구_취소청구_양립불가 #선택적_청구_병합_불가 #단순병합_불가 #주위적·예비적_청구_가능

2 **예비적 병합** ★★

행정처분의 무효확인청구와 취소청구는 그 소송의 요건을 달리하는 것이므로 하자 있는 특정의 행정처분에 관하여 그 하자가 중대하고 명백한 것이었음을 주장하여 그 처분의 무효확인을 구함과 동시에 그 하자를 취소사유에 해당하는 것이었다고 주장하여 그 처분의 취소를 구하는 청구를 예비적으로 병합할 수 있다(대판 1971.2. 25, 70누125).

#법인세부과처분_무효확인청구 #법인세부과처분취소청구_예비적_병합_허용

㉣ **병합된 관련청구의 인용 여부**: 판례는 취소소송에 부당이득반환청구가 병합되어 제기된 경우 부당이득반환청구가 인용되기 위해 당해 처분이 취소되면 충분하고 그 처분의 취소가 확정되어야 하는 것은 아니라고 한다(대판 2009.4.9, 2008두23153).

2 취소소송 대상적격(처분)

> 행정소송법 제2조【정의】① 이 법에서 사용하는 용어의 정의는 다음과 같다.
> 1. "처분 등"이라 함은 행정청이 행하는 구체적 사실에 관한 법집행으로서의 공권력의 행사 또는 그 거부와 그 밖에 이에 준하는 행정작용(이하 "처분"이라 한다) 및 행정심판에 대한 재결을 말한다.

1. 개설

(1) 취소소송은 처분 등을 대상으로 한다. 다만, 재결취소소송의 경우에는 재결 자체에 고유한 위법이 있음을 이유로 하는 경우에 한한다(행정소송법 제19조).

(2) 여기서 '처분 등'이란 행정청이 행하는 구체적 사실에 관한 법집행으로서의 공권력의 행사 또는 그 거부와 그 밖에 이에 준하는 행정작용 및 행정심판에 대한 재결을 말한다(행정소송법 제2조 제1항 제1호).

2. 처분의 의의

(1) **실체법상 개념설(일원설)**: 실체적 행정행위의 개념과 처분을 동일시하는 입장이다. 이에 의하면 사실행위와 행정계획 등이 처분의 개념에서 제외되어 구제범위가 축소된다.

(2) **쟁송법상 개념설(이원설)**: 취소소송의 권리구제기능을 중시하여 행정작용에 대한 국민의 권익구제의 폭을 넓히려는 취지에서 쟁송법상 행정처분의 개념을 실체법상 행정행위의 개념과 별도로 정립하려는 입장이다.

간단 점검하기

01 행정처분에 대한 무효확인과 취소청구는 서로 양립할 수 없는 청구로서 주위적·예비적 청구로서만 병합이 가능하고 선택적 청구로서의 병합이나 단순병합은 허용되지 않는다. ( )
18. 소방직 9급

간단 점검하기

02 행정소송법상 '처분'이라 함은 행정청이 행하는 구체적 사실에 관한 법집행으로서의 공권력의 행사 또는 그 거부와 그 밖에 이에 준하는 행정작용을 말한다. ( ) 13. 국가직 9급

03 취소소송의 대상은 행정청의 처분등, 즉 처분과 재결이다. ( )
13. 국회직 9급

간단 점검하기

04 행정소송법상 처분의 개념과 강학상 행정행위의 개념이 다르다고 보는 견해는 처분의 개념을 강학상 행정행위의 개념보다 넓게 본다. ( )
17. 국가직 9급

01 ○ 02 ○ 03 ○ 04 ○

(3) 판례

① 판례는 분명한 입장을 표명한 것은 아니나 기본적으로 실체법상 개념설(일원설)을 취하고 있는 것으로 평가된다.

② 다만, 실체법상 개념설(일원설)에 입각하여 행정행위를 항고소송의 주된 대상으로 보면서도, 예외적으로 행정행위가 아닌 공권력 행사도 항고소송의 대상이 될 수 있는 여지를 남겨놓고 있다고 보기도 한다.

관련판례 처분 ★★★

1 행정소송 제도는 행정청의 위법한 처분, 그 밖에 공권력의 행사·불행사 등으로 인한 국민의 권리 또는 이익의 침해를 구제하고 공법상 권리관계 또는 법률 적용에 관한 다툼을 적정하게 해결함을 목적으로 하는 것이므로, 항고소송의 대상이 되는 행정처분에 해당하는지는 행위의 성질·효과 이외에 행정소송 제도의 목적이나 사법권에 의한 국민의 권익보호 기능도 충분히 고려하여 합목적적으로 판단해야 한다(대판 2012.6.14, 2010두19720).

2 행정청의 어떤 행위가 항고소송의 대상이 될 수 있는지의 문제는 추상적·일반적으로 결정할 수 없고, 구체적인 경우 행정처분은 행정청이 공권력의 주체로서 행하는 구체적 사실에 관한 법집행으로서 국민의 권리의무에 직접적으로 영향을 미치는 행위라는 점을 염두에 두고, 관련 법령의 내용과 취지, 그 행위의 주체·내용·형식·절차, 그 행위와 상대방 등 이해관계인이 입는 불이익과의 실질적 관련성, 그리고 법치행정의 원리와 당해 행위에 관련한 행정청 및 이해관계인의 태도 등을 참작하여 개별적으로 결정하여야 한다(대판 2010.11.18, 2008두167).
#처분_추상적_결정× #개별적_결정○

3. 처분개념의 주요요소

(1) 개설

처분개념의 주요요소로서 ① 행정청의 행위일 것, ② 구체적인 사실에 대한 법집행행위일 것, ③ 외부에 대한 직접적인 법적 효과를 발생시키는 행위일 것, ④ 권력적인 단독행위일 것 등이 있다.

(2) 행정청의 행위일 것

① 취소소송의 대상이 되는 처분은 행정청의 행위이다.

② 여기서 행정청이란 조직법상의 개념이 아니라 기능적 개념이므로(실질적 의미의 행정), 입법기관이나 사법기관도 행정적인 처분을 하는 범위에서는 행정청에 속한다.

③ '법령에 의하여 행정권한의 위임 또는 위탁을 받은 행정기관·공공단체 및 그 기관 또는 사인'이 행정소송법상 행정청에 포함되므로 권한이 없는 행정기관이나 내부위임만을 받은 행정기관의 공권력 행사라 하더라도 행정기관의 공권력 행사인 한 행정소송법상 처분이라고 보아야 할 것이다.

④ 또한, 공공단체 및 그 기관이나 공무수탁사인도 위임·위탁을 받은 특정 사무를 처리하는 한도 내에서는 행정청에 포함된다.

간단 점검하기

01 상대방 또는 기타 관계자들의 법률상 지위에 직접적인 영향을 미치지 않는 행위는 항고소송의 대상이 되는 행정처분이 아니다. ( )
10. 지방직 7급

02 항고소송의 대상적격 여부는 행위의 성질·효과 이외에 행정소송 제도의 목적이나 사법권(私法權)에 의한 국민의 권익보호기능도 충분히 고려하여 합목적적으로 판단해야 한다. ( )
17. 서울시 7급

03 어떤 행위가 상대방의 권리를 제한하는 행위라 하더라도 행정청 또는 그 소속기관이나 권한을 위임받은 공공단체 등의 행위가 아닌 한 이를 행정처분이라고 할 수 없다. ( )
17. 서울시 7급

간단 점검하기

04 법령에 의하여 행정권한을 위탁받은 사인도 처분을 행할 수 있다. ( )
10. 세무사

01 ○ 02 ○ 03 ○ 04 ○

행정소송법 제2조 【정의】 ② 이 법을 적용함에 있어서 행정청에는 법령에 의하여 행정권한의 위임 또는 위탁을 받은 행정기관, 공공단체 및 그 기관 또는 사인이 포함된다.

관련판례

행정소송의 대상이 되는 행정처분이란 행정청 또는 그 소속기관이나 법령에 의하여 행정권한의 위임 또는 위탁을 받은 공공단체 등이 국민의 권리·의무에 관계되는 사항에 관하여 직접 효력을 미치는 공권력의 발동으로서 하는 공법상의 행위를 말하며, 그것이 상대방의 권리를 제한하는 행위라 하더라도 행정청 또는 그 소속기관이나 권한을 위임받은 공공단체 등의 행위가 아닌 한 이를 행정처분이라고 할 수 없다(대판 2008.1.31, 2005두8269).

관련판례

1 **지방의회 불신임의결** ★★★

지방의회의 지방의회의장에 대한 불신임의결은 행정처분의 일종이다(대판 1994.10.11, 94두23).

2 **성업공사 - 행정청** ★★

성업공사(현 한국자산관리공사)가 한 공매처분에 대한 피고는 성업공사이다(대판 1997.2.28, 96누1757).

3 **대한주택공사 - 행정청** ★★

대한주택공사(현 한국토지주택공사)는 항고소송에서의 피고가 되는 행정청이 될 수 있다(대판 1992.11.27, 92누3618).

(3) 구체적인 사실에 대한 법집행행위일 것

① **일반적인 행정입법 → 처분이 아님**: 일반적·추상적 행정입법은 행정행위가 아니며 취소소송의 대상이 되지 않는다.

② **처분적 법규·조례 → 처분에 해당**: 법령 또는 조례가 구체적인 집행행위의 개입 없이 그 자체로서 직접 국민에 대하여 구체적인 권리의무를 변동시키는 법적 효과를 발생하게 하는 경우에는 취소소송의 대상이 된다.

관련판례

1 행정청의 위법한 처분 등의 취소 또는 변경을 구하는 취소소송의 대상이 될 수 있는 것은 구체적인 권리의무에 관한 분쟁이어야 하고 일반적, 추상적인 법령이나 규칙 등은 그 자체로서 국민의 구체적인 권리의무에 직접적 변동을 초래케 하는 것이 아니므로 그 대상이 될 수 없다(대판 1992.3.10, 91누12639).

2 의료기관의 명칭표시판에 진료과목을 함께 표시하는 경우 글자 크기를 제한하고 있는 구 의료법 시행규칙 제31조가 그 자체로서 국민의 구체적인 권리의무나 법률관계에 직접적인 변동을 초래하지 아니하므로 항고소송의 대상이 되는 행정처분이라고 할 수 없다(대판 2007.4.12, 2005두15168).

간단 점검하기

01 항고소송의 대상이 되는 행정처분이라 함은 원칙적으로 행정청의 공법상 행위로서 특정 사항에 대하여 법규에 의한 권리의 설정 또는 의무의 부담을 명하거나 기타 법률상 효과를 발생하게 하는 등으로 일반국민의 권리·의무에 직접 영향을 미치는 행위를 가리킨다. ( ) 13. 국가직 9급

간단 점검하기

02 지방의회 의장의 불신임의결과 지방의회 의원의 징계는 취소소송 등의 대상이 되며 이때 소송의 피고는 지방의회가 된다. ( ) 15. 국가직 9급

간단 점검하기

03 일반적·추상적인 법령 그 자체로서 국민의 구체적인 권리의무에 직접적인 변동을 초래하는 것이 아닌 것은 취소소송의 대상이 될 수 없다. ( ) 15. 지방직 9급

04 의료기관의 명칭표시판에 진료과목을 함께 표시하는 경우 진료과목의 글자크기를 제한하고 있는 구 의료법 시행규칙 제31조는 그 자체로서 국민의 구체적인 권리·의무나 법률관계에 직접적인 변동을 초래하므로 항고소송의 대상이 되는 행정처분이라 할 수 있다. ( ) 15. 국가직 9급

05 법령은 그 자체가 직접 국민의 권리·의무를 침해하는 경우에도 행정소송의 대상이 되지 아니한다. ( ) 09. 지방직 9급

01 ○ 02 ○ 03 ○ 04 × 05 ×

3 조례가 집행행위의 개입 없이도 그 자체로서 직접 국민의 구체적인 권리의무나 법적 이익에 영향을 미치는 등의 법률상 효과를 발생하는 경우 그 조례는 항고소송의 대상이 되는 행정처분에 해당한다(대판 1996.9.20, 95누8003).

③ **일반처분 → 처분에 해당**: 일반처분은 불특정 다수인을 수범자로 하지만 규율대상이 특정된다는 점에서 구체성을 가지므로 처분성을 긍정하는 것이 통설 · 판례의 입장이다(예 도로의 공용지정행위, 도로의 용도폐지행위 등).

관련판례 고시 일반처분 ★★

1 보건복지부 고시인 약제급여 · 비급여목록 및 급여상한금액표(보건복지부 고시 제2002-46호로 개정된 것)는 다른 집행행위의 매개 없이 그 자체로서 국민건강보험가입자, 국민건강보험공단, 요양기관 등의 법률관계를 직접 규율하는 성격을 가지므로 항고소송의 대상이 되는 행정처분에 해당한다(대판 2006.9.22, 2005두2506).
#고시_직접_규율_일반처분

2 **청소년유해매체물 결정고시** ★★★
구 청소년보호법에 따른 청소년유해매체물 결정 및 고시처분은 당해 유해매체물의 소유자 등 특정인만을 대상으로 한 행정처분이 아니라 일반 불특정 다수인을 상대방으로 하여 일률적으로 표시의무, 포장의무, 청소년에 대한 판매 · 대여 등의 금지의무 등 각종 의무를 발생시키는 행정처분이다(대판 2007.6.14, 2004두619).
#청소년유해매체물_결정_고시처분 #불특정다수_일반처분

④ **물적 행정행위(대물적 일반처분) → 처분에 해당**: 물적 행정행위가 직접적으로 구체적인 권리의무에 변동을 초래하는 경우에는 취소소송의 대상이 된다(예 횡단보도설치행위 등).

(4) 외부에 대한 직접적인 법적 효과를 발생시키는 행위일 것

① **가행정행위 → 처분에 해당**: 가행정행위는 잠정적이기는 하지만 규율성을 갖추고 있다는 점에서 처분성을 인정한다.

② **예비결정 · 부분인허 → 처분에 해당**: 예비결정이나 부분인허도 국민의 권익에 직접적인 영향을 미치는 것이어서 취소소송의 대상이 되는 처분에 해당한다.

③ **경고 등**

㉠ **행정규칙에 의한 불문경고조치 → 처분에 해당**: 행정규칙에 의한 불문경고조치는 비록 법률상의 징계처분은 아니지만 위 처분을 받지 아니하였다면 징계감경사유로 사용될 수 있었던 표창공적의 사용가능성이 소멸되고, 1년 동안 인사기록카드에 등재됨으로써 그 동안은 표창대상자에서 제외되는 등의 효과가 있으므로 취소소송의 대상이 되는 행정처분에 해당한다(대판 2002.7.26, 2001두3532).

㉡ **소속공무원에 대한 장관의 서면경고 → 처분이 아님**: 소속공무원에 대한 장관의 서면경고는 국가공무원법상의 징계에 해당하지 아니하고 단순한 권고행위 내지 지도행위에 불과하다. 따라서 그로 인해 공무원의 신분상 불이익을 초래하는 것은 아니므로 취소소송의 대상이 되는 행정처분이라고는 볼 수 없다(대판 1991.11.12, 91누2700).

간단 점검하기

01 조례가 집행행위의 개입 없이 그 자체로서 직접 국민의 권리 · 의무나 법적 이익이 영향을 미치는 법률상 효과를 발생하는 경우 그 조례는 항고소송의 대상이 되는 행정처분에 해당한다. ( ) 16 · 09. 국가직 9급, 10. 지방직 9급

02 행정규칙인 고시가 집행행위의 개입 없이도 그 자체로서 국민의 구체적인 권리 · 의무에 직접적인 변동을 초래하는 경우에는 항고소송의 대상이 된다. ( ) 17. 국회직 8급

03 보건복지부 고시인 구 약제급여 · 비급여목록 및 급여상한금액표는 그 자체로서 국민건강보험가입자, 국민건강보험공단, 요양기관 등의 법률관계를 직접 규율하는 성격을 가지므로 항고소송의 대상이 되는 행정처분에 해당한다. ( ) 18. 국가직 9급

04 구 청소년보호법에 따른 청소년유해매체물 결정 및 고시처분은 당해 유해매체물의 소유자 등 특정인만을 대상으로 한 행정처분이 아니라 일반 불특정 다수인을 상대방으로 하여 일률적으로 각종 의무를 발생시키는 행정처분이다. ( ) 18. 소방직 9급

05 판례에 의하면 정보통신윤리위원회가 특정 인터넷 웹사이트를 청소년유해매체물로 결정하고 청소년보호위원회가 효력발생시기를 명시하여 고시하는 행위는 행정소송법상의 처분에 해당한다. ( ) 12 · 10. 지방직 9급, 11. 지방직 7급

06 취소소송의 대상인 처분은 행정청이 행하는 구체적 사실에 관한 법집행행위이므로 불특정 다수인을 대상으로 하여 반복적으로 적용되는 일반적 · 추상적 규율은 원칙적으로 처분이 아니다. ( ) 17. 국가직 7급

07 어떠한 처분이 상대방에게 권리의 설정 또는 의무의 부담을 명하거나 기타 법적인 효과를 발생하게 하는 등으로 그 상대방의 권리의무에 직접 영향을 미치는 행위라도 그 처분의 근거가 행정규칙에 규정되어 있다면 이 경우에 그 처분은 항고소송의 대상이 되는 행정처분에 해당하지 않는다. ( ) 13. 지방직 9급

01 ○ 02 ○ 03 ○ 04 ○ 05 ○ 06 ○ 07 ×

ⓒ **금융기관의 임원에 대한 문책경고 → 처분에 해당**: 금융기관의 임원에 대한 금융감독원장의 문책경고는 그 상대방에 대한 직업선택의 자유를 직접 제한하는 효과를 발생하게 하는 등 상대방의 권리의무에 직접 영향을 미치는 행위로서 항고소송의 대상이 되는 행정처분에 해당한다(대판 2005.2.17, 2003두14765).

관련판례

'표시 · 광고의 공정화에 관한 법률'(이하 '표시 · 광고법'이라 한다) 위반을 이유로 한 공정거래위원회의 경고(이하 '이 사건 경고'라 한다)는 준사법기관이라 할 수 있는 공정거래위원회가 '독점규제 및 공정거래에 관한 법률' 제55조의2에 따라 제정된 '공정거래위원회 회의운영 및 사건절차 등에 관한 규칙' 제50조에 의거하여 행한 의결인바, 향후 표시 · 광고법 위반행위를 하였을 경우에 공정거래위원회로부터 받게 될 과징금 부과에 있어 표시 · 광고법 제9조 제3항 제2호에 정한 위반행위의 횟수에 참작되는 점, 2008.11.10. 공정거래위원회 고시 제2008-18호로 개정된 '과징금부과 세부기준 등에 관한 고시'에 의하면 경고를 받은 경우에는 벌점을 부과받게 되고 이후 과징금의 부과 및 가중사유에 반영됨으로써 경고의 침익적 성격이 분명한 점, 이 사건 경고에 대한 취소청구 소송에서 당해 법원 역시 위 경고를 행정소송의 대상이 되는 처분으로 보고 청구기각판결을 선고한 점 등을 종합하여 볼 때, 이 사건 경고는 청구인들의 권리의무에 직접 영향을 미치는 처분으로서 행정소송의 대상이 된다고 봄이 상당하다. 그렇다면 이 사건 경고에 대하여 행정소송을 통한 구제절차를 모두 거치지 아니한 채 제기된 이 사건 헌법소원심판청구는 법률이 정한 구제절차를 거치지 않고 제기된 것이므로 부적법하다(헌재 2012.6.27, 2010헌마508).

④ **내부행위 · 중간처분 → 처분이 아님**: 행정기관의 내부행위 · 중간처분은 원칙적으로 취소소송의 대상이 되지 않는다(예 공정거래위원회의 고발조치, 경찰서장의 운전면허행정처분대장상 벌점의 배점, 군의관의 신체등급판정, 기획재정부장관의 예산편성지침통보 등).

관련판례 **처분성 부정**

1 고발 ★★★

이른바 고발은 수사의 단서에 불과할 뿐 그 자체 국민의 권리의무에 어떤 영향을 미치는 것이 아니고, 특히 독점규제및공정거래에관한법률 제71조는 공정거래위원회의 고발을 위 법률위반죄의 소추요건으로 규정하고 있어 공정거래위원회의 고발조치는 사직 당국에 대하여 형벌권 행사를 요구하는 행정기관 상호간의 행위에 불과하여 항고소송의 대상이 되는 행정처분이라 할 수 없으며, 더욱이 공정거래위원회의 고발 의결은 행정청 내부의 의사결정에 불과할 뿐 최종적인 처분은 아닌 것이므로 이 역시 항고소송의 대상이 되는 행정처분이 되지 못한다(대판 1995.5.12, 94누13794).

#공정거래위원회_고발_고발의결_처분성부인

2 신체등위판정 ★★★

병역법상 신체등위판정은 행정청이라고 볼 수 없는 군의관이 하도록 되어 있으며, 그 자체만으로 바로 병역법상의 권리의무가 정하여지는 것이 아니라 그에 따라 지방병무청장이 병역처분을 함으로써 비로소 병역의무의 종류가 정하여지는 것이므로 항고소송의 대상이 되는 행정처분이라 보기 어렵다(대판 1993.8.27, 93누3356).

#신체등위판정_군의관_행정청×_처분성× #지방병무청장_병역처분_처분성○

간단 점검하기

01 판례에 의하면, 행정규칙에 의한 불문경고조치는 차후 징계감경사유로 작용할 수 있는 표창대상자에서 제외되는 등의 인사상 불이익을 줄 수 있다 하여도 이는 간접적 효과에 불과하므로 항고소송의 대상인 행정처분에 해당하지 않는다. ( ) 18. 서울시 7급

02 금융기관의 임원에 대한 금융감독원장의 문책경고는 항고소송의 대상이 되는 행정처분에 해당한다. ( ) 16. 국가직 9급, 08. 지방직 7급

간단 점검하기

03 판례에 의하면 사직당국에 대하여 형벌권 행사를 요구하는 행정기관의 고발은 항고소송의 대상이 되는 처분이다. ( ) 09. 지방직 9급

04 판례에 의하면 병역법상 신체등위판정은 행정청이라고 볼 수 없는 군의관이 하도록 되어 있으며, 그 자체만으로 권리의무가 정하여지는 것이 아니라 그에 따라 지방병무청장이 병역처분을 함으로써 비로소 병역의무의 종류가 정하여지는 것이므로 항고소송의 대상이 되는 행정처분이라 보기 어렵다. ( ) 13. 국가직 9급, 11. 지방직 7급, 10. 지방직 9급

05 판례에 의하면 상급행정기관의 하급행정기관에 대한 승인 · 동의 · 지시 등은 행정기관 상호 간의 내부행위로서 국민의 권리 · 의무에 직접 영향을 미치는 것이 아니므로 항고소송의 대상이 되는 행정처분에 해당하지 않는다. ( ) 17. 사회복지직, 08. 지방직 9급

01 × 02 ○ 03 × 04 ○ 05 ○

3 상이등급판정 ★★★

상이등급 재분류(변경) 과정 중에 있는 보훈병원장의 상이등급재분류판정이 행정처분이 아니며, 상이등급 재분류 신청에 대하여 지방보훈지청장의 거부행위가 행정처분이다(대판 1998.4.28, 97누13023).

#상이등급판정_보훈병원장_처분× #상이등급재분류거부_지방보훈지청장_처분○

4 운전면허행정처분처리대장상 벌점의 배점 ★★★

운전면허 행정처분처리대장상 벌점의 배점은 … 도로교통법규 위반의 경중, 피해의 정도 등에 따라 배정하는 점수를 말하는 것으로 자동차운전면허의 취소, 정지처분의 기초자료로 제공하기 위한 것이고 그 배점 자체만으로는 아직 국민에 대하여 구체적으로 어떤 권리를 제한하거나 의무를 명하는 등 법률적 규제를 하는 효과를 발생하는 요건을 갖춘 것이 아니어서 … 소송의 대상이 되는 행정처분이라고 할 수 없다(대판 1994.8.12, 94누2190).

#운전면허_행정처분처리대장_벌점_배점_처분× #벌점_배점_행정처분_기초자료

5 내신성적산정지침 ★★

교육부장관이 시·도교육감에게 통보한 대학입시기본계획 내의 내신성적산정지침이 개별적이고 구체적인 권리의 침해를 받은 것으로는 도저히 인정할 수 없으므로, 그것만으로는 현실적으로 특정인의 구체적인 권리의무에 직접적으로 변동을 초래케 하는 것은 아니라 할 것이어서 내신성적 산정지침을 항고소송의 대상이 되는 행정처분으로 볼 수 없다(대판 1994.9.10, 94두33).

6 금융감독위원회 파산신청 ★★

금융감독위원회의 부실금융기관에 대한 파산신청은 법원에 대한 재판상 청구로서 이는 행정소송법상 취소소송의 대상이 되는 행정처분이 아니다(대판 2006.7.28, 2004두13219).

7 단전·전화통화단절 요청행위 ★★

위법 건축물에 대한 단전 및 전화통화 단절조치 요청행위가 항고소송의 대상이 되는 행정처분이 아니다(대판 1996.3.22, 96누433).

8 전기공급적법여부회신 ★

한국전력공사가 전기공급의 적법 여부를 조회한 데 대한 관할 구청장의 회신은 권고적 성격의 행위에 불과한 것으로서 항고소송의 대상이 되는 행정처분이라고 볼 수 없다(대판 1995.11.21, 95누9099).

9 시험승진후자명부 삭제 ★★

경찰공무원시험승진후보자명부에 등재된 자가 승진임용되기 전에 감봉 이상의 징계처분을 받은 경우, 임용권자가 당해인을 시험승진후보자명부에서 삭제한 행위가 행정처분이 아니다(대판 1997.11.14, 97누7325).

10 수당지급대상자 추천 ★★

각 군 참모총장이 '군인 명예전역수당 지급대상자 결정절차'에서 국방부장관에게 수당지급대상자를 추천하거나 신청자 중 일부를 추천하지 않는 행위가 항고소송의 대상이 되는 처분이 아니다(대판 2009.12.10, 2009두14231).

간단 점검하기

01 교육부장관이 대학입시기본계획의 내용에서 내신성적산정기준에 관한 시행지침을 정한 경우, 각 고등학교는 이에 따라 내신성적을 산정할 수밖에 없어 이는 행정처분에 해당된다. ( ) 19. 국가직 9급

02 판례에 의하면 구 금융산업의 구조개선에 관한 법률 및 구 상호저축은행법상 금융감독위원회의 파산신청은 취소소송의 대상이 되는 행정처분이라 할 수 있다. ( ) 13. 지방직 9급

03 판례에 의하면 위법 건축물에 대한 단전 및 전화통화 단절조치 요청행위는 처분성이 부인된다. ( ) 13. 지방직 9급

04 공무원시험승진후보자명부에 등재된 자에 대하여 이전의 징계처분을 이유로 시험승진후보자명부에서 삭제하는 행위는 행정소송의 대상인 행정처분에 해당한다. ( ) 17. 국가직 9급, 14. 지방직 7급

05 교육공무원법상 승진후보자 명부에 의한 승진심사 방식으로 행해지는 승진임용에서 승진후보자 명부에 포함되어 있던 후보자를 승진임용인사발령에서 제외하는 행위는 항고소송의 대상인 처분에 해당하지 않는다. ( ) 19. 지방직 9급

06 각 군 참모총장이 군인 명예전역수당 지급대상자 결정절차에서 국방부장관에게 수당지급대상자를 추천하는 행위는 항고소송의 대상이 되는 행정처분에 해당한다. ( ) 19. 국회직 8급

01 × 02 × 03 ○ 04 ×
05 × 06 ×

11 폐기물처리시설설치 건설교통부장관 사전승인 ★★★

상급행정기관의 하급행정기관에 대한 승인·동의·지시 등이 행정처분에 해당하지 않는다. 지방자치단체장이 개발제한구역 안에서의 혐오시설 설치허가에 앞서 건설부훈령인 "개발제한구역관리규정"에 의하여 사전승인신청을 함에 따라 건설교통부장관이 한 승인행위가 항고소송의 대상이 되는 행정처분에 해당하지 않는다(대판 1997.9.26, 97누8540).

#상급기관_승인_처분× #개발제한구역내행위허가승인 #청원군수_폐기물처리시설_설치허가 #건설교통부장관_사전승인 #개발제한구역관리규정_승인_지도·감독

12 국토이용계획변경 도지사 반려 ★★

도지사가 군수의 국토이용계획변경결정 요청을 반려한 것은 행정기관 내부의 행위에 불과할 뿐 국민의 구체적인 권리·의무에 직접적인 변동을 초래하는 것이 아니므로, 항고소송의 대상이 되는 행정처분에 해당하지 않는다(대판 2008.5.15, 2008두2583).

13 甲 시장이 감사원으로부터 감사원법 제32조에 따라 乙에 대하여 징계의 종류를 정직으로 정한 징계 요구를 받게 되자 감사원에 징계 요구에 대한 재심의를 청구하였고, 감사원이 재심의청구를 기각하자 乙이 감사원의 징계 요구와 그에 대한 재심의결정의 취소를 구하고 甲 시장이 감사원의 재심의결정 취소를 구하는 소를 제기한 사안에서, 감사원의 징계 요구와 재심의결정이 항고소송의 대상이 되는 행정처분이라고 할 수 없다(대판 2016.12.27, 2014두5637).

14 한국자산공사가 당해 부동산을 인터넷을 통하여 재공매(입찰)하기로 한 결정 자체는 내부적인 의사결정에 불과하여 항고소송의 대상이 되는 행정처분이라고 볼 수 없고, 또한 한국자산공사가 공매통지는 공매의 요건이 아니라 공매사실 자체를 체납자에게 알려주는 데 불과한 것으로서, 통지의 상대방의 법적 지위나 권리·의무에 직접 영향을 주는 것이 아니라고 할 것이므로 이것 역시 행정처분에 해당한다고 할 수 없다(대판 2007.7.27, 2006두8464).

간단 점검하기

甲 시장이 감사원으로부터 소속 공무원 乙에 대하여 징계의 종류를 정직으로 정한 징계요구를 받게 되자 감사원에 징계요구에 대한 재심의를 청구하였고 감사원이 재심의청구를 기각한 경우, 감사원의 징계요구와 재심의결정은 항고소송의 대상이 되는 행정처분에 해당하지 않는다. ( )

17. 지방직 9급

○

관련판례 처분성 인정

1 교육공무원법 제29조의2 제1항, 제13조, 제14조 제1항·제2항, 교육공무원 승진규정 제1조, 제2조 제1항 제1호, 제40조 제1항, 교육공무원임용령 제14조 제1항, 제16조 제1항에 따르면 임용권자는 3배수의 범위 안에 들어간 후보자들을 대상으로 승진임용 여부를 심사하여야 하고, 이에 따라 승진후보자 명부에 포함된 후보자는 임용권자로부터 정당한 심사를 받게 될 것에 관한 절차적 기대를 하게 된다. 그런데 임용권자 등이 자의적인 이유로 승진후보자 명부에 포함된 후보자를 승진임용에서 제외하는 처분을 한 경우에, 이러한 승진임용제외처분을 항고소송의 대상이 되는 처분으로 보지 않는다면, 달리 이에 대하여는 불복하여 침해된 권리 또는 법률상 이익을 구제받을 방법이 없다. 따라서 교육공무원법상 승진후보자 명부에 의한 승진심사 방식으로 행해지는 승진임용에서 승진후보자 명부에 포함되어 있던 후보자를 승진임용인사발령에서 제외하는 행위는 불이익처분으로서 항고소송의 대상인 처분에 해당한다고 보아야 한다(대판 2018.3.27, 2015두47492).

2 대학의 장 임용에 관하여 교육부장관의 임용제청권을 인정한 취지는 대학의 자율성과 대통령의 실질적인 임용권 행사를 조화시키기 위하여 대통령의 최종적인 임용권 행사에 앞서 대학의 추천을 받은 총장 후보자들의 적격성을 일차적으로 심사하여 대통령의 임용권 행사가 적정하게 이루어질 수 있도록 하기 위한 것이다.

간단 점검하기

01 국립대학교 총장의 임용권한은 대통령에게 있으므로, 교육부장관이 대통령에게 임용제청을 하면서 대학에서 추천한 복수의 총장 후보자들 중 일부를 임용제청에서 제외한 행위는 처분에 해당하지 않는다. ( )

19. 국가직 9급

간단 점검하기

02 판례에 의하면 과세관청이 행한 국세환급금결정 또는 이 결정을 구하는 신청에 대한 환급거부결정은 항고소송(취소소송)의 대상이 되는 처분이다.

( ) 16. 서울시 9급, 14. 지방직 7급

03 구 소득세법 시행령에 따른 소득귀속자에 대한 소득금액변동통지는 원천납세의무자인 소득귀속자의 법률상 지위에 직접적인 법률적 변동을 가져오므로 행정처분이다. ( )

17. 국회직 8급

04 법인세법령에 따른 과세관청의 원천징수의무자인 법인에 대한 소득금액변동통지 및 소득세법 시행령에 따른 소득의 귀속자에 대한 소득금액변동통지는 항고소송의 대상이다. ( )

17. 서울시 7급

05 세무조사결정은 납세의무자의 권리·의무에 직접 영향을 미치는 공권력의 행사에 따른 행정작용으로서 항고소송의 대상이 된다. ( )

18. 소방직 9급

01 × 02 × 03 × 04 ×
05 ○

대학의 추천을 받은 총장 후보자는 교육부장관으로부터 정당한 심사를 받을 것이라는 기대를 하게 된다. 만일 교육부장관이 자의적으로 대학에서 추천한 복수의 총장 후보자들 전부 또는 일부를 임용제청하지 않는다면 대통령으로부터 임용을 받을 기회를 박탈하는 효과가 있다. 이를 항고소송의 대상이 되는 처분으로 보지 않는다면, 침해된 권리 또는 법률상 이익을 구제받을 방법이 없다. 따라서 교육부장관이 대학에서 추천한 복수의 총장 후보자들 전부 또는 일부를 임용제청에서 제외하는 행위는 제외된 후보자들에 대한 불이익처분으로서 항고소송의 대상이 되는 처분에 해당한다고 보아야 한다. 다만 교육부장관이 특정 후보자를 임용제청에서 제외하고 다른 후보자를 임용제청함으로써 대통령이 임용제청된 다른 후보자를 총장으로 임용한 경우에는, 임용제청에서 제외된 후보자는 대통령이 자신에 대하여 총장 임용 제외처분을 한 것으로 보아 이를 다투어야 한다(대통령의 처분의 경우 소속 장관이 행정소송의 피고가 된다. 국가공무원법 제16조 제2항). 이러한 경우에는 교육부장관의 임용제청 제외처분을 별도로 다툴 소의 이익이 없어진다(대판 2018.6.15, 2016두57564).

⑤ **국세환급금결정 → 처분이 아님**: 조세를 과오납할 경우 그때 이미 상대방에게 부당이득반환청구권이 발생한 것이지 환급결정으로 인해 발생한 것은 아니므로 국세환급금결정은 취소소송의 대상이 되지 않는다.

관련판례

1 **국세환급금결정 - 처분×** ★★★

세무서장의 국세환급금(국세환급가산금 포함)에 대한 결정은 이미 납세의무자의 환급청구권이 확정된 국세환급금에 대하여 내부적인 사무처리절차로서 과세관청의 환급절차를 규정한 것에 지나지 않고 그 규정에 의한 국세환급금의 결정에 의하여 비로소 환급청구권이 확정되는 것이 아니므로, 국세환급금결정이나 그 결정을 구하는 신청에 대한 환급거부결정 등은 항고소송의 대상이 되는 처분이라고 볼 수 없다(대판 1994.12.2, 92누14250).

#국세환급금결정_환급거부결정_처분성부정

2 토지초과이득세 예정결정기간에 대한 납부세액이 정기과세기간에 대한 결정세액을 초과하는 경우, 그 초과금액에 대한 환급결정 또는 환급거부결정이 항고소송의 대상인 처분에 해당되지 않는다(대판 1997.7.25, 96누2132).

3 소득의 귀속자가 소득세 부과처분에 대한 취소소송 등을 통하여 소득처분에 따른 원천납세의무의 존부나 범위를 충분히 다툴 수 있는 점 등에 비추어 보면, 구 소득세법 시행령 제192조 제1항 단서에 따른 소득의 귀속자에 대한 소득금액변동통지는 원천납세의무자인 소득의 귀속자에 대한 법률상 지위에 직접적인 변동을 가져오는 것이 아니므로 항고소송의 대상이 되는 행정처분에 해당하지 않는다(대판 2015.1.29, 2013두4118).

4 세무조사결정은 납세의무자의 권리·의무에 직접 영향을 미치는 공권력의 행사에 따른 행정작용으로서 항고소송의 대상이 된다(대판 2011.3.10, 2009두23617·23624).

(5) 권력적인 단독행위일 것

① 행정행위는 행정청이 법령에 근거하여 우월한 지위에서 행하는 권력적인 단독행위이므로 처분개념에 포함된다.

② 공법상 계약·사법상 계약은 행정청이 상대방과 대등한 지위에서 행하는 공법상 계약이나 행정청이 국고작용으로서 행하는 사법상 계약은 항고소송의 대상이 되지 않는다.

관련판례 공법·사법 관계

1 처분성 부정

한국마사회가 조교사 또는 기수의 면허를 부여하거나 취소하는 것은 경마를 독점적으로 개최할 수 있는 지위에서 우수한 능력을 갖추었다고 인정되는 사람에게 경마에서의 일정한 기능과 역할을 수행할 수 있는 자격을 부여하거나 이를 박탈하는 것에 지나지 아니하므로, 이는 국가 기타 행정기관으로부터 위탁받은 행정권한의 행사가 아니라 일반 사법상의 법률관계에서 이루어지는 단체 내부에서의 징계 내지 제재처분이다(대판 2008.1.31, 2005두8269).

2 처분성 인정

국유재산의 관리청이 그 무단점유자에 대하여 하는 변상금부과처분은 순전히 사경제 주체로서 행하는 사법상의 법률행위라 할 수 없고 이는 관리청이 공권력을 가진 우월적 지위에서 행한 것으로서 행정소송의 대상이 되는 행정처분이라고 보아야 한다(대판 1988.2.23, 87누1046·1047).

(6) 개별적인 검토

① **특별권력관계에서의 행위 → 처분에 해당**: 종전에는 특별권력관계에서의 행위의 처분성을 인정하지 않았으나, 오늘날에는 특별권력관계에서의 행위라는 이유만으로는 처분성이 부인되지 않는다고 본다.

② **행정행위의 부관 → 부담만 처분에 해당, 그 밖에 부관은 처분이 아님**: 부담을 제외한 그 밖의 부관에 대해서는 그 자체를 독립한 취소소송의 대상으로 볼 수 없다는 것이 다수설·판례의 입장이다.

③ **행정상 확약 → 다수설은 처분에 해당, 판례는 처분이 아님**: 확약에 대해서는 다수설은 확약이 행정청에 대하여 구속력을 가지므로 처분성을 인정하지만, 판례는 확약은 종국적인 규율성을 갖지 못하므로 처분성을 부정하고 있다.

④ **강학상 공증**

관련판례 처분성 부정

1 자동차운전면허대장상 일정한 사항의 등재행위는 운전면허행정사무집행의 편의와 사실증명의 자료로 삼기 위한 것일 뿐 그 등재행위로 인하여 당해 운전면허 취득자에게 새로이 어떠한 권리가 부여되거나 변동 또는 상실되는 효력이 발생하는 것은 아니므로 이는 행정소송의 대상이 되는 독립한 행정처분으로 볼 수 없다(대판 1991.9.24, 91누1400).

간단 점검하기

01 한국마사회의 기수면허 부여 및 그 취소결정은 처분성이 인정되어 공법상의 법률관계에 해당한다. ( ) 15. 지방직 9급

02 판례에 의하면 국유재산의 관리청이 무단점유자에 대하여 하는 변상금 부과처분에 대한 불복은 당사자소송에 해당한다. ( ) 11. 서울시 9급

03 지방자치단체에 근무하는 청원경찰에 대한 징계처분은 행정소송법상 처분에 해당한다. ( ) 12. 국가직 7급

간단 점검하기

04 자동차운전면허대장상 등재행위에는 처분성이 인정된다. ( ) 18. 서울시 7급

01 × 02 × 03 ○ 04 ×

2 토지대장에 기재된 일정한 사항을 변경하는 행위는, 그것이 지목의 변경이나 정정 등과 같이 토지소유권 행사의 전제요건으로서 토지소유자의 실체적 권리관계에 영향을 미치는 사항에 관한 것이 아닌 한 행정사무집행의 편의와 사실증명의 자료로 삼기 위한 것일 뿐이어서, 그 소유자 명의가 변경된다고 하여도 이로 인하여 당해 토지에 대한 실체상의 권리관계에 변동을 가져올 수 없고 토지 소유권이 지적공부의 기재만에 의하여 증명되는 것도 아니다. 따라서 소관청이 토지대장상의 소유자 명의변경신청을 거부한 행위는 이를 항고소송의 대상이 되는 행정처분이라고 할 수 없다(대판 2012.1.12, 2010두12354).

관련판례 처분성 인정

1 건축물대장의 용도는 건축물의 소유권을 제대로 행사하기 위한 전제요건으로서 건축물 소유자의 실체적 권리관계에 밀접하게 관련되어 있으므로, 건축물대장 소관청의 용도변경신청 거부행위는 국민의 권리관계에 영향을 미치는 것으로서 항고소송의 대상이 되는 행정처분에 해당한다(대판 2009.1.30, 2007두7277).

2 토지대장을 직권으로 말소한 행위는 국민의 권리관계에 영향을 미치는 것으로서 항고소송의 대상이 되는 행정처분에 해당한다(대판 2013.10.24, 2011두13286).

3 건축물대장의 작성은 건축물의 소유권을 제대로 행사하기 위한 전제요건으로서 건축물 소유자의 실체적 권리관계에 밀접하게 관련되어 있으므로 건축물대장 소관청의 작성신청 반려행위는 국민의 권리관계에 영향을 미치는 것으로서 항고소송의 대상이 되는 행정처분에 해당한다(대판 2009.2.12, 2007두17359).

⑤ 확인

관련판례 처분성 인정

1 친일반민족행위자재산조사위원회의 재산조사개시결정은 조사대상자의 권리·의무에 직접 영향을 미치는 독립한 행정처분으로서 항고소송의 대상이 된다(대판 2009.10.15, 2009두6513).

2 친일반민족행위자 재산의 국가귀속에 관한 특별법 제3조 제1항 본문, 제9조 규정들의 취지와 내용에 비추어 보면, 같은 법 제2조 제2호에 정한 친일재산은 친일반민족행위자재산조사위원회가 국가귀속결정을 하여야 비로소 국가의 소유로 되는 것이 아니라 특별법의 시행에 따라 그 취득·증여 등 원인행위시에 소급하여 당연히 국가의 소유로 되고, 위 위원회의 국가귀속결정은 당해 재산이 친일재산에 해당한다는 사실을 확인하는 이른바 준법률행위적 행정행위의 성격을 가진다(대판 2008.11.13, 2008두13491).

3 진실·화해를 위한 과거사정리기본법이 규정하는 위원회의 진실규명결정은 국민의 권리의무에 직접적으로 영향을 미치는 행위로서 항고소송의 대상이 되는 행정처분이라고 보는 것이 타당하다(대판 2013.1.16, 2010두22856).

간단 점검하기

01 토지대장의 기재는 토지소유권을 제대로 행사하기 위한 전제요건으로서 토지소유자의 실체적 권리관계에 밀접하게 관련되어 있으므로 토지대장상의 소유자명의변경신청을 거부한 행위는 국민의 권리관계에 영향을 미치는 것이어서 항고소송의 대상이 되는 행정처분에 해당한다. ( )
17·16. 국가직 9급, 14. 서울시 7급

간단 점검하기

02 판례에 의하면 건축물대장 소관 행정청이 건축물대장의 용도변경신청을 거부하는 행위는 항고소송의 대상이 되는 처분이다. ( )
17. 국가직 7급, 14. 서울시 7급

03 토지대장의 직권말소행위는 항고소송의 대상이 되는 행정처분에 해당한다. ( )
14. 지방직 7급·서울시 7급·국회직 8급

04 판례에 의하면 건축물대장 작성신청의 반려행위는 항고소송의 대상이 되는 처분이다. ( )
19. 소방직 9급, 18. 서울시 7급

간단 점검하기

05 판례에 의하면 친일반민족행위자재산조사위원회의 친일재산 국가귀속결정에 대한 법적 성격은 확인행위로서 준법률행위적 행정행위의 성질을 가진다. ( )
12. 서울시 9급, 10. 국가직 9급

06 판례에 의하면 친일반민족행위자재산조사위원회의 재산조사개시결정은 항고소송의 대상이 된다. ( )
13. 지방직 9급

07 진실·화해를 위한 과거사정리위원회의 진실규명결정은 항고소송의 대상이 되는 행정처분에 해당한다. ( )
15. 지방직 9급

01 × 02 ○ 03 ○ 04 ○
05 ○ 06 ○ 07 ○

⑥ 행정계획 → 개별적인 검토

㉠ 행정계획의 법적 성질에 대하여 개별검토설이 다수설·판례의 입장이므로 개별적으로 처분성 여부를 판단해야 할 것이다.

㉡ 판례는 광역도시계획과 도시기본계획의 처분성은 인정하지 않지만, 도시관리계획의 처분성은 인정하고 있다.

관련판례 행정계획

1 처분성 부정

정부의 수도권 소재 공공기관의 지방이전시책을 추진하는 과정에서 도지사가 도내 특정시를 공공기관이 이전할 혁신도시 최종입지로 선정한 행위는 항고소송의 대상이 되는 행정처분이 아니다(대판 2007.11.15, 2007두10198).

2 처분성 인정

택지개발촉진법 제3조에 의한 건설부장관의 택지개발예정지구의 지정과 같은 법 제8조에 의한 건설부장관의 택지개발사업시행자에 대한 택지개발계획의 승인은 그 처분의 고시에 의하여 개발할 토지의 위치, 면적, 권리내용 등이 특정되어 그 후 사업시행자에게 택지개발사업을 실시할 수 있는 권한이 설정되고, 나아가 일정한 절차를 거칠 것을 조건으로 하여 일정한 내용의 수용권이 주어지며 고시된 바에 따라 특정 개인의 권리나 법률상 이익이 개별적이고 구체적으로 규제받게 되므로 건설부장관의 위 각 처분은 행정처분의 성격을 갖는 것이다(대판 1992.8.14, 91누11582).

⑦ 통지

관련판례 처분성 부정

1 사업계획승인취소처분 등의 사유가 있는지의 여부와 취소사유가 있다고 하여 행하는 취소처분은 피승인자인 양도인을 기준으로 판단하여 그 양도인에 대하여 행하여져야 할 것이므로 행정청이 주택건설사업의 양수인에 대하여 양도인에 대한 사업계획승인을 취소하였다는 사실을 통지한 것만으로는 양수인의 법률상 지위에 어떠한 변동을 일으키는 것은 아니므로 위 통지는 항고소송의 대상이 되는 행정처분이라고 할 수는 없다(대판 2000.9.26, 99두646).

2 구 민원사무처리법이 규정하는 사전심사결과 통보는 항고소송의 대상이 되는 행정처분에 해당하지 아니한다(대판 2014.4.24, 2013두7834).

3 국가공무원법 제74조에 의하면 공무원이 소정의 정년에 달하면 그 사실에 대한 효과로서 공무담임권이 소멸되어 당연히 퇴직되고 따로 그에 대한 행정처분이 행하여져야 비로소 퇴직되는 것은 아니라 할 것이며 피고(영주지방철도청장)의 원고에 대한 정년퇴직 발령은 정년퇴직 사실을 알리는 이른바 관념의 통지에 불과하므로 행정소송의 대상이 되지 아니한다(대판 1983.2.8, 81누263).

4 당연퇴직의 인사발령은 법률상 당연히 발생하는 퇴직사유를 공적으로 확인하여 알려주는 이른바 관념의 통지에 불과하고 공무원의 신분을 상실시키는 새로운 형성적 행위가 아니므로 행정소송의 대상이 되는 독립한 행정처분이라고 할 수 없다(대판 1995.11.14, 95누2036).

간단 점검하기

01 판례에 의하면 정부가 수도권 소재 공공기관의 지방이전시책을 추진하는 과정에서 도지사가 도내 특정시를 공공기관이 이전할 혁신도시 최종입지로 선정한 행위는 행정처분이다. ( ) 15. 서울시 7급, 12·10. 국가직 9급, 11. 지방직 7급

02 판례에 의할 경우 택지개발예정지구의 지정·고시는 항고소송의 대상이 될 수 있다. ( ) 14. 국회직 8급

03 대법원은 도시계획(도시관리계획) 구역 내의 토지소유자가 도시계획 입안권자에게 도시계획 입안을 신청하는 데 대하여, 이러한 신청을 거부한 행위가 항고소송의 대상이 되는 행정처분에 해당한다고 하였다. ( ) 17·08. 국가직 9급, 14·08. 지방직 7급

간단 점검하기

04 주택건설사업이 양도되었으나 그 변경승인을 받기 이전에 행정청이 양수인에 대하여, 양도인에 대한 사업계획승인을 취소하였다는 사실을 통지한 경우 이러한 통지는 양수인의 법률상 지위에 변동을 일으키므로 행정처분이다. ( ) 17. 서울시 9급

05 구 민원사무처리에 관한 법률에서 정한 사전심사결과 통보는 항고소송의 대상이 되는 행정처분에 해당하지 않는다. ( ) 19. 지방직 9급

06 정년에 달한 공무원에 대한 정년퇴직발령은 정년퇴직 사실을 알리는 이른바 관념의 통지에 불과하여 행정소송의 대상이 될 수 없다. ( ) 18. 교육행정직

07 판례에 의하면 국가공무원법상 당연퇴직사유에 해당함을 알리는 당연퇴직의 인사발령은 공무원의 신분을 생성시키는 새로운 형성적 행위가 아니므로 항고소송의 대상이 아니다. ( ) 16·12. 국가직 9급, 12. 지방직 9급

01 × 02 ○ 03 ○ 04 ×
05 ○ 06 ○ 07 ○

관련판례 **처분성 인정**

1 구 교통안전공단법(1999.12.28. 법률 제6066호로 개정되기 전의 것)에 의하여 설립된 교통안전공단의 사업목적과 분담금의 부담에 관한 같은 법 제13조, 그 납부통지에 관한 같은 법 제17조, 제18조 등의 규정 내용에 비추어 교통안전공단이 그 사업목적에 필요한 재원으로 사용할 기금 조성을 위하여 같은 법 제13조에 정한 분담금 납부의무자에 대하여 한 분담금 납부통지는 그 납부의무자의 구체적인 분담금 납부의무를 확정시키는 효력을 갖는 행정처분이라고 보아야 할 것이고, 이는 그 분담금 체납자로부터 국세징수법에 의한 강제징수를 할 수 있음을 정한 규정이 없다고 하여도 마찬가지이다(대판 2000.9.8, 2000다12716).

2 부당한 공동행위 자진신고자 등의 시정조치 또는 과징금 감면신청에 대한 감면불인정 통지는 항고소송의 대상이 되는 행정처분에 해당한다고 보아야 한다(대판 2012.9.27, 2010두3541).

⑧ 수리

㉠ 수리를 요하지 않는 신고

관련판례 **처분성 인정**

착공신고 반려행위가 이루어진 단계에서 당사자로 하여금 반려행위의 적법성을 다투어 법적 불안을 해소한 다음 건축행위에 나아가도록 함으로써 장차 있을지도 모르는 위험에서 미리 벗어날 수 있도록 길을 열어 주고, 위법한 건축물의 양산과 철거를 둘러싼 분쟁을 조기에 근본적으로 해결할 수 있게 하는 것이 법치행정의 원리에 부합한다. 그러므로 행정청의 착공신고 반려행위는 항고소송의 대상이 된다고 보는 것이 옳다(대판 2011.6.10, 2010두73212).

㉡ 수리를 요하는 신고

관련판례 **처분성 인정**

액화석유가스의안전및사업관리법 제7조 제2항에 의한 사업양수에 의한 지위승계신고를 수리하는 허가관청의 행위는 단순히 양도, 양수자 사이에 발생한 사법상의 사업양도의 법률효과에 의하여 양수자가 사업을 승계하였다는 사실의 신고를 접수하는 행위에 그치는 것이 아니라 실질에 있어서 양도자의 사업허가를 취소함과 아울러 양수자에게 적법히 사업을 할 수 있는 법규상 권리를 설정하여 주는 행위로서 사업허가자의 변경이라는 법률효과를 발생시키는 행위이므로 허가관청이 법 제7조 제2항에 의한 사업양수에 의한 지위승계신고를 수리하는 행위는 행정처분에 해당한다(대판 1993.6.8, 91누11544).

⑨ 사실행위 → 권력적 사실행위 - 처분에 해당, 비권력적 사실행위 - 처분이 아님

㉠ 권력적 사실행위는 일반적으로 취소소송의 대상이 된다.

㉡ 비권력적 사실행위에 대해서는 처분성을 인정하지 않는 것이 다수설 · 판례의 입장이다. 다만, 비권력적 사실행위라 하더라도 처분성을 인정하려는 시도가 있다(형식적 행정행위의 개념).

간단 점검하기

01 교통안전공단이 구 교통안전공단법에 의거하여 교통안전분담금 납부의 무자에게 한 분담금납부통지는 행정처분이 아니다. ( ) 14. 국가직 9급

02 부당한 공동행위의 자진신고자가 한 감면신청에 대해 공정거래위원회가 감면불인정 통지를 한 것은 항고소송의 대상인 행정처분으로 볼 수 없다. ( ) 14. 국가직 9급

간단 점검하기

03 건축법에 따른 건축신고를 반려하는 행위는 장차 있을지도 모르는 위험에서 미리 벗어날 수 있도록 길을 열어주고 위법한 건축물의 양산과 그 철거를 둘러싼 분쟁을 조기에 근본적으로 해결할 수 있게 하여야 한다는 점에서 항고소송의 대상이 된다. ( ) 17. 서울시 9급

04 건축법에 따른 착공신고를 반려하는 행위는 당사자에게 장래의 법적 불이익이 예견되지 않아 이를 법적으로 다툴 실익이 없으므로 항고소송의 대상이 될 수 없다. ( ) 17. 서울시 9급

간단 점검하기

05 수리를 요하는 신고에서 수리는 행정소송의 대상인 처분에 해당한다. ( ) 15. 지방직 9급

06 영업양도에 따른 지위승계신고를 수리하는 허가관청의 행위는 영업허가자의 변경이라는 법률효과를 발생시키는 행위로서 항고소송의 대상이 될 수 있다. ( ) 13. 국가직 7급

07 수리를 요하는 신고의 경우 그 신고에 대한 거부행위는 행정소송의 대상이 되는 처분에 해당한다. ( ) 14. 국가직 7급

간단 점검하기

08 통설과 판례는 비권력적 사실행위를 처분개념에 포함시켜 항고소송의 대상으로 본다. ( ) 08. 세무사

01 ×	02 ×	03 ○	04 ×
05 ○	06 ○	07 ○	08 ×

관련판례 처분성 부정

1 항고소송의 대상이 되는 행정처분은 행정청의 공법상의 행위로서 상대방 또는 기타 관계자들의 법률상 지위에 직접적으로 법률적인 변동을 일으키는 행위를 말하는 것이므로 세무당국이 소외 회사에 대하여 원고와의 주류거래를 일정기간 중지하여 줄 것을 요청한 행위는 권고 내지 협조를 요청하는 권고적 성격의 행위로서 소외 회사나 원고의 법률상의 지위에 직접적인 법률상의 변동을 가져오는 행정처분이라고 볼수 없는 것이므로 항고소송의 대상이 될 수 없다(대판 1980.10.27, 80누395).

2 건설부장관이 행한 국립공원지정처분은 그 결정 및 첨부된 도면의 공고로써 그 경계가 확정되는 것이고, 시장이 행한 경계측량 및 표지의 설치 등은 공원관리청이 공원구역의 효율적인 보호, 관리를 위하여 이미 확정된 경계를 인식, 파악하는 사실상의 행위로 봄이 상당하며, 위와 같은 사실상의 행위를 가리켜 공권력행사로서의 행정처분의 일부라고 볼 수 없고, 이로 인하여 건설부장관이 행한 공원지정처분이나 그 경계에 변동을 가져온다고 할 수 없다(대판 1992.10.13, 92누2325).

3 피고의 행위, 즉 부산시 서구청장이 원고 소유의 밭에 측백나무 300주를 식재한 것은 공법상의 법률행위가 아니라 사실행위에 불과하므로 행정소송의 대상이 아니다(대판 1979.7.24, 79누173).

간단 점검하기

01 판례에 의하면 세무당국이 소외 A맥주회사에 대해 甲과의 주류거래를 일정기간 정지하여 줄 것을 요청한 행위는 행정처분이라 볼 수 없다. ( )
13. 지방직 9급, 10. 국가직 9급

02 구 공무원법에 의해 건설부장관이 행한 국립공원지정처분에 따라 공원관리청이 행한 경계측량 및 표지의 설치는 항고소송의 대상이 되는 처분에 해당하는 사실행위이다. ( )
17. 지방직 9급

03 지방자치단체의 장이 그 지방자치단체 소유의 밭에 측백나무 300그루를 식재하는 행위는 항고소송의 대상이 될 수 있다. ( ) 18. 국회직 8급

관련판례 처분성 인정

1 교도소장이 수형자 甲을 '접견내용 녹음·녹화 및 접견 시 교도관 참여대상자'로 지정한 사안에서, 위 지정행위는 수형자의 구체적 권리의무에 직접적 변동을 가져오는 행정청의 공법상 행위로서 항고소송의 대상이 되는 '처분'에 해당한다(대판 2014.2.13, 2013두20899).

2 국가인권위원회의 성희롱결정과 이에 따른 시정조치의 권고는 불가분의 일체로 행하여지는 것인데 국가인권위원회의 이러한 결정과 시정조치의 권고는 성희롱 행위자로 결정된 자의 인격권에 영향을 미침과 동시에 공공기관의 장 또는 사용자에게 일정한 법률상의 의무를 부담시키는 것이므로 국가인권위원회의 성희롱결정 및 시정조치권고는 행정소송의 대상이 되는 행정처분에 해당한다(대판 2005.7.8, 2005두487).

3 국가인권위원회는 법률상의 독립된 국가기관이고, 피해자인 진정인에게는 국가인권위원회법이 정하고 있는 구제조치를 신청할 법률상 신청권이 있는데 국가인권위원회가 진정을 각하 및 기각결정을 할 경우 피해자인 진정인으로서는 자신의 인격권 등을 침해하는 인권침해 또는 차별행위 등이 시정되고 그에 따른 구제조치를 받을 권리를 박탈당하게 되므로, 진정에 대한 국가인권위원회의 각하 및 기각결정은 피해자인 진정인의 권리행사에 중대한 지장을 초래하는 것으로서 항고소송의 대상이 되는 행정처분에 해당한다(헌재 2015.3.26, 2013헌마214 · 245 · 445 · 804 · 833 · 2014헌마104 · 506 · 1047).

4 공정거래위원회의 '표준약관 사용권장행위'는 그 통지를 받은 해당 사업자 등에게 표준약관과 다른 약관을 사용할 경우 표준약관과 다르게 정한 주요내용을 고객이 알기 쉽게 표시하여야 할 의무를 부과하고, 그 불이행에 대해서는 과태료에 처하도록 되어 있으므로, 이는 사업자 등의 권리 · 의무에 직접 영향을 미치는 행정처분으로서 항고소송의 대상이 된다(대판 2010.10.14, 2008두23184).

간단 점검하기

04 교도소장이 특정 수형자를 접견내용 녹음 · 녹화 및 접견시 교도관 참여대상자로 지정한 행위는 수형자의 구체적 권리의무에 직접적 변동을 가져오는 행위로서 항고소송의 대상이 되는 행정처분에 해당한다. ( )
19. 소방직 9급, 16. 국가직 9급

05 국가인권위원회의 성희롱 결정과 이에 따른 시정조치의 권고는 불가분의 일체로 행하여지는 것인데, 이는 비권력적 사실행위로서 행정소송의 대상이 되는 행정처분이 아니다. ( )
18. 소방직 9급, 16. 서울시 9급, 11. 지방직 7급, 09. 지방직 9급

06 국가인권위원회가 진정에 대하여 각하 및 기각결정을 할 경우 피해자인 진정인은 인권침해 등에 대한 구제조치를 받을 권리를 박탈당하게 되므로, 국가인권위원회의 진정에 대한 각하 및 기각결정은 처분에 해당한다. ( )
19. 국가직 9급

07 구 약관의 규제에 관한 법률에 따른 공정거래위원회의 표준약관 사용권장행위는 항고소송의 대상이 되는 처분에 해당한다. ( )
19. 서울시 9급, 17. 국가직 9급, 14. 지방직 7급

01 ○ 02 × 03 × 04 ○
05 × 06 ○ 07 ○

간단 점검하기

01 구청장이 사회복지법인에 특별감사 결과 지적사항에 대한 시정지시와 그 결과를 관계서류와 함께 보고하도록 지시한 경우, 그 시정지시는 항고소송의 대상이 되는 처분에 해당하는 사실행위이다. ( ) 17. 지방직 9급

간단 점검하기

02 표준지공시지가의 결정은 처분성을 가지지 않는다. ( ) 09. 국회직 8급

03 개별공시지가결정은 행정청의 중간행위에 불과하여 항고소송의 대상이 되는 처분이 아니다. ( ) 09. 지방직 9급

간단 점검하기

04 판례에 의하면 증액경정처분이 있는 경우 증액경정처분만이 항고소송의 대상이 되고 납세의무자는 항고소송에서 당초 신고나 결정에 대한 위법사유도 함께 주장할 수 있다. ( ) 14. 지방직 7급

05 판례에 의하면 과세처분에 있어 증액경정처분의 경우에 증액경정처분은 당초처분에 흡수되어 독립한 존재가치를 상실하여 당연히 소멸하고 당초처분만이 취소소송의 대상이 된다. ( ) 12. 서울시 9급

06 이미 확정된 과세처분에 대해 증액경정한 경우 행정소송의 대상은 원처분이다. ( ) 08. 관세사

01 ○ 02 × 03 × 04 ○ 05 × 06 ×

5 구청장이 사회복지법인에 특별감사 결과 지적사항에 대한 시정지시와 그 결과를 관계서류와 함께 보고하도록 지시한 경우, 그 시정지시는 비권력적 사실행위가 아니라 항고소송의 대상이 되는 행정처분에 해당한다(대판 2008.4.24, 2008두3500).

⑩ **반복된 행위 → 1차 행위만 처분에 해당**: 반복된 계고, 반복된 독촉의 경우 1차 행위로 인하여 이미 법적 효과가 발생하였고, 2차·3차 행위는 단순한 기한연장의 통지에 불과하므로 1차 행위만 처분성이 인정된다.

⑪ **공시지가결정 → 처분에 해당**: 판례는 공시지가결정, 즉 표준공시지가결정(대판 1994.3.8, 93누10828)과 개별공시지가결정(대판 1994.2.8, 93누111)에 대하여는 처분성을 인정하고 있다.

⑫ **과세처분에 대한 경정처분 → 증액 시 - 경정처분, 감액 시 - 원처분**: 과세처분의 경우 원과세처분에 대한 증액경정처분은 원처분과는 독립된 것으로서 원과세처분은 증액경정처분에 흡수되어 독립된 처분성을 상실하므로 증액경정처분만이 취소소송의 대상이 되지만, 감액경쟁처분은 원처분에 대한 일부취소에 불과하여 감액되고 남은 원처분이 취소소송의 대상이 된다.

관련판례

1 증액경정처분

국세기본법 제22조의2의 시행 이후에도 증액경정처분이 있는 경우, 당초 신고나 결정은 증액경정처분에 흡수됨으로써 독립한 존재가치를 잃게 된다고 보아야 하므로, 원칙적으로는 당초 신고나 결정에 대한 불복기간의 경과 여부 등에 관계없이 증액경정처분만이 항고소송의 심판대상이 되고, 납세의무자는 그 항고소송에서 당초 신고나 결정에 대한 위법사유도 함께 주장할 수 있다고 해석함이 타당하다(대판 2009.5.14, 2006두17390).

2 증액경정처분 하자승계 ★★★

증액경정처분이 있는 경우 당초처분은 증액경정처분에 흡수되어 소멸하고, 소멸한 당초처분의 절차적 하자는 존속하는 증액경정처분에 승계되지 아니한다(대판 2010.6.24, 2007두16493).

3 증액경정처분 당초신고사유 쟁송가능 ★★★

증액경정처분의 취소를 구하는 항고소송에서 과세관청의 증액경정사유뿐만 아니라 당초신고에 관한 과다신고사유도 함께 주장하여 다툴 수 있다(대판 2013.4.18, 2010두11733).

4 감액경정처분 ★★★

과세표준과 세액을 감액하는 경정처분의 경우 항고소송의 대상은 당초의 부과처분 중 경정처분에 의하여 아직 취소되지 않고 남은 부분이고, 그 경정처분이 항고소송의 대상이 되는 것은 아니며, 이 경우 적법한 전심절차를 거쳤는지 여부도 당초 처분을 기준으로 판단하여야 한다(대판 2009.5.28, 2006두16403).

5 과세처분이 있은 후 이를 증액하는 경정처분이 있으면 당초 처분은 경정처분에 흡수되어 독립된 존재가치를 상실하여 소멸하는 것이고, 그 후 다시 이를 감액하는 재경정처분이 있으면 재경정처분은 위 증액경정처분과는 별개인 독립의 과세처분이 아니라 그 실질은 위 증액경정처분의 변경이고 그에 의하여 세액의 일부 취소라

는 납세의무자에게 유리한 효과를 가져오는 처분이라 할 것이므로, 그 감액하는 재경정결정으로도 아직 취소되지 않고 남아 있는 부분이 위법하다 하여 다투는 경우 항고소송의 대상은 그 증액경정처분 중 감액재경정결정에 의하여 취소되지 않고 남은 부분이고, 감액재경정결정이 항고소송의 대상이 되는 것은 아니다(대판 1996.7.30, 95누6328).

6 부당이득징수금 감액경정 ★★★

행정청이 산업재해보상보험법에 의한 보험급여 수급자에 대하여 부당이득 징수결정을 한 후 징수결정의 하자를 이유로 징수금 액수를 감액하는 경우 … 감액처분을 항고소송의 대상으로 할 수는 없고, 당초 징수결정 중 감액처분에 의하여 취소되지 않고 남은 부분을 항고소송의 대상으로 할 수 있을 뿐이며, 그 결과 제소기간의 준수 여부도 감액처분이 아닌 당초 처분을 기준으로 판단해야 한다(대판 2012.9.27, 2011두27247).

⑬ **특별한 불복제도를 두고 있는 경우 → 처분이 아님**: 통고처분, 과태료처분, 검사의 공소제기, 불기소처분 등 개별법에서 특별한 불복절차를 두고 있는 경우 개별법에 따른 쟁송수단이 존재하므로 행정소송의 대상인 처분이 아니다.

관련판례 검사 불기소결정 ★★★

1 검사의 불기소결정에 대해서는 검찰청법에 의한 항고와 재항고, 형사소송법에 의한 재정신청에 의해서만 불복할 수 있는 것이므로, 이에 대해서는 행정소송법상 항고소송을 제기할 수 없다(대판 2018.9.28, 2017두47465).

2 형사소송법에 의하면 검사가 공소를 제기한 사건은 기본적으로 법원의 심리대상이 되고 피의자 및 피고인은 수사의 적법성 및 공소사실에 대하여 형사소송절차를 통하여 불복할 수 있는 절차와 방법이 따로 마련되어 있으므로 검사의 공소제기가 적법절차에 의하여 정당하게 이루어진 것이냐의 여부에 관계없이 검사의 공소에 대하여는 형사소송절차에 의하여서만 이를 다툴 수 있고 행정소송의 방법으로 공소의 취소를 구할 수는 없다(대판 2000.3.28, 99두11264).

⑭ 기타

관련판례

1 [1] 상표법 제39조 제3항의 위임에 따른 특허권 등의 등록령(이하 '등록령'이라 한다) 제27조는 "말소한 등록의 회복을 신청하는 경우에 등록에 대한 이해관계가 있는 제3자가 있을 때에는 신청서에 그 승낙서나 그에 대항할 수 있는 재판의 등본을 첨부하여야 한다."고 규정하고 있는데, 상표권 설정등록이 말소된 경우에도 등록령 제27조에 따른 회복등록의 신청이 가능하고, 회복신청이 거부된 경우에는 거부처분에 대한 항고소송이 가능하다.
[2] 이러한 점들을 종합하면, 상표권자인 법인에 대한 청산종결등기가 되었음을 이유로한 상표권의 말소등록행위는 항고소송의 대상이 될 수 없다(대판 2015.10.29, 2014두2362).

간단 점검하기

01 산업재해보상보험법상 보험급여의 부당이득 징수결정의 하자를 이유로 징수금을 감액하는 경우 감액처분으로도 아직 취소되지 않고 남아 있는 부분이 위법하다 하여 다툴 때에는, 제소기간의 준수 여부는 감액처분을 기준으로 판단해야 한다. ( ) 17. 지방직 9급

간단 점검하기

02 검사의 불기소결정은 공권력의 행사에 포함되므로, 검사의 자의적인 수사에 의하여 불기소결정이 이루어진 경우 그 불기소결정은 처분에 해당한다. ( ) 19. 국가직 9급

03 검사의 공소에 대하여는 형사소송절차에 의하여서만 다툴 수 있고 행정소송의 방법으로 공소의 취소를 구할 수는 없다. ( ) 18. 경찰행정

간단 점검하기

04 상표권의 말소등록이 이루어져도 법령에 따라 회복등록이 가능하고 회복신청이 거부된 경우에는 그에 대한 항고소송이 가능하므로 상표권의 말소등록행위 자체는 항고소송의 대상이 될 수 없다. ( ) 16. 국회직 8급

01 × 02 × 03 ○ 04 ○

간단 점검하기

01 지방계약직공무원에 대한 보수삭감조치는 항고소송의 대상이 되는 행정처분이다. ( ) 16. 서울시 9급

02 지방계약직 공무원의 보수삭감행위는 대등한 당사자 간의 계약관계와 관련된 것이므로 처분성은 인정되지 아니하며, 공법상 당사자소송의 대상이 된다. ( ) 17. 국회직 8급

간단 점검하기

03 국민의 신청에 대한 행정청의 거부행위가 항고소송의 대상이 되는 행정처분에 해당하려면 행정청의 행위를 요구할 법규상 또는 조리상 신청권이 그 국민에게 있어야 한다. ( ) 14. 지방직 9급, 08. 국가직 9급

04 행정청의 거부행위가 거부처분이 되려면 국민에게 법규상의 신청권이 있어야 하며, 조리상의 신청권으로는 될 수 없다. ( ) 15. 교육행정직

05 신청권이 없는 신청에 대한 거부행위에 대하여 제기된 거부처분 취소소송은 행정소송에서 소송이 각하되는 경우에 해당한다. ( ) 17. 국가직 7급

간단 점검하기

06 甲은 자신이 운영하는 사회복지시설의 재정이 어려워지자 관할 행정청에 보조금을 신청하였으나 거부되었다. 이 경우 甲이 위 거부행위에 대해 취소소송으로 다투기 위해서는 甲에게 보조금을 신청할 수 있는 권리가 성문법령에 규정되어 있어야 한다. ( ) 14. 국가직 9급

01 ○ 02 × 03 ○ 04 ×
05 ○ 06 ×

2 근로기준법 등의 입법 취지, 지방공무원법과 지방공무원징계및소청규정의 여러 규정에 비추어 볼 때, 채용계약상 특별한 약정이 없는 한, 지방계약직공무원에 대하여 지방공무원법, 지방공무원징계및소청규정에 정한 징계절차에 의하지 않고서는 보수를 삭감할 수 없다고 봄이 상당하다. 이 사건 보수삭감조치는 감봉처분이다(대판 2008.6.12, 2006두16328).

4. 거부처분

(1) 의의

거부처분이란 공권력의 행사를 요구할 신청권이 있는 국민의 신청에 대하여 행정청이 그 신청에 따르는 행정행위를 거부하는 것을 말한다.

관련판례 거부행위 - 신청권존재 ★★★

행정청이 국민의 신청에 대하여 한 거부행위가 항고소송의 대상이 되는 행정처분에 해당하려면, 행정청의 행위를 요구할 법규상 또는 조리상의 신청권이 그 국민에게 있어야 한다(대판 2005.2.25, 2004두4031).

#거부행위_신청권존재_행정처분○

(2) 요건

행정청의 거부행위가 항고소송의 대상이 되기 위해서는 ① 공권력행사의 거부일 것, ② 신청인의 권리의무에 영향을 미치는 거부일 것, ③ 신청인에게 법규상 또는 조리상의 신청권이 있을 것 등의 요건을 갖추어야 한다.

관련판례 신청권존부 - 추상적 판단 ★★★

거부처분의 처분성을 인정하기 위한 전제요건이 되는 신청권의 존부는 구체적 사건에서 신청인이 누구인가를 고려하지 않고 관계 법규의 해석에 의하여 일반 국민에게 그러한 신청권을 인정하고 있는가를 살펴 추상적으로 결정되는 것이고, 신청인이 그 신청에 따른 단순한 응답을 받을 권리를 넘어서 신청의 인용이라는 만족적 결과를 얻을 권리를 의미하는 것은 아니다(대판 1996.6.11, 95누12460).

#신청권존부_추상적_판단_인용×

(3) 반복된 거부처분

판례는 "거부처분은 관할 행정청이 국민의 처분신청에 대하여 거절의 의사표시를 함으로써 성립되고, 그 이후 동일한 내용의 새로운 신청에 대하여 다시 거절의 의사표시를 한 경우에는 새로운 거부처분이 있는 것으로 본다."고 판시하고 있다(대판 2002.3.29, 2000두6084).

관련판례 이주대책대상자 제외 ★★

수익적 행정처분을 구하는 신청에 대한 거부처분이 있은 후 당사자가 새로운 신청을 하는 취지로 다시 신청을 하였으나 행정청이 이를 다시 거절한 경우, 새로운 거부처분이다(대판 2021.1.14, 2020두50324).

관련판례 거부처분의 신청권 및 처분성을 인정한 경우

1 검사임용제외 ★★★

검사 지원자 중 한정된 수의 임용대상자에 대한 임용결정만을 하는 경우, 임용대상에서 제외된 자에 대하여 임용거부의 소극적 의사표시를 한 것으로 볼 수 있다(대판 1991.2.12, 90누5825).

2 조교수 재임용심사신청 ★★

임용기간이 만료된 조교수는 재임용심사를 요구할 법규상·조리상 신청권이 있다(대판 2004.4.22, 2000두7735).

3 교원 재임용심사요구 ★★★

기간제로 임용되어 임용기간이 만료된 국·공립대학의 교원이 재임용 여부에 관하여 심사를 요구할 신청권을 가진다(대판 2011.1.27, 2009다30946).

4 교원유일면접대상자

임용지원자가 당해 대학의 교원임용규정 등에 정한 심사단계 중 중요한 대부분의 단계를 통과하여 다수의 임용지원자 중 유일한 면접심사 대상자로 선정되는 등으로 장차 나머지 일부의 심사단계를 거쳐 대학교원으로 임용될 것을 상당한 정도로 기대할 수 있는 지위에 이르렀다면, 그러한 임용지원자는 임용에 관한 법률상 이익을 가진 자로서 임용권자에 대하여 나머지 심사를 공정하게 진행하여 그 심사에서 통과되면 대학교원으로 임용해 줄 것을 신청할 조리상의 권리가 있다고 보아야 할 것이고, 또한 유일한 면접심사 대상자로 선정된 임용지원자에 대한 교원신규채용업무를 중단하는 조치는 교원신규채용절차의 진행을 유보하였다가 다시 속개하기 위한 중간처분 또는 사무처리절차상 하나의 행위에 불과한 것이라고는 볼 수 없고, 유일한 면접심사 대상자로서 임용에 관한 법률상 이익을 가지는 임용지원자에 대한 신규임용을 사실상 거부하는 종국적인 조치에 해당하는 것이며, 임용지원자에게 직접 고지되지 않았다고 하더라도 임용지원자가 이를 알게 됨으로써 효력이 발생한 것으로 보아야 할 것이므로, 이는 임용지원자의 권리 내지 법률상 이익에 직접 관계되는 것으로서 항고소송의 대상이 되는 처분 등에 해당한다(대판 2004.6.11, 2001두7053).

5 도시계획입안신청 ★★★

도시계획구역 내의 토지소유자의 도시계획입안신청에 대한 법규상·조리상 신청권 인정된다(대판 2004.4.28, 2003두1806).

6 건축계획심의신청 ★★★

건축계획심의신청에 대한 반려처분이 항고소송의 대상이 되는 행정처분에 해당한다(대판 2007.10.11, 2007두1316).

7 학력인정시설 설치자변경신청 ★★

평생교육법상 학력인정시설의 설치자변경신청에 대한 거부조치의 처분성을 인정한다(대판 2003.4.11, 2001두9929).

8 이주대책대상자선정신청 ★★

구 공공용지취득 및 손실보상에 관한 특례법상 이주대책대상자선정신청 및 특별분양신청에 대한 거부행위의 경우, 항고소송의 대상이 되는 행정처분이다(대판 1992.11.27, 92누3618).

간단 점검하기

01 거부행위의 처분성을 인정하기 위한 전제요건이 되는 신청권의 존부는 구체적 사건에서 신청인이 누구인가를 고려하지 말고 관계법규에서 일반국민에게 그러한 신청권을 인정하고 있는가를 살펴 추상적으로 결정하여야 한다. ( ) 19. 사회복지직

02 사인의 공법행위인 신청에 있어서 신청권은 행정청의 응답을 구하는 권리이며 신청된 대로의 처분을 구하는 권리는 아니다. ( ) 14. 지방직 9급

03 거부처분의 처분성을 인정하기 위한 전제조건인 신청권의 존부는 신청의 인용이라는 만족적 결과를 얻을 권리가 있는지 여부에 따라 결정된다. ( ) 08. 국가직 9급

04 제1차 계고처분 이후 고지된 제2차, 제3차의 계고처분은 처분이 아니나, 거부처분이 있은 후 동일한 내용의 신청에 대하여 다시 거절의 의사표시를 한 경우에는 새로운 처분으로 본다. ( ) 17. 지방직 9급

05 기간제로 임용되어 임용기간이 만료된 공립대학의 교원은 재임용 여부에 관하여 심사를 요구할 법규상 또는 조리상의 신청권을 가진다. ( ) 14. 서울시 7급

06 판례에 의하면 기간제로 임용되어 임용기간이 만료된 국·공립대학의 조교수는 합리적 기준에 부합하면 특별한 사정이 없는 한 재임용에 관하여 공정한 심사를 요구할 법규상·조리상 신청권을 가지므로 임용권자가 임용기간이 만료된 조교수에 대하여 재임용을 거부하는 취지로 한 임용기간 만료의 통지는 항고소송의 대상이 아니다. ( ) 14. 서울시 7급, 13. 지방직 9급, 12. 국가직 7급

07 판례에 의하면 유일한 면접대상자로 선정된 임용지원자에 대하여 국립대학교 총장이 교원신규채용업무를 중단하는 조치는 항고소송의 대상이 아니다. ( ) 12. 국가직 7급

08 건축계획심의신청에 대한 반려처분은 항고소송의 대상이 되는 행정처분이다. ( ) 15. 지방직 9급

01 ○	02 ○	03 ×	04 ○
05 ○	06 ×	07 ×	08 ○

간단 점검하기

01 대법원은 문화재보호구역 내의 토지소유자에게는 보호구역의 지정해제를 요구할 수 있는 법규상·조리상의 신청권이 있으며 이러한 신청에 대한 거부행위는 항고소송의 대상이 되는 행정처분에 해당한다고 보았다. ( ) 08. 지방직 7급, 07. 국가직 7급

02 인터넷 포털사이트의 개인정보 유출사고로 주민등록번호가 불법 유출되었음을 이유로 주민등록번호 변경신청을 하였으나 관할 구청장이 이를 거부한 경우, 그 거부행위는 처분에 해당하지 않는다. ( ) 19. 국가직 9급

9 문화재지정해제신청 ★★★

문화재보호구역 내 토지소유자의 문화재보호구역 지정해제신청에 대한 행정청의 거부행위는 항고소송의 대상이 되는 처분에 해당한다(대판 2004.4.27, 2003두8821).

10 상이등급재분류신청 ★★★

상이등급 재분류 신청에 대한 지방보훈지청장의 거부행위는 행정처분이다(대판 1998.4.28, 97누13023).

11 토지매수신청 ★★

금강수계 중 상수원 수질보전을 위하여 필요한 지역의 토지 등의 소유자가 국가에 그 토지 등을 매도하기 위하여 매수신청을 하였으나 유역환경청장이 이를 거절한 사안에서, 그 매수 거부행위가 항고소송의 대상이 되는 행정처분에 해당한다(대판 2009.9.10, 2007두20638).

12 사업종류변경신청 ★★

산업재해보상보험 가입자인 사업주의 사업종류변경신청에 대한 근로복지공단의 반려행위가 항고소송의 대상이 되는 행정처분에 해당한다(대판 2008.5.8, 2007두10488).

13 주민등록번호변경신청 ★★★

甲 등이 인터넷 포털사이트 등의 개인정보 유출사고로 … 피해자의 의사와 무관하게 주민등록번호가 유출된 경우에는 조리상 주민등록번호의 변경을 요구할 신청권을 인정함이 타당하고, 구청장의 주민등록번호 변경신청 거부행위는 항고소송의 대상이 되는 행정처분에 해당한다(대판 2017.6.15, 2013두2945).

간단 점검하기

03 국·공립대학 교원 임용지원자가 임용권자로부터 임용거부를 당하였다면 이는 거부처분으로서 항고소송의 대상이 된다. ( ) 16. 국회직 8급

관련판례 **거부처분의 신청권 및 처분성을 부정한 경우**

1 국·공립대학 임용여부 응답신청 ★★★

국·공립 대학교원 임용지원자는 임용권자에게 임용 여부에 대한 응답을 신청할 법규상 또는 조리상 권리가 없다(대판 2003.10.23, 2002두12489).

2 교사특별채용신청 ★★

교사특별채용신청에 대한 거부행위(대판 2005.4.15, 2004두11626)

3 재임용신청거부 ★★★

과거에 법률에 의하여 당연퇴직된 공무원의 복직 또는 재임용신청에 대한 행정청의 거부행위가 항고소송의 대상이 되는 행정처분에 해당하지 않는다(대판 2005.11.25, 2004두12421).

4 근거법령 위헌 재임용신청 ★★★

당연퇴직된 공무원이 당연퇴직의 근거법률이 헌법재판소에 의해 위헌결정이 났음을 이유로 복직 및 재임용신청에 대한 거부의 경우(대판 2006.3.10, 2005두562)

5 경정처분 ★★★

원과세처분에 대한 경정처분에 대한 거부(대판 2006.5.11, 2004두7993)

01 ○ 02 × 03 ×

6 사업개선명령 ★★

시외완행버스업체들이 구청장에게 시외버스 공용정류장 운영회사에 대하여 자동차정류장법 제20조에 따른 사업개선명령을 내리도록 신청한 것을 거부한 경우(대판 1991.2.26, 90누5597)

7 납골탑 부대시설신고거부 ★★★

종교단체가 납골탑 설치신고를 함에 있어 관리사무실, 유족편의시설 등과 같은 부대시설에 관한 사항을 신고한 데 대하여 행정청이 그 신고를 일괄 반려한 경우, 그 반려처분 중 위와 같은 부대시설에 관한 신고를 반려한 부분이 항고소송의 대상이 되는 행정처분에 해당하지 아니한다(대판 2005.2.25, 2004두4031).

5. 그 밖에 이에 준하는 행정작용

(1) 실체법상 개념설(일원론)에 따른 견해

법집행으로서의 공권력의 행사로서의 성질은 갖지만 전형적인 행정행위에 해당하지 않는 행정작용인 권력적 사실행위가 그에 해당한다는 견해이다.

(2) 쟁송법상 개념설(이원론)에 따른 견해

권력적 사실행위, 행정내부행위, 일부의 행정지도와 사실행위, 행정조사, 그리고 일부의 행정규칙을 이에 준하는 행정작용의 예로 든다.

6. 재결 자체의 고유한 위법

> 행정소송법 제19조【취소소송의 대상】취소소송은 처분 등을 대상으로 한다. 다만, 재결취소소송의 경우에는 재결 자체에 고유한 위법이 있음을 이유로 하는 경우에 한한다.

(1) 원칙적 원처분주의

① **원처분주의**: 원처분과 재결을 모두 소송대상으로 하되, 원칙적으로 원처분에 대해서만 소송을 제기할 수 있고, 재결은 재결 자체에 고유한 위법이 있는 경우에만 소송을 제기할 수 있도록 하는 것을 말한다.

② **재결주의**: 재결 자체에 대해서만 소송을 제기할 수 있도록 하는 것을 말한다. 개별법에서 재결주의를 취하는 예외적인 경우도 있다.

(2) 재결 자체의 고유한 위법

① 의의

㉠ 재결자체에 고유한 위법이란 원처분에는 없고 재결 자체에만 존재하는 위법을 의미하는 것으로 재결의 주체, 내용, 절차, 형식 등에 구체적인 하자가 있는 경우를 말하고, 원처분의 하자가 재결에 승계되는 것은 아니다.

㉡ 원처분의 취소를 구하는 소송에서는 원처분의 하자에 대해 주장하여야 하며, 재결에 대한 취소소송에서는 재결 자체의 하자에 대하여 주장하여야 한다. 따라서 원처분의 취소소송에서 재결 자체의 하자를 주장할 수 없으며, 원처분의 하자를 재결의 취소소송에서 주장할 수 없다.

간단 점검하기

01 취소소송은 처분 등을 대상으로 하나, 재결취소소송의 경우에는 재결 자체에 고유한 위법이 있음을 이유로 하는 경우에 한한다. ( ) 12. 사회복지직

02 현행 행정소송법은 재결주의를 취하고 있다. ( ) 12. 서울시 9급

03 운전면허를 소지한 甲이 면허정지처분을 받고 면허정지처분의 취소를 구하는 행정심판을 청구하였다. 행정심판이 기각된 경우 기각재결이 아니라 원처분인 면허정지처분을 대상으로 행정소송을 제기하여야 할 것이다. ( ) 05. 국가직 9급

04 행정심판의 재결은 행정심판 및 행정소송의 대상이 될 수 없다. ( ) 07. 국회직 8급

05 현행 행정소송법은 원처분주의를 채택하고 있으나, 개별법률이 원처분주의에 대한 예외로서 재결주의를 택하는 경우가 있다. ( ) 08. 세무사

01 ○ 02 × 03 ○ 04 × 05 ○

관련판례 재결자체위법 ★★★

재결 자체의 고유한 위법은 재결의 주체·내용·절차·형식 등의 위법을 의미한다(대판 1997.9.12, 96누14661).

② **기각재결**: 원처분이 정당하다고 판단하여 청구기각재결을 한 경우, 재결 자체에 하자가 있는 것은 아니므로 원처분을 대상으로 행정소송을 제기해야 한다.

관련판례 기각재결 하자 ★★★

도교육감의 해임처분의 취소를 구하는 재심청구를 기각한 재심결정에 사실오인의 위법이 있다거나 재량권의 남용 또는 그 범위를 일탈한 것으로서 위법하다는 사유는 재심결정 자체에 고유한 위법을 주장하는 것으로 볼 수 없어 재심결정의 취소사유가 될 수 없다(대판 1994.2.8, 93누17874).

#도교육감_해임처분 #교원징계재심위원회_기각 #행정소송_원처분(해임처분)

③ **각하재결**: 적법한 행정신판청구를 부적법하다고 판단하여 각하한 재결은 그 자체의 고유한 하자가 있는 것으로 재결이 소송의 대상이 된다.

관련판례 부적법 각하 ★★

행정심판청구가 부적법하지 않는데도 부적법하다고 하여 각하한 경우, 재결 자체의 고유한 하자를 인정한다(대판 2001.7.27, 99두2970).

④ 인용재결

㉠ **제3자효 수반하는 행정행위에 대한 인용재결**: 인용재결로 인하여 불이익을 받는 제3자(건축허가취소소송을 이웃주민이 제기하여 인용재결을 받은 경우)는 재결의 취소소송을 제기하여야 한다.

관련판례

1 제3자효 수반 ★★★

제3자효를 수반하는 행정행위에 대한 인용재결이 있는 경우, 원처분의 상대방은 재결 자체의 고유한 하자를 주장하여 재결을 다툴 수 있다(대판 2001.5.29, 99두10292).

2 제3자효 ★★★

제3자가 행정심판을 청구하여 재결청이 원처분을 취소하는 형성재결을 한 경우, 위 원처분의 상대방이 할 수 있는 불복방법 및 위 재결의 취소를 구하는 것은 원처분에 없는 재결 고유의 하자를 주장하는 것이다(대판 1998.4.24, 97누17131).

㉡ **일부 인용 또는 변경재결**: 일부 인용의 경우 일부 인용되고 남은 원처분이 소송의 대상이 되며, 변경재결의 경우 변경된 내용의 당초처분이 소송의 대상이 된다.

간단 점검하기

01 재결취소소송에 있어서 재결 자체의 고유한 위법은 재결의 주체, 절차 및 형식상의 위법만을 의미하고, 내용상의 위법은 이에 포함되지 않는다. ( ) 16. 지방직 9급

간단 점검하기

02 판례에 의하면 행정처분에 대한 행정심판의 재결에 이유모순의 위법이 있다는 사유는 원처분의 취소를 구하는 소송뿐 아니라 재결처분의 취소를 구하는 소송에서도 그 취소를 구할 위법사유로 주장할 수 있다. ( ) 14. 지방직 7급

간단 점검하기

03 판례에 의하면 적법한 행정심판청구를 각하한 재결은 재결 자체에 고유한 위법이 있는 경우에 해당하므로 재결취소소송을 제기할 수 있다. ( ) 13. 국가직 7급

04 기각재결에 대해서는 원칙적으로 재결 자체의 위법을 이유로 항고소송을 제기해야 한다. ( ) 15. 서울시 7급

간단 점검하기

05 판례에 의하면 제3자효 행정행위에서 인용재결이 있는 경우에 그 인용재결로 인하여 비로소 권리이익을 침해받은 자는 그 인용재결에 대하여 취소를 구할 수 있다. ( ) 15. 서울시 7급, 12. 서울시 9급

01 × 02 × 03 ○ 04 × 05 ○

관련판례

징계혐의자에 대한 감봉 1월의 징계처분을 견책으로 변경한 소청결정 중 그를 견책에 처한 조치는 재량권의 남용 또는 일탈로서 위법하다는 사유는 소청결정 자체에 고유한 위법을 주장하는 것으로 볼 수 없어 소청결정의 취소사유가 될 수 없다(대판 1993.8.24, 93누5673).

#원처분_감봉1개월 #소청심사위원회_견책_변경 #소송대상_원처분

ⓒ **변경명령재결**: 행정심판에서 변경명령재결이 내려진 경우 그 변경명령에 따라 행정청이 처분을 행했다면 소송의 대상이 무엇인지 문제된다. 판례는 변경된 원처분을 대상으로 하고 있다.

관련판례 **변경처분 소송대상** ★★★

행정청이 식품위생법령에 따라 영업자에게 행정제재처분을 한 후 당초 처분을 영업자에게 유리하게 변경하는 처분을 한 경우, 취소소송의 대상 및 제소기간 판단 기준이 되는 처분은 당초 처분이다(대판 2007.4.27, 2004두9302).

#3월_영업정지 #행정심판위원회_2월_영업정지_갈음_과징금부과처분변경명령 #560만원_과징금_변경처분 #소송대상 · 기준_영업정지(3월)_기산점

⑤ **재결자체에 하자가 없는 경우 판결의 형태**: 재결자체에 하자가 없는 경우에 재결자체에 하자가 있다는 이유로 행정소송을 제기한 경우 법원은 이를 기각하여야 한다.

관련판례 **재결자체 하자× - 기각** ★★★

재결취소소송의 경우 재결 자체에 고유한 위법이 있는지 여부를 심리할 것이고, 재결자체에 고유한 위법이 없는 경우에는 원처분의 당부와는 상관없이 당해 재결취소소송은 이를 기각하여야 한다(대판 1994.1.25, 93누16901).

(3) 예외적 재결주의

① 감사원의 재심의 판정

> 감사원법 제40조【재심의의 효력】② 감사원의 재심의 판결에 대하여는 감사원을 당사자로 하여 행정소송을 제기할 수 있다. 다만, 그 효력을 정지하는 가처분결정은 할 수 없다.

관련판례 **감사원 재결 소송가능** ★★★

감사원의 변상판정처분에 대하여서는 행정소송을 제기할 수 없고, 재결에 해당하는 재심의 판정에 대하여서만 감사원을 피고로 하여 행정소송을 제기할 수 있다(대판 1984.4.10, 84누91).

간단 점검하기

01 3월의 영업정지처분을 2월의 영업정지처분에 갈음하는 과징금부과처분으로 변경하는 재결의 경우 취소소송의 대상이 되는 것은 변경된 내용의 당초처분이지 변경처분은 아니다. ( ) 17. 국회직 8급

간단 점검하기

02 행정심판위원회가 1,000만원의 과징금 부과처분에 대한 취소심판에서 500만원의 과징금 부과처분으로 변경하는 내용의 재결을 하였고 청구인인 처분의 상대방이 관할 법원에 취소소송을 제기하였다면 재결에 의한 감액처분을 항고소송의 대상으로 하여야 한다. ( ) 16. 서울시 7급

간단 점검하기

03 행정심판을 청구하여 기각재결을 받은 후 재결 자체에 고유한 위법이 있음을 주장하며 그 기각재결에 대하여 취소소송을 제기한 경우, 수소법원은 심리 결과 재결 자체에 고유한 위법이 없다면 각하판결을 하여야 한다. ( ) 19. 국가직 9급

간단 점검하기

04 감사원의 변상판정처분에 대하여서는 행정소송을 제기할 수 없고 그 재결에 해당하는 재심의 판정에 대하여만 감사원을 피고로 하여 행정소송을 제기할 수 있다. ( ) 19. 국회직 8급, 13. 서울시 7급

01 ○ 02 × 03 × 04 ○

② 중앙노동위원회의 재심판정

> 노동위원회법 제26조【중앙노동위원회의 재심권】 ① 중앙노동위원회는 당사자의 신청이 있는 경우 지방노동위원회 또는 특별노동위원회의 처분을 재심하여 이를 인정·취소 또는 변경할 수 있다.
>
> 제27조【중앙노동위원회의 처분에 대한 소송】 ① 중앙노동위원회의 처분에 대한 소송은 중앙노동위원회 위원장을 피고(被告)로 하여 처분의 송달을 받은 날부터 15일 이내에 제기하여야 한다.

관련판례

노동위원회법 제19조의2 제1항의 규정은 행정처분의 성질을 가지는 지방노동위원회의 처분에 대하여 중앙노동위원장을 상대로 행정소송을 제기할 경우의 전치요건에 관한 규정이라 할 것이므로 당사자가 지방노동위원회의 처분에 대하여 불복하기 위하여는 처분 송달일로부터 10일 이내에 중앙노동위원회에 재심을 신청하고 중앙노동위원회의 재심판정서 송달일로부터 15일 이내에 중앙노동위원장을 피고로 하여 재심판정취소의 소를 제기하여야 할 것이다(대판 1995.9.15, 95누6724).

③ 특허심판의 심결

> 특허법 제186조【심결 등에 대한 소】 ① 특허취소결정 또는 심결에 대한 소 및 특허취소신청서·심판청구서·재심청구서의 각하결정에 대한 소는 특허법원의 전속관할로 한다.
>
> 제189조【심결 또는 결정의 취소】 ① 법원은 제186조 제1항에 따라 소가 제기된 경우에 그 청구가 이유 있다고 인정할 때에는 판결로써 해당 심결 또는 결정을 취소하여야 한다.

④ 비교 - 중앙토지수용위원회의 재결에 불복(원처분주의 원칙)

> 토지보상법 제85조【행정소송의 제기】 ① 사업시행자, 토지소유자 또는 관계인은 제34조에 따른 재결에 불복할 때에는 재결서를 받은 날부터 90일 이내에, 이의신청을 거쳤을 때에는 이의신청에 대한 재결서를 받은 날부터 60일 이내에 각각 행정소송을 제기할 수 있다.

(4) 교원의 경우

① 사립학교 교원의 경우

㉠ **징계의 성질**: 사립학교 교원이 학교법인으로부터 징계를 받은 경우 민사소송으로 구제가 가능하다. 양자의 관계는 민사관계이기 때문이다.

㉡ 교원소청심사위원회의 심사를 거친 경우

> 교원의 지위 향상 및 교육활동 보호를 위한 특별법[1] 제10조【소청심사 결정】 ① 심사위원회는 소청심사청구를 접수한 날부터 60일 이내에 이에 대한 결정을 하여야 한다. 다만, 심사위원회가 불가피하다고 인정하면 그 의결로 30일을 연장할 수 있다.

간단 점검하기

01 판례에 의하면 지방노동위원회의 처분에 대하여 불복이 있는 경우에 중앙노동위원회에 재심을 신청할 수 있고 중앙노동위원회의 재심에 불복하는 경우의 취소소송은 중앙노동위원회장이 아니라 중앙노동위원회를 피고로 하여야 한다. ( )
16. 서울시 7급, 15. 국가직 9급, 13. 국가직 7급

02 특허출원에 대한 심사관의 거절사정에 대하여 행정소송을 제기할 수 없고, 특허심판원에 심판청구를 한 후 그 심결을 소송대상으로 하여 특허법원에 심결취소를 요구하는 소를 제기하여야 한다. ( ) 13. 서울시 7급

[1] 약칭: 교원지위법(이하 동일)

01 × 02 ○

③ 제1항에 따른 심사위원회의 결정에 대하여 교원, 사립학교법 제2조에 따른 학교법인 또는 사립학교 경영자 등 당사자는 그 결정서를 송달받은 날부터 90일 이내에 행정소송법으로 정하는 바에 따라 소송을 제기할 수 있다.

교원의 지위 향상 및 교육활동 보호를 위한 특별법 제10조 【소청심사 결정 등】 ① 심사위원회는 소청심사청구를 접수한 날부터 60일 이내에 이에 대한 결정을 하여야 한다. 다만, 심사위원회가 불가피하다고 인정하면 그 의결로 30일을 연장할 수 있다.
④ 제1항에 따른 심사위원회의 결정에 대하여 교원, 사립학교법 제2조에 따른 학교법인 또는 사립학교 경영자 등 당사자(공공단체는 제외한다)는 그 결정서를 송달받은 날부터 30일 이내에 행정소송법으로 정하는 바에 따라 소송을 제기할 수 있다.
[시행일: 2021.9.24.] 제10조

관련판례 **사립학교의 교원**

1 **사립학교교원 구제** ★★

징계처분을 받은 사립학교교원의 권리구제방법은 민사소송과 재심절차 · 행정소송 중 선택적으로 할 수 있다(헌재 2003.12.18, 2002헌바14).

2 **사립학교교원 민사관계** ★★

사립학교교원에 대한 학교법인의 해임처분은 행정소송의 대상이 되는 행정처분에 해당하지 않는다(대판 1993.2.12, 92누13707).

3 **재심 거친 경우** ★★★

사립학교교원이 학교법인의 해임처분에 대하여 교육부 내의 교원징계재심위원회에 재심청구를 한 경우, 재심위원회의 결정은 항고소송의 대상이 되는 행정처분에 해당한다(대판 1993.2.12, 92누13707).

4 **재심 거친 경우** ★★★

사립학교교원에 대한 징계처분 후 그에 대한 교원징계재심위원회의 결정이 있다면, 소송의 대상은 재심결정이고 피고는 재심위원회가 된다(대판 1994.12.9, 94누6666).

② 국 · 공립학교 교원의 경우

㉠ **징계의 성질**: 국 · 공립학교 교원이 징계를 받은 경우 이는 행정처분으로 행정소송의 대상이 된다. 따라서 소청심사위원회의 소청을 거친 후 행정소송을 제기한다.

㉡ **소청심사위원회의 결정**: 소청심사위원회의 결정을 거쳐 행정소송을 제기하는 경우(교원지위법 제9조, 제10조 등) 행정소송법이 정하는 바에 따라 소송을 제기하므로 원칙적으로 원처분주의를 취한다고 한다.

간단 점검하기

01 사립학교 교원에 대한 학교법인의 해임처분을 취소소송의 대상이 되는 행정청의 처분으로 볼 수 있으므로 학교법인을 상대로 한 불복은 행정소송에 의한다. ( ) 15. 국가직 9급

02 사립학교 교원의 경우 교원소청심사위원회의 결정에 불복하는 경우 교원소청심사위원회를 피고로 하여 항고소송을 제기할 수 있다. ( ) 13. 국회직 8급

03 교육공무원의 경우 교원소청심사위원회의 소청결정을 거쳐 행정소송을 제기하여야 하며 항고소송의 대상은 일반공무원의 경우와 동일하다. ( ) 13. 국회직 8급

04 공립학교 교원에 대한 징계에 있어 교원소청심사위원회의 결정에 불복이 있는 경우에 취소소송을 할 수 있고, 이때 원처분을 소송의 대상으로, 원처분청을 상대로 하는 것이 원칙이다. ( ) 12. 국회직 8급

01 × 02 ○ 03 ○ 04 ○

관련판례

1 국 · 공립교원의 징계처분에 대한 구제방법 ★★

재심청구를 하고 항고소송을 제기한 경우, 항고소송의 대상은 원래의 징계처분이 된다(원처분주의)(대판 1994.2.8, 93누17874).

2 학교법인 쟁송가능 ★★

재심결정에 대하여 교원에게만 행정소송을 제기할 수 있도록 하고 학교법인에는 이를 금지한 교원지위향상을 위한 특별법 제10조 제3항은 헌법에 위반된다(헌재 2006.2.23, 2005헌가7 등).

point check 행정소송의 처분성 인정 여부

처분성 인정	처분성 부정
• 국유재산 무단점유자에 대한 변상금부과처분 • 국유재산 사용료의 부과처분 • 행정재산 사용 · 수익에 대한 사용료부과처분 • 행정재산 사용 · 수익 허가의 취소	• 국유일반재산 대부료의 납입 고지 • 국유일반재산 대부신청의 거부 • 행정청 간의 국유재산 이관협정 • 입찰보증금의 국고 귀속조치
• 행정기관이 한 입찰자격제한 조치 • 폐기물처리업 허가 전의 사업계획에 대한 부적정통보 • 행정규칙에 의한 불문경고조치	• 국세환급금 및 국세가산금 결정 • 국세징수법상 가산금 또는 중가산금고지 • 장관의 서면경고 • 시험승진대상자등록명부에서 등재자 성명 삭제
• 제3자효를 수반하는 행정행위에 대한 인용재결 • 감사원의 재결의 재심판정 • 국가인권위원회의 성희롱결정 및 시정조치 권고 • 금융감독원장의 금융기관에 대한 문책경고 • 방송위원회가 행한 중계방송사업의 종합유선방송사업으로의 전환승인 • 공정거래위원회의 표준약관 사용권장 행위	• 과세표준의 결정 • 국세환급금의 충당 • 제2차 납세의무자 지정처분 • 한국마사회의 조교사 및 기수면허부여 또는 취소 • 금융감독원장의 금융기관에 대한 문책경고장 발송행위
단수처분(단수요청행위 ×)	위법건물 단속기관의 수도공급거부의 요청행위
• 국민의 구체적 권리, 법적 이익에 직접 영향을 미치는 조례 • 경기도 두밀분교 폐지에 관한 조례 • 도시계획입안신청거부행위(도시계획시설변경입안) • 도시계획결정(도시관리계획) • 건축주 명의변경신고 수리의 거부 • 소멸등록된 실용신안권 회복신청의 거부 • 구 사회단체등록에 관한 법률에 의한 사회 단체등록 • 지방노동위원회가 노동쟁의에 대하여 한 중재회부 결정 • 지목변경신청 반려처분 • 국 · 공립대학교수 재임용 거부행위(임용기간 만료의 통지) • 문화재보호구역지정해제신청 거부행위 • 주민등록법상 전입신고 미수리처분 • 친일반민족행위자재산조사위원회의 재산조사개시결정 • 친일반민족행위진상규명위원회의 친일반민족행위결정	• 4대강 살리기 마스터플랜 • 어업권 면허에 선행하는 우선순위결정 • 도지사의 어업권등록행위 • 추첨에 의한 운수사업면허대상자 선정행위 • 택시운송사업자에 대한 사업용자동차증차배정조치 • 교통법규위반에 대한 벌점부과행위 • 군의관 신체등위판결 • 자동차운전면허대장상 등재행위 • 내신성적산정기준에 관한 시행지침 • 공무원에 대한 서면경고 • 당연퇴직의 통보 • 재결결과의 통보 • 상수원보호구역 지정통보 • 고충심사의 결정 • 보류처분 • 서울특별시지하철공사 임직원에 대한 징계 처분 • 한국조폐공사의 직원에 대한 징계처분 • 공무원 및 사립학교교직원 의료보험관리공단직원의 근무관계

• 대집행의 계고 · 통지 · 실행 · 비용납부명령 • 청원경찰의 징계처분 • 국립교육대학 학생에 대한 퇴학처분 • 지방의회의장에 대한 불신임 의결 • 지방의회의장선거, 지방의회의원징계 의결 • 농지개량조합 임직원의 근무관계 • 세무조사결정	• 지장물 철거 촉구 • 도로교통법에 의한 경찰서장의 통고처분 • 통고처분 • 과태료부과처분 • 훈장수여신청에 대한 거부통지 • 교육공무원상 총학장의 임용제청 • 공정거래위원회의 고발조치 및 고발의결
• 토지분할신청의 거부 • 공시지가 결정 • 환지등기의 등기촉탁 신청거부행위 • 한국토지주택공사의 택지개발사업 및 이주대책에 관한 처분 • 주택건설사업계획 승인 • 원자력법 제11조 제3항 소정의 부지사전승인제도 • 교통안전분담금 납부통지 • 세무조사결정	• 토지분할행위 • 기부채납부동산의 사용허가 기간연장신청에 대한 거부처분 • 택지개발촉진법에 의한 택지공급방법 결정 • 환지계획 • 폐천부지 양여행위 • 지적측량검사 • 조합설립결의 --- • 검사의 공소처분 • 검사의 불기소처분 • 검찰총장 재항고 기각결정

3 취소소송의 당사자

1. 당사자

(1) 개념

취소소송의 당사자란 원고와 피고를 말한다. 원고는 행정청의 위법한 처분의 취소를 주장하는 자이고, 피고는 처분의 적법함을 주장하는 자이다.

(2) 당사자능력

① **개념**: 취소소송의 당사자가 될 수 있는 능력을 당사자능력이라 한다. 행정소송법에는 당사자능력에 관한 규정이 없이 민사소송법의 법리에 따르며, 구체적인 내용은 판례에 의해 정해진다.

② **구체적 검토**

㉠ 자연인, 법인, 법인격 없는 사단 · 재단도 대표자 또는 관리인이 있으면 당사자능력이 인정된다.

관련판례 도롱뇽 - 당사자능력부인 ★★★

도롱뇽은 천성산 일원에 서식하고 있는 도롱뇽목 도롱뇽과에 속하는 양서류로서 자연물인 도롱뇽 또는 그를 포함한 자연 그 자체로서는 소송을 수행할 당사자능력을 인정할 수 없다(대결 2006.6.2, 2004마1148 · 1149).

#천성산_원효터널_토지소유_착공금지청구 #도롱뇽_자연물_당사자능력_부인

㉡ 국가 또는 지방자치단체는 권리주체로서 당사자능력이 인정된다. 따라서 국가 또는 지방자치단체가 처분의 상대방인 경우 항고소송의 원고가 될 수 있다.

간단 점검하기

01 취소소송에 당해 처분과 관련되는 부당이득반환청구소송이 병합되어 제기된 경우, 부당이득반환청구가 인용되기 위해서는 그 소송절차에서 판결에 의해 당해 처분이 취소되면 충분하고 그 처분의 취소가 확정되어야 하는 것은 아니다. ( ) 18. 국가직 7급

02 판례에 의하면 관련청구소송의 병합은 본래의 항고소송이 적법할 것을 요건으로 하는 것이어서 본래의 항고소송이 부적법하여 각하되면 그에 병합된 관련청구도 소송요건을 흠결한 부적합한 것으로 각하되어야 한다. ( ) 09. 지방직 7급

03 법인격 없는 단체도 대표자를 통해서 단체의 이름으로 소를 제기할 수 있다. ( ) 07. 세무사

04 자연물인 도롱뇽 또는 그를 포함한 자연 그 자체로서는 소송을 수행할 당사자능력을 인정할 수 없다. ( ) 15. 국가직 9급

01 ○ 02 ○ 03 ○ 04 ○

간단 점검하기

01 지방자치단체가 건축물 소재지 관할 허가권자인 지방자치단체의 장을 상대로 건축협의 취소의 취소를 구하는 사안에서의 지방자치단체는 행정소송의 원고적격을 가지는 자에 해당한다. ( ) 19. 국회직 8급

02 지방자치단체가 건축물을 건축하기 위하여 구 건축법에 따라 미리 건축물의 소재지를 관할하는 허가권자인 다른 지방자치단체의 장과 건축협의를 한 경우, 허가권자인 지방자치단체의 장이 건축협의를 취소하는 행위는 항고소송의 대상이 되는 처분에 해당한다. ( ) 17. 지방직 9급

관련판례

구 건축법 제29조 제1항·제2항, 제11조 제1항 등의 규정 내용에 의하면, 건축협의의 실질은 지방자치단체 등에 대한 건축허가와 다르지 않으므로, 지방자치단체 등이 건축물을 건축하려는 경우 등에는 미리 건축물의 소재지를 관할하는 허가권자인 지방자치단체의 장과 건축협의를 하지 않으면, 지방자치단체라 하더라도 건축물을 건축할 수 없다. 그리고 구 지방자치법 등 관련 법령을 살펴보아도 지방자치단체의 장이 다른 지방자치단체를 상대로 한 건축협의 취소에 관하여 다툼이 있는 경우에 법적 분쟁을 실효적으로 해결할 구제수단을 찾기도 어렵다.
따라서 건축협의 취소는 상대방이 다른 지방자치단체 등 행정주체라 하더라도 '행정청이 행하는 구체적 사실에 관한 법집행으로서의 공권력 행사'(행정소송법 제2조 제1항 제1호)로서 처분에 해당한다고 볼 수 있고, 지방자치단체인 원고가 이를 다툴 실효적 해결 수단이 없는 이상, 원고는 건축물 소재지 관할 허가권자인 지방자치단체의 장을 상대로 항고소송을 통해 건축협의 취소의 취소를 구할 수 있다(대판 2014.2.27, 2012두22980).

㉢ 국가의 경우 지방자치단체의 자치사무에 관한 처분을 다투는 경우에는 원고가 될 수 있으나, 기관위임사무에 대해서는 소송 외의 다른 해결절차가 있다는 이유로 원고적격을 인정하지 않는다.

관련판례

건설교통부장관은 지방자치단체의 장이 기관위임사무인 국토이용계획 사무를 처리함에 있어 자신과 의견이 다를 경우 행정협의조정위원회에 협의·조정 신청을 하여 그 협의·조정 결정에 따라 의견불일치를 해소할 수 있고, 법원에 의한 판결을 받지 않고서도 행정권한의 위임 및 위탁에 관한 규정이나 구 지방자치법에서 정하고 있는 지도·감독을 통하여 직접 지방자치단체의 장의 사무처리에 대하여 시정명령을 발하고 그 사무처리를 취소 또는 정지할 수 있으며, 지방자치단체의 장에게 기간을 정하여 직무이행명령을 하고 지방자치단체의 장이 이를 이행하지 아니할 때에는 직접 필요한 조치를 할 수도 있으므로, 국가가 국토이용계획과 관련한 지방자치단체의 장의 기관위임사무의 처리에 관하여 지방자치단체의 장을 상대로 취소소송을 제기하는 것은 허용되지 않는다(대판 2007.9.20, 2005두6935).

㉣ 국가의 기관은 권리주체가 아니므로 원칙적으로 당사자능력이 없다.[1]

[1] 그러나 행정소송법에서는 국가기관 중 처분청에 대해 피고능력을 인정한다)

관련판례

이 사건 소 중 주위적 원고 대한민국의 소는 위에서 본 바와 같은 이유로 부적법하고, 예비적 원고 충북대학교 총장의 소는, 원고 충북대학교 총장이 원고 대한민국이 설치한 충북대학교의 대표자일 뿐 항고소송의 원고가 될 수 있는 당사자능력이 없어 부적법하다(대판 2007.9.20, 2005두6935).

㉤ 그러나 국가기관이 다른 기관의 처분으로 인해 권리를 침해받거나 의무를 부과받은 경우에 그를 다툴 수 있는 기관소송 등 다른 방법이 없고 항고소송이 유효·적절한 수단으로 인정될 때는 예외적으로 국가기관에게 당사자능력과 원고적격을 인정한다.

01 ○ 02 ○

관련판례

1 선거관리위원장 - 당사자능력 · 원고적격 ★★★

甲이 국민권익위원회에 부패방지 및 국민권익위원회의 설치와 운영에 관한 법률에 따른 신고와 신분보장조치를 요구하였고, 국민권익위원회가 乙 시·도선거관리위원회 위원장에게 '甲에 대한 중징계요구를 취소하고 향후 신고로 인한 신분상 불이익처분 및 근무조건상의 차별을 하지 말 것을 요구'하는 내용의 조치요구를 한 사안에서, … 처분성이 인정되는 위 조치요구에 불복하고자 하는 乙로서는 조치요구의 취소를 구하는 항고소송을 제기하는 것이 유효·적절한 수단이므로 비록 乙이 국가기관이더라도 당사자능력 및 원고적격을 가진다고 보는 것이 타당하다(대판 2013.7.25, 2011두1214).

#국민권익위원회_경기도선거관리위원장_중징계요구취소등_조치요구
#경기도선거관리위원장_불이익처분원상회복등요구처부취소청구_당사자능력인정

2 소방청장 - 당사자능력 · 원고적격 ★★★

[1] 법령이 특정한 행정기관 등으로 하여금 다른 행정기관을 상대로 제재적 조치를 취할 수 있도록 하면서, 그에 따르지 않으면 그 행정기관에 대하여 과태료를 부과하거나 형사처벌을 할 수 있도록 정하는 경우가 있다. … 기관소송 법정주의를 취하면서 제한적으로만 이를 인정하고 있는 현행 법령의 체계에 비추어 보면, 이 경우 항고소송을 통한 구제의 길을 열어주는 것이 법치국가 원리에도 부합한다. 따라서 이러한 권리구제나 권리보호의 필요성이 인정된다면 예외적으로 그 제재적 조치의 상대방인 행정기관 등에게 항고소송 원고로서의 당사자능력과 원고적격을 인정할 수 있다.

[2] 국민권익위원회가 소방청장에게 인사와 관련하여 부당한 지시를 한 사실이 인정된다며 이를 취소할 것을 요구하기로 의결하고 그 내용을 통지하자 소방청장이 국민권익위원회 조치요구의 취소를 구하는 소송을 제기한 사안에서, 처분성이 인정되는 국민권익위원회의 조치요구에 불복하고자 하는 소방청장으로서는 조치요구의 취소를 구하는 항고소송을 제기하는 것이 유효·적절한 수단으로 볼 수 있으므로 소방청장이 예외적으로 당사자능력과 원고적격을 가진다(대판 2018.8.1, 2014두35379).

#국민권익위원회_징계처분취소요구
#소방청장(국가기관)_불복_유효 · 적절_수단_당사능력_원고적격_인정

2. 원고

행정기본법 제12조【원고적격】 취소소송은 처분 등의 취소를 구할 법률상 이익이 있는 자가 제기할 수 있다. 처분 등의 효과가 기간의 경과, 처분 등의 집행 그 밖의 사유로 인하여 소멸된 뒤에도 그 처분 등의 취소로 인하여 회복되는 법률상 이익이 있는 자의 경우에는 또한 같다.

(1) 원고적격

① 의의

㉠ 취소소송에 있어 원고적격이란 행정소송에서 원고가 될 수 있는 자격, 즉 처분 등의 취소를 소구할 수 있는 자격을 의미한다. 우리 행정소송법은 법률상 이익이 있는 자가 원고적격을 가진다고 규정하고 있다.

간단 점검하기

01 국가기관인 시·도 선거관리위원회 위원장은 국민권익위원회가 그에게 소속직원에 대한 중징계요구를 취소하라는 등의 조치요구를 한 것에 대해서 취소소송을 제기할 원고적격을 가진다고 볼 수 없다. ( ) 16. 국가직 9급

간단 점검하기

02 국민권익위원회가 소방청장에게 인사와 관련하여 부당한 지시를 한 사실이 인정된다며 이를 취소할 것을 요구하기로 의결하고 내용을 통지하자 그 국민권익위원회 조치요구의 취소를 구하는 사안에서의 소방청장은 행정소송의 원고적격을 가지는 자에 해당한다. ( ) 19. 국회직 8급

간단 점검하기

03 취소소송은 처분 등의 취소를 구할 법률상 이익이 있는 자가 제기할 수 있다. ( ) 10. 지방직 9급

01 × 02 ○ 03 ○

ⓛ 소송요건인 원고적격은 사실심변론종결시는 물론 상고심에서도 존속하여야 하고 이를 흠결하면 부적법한 소가 된다.

ⓒ 그 범위는 앞서 당사자능력에서 본 바와 같다.

② 법률상 이익의 의의

㉠ 학설

구분	법률상 이익의 의미	근거	비판
권리구제설	권리	항고소송의 기능은 주관적인 권리의 구제	원고적격의 범위가 지나치게 협소
법률상 보호되는 이익구제설 (통설·판례)	권리 + 법률의 취지상 보호하는 사익(법률의 범위를 확대)	• 공권의 확대경향 • 공권의 권리성 완화	행정소송법상 문언이나 국민의 재판청구권 보장 측면에서 가장 타당
보호가치 있는 이익구제설	권리 + 법률의 취지상 보호하는 사익 + 쟁송 법적으로 보호가치가 있는 이익(이익의 범위를 확대)	위법처분을 소송상으로 다툴 이익이 있으면 단순한 사실상의 이익에 불과하더라도 소송법상으로는 보호가치 있는 이익	보호가치 있는 이익에 대한 객관적 기준이 불명확
적법성보장설	해당 처분을 다툴 가장 적합한 상태에 있는 자	항고소송의 본질은 객관적으로 행정처분의 적법성 유지	주관적 소송원칙에 반하여 객관소송화할 우려

관련판례

1 행정처분에 대한 취소소송에서 원고적격은 해당 처분의 상대방인지 여부가 아니라 그 취소를 구할 법률상 이익이 있는지 여부에 따라 결정된다. 여기에서 말하는 법률상 이익이란 해당 처분의 근거 법률로 보호되는 직접적이고 구체적인 이익을 가리키고, 간접적이거나 사실적·경제적 이해관계를 가지는 데 불과한 경우는 포함되지 않는다(대판 2019.8.30, 2018두47189).

2 행정처분의 직접 상대방이 아닌 제3자라 하더라도 당해 행정처분으로 인하여 법률상 보호되는 이익을 침해당한 경우에는 그 처분의 취소나 무효확인을 구하는 행정소송을 제기하여 그 당부의 판단을 받을 자격, 즉 원고적격이 있고, 여기에서 말하는 법률상 보호되는 이익은 당해 처분의 근거 법규 및 관련 법규에 의하여 보호되는 개별적·직접적·구체적 이익을 말하며, 원고적격은 소송요건의 하나이므로 사실심 변론종결시는 물론 상고심에서도 존속하여야 하고 이를 흠결하면 부적법한 소가 된다(대판 2007.4.12, 2004두7924).

간단 점검하기

01 법률상 이익의 의미에 관하여 법률상 보호이익설(법률상 이익구제설)은 위법한 처분에 의하여 침해되고 있는 이익이 근거법률에 의하여 보호되고 있는 이익인 경우에는 그러한 이익이 침해된 자에게 당해 처분의 취소를 구할 원고적격이 인정된다고 한다. ( ) 11. 국가직 9급

간단 점검하기

02 취소소송의 원고적격은 소송요건의 하나이므로 사실심 변론종결시는 물론 상고심에서도 존속하여야 하고 이를 흠결하면 부적법한 소가 된다. ( ) 15. 사회복지직

01 ○ 02 ○

㉡ 법률상 이익에 관련 판례

ⓐ 법률상 이익은 처분의 근거법규 내지 관계법규에 의해 보호되는 이익을 의미하므로 사실상·경제상 이익 내지 반사적 이익의 침해만으로는 원고적격이 인정되지 않는다.

ⓑ 법률상 이익은 처분의 직접적 근거법규 및 관련법규에 의해 보호되는 개별적·직접적·구체적 이익이 있는 경우를 말한다.

ⓒ 사익을 보호하고 있어야 하므로 공익만을 보호하고 있는 경우는 법률상 이익이 없다. 공권이 확대됨에 따라 공익과 사익을 동시에 보호하는 경우도 법률상 이익이 있다고 본다.

ⓓ 헌법상 기본권 중 알권리와 같은 구체적 권리성이 인정되는 경우에는 법률상 이익이 도출될 수 있다.
그러나 환경권과 같은 추상적 권리는 개별법에 권리성을 인정하는 근거가 없으면 법률상 이익도 인정되지 않는다.

관련판례

1 법률상 이익 ★★★

[1] 행정처분의 직접 상대방이 아닌 제3자라 하더라도 당해 행정처분으로 법률상 보호되는 이익을 침해당한 경우에는 취소소송을 제기하여 당부의 판단을 받을 자격이 있다.

[2] 법률상 보호되는 이익은 당해 처분의 근거 법규 및 관련 법규에 의하여 보호되는 개별적·직접적·구체적 이익이 있는 경우를 말하고, 공익보호의 결과로 국민 일반이 공통적으로 가지는 일반적·간접적·추상적 이익과 같이 사실적·경제적 이해관계를 갖는 데 불과한 경우는 여기에 포함되지 아니한다.

[3] 당해 처분의 근거 법규 및 관련 법규에 의하여 보호되는 법률상 이익은 당해 처분의 근거 법규의 명문 규정에 의하여 보호받는 법률상 이익을 말한다.

[4] 당해 처분의 근거 법규에 의하여 보호되지는 아니하나 당해 처분의 행정목적을 달성하기 위한 일련의 단계적인 관련 처분들의 근거 법규에 의하여 명시적으로 보호받는 법률상 이익, 당해 처분의 근거 법규 또는 관련 법규에서 명시적으로 당해 이익을 보호하는 명문의 규정이 없더라도 근거 법규 및 관련 법규의 합리적 해석상 그 법규에서 행정청을 제약하는 이유가 순수한 공익의 보호만이 아닌 개별적·직접적·구체적 이익을 보호하는 취지가 포함되어 있다고 해석되는 경우까지를 말한다(대판 2015.7.23, 2012두19496·19502).

2 강정마을 절대보전지역유지 - 반사적 이익 ★★★

[1] 서귀포시 강정동 해안변지역 105,295m^{2}가 절대보전지역으로 유지됨으로써 원고들(주민회와 주민)이 가지는 주거 및 생활환경상 이익은 그 지역의 경관 등이 보호됨으로써 반사적으로 누리는 것일 뿐 근거 법규 또는 관련 법규에 의하여 보호되는 개별적·직접적·구체적 이익이라고 할 수 없다.

[2] 원고들이 주장하는 헌법상의 생존권, 행복추구권, 환경권만으로는 그 권리의 주체·대상·내용·행사방법 등이 구체적으로 정립되어 있다고 볼 수 없으므로 이에 근거하여 이 사건 처분을 다툴 원고적격이 있다고 할 수도 없다(대판 2012.7.5, 2011두13187·13194).

#강정마을주민회·주민_절대보전지역·유지_반사적이익
#절대보전지역변경처분무효확인_원고적격× #헌법상_생존권·행복추구권·환경권_추상적권리

간단 점검하기

01 행정처분의 직접 상대방이 아닌 제3자라도 당해 행정처분의 취소를 구할 법률상의 이익이 있는 경우에는 원고적격이 인정된다. ( )
13·11. 국가직 9급, 12. 지방직 9급

02 제3자효 행정행위의 제3자는 법률상 이익유무와 상관없이 행정심판 청구인적격 및 행정소송 원고적격을 가지지 않는다. ( ) 08. 서울시 7급

03 법률상 보호되는 이익이라 함은 당해 처분의 근거법규에 의하여 보호되는 개별적·구체적 이익을 의미하며, 관련법규에 의하여 보호되는 개별적·구체적 이익까지 포함하는 것은 아니라는 것이 판례의 입장이다. ( )
17. 국회직 8급

04 판례는 행정소송법 제12조의 법률상 이익은 직접적이고 구체적·개인적 이익을 말하고 간접적이거나 사실적·경제적 이해관계를 가지는 데 불과한 경우 및 공익은 포함되지 않는다고 보고 있다. ( ) 13. 국회직 9급

05 절대보전지역 변경처분에 대해 지역주민회와 주민들이 항고소송을 제기한 경우에는 절대보전지역 유지로 지역주민회 주민들이 가지는 주거 및 생활환경상 이익은 지역의 경관 등이 보호됨으로써 누리는 법률상 이익이다.
( ) 17. 서울시 7급

01 ○ 02 × 03 × 04 ○
05 ×

간단 점검하기

01 상수원보호구역 설정의 근거가 되는 규정이 보호하고자 하는 것은 상수원의 확보와 수질보전일 뿐이고, 그 상수원에서 급수를 받고 있는 지역주민들이 가지는 상수원의 오염을 막아 양질의 급수를 받을 이익은 상수원의 확보와 수질보호라는 공공의 이익이 달성됨에 따라 반사적으로 얻게 되는 이익에 불과하다. ( )

18. 경찰행정, 17. 국가직 9급

간단 점검하기

02 주거지역 내에서 법령상의 제한면적을 초과하는 연탄공장의 건축허가처분으로 불이익을 받고 있는 인근주민은 당해 처분의 취소를 소구할 법률상 자격이 없다. ( )

18. 교육행정직, 08. 지방직 9급

01 ○ 02 ×

3 상수원보호구역 – 반사적 이익 ★★★

상수원보호구역 설정의 근거가 되는 수도법 제5조 제1항 및 동 시행령 제7조 제1항이 보호하고자 하는 것은 상수원의 확보와 수질보전일 뿐이고, 그 상수원에서 급수를 받고 있는 지역주민들이 가지는 상수원의 오염을 막아 양질의 급수를 받을 이익은 직접적이고 구체적으로는 보호하고 있지 않음이 명백하여 위 지역주민들이 가지는 이익은 상수원의 확보와 수질보호라는 공공의 이익이 달성됨에 따라 반사적으로 얻게 되는 이익에 불과하므로 지역주민들에 불과한 원고들에게는 위 상수원보호구역변경처분의 취소를 구할 법률상의 이익이 없다(대판 1995.9.26, 94누14544).

4 생태자연도등급조정처분 – 반사적 이익 ★★★

생태·자연도는 토지이용 및 개발계획의 수립이나 시행에 활용하여 자연환경을 체계적으로 보전·관리하기 위한 것일 뿐, 1등급 권역의 인근 주민들이 가지는 생활상 이익을 직접적이고 구체적으로 보호하기 위한 것이 아님이 명백하고, 1등급 권역의 인근 주민들이 가지는 이익은 환경보호라는 공공의 이익이 달성됨에 따라 반사적으로 얻게 되는 이익에 불과하므로, 인근 주민에 불과한 갑은 생태·자연도 등급권역을 1등급에서 일부는 2등급으로, 일부는 3등급으로 변경한 결정의 무효 확인을 구할 원고적격이 없다(대판 2014.2.21, 2011두29052).

#공주시일대_1등급 #채석단지개발_환경부장관_2,3등급조정 #인근주민_반사적이익

(2) 구체적 검토

① **개설:** 공권의 성립과 범위 등에 관련된 내용은 앞 공권(제1편 제3장의 개인적 공권 참조)에서 고찰하였다. 그곳에서 본 바와 같이 공권은 점차 확대되어 그에 따라 원고적격의 범위도 확대되고 있다.

② **인근주민의 원고적격**

㉠ 인근주민의 원고적격은 어떠한 시설의 설치를 허가하는 처분 등에 대하여 당해 시설의 인근주민이 다투는 경우에 원고가 될 수 있는지의 문제이다.

㉡ 당해 근거법규 및 관계법규가 공익뿐만 아니라 인근주민의 개인적 이익도 보호하고 있다고 해석되는 경우에 인근주민에게 원고적격이 인정된다.

관련판례

주거지역안에서는 도시계획법 제19조 제1항과 개정전 건축법 제32조 제1항에 의하여 공익상 부득이 하다고 인정될 경우를 제외하고는 거주의 안녕과 건전한 생활환경의 보호를 해치는 모든 건축이 금지되고 있을뿐 아니라 주거지역내에 거주하는 사람이 받는 위와 같은 보호이익은 법률에 의하여 보호되는 이익이라고 할 것이므로 주거지역내에 위 법조 소정 제한면적을 초과한 연탄공장 건축허가처분으로 불이익을 받고 있는 제3거주자는 비록 당해 행정처분의 상대자가 아니라 하더라도 그 행정처분으로 말미암아 위와 같은 법률에 의하여 보호되는 이익을 침해받고 있다면 당해행정 처분의 취소를 소구하여 그 당부의 판단을 받을 법률상의 자격이 있다(대판 1975.5.13, 73누96·97).

ⓒ 환경영향평가법도 시설 허가처분의 근거법규 내지 관계법규로 보아 일정한 자에 대해 원고적격을 인정하고 있다.

ⓐ 환경영향평가법령도 처분의 근거법률로 보아 근거법률의 근거를 절차법규로까지 확대하여 원고적격을 확대·인정하고 있다.

ⓑ 환경영향평가 등 영향권의 범위가 정해져 있는 경우 영향권 내의 주민에게는 원고적격이 인정되며, 비록 영향권 범위 밖의 주민은 참을 정도(수인한도)를 넘는 환경침해를 입증하면 원고적격이 인정된다.

관련판례

1 환경영향평가에 관한 자연공원법령 및 환경영향평가법령의 규정들의 취지는 집단시설지구개발사업이 환경을 해치지 아니하는 방법으로 시행되도록 함으로써 집단시설지구개발사업과 관련된 환경공익을 보호하려는 데에 그치는 것이 아니라 그 사업으로 인하여 직접적이고 중대한 환경피해를 입으리라고 예상되는 환경영향평가대상지역 안의 주민들이 개발 전과 비교하여 수인한도를 넘는 환경침해를 받지 아니하고 쾌적한 환경에서 생활할 수 있는 개별적 이익까지도 이를 보호하려는 데에 있다 할 것이므로, 위 주민들이 당해 변경승인 및 허가처분과 관련하여 갖고 있는 위와 같은 환경상의 이익은 단순히 환경공익 보호의 결과로 국민일반이 공통적으로 가지게 되는 추상적·평균적·일반적인 이익에 그치지 아니하고 주민 개개인에 대하여 개별적으로 보호되는 직접적·구체적인 이익이라고 보아야 한다(대판 1998.4.24, 97누3286).

2 환경영향평가대상사업에 해당하는 국립공원 집단시설지구개발사업에 있어 그 시설물기본설계 변경승인처분과 관련하여 위 주민들이 갖고 있는 위와 같은 환경상의 이익은 주민 개개인에 대하여 개별적으로 보호되는 직접적·구체적인 이익이라고 보아야 할 것이어서, 국립공원 집단시설지구개발사업으로 인하여 직접적이고 중대한 환경피해를 입으리라고 예상되는 환경영향평가대상지역 안의 주민들이 누리고 있는 환경상의 이익이 위 변경승인처분으로 인하여 침해되거나 침해될 우려가 있는 경우에는 그 주민들에게 위 변경승인처분과 그 변경승인처분의 취소를 구하는 행정심판청구를 각하한 재결의 취소를 구할 원고적격이 있다고 보아야 한다(대판 2001.7.27, 99두2970).
#속리산국립공원_용화집단시설지구기본설계변경승인처분 #환경영향평가지역_내_주민_환경상이익_권리

3 환경영향평가 대상지역 밖의 주민이라 할지라도 공유수면매립면허처분 등으로 인하여 그 처분 전과 비교하여 수인한도를 넘는 환경피해를 받거나 받을 우려가 있는 경우에는, 공유수면매립면허처분 등으로 인하여 환경상 이익에 대한 침해 또는 침해우려가 있다는 것을 입증함으로써 그 처분 등의 무효확인을 구할 원고적격을 인정받을 수 있다(대판 2006.3.16, 2006두330).
#새만금간척개발사업_공유수면매립면허취소 #환경영향평가대상지역_밖_주민_원고적격_부인(원칙)
#밖_주민_수인한도(참을한도)_넘는_환경침해_입증_원고적격_인정(예외)

4 그 행정처분의 근거 법규 또는 관련 법규에 그 처분으로써 이루어지는 행위 등 사업으로 인하여 환경상 침해를 받으리라고 예상되는 영향권의 범위가 구체적으로 규정되어 있는 경우에는, 그 영향권 내의 주민들에 대하여는 당해 처분으로 인하여 직접적이고 중대한 환경피해를 입으리라고 예상할 수 있고, 이와 같은 환경상의 이익은 주민 개개인에 대하여 개별적으로 보호되는 직접적·구체적 이익으로서 그들에 대하여는 특단의 사정이 없는 한 환경상 이익에 대한 침해 또는 침해 우려가 있는 것으로 사실상 추정되어 법률상 보호되는 이익으로 인정됨으로써 원고적격이

간단 점검하기

01 대법원은 속리산국립공원 용화집단시설지구의 개발을 위한 공원사업시행허가에 대한 취소소송사건에서 자연공원법령뿐만 아니라 허가와 불가분적으로 관계가 있는 환경영향평가법령도 공원사업시행허가처분의 근거법령이 된다고 판시하여 근거법률의 범위를 확대하였다. ( ) 11. 국가직 9급

02 행정처분의 근거법규 등에 그 처분으로써 이루어지는 행위 등 사업으로 인하여 환경상 침해를 받으리라고 예상되는 영향권의 범위가 구체적으로 규정되어 있는 경우에는, 그 영향권 내의 주민들의 환경상의 이익은 주민 개개인에 대하여 개별적으로 보호되는 직접적·구체적 이익이다. ( ) 12. 지방직 7급

03 환경영향평가에 관한 자연공원법령 및 환경영향평가법령들의 취지는 환경공익을 보호하려는 데 있으므로 환경영향평가 대상지역 안의 주민들의 수인한도를 넘는 환경침해를 받지 아니하고 쾌적한 환경에서 생활할 수 있는 개별적 이익까지 보호하는 데 있다고 볼 수 없다. ( ) 17. 국가직 9급

04 환경영향평가대상지역 밖의 주민들은 공유수면매립면허처분으로 인하여 그 처분 전과 비교하여 수인한도를 넘는 환경피해를 받거나 받을 우려가 있다는 점을 입증할 경우 법률상 보호되는 이익이 인정된다. ( ) 17. 국회직 8급

05 판례에 의하면 환경영향평가 대상지역 밖에 거주하는 주민이라도 침해 또는 침해 우려의 입증 여부와 관계없이 헌법상의 환경권 또는 환경정책기본법에 근거하여 공유수면매립면허처분과 농지개량사업시행인가처분의 무효확인을 구할 원고적격이 인정된다. ( ) 10. 지방직 7급

01 ○ **02** ○ **03** × **04** ○ **05** ×

간단 점검하기

01 판례에 의하면 환경영향평가 대상사업에 해당하는 국립공원 집단시설지구개발사업에 관한 공원사업시행허가처분에 대한 환경영향평가 대상지역 안의 주민의 이익은 반사적 이익이다. ( ) 12. 서울시 9급

02 판례에 의하면 공장설립승인처분으로 환경상 이익에 대한 침해 또는 침해 우려가 있는 것으로 사실상 추정되는 주민은 원고적격이 인정된다. ( ) 12. 서울시 9급

03 원자로시설부지 인근주민들이 방사성 물질 등에 의한 생명·신체의 안전침해를 이유로 부지사전승인처분의 취소를 구할 때에는 판례가 원고적격을 인정하고 있다. ( ) 15. 경찰행정, 14. 서울시 9급

04 전원(電源)개발사업 실시계획승인처분에 대한 취소소송에서 환경영향평가 대상지역 안의 주민들은 처분의 취소를 구할 원고적격이 인정된다. ( ) 14. 서울시 9급

인정되며, 그 영향권 밖의 주민들은 당해 처분으로 인하여 그 처분 전과 비교하여 수인한도를 넘는 환경피해를 받거나 받을 우려가 있다는 자신의 환경상 이익에 대한 침해 또는 침해 우려가 있음을 증명하여야만 법률상 보호되는 이익으로 인정되어 원고적격이 인정된다(대판 2006.12.22, 2006두14001).
#연접개발_사전환경성검토협의_대상지역_내_원고적격인정
#협의대상_창업사업계획승인처분_공장설립승인처분_취소_원고적격인정

5 원자력법 제12조 제3호(발전용 원자로 및 관계시설의 건설이 국민의 건강·환경상의 위해방지에 지장이 없을 것)의 취지와 원자력법 제11조의 규정에 의한 원자로 및 관계 시설의 건설사업을 환경영향평가대상사업으로 규정하고 있는 구 환경영향평가법(1997.3.7. 법률 제5302호로 개정되기 전의 것) 제4조, 구 환경영향평가법시행령(1993.12.11. 대통령령 제14018호로 제정되어 1997.9.8. 대통령령 제15475호로 개정되기 전의 것) 제2조 제2항 [별표 1]의 다의 (4) 규정 및 환경영향평가서의 작성, 주민의 의견 수렴, 평가서 작성에 관한 관계 기관과의 협의, 협의내용을 사업계획에 반영한 여부에 대한 확인·통보 등을 규정하고 있는 위 법 제8조, 제9조 제1항, 제16조 제1항, 제19조 제1항 규정의 내용을 종합하여 보면, 위 환경영향평가법 제7조에 정한 환경영향평가대상지역 안의 주민들이 방사성물질 이외의 원인에 의한 환경침해를 받지 아니하고 생활할 수 있는 이익도 직접적·구체적 이익으로서 그 보호대상으로 삼고 있다고 보이므로, 위 환경영향평가대상지역 안의 주민에게는 방사성물질 이외에 원전냉각수 순환시 발생되는 온배수로 인한 환경침해를 이유로 부지사전승인처분의 취소를 구할 원고적격도 있다(대판 1998.9.4, 97누19588).

6 전원(電源)개발사업실시계획승인처분의 근거 법률인 전원개발에관한특례법령, 구 환경보전법령, 구 환경정책기본법령 및 환경영향평가법령 등의 규정 취지는 환경영향평가대상사업에 해당하는 발전소건설사업이 환경을 해치지 아니하는 방법으로 시행되도록 함으로써 당해 사업과 관련된 환경공익을 보호하려는 데 그치는 것이 아니라 당해 사업으로 인하여 직접적이고 중대한 환경피해를 입으리라고 예상되는 환경영향평가대상지역 안의 주민들이 전과 비교하여 수인한도를 넘는 환경침해를 받지 아니하고 쾌적한 환경에서 생활할 수 있는 개별적 이익까지도 이를 보호하려는 데에 있으므로, 주민들이 위 승인처분과 관련하여 갖고 있는 위와 같은 환경상 이익은 단순히 환경공익 보호의 결과로서 국민일반이 공통적으로 갖게 되는 추상적·평균적·일반적 이익에 그치지 아니하고 환경영향평가대상지역 안의 주민 개개인에 대하여 개별적으로 보호되는 직접적·구체적 이익이라고 보아야 하고, 따라서 위 사업으로 인하여 직접적이고 중대한 환경침해를 받게 되리라고 예상되는 환경영향평가대상지역 안의 주민에게는 위 승인처분의 취소를 구할 원고적격이 있다(대판 1998.9.22, 97누19571).

간단 점검하기

05 환경상 이익에 대한 침해 또는 침해우려가 있는 것으로 사실상 추정되어 원고적격이 인정되는 사람에게는 환경상 침해를 받으리라고 예상되는 영향권 내의 주민들을 비롯하여 단지 그 영향권 내의 건물·토지를 소유하거나 환경상 이익을 일시적으로 향유하는데 그치는 사람도 포함된다. ( ) 12. 지방직 9급

01 × 02 ○ 03 ○ 04 ○ 05 ×

ⓒ 환경상 이익을 현실적으로 향유하는 주민은 원고적격이 인정된다. 현실적으로 환경상 이익을 향유함에 대한 판단은 개별·구체적으로 결정한다. 예컨대 농작물을 경작하는 경우는 원고적격이 인정되나 단순히 건물이나 토지를 소유하고 있다는 것만으로는 원고적격이 인정되지 않는다.

관련판례 **제주풍력발전소** ★★★

환경상 이익에 대한 침해 또는 침해 우려가 있는 것으로 사실상 추정되어 원고적격이 인정되는 사람에는 환경상 침해를 받으리라고 예상되는 영향권 내의 주민들을 비롯하여 그 영향권 내에서 농작물을 경작하는 등 현실적으로 환경상 이익을 향유하는 사람도 포함된다. 그러나 단지 그 영향권 내의 건물·토지를 소유하거나 환경상 이익을 일시적으로 향유하는 데 그치는 사람은 포함되지 않는다(대판 2009.9.24, 2009두2825).

#제주풍력발전소개발사업_시행승인_무효확인(주위적청구)_취소(예비적청구)
#현실적_환경상이익_침해_원고적격인정 #농작물경작 #건물 · 토지_소유

Level up **환경영향평가와 원고적격**

1. 환경영향평가 등 영향권의 범위가 정해져 있는 경우
   ① 영향권의 범위 내 주민: 원고적격 인정(원칙)
   ② 영향권의 범위 밖 주민: 수인한도를 넘는 환경상 이익 침해, 입증해야 원고적격 인정(예외)
2. 환경상 이익을 현실적으로 향유하는 주민
   ① 농작물 경작 등 현실적으로 환경상 이익을 향유, 원고적격 인정
   ② 건물 · 토지 소유, 일시적 환경상 이익을 향유, 원고적격 부정

point check **인근 주민의 원고적격 정리**

원고적격 인정	• 연탄공장 허가제한으로 얻는 인근주민이익 • LPG충전소 허가제한으로 얻는 인근주민이익 • 공설화장장 설치에 대한 인근주민이익 • 원자로부지 사전승인에 있어 인근주민이익 • 도로용도폐지처분에 직접적인 이해관계가 있는 인근주민의 이익 • 환경영향평가지역 안의 주민의 환경상 이익
원고적격 부정	• 상수원보호구역 변경에 대한 인근주민의 이익 • 횡단보도설치에 관한 지하상가 상인의 이익 • 문화재 보호구역지정에 관한 지역주민의 이익 • 도로의 일반사용에서 인근주민의 이익 • 환경영향평가지역 밖의 주민의 환경상 이익

㉣ 거리제한규정이 있는 경우 그 거리 이내의 인근주민은 원고적격이 인정된다.

관련판례

1 **납골당거리제한** ★★★

납골당 설치장소에서 500m 내에 20호 이상의 인가가 밀집한 지역에 거주하는 주민들의 경우, 납골당이 누구에 의하여 설치되는지와 관계없이 납골당 설치에 대하여 환경 이익 침해 또는 침해 우려가 있는 것으로 사실상 추정되어 원고적격이 인정된다(대판 2011.9.8, 2009두6766).

#장사등에관한법률시행령_납골당설치_거리등제한
#거리제한_지역주민_납골당설치신고수리처분이행통지취소_원고적격인정

간단 점검하기

납골당 설치장소에서 500m 내에 20호 이상의 인가가 밀집한 지역에 거주하는 주민들의 경우, 납골당이 누구에 의하여 설치되는지와 관계없이 납골당 설치에 대하여 환경이익 침해 또는 침해우려가 있는 것으로 사실상 추정되어 원고적격이 인정된다. ( )

17. 국회직 8급, 12. 지방직 7급 · 서울시 9급

○

2 주민들이 소각시설입지지역결정 · 고시와 관련하여 갖는 위와 같은 환경상의 이익은 주민 개개인에 대하여 개별적으로 보호되는 직접적 · 구체적 이익으로서 그들에 대하여는 특단의 사정이 없는 한 환경상의 이익에 대한 침해 또는 침해우려가 있는 것으로 사실상 추정되어 폐기물 소각시설의 입지지역을 결정 · 고시한 처분의 무효확인을 구할 원고적격이 인정된다고 할 것이고, 한편 폐기물소각시설의 부지경계선으로부터 300m 밖에 거주하는 주민들도 위와 같은 소각시설 설치사업으로 인하여 사업 시행 전과 비교하여 수인한도를 넘는 환경피해를 받거나 받을 우려가 있음에도 폐기물처리시설 설치기관이 주변영향지역으로 지정 · 고시하지 않는 경우 같은 법 제17조 제3항 제2호 단서 규정에 따라 당해 폐기물처리시설의 설치 · 운영으로 인하여 환경상 이익에 대한 침해 또는 침해우려가 있다는 것을 입증함으로써 그 처분의 무효확인을 구할 원고적격을 인정받을 수 있다(대판 2005.3.11, 2003두13489).

③ 경원자소송

㉠ 경원자란 인 · 허가 등에서 법규상 · 성질상 양립할 수 없는 출원을 제기한 자로서, 일방에 대한 허가가 타방에 대한 불허가로 귀결되는 관계에 있는 자를 말한다.

㉡ 경원자의 경우 각 경원자에 대한 인 · 허가 등이 배타적인 관계에 있으므로 일반적으로 법률상 이익이 인정되어 원고적격이 인정된다.

ⓐ 인 · 허가 등의 수익적 행정처분을 신청한 여러 사람이 서로 경쟁관계에 있어 일방에 대한 허가 등의 처분이 타방에 대한 불허가 등으로 될 수밖에 없는 때에는 허가 등의 처분을 받지 못한 사람은 처분의 상대방이 아니라 하더라도 당해 처분의 취소를 구할 원고적격이 있다.

ⓑ 명백한 법적 장애로 인하여 원고 자신의 신청이 인용될 가능성이 처음부터 배제되어 있는 경우에는 당해 처분의 취소를 구할 이익이 없다(대판 2009.12.10, 2009두8359).

ⓒ 경원관계에서 경원자에 대한 수익적 처분의 취소를 구하지 않고 자신에 대한 거부처분만의 취소를 구하는 것도 허용된다.

관련판례 **주유소허가거부** ★★★

인가 · 허가 등 수익적 행정처분을 신청한 여러 사람이 서로 경원관계에 있어서 한 사람에 대한 허가 등 처분이 다른 사람에 대한 불허가 등으로 귀결될 수밖에 없을 때 허가 등 처분을 받지 못한 사람은 신청에 대한 거부처분의 직접 상대방으로서 원칙적으로 자신에 대한 거부처분의 취소를 구할 원고적격이 있다(대판 2015.10.29, 2013두27517).

#부산강서구청장_주유소운영사업자선정_거부처분_경원자_원고적격_인정

④ 경업자소송

㉠ 경업자란 행정청이 신규 인 · 허가를 내림으로써 그와 경쟁관계에 있는 기존업자에게 부담을 가중하는 경우, 신규업자와 기존업자의 관계에 있는 자를 의미한다.

㉡ 경업자의 경우 원고적격의 인정 여부는 기존업자가 누리고 있던 영업상 이익이 법적으로 보호되는 이익에 해당하는지 여부에 달려 있다.

간단 점검하기

01 1일 50t의 쓰레기를 소각하는 시설의 부지 경계선으로부터 300m 안의 주민들은 폐기물소각시설의 입지지역을 결정 · 고시한 처분의 무효확인을 구하는 소송의 원고적격이 인정된다. ( ) 14. 서울시 9급

간단 점검하기

02 경원자소송에서는 법적 자격의 흠결로 신청이 인용될 가능성이 없는 경우를 제외하고는 경원관계의 존재만으로 거부된 처분의 취소를 구할 법률상 이익이 있다. ( ) 08. 국회직 8급

03 경원관계에서 허가처분을 받지 못한 사람은 자신에 대한 거부처분이 취소되더라도, 그 판결의 직접적 효과로 경원자에 대한 허가처분이 취소되거나 효력이 소멸하는 것은 아니므로 자신에 대한 거부처분의 취소를 구할 소의 이익이 없다. ( ) 16. 지방직 7급

간단 점검하기

04 인 · 허가 등 수익적 처분을 신청한 여러 사람이 상호 경쟁관계에 있다면, 그 처분이 타방에 대한 불허가 등으로 될 수밖에 없는 때에도 수익적 처분을 받지 못한 사람은 처분의 직접 상대방이 아니므로 원칙적으로 당해 수익적 처분의 취소를 구할 수 없다. ( ) 17. 지방직 9급

01 ○ 02 ○ 03 × 04 ×

ⓒ 일반적으로 기존업자가 특허기업인 경우에는 법률상 이익을 인정하여 원고적격을 인정하고, 허가업자인 경우에는 반사적·사실적 이익에 불과하다고 보아 원고적격을 부정하는 경향이다.

관련판례

일반적으로 면허나 인허가 등의 수익적 행정처분의 근거가 되는 법률이 해당 업자들 사이의 과당경쟁으로 인한 경영의 불합리를 방지하는 것도 목적으로 하고 있는 경우, 다른 업자에 대한 면허나 인허가 등의 수익적 행정처분에 대하여 미리 같은 종류의 면허나 인허가 등의 수익적 행정처분을 받아 영업을 하고 있는 기존의 업자는 경업자에 대하여 이루어진 면허나 인허가 등 행정처분의 상대방이 아니라 하더라도 당해 행정처분의 취소를 구할 당사자적격이 있다(대판 2018.4.26, 2015두53824).

관련판례 **기존업자의 원고적격 인정**

1 구 여객자동차 운수사업법(2009.2.6. 법률 제9532호로 개정되기 전의 것, 이하 '법'이라 한다) 제5조 제1항 제1호에서 '사업계획이 해당 노선이나 사업구역의 수송수요와 수송력 공급에 적합할 것'을 여객자동차운송사업의 면허기준으로 정한 것은 여객자동차운송사업에 관한 질서를 확립하고 여객자동차운송사업의 종합적인 발달을 도모하여 공공의 복리를 증진함과 동시에 업자 간의 경쟁으로 인한 경영의 불합리를 미리 방지하자는 데 그 목적이 있다 할 것이고, 법 제3조 제1항 제1호와 법 시행령(2008.11.26. 대통령령 제21132호로 개정되기 전의 것) 제3조 제1호, 법 시행규칙(2008.11.6. 국토해양부령 제66호로 전부 개정되기 전의 것) 제7조 제5항 등의 각 규정을 종합하여 보면, 고속형 시외버스운송사업과 직행형 시외버스운송사업은 다 같이 운행계통을 정하고 여객을 운송하는 노선여객자동차운송사업 중 시외버스운송사업에 속하므로, 위 두 운송사업이 사용버스의 종류, 운행거리, 운행구간, 중간정차 여부 등에서 달리 규율된다는 사정만으로 본질적인 차이가 있다고 할 수 없으며, 직행형 시외버스운송사업자에 대한 사업계획변경인가처분으로 인하여 기존의 고속형 시외버스운송사업자의 노선 및 운행계통과 직행형 시외버스운송사업자들의 그것들이 일부 중복되게 되고 기존업자의 수익감소가 예상된다면, 기존의 고속형 시외버스운송사업자와 직행형 시외버스운송사업자들은 경업관계에 있는 것으로 봄이 상당하므로, 기존의 고속형 시외버스운송사업자에게 직행형 시외버스운송사업자에 대한 사업계획변경인가처분의 취소를 구할 법률상의 이익이 있다(대판 2010.11.11, 2010두4179).

2 자동차운수사업법 제6조 제1항 제1호에서 당해 사업계획이 당해 노선 또는 사업구역의 수송수요와 수송력공급에 적합할 것을 면허의 기준으로 정한 것은 자동차운수사업에 관한 질서를 확립하고 자동차운수사업의 종합적인 발달을 도모하여 공공의 복리를 증진함과 동시에 업자간의 경쟁으로 인한 경영의 불합리를 미리 방지하자는 데 그 목적이 있다 할 것이므로 개별화물자동차운송사업면허를 받아 이를 영위하고 있는 기존의 업자로서는 동일한 사업구역내의 동종의 사업용 화물자동차면허대수를 늘리는 보충인가처분에 대하여 그 취소를 구할 법률상 이익이 있다(대판 1992.7.10, 91누9107).

3 방송법은 중계유선방송사업의 허가요건, 기준, 절차에 관하여 엄격하게 규정함으로써 중계유선방송사업의 합리적인 관리를 통하여 중계유선방송사업의 건전한 발전과 이용의 효율화를 기함으로써 공공복리를 증진하려는 목적과 함께 엄격한 요건을 통과한 사업자에 대하여는 사실상 독점적 지위에서 영업할 수 있는 지역사업권

간단 점검하기

01 기존업자가 특허기업인 경우에는 그 특허로 인하여 받는 영업상 이익은 반사적 이익 내지 사실상 이익에 불과한 것으로 보는 것이 일반적이나, 허가기업인 경우에는 기존업자가 그 허가로 인하여 받은 영업상 이익은 법률상 이익으로 본다. ( ) 17. 국회직 8급

02 면허나 인·허가 등의 수익적 행정처분의 근거가 되는 법률이 해당업자들 사이의 과당경쟁으로 인한 경영의 불합리를 방지하는 것도 그 목적으로 하고 있는 경우, 기존의 업자는 경업자에 대하여 이루어진 면허나 인·허가 등 행정처분의 상대방이 아니라 하더라도 당해 행정처분의 취소를 구할 원고적격이 있다. ( ) 13. 국회직 8급·국가직 9급

03 기존의 고속형 시외버스운송사업자 A는 경업관계에 있는 직행형 시외버스운송사업자에 대한 사업계획변경인가처분의 취소를 구할 법률상 이익이 있다. ( ) 16. 지방직 9급

간단 점검하기

04 동일한 사업구역 내의 동종의 사업용 화물자동차면허대수를 늘리는 보충인가처분에 대하여 기존업자는 그 취소를 구할 법률상 이익이 없다. ( ) 10. 경찰행정

01 × 02 ○ 03 ○ 04 ×

을 부여하여 무허가업자의 경업이나 허가를 받은 업자간 과당경쟁으로 인한 유선 방송사업 경영의 불합리를 방지함으로써 사익을 보호하려는 목적도 있다고 할 것이므로, 허가를 받은 중계유선방송사업자의 사업상 이익은 단순한 반사적 이익에 그치는 것이 아니라 방송법에 의하여 보호되는 법률상 이익이라고 보아야 한다(대판 2007.5.11, 2004다11162).

4 구 오수 · 분뇨 및 축산폐수의 처리에 관한 법률과 같은 법 시행령상 업종을 분뇨와 축산폐수 수집 · 운반업 및 정화조청소업으로 하여 분뇨 등 관련 영업허가를 받아 영업을 하고 있는 기존 업자의 이익이 법률상 보호되는 이익이라고 보아, 기존 업자에게 경업자에 대한 영업허가처분의 취소를 구할 원고적격이 있다(대판 2006.7.28, 2004두6716).

관련판례 **기존업자의 원고적격 부정**

1 구 공중목욕장법에 의한 공중목욕장업허가는 그 사업경영의 권리를 인정하는 형성적 행위가 아니고 경찰금지의 해제에 불과하다(대판 1963.8.31, 63누101).

2 석탄수급조정에 관한 임시조치법 소정의 석탄가공업에 관한 허가는 사업경영의 권리를 설정하는 형성적 행정행위가 아니라 질서유지와 공공복리를 위한 금지를 해제하는 명령적 행정행위여서 그 허가를 받은 자는 영업자유를 회복하는데 불과하고 독점적 영업권을 부여받은 것이 아니기 때문에 기존허가를 받은 원고들이 신규허가로 인하여 영업상 이익이 감소된다 하더라도 이는 원고들의 반사적 이익을 침해하는 것에 지나지 아니하므로 원고들은 신규허가 처분에 대하여 행정소송을 제기할 법률상 이익이 없다(대판 1980.7.22, 80누33 · 34).

3 이 사건 건물의 4, 5층 일부에 객실을 설비할 수 있도록 숙박업구조변경허가를 함으로써 그곳으로부터 50미터 내지 700미터 정도의 거리에서 여관을 경영하는 원고들이 받게 될 불이익은 간접적이거나 사실적, 경제적인 불이익에 지나지 아니하므로 그것만으로는 원고들에게 위 숙박업구조변경허가처분의 무효확인 또는 취소를 구할 소익이 있다고 할 수 없다(대판 1990.8.14, 89누7900).

4 한의사 면허는 경찰금지를 해제하는 명령적 행위(강학상 허가)에 해당하고, 한약조제시험을 통하여 약사에게 한약조제권을 인정함으로써 한의사들의 영업상 이익이 감소되었다고 하더라도 이러한 이익은 사실상의 이익에 불과하고 약사법이나 의료법 등의 법률에 의하여 보호되는 이익이라고는 볼 수 없으므로, 한의사들이 한약조제시험을 통하여 한약조제권을 인정받은 약사들에 대한 합격처분의 무효확인을 구하는 당해 소는 원고적격이 없는 자들이 제기한 소로서 부적법하다(대판 1998.3.10, 97누4289).

5 면허받은 장의자동차운송사업구역에 위반하였음을 이유로 한 행정청의 과징금부과처분에 의하여 동종업자의 영업이 보호되는 결과는 사업구역제도의 반사적 이익에 불과하기 때문에 그 과징금부과처분을 취소한 재결에 대하여 처분의 상대방 아닌 제3자는 그 취소를 구할 법률상 이익이 없다(대판 1992.12.8, 91누13700).

6 국립대학 교수에게 타인을 같은 학과 부교수로 임용한 처분의 취소를 구할 법률상 이익이 없다(대판 1995.12.12, 95누11856).

간단 점검하기

01 분뇨 관련 영업허가를 받은 기존 업자는 다른 업자에 대한 영업허가처분을 다투는 소송의 원고적격이 인정된다. ( ) 14. 서울시 9급

간단 점검하기

02 구 석탄수급조정에 관한 임시조치법 소정의 석탄가공업에 관한 허가는 사업경영의 권리를 설정하는 형성적 행정행위이므로 기존에 허가를 받은 원고들이 신규허가로 인하여 영업상 이익이 감소될 수 있다는 이유로 기존의 업자에 대해 처분의 취소를 구할 법률상 이익이 있다. ( ) 13. 국회직 8급

03 甲이 종래부터 5층 건물에 숙박업허가를 받아 영업하고 있는 지점으로부터 불과 500미터 정도의 거리에 乙이 15층의 건물을 신축하여 같은 구청장인 A로부터 숙박업허가를 받아 현재 영업 중이다. 그러자 甲은 자신의 숙박업건물을 乙의 건물과 동일한 높이로 증축을 결심하고 A에게 숙박업구조변경허가를 신청하였다. 전통적 견해에 의하면 A가 甲에 대한 허가를 발급함으로 인한 乙의 영업상 이익의 침해는 권리침해로 된다. ( ) 09. 국가직 7급

04 한약조제시험을 통하여 약사에게 한약조제권을 인정함으로써 한의사들의 영업상 이익이 감소되었다고 하더라도 이러한 이익은 사실상의 이익에 불과하다. ( )
17. 사회복지직, 14. 지방직 9급

05 면허받은 장의자동차운송사업구역을 위반하였음을 이유로 한 행정청의 과징금부과처분에 의하여 동종업자의 영업이 보호되는 결과는 사업구역제도의 반사적 이익에 불과하기 때문에 그 과징금 부과처분을 취소한 재결에 대하여 처분의 상대방이 아닌 제3자는 그 취소를 구할 법률상 이익이 없다.
( ) 13. 국회직 8급, 12. 서울시 9급

06 부교수임용처분에 대하여 같은 학과의 기존교수는 판례가 취소소송의 원고적격을 부정한다. ( )
18. 소방직 9급

01 ○ 02 × 03 × 04 ○
05 ○ 06 ○

7 구내소매인과 일반소매인 사이에서는 구내소매인의 영업소와 일반소매인의 영업소 간에 거리제한을 두지 아니할 뿐 아니라 건축물 또는 시설물의 구조·상주인원 및 이용인원 등을 고려하여 동일 시설물 내 2개소 이상의 장소에 구내소매인을 지정할 수 있으며, 이 경우 일반소매인이 지정된 장소가 구내소매인 지정대상이 된 때에는 동일 건축물 또는 시설물 안에 지정된 일반소매인은 구내소매인으로 보고, 구내소매인이 지정된 건축물 등에는 일반소매인을 지정할 수 없으며, 구내소매인은 담배진열장 및 담배소매점 표시판을 건물 또는 시설물의 외부에 설치하여서는 아니 된다고 규정하는 등 일반소매인의 입장에서 구내소매인과의 과당경쟁으로 인한 경영의 불합리를 방지하는 것을 그 목적으로 할 수 있다고 보기 어려우므로, 일반소매인으로 지정되어 영업을 하고 있는 기존업자의 신규 구내소매인에 대한 이익은 법률상 보호되는 이익이 아니라 단순한 사실상의 반사적 이익이라고 해석함이 상당하므로, 기존 일반소매인은 신규 구내소매인 지정처분의 취소를 구할 원고적격이 없다(대판 2008.4.10, 2008두402).

point check 기존업자의 원고적격 정리

원고적격 인정사례	• 선박운송사업 신규면허처분에 대한 기존업자의 이익 • 자동차운송사업의 노선연장에 대한 기존업자의 이익 • 화물자동차 증차인가에 대한 기존업자의 이익 • 시외버스를 시내버스로 전환하는 것에 대한 기존업자의 이익 • 광구의 증구에 관한 인접 광업권자의 이익 • 약종상 영업소 이전허가에 따른 기존업자의 이익 • 하천부지점용허가에 따른 기존 점용자의 이익
원고적격 부정사례	• 공중목욕탕 거리제한으로 얻는 기존업자의 이익 • 석탄가공업허가를 받은 기존업자의 이익 • 양곡가공업허가를 받은 기존업자의 이익 • 숙박업구조변경허가처분을 받은 기존업자의 이익 • 치과의원면허처분을 받은 기존업자의 이익 • 한의사면허를 취득하여 영업하고 있는 기존 한의사의 한약조제이익

⑤ **수익적 처분 및 신청대로 이루어진 처분의 상대방**: 수익적 처분이거나 신청대로 이루어진 처분으로 그 상대방이 법률상 이익이 침해되었다고 볼 수 없으므로 달리 특별한 사정이 없는 한 원고적격이 없다.

관련판례

1 **토지거래허가처분취소** ★★

행정처분이 수익적인 처분이거나 신청에 의하여 신청 내용대로 이루어진 처분인 경우에는 처분 상대방의 권리나 법률상 보호되는 이익이 침해되었다고 볼 수 없으므로 달리 특별한 사정이 없는 한 처분의 상대방은 그 취소를 구할 이익이 없다고 할 것이다(대판 1995.5.26, 94누7324).

#토지거래허가처분취소_수익적_원고적격부정

2 **사용검사처분** ★★

구 주택법상 입주자나 입주예정자가 사용검사처분의 취소를 구할 법률상 이익이 없다. … 사용검사처분은 건축물을 사용·수익할 수 있게 하는 데에 그치므로 건축물에 대하여 사용검사처분이 이루어졌다고 하더라도 그 사정만으로는 건축물에 있

간단 점검하기

01 판례에 의하면 신규 담배 구내소매인 지정처분에 대한 담배 일반소매인인 기존업자는 원고적격이 인정된다. ( ) 14. 서울시 9급, 12. 서울시 9급

간단 점검하기

02 행정처분에 있어서 불이익처분의 상대방은 직접 개인적 이익의 침해를 받은 자로서 취소소송의 원고적격이 인정되지만 수익처분의 상대방은 그의 권리나 법률상 보호되는 이익이 침해되었다고 볼 수 없으므로 달리 특별한 사정이 없는 한 취소를 구할 이익이 없다. ( ) 17. 국가직 9급

03 수익처분의 상대방에게도 당해 처분의 취소를 구할 이익이 인정될 수 있다. ( ) 18. 국회직 8급

01 × 02 ○ 03 ○

는 하자나 건축법 등 관계 법령에 위반되는 사실이 정당화되지는 않는다(대판 2014.7.24, 2011두30465).
#입주예정자_사용검사처분취소_법률상이익× #사용검사처분_하자_정당화×

⑥ 침익적 처분의 상대방

㉠ 침익적 처분의 직접 상대방과 동일한 이해관계를 갖는 자 또는 불특정 다수를 상대로 행해지는 일반처분의 상대방은 원고적격을 갖는다. 다시 말해 침익적 처분의 상대방과 공동이해관계를 갖는 자는 원고적격을 갖는다.

관련판례 **보험약가인하처분** ★★★

보건복지부 고시인 약제급여 · 비급여목록 및 급여상한금액표(보건복지부 고시 제2002- 46호로 개정된 것)로 인하여 자신이 제조 · 공급하는 약제의 상한금액이 인하됨에 따라 위와 같이 보호되는 법률상 이익이 침해당할 경우, 제약회사는 위 고시의 취소를 구할 원고적격이 있다(대판 2006.9.22, 2005두2506).
#보험약가인하처분_제약회사_원고적격인정

㉡ 침익적 처분의 효력이 제3자에게 미치는 경우 제3자가 법률상 직접적 · 구체적인 이해관계를 갖는다면 원고적격이 인정될 수 있고, 간접적 · 사실상의 이해관계를 갖는 것에 불과하다면 원고적격이 인정될 수 없다. 따라서 처분과 밀접한 이해관계를 갖는 제3자는 원고적격이 인정된다.

관련판례

1 **압류된 부동산 양수인 - 원고적격 ×** ★★★

과세관청이 조세의 징수를 위하여 납세의무자 소유의 부동산을 압류한 경우 그 이후에 압류등기가 된 부동산을 양도받아 소유권이전등기를 마친 사람은 위 압류처분이나 그에 터 잡아 이루어지는 국세징수법상의 공매처분에 대하여 사실상이고 간접적인 이해관계를 가질 뿐 법률상 직접적이고 구체적인 이익을 가지는 것은 아니어서 그 압류처분이나 공매처분의 실효나 무효확인을 구할 당사자적격이 없다(대판 1992.3.31, 91누6023).
#부동산(건물)매매 #양도_전_국세청_체납압류_등기 #등기_후_건물양도 #건물양도_후_국세청_공매
#건물양수인_사실상_간접적_이해관계_부동산압류처분무효확인_원고적격부인

2 **체납자가 점유한 제3자의 소유부동산 압류** ★★★

과세관청이 조세의 징수를 위하여 체납자가 점유하고 있는 제3자의 소유 동산을 압류한 경우, 그 체납자는 그 압류처분에 의하여 당해 동산에 대한 점유권의 침해를 받은 자로서 그 압류처분에 대하여 법률상 직접적이고 구체적인 이익을 가지는 것이어서 그 압류처분의 취소나 무효확인을 구할 원고적격이 있다고 할 것이다(대판 2006.4.13, 2005두15151).
#체납자_점유_제3자소유부동산_압류 #체납자_압류처분취소_원고적격인정

간단 점검하기

01 약제를 제조 · 공급하는 제약회사는 보건복지부 고시인 약제급여 · 비급여목록 및 급여상한금액표 중 약제의 상한금액 인하 부분에 대하여 그 취소를 구할 원고적격이 있다. ( )
19. 지방직 9급

간단 점검하기

02 공매 등의 절차로 영업시설의 전부를 인수함으로써 영업자의 지위를 승계한 자가 관계행정청에 이를 신고하여 관계행정청이 그 신고를 수리하는 처분에 대해 종전 영업자는 제3자로서 그 처분의 취소를 구할 법률상 이익이 인정되지 않는다. ( )
13. 국가직 7급

01 ○ 02 ×

3 채석허가 양수인 ★★★

채석허가가 유효하게 존속하고 있다는 것이 양수인의 명의변경신고의 전제가 된다는 의미에서 관할 행정청이 양도인에 대하여 채석허가를 취소하는 처분을 하였다면 이는 양수인의 지위에 대한 직접적 침해가 된다고 할 것이므로 양수인은 채석허가를 취소하는 처분의 취소를 구할 법률상 이익을 가진다(대판 2003.7.11, 2001두6289).

#채석허가양도양수계약 #명의변경신고_전_채석허가취소 #양수인_직접침해_법률상이익_인정

4 유원시설허가 양수자 ★★

체육시설업자로부터 영업을 양수하거나 문화체육관광부령으로 정하는 체육시설업의 시설 기준에 따른 필수시설을 인수한 자가 관계 행정청에 이를 신고하여 행정청이 수리하는 경우에는 종전 체육시설업자는 적법한 신고를 마친 체육시설업자의 지위를 부인당할 불안정한 상태에 놓이게 되므로, 그로 하여금 이러한 수리행위의 적법성을 다투어 법적 불안을 해소할 수 있도록 하는 것이 법치행정의 원리에 맞는다(대판 2012.12.13, 2011두29144).

#유원시설업허가_양수 #수허가자_취소처분_원고적격인정

5 추진위원회승인처분취소 조합원 ★★

조합설립추진위원회가 행한 업무와 관련된 권리와 의무는 조합이 포괄승계하며, 주택재개발사업의 경우 정비구역 내의 토지 등 소유자는 같은 법 제19조 제1항에 의하여 당연히 그 조합원으로 되는 점 등에 비추어 보면, 조합설립추진위원회의 구성에 동의하지 아니한 정비구역 내의 토지 등 소유자도 조합설립추진위원회 설립승인처분에 대하여 같은 법에 의하여 보호되는 직접적이고 구체적인 이익을 향유하므로 그 설립승인처분의 취소소송을 제기할 원고적격이 있다(대판 2007.1.25, 2006두12289).

#조합설립추진위원회_조합_포괄승계 #토지등소유자_조합원_설립승인처분_원고적격인정

6 예탁금회원 ★★★

예탁금회원제 골프장에 있어서, 체육시설업자 또는 그 사업계획의 승인을 얻은 자가 회원모집계획서를 제출하면서 … 그에 대한 시·도지사 등의 검토결과 통보를 받는다면 이는 기존회원의 골프장에 대한 법률상의 지위에 영향을 미치게 되므로, 이러한 경우 기존회원은 위와 같은 회원모집계획서에 대한 시·도지사의 검토결과 통보의 취소를 구할 법률상의 이익이 있다(대판 2009.2.26, 2006두16243).

#골프장회원근모집계획승인처분 #예탁금회원_시·도지사_검토결과통보_지위영향_취소_원고적격인정

⑦ 법인 및 단체에 대한 처분을 그 구성원이 다투는 경우

㉠ 법인 또는 단체에 대한 침익적 처분의 경우 법인 또는 단체 스스로 소송을 제기하면 되므로 법인 및 단체의 구성원은 원고적격이 부정됨이 원칙이다(대판 2010.5.13, 2010두2043).

㉡ 다만, 법인에 대한 처분이 당해 법인의 존속 자체를 직접 좌우하거나 주주의 지위에 중대한 영향을 초래함에도 불구하고 구성원 스스로 그의 지위를 보호할 방법이 없는 경우에는 예외적으로 원고적격이 인정될 수 있다.

간단 점검하기

01 법령상 채석허가를 받은 자의 명의변경제도를 두고 있는 경우 명의변경신고를 할 수 있는 양수인은 관할 행정청이 양도인의 허가를 취소하는 처분에 대해 취소를 구할 법률상 이익이 인정된다. ( ) 13. 국가직 7급

02 채석허가를 받은 자로부터 영업양수 후 명의변경신고 이전에 양도인의 법위반사유를 이유로 채석허가가 취소된 경우, 양수인은 수허가자의 지위를 사실상 양수받았다고 하더라도 그 처분의 취소를 구할 법률상 이익을 가지지 않는다. ( ) 17. 국가직 7급

03 甲은 영업허가를 받아 영업을 하던 중 자신의 영업을 乙에게 양도하고자 乙과 사업양도양수계약을 체결하고 관련법령에 따라 관할 행정청 A에게 지위승계신고를 하였다. 甲과 乙이 사업양도양수계약을 체결하였으나 지위승계신고 이전에 甲에 대해 영업허가가 취소되었다면, 乙은 이를 다툴 법률상 이익이 있다. ( ) 19. 서울시 9급

01 ○ 02 × 03 ○

관련판례 **법인 주주** ★★★

일반적으로 법인의 주주는 당해 법인에 대한 행정처분에 관하여 사실상이나 간접적인 이해관계를 가질 뿐이어서 스스로 그 처분의 취소를 구할 원고적격이 없는 것이 원칙이라고 할 것이지만, 그 처분으로 인하여 궁극적으로 주식이 소각되거나 주주의 법인에 대한 권리가 소멸하는 등 주주의 지위에 중대한 영향을 초래하게 되는데도 그 처분의 성질상 당해 법인이 이를 다툴 것을 기대할 수 없고 달리 주주의 지위를 보전할 구제방법이 없는 경우에는 주주도 그 처분에 관하여 직접적이고 구체적인 법률상 이해관계를 가진다고 보이므로 그 취소를 구할 원고적격이 있다(대판 2004.12.23, 2000두2648).

#법인_주주_부실금융기관결정등처분_원고적격×(원칙) #주주_지위_중대영향_원고적격○(예외)

⑧ 단체소송

㉠ 단체소송이라 환경단체나 소비자단체 등 당해 단체가 그 목적으로 하는 일반적 이익 또는 집단적 이익의 보호를 위하여 제기하는 소송을 말한다.

㉡ 단체가 자기의 이익이 침해된 경우 단체 자체가 소송을 제기하는 것은 인정된다. 그러나 단체가 단체 구성원의 이익 침해나 제3자의 이익 침해에 대해 소송을 제기하는 것은 일반적으로 인정되지 않는다.

관련판례 **의사협회** ★★★

사단법인 대한의사협회는 의료법에 의하여 의사들을 회원으로 하여 설립된 사단법인으로서, 국민건강보험법상 요양급여행위, 요양급여비용의 청구 및 지급과 관련하여 직접적인 법률관계를 갖지 않고 있으므로, 보건복지부 고시인 '건강보험요양급여행위 및 그 상대가치점수 개정'으로 인하여 자신의 법률상 이익을 침해당하였다고 할 수 없다는 이유로 위 고시의 취소를 구할 원고적격이 없다(대판 2006.5.25, 2003두11988).

#의사협회_요양급여행위_직접_법률관계×_원고적격×

⑨ 기타

관련판례 **원고적격이 있는 경우**

1 학교법인 임원 ★★★

관할청의 임원취임승인행위는 학교법인의 임원선임행위의 법률상 효력을 완성케 하는 보충적 법률행위이다. 따라서 관할청이 학교법인의 임원취임승인신청에 대하여 이를 반려하거나 거부하는 경우 학교법인에 의하여 임원으로 선임된 사람은 학교법인의 임원으로 취임할 수 없게 되는 불이익을 입게 되는바, 이와 같은 불이익은 간접적이거나 사실상의 불이익이 아니라 직접적이고도 구체적인 법률상의 불이익이라 할 것이므로 학교법인에 의하여 임원으로 선임된 사람에게는 관할청의 임원취임승인신청 반려처분을 다툴 수 있는 원고적격이 있다(대판 2007.12.27, 2005두9651).

#학교법인임원취임승인취소 #임원신청_반려 #임원_원고적격인정

2 도시계획사업시행지역 토지소유자 ★★

도시계획사업 시행지역에 포함된 토지의 소유자는 도시계획사업 실시계획의 인가로 인하여 자기의 토지가 수용당하게 되고 또 자기의 토지가 수용되지 않는 경우에도 도시계획사업이 시행되어 도시계획시설이 어떻게 설치되느냐에 따라 토지의 이

간단 점검하기

01 대법원은 대한의사협회는 국민건강보험법상 요양급여행위, 요양급여비용의 청구 및 지급과 관련하여 직접적인 법률관계를 갖지 않고 있으므로, 보건복지부 고시인 건강보험요양급여행위 및 그 상대 가치점수 개정으로 인하여 자신의 법률상 이익을 침해당하였다고 할 수 없다는 이유로 위 고시의 취소를 구할 원고적격이 없다고 보고 있다. ( ) 13. 국회직 8급

간단 점검하기

02 학교법인에 의하여 임원으로 선임된 자는 자신에 대한 관할청의 임원취임승인신청 반려처분 취소소송의 원고적격이 있다. ( ) 16. 지방직 9급

01 ○ 02 ○

용관계가 달라질 수 있으므로, 도시계획사업 시행지역에 포함된 토지의 소유자는 도시계획사업 실시계획 인가처분의 효력을 다툴 이익이 있다(대판 1995.12.8, 93누9927).

#도시계획사업실시인가처분취소 #시행지역_토지소유자_원고적격인정

3 교도소 미결수용인 ★★

교도소에 미결수용된 자는 소장의 허가를 받아 타인과 접견할 수 있으므로(이와 같은 접견권은 헌법상 기본권의 범주에 속하는 것이다) 구속된 피고인이 사전에 접견신청한 자와의 접견을 원하지 않는다는 의사표시를 하였다는 등의 특별한 사정이 없는 한 구속된 피고인은 교도소장의 접견허가거부처분으로 인하여 자신의 접견권이 침해되었음을 주장하여 위 거부처분의 취소를 구할 원고적격을 가진다(대판 1992.5.8, 91누7552).

#교도소장_접견인_접견허가거부 #미결수용인_접견허가거부_원고적격인정

4 위명(僞名)사용 실명 원고적격 ★★

미얀마 국적의 甲이 위명(僞名)인 '乙' 명의의 여권으로 대한민국에 입국한 뒤 乙 명의로 난민 신청을 하였으나 법무부장관이 乙 명의를 사용한 甲을 직접 면담하여 조사한 후 甲에 대하여 난민불인정 처분을 한 사안에서, 처분의 상대방은 허무인이 아니라 '乙'이라는 위명을 사용한 甲이라는 이유로, 甲이 처분의 취소를 구할 법률상 이익이 있다(대판 2017.3.9, 2013두16852).

#난민불인정처분취소 #미얀마(甲)_위명(乙)_입국 #실명(甲)_처분 #실명(甲)_원고적격인정

5 처분취소 침해위험잔존 원고적격인정 ★★

개발제한구역 안에서의 공장설립을 승인한 처분이 위법하다는 이유로 쟁송취소되었다고 하더라도 그 승인처분에 기초한 공장건축허가처분이 잔존하는 이상, 공장설립승인처분이 취소되었다는 사정만으로 인근 주민들의 환경상 이익이 침해되는 상태나 침해될 위험이 종료되었다거나 이를 시정할 수 있는 단계가 지나버렸다고 단정할 수는 없고, 인근 주민들은 여전히 공장건축허가처분의 취소를 구할 법률상 이익이 있다(대판 2018.7.12, 2015두3485).

#공장설립승인처분_위법취소 #공장건축허가처분_잔존 #공장건축허가처분_취소_법률상이익○

6 공공기관의 정보공개에 관한 법률 제6조 제1항은 "모든 국민은 정보의 공개를 청구할 권리를 가진다."고 규정하고 있는데, 여기에서 말하는 국민에는 자연인은 물론 법인, 권리능력 없는 사단·재단도 포함되고, 법인, 권리능력 없는 사단·재단 등의 경우에는 설립목적을 불문하며, 한편 정보공개청구권은 법률상 보호되는 구체적인 권리이므로 청구인이 공공기관에 대하여 정보공개를 청구하였다가 거부처분을 받은 것 자체가 법률상 이익의 침해에 해당한다(대판 2003.12.12, 2003두8050).

관련판례 원고적격이 없는 경우

1 운수회사 과징금부과 ★★★

운전기사의 합승행위를 이유로 소속 운수회사에 대하여 과징금부과처분이 있은 경우 당해 운전기사에게 그 과징금부과처분의 취소를 구할 이익이 없다(대판 1994.4.12, 93누24247).

#운수회사_과징금부과 #운전기사_원고적격×

간단 점검하기

01 제3자의 접견허가신청에 대한 교도소장의 거부처분에 있어서 접견권이 침해되었다고 주장하는 구속된 피고인은 행정소송의 원고적격을 가지는 자에 해당한다. ( ) 19. 국회직 8급

간단 점검하기

02 국민의 정보공개청구권은 법률상 보호되는 구체적인 권리이다. ( ) 08. 국가직 9급

간단 점검하기

03 운수회사에 대한 과징금 부과처분에 대한 취소소송에서 그 부과처분이 자신의 잘못으로 인한 것으로 사후 사실상 변상하여 줄 관계에 있는 운전기사는 원고적격이 있다. ( ) 12. 국회직 8급

01 ○ 02 ○ 03 ×

2 개발제한구역 해제 누락 토지소유자 ★★

개발제한구역 중 일부 취락을 개발제한구역에서 해제하는 내용의 도시관리계획변경결정에 대하여, 개발제한구역 해제대상에서 누락된 토지의 소유자는 위 결정의 취소를 구할 법률상 이익이 없다(대판 2008.7.10, 2007두10242).

#개발제한구역_해제 #누락_토지소유자 #해제결정_원고적격×

3 토지소유권상실 원고적격 ★★

도시계획사업의 시행으로 인한 토지수용에 의하여 이미 이 사건 토지에 대한 소유권을 상실한 청구인은 도시계획결정과 토지의 수용이 법률에 위반되어 당연무효라고 볼만한 특별한 사정이 보이지 않는 이상 이 사건 토지에 대한 도시계획결정의 취소를 청구할 법률상의 이익을 흠결한다(헌재 2002.5.30, 2000헌바58 등).

#도시계획사업_수용_토지소유권상실 #도기계획결정취소_법률상이익×

4 전임강사임용 대학생 ★★

대학생들이 전공이 다른 교수를 임용함으로써 학습권을 침해당하였다는 이유를 들어 교수임용처분의 취소를 구할 소의 이익이 없다(대판 1993.7.27, 93누8139).

#전임강사임용_대학생_학습권침해_원고적격×

5 원천징수의무자 ★★

원천징수에 있어서 원천납세의무자는 과세권자가 직접 그에게 원천세액을부과한 경우가 아닌 한 과세권자의 원천징수의무자에 대한 납세고지로 인하여 자기의 원천세납세의무의 존부나 범위에 아무런 영향을 받지 아니하므로 이에 대하여 항고소송을 제기할 수 없다(대판 1994.9.9, 93누22234 ; 대판 2015.3.26, 2013두9267).

#과세권자_원천징수의무자_납세고지 #원천납세의무자_납세고지_항고소송제기×

6 수녀원 ★★

재단법인 甲 수녀원이, 매립목적을 택지조성에서 조선시설용지로 변경하는 내용의 공유수면매립목적 변경 승인처분으로 인하여 법률상 보호되는 환경상 이익을 침해받았다면서 행정청을 상대로 처분의 무효 확인을 구하는 소송을 제기한 사안에서, 공유수면매립목적 변경 승인처분으로 甲 수녀원에 소속된 수녀 등이 쾌적한 환경에서 생활할 수 있는 환경상 이익을 침해받는다고 하더라도 이를 가리켜 곧바로 甲 수녀원의 법률상 이익이 침해된다고 볼 수 없고, 자연인이 아닌 甲 수녀원은 쾌적한 환경에서 생활할 수 있는 이익을 향수할 수 있는 주체가 아니므로 위 처분으로 위와 같은 생활상의 이익이 직접적으로 침해되는 관계에 있다고 볼 수도 없으며, 위 처분으로 환경에 영향을 주어 甲 수녀원이 운영하는 쨈 공장에 직접적이고 구체적인 재산적 피해가 발생한다거나 甲 수녀원이 폐쇄되고 이전해야 하는 등의 피해를 받거나 받을 우려가 있다는 점 등에 관한 증명도 부족하다는 이유로, 甲 수녀원에는 처분의 무효 확인을 구할 원고적격이 없다(대판 2012.6.28, 2010두2005).

#수정지구공유수면매립목적변경승인처분 #수녀원_매립목적변경_원고적격×

7 학교법인이사선임처분 ★★

교육부장관이 사학분쟁조정위원회의 심의를 거쳐 甲 대학교를 설치·운영하는 乙 학교법인의 이사 8인과 임시이사 1인을 선임한 데 대하여 甲 대학교 교수협의회와 총학생회 등이 이사선임처분의 취소를 구하는 소송을 제기한 사안에서, 甲 대학교 교수협의회와 총학생회는 이사선임처분을 다툴 법률상 이익을 가지지만, 전국대학노동조합 甲 대학교지부는 법률상 이익이 없다(대판 2015.7.23, 2012두19496·19502).

#학교법인상지학원_이사선임 #상지대학교수협의회_총학생회_법률상이익○
#상지대학교노동조합_법률상이익×

간단 점검하기

01 개발제한구역 중 일부취락을 개발제한구역에서 해체하는 내용의 도시관리계획변경결정에 대하여 개발제한구역 해제대상에서 누락된 토지의 소유자는 그 결정의 취소를 구할 법률상 이익이 있다. ( )
18. 지방직 9급, 13·10. 국가직 9급

간단 점검하기

02 학과에 재학 중인 대학생들이 전공이 다른 교수의 임용으로 인해 학습권을 침해당하였다는 이유를 들어 교수임용처분의 취소를 구할 때에는 판례가 원고적격을 인정하고 있다. ( )
15. 경찰행정

03 원천징수의무자에 대한 소득금액변동통지는 원천납세의무의 존부나 범위와 같은 원천납세의무자의 권리나 법률상 지위에 어떠한 영향을 준다고 할 수 없으므로 소득처분에 따른 소득의 귀속자는 법인에 대한 소득금액변동통지의 취소를 구할 법률상 이익이 없다. ( ) 17. 국가직 7급

04 원천납세의무자는 원천징수의무자에 대한 납세고지를 다툴 수 있는 원고적격이 없다. ( )
15. 국가직 9급, 14. 서울시 7급

05 재단법인인 甲 수녀원은 소속된 수녀 등이 쾌적한 환경에서 생활할 수 있는 환경상 이익을 침해받는다면 매립목적을 택지조성에서 조선시설용지로 변경하는 내용의 공유수면매립목적 변경승인처분의 무효확인을 구할 원고적격이 있다. ( ) 16. 지방직 9급

06 교육부장관이 사학분쟁조정위원회의 심의를 거쳐 학교법인의 이사와 임시이사를 선임한 것에 대하여 그 대학교의 교수협의회와 총학생회는 이사선임처분을 다툴 법률상 이익을 가지지만, 직원으로 구성된 노동조합은 법률상 이익을 가지지 않는다. ( )
17. 국가직 7급

01 × 02 × 03 ○ 04 ○
05 × 06 ○

8 사증발급거부처분 ★★★

사증발급 거부처분을 다투는 외국인은, 아직 대한민국에 입국하지 않은 상태에서 대한민국에 입국하게 해달라고 주장하는 것으로, 대한민국과의 실질적 관련성 내지 대한민국에서 법적으로 보호가치 있는 이해관계를 형성한 경우는 아니어서, 해당 처분의 취소를 구할 법률상 이익을 인정하여야 할 법정책적 필요성도 크지 않다. 반면, 국적법상 귀화불허가처분이나 출입국관리법상 체류자격변경 불허가처분, 강제퇴거명령 등을 다투는 외국인은 대한민국에 적법하게 입국하여 상당한 기간을 체류한 사람이므로, 이미 대한민국과의 실질적 관련성 내지 대한민국에서 법적으로 보호가치 있는 이해관계를 형성한 경우이어서, 해당 처분의 취소를 구할 법률상 이익이 인정된다고 보아야 한다(대판 2018.5.15, 2014두42506).

#중국결혼_중국인_사증발급거부_법률상이익× #귀화불허가처분_체류자격변경_강제퇴거명령_법률상이익○

(3) 협의의 소익(권리보호의 필요성)

① 개설

㉠ 협의의 소익이란 '분쟁을 재판에 의하여 해결할 만한 현실적 필요성'을 의미한다. 이러한 소의 이익은 상고심에서 존속해야 하며, 소의 이익이 없으면 각하된다.

㉡ 소송에서 이미 승소판결에 의하여도 원고의 권익구제가 실현될 수 없는 경우에는 협의의 소의 이익은 인정되지 않는다.

㉢ 행정소송법 제12조 제2문에서는 처분 등의 효과가 기간의 경과, 처분 등의 집행 그 밖의 사유로 인하여 소멸된 뒤에도 그 처분 등의 취소로 인하여 회복되는 법률상의 이익이 있는 경우에는 또한 같다고 규정하고 있다.

관련판례

행정처분에 대하여 그 취소를 구하는 행정심판을 제기하는 한편, 그 처분의 집행으로 생길 중대한 손해를 예방하여야 할 긴급한 필요가 있는 때에 해당한다 하여 행정소송법 제18조 제2항 제2호에 의하여 행정심판의 재결을 거치지 아니하고 그 처분의 취소를 구하는 소를 제기하였는데, 판결선고 이전에 그 행정심판절차에서 '처분청의 당해 처분을 취소한다'는 형성적 재결이 이루어졌다면, 그 취소의 재결로써 당해 처분은 소급하여 그 효력을 잃게 되므로 더 이상 당해 처분의 효력을 다툴 법률상의 이익이 없게 된다(대판 1997.5.30, 96누18632).

② 협의의 소익 인정 여부

㉠ 원상회복이 불가능한 경우

ⓐ 원상회복이 불가능한 경우(소의 이익 부정)

관련판례

1 대집행실행완료 ★★★

대집행계고처분 취소소송의 변론종결 전에 대집행영장에 의한 통지절차를 거쳐 사실행위로서 대집행의 실행이 완료된 경우에는 행위가 위법한 것이라는 이유로 손해배상이나 원상회복 등을 청구하는 것은 별론으로 하고 처분의 취소를 구할 법률상 이익은 없다(대판 1993.6.8, 93누6164).

#대집행실행완료_취소_법률상이익×

간단 점검하기

01 처분 등의 효과가 소멸된 뒤에도 그 처분 등의 취소로 인하여 회복되는 법률상의 이익이 있는 자는 소를 제기할 수 있다. ( ) 10. 지방직 9급

02 행정심판과 행정소송이 동시에 제기되어 진행 중 행정심판의 인용재결이 행해지면 동일한 처분 등을 다투는 행정소송에 영향이 없지만, 기각재결이 있으면 행정소송은 소의 이익을 상실한다. ( ) 15. 서울시 9급

간단 점검하기

03 위법한 처분을 취소하더라도 원상회복이 불가능한 경우에는 원칙적으로 취소를 구할 소의 이익이 없다. ( ) 10. 세무사

04 판례에 의하면 계고처분에 기한 대집행의 실행이 완료되었다면 대집행의 실행행위에 대해 취소를 구할 법률상 이익은 없다. ( ) 11. 국가직 7급, 10. 지방직 7·9급

01 ○ 02 × 03 ○ 04 ○

간단 점검하기

01 건축허가가 건축법에 따른 이격거리를 두지 아니하고 건축물을 건축하도록 되어 있어 위법하다 하더라도 건축이 완료되어 위법한 처분을 취소한다고 하더라도 원상회복이 불가능한 경우에는 그 취소를 구할 법률상 이익이 없다. ( )
16. 국가직 9급, 13. 지방직 7급, 12. 서울시 9급

02 건축허가처분의 취소를 구하는 소를 제기하기 전에 건축공사가 완료된 경우에는 소의 이익이 없으나, 소를 제기한 후 사실심 변론종결일 전에 건축공사가 완료된 경우에는 소의 이익이 있다. ( ) 18. 서울시 7급

간단 점검하기

03 배출시설에 대한 설치허가가 취소된 후 그 배출시설이 철거되어 다시 가동할 수 없는 상태라도 그 취소처분이 위법하다는 판결을 받아 손해배상청구소송에서 이를 원용할 수 있다면 배출시설의 소유자는 당해 처분의 취소를 구할 법률상 이익이 있다. ( )
18. 지방직 9급

01 ○ 02 × 03 ×

2 건축공사완료 ★★★

건축허가가 건축법 소정의 이격거리를 두지 아니하고 건축물을 건축하도록 되어 있어 위법하다 하더라도 이미 건축공사가 완료되었다면 인접한 대지의 소유자로서는 위 건축허가처분의 취소를 구할 소의 이익이 없다(대판 1992.4.24, 91누11131).

#건축공사완료_위법_건축허가취소_소의이익×

3 건축공사완료 사실심변론종결전 ★★★

건축허가처분의 취소를 구할 이익이 없게 되는 것은 건축허가처분의 취소를 구하는 소를 제기하기 전에 건축공사가 완료된 경우뿐 아니라 소를 제기한 후 사실심 변론종결일 전에 건축공사가 완료된 경우에도 마찬가지이다(대판 1987.5.12, 87누98).

#소제기전_사실심변론종결전_건축공사완료_소의이익×

4 준공검사후 ★★

신축한 건물이 무단증평, 이격거리위반, 베란다돌출, 무단구조변경 등 건축법에 위반하여 시공됨으로써 인접주택 소유자의 사생활과 일조권을 침해하고 있다고 하더라도, 인접건물 소유자들로서는 위 건물준공처분의 무효확인이나 취소를 구할 법률상 이익이 없다(대판 1993.11.9, 93누13988).

#건축공사완료_준공검사후_인접건물소유자_준공검사처분_소의이익×

5 지방의료원폐업 ★★

甲 도지사가 도에서 설치 · 운영하는 乙 지방의료원을 폐업하겠다는 결정을 발표하고 그에 따라 폐업을 위한 일련의 조치가 이루어진 후 乙 지방의료원을 해산한다는 내용의 조례를 공포하고 乙 지방의료원의 청산절차가 마쳐진 사안에서, 甲 도지사의 폐업결정은 항고소송의 대상에 해당하지만 취소를 구할 소의 이익을 인정하기 어렵다(대판 2016.8.30, 2015두60617).

#진주의료원폐업_의료원해산_조례공포_청산절차완료 #의료원폐업결정_소의이익×

6 조합설립추진위원회 ★★

구 도시 및 주거환경정비법상 조합설립추진위원회 구성승인처분을 다투는 소송 계속 중 조합설립인가처분이 이루어진 경우 조합설립추진위원회 구성승인처분에 대하여 취소 또는 무효확인을 구할 법률상 이익이 없다(대판 2013.1.31, 2011두11112 · 11129).

#조합설립추진위원회_구성승인처분_쟁송중 #조합설립인가처분○_쟁송이익×

7 소음 · 진동배출시설 ★★

소음 · 진동배출시설에 대한 설치허가가 취소된 후 그 배출시설이 어떠한 경위로든 철거되어 다시 복구 등을 통하여 배출시설을 가동할 수 없는 상태라면 이는 배출시설 설치허가의 대상이 되지 아니하므로 외형상 설치허가취소행위가 잔존하고 있다고 하여도 특단의 사정이 없는 한 이제 와서 굳이 위 처분의 취소를 구할 법률상의 이익이 없다(대판 2002.1.11, 2000두2457).

#소음진동배출시설허가취소 #소음 · 진동배출시설_복구 · 가동불가상태_소의이익×

ⓑ 원상회복이 가능한 경우(소의 이익 인정)

관련판례

1 지방의회 제명의결 ★★★

지방의회 의원에 대한 제명의결 취소소송 계속중 의원의 임기가 만료된 사안에서, 제명의결의 취소로 의원의 지위를 회복할 수는 없다 하더라도 제명의결시부터 임기만료일까지의 기간에 대한 월정수당의 지급을 구할 수 있는 등 여전히 그 제명의결의 취소를 구할 법률상 이익이 있다(대판 2009.1.30, 2007두13487).

#지방의회_제명의결_취소소송중_임기만료 #제명의결_취소_소의이익○(수당지급등)

2 불합격처분 입학시기경과 ★★

불합격처분의 취소를 구하는 이 사건 소송계속 중 당해 연도의 입학시기가 지났더라도 당해 연도의 합격자로 인정되면 다음년도의 입학시기에 입학할 수도 있다고 할 것이고, … 원고들로서는 피고의 불합격처분의 적법여부를 다툴만한 법률상의 이익이 있다(대판 1990.8.28, 89누8255).

#서울대학교_특별전형 #불합격처분_취소소송중_당해연도_입학시기경과 #소의이익○

3 도시개발사업 ★★

도시개발사업의 공사 등이 완료되고 원상회복이 사회통념상 불가능하게 된 경우, 도시개발사업의 시행에 따른 도시계획변경결정처분과 도시개발구역지정처분 및 도시개발사업실시계획인가처분의 취소를 구할 법률상 이익이 있다(대판 2005.9.9, 2003두5402 · 5419).

#도시개발사업_완료_원상회복불가
#도시계획변경결정처분_도시개발구역지정처분_도시개발사업실시계획인가처분_소의이익○

4 한국방송공사사장 ★★★

한국방송공사 사장에 대한 해임처분 무효확인 또는 취소소송 계속 중 임기가 만료되어 해임처분의 무효확인 또는 취소로 지위를 회복할 수는 없다고 할지라도, 그 무효확인 또는 취소로 해임처분일부터 임기만료일까지 기간에 대한 보수 지급을 구할 수 있는 경우에는 해임처분의 무효확인 또는 취소를 구할 법률상 이익이 있다(대판 2012.2.23, 2011두5001).

#한국방송공사사장_해임처분쟁송중_임기만료_소의이익○

5 직위해제처분 해임처분 ★★★

[1] 직위해제처분은 근로자로서의 지위를 그대로 존속시키면서 다만 그 직위만을 부여하지 아니하는 처분이므로 만일 어떤 사유에 기하여 근로자를 직위해제한 후 그 직위해제 사유와 동일한 사유를 이유로 징계처분을 하였다면 뒤에 이루어진 징계처분에 의하여 그 전에 있었던 직위해제처분은 그 효력을 상실한다. 여기서 직위해제처분이 효력을 상실한다는 것은 직위해제처분이 소급적으로 소멸하여 처음부터 직위해제처분이 없었던 것과 같은 상태로 되는 것이 아니라 사후적으로 그 효력이 소멸한다는 의미이다. 따라서 직위해제처분에 기하여 발생한 효과는 당해 직위해제처분이 실효되더라도 소급하여 소멸하는 것이 아니므로, 인사규정 등에서 직위해제처분에 따른 효과로 승진 · 승급에 제한을 가하는 등의 법률상 불이익을 규정하고 있는 경우에는 직위해제처분을 받은 근로자는 이러한 법률상 불이익을 제거하기 위하여 그 실효된 직위해제처분에 대한 구제를 신청할 이익이 있다.

[2] 노동조합 인터넷 게시판에 국민건강보험공단 이사장을 모욕하는 내용의 글을 게시한 근로자에 대하여 인사규정상 직원의 의무를 위반하고 품위를 손상하였다는 사유로 직위해제처분을 한 후 동일한 사유로 해임처분을 한 사안에서, 근

간단 점검하기

01 판례에 의하면 임기 만료된 지방의회 의원이 군의회를 상대로 한 의원제명처분취소소송에서 승소한다고 하더라도 군의회의원으로서의 지위를 회복할 수는 없는 것이므로 위 위원은 이 사건 소를 유지할 법률상의 이익이 없다. ( ) 16 · 09. 국가직 9급

02 판례에 의하면 대학입학고사불합격처분(서울대학교 불합격처분)의 취소를 구하는 소송의 계속 중 당해 연도의 입학시기가 지난 경우에도 불합격처분의 취소를 구할 소의 이익은 있다. ( ) 14. 지방직 7급

03 도시개발사업의 공사 등이 완료되고 원상회복이 사회통념상 불가능하게 된 경우 도시개발사업의 시행에 따른 도시계획변경결정처분과 도시개발구역지정처분 및 도시개발사업 실시계획인가처분의 취소를 구하는 경우에는 협의의 소의 이익(권리보호의 필요)이 인정된다. ( ) 17. 서울시 9급, 08. 지방직 7급

04 한국방송공사 사장은 해임처분 무효확인 또는 취소소송계속 중 임기가 만료되어 해임처분의 무효확인 또는 취소로 지위를 회복할 수 없다고 할지라도, 그 무효확인 또는 취소로 해임처분일부터 임기만료일까지의 기간에 대한 보수지급을 구할 수 있는 경우에는 해임처분의 무효확인 또는 취소를 구할 법률상 이익이 있다. ( ) 16. 지방직 9급, 14. 국가직 9급

05 인사규정 등에서 직위해제 처분에 따른 효과로 승진 · 승급에 제한을 가하는 등의 법률상 불이익을 규정하고 있는 경우에는 직위해제처분을 받은 근로자는 이러한 법률상 불이익을 제거하기 위하여 그 실효된 직위해제처분에 대한 구제를 신청할 이익이 있다. ( ) 15. 지방직 7급

01 × 02 ○ 03 ○ 04 ○ 05 ○

로자는 위 직위해제처분으로 인하여 승진·승급에 제한을 받고 보수가 감액되는 등의 인사상·급여상 불이익을 입게 되었고, 위 해임처분의 효력을 둘러싸고 다툼이 있어 그 효력 여하가 확정되지 아니한 이상 근로자의 신분을 상실한다고 볼 수 없어 여전히 인사상 불이익을 받는 상태에 있으므로, 비록 직위해제처분이 해임처분에 의하여 효력을 상실하였다고 하더라도 근로자에게 위 직위해제처분에 대한 구제를 신청할 이익이 있음에도, 이와 다르게 본 원심판결에 법리오해의 위법이 있다(대판 2010.7.29, 2007두18406).

#동일사유_직위해제처분후_해임처분 #직위해제_효력소멸 #직위해제_인사상불이익조처가능 #해임처분쟁송중_직위해제_소의이익○

6 공장등록취소처분 ★★

공장등록이 취소된 후 그 공장시설물이 철거되었다 하더라도 대도시 안의 공장을 지방으로 이전할 경우 조세특례제한법상의 세액공제 및 소득세 등의 감면혜택이 있고, 공업배치및공장설립에관한법률상의 간이한 이전절차 및 우선 입주의 혜택이 있는 경우, 그 공장등록취소처분의 취소를 구할 법률상의 이익이 있다(대판 2002.1.11, 2000두3306).

#공장등록취소_공장시설물철거 #공장이전_여러혜택존재_법률상이익○

Level up 공장시설물을 다시 사용할 수 없는 경우 - 소의 이익

1. **원칙**: 외형이 존재하더라도 공장등록취소처분 취소의 소익은 없다.
2. **예외**: 유효한 공장등록으로 인하여 공장등록에 관한 당해 법률이나 다른 법률에 의하여 보호되는 직접적·구체적 이익이 있다면, 공장건물이 멸실되었다 하더라도 그 공장등록취소처분의 취소를 구할 법률상의 이익이 있다(대판 2016.5.12, 2014두12284).

ⓛ 처분 후의 사정에 의하여 이익침해가 사라진 경우

ⓐ 사정변경으로 이익침해가 사라진 경우(소의 이익 부정): 예를 들어 사법시험 1차시험에 불합격한 후 새로 실시된 같은 시험에 합격하면 더 이상 불합격처분의 취소를 구할 법률상 이익이 없다.

관련판례 각종 시험 관련

1 사법시험 1차시험 불합격 후, 새로운 1차시험 합격 ★★★

사법시험 제1차 시험 불합격 처분 이후에 새로이 실시된 사법시험 제1차 시험에 합격하였을 경우, 그 불합격 처분의 취소를 구할 법률상 이익이 없다(대판 1996.2.23, 95누2685).

2 사법시험 2차시험 불합격 후, 새로운 2차시험 합격 ★★★

사법시험 제2차 시험에 관한 불합격처분 이후에 새로이 실시된 제2차 및 제3차 시험에 합격하였을 경우에는 더 이상 위 불합격처분의 취소를 구할 법률상 이익이 없다고 보아야 할 것이다(대판 2007.9.21, 2007두12057).

3 치과의사시험 불합격 후, 새로 실시된 시험에 합격 ★★★

불합격처분 이후 새로 실시된 국가시험에 합격한 자들로서는 더 이상 위 불합격처분의 취소를 구할 법률상의 이익이 없다(대판 1993.11.9, 93누6867).

간단 점검하기

01 공장등록이 취소된 후 그 공장시설물이 철거되었고 다시 복구를 통하여 공장을 운영할 수 없는 상태라 하더라도 대도시 안의 공장을 지방으로 이전할 경우 조세감면 및 우선입주 등의 혜택이 관계 법률에 보장되어 있다면, 공장등록취소처분의 취소를 구할 법률상 이익이 인정된다. ( )

19. 국가직 9급

02 의사국가시험에 불합격한 자가 새로 실시된 의사국가시험에 합격한 후 그 불합격처분의 취소를 구하는 경우에는 협의의 소익이 있다. ( )

07. 세무사

01 ○ 02 ×

관련판례

1 공익근무소집해제신청거부 ★★★

공익근무요원 소집해제신청을 거부한 후에 원고가 계속하여 공익근무요원으로 복무함에 따라 복무기간 만료를 이유로 소집해제처분을 한 경우, 원고가 입게 되는 권리와 이익의 침해는 소집해제처분으로 해소되었으므로 위 거부처분의 취소를 구할 소의 이익이 없다(대판 2005.5.13, 2004두4369).

#공익근무소집해제신청거부 #복무기간만료_소의이익×

2 병역처분변경거부처분 현역병자진입대 ★★

현역병입영대상자로 병역처분을 받은 자가 그 취소소송 중 모병에 응하여 현역병으로 자진 입대한 경우, 소의 이익이 없다(대판 1998.9.8, 98두9165).

#병역처분변경거부처분_취소소송중_현역병입대_소의이익×

[비교판례] 현역입영대상자가 입영한 후에 현역병입영통지처분의 취소를 구할 소송상의 이익이 있다(대판 2003.12.26, 2003두1875).

#현역입영대상자_입영후_현역병입영통지처분_취소_소의이익○

3 상등병에서 병장으로의 진급요건을 갖춘 자에 대하여 그 진급처분을 행하지 아니한 상태에서 예비역으로 편입하는 처분을 한 경우라도 예비역편입처분은 병역법시행령 제27조 제3항에 따라 헌법상 부담하고 있는 국방의 의무의 정도를 현역에서 예비역으로 변경하는 것으로 병의 진급처분과 그 요건을 달리하는 별개의 처분으로서 그 자에게 유리한 것임이 분명하므로 예비역편입처분에 앞서 진급권자가 진급처분을 행하지 아니한 위법이 있었다 하더라도 예비역편입처분으로 인하여 어떠한 권리나 법률상 보호되는 이익이 침해당하였다고 볼 수 없고, 또한 예비역편입처분취소를 통하여 회복하고자 하는 이익침해는 계급을 상등병에서 병장으로 진급시키는 진급권자에 의한 진급처분이 행하여져야만 보호받을 수 있는 것인데 비록 위 예비역편입처분이 취소된다 하더라도 그로 인하여 신분이 예비역에서 현역으로 복귀함에 그칠 뿐이고, 상등병에서 병장으로의 진급처분 여부는 원칙적으로 진급권자의 합리적 판단에 의하여 결정되는 것이므로 그와 같은 진급처분이 행하여지지 않았다는 이유로 위 예비역편입처분의 취소를 구할 이익이 있다고 할 수 없다(대판 2000.5.16, 99두7111).

4 파면처분 해임 변경 ★★★

교원소청심사위원회의 파면처분 취소결정에 대한 취소소송 계속 중 학교법인이 교원에 대한 징계처분을 파면에서 해임으로 변경한 경우, 종전의 파면처분은 소급하여 실효되고 해임만 효력을 발생하므로, 소급하여 효력을 잃은 파면처분을 취소한다는 내용의 교원소청심사결정의 취소를 구하는 것은 법률상 이익이 없다(대판 2010.2.25, 2008두20765).

#파면처분_취소소송중_해임_변경 #파면처분취소_소의이익×

간단 점검하기

01 공익근무요원 소집해제신청을 거부한 후 원고가 계속 공익근무요원으로 복무함에 따라 복무기간만료를 이유로 소집해제처분을 한 경우, 거부처분의 취소를 구할 소의 이익이 없다.
( ) 13. 지방직 7급

02 현역병입영대상자로 병역처분을 받은 자가 그 취소소송 도중에 모병에 응하여 현역병으로 자진입대한 경우에는 권리보호의 필요가 없는 경우로서 소의 이익을 인정할 수 없다. ( )
18. 경찰행정

03 상등병에서 병장으로의 진급요건을 갖춘 자에 대하여 그 진급처분을 행하지 아니한 상태에서 예비역으로 편입하는 처분을 한 경우 진급처분 부작위위법을 이유로 예비역편입처분 취소를 구할 소의 이익이 있다고 할 수 없다.
( ) 09. 국가직 9급

04 판례에 의하면 현역입영대상자로서 현실적으로 입영을 한 자가 입영 이후의 법률관계에 영향을 미치고 있는 현역병입영통지처분 등을 한 관할 지방병무청장을 상대로 위법을 주장하여 그 취소를 구하는 소의 이익이 있다.
( ) 16. 국가직 9급, 10. 서울시 9급, 08. 지방직 7급

01 ○ 02 ○ 03 ○ 04 ○

ⓑ **이익침해가 여전한 경우(소의 이익 긍정)**: 사정변경이 있더라도 이익침해가 여전한 경우에는 처분의 취소를 구할 소의 이익이 있다.

관련판례

1 퇴학처분 후 검정고시 ★★★

고등학교졸업이 대학입학자격이나 학력인정으로서의 의미밖에 없다고 할 수 없으므로 고등학교졸업학력검정고시에 합격하였다 하여 고등학교 학생으로서의 신분과 명예가 회복될 수 없는 것이니 퇴학처분을 받은 자로서는 퇴학처분의 위법을 주장하여 그 취소를 구할 소송상의 이익이 있다(대판 1992.7.14, 91누4737).

#고등학교_퇴학처분 #검정고시합격_퇴학처분취소_소의이익○

2 영치품사용신청불허 이송 ★★

수형자의 영치품에 대한 사용신청 불허처분 후 수형자가 다른 교도소로 이송되었다 하더라도 수형자의 권리와 이익의 침해 등이 해소되지 않은 점 등에 비추어, 위 영치품 사용신청 불허처분의 취소를 구할 이익이 있다(대판 2008.2.14, 2007두13203).

#영치품사용신청불허_교도소이송_불허취소_소의이익○

ⓒ **처분의 효력이 소멸된 경우**: 예를 들어 영업정지처분에 대한 취소소송 도중에 영업정지기간이 경과한 경우에는 원칙적으로 협의의 소익이 인정되지 않는다.

ⓐ **처분의 효력이 소멸한 경우**: 소의 이익 부정

관련판례

1 도매시장법인 유효기간만료 ★★

농수산물 지방도매시장의 도매시장법인으로 지정된 유효기간이 만료되어 그 지정처분이 외형상 잔존함으로 인하여 어떠한 법률상의 이익이 침해되고 있다고 볼 만한 별다른 사정이 인정되지 아니한다는 이유로 그 처분의 취소를 구할 법률상의 이익이 없다(대판 2002.7.26, 2000두7254).

#농수산물도매시장법인_유효기간만료 #외형잔존_이익침해×_소의이익×

2 분뇨등관련영업허가반려처분 재반려처분 ★★

행정청이 당초의 분뇨 등 관련영업 허가신청 반려처분의 취소를 구하는 소의 계속 중, 사정변경을 이유로 위 반려처분을 직권취소함과 동시에 위 신청을 재반려하는 내용의 재처분을 한 경우, 당초의 반려처분의 취소를 구하는 소는 더 이상 소의 이익이 없게 되었다(대판 2006.9.28, 2004두5317).

#분뇨등관련영업허가반려처분_취소소송 #반려처분_직권취소_재반려처분 #당초_반려처분_소의이익×

3 과징금 재부과 ★★

공정거래위원회가 부당한 공동행위를 한 사업자에게 과징금 부과처분(선행처분)을 한 뒤, 다시 자진신고 등을 이유로 과징금 감면처분(후행처분)을 한 경우, 선행처분의 취소를 구하는 소는 적법하지 않다(대판 2015.2.12, 2013두987).

#과징금납부취소 #과징금부과(선행처분)_감면처분(후행처분) #선행처분_소의이익×

간단 점검하기

01 고등학교졸업이 대학입학자격이나 학력인정으로서의 의미밖에 없다고 할 수는 없으므로, 퇴학처분을 받은 자가 고등학교 졸업학력 검정고시에 합격하였다하여 퇴학처분의 취소를 구할 소송상의 이익이 없다고 볼 수는 없다. ( ) 16. 지방직 7급

02 수형자의 영치품에 대한 사용신청 불허처분 후 수형자가 다른 교도소로 이송된 경우 원래 교도소로의 재이송 가능성이 소멸되었으므로 그 불허처분의 취소를 구할 소의 이익이 없다. ( ) 17. 지방직 9급

간단 점검하기

03 행정처분에 효력기간이 정하여져 있는 경우 그 기간의 경과로 그 행정처분의 효력은 상실되므로 그 기간 경과 후에는 그 처분이 외형상 잔존함으로 인하여 어떠한 법률상 이익이 침해되었다고 볼 만한 별다른 사정이 없는 한 그 처분의 취소를 구할 법률상의 이익이 없다. ( ) 09. 국가직 9급

04 행정처분이 취소되면 그 처분은 효력을 상실하여 더 이상 존재하지 않는 것이고, 존재하지 않는 행정처분을 대상으로 한 취소소송은 소의 이익이 없어 부적법하다. ( ) 13. 서울시 7급

05 행정청이 영업허가신청 반려처분의 취소를 구하는 소의 계속 중 사정변경을 이유로 위 반려처분을 직권취소함과 동시에 위 신청을 재반려하는 내용의 재처분을 한 경우 당초의 반려처분의 취소를 구하는 경우에는 협의의 소의 이익(권리보호의 필요)이 인정된다. ( ) 17. 서울시 9급, 08. 지방직 7급

01 ○ 02 × 03 ○ 04 ○ 05 ×

4 감액처분 ★★★

감액처분에 의하여 감액된 부분에 대한 부과처분 취소청구는 이미 소멸하고 없는 부분에 대한 것으로서 소의 이익이 없어 부적법하다(대판 2017.1.12, 2015두2352).

#과징금_감액처분 #감액부분_취소_소의이익×

5 새로운 사유로 직위해제처분 ★★★

행정청이 공무원에 대하여 새로운 직위해제사유에 기한 직위해제처분을 한 경우 그 이전에 한 직위해제처분은 이를 묵시적으로 철회하였다고 봄이 상당하므로, 그 이전 처분의 취소를 구하는 부분은 존재하지 않는 행정처분을 대상으로 한 것으로서 그 소의 이익이 없어 부적법하다(대판 2003.10.10, 2003두5945).

#철도정비창_직원에_주류판매_직위해제처분(1차) #징계의결_후_새로운_직위해제 #1차_직위해제취소_소의이익×

ⓑ 처분의 효력이 소멸하였으나 가중적 제재규정이 있는 경우: 소의 이익 인정

관련판례

1 환경영향평가서 업무정지기간경과 ★★★

제재적 행정처분이 그 처분에서 정한 제재기간의 경과로 인하여 그 효과가 소멸되었으나, 부령인 시행규칙 또는 지방자치단체의 규칙(이하 이들을 '규칙'이라고 한다)의 형식으로 정한 처분기준에서 제재적 행정처분(이하 '선행처분'이라고 한다)을 받은 것을 가중사유나 전제요건으로 삼아 장래의 제재적 행정처분(이하 '후행처분'이라고 한다)을 하도록 정하고 있는 경우, … 그러한 규칙이 정한 바에 따라 선행처분을 받은 상대방이 그 처분의 존재로 인하여 장래에 받을 불이익, 즉 후행처분의 위험은 구체적이고 현실적인 것이므로, 상대방에게는 선행처분의 취소소송을 통하여 그 불이익을 제거할 필요가 있다(대판 2006.6.22, 2003두1684).

#환경영향평가서_부실작성_1개월업무정지(사건처분)
#업무정지기간중_신규_환경영향평가대행업무수행_1차위반_6개월업무정지_2차위반_등록취소
#사건처분_업무정지기간경과_후_취소_소의이익○

2 행정처분에 그 효력기간이 정하여져 있는 경우 그 기간의 경과로 그 행정처분의 효력은 상실되는 것이므로 그 기간경과 후에는 그 처분이 외형상 잔존함으로 인하여 어떠한 법률상의 이익이 침해되고 있다고 볼 만한 별다른 사정이 없는 한 그 처분의 취소 또는 무효확인을 구할 법률상의 이익이 없다고 하겠으나, 위와 같은 행정처분의 전력이 장래에 불이익하게 취급되는 것으로 법에 규정되어 있어 법정의 가중요건으로 되어 있고, 이후 그 법정가중요건에 따라 새로운 제재적인 행정처분이 가해지고 있다면, 선행행정처분의 효력기간이 경과하였다 하더라도 선행행정처분의 잔존으로 인하여 법률상의 이익이 침해되고 있다고 볼 만한 특별한 사정이 있는 경우에 해당한다(대판 2005.3.25, 2004두14106).

3 건축사 업무정지 ★★★

건축사 업무정지처분을 받은 후 새로운 업무정지처분을 받음이 없이 1년이 경과하여 실제로 가중된 제재처분을 받을 우려가 없게 된 경우, 업무정지처분에서 정한 정지기간이 경과한 후에 업무정지처분의 취소를 구할 법률상 이익이 없다(대판 2000.4.21, 98두10080).

#건축사_업무정지_1년2회+통산12개월이상_가중제재(등록취소) #업무정지기간경과_소의이익○
#1회처분_후_1년경과_1회처분_소의이익×

간단 점검하기

01 행정청이 직위해제 상태에 있는 공무원에 대하여 새로운 직위해제사유에 기한 직위해제처분을 한 경우 그 이전에 한 직위해제처분의 취소를 구할 소의 이익이 없다. ( )
16. 지방직 7급, 12. 국가직 7급

간단 점검하기

02 장래의 제재적 가중처분 기준을 대통령령이 아닌 부령의 형식으로 정한 경우에는 이미 제재기간이 경과한 제재적 처분의 취소를 구할 법률상 이익이 인정되지 않는다. ( )
16. 국가직 9급

03 시행규칙에 법 위반 횟수에 따라 가중처분하게 되어 있는 제재적 처분 기준이 규정되어 있다 하더라도, 기간의 경과로 효력이 소멸한 제재적 처분을 취소소송으로 다툴 법률상 이익은 없다. ( ) 17. 사회복지직

04 제재적 행정처분의 효력이 소멸한 경우에도 행정규칙에 의해 당해 처분의 존재가 가중처분의 전제가 되는 경우 처분의 취소를 구할 이익이 있다.
( ) 10. 지방직 9급

05 제재적 행정처분의 가중사유나 전제요건에 관한 규정이 법령이 아닌 행정규칙의 형식으로 되어 있다면 이는 행정청 내부의 재량준칙을 규정한 것에 불과하므로 관할 행정청이나 담당 공무원은 이를 준수할 의무가 없다.
( ) 16. 국가직 7급

06 판례에 의하면 행정처분의 효력기간이 경과하였다고 하더라도 그 처분을 받은 전력이 장래에 불이익하게 취급되는 것으로 법정(법률)상의 가중요건으로 되어 있고, 이후 그 법정가중요건에 따라 새로운 제재적인 행정처분이 가해지고 있는 경우 협의의 소의 이익이 인정되지 않는다. ( )
08. 지방직 7급

07 가중요건이 법령에 규정되어 있는 경우, 업무정지처분을 받은 후 새로운 제재처분을 받음이 없이 법률이 정한 기간이 경과하여 실제로 가중된 제재처분을 받을 우려가 없어졌다면 특별한 사정이 없는 한 업무정지처분의 취소를 구할 법률상 이익이 인정되지 않는다. ( ) 19. 국가직 9급

01 ○ 02 × 03 × 04 ○ 05 × 06 × 07 ○

ⓒ 효력이 소멸되었으나 업무처리필요 또는 반복의 위험이 있는 경우: 소의 이익 인정

관련판례 학교법인 임원취임승인취소 ★★★

[1] 학교법인의 이사나 감사 전원 또는 그 일부의 임기가 만료되었다고 하더라도, 그 후임이사나 후임감사를 선임하지 않았거나 또는 그 후임이사나 후임감사를 선임하였다고 하더라도 그 선임결의가 무효이고 임기가 만료되지 아니한 다른 이사나 감사만으로는 정상적인 학교법인의 활동을 할 수 없는 경우, 임기가 만료된 구 이사나 감사로 하여금 학교법인의 업무를 수행케 함이 부적당하다고 인정할 만한 특별한 사정이 없는 한, 민법 제691조를 유추하여 구 이사나 감사에게는 후임이사나 후임감사가 선임될 때까지 종전의 직무를 계속하여 수행할 긴급처리권이 인정된다고 할 것이며, 학교법인의 경우 민법상 재단법인과 마찬가지로 이사를 선임할 수 있는 권한은 이사회에 있으므로, 임기가 만료된 이사들의 참여 없이 후임 정식이사들을 선임할 수 없는 경우 임기가 만료된 이사들로서는 위 긴급처리권에 의하여 후임 정식이사들을 선임할 권한도 보유하게 된다.

[2] ㉠ 비록 취임승인이 취소된 학교법인의 정식이사들에 대하여 원래 정해져 있던 임기가 만료되고 구 사립학교법 제22조 제2호 소정의 임원결격사유기간마저 경과하였다 하더라도, 그 임원취임승인취소처분이 위법하다고 판명되고 나아가 임시이사들의 지위가 부정되어 직무권한이 상실되면, 그 정식이사들은 후임이사 선임시까지 민법 제691조의 유추적용에 의하여 직무수행에 관한 긴급처리권을 가지게 되고 이에 터잡아 후임 정식이사들을 선임할 수 있게 되는바, 이는 감사의 경우에도 마찬가지이다.

㉡ 제소 당시에는 권리보호의 이익을 갖추었는데 제소 후 취소 대상 행정처분이 기간의 경과 등으로 그 효과가 소멸한 때, 동일한 소송 당사자 사이에서 동일한 사유로 위법한 처분이 반복될 위험성이 있어 행정처분의 위법성 확인 내지 불분명한 법률문제에 대한 해명이 필요하다고 판단되는 경우, 그리고 선행처분과 후행처분이 단계적인 일련의 절차로 연속하여 행하여져 후행처분이 선행처분의 적법함을 전제로 이루어짐에 따라 선행처분의 하자가 후행처분에 승계된다고 볼 수 있어 이미 소를 제기하여 다투고 있는 선행처분의 위법성을 확인하여 줄 필요가 있는 경우 등에는 행정의 적법성 확보와 그에 대한 사법통제, 국민의 권리구제의 확대 등의 측면에서 여전히 그 처분의 취소를 구할 법률상 이익이 있다.

㉢ 임시이사 선임처분에 대하여 취소를 구하는 소송의 계속중 임기만료 등의 사유로 새로운 임시이사들로 교체된 경우, 선행 임시이사 선임처분의 효과가 소멸하였다는 이유로 그 취소를 구할 법률상 이익이 없다고 보게 되면, 원래의 정식이사들로서는 계속중인 소를 취하하고 후행 임시이사 선임처분을 별개의 소로 다툴 수밖에 없게 되며, 그 별소 진행 도중 다시 임시이사가 교체되면 또 새로운 별소를 제기하여야 하는 등 무익한 처분과 소송이 반복될 가능성이 있으므로, 이러한 경우 법원이 선행 임시이사 선임처분의 취소를 구할 법률상 이익을 긍정하여 그 위법성 내지 하자의 존재를 판결로 명확히 해명하고 확인하여 준다면 위와 같은 구체적인 침해의 반복 위험을 방지할 수 있을 뿐 아니라, 후행 임시이사 선임처분의 효력을 다투는 소송에서 기판력에 의하여 최초 내지 선행 임시이사 선임처분의 위법성을 다투지 못하게 함으로써 그 선임처분을 전제로 이루어진 후행 임시이사 선임처분의 효력을 쉽게 배제할 수 있어 국민의 권리구제에 도움이 된다.

간단 점검하기

01 학교법인 임원취임승인의 취소처분 후 그 임원의 임기가 만료되고 구 사립학교법 소정의 임원결격사유기간 마저 경과한 경우에 취임승인이 취소된 임원은 취임승인취소처분의 취소를 구할 소의 이익이 없다. ( ) 18. 지방직 9급

02 임원취임승인의 취소처분과 임시이사선임처분의 취소소송을 동시에 제기하여 소송계속 중 임시이사의 임기가 만료되고 새로운 임시이사가 선임된 경우는 적법한 소로 볼 수 없다. ( ) 12. 국회직 8급

01 × 02 ×

㉣ 그러므로 취임승인이 취소된 학교법인의 정식이사들로서는 그 취임승인취소 처분 및 임시이사 선임처분에 대한 각 취소를 구할 법률상 이익이 있고, 나아가 선행 임시이사 선임처분의 취소를 구하는 소송 도중에 선행 임시이사가 후행 임시이사로 교체되었다고 하더라도 여전히 선행 임시이사 선임처분의 취소를 구할 법률상 이익이 있다(대판 2007.7.19, 2006두19297 전합).

#학교법인_임원취임승인취소_임원임기만료_후임임원선임시까지_긴급처리권인정_임원취임승인취소_소이익○
#학교법인_임시이사선임취소소송중_임기만료_새_임시이사선임
#임시이사선임취소_소의이익○(구체적인 침해의 반복위험방지)

point check 협의의 소익 정리

협의의 소익 인정사례	• 처분의 효력이 소멸하였으나 법률 또는 대통령령상 장래 가중적 제재처분의 구성요건에 해당하는 경우 • 처분의 효력이 소멸하였으나 행정규칙상 장래 가중적 제재처분의 구성요건에 해당하는 경우 → 소의 이익 인정으로 판례가 변경됨 • 파면처분 후 금고 이상의 형이 확정되어 당연퇴직된 경우 • 감봉처분 후 자진하여 퇴직한 경우 • 고등학교에서 퇴학처분 후 검정고시에 합격한 경우 • 대입불합격처분 후 해당 연도 입학시기가 지나서 입학정원에 못 들어간 경우 • 현역입영대상자로서 현실적으로 입영을 한 자가 입영 이후에 법률관계에 영향을 미치고 있는 현역병입영통지처분의 취소를 구하는 경우 • 부실금융기관에 대한 파산절차가 진행 중이라 하더라도 영업활동을 재개할 가능성이 남아 있는 경우 • 학교법인 임원취임승인의 취소처분 후 그 임원의 임기가 만료되고 구 사립학교법 제22조 제2호 소정의 임원결격사유기간마저 경과한 경우 또는 위 취소처분에 대한 취소소송 제기 후 임시이사가 교체되어 새로운 임시이사가 선임된 경우, 위 취임승인취소처분 및 당초의 임시이사선임처분의 취소를 구할 소의 이익이 있음
협의의 소익 부정사례	• 위법한 건축허가이지만 이미 건축공사가 완료된 경우 • 대집행계고 처분 취소소송 중 이미 대집행의 실행이 완료된 경우 • 의사시험에 불합격한 후 새로 실시된 시험에서 합격한 경우 • 사법시험 1차에 불합격한 후 새로 실시된 시험에서 합격한 경우 • 공익근무요원소집해제신청거부처분의 취소소송 계속 중 소집해제처분이 있는 경우 • 임기만료된 지방의회의원의 의원제명처분 취소소송의 경우 • 영업정지의 기간이 경과한 후에 영업정지의 취소를 구한 경우 • 공유수면점용허가취소처분소송 중에 공유수면점용허가기간이 만료된 경우 • 토석채취허가취소처분취소소송 중에 토석채취허가기간이 만료된 경우 • 광업권취소처분취소소송 중에 존속기간이 만료된 경우 • 원과세처분에 대한 취소소송의 계속 중 경정처분이 내려진 경우

(4) 피고

① 피고적격

> 행정소송법 제13조【피고적격】① 취소소송은 다른 법률에 특별한 규정이 없는 한 그 처분등을 행한 행정청을 피고로 한다. 다만, 처분 등이 있은 뒤에 그 처분 등에 관계되는 권한이 다른 행정청에 승계된 때에는 이를 승계한 행정청을 피고로 한다.
> ② 제1항의 규정에 의한 행정청이 없게 된 때에는 그 처분 등에 관한 사무가 귀속되는 국가 또는 공공단체를 피고로 한다.

간단 점검하기

01 취소소송의 피고는 원칙적으로 당해 처분을 한 행정청이 소속하는 국가 또는 공공단체이다. ( )
14. 지방직 7급, 13. 서울시 9급, 12. 지방직 9급

02 처분 등이 있은 뒤에 그 처분 등에 관계되는 권한이 다른 행정청에 승계된 때에는 이를 승계한 행정청을 피고로 한다. ( )
15. 국가직 9급, 14. 지방직 7급, 13. 서울시 9급

03 처분 후 처분을 한 행정청이 폐지된 경우에는 당해 처분청의 직근 상급 행정청이 피고가 된다. ( )
08. 지방직 7급

01 × 02 ○ 03 ×

㉠ 처분청(원칙)

ⓐ 피고적격을 가진 자는 처분 등을 행한 행정청, 즉 처분청이 됨이 원칙이다(행정소송법 제13조 제1항).

ⓑ 행정청은 국가 또는 공공단체의 의사를 결정하여 외부에 표시할 수 있는 기관을 의미하므로 내부적, 실질적으로 의사를 결정하는 기관(징계위원회 등)은 피고적격을 가질 수 없다.

ⓒ 법령에 따라 행정권한이 위임 또는 위탁 받은 행정기관이나 사인도 행정청에 포함될 수 있으므로 자신의 이름으로 처분을 한 공무수탁사인도 피고가 된다.

㉡ 예외

ⓐ 공무원법 등 법률에 특별한 규정이 있는 경우에는 처분청 외에도 피고가 될 수 있다. 대통령이 처분청인 경우에는 소속장관이 피고가 된다.

ⓑ 대법원장이 행한 처분에 대한 피고는 법원행정처장이 피고가 되며, 헌법재판소장이 행한 처분에 대한 피고는 헌법재판소사무처장이 되며, 국회의장이 행한 행정처분에 대한 피고는 국회사무총장이 된다.

ⓒ 처분 등이 있은 뒤에 그 처분 등에 관계되는 권한이 다른 행정청에 승계된 때에는 이를 승계한 행정청을 피고로 한다.

ⓓ 처분 등이 있은 후 처분이나 재결한 행정청이 없게 된 때에는 그 처분 등에 관한 사무가 귀속되는 국가 또는 공공단체를 피고로 한다.

② 구체적인 경우의 피고적격

㉠ 합의제 행정청

ⓐ 합의제 행정청은 스스로 피고가 된다. 이에 해당하는 예로는 공정거래위원회, 토지수용위원회가 있다.

ⓑ 개별 법률의 규정에 따라 중앙노동위원회의 처분에 대해서는 중앙노동위원회 위원장, 중앙해양안전심판원의 처분에 대해서는 중앙해양안전심판원장이 취소소송의 피고가 된다.

관련판례

구 저작권법(2006.12.28. 법률 제8101호로 전문 개정되기 전의 것) 제97조의3 제2호는 '문화관광부장관은 대통령령이 정하는 바에 의하여 법 제53조에 규정한 저작권 등록업무에 관한 권한을 저작권심의조정위원회에 위탁할 수 있다'고 규정하고, 같은 법 시행령(2007.6.29. 대통령령 제20135호로 전문 개정되기 전의 것) 제42조는 '문화관광부장관은 법 제97조의3의 규정에 의하여 저작권 등록업무에 관한 권한을 저작권심의조정위원회에 위탁한다'고 규정하고 있으므로, '저작권심의조정위원회'가 저작권 등록업무의 처분청으로서 그 등록처분에 대한 무효확인소송에서 피고적격을 가진다(대판 2009.7.9, 2007두16608).

간단 점검하기

01 국가공무원법에 따른 처분, 그 밖에 본인의 의사에 반한 불리한 처분이나 부작위에 관한 행정소송을 제기할 때에 대통령의 처분 또는 부작위의 경우에는 소속 장관을 피고로 한다. ( ) 19. 지방직 9급

02 대통령이 행한 처분의 경우 국무총리가 피고가 된다. ( ) 14. 지방직 7급

03 국회의장이 행한 처분에 대한 행정소송의 피고는 국회부의장이 된다. ( ) 17. 경찰행정

04 대법원장이 한 처분에 대한 행정소송의 피고는 대법원장이다. ( ) 17. 경찰행정

05 합의제 행정기관의 경우 원칙적으로 당해 행정기관의 장이 피고가 된다. ( ) 10. 세무사

06 중앙노동위원회의 처분에 대한 행정소송은 중앙노동위원회 위원장을 피고로 한다. ( ) 17. 경찰행정

07 지방노동위원회의 구제명령에 대해서는 중앙노동위원회에 재심을 신청한 후 그 재심판정에 대하여 중앙노동위원회를 피고로 하여 재심판정 취소의 소를 제기하여야 한다. ( ) 13. 국가직 7급

간단 점검하기

08 구 저작권법상 저작권 등록처분에 대한 무효확인소송에서 저작권심의조정위원회 위원장이 피고가 된다. ( ) 14. 지방직 7급

01 ○ 02 × 03 × 04 ×
05 × 06 ○ 07 × 08 ×

ⓛ 권한의 위임 · 위탁

ⓐ 권한의 위임과 위탁은 다른 행정청으로 권한이 실질적으로 이전되는 것을 말한다.

ⓑ 권한이 위임 · 위탁 된 경우 위임받은 수임청, 위탁받은 수탁청이 자신의 명의로 처분을 하므로 피고가 수임청 · 수탁청이 된다.

관련판례 한국자산관리공사 공매 ★★★

성업공사(현 한국자산관리공사)가 체납압류된 재산을 공매하는 것은 세무서장의 공매권한 위임에 의한 것으로 보아야 할 것이므로, 성업공사가 한 그 공매처분에 대한 취소 등의 항고소송을 제기함에 있어서는 수임청으로서 실제로 공매를 행한 성업공사를 피고로 하여야 한다(대판 1997.2.28, 96누1757).

#세무서장_한국자산관리공사_공매권한_위임 #피고_한국자산관리공사

ⓒ 내부위임

ⓐ 내부위임이란 조직 내부에서 수임자가 위임자의 권한을 위임자의 명의와 책임으로 행사하는 것을 말한다. 내부위임의 경우 외부에 표시는 위임청의 명의로 하여야 한다.

ⓑ 내부위임의 경우 위임청의 명의로 행위를 행하는 것이므로 항고소송에서 피고는 위임청이 된다.

관련판례 동대문구청장 서울시장명의 파면 ★★★

내부위임의 경우에는 수임관청이 그 위임된 바에 따라 위임관청의 이름으로 권한을 행사하였다면 그 처분청은 위임관청이므로 그 처분의 취소나 무효확인을 구하는 소송의 피고는 위임관청으로 삼아야 한다(대판 1991.10.8, 91누520).

#서울특별시장_직위해제 · 파면_구청장_내부위임 #동대문구청장_서울시장명의_직위해제 · 파면처분 #피고_서울시장

ⓒ 내부위임을 받아 업무를 처리하는 자가 자신의 명의로 처분을 한 경우 피고는 명의자인 내부위임자가 된다.

관련판례 금강공원관리소장 공원사용료부과 ★★★

행정처분을 행할 적법한 권한 있는 상급행정청으로부터 내부위임을 받은데 불과한 하급행정청이 권한 없이 행정처분을 한 경우에도 실제로 그 처분을 행한 하급행정청을 피고로 하여야 할 것이다(대판 1991.2.22, 90누5641).

#공원사용료부과_부산시장_금강공원관리소장_내부위임 #사용료부과_관리소장명의 #피고_관리소장

ⓔ 대리

ⓐ 대리는 행정청이 자신의 권한을 다른 기관으로 하여금 행사하게 하는 것을 말한다. 대리청이 피대리청을 위한 것임을 표시(현명)하고 그 효력은 피대리청에 귀속된다.

ⓑ 항고소송에서 피고는 피대리청이 된다. 한편 대리청이 자신의 명의로 처분을 한 경우 명의자인 대리청이 피고가 된다.

간단 점검하기

01 행정권한을 위탁받은 공공단체 또는 사인이 자신의 이름으로 처분을 한 경우에는 그 공공단체 또는 사인이 항고소송의 피고가 된다. ( )
17. 국가직 9급

02 판례에 따르면 권한의 위임의 경우 수임청은 그 권한을 위임청의 이름으로 행사하며 그에 관한 소송의 피고는 위임청이 된다. ( ) 14. 서울시 7급

03 판례에 따르면 수임관청이 내부위임된 바에 따라 위임관청의 이름으로 권한을 행사하였다면 그 처분의 취소나 무효확인을 구하는 소송의 피고는 위임관청이다. ( )
14. 지방직 7급, 13. 서울시 9급

간단 점검하기

04 행정처분을 행할 적법한 권한이 있는 상급행정청으로부터 내부위임을 받은 데 불과한 하급행정청이 권한 없이 자신의 이름으로 행정처분을 한 경우에는 하급행정청이 항고소송의 피고가 된다. ( ) 17. 국가직 9급

05 판례에 따르면 내부위임에 의한 처분이 수임기관의 명의로 행해진 경우 위임기관이 피고가 된다. ( )
14. 지방직 7급

간단 점검하기

06 권한의 임의대리(수권대리)의 경우 대리기관이 대리관계를 표시하고 피대리행정청을 대리하여 행정처분을 한 때에는 피대리행정청이 항고소송의 피고로 되어야 한다. ( )
16. 국가직 7급

01 ○ 02 × 03 ○ 04 ○
05 × 06 ○

관련판례

1 대리 현명 ○ ★★★

항고소송은 다른 법률에 특별한 규정이 없는 한 원칙적으로 소송의 대상인 행정처분을 외부적으로 행한 행정청을 피고로 하여야 하고(행정소송법 제13조 제1항 본문), 다만 대리기관이 대리관계를 표시하고 피대리 행정청을 대리하여 행정처분을 한 때에는 피대리 행정청이 피고로 되어야 한다(대판 2018.10.25, 2018두43095).
#대리관계_현명_피고_피대리청

2 대리 현명 × ★★★

대리권을 수여받은 데 불과하여 그 자신의 명의로는 행정처분을 할 권한이 없는 행정청의 경우 대리관계를 밝힘이 없이 그 자신의 명의로 행정처분을 하였다면 그에 대하여는 처분명의자인 당해 행정청이 항고소송의 피고가 되어야 하는 것이 원칙이지만, 비록 대리관계를 명시적으로 밝히지는 아니하였다 하더라도 처분명의자가 피대리 행정청 산하의 행정기관으로서 실제로 피대리 행정청으로부터 대리권한을 수여받아 피대리 행정청을 대리한다는 의사로 행정처분을 하였고 처분명의자는 물론 그 상대방도 그 행정처분이 피대리 행정청을 대리하여 한 것임을 알고서 이를 받아들인 예외적인 경우에는 피대리 행정청이 피고가 되어야 한다(대결 2006.2.23, 2005부4).❶
#근로복지공단이사장_보험료부과_대리_지역본부장 #대리권명시×_보험료부과
#10년이상_관행_양자_대리관계_인식 #피고적격_근로복지공단

간단 점검하기

01 대리권을 수여받은 데 불과하여 그 자신의 명의로는 행정처분을 할 권한이 없는 행정청의 경우 대리관계를 밝힘이 없이 그 자신의 명의로 행정처분을 하였다면 그에 대하여는 처분명의자인 당해 행정청이 항고소송의 피고가 되어야 하는 것이 원칙이다. ( ) 18. 서울시 9급

❶
대리관계에서 피고(피대리청: 근로복지공단이사장, 대리청: 지역본부장)
- 원칙: 피대리청
- 대리청명의: 대리청
- 대리청명의, 대리관계를 알고 있는 경우: 피대리청

ⓜ 처분청과 통지한 자가 다른 경우

ⓐ 처분청과 통지한 행정청이 다른 경우 처분청이 피고가 된다.

ⓑ 예를 들어 독립유공자서훈취소결정을 국무회의심의를 거쳐 대통령이 결정하고 이 결정을 보호처장이 당사자 등에게 통보한 경우 항고소송의 피고는 대통령이 된다.

간단 점검하기

02 대법원은 처분청과 통지한 자가 다른 경우에는 통지한 자가 피고가 된다고 보았다. ( ) 08. 국가직 9급

관련판례 독립유공자서훈취소 대통령 ★★★

[1] 헌법 제11조 제3항과 구 상훈법(2011.8.4. 법률 제10985호로 개정되기 전의 것, 이하 같다) 제2조, 제33조, 제34조, 제39조의 규정 취지에 의하면, 서훈은 서훈대상자의 특별한 공적에 의하여 수여되는 고도의 일신전속적 성격을 가지는 것이다. 나아가 서훈은 단순히 서훈대상자 본인에 대한 수혜적 행위로서의 성격만을 가지는 것이 아니라, 국가에 뚜렷한 공적을 세운 사람에게 영예를 부여함으로써 국민 일반에 대하여 국가와 민족에 대한 자긍심을 높이고 국가적 가치를 통합 · 제시하는 행위의 성격도 있다. 서훈의 이러한 특수성으로 말미암아 상훈법은 일반적인 행정행위와 달리 사망한 사람에 대하여도 그의 공적을 영예의 대상으로 삼아 서훈을 수여할 수 있도록 규정하고 있다. 그러나 그러한 경우에도 서훈은 어디까지나 서훈대상자 본인의 공적과 영예를 기리기 위한 것이므로 비록 유족이라고 하더라도 제3자는 서훈수여 처분의 상대방이 될 수 없고, 구 상훈법 제33조, 제34조 등에 따라 망인을 대신하여 단지 사실행위로서 훈장 등을 교부받거나 보관할 수 있는 지위에 있을 뿐이다. 이러한 서훈의 일신전속적 성격은 서훈취소의 경우에도 마찬가지이므로, 망인에게 수여된 서훈의 취소에서도 유족은 그 처분의 상대방이 되는 것이 아니다.

01 ○ 02 ×

이와 같이 망인에 대한 서훈취소는 유족에 대한 것이 아니므로 유족에 대한 통지에 의해서만 성립하여 효력이 발생한다고 볼 수 없고, 그 결정이 처분권자의 의사에 따라 상당한 방법으로 대외적으로 표시됨으로써 행정행위로서 성립하여 효력이 발생한다고 봄이 타당하다.

[2] 국무회의에서 건국훈장 독립장이 수여된 망인에 대한 서훈취소를 의결하고 대통령이 결재함으로써 서훈취소가 결정된 후 국가보훈처장이 망인의 유족 甲에게 '독립유공자 서훈취소결정 통보'를 하자 甲이 국가보훈처장을 상대로 서훈취소결정의 무효 확인 등의 소를 제기한 사안에서, 甲이 서훈취소 처분을 행한 행정청(대통령)이 아니라 국가보훈처장을 상대로 제기한 위 소는 피고를 잘못 지정한 경우에 해당하므로, 법원으로서는 석명권을 행사하여 정당한 피고로 경정하게 하여 소송을 진행해야 함에도 국가보훈처장이 서훈취소 처분을 한 것을 전제로 처분의 적법 여부를 판단한 원심판결에 법리오해 등의 잘못이 있다고(대판 2014.9.26, 2013두2518).

ⓑ 처분적 조례의 경우

ⓐ 조례는 원칙적으로 최소소송의 대상이 되지 않는다. 그러나 조례가 직접 국민의 권리·의무에 영향을 미치는 경우 처분성이 인정되고 취소소송의 대상이 된다.

ⓑ 처분적 조례의 경우 처분성이 인정되므로 항고소송에서 피고는 공포권자인 지방자치단체의 장이 되며, 교육·학예에 관한 조례인 경우 공포권자인 교육감이 피고가 된다.

관련판례 **처분적 조례 지자체장** ★★★

조례가 항고소송의 대상이 되는 행정처분에 해당되는 경우 조례무효확인 소송의 피고적격은 지방자치단체의 장이 되며, 교육에 관한 조례 무효확인소송에 있어서 피고적격은 교육감이 된다(대판 1996.9.20, 95누8003).

#두밀분교_폐교조례 #항고소송_피고_교육감

ⓢ **지방의회의원의 제명 등 의결의 경우:** 지방의회는 행정청이 아니므로 취소소송의 피고가 될 수 없으나 의원에 대한 징계의결, 의장불신임 결의, 지방의회의장 선거와 같은 행위를 하는 경우에는 지방의회도 행정청으로 피고가 될 수 있다.

point check **행정소송법상 피고적격**

구분	피고
단독행정청	처분을 행한 해당 행정청
합의제 행정청	• 합의제 행정청(예 토지수용위원회, 공정거래위원회 등) • 단, 중앙노동위원회의 경우 중앙노동위원회위원장(제27조)
권한의 위임·위탁의 경우	수임청(∵ 권한이 이양되어 수임청이 대외적으로 처분)
권한의 대리·내부위임의 경우	• 원칙적으로 피대리청(위임청) • 단, 수임기관의 명의로 처분을 한 경우에는 명의자
지방의회의 의결에 대한 항고소송	지방의회

간단 점검하기

01 판례에 의하면 시·도의 교육·학예에 관한 조례가 항고소송의 대상이 되는 경우에는 지방자치단체장이 피고가 된다. ( )
15. 국가직 9급, 14. 지방직 7급

02 초등학교의 공용폐지를 내용으로 하는 조례를 대상으로 관할 법원에 취소소송을 제기하였다면 피고는 조례안을 의결한 지방의회가 되어야 한다.
( ) 16. 서울시 7급, 08. 국가직 9급

간단 점검하기

03 지방의회의원에 대한 지방의회의 제명징계의결에 대하여 항고소송을 제기하는 경우 지방의회가 피고가 된다.
( ) 06. 국회직 8급

01 × 02 × 03 ○

처분적 조례에 대한 항고소송	지방자치단체의 장[1]
교육에 관한 조례에 대한 항고소송	시·도 교육감
대통령	소속장관
국회의장	국회사무총장
대법원장	법원행정처장
헌법재판소장	헌법재판소사무처장
중앙선거관리위원장	중앙선거관리위원회사무처장

[1] 지방의회×

③ 피고의 경정

> 행정소송법 제14조【피고경정】① 원고가 피고를 잘못 지정한 때에는 법원은 원고의 신청에 의하여 결정으로써 피고의 경정을 허가할 수 있다.
> ② 법원은 제1항의 규정에 의한 결정의 정본을 새로운 피고에게 송달하여야 한다.
> ③ 제1항의 규정에 의한 신청을 각하하는 결정에 대하여는 즉시항고할 수 있다.
> ④ 제1항의 규정에 의한 결정이 있은 때에는 새로운 피고에 대한 소송은 처음에 소를 제기한 때에 제기된 것으로 본다.
> ⑤ 제1항의 규정에 의한 결정이 있은 때에는 종전의 피고에 대한 소송은 취하된 것으로 본다.
> ⑥ 취소소송이 제기된 후에 제13조 제1항 단서 또는 제13조 제2항에 해당하는 사유가 생긴 때에는 법원은 당사자의 신청 또는 직권에 의하여 피고를 경정한다. 이 경우에는 제4항 및 제5항의 규정을 준용한다.

㉠ **피고경정이 가능한 경우**: 행정소송법상 피고경정은 아래와 같은 경우에 가능하며 사실심 변론종결시까지 허용된다는 것이 판례의 입장이다.

관련판례 피고경정 - 사실심 변론종결시★

행정소송법 제14조에 의한 피고경정은 사실심 변론종결에 이르기까지 허용되는 것으로 해석하여야 할 것이고, 굳이 제1심 단계에서만 허용되는 것으로 해석할 근거는 없다(대결 2006.2.23, 2005부4).

간단 점검하기

01 피고경정은 사실심은 물론 상고심에서도 허용된다는 것이 판례의 입장이다. ( ) 09. 세무사

ⓐ **피고를 잘못 지정한 때**: 원고가 피고를 잘못 지정한 때 원고의 신청에 의해 피고 경정을 허가할 수 있다(행정소송법 제14조 제1항). 피고를 잘못 지정한데 대한 원고의 고의·과실 유무는 불문하며, 판단기준의 제소시이다.

ⓑ **권한승계 등의 경우**: 권한이 승계된 때에는 승계한 행정청으로 피고를 경정하며(행정소송법 제13조 제1항), 기관이 폐지된 때에는 그 사무가 귀속되는 국가나 공공단체로 피고를 경정할 수 있다(행정소송법 제14조 제6항).

ⓒ **소의 변경이 있은 경우**: 소의 변경이 있은 때에도 피고의 변경을 인정한다(행정소송법 제21조 제4항).

간단 점검하기

02 원고가 피고를 잘못 지정한 때에는 법원은 직권으로 피고를 경정하여야 한다. ( ) 10. 세무사

01 × 02 ×

㉡ 피고경정의 절차

ⓐ 원고가 피고를 잘못 지정한 때에는 법원은 원고의 신청에 의하여 결정으로써 피고의 경정을 허가할 수 있다. 다만, 취소소송이 제기된 후 권한의 승계 등의 사유가 생긴 때에는 당사자의 신청 또는 직권에 의하여 피고를 경정한다.

ⓑ 피고경정 결정은 서면으로 하여야 하며, 법원은 결정의 정본을 피고에게 송달하여야 한다. 피고경정신청을 각하하는 결정에 대해서는 즉시항고할 수 있다(행정소송법 제14조 제3항).

㉢ 피고경정의 효과

ⓐ 피고를 경정하는 것에 대한 허가결정이 있을 때에는 새로운 피고에 대한 소송은 처음에 소를 제기한 때에 제기된 것으로 본다. 제소기간의 준수여부도 처음에 소를 제기한 때를 기준으로 한다.

ⓑ 피고경정의 허가결정이 있은 때에는 종전의 피고에 대한 소송은 취하된 것으로 본다(행정소송법 제14조 제5항).

㉣ **피고를 잘못 지정한 경우 법원의 조치**: 원고가 피고를 잘못 지정한 경우 법원은 소를 곧바로 각하할 것이 아니라 석명권을 행사하여 피고를 경정하게 한 후 소송을 진행하여야 한다는 것이 판례의 입장이다.

관련판례 **주민세부과처분** ★★

원고가 피고를 잘못 지정하였다면 법원으로서는 당연히 석명권을 행사하여 원고로 하여금 피고를 경정하게 하여 소송을 진행케 하였어야 할 것임에도 불구하고 이러한 조치를 취하지 아니한 채 피고의 지정이 잘못되었다는 이유로 소를 각하한 것이 위법하다(대판 2004.7.8, 2002두7852).

#주민세부과처분 #전주시완산구청장_피고 #전주시장_피고_쟁송제기 #법원_각하×_석명권행사

Level up 피고경정시 원고의 신청 여부

1. 처음부터 잘못지정, 소송제기: 신청
2. 소송 중에 권한승계, 피고기관 폐지: 신청 또는 직권

(5) 소송참가

① 제3자의 소송참가

> 행정소송법 제16조【제3자의 소송참가】① 법원은 소송의 결과에 따라 권리 또는 이익의 침해를 받을 제3자가 있는 경우에는 당사자 또는 제3자의 신청 또는 직권에 의하여 결정으로써 그 제3자를 소송에 참가시킬 수 있다.
> ② 법원이 제1항의 규정에 의한 결정을 하고자 할 때에는 미리 당사자 및 제3자의 의견을 들어야 한다.
> ③ 제1항의 규정에 의한 신청을 한 제3자는 그 신청을 각하한 결정에 대하여 즉시항고할 수 있다.
> ④ 제1항의 규정에 의하여 소송에 참가한 제3자에 대하여는 민사소송법 제67조의 규정을 준용한다.

간단 점검하기

01 피고경정의 신청을 각하한 결정에 대하여는 불복할 수 없다. ( ) 08. 지방직 7급

간단 점검하기

02 피고경정의 결정이 있은 때에는 새로운 피고에 대한 소송은 처음에 소를 제기한 때에 제기된 것으로 본다. ( ) 08. 지방직 7급

03 취소소송이 제기된 후에 피고를 경정하는 경우 제소기간의 준수 여부는 피고를 경정한 때를 기준으로 판단한다. ( ) 17. 지방직 9급

간단 점검하기

04 항고소송에서 원고가 피고를 잘못 지정하였다면 법원은 석명권을 행사하여 피고를 경정하게 하여 소송을 진행하여야 한다. ( ) 16. 서울시 7급

간단 점검하기

05 제3자에 의해 항고소송이 제기된 경우에 제3자효 행정행위의 상대방은 소송참가를 할 수 있다. ( ) 14. 국가직 7급

06 취소소송의 제3자 소송참가에 관한 규정은 무효등 확인소송, 부작위위법확인소송, 당사자소송에도 준용된다. ( ) 12. 국가직 9급

01 × 02 ○ 03 × 04 ○ 05 ○ 06 ○

㉠ **의의**: 취소소송의 결과 권리와 이익이 침해 받을 제3자가 있는 경우 당사자, 제3자의 신청 또는 직권에 의하여 법원의 결정으로써 제3자는 소송에 참가할 수 있다.❶

㉡ **참가의 요건**

ⓐ **타인의 취소소송의 계속 중일 것**: 제3자가 소송에 참가하기 위해서는 적법한 소송이 계속 중이어야 한다. 소송이 계속 중이면 참가가 가능하므로 심급이 어디에 있는지는 불문한다.

ⓑ **소송의 결과에 따라 권리 또는 이익의 침해를 받을 자**

- 법률상 이익이 침해되어야 하므로 사실상·경제상 또는 감정상의 이익이 침해된 경우에는 소송에 참가할 수 없다.
- 소송의 결과에 따라 권리·이익이 침해되는 것이므로 판결의 형성력 자체에 의한 침해, 기속력에 의한 행정청의 새로운 처분에 의한 침해 등이 포함된다.

관련판례 **임원취임승인처분 학교법인** ★★★

임원취임승인취소처분이 취소되어 원고가 학교법인의 이사 및 이사장으로서의 지위를 회복하게 되면 학교법인으로서는 결과적으로 그 의사와 관계없이 이사회의 구성원이나 대표자가 변경되는 관계에 있다고 할 것이고, 이는 위 취소소송의 결과에 의하여 그 법률상의 지위가 결정되는 관계로서 보조참가의 요건인 법률상 이해관계에 해당한다(대판 2003.5.30, 2002두11073).

#임원취임승인처분_결과_학교법인_법률상지위결정_이해관계인

㉢ **참가의 절차**

ⓐ **참가신청 또는 직권**: 제3자의 소송참가는 당사자 또는 제3자의 신청 또는 직권에 의한다(행정소송법 제16조 제1항).

ⓑ **참가의 허부 결정(불복시 즉시항고)**: 참가신청이 있으면 법원은 결정으로서 허가 또는 각하의 재판을 하고, 직권소송참가의 경우에는 법원이 결정으로써 제3자에게 참가를 명한다. 법원이 제3자의 소송참가를 결정하고자 할 때에는 미리 당사자 및 제3자의 의견을 들어야 한다(행정소송법 제16조 제2항). 제3자가 참가신청을 하였으나 각하된 경우 그 제3자는 그에 대해 즉시항고 할 수 있다(행정소송법 제16조 제3항).

㉣ **참가인의 지위(공동소송적 보조참가와 유사)**

ⓐ 제3자가 소송에 참가하는 경우 민사소송법 제67조의 규정이 준용된다(행정소송법 제16조 제4항).

ⓑ 제3자의 지위는 공동소송인에 준한 지위이나 당사자에게 독자적인 청구를 하는 것은 아니므로 강학상 공동소송적 보조참가인의 지위에 있다고 보는 것이 통설이다.

ⓒ 피참가인의 소송행위는 모두의 이익을 위해서만 효력을 가진다. 따라서 참가인이 상소를 할 경우에 피참가인이 상소취하나 상소포기를 할 수 없다.

❶
취소소송의 제3자 소송참가에 관한 규정은 무효등 확인소송, 부작위위법확인소송, 당사자소송에도 준용된다.

간단 점검하기

01 특정 소송사건에서 당사자 일반을 보조하기 위하여 보조참가를 하려면 당해 소송의 결과에 대하여 사실상·경제상 또는 감정상의 이해관계가 있으면 충분하여 법률상의 이해관계가 요구되는 것은 아니다. ( ) 15. 국가직 9급

간단 점검하기

02 제3자의 소송참가에는 신청에 의한 경우와 직권에 의한 경우가 있다. ( ) 12. 국가직 9급

간단 점검하기

03 소송참가인의 지위의 성질에 대해서는 공동소송적 보조참가와 비슷하다는 것이 통설이다. ( ) 10. 국회직 8급

01 × 02 ○ 03 ○

관련판례 **참가인상소** ★★

피참가인의 소송행위는 모두의 이익을 위하여서만 효력을 가지고, 공동소송적 보조참가인에게 불이익이 되는 것은 효력이 없으므로, 참가인이 상소를 할 경우에 피참가인이 상소취하나 상소포기를 할 수는 없다(대판 2017.10.12, 2015두36836).

#참가인_상소_피참가인(소송당사자)_상소포기불가

ⓓ 참가인은 현실적으로 소송행위를 하였는지 여부를 불문하고 참가한 소송의 판결의 효력을 받는다.

② 다른 행정청의 소송참가

> 행정소송법 제17조【행정청의 소송참가】① 법원은 다른 행정청을 소송에 참가시킬 필요가 있다고 인정할 때에는 당사자 또는 당해 행정청의 신청 또는 직권에 의하여 결정으로써 그 행정청을 소송에 참가시킬 수 있다.
> ② 법원은 제1항의 규정에 의한 결정을 하고자 할 때에는 당사자 및 당해 행정청의 의견을 들어야 한다.
> ③ 제1항의 규정에 의하여 소송에 참가한 행정청에 대하여는 민사소송법 제76조의 규정을 준용한다.

㉠ 참가의 요건

ⓐ **타인의 취소소송의 계속 중일 것**: 소송이 계속 중이어야 하며, 심급이 어디에 있는가는 불문한다.

ⓑ **다른 행정청일 것**: 다른 행정청이 참가할 수 있으므로 피고인 행정청 이외의 행정청이 소송에 참가할 수 있다.

관련판례 **인근가스충전소** ★★★

특정 소송사건에서 당사자 일방을 보조하기 위하여 보조참가를 하려면 당해 소송의 결과에 대하여 이해관계가 있어야 하고, 여기서 말하는 이해관계라 함은 사실상·경제상 또는 감정상의 이해관계가 아니라 법률상의 이해관계를 가리킨다(대판 2014.8.28, 2011두17899).

#광주광역시_북구청장 #대창운수_해양도시가스_1.4Km지점_가스충전소허가신청
#주식회사_해양도시가스_피고보조참가신청_법률상이익침해×

㉡ 참가의 절차[법원의 직권, 당사자 또는 '해당 행정청(다른 행정청)'의 신청]

ⓐ 당사자 또는 당해 행정청의 신청 또는 직권에 의하여 결정으로써 그 행정청을 소송에 참가시킬 수 있다.

ⓑ 행정청의 소송참가를 결정하고자 할 때에는 당사자 및 당해 행정청의 의견을 들어야 한다(행정소송법 제17조 제2항).

㉢ 참가행정청의 지위(보조참가인에 준한 지위)

ⓐ 참가 행정청은 제3자의 소송참가의 경우와는 달리 민사소송법 제76조가 준용되어 단순한 보조참가인의 지위를 가지게 된다(행정소송법 제17조 제3항).

간단 점검하기

01 행정소송의 결과에 따라 권리 또는 이익의 침해 우려가 있는 제3자는 당해 행정소송에 참가할 수 있으며, 이때 참가인인 제3자는 실제로 소송에 참가하여 소송행위를 하였는지 여부를 불문하고 판결의 효력을 받는다. ( ) 18. 지방직 9급

02 법원은 다른 행정청을 취소소송에 참가시킬 필요가 있다고 인정할 때에는 당사자 또는 당해 행정청의 신청 또는 직권에 의하여 결정으로써 그 행정청을 소송에 참가시킬 수 있다. ( ) 18. 국가직 7급

03 취소소송에서는 법원이 필요하다고 인정한 때에는 당사자의 신청 없이도 관계행정청을 소송에 참가시킬 수 있다. ( ) 11. 서울시 9급

간단 점검하기

04 행정소송 사건에서 민사소송법상 보조참가가 허용된다. ( ) 17. 사회복지직

01 ○ 02 ○ 03 ○ 04 ○

ⓑ 참가 행정청은 소송에 관해 공격, 방어, 이의, 상소, 그 밖의 모든 소송행위를 할 수 있으나 피참가인의 소송행위와 저촉되는 행위는 할 수 없고, 이에 어긋나는 경우 그 행위는 효력이 없다(민사소송법 제76조).

ⓒ 보조참가인은 판결의 효력을 받지 아니한다.

③ **민사소송법에 의한 소송참가**: 행정소송법에서 규정하고 있는 소송참가에 관한 내용 이외에 민사소송법에 의한 소송참가규정이 준용될 수 있는지 문제된다.

㉠ **민사소송법상의 보조참가**: 보조참가는 소송의 계속 중에 소송의 결과에 대하여 이해관계 있는 제3자가 당사자 일방의 승소를 보조하기 위하여 그 소송에 참가하는 것을 말하는데 행정소송법에 규정된 소송참가 이외에 민사소송법상 보조참가가 가능하다는 것이 판례의 입장이다(대판 2013.3.28, 2011두13729).

㉡ **민사소송법상 공동소송참가**: 공동소송참가는 소송의 목적이 당사자일방과 제3자에 대하여 합일적으로 확정될 경우에 제3자가 계속 중인 소송에 공동소송인으로 참가하는 것을 말한다(민사소송법 제83조). 민사소송법상 공동소송참가는 행정소송에도 준용될 수 있다는 것이 다수의 견해이다.

㉢ **민사소송법상 독립당사자참가**: 독립당사자참가는 타인 간의 소송의 계속 중에 원고 · 피고 쌍방을 상대방으로 하여 원고와 피고 간의 청구와 관련된 자기의 청구에 대하여 동시에 심판을 구하기 위해 그 소송절차에 참가하는 것을 말한다. 이는 행정소송에서 허용되지 않는다는 것이 판례의 입장이다(대판 1970.8.31, 70누7071).

point check 소송참가제도

구분	제3자의 소송참가	행정청의 소송참가
참가방법	당사자 또는 제3자의 신청 및 법원의 직권	당사자 또는 다른 행정청의 신청 및 법원의 직권
준용규정	민사소송법 제67조 (필수적 공동소송의 특칙)	민사소송법 제76조 (보조참가인의 소송형태)
참가인의 지위	공동소송적 보조참가인	보조참가인
참가인의 소송행위	피참가인의 소송행위와 저촉되는 행위도 가능	피참가인의 소송행위와 저촉되는 행위는 불가

4 취소소송의 제기

1. 개설(소송요건)

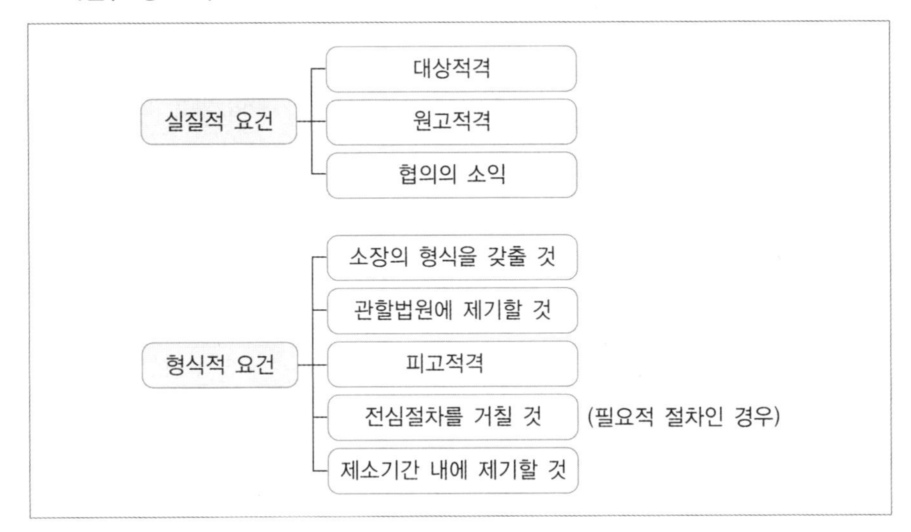

2. 행정심판전치주의

> 행정소송법 제18조【행정심판과의 관계】 ① 취소소송은 법령의 규정에 의하여 당해 처분에 대한 행정심판을 제기할 수 있는 경우에도 이를 거치지 아니하고 제기할 수 있다. 다만, 다른 법률에 당해 처분에 대한 행정심판의 재결을 거치지 아니하면 취소소송을 제기할 수 없다는 규정이 있는 때에는 그러하지 아니하다.

(1) 원칙(임의적 전심절차)

행정소송을 제기함에 있어 행정심판을 거치지 않고도 소송을 제기할 수 있는 제도를 말한다. 따라서 처분에 불복하는 경우 행정심판을 거치거나 거치지 않거나 행정소송을 제기할 수 있다.

(2) 예외(필요적 전심절차)

① 개별법에서 명시적으로 행정심판전치주의를 규정하고 있는 경우에는 이를 거쳐야 한다.

② **현행법상 필요적 행정심판전치주의를 취하는 경우**

㉠ 공무원의 징계 그 밖의 불이익처분에 대한 불복(국가공무원법 제16조 제1항)

㉡ 국세 등 과세처분에 대한 불복(국세기본법 제56조 제2항, 지방세기본법 제91조 제1항, 관세법 제120조 제1항)

㉢ 도로교통법상 처분 등에 대한 불복(도로교통법 제142조)

㉣ 지방자치법상 사용료 등에 대한 이의신청(지방자치법 제140조 제5항)

간단 점검하기

01 취소소송은 법령의 규정에 의하여 당해 처분에 대한 행정심판을 제기할 수 있는 경우에도 이를 거치지 아니하고 제기할 수 있다. 다만, 다른 법률에 당해 처분에 대한 행정심판의 재결을 거치지 아니하면 취소소송을 제기할 수 없다는 규정이 있는 때에는 그러하지 아니하다. ( ) 16. 경찰행정

02 취소소송은 법령의 규정에 의하여 행정심판을 제기할 수 있는 경우에도 이를 거치지 아니하고 제기할 수 있다. ( ) 10. 지방직 9급

03 원칙적으로 임의적 행정심판전치주의를 취하고 있다. ( ) 16. 교육행정직

04 공무원은 자신에 대한 징계처분에 관하여 소청심사위원회의 심사·결정을 거치지 아니하고 행정소송을 바로 제기할 수 있다. ( ) 14. 국가직 9급

05 국세부과처분 취소소송에는 임의적 행정심판전치주의가 적용된다. ( ) 17. 교육행정직

06 과세관청의 압류처분에 대해서는 심사청구 또는 심판청구 중 하나에 대한 결정을 거친 후 행정소송을 제기하여야 한다. ( ) 15. 국가직 9급

07 운전면허취소처분에 대해서는 행정심판의 필요적 전치주의가 적용된다. ( ) 11. 국가직 7급

01 ○ 02 ○ 03 ○ 04 ×
05 × 06 ○ 07 ○

(3) 예외의 예외(행정심판을 거치지 않아도 되는 경우)

행정심판의 재결을 거치지 아니하고 제소할 수 있는 경우 (행정소송법 제18조 제2항)	• 행정심판청구가 있은 날로부터 60일이 지나도 재결이 없는 때 • 처분의 집행 또는 절차의 속행으로 생길 중대한 손해를 예방하여야 할 긴급한 필요가 있는 때 • 법령의 규정에 의한 행정심판기관이 의결 또는 재결을 하지 못할 사유가 있는 때 • 그 밖의 정당한 사유가 있는 때
행정심판을 제기하지 아니하고 직접 제소할 수 있는 경우 (행정소송법 제18조 제3항)	• 동종사건에 관하여 이미 행정심판의 기각재결이 있은 때 • 서로 내용상 관련되는 처분 또는 같은 목적을 위하여 단계적으로 진행되는 처분 중 어느 하나가 이미 행정심판의 재결을 거친 때 • 행정청이 사실심의 변론종결 후 소송의 대상인 처분을 변경하여 해당 변경된 처분에 관하여 소를 제기하는 때 • 처분을 행한 행정청이 행정심판을 거칠 필요가 없다고 잘못 알린 때

관련판례 단계적으로 진행되는 동종사건

1 공동소송 1인 ★★★

주식회사의 과점주주에게 2차납세의무자로 부가가치세를 부과한 처분에 대하여 원고 1이 위 처분에 불복하여 적법한 전심절차를 거친 이상 그와 특수관계에 있는 원고 2도 적법한 전심절차를 거쳤다고 보아야 한다(대판 1992.11.24, 92누8972).

2 국세납부 가산금 ★★★

가산금 및 중가산금 징수처분에 대한 행정소송을 제기함에 있어서 국세의 납세고지처분에 대하여 적법한 전심절차를 거친 이상 가산금 및 중가산금 징수처분에 대하여 별도의 전심절차를 거쳐야 할 필요는 없다(대판 1986.7.22, 85누297).

3 부당이득금 가산금 ★★★

하천구역의 무단 점용을 이유로 부당이득금 부과처분과 가산금 징수처분을 받은 사람이 가산금 징수처분에 대하여 행정청이 안내한 전심절차를 밟지 않았다 하더라도 부당이득금 부과처분에 대하여 전심절차를 거친 이상 가산금 징수처분에 대하여도 부당이득금 부과처분과 함께 행정소송으로 다툴 수 있다(대판 2006.9.8, 2004두947).

관련판례 동종사건 아닌 경우

석유판매업허가취소, 위험물주유소허가취소 ★★

서울시장의 석유판매업허가취소처분에 대한 행정심판절차를 거친 경우 소방서장이 행한 위험물주유취급소 설치허가취소처분의 취소소송에 앞서 재결기관이 서로 달리하고 있어 별도의 행정심판절차를 거쳐야 한다(대판 1989.1.24, 87누322).

간단 점검하기

01 다른 법률에서 행정심판을 필요적 전치절차로 규정하고 있어도 처분의 집행 또는 절차의 속행으로 생길 중대한 손해를 예방하여야 할 긴급한 필요가 있는 때에는 행정심판을 제기하지 않고 행정소송을 제기할 수 있다. ( )
15. 국가직 7급, 09. 국가직 7급

02 다른 법률에서 행정심판을 필요적 전치절차로 규정하고 있어도 법령의 규정에 의한 행정심판기관이 의결 또는 재결을 하지 못할 사유가 있는 때에는 행정심판을 제기하지 않고 행정소송을 제기할 수 있다. ( )
16. 서울시 9급, 09. 국가직 7급

03 다른 법률에서 행정심판을 필요적 전치절차로 규정하고 있어도 정당한 사유가 있는 때에는 행정심판을 제기하지 않고 행정소송을 제기할 수 있다. ( ) 09. 국가직 7급

04 행정소송법 이외의 법률에 당해 처분에 대한 행정심판의 재결을 거치지 아니하면 취소소송을 제기할 수 없다는 규정이 있는 경우에도 동종사건에 관하여 이미 행정심판의 기각재결이 있은 때에는 행정심판을 제기함이 없이 취소소송을 제기할 수 있다. ( )
16. 서울시 9급, 15. 국가직 7급, 13. 국가직 9급

05 서로 내용상 관련되는 처분 또는 같은 목적을 위하여 단계적으로 진행되는 처분 중 어느 하나가 이미 행정심판의 재결을 거친 때는 행정소송법 제18조 제3항에서 규정하고 있는 행정심판을 거칠 필요가 없는 경우이다. ( ) 16. 서울시 9급, 15. 국가직 7급

06 행정청이 사실심의 변론종결 후 소송의 대상인 처분을 변경하여 당해 변경된 처분에 관하여 소를 제기하는 때는 행정소송법 제18조 제3항에서 규정하고 있는 행정심판을 거칠 필요가 없는 경우이다. ( ) 16. 서울시 9급

07 필요적 행정심판전치주의가 적용되는 경우 처분행정청이 행정심판을 거칠 필요가 없다고 잘못 알린 때에도 원칙적으로 행정심판을 거쳐야 행정소송을 제기할 수 있다. ( )
15. 국가직 7급

01 × 02 × 03 × 04 ○
05 ○ 06 ○ 07 ×

(4) 행정심판전치주의의 내용

① 행정심판의 유형

㉠ 여기에서 말하는 행정심판이란 행정심판법상의 행정심판(협의)만이 아니라, 무효확인을 제외한 처분에 대하여 불복하는 일체의 행정심판(광의)을 의미한다.

㉡ 즉, 형식상의 명칭에 관계없이 소원·심사청구·이의신청 그 밖의 행정청에 대한 불복신청 등 모든 행정심판을 의미한다.

② 심판청구의 적법성

㉠ 행정소송을 제기하기 전에 필요적 전치를 요하는 행정심판은 적법하게 제기되어 본안에 대하여 재결을 받을 수 있어야 한다.

㉡ 부적법한 심판청구를 각하하지 않고 본안에 대하여 재결을 한 경우에는 전치의 요건을 충족하였다고 볼 수 없다(대판 1991.6.25, 90누8091).

관련판례 **기간도과 재결 각하** ★★★

행정처분의 취소를 구하는 항고소송의 전심절차인 행정심판청구가 기간도과로 인하여 부적법한 경우에는 행정소송 역시 전치의 요건을 충족치 못한 것이 되어 부적법 각하를 면치 못하는 것이고, 이 점은 행정청이 행정심판의 제기기간을 도과한 부적법한 심판에 대하여 그 부적법을 간과한 채 실질적 재결을 하였다 하더라도 달라지는 것이 아니다(대판 1991.6.25, 90누8091).

#기간도과_행정심판재결_행정소송_각하

간단 점검하기

기간경과 등의 부적법한 심판제기가 있었고, 행정심판위원회가 각하하지 않고 기각재결을 한 경우는 심판전치의 요건이 구비된 것으로 볼 수 있다.

( ) 15. 국회직 8급

㉢ 적법한 심판청구를 행정청이 착오를 일으켜 부적법한 것으로 각하하였다면 전치의 요건을 충족하였다고 보아야 한다(대판 1960.11.28, 4291행상96).

③ 행정심판과 행정소송의 관련성

㉠ **인적 관련성**: 행정심판의 청구인과 행정소송의 원고가 그 지위를 실질적으로 동일인으로 볼 수 있거나 승계하고 있는 경우에는 양자가 반드시 동일인일 필요는 없다.

㉡ **물적 관련성**: 행정심판의 대상으로서의 행정처분과 행정소송의 대상으로서의 행정처분은 원칙적으로 동일한 것이어야 한다(대판 1969.1.3, 69누9).

㉢ **주장사유의 관련성**: 판례는 행정심판의 주장사유와 행정소송의 주장사유가 반드시 일치할 필요는 없으므로 기본적인 점에서 동일성이 유지되면 행정심판에서 주장되지 않은 사항도 주장할 수 있다고 보고 있다(대판 1988.2.9, 87누903).

관련판례 **전심절차 행정소송 주장사유** ★★

전심절차에서의 주장과 행정소송에서의 주장이 전혀 별개의 것이 아닌 한 그 주장이 반드시 일치하여야 하는 것은 아니고 당사자는 전심절차에서 미처 주장하지 아니한 사유를 공격방어방법으로 제출할 수 있다고 하겠으므로 전심절차에서 증여사실에 기초하여 주식가액의 평가방법이 위법하다고 주장하다가 행정소송에 이르러 증여사실 자체를 부인하는 등 공격방어 방법을 변경하였다 하여 이를 금반언의 원칙 또는 신의성실의 원칙에 반한다고 할 수 없다(대판 1988.2.9, 87누903).

#전심절차_주식가액_평가방법_위법주장 #행정소송_증여사실부인

×

④ 전치요건충족의 시기

㉠ 행정소송은 행정심판을 제기하여 재결이 있은 후 제기하는 것이 원칙이다. 따라서 행정심판의 재결이 있기 전에 제기된 행정소송은 부적법한 소로서 각하할 수 있다.

㉡ 그러나 소가 각하되지 않은 동안 재결이 있게 되면 전치의 요건은 충족되었다고 볼 수 있다. 판례도 비록 소를 제기하는 당시에는 전치요건을 구비하지 못한 위법이 있더라도 사실심변론종결시까지 그 전치요건을 갖추었다면 하자가 치유된다고 판시하고 있다.

관련판례 **전치요건충족 사실심변론종결시까지** ★★

산업재해보상보험법상의 보험급여처분에 대한 행정소송은 심사 및 재심사의 2단계 전심절차를 거친 연후에 제기하도록 되어 있으나 행정심판전치주의의 근본취지가 행정청에게 반성의 기회를 부여하고 행정청의 전문지식을 활용하는데 있는 것이므로 제소당시에 비록 전치요건을 구비하지 못한 위법이 있다 하여도 사실심 변론종결당시까지 그 전치요건을 갖추었다면 그 흠결의 하자는 치유되었다고 볼 것이다(대판 1987.9.22, 87누176).

#보험급여처분_행정소송_필요적_전심절차 #전치요건충족시기_사실심변론종결시까지

㉢ 행정심판을 거친 것인지 여부는 소송요건에 해당하는 사항으로 직권조사사항이다.

⑤ 행정심판전치주의의 적용범위

㉠ **실정법 규정**: 행정소송법은 취소소송에서 예외적으로 행정심판전치주의를 채택하고 부작위위법확인소송에서 이를 준용하고 있다. 반면 무효등확인소송과 당사자소송에서는 행정심판전치주의가 적용되지 않는다.

㉡ **취소소송의 형식으로 무효선언을 구하는 경우**

ⓐ **학설**: 적극설과 소극설이 대립하고 있다.

ⓑ **판례**: 적극설의 입장을 취하고 있다(대판 1987.9.22, 87누482).

관련판례

행정처분의 무효를 선언하는 의미에서 취소를 구하는 소송도 항고소송의 일종이므로 전심절차를 거쳐야 한다(대판 1987.9.22, 87누482).

㉢ **취소소송이 당사자소송에 예비적 청구로 병합된 경우**: 주위적 청구가 전심절차를 요하지 아니하는 당사자소송이더라도 병합 제기된 예비적 청구가 항고소송이라면 이에 대한 전심절차 등 제소의 적법요건을 갖추어야 한다(대판 1989.10.27, 89누39).

㉣ **2단계 이상의 행정심판절차**: 하나의 처분에 대하여 2단계 이상의 행정심판절차를 규정하고 있는 경우 하나만 거치면 된다는 것이 일반적 견해이다.

㉤ **처분의 상대방이 아닌 제3자가 제소하는 경우**: 처분의 상대방이 제소하는 경우 행정심판전치주의가 적용된다면 제3자가 제소하는 경우에도 당연히 행정심판전치주의가 적용된다(대판 1989.5.9, 88누5150).

간단 점검하기

판례에 의하면 둘 이상의 심판절차가 규정된 때에는 특별한 규정이 없는 한 모든 심판절차를 거쳐야 한다.
( ) 10. 세무사

3. 제소기간

행정소송법 제20조【제소기간】① 취소소송은 처분 등이 있음을 안 날부터 90일 이내에 제기하여야 한다. 다만, 제18조 제1항 단서에 규정한 경우와 그 밖에 행정심판청구를 할 수 있는 경우 또는 행정청이 행정심판청구를 할 수 있다고 잘못 알린 경우에 행정심판청구가 있은 때의 기간은 재결서의 정본을 송달받은 날부터 기산한다.
② 취소소송은 처분 등이 있은 날부터 1년(제1항 단서의 경우는 결정이 있은 날부터 1년)을 경과하면 이를 제기하지 못한다. 다만, 정당한 사유가 있는 때에는 그러하지 아니하다.
③ 제1항의 규정에 의한 기간은 불변기간으로 한다.

(1) 행정심판을 거치지 않은 경우

행정심판을 제기하지 아니하거나 그 재결을 거치지 아니하는 경우 제소기간은 위의 제소기간의 규정에 의한다. 제소기간 준수 여부는 법정 소송요건에 해당하는 사항으로 법원의 직권조사사항이며, 요건을 갖추지 못한 경우 각하하게 된다.

① 처분이 있음을 안 경우('안 날'로부터 90일)

㉠ 취소소송은 처분 등이 있음을 안 날부터 90일 이내에 제기하여야 한다. 또한 있은 날부터 1년 이내에 제기하여 하나 정당한 사유가 있는 때에는 그러하지 아니하다.

㉡ 위의 두 기간은 선택적인 것이 아니라, 그중에 어느 하나의 기간이 경과하면 제소기간이 만료된다.

㉢ '처분이 있음을 안 날'이란 통지, 공고 그 밖의 방법에 의하여 해당 처분이 있었다는 것을 현실적으로 안 날을 말하고, '처분이 있은 날'이란 해당 처분이 외부에 표시되어 효력을 발생한 날을 말한다.

관련판례 '처분이 있음을 안 날'의 의미 - 현실적으로 안 날 ★★★

'처분이 있음을 안 날'이라 함은 당사자가 통지·공고 기타의 방법에 의하여 당해 처분이 있었다는 사실을 현실적으로 안 날을 의미하고, 추상적으로 알 수 있었던 날을 의미하는 것은 아니지만, 처분에 관한 서류가 당사자의 주소지에 송달되는 등 사회통념상 처분이 있음을 당사자가 알 수 있는 상태에 놓여진 때에는 반증이 없는 한 그 처분이 있음을 알았다고 추정할 수 있다(대판 1999.12.28, 99두9742).
#개발부담금납부고지서_아르바이트직원_우편물수령(토요일11시문서실)_담당부서전달(월요일)_추정(토요일)

㉣ 공고 또는 고시의 경우에는 대상이 특정인인지 불특정 다수인지에 따라 '안 날'이 다르다.

관련판례

1 불특정다수 ★★

고시 또는 공고에 의하여 행정처분을 하는 경우, 그에 대한 취소소송 제소기간의 기산일(= 고시 또는 공고의 효력발생일)(대판 2007.6.14, 2004두619)

간단 점검하기

01 행정소송법상 제소기간은 처분이 있음을 안 날로부터 90일, 처분이 있은 날로부터 1년이다. ( ) 07. 서울시 9급

간단 점검하기

02 상대방이 있는 행정처분에 대하여 행정심판을 거치지 아니하고 바로 취소소송을 제기하는 경우 처분이 있음을 안 날이란 통지, 공고 기타의 방법에 의해 당해 행정처분이 있었다는 사실을 현실적으로 안 날을 의미한다. ( ) 17. 국가직 7급

간단 점검하기

03 불특정 다수인에 대한 행정처분을 고시 또는 공고에 의하여 하는 경우에는 그 행정처분에 이해관계를 갖는 사람이 고시 또는 공고가 있었다는 사실을 현실적으로 알았는지 여부에 관계없이 고시 또는 공고가 효력을 발생한 날에 행정처분이 있음을 알았다고 보아야 한다. ( ) 17. 지방직 9급

01 ○ 02 ○ 03 ○

2 특정인 ★★

특정인에 대한 행정처분을 주소불명 등의 이유로 송달할 수 없어 관보 등에 공고한 경우, 상대방이 그 처분이 있음을 안 날(=현실적으로 안 날)(대판 2006.4.28, 2005두14851)

ⓓ 현실적으로 알았다는 의미는 처분 자체의 인식 여부이므로 그 행정처분의 위법여부를 인식하는 것을 의미하는 것이 아니다.

ⓔ **불변기간과 불고지 · 오고지**

ⓐ **불변기간**: 처분 등이 있음을 안 날로부터 90일 이내에 제기하여야 한다는 90일은 불변기간이다. 따라서 특별한 사정이 없는 한 기간이 늘거나 줄거나 할 수 없다. 다만, 행정소송법에도 민사소송법이 적용될 수 있으므로 주소 또는 거소가 멀리 떨어진 곳에 있는 사람을 위하여 부가기간을 정할 수 있고(민사소송법 제172조 제2항), 당사자의 책임 없는 사유로 불변기간을 지킬 수 없었던 경우에는 사유가 없어진 날부터 2주 내에 게을리한 소송행위를 보완할 수 있다(민사소송법 제173조 제1항).

ⓑ **불고지 · 오고지**: 행정심판법(제27조 제5항)과는 달리 행정소송법에는 불고지 · 오고지에 관한 규정이 없다. 따라서 행정심판법의 불고지 · 오고지 규정이 행정소송법에 적용 여부가 문제되나 판례는 적용이 없다고 한다(대판 2001.5.8, 2000두6916).

ⓢ **헌법재판소의 위헌결정**: 헌법재판소의 위헌결정으로 비로소 취소소송의 제기가 가능하게 된 경우 소송의 기산점을 객관적으로는 '위헌결정이 있은 날', 주관적으로는 '위헌결정이 있음을 안 날'로 삼아야 한다.

관련판례 **위헌결정 기산점** ★★

처분 당시에는 취소소송의 제기가 법제상 허용되지 않아 소송을 제기할 수 없다가 위헌결정으로 인하여 비로소 취소소송을 제기할 수 있게 된 경우, 객관적으로는 '위헌결정이 있은 날', 주관적으로는 '위헌결정이 있음을 안 날' 비로소 취소소송을 제기할 수 있게 되어 이때를 제소기간의 기산점으로 삼아야 한다(대판 2008.2.1, 2007두20997).
#위헌결정_취소소송_기산점 #주관적_위헌결정_안날 #객관적_위헌결정_있은날

② 처분이 있음을 알지 못한 경우(있은 날부터 1년)

㉠ 처분이 있음을 알지 못한 경우 처분이 있은 날로부터 1년 이내에 취소소송을 제기하여야 한다. '처분이 있은 날'이란 상대방이 있는 행정처분의 경우 행정처분이 상대방에게 도달되어 효력이 발생한 날을 말한다.

㉡ 처분이 있음을 알지 못한 것에 대한 정당한 사유가 있는 경우에는 1년이 경과하더라도 소송을 제기할 수 있다. 이 경우 정당한 사유란 제소기간 내에 소를 제기하지 못함을 정당화할 만한 객관적이 사유를 의미한다.

간단 점검하기

01 특정인에 대한 처분을 주소불명 등의 이유로 송달할 수 없어 관보 · 공보 · 게시판 · 일간신문 등에 공고(공시송달)한 경우에는 당해 공고가 효력을 발생하는 날이 제소기간의 기산일이 된다. ( ) 10. 국회직 9급

간단 점검하기

02 제소기간의 적용에 있어 처분이 있음을 안 날이란 처분의 존재를 현실적으로 안 날을 의미하는 것이 아니라 처분의 위법 여부를 인식한 날을 말한다. ( ) 15. 사회복지직

03 처분이 있음을 안 날이라 함은 처분에 관한 서류가 당사자의 주소에 송달되는 등 사회통념상 처분이 있음을 당사자가 알 수 있는 상태에 놓여진 때에는 반증이 없는 한 그 처분이 있음을 알았다고 추정할 수 있다. ( ) 13. 국회직 9급

04 제소기간은 불변기간이므로 소송행위의 보완은 허용되지 않는다. ( ) 17. 교육행정직

05 법원은 취소소송의 제소기간을 확장하거나 단축할 수 없으나 주소 또는 거소가 멀리 떨어진 곳에 있는 자를 위하여 부가기간을 정할 수 있다. ( ) 13. 지방직 9급

06 행정심판에서는 행정청이 상대방에게 심판청구기간을 법정 심판청구기간보다 긴 기간으로 잘못 알린 경우에 그 잘못 알린 기간 내에 심판청구가 있으면 그 심판청구는 법정 심판청구기간 내에 제기된 것으로 보나 행정소송에서는 그렇지 않다. ( ) 18. 국가직 9급

07 처분 당시에는 취소소송의 제기가 법제상 허용되지 않아 소송을 제기할 수 없다가 위헌결정으로 인하여 비로소 취소소송을 제기할 수 있게 된 경우 객관적으로는 위헌결정이 있은 날, 주관적으로는 위헌결정이 있음을 안 날을 제소기간의 기산점으로 삼아야 한다. ( ) 15. 국회직 8급

01 × 02 × 03 ○ 04 ×
05 ○ 06 ○ 07 ○

관련판례

건축허가처분과 같이 상대방이 있는 행정처분에 있어서는 달리 특별한 규정이 없는 한 그 처분을 하였음을 상대방에게 고지하여야 그 효력이 발생한다고 할 것이어서 위의 행정처분이 있은 날이라 함은 위와같이 그 행정처분의 효력이 발생한 날을 말한다(대판 1977.11.22, 77누195).

ⓒ 제3자효 행정행위의 경우

ⓐ 제3자효 행정행위의 경우에도 취소소송의 제소기간에 관한 규정이 적용된다. 다만, 제3자의 경우에는 일반적으로 처분이 있음을 바로 알 수 없는 처지에 있으므로 특별한 사정이 없는 한 처분이 있음을 알지 못한 정당한 사유가 있는 경우에 해당하여 1년이 경과하더라도 소송을 제기할 수 있다(대판 1996.9.6, 95누16233).

ⓑ 다만, 제3자가 어떠한 경위로든 행정처분이 있음을 알게 된 경우에는 안 날로부터 90일 이내에 취소소송을 제기하여야 한다.

point check 행정심판과 행정소송의 제소기간 비교

행정심판	안 날로부터 90일 → 천재지변 등 불가항력 시 사유소멸 후 14일, 국외는 30일(불변기간 ○)
	있은 날로부터 180일 → 정당한 사유 있으면 기간경과 후에도 가능(불변기간 ×)
행정소송	안 날로부터 90일(불변기간 ○)
	있은 날로부터 1년 → 정당한 사유 있으면 기간경과 후에도 가능(불변기간 ×)

(2) 행정심판의 재결을 거쳐 행정소송을 제기하는 경우

① 정본을 송달 받은 경우

㉠ 행정심판의 재결서의 정본을 송달받은 날부터 90일 이내에 제기하여야 한다(행정소송법 제20조 제1항). 이 기간은 불변기간이다. 여기서 행정심판은 행정심판법에 따른 일반행정심판과 개별법에서 인정되는 특별행정심판을 포함한다(대판 2014.4.24, 2013두10808).

㉡ 제소기간이 경과된 후 심판제기 할 수 있다고 잘못 알린 경우이거나 심판을 제기하여 각하재결이 있은 후 취소소송을 제기한 경우라도 제소기간을 준수한 것으로 볼 수 없다.

관련판례 **오고지 - 제소기간 ★★★**

1 개별공시지가에 대하여 이의가 있는 자는 곧바로 행정소송을 제기하거나 부동산 가격공시 및 감정평가에 관한 법률에 따른 이의신청과 행정심판법에 따른 행정심판청구 중 어느 하나만을 거쳐 행정소송을 제기할 수 있을 뿐 아니라, 이의신청을 하여 그 결과 통지를 받은 후 다시 행정심판을 거쳐 행정소송을 제기할 수도 있다고 보아야 하고, 이 경우 행정소송의 제소기간은 그 행정심판 재결서 정본을 송달받은 날부터 기산한다(대판 2010.1.28, 2008두19987).

간단 점검하기

01 제소기간의 요건은 처분의 상대방이 소송을 제기하는 경우는 물론이고 법률상 이익이 침해된 제3자가 소송을 제기하는 경우에도 적용된다. ( )
19. 국회직 8급

02 제3자효 행정행위의 경우, 제3자가 어떠한 방법에 의하든지 행정처분이 있었음을 안 경우에는 안 날로부터 90일 이내에 행정심판이나 행정소송을 제기하여야 한다. ( )
19. 서울시 9급, 14. 국가직 7급

03 처분이 있음을 안 날부터 90일이 경과하였으나, 아직 처분이 있은날부터 1년이 경과되지 않은 시점에서 제기된 취소소송은 취소소송의 소송요건을 충족하지 않은 경우에 해당한다.
( ) 18. 지방직 7급

04 처분이 있음을 안 날 기준과 처분이 있은 날 기준이 모두 경과하여야 제소기간이 종료된다. ( )
12. 국회직 9급

간단 점검하기

05 행정청이 행정심판청구를 할 수 있다고 잘못 알려 행정심판을 청구한 경우에는 재결서 정본을 송달받은 날이 아닌 처분이 있음을 안 날로부터 제소기간이 기산된다. ( )
21. 국가직 9급

01 ○ 02 ○ 03 ○ 04 × 05 ×

2 이미 제소기간이 지남으로써 불가쟁력이 발생하여 불복청구를 할 수 없었던 경우라면 그 이후에 행정청이 행정심판청구를 할 수 있다고 잘못 알렸다고 하더라도 그 때문에 처분 상대방이 적법한 제소기간 내에 취소소송을 제기할 수 있는 기회를 상실하게 된 것은 아니므로 이러한 경우에 잘못된 안내에 따라 청구된 행정심판 재결서 정본을 송달받은 날부터 다시 취소소송의 제소기간이 기산되는 것은 아니다(대판 2012.9.27, 2011두27247).

#불가쟁력발생_심판청구불가 #오고지_심판청구_재결 #재결서정본수령일_취소소송기산점×

3 각하재결 취소기간

행정처분이 있음을 안 날부터 90일을 넘겨 행정심판을 청구하였다가 부적법하다는 이유로 각하재결을 받은 후 재결서를 송달받은 날부터 90일 내에 원래의 처분에 대하여 취소소송을 제기한 경우, 취소소송의 제소기간을 준수한 것으로 볼 수 없다(대판 2011. 11.24, 2011두18786).

#불가쟁력발생_각하재결_재결서_송달 #행정소송제기_기간준수×

② **재결서를 송달받지 못한 경우:** 재결이 있은 날부터 1년을 경과하면 이를 제기하지 못한다. 다만, 정당한 사유가 있는 경우에는 그러하지 아니하다(행정소송법 제20조 제2항).

(3) 제소기간 기준시점

① 소 변경

㉠ 소 종류변경의 경우 새로운 소에 대한 제소기간을 준수하였는지는 처음의 소를 제기한 때를 기준으로 한다(행정소송법 제21조 제4항).

㉡ 처분변경으로 인한 소의 변경의 경우도 마찬가지이다(행정소송법 제22조).

㉢ **청구취지의 변경:** 청구취지의 변경(민사소송법 제262조에 의한 소 변경)이 있는 경우에는 종전의 소가 취하되고 새로운 소가 제기된 것으로 보므로 새로운 소에 대한 제소기간을 준수하였는지 여부는 원칙적으로 소의 변경이 있은 때를 기준으로 판단한다.

관련판례 청구취지변경 제소기간 ★★★

청구취지를 변경하여 구 소가 취하되고 새로운 소가 제기된 것으로 변경되었을 때에 새로운 소에 대한 제소기간의 준수 등은 원칙적으로 소의 변경이 있은 때를 기준으로 하여야 한다(대판 2004.11.25, 2004두7023).

#청구취지변경_제소기간_소_변경시_기준

② **처분변경명령재결에 따른 변경처분의 경우:** 행정심판의 재결에서 처분변경명령재결에 따른 처분청의 변경처분이 있은 경우 취소소송의 대상은 변경된 내용의 당초처분이다. 이 경우 제소기간은 재결서 정본을 송달받은 날로부터 90일 이내이다.

간단 점검하기

01 행정처분이 있은 날이란 상대방이 있는 행정처분의 경우는 특별한 규정이 없는 한 의사표시의 일반적 법리에 따라 그 행정처분이 상대방에게 고지되어 효력이 발생한 날을 말한다. ( )
12. 국회직 9급

02 행정심판을 거친 경우의 제소기간은 행정심판재결서 정본을 송달받은 날로부터 90일 이내이다.
( ) 17. 교육행정직

03 행정처분이 있음을 안 날부터 90일을 넘겨 행정심판을 청구하였다가 각하재결을 받은 후 그 재결서를 송달받은 날부터 90일 내에 원래의 처분에 대하여 취소소송을 제기한 경우, 수소법원은 각하판결을 하여야 한다. ( )
19. 국가직 9급

04 취소소송은 처분 등이 있음을 안 날부터 90일, 처분 등이 있은 날부터 180일이 경과하면 이를 제기하지 못한다. ( ) 13. 경찰행정

05 취소소송은 처분 등이 있은 날부터 1년을 경과하면 이를 제기하지 못한다. 다만, 정당한 사유가 있는 때에는 그러하지 아니하다. ( )
19. 소방직 9급

간단 점검하기

06 청구취지를 변경하여 종전의 소가 취하되고 새로운 소가 제기된 것으로 변경되었다면 새로운 소에 대한 제소기간 준수 여부는 원칙적으로 소의 변경이 있은 때를 기준으로 한다. ( )
17. 지방직 9급

01 ○ 02 ○ 03 ○ 04 ×
05 ○ 06 ○

관련판례 **처분변경명령재결 기산점** ★★★

행정청이 식품위생법령에 따라 영업자에게 행정제재처분을 한 후 그 처분을 영업자에게 유리하게 변경하는 처분을 한 경우, 변경처분에 의하여 당초 처분은 소멸하는 것이 아니고 당초부터 유리하게 변경된 내용의 처분으로 존재하는 것이므로, 변경처분에 의하여 유리하게 변경된 내용의 행정제재가 위법하다 하여 그 취소를 구하는 경우 그 취소소송의 대상은 변경된 내용의 당초 처분이지 변경처분은 아니고, 제소기간의 준수 여부도 변경처분이 아닌 변경된 내용의 당초 처분을 기준으로 판단하여야 한다(대판 2007.4.27, 2004두9302).

#완산구청장_3월영업정지(당초처분) #행정심판위원회_변경명령재결(과징금부과)
#완산구청장_과징금부과처분(변경처분) #과징금부과처분_불복_기산점_재결서정본_수령일

③ **추가적 병합의 경우**: 소의 추가적 병합의 경우에 추가적으로 병합된 소의 제소기간은 원칙적으로 추가·병합신청이 있은 때를 기준으로 한다.

관련판례 **추가적병합 기산점** ★★★

보충역편입처분취소처분의 효력을 다투는 소에 공익근무요원복무중단처분, 현역병입영대상편입처분 및 현역병입영통지처분의 취소를 구하는 청구를 추가적으로 병합한 경우, 공익근무요원복무중단처분, 현역병입영대상편입처분 및 현역병입영통지처분의 취소를 구하는 소의 소제기 기간의 준수 여부는 각 그 청구취지의 추가·변경신청이 있은 때를 기준으로 개별적으로 판단한다(대판 2004.12.10, 2003두12257).

#보충역편입처분취소처분쟁송_공익근무요원복무중단처분(등_추가병합)
#제소기간준수여부_개별적_추가변경시_기준

4. 소의 변경

> 행정소송법 제21조【소의 변경】① 법원은 취소소송을 당해 처분 등에 관계되는 사무가 귀속하는 국가 또는 공공단체에 대한 당사자소송 또는 취소소송외의 항고소송으로 변경하는 것이 상당하다고 인정할 때에는 청구의 기초에 변경이 없는 한 사실심의 변론종결시까지 원고의 신청에 의하여 결정으로써 소의 변경을 허가할 수 있다.
> ② 제1항의 규정에 의한 허가를 하는 경우 피고를 달리하게 될 때에는 법원은 새로이 피고로 될 자의 의견을 들어야 한다.
> ③ 제1항의 규정에 의한 허가결정에 대하여는 즉시항고할 수 있다.
> ④ 제1항의 규정에 의한 허가결정에 대하여는 제14조 제2항·제4항 및 제5항의 규정을 준용한다.

(1) 소의 종류변경

① **의의**: 취소소송을 해당 처분 등에 관계되는 사무가 귀속하는 국가 또는 공공단체에 대한 당사자소송 또는 취소소송 외의 항고소송으로 변경하는 것을 말한다(행정소송법 제21조).

② 소의 변경은 피고의 변경을 수반하는 경우에도 가능하다. 이 점이 민사소송법과 구별된다.

간단 점검하기

01 행정청이 식품위생법령에 따라 영업자에게 행정제재처분을 한 후 당초 처분을 영업자에게 유리하게 변경하는 처분을 한 경우, 취소소송의 대상 및 제소기간 판단기준은 변경처분이 아니라 변경된 내용의 당초처분이다. ( ) 17. 서울시 7급

간단 점검하기

02 법원은 소의 변경의 필요가 있다고 판단될 때에는 원고의 신청이 없더라도 사실심의 변론종결시까지 직권으로 소를 변경할 수 있다. ( ) 08. 선관위 9급

03 소의 변경에 따라 피고를 달리하게 될 때에는 새로운 피고의 의견을 청취하지 않아도 된다. ( ) 09. 세무사

04 행정소송법상 소의 변경은 취소소송과 취소소송 외에 항고소송 간의 소의 변경은 물론 취소소송과 당사자소송 간의 변경도 가능하다. ( ) 14. 서울시 9급

01 ○ 02 × 03 × 04 ○

❶
- **추가적 변경**: 종래의 청구는 그대로 두고 거기에 별개의 새로운 청구를 추가하는 것
- **교환적 변경**: 종래의 청구 대신에 새로운 청구를 제기하는 것

❷
법원에 계속 중인 취소소송에 의하여 구제받으려는 원고의 법률상 이익의 동일성이 유지되어야 한다는 것을 의미한다.

③ **교환적 변경❶**: 행정소송법 제21조에 의한 소의 변경은 교환적 변경에 한하며, 추가적 변경은 허용되지 않는다는 것이 통설 · 판례의 입장이다. 추가적 변경은 관련청구소송의 병합적 제기의 방법에 의해야 한다(동법 제10조 제2항).

관련판례 **소의 종류 변경 - 교환적 변경만 허용** ★★

소위 주관적, 예비적 병합은 행정소송법 제28조 제3항과 같은 예외적 규정이 있는 경우를 제외하고는 원칙적으로 허용되지 않는 것이고, 또 행정소송법상 소의 종류의 변경에 따른 당사자(피고)의 변경은 교환적 변경에 한 한다고 봄이 상당하므로 예비적 청구만이 있는 피고의 추가경정신청은 허용되지 않는다(대결 1989.10.27, 89두1).
#소의종류변경_교환적변경만_허용 #소의종류변경_당사자변경_교환적변경만_허용

④ 요건 · 절차
  ㉠ 요건
    ⓐ 취소소송이 계속되고 있을 것
    ⓑ 사실심의 변론종결시까지 원고의 신청이 있을 것
    ⓒ 청구의 기초에 변경이 없을 것❷
    ⓓ 법원이 상당하다고 인정하여 허가결정을 할 것
  ㉡ 절차
    ⓐ 법원은 소의 변경을 허가함에 있어 피고를 변경하는 경우 새로이 피고로 될 자의 의견을 들어야 한다(동법 제21조 제2항).
    ⓑ 허가결정이 있게 되면 결정의 정본은 새로운 피고에게 송달하여야 한다(동법 제21조 제4항, 제14조 제2항).

⑤ 소변경의 효과
  ㉠ 소변경이 허가되면 신소는 처음에 소를 제기한 때에 제기된 것으로 보며, 변경된 구소는 취하된 것으로 본다(행정소송법 제21조 제4항).
  ㉡ 구소에 대하여 행해진 종전의 소송절차는 신소에 유효하게 승계된다.

⑥ **불복방법**: 소변경의 허가결정에 대해 불복하는 경우에는 즉시항고할 수 있다(행정소송법 제21조 제3항).

⑦ **다른 소송에 준용**: 무효등 확인소송, 부작위위법확인소송을 다른 항고소송이나 당사자소송으로 변경할 때 준용하며, 당사자소송을 항고소송으로 변경하는 경우에도 준용한다.

(2) 처분변경으로 인한 소의 변경

> 행정소송법 제22조【처분변경으로 인한 소의 변경】① 법원은 행정청이 소송의 대상인 처분을 소가 제기된 후 변경한 때에는 원고의 신청에 의하여 결정으로써 청구의 취지 또는 원인의 변경을 허가할 수 있다.
> ② 제1항의 규정에 의한 신청은 처분의 변경이 있음을 안 날로부터 60일 이내에 하여야 한다.
> ③ 제1항의 규정에 의하여 변경되는 청구는 제18조 제1항 단서의 규정에 의한 요건을 갖춘 것으로 본다.

① **의의**: 행정청이 소송의 대상인 처분을 소가 제기된 후 변경한 때에 원고가 법원의 허가를 얻어 청구의 취지 또는 원인을 변경하는 경우를 말한다(행정소송법 제22조 제1항).

② 요건

㉠ 일반적 요건

ⓐ 처분의 변경이 있을 것

ⓑ 처분의 변경이 있음을 안 날로부터 60일 이내일 것

ⓒ 원고의 신청이 있을 것

ⓓ 법원의 허가결정이 있을 것

ⓔ 취소소송이 계속 중이고 사실심변론종결 전이어야 하며, 변경되는 신소는 적법할 것

㉡ **예외적 행정심판절차**: 행정청에 의한 처분변경으로 인한 소변경의 청구는 행정심판전치의 요건을 갖춘 것으로 본다. 따라서 별도로 행정심판을 거칠 필요가 없다.

③ **효과**: 소의 변경을 허가하는 결정이 있으면, 신소는 구소가 제기된 때에 제기된 것으로 보며, 구소는 취하된 것으로 본다.

④ **다른 소송에 준용**: 처분변경으로 인한 소의 변경에 관한 규정은 무효등 확인소송과 당사자소송에는 준용되나 부작위위법확인소송에는 준용되지 않는다.

(3) 민사소송법에 의한 소변경

행정소송법은 민사소송법을 준용하므로 행정소송에서 민사소송법에 의한 소변경도 가능하다(대판 1999.11.26, 99두9407).

(4) 민사소송으로 변경

판례는 민사소송을 행정소송으로 변경을 허용할 수 있다는 결정을 한 바 있다(대판 1999.11.26, 97다42250).

관련판례 **행정소송으로 변경 ★★**

원고가 고의 또는 중대한 과실 없이 행정소송으로 제기하여야 할 사건을 민사소송으로 잘못 제기한 경우 … 행정소송으로 제기되었더라도 어차피 부적법하게 되는 경우가 아닌 이상, 원고로 하여금 항고소송으로 소변경을 하도록 하여 그 1심법원으로 심리 · 판단하여야 한다(대판 1999.11.26, 97다42250).

#의료보호대상자_의료보호진료비청구_거부_거부결정취소소송 #진료비청구_민사소송_제기
#석명권행사_거부결정취소소송_변경_심리 · 판단

point check 소 변경 준용

구분	취소소송	무효확인소송	부작위위법확인소송	당사자소송
소 종류변경	○	○	○	○
처분변경 소변경	○	○	×	○

간단 점검하기

01 법원은 행정청이 소송의 대상인 처분을 소가 제기된 후 변경한 때에는 원고의 신청이 없더라도 결정으로써 청구의 취지 또는 원인을 변경할 수 있다. ( ) 18. 경찰행정

02 원고가 당해 처분의 변경이 있음을 안 날로부터 60일 이내에 소변경 신청을 하여야 한다. ( ) 06. 세무사

03 행정청의 처분의 변경으로 인한 소(訴)의 변경의 경우 변경된 처분이 필요적 행정심판전치의 대상이더라도 행정심판을 거칠 필요가 없다. ( ) 08. 국회직 8급

04 소변경의 허가결정이 있으면 신소는 구소가 제기된 때에 제기된 것으로 보며, 구소는 취하된 것으로 본다. ( ) 09. 국회직 8급

01 × 02 ○ 03 ○ 04 ○

(3) 취소소송제기의 효과

① **법원 등에 대한 효력(주관적 효력)**: 취소소송이 제기되면 ㉠ 법원의 심판의무, ㉡ 당사자의 중복제소금지 등의 효과가 발생한다.

② **행정처분에 대한 효력(객관적 효력)**: 취소소송이 제기된다 하더라도 집행부정지의 원칙상 행정처분의 효력은 중단되지 아니하며, 예외적으로 법원은 직권 또는 당사자의 신청에 의하여 집행정지결정을 할 수 있다.

5. 가구제(집행정지 · 가처분제도)

행정소송법 제23조【집행정지】① 취소소송의 제기는 처분 등의 효력이나 그 집행 또는 절차의 속행에 영향을 주지 아니한다.
② 취소소송이 제기된 경우에 처분 등이나 그 집행 또는 절차의 속행으로 인하여 생길 회복하기 어려운 손해를 예방하기 위하여 긴급한 필요가 있다고 인정할 때에는 본안이 계속되고 있는 법원은 당사자의 신청 또는 직권에 의하여 처분 등의 효력이나 그 집행 또는 절차의 속행의 전부 또는 일부의 정지(이하 "집행정지"라 한다)를 결정할 수 있다. 다만, 처분의 효력정지는 처분 등의 집행 또는 절차의 속행을 정지함으로써 목적을 달성할 수 있는 경우에는 허용되지 아니한다.
③ 집행정지는 공공복리에 중대한 영향을 미칠 우려가 있을 때에는 허용되지 아니한다.
④ 제2항의 규정에 의한 집행정지의 결정을 신청함에 있어서는 그 이유에 대한 소명이 있어야 한다.
⑤ 제2항의 규정에 의한 집행정지의 결정 또는 기각의 결정에 대하여는 즉시항고할 수 있다. 이 경우 집행정지의 결정에 대한 즉시항고에는 결정의 집행을 정지하는 효력이 없다.
⑥ 제30조 제1항의 규정은 제2항의 규정에 의한 집행정지의 결정에 이를 준용한다.

(1) 개설

① **의의**: 행정소송에 있어서 가구제는 본안판결의 실효성을 확보하기 위하여 분쟁 있는 행정작용이나 공법상의 권리관계에 관하여 잠정적인 효력관계나 지위를 정함으로써 본안판결이 확정될 때까지 잠정적으로 권리구제를 도모하는 제도이다.

② **인정이유**: 가구제는 승소판결을 받더라도 처분 등의 집행종료나 목적달성 등으로 실질적인 권리구제가 되지 못할 우려가 있는 경우에 잠정적으로나마 인정되는 권리구제수단이다.

(2) 집행정지결정❶

① 개설

㉠ 집행부정지의 원칙

ⓐ 집행부정지의 원칙이란 취소소송의 제기는 처분 등의 효력이나 그 집행 또는 절차의 속행에 영향을 주지 아니한다는 것을 말한다.

ⓑ 집행부정지의 원칙이 행정행위의 공정력 또는 자력집행력에서 도출된다고 보는 견해도 있으나 이는 입법정책의 문제로 보는 것이 일반적이다.

간단 점검하기

01 행정심판청구와 취소소송의 제기는 모두 처분의 효력이나 그 집행 또는 절차의 속행에 영향을 주지 아니한다. ( ) 17. 국회직 8급

02 택배업을 하는 甲이 관련 법규에 대한 이해가 부족한 경찰관의 법리오인으로 인하여 30일의 운전면허정지처분을 받아 생업에 상당한 지장을 받게 되었다. 이 경우 甲이 면허정지기간 중에 생업유지를 위해 계속하여 운전하고자 한다면 면허정지처분에 대한 취소소송의 제기와 함께 그 처분에 대한 효력정지를 구할 수 있을 것이다. ( ) 11. 국가직 7급

❶ 소극적 의미의 가구제, 주로 침익적 처분의 경우

01 ○ 02 ○

ⓒ 프랑스와 일본은 집행부정지 원칙을 채택하나 독일은 집행정지를 원칙으로 하면서 예외적으로 집행부정지를 인정하고 있다.

ⓛ 집행정지의 의의

ⓐ 취소소송이 제기된 경우에 처분 등이나 그 집행 또는 절차의 속행으로 인하여 생길 회복하기 어려운 손해를 예방하기 위하여 긴급한 필요가 있다고 인정할 때에는 본안이 계속되고 있는 법원은 직권 또는 당사자의 신청에 의하여 처분의 집행정지결정을 할 수 있다(행정소송법 제23조 제2항).

ⓑ 집행정지제도는 무효등 확인소송에도 준용되지만 부작위위법확인소송에는 준용되지 않는다.

ⓒ 집행정지의 성질

ⓐ 사법작용

ⓑ 소극적 작용

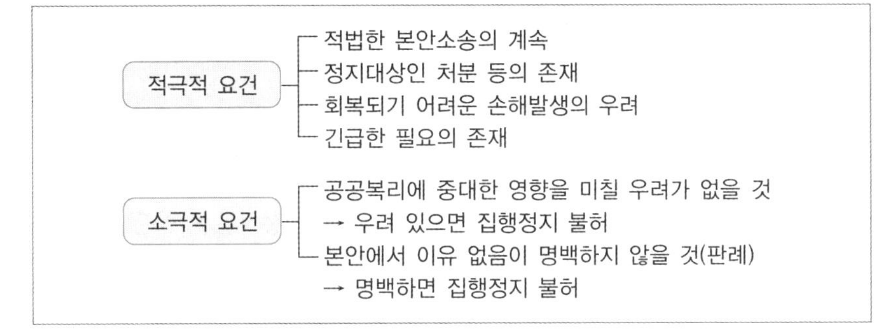

② 집행정지의 적극적 요건

㉠ 적법한 본안소송의 계속

ⓐ 집행정지 결정을 하기 위해서는 적법한 본안소송이 계속되어 있어야 한다. 본안소송이 적법하면 본안소송의 제기와 동시에 집행정지 신청도 가능하다.

ⓑ 본안소송이 계속되어야 하므로 본안과 별도로 집행정지 신청은 할 수 없으며, 본안소송이 취하되면 집행정지결정은 당연히 소멸하며 별도 취소처분은 필요하지 않다.

관련판례

1 행정처분의 효력정지나 집행정지를 구하는 신청사건에 있어서는 행정처분 자체의 적법 여부는 궁극적으로 본안재판에서 심리를 거쳐 판단할 성질의 것이므로 원칙적으로 판단할 것이 아니고, 그 행정처분의 효력이나 집행을 정지할 것인가에 관한 행정소송법 제23조 제2항 소정의 요건의 존부만이 판단의 대상이 된다고 할 것이지만, 나아가 집행정지는 행정처분의 집행부정지원칙의 예외로서 인정되는 것이고 또 본안에서 원고가 승소할 수 있는 가능성을 전제로 한 권리보호수단이라는 점에 비추어 보면 집행정지사건 자체에 의하여도 신청인의 본안청구가 적법한 것이어야 한다는 것을 집행정지의 요건에 포함시켜야 한다(대결 1999.11.26, 99부3).
#집행정지사건_본안청구_적법

간단 점검하기

01 취소소송이 제기되면 원칙적으로 대상처분의 효력은 판결의 확정시까지 정지된다. ( ) 16. 교육행정직

02 행정소송법은 집행부정지원칙을 택하면서도 집행정지의 길을 열어 개인(원고)의 권리보호를 목적으로 하고 있다. ( ) 11. 국가직 9급

간단 점검하기

03 본안문제인 행정처분 자체의 적법여부는 집행정지신청의 요건이 되지 아니하는 것이 원칙이지만, 본안소송의 제기 자체는 적법한 것이어야 한다. ( ) 14. 국가직 9급

04 집행정지는 행정처분의 집행부정지원칙의 예외로 인정되는 것이므로 본안청구의 적법과는 상관이 없기 때문에 적법한 본안소송의 계속을 요건으로 하지 않는다. ( ) 18. 경찰행정

01 × 02 ○ 03 ○ 04 ×

2 집행정지결정을 한 후에라도 본안소송이 취하되어 소송이 계속하지 아니한 것으로 되면 집행정지결정은 당연히 그 효력이 소멸되는 것이고 별도의 취소조치를 필요로 하는 것이 아니다(대판 1975.11.11, 75누97).
#본안소송_취하 #집행정지결정_당연_소멸

ⓛ 처분 등의 존재

ⓐ 집행정지는 종전의 상태를 원상회복하여 유지시키는 소극적인 것이므로 처분이 아니거나 부작위의 경우에는 집행정지가 허용되지 않는다. 또한 처분의 효력이 발생하기 전 또는 처분의 효력이 소멸된 후에는 원칙적으로 집행정지가 허용되지 않는다. 반면 무효인 행위는 집행정지의 대상이 된다.

ⓑ 집행정지는 본안소송이 취소소송이나 무효등 확인소송인 경우에만 허용되고, 부작위위법확인소송의 경우에는 허용되지 않는다.

ⓒ 가분적 처분일 경우 처분의 일부에 대해서도 집행정지가 가능하다. 재량행위의 경우에도 일부에 대한 집행정지가 가능하다.

ⓒ 회복하기 어려운 손해예방의 필요

ⓐ 회복하기 어려운 손해란 특별한 사정이 없는 한 금전으로 보상할 수 없는 손해라 할 것이며, 이는 금전보상이 불가능한 경우뿐만 아니라 금전보상으로는 사회관념상 행정처분을 받은 당사자가 참고 견딜 수 없거나 또는 참고 견디기가 현저히 곤란한 경우의 유형·무형의 손해를 말한다. 이 경우 손해의 규모가 크거나 과도한 금전적 보상이 필요한 경우도 요건이 되지 않는다.

ⓑ 기업의 경우 사업자체를 계속할 수 없거나 중대한 경영상 위기 등이 회복하기 어려운 손해에 해당한다.

관련판례

1 회복하기 어려운 손해 ★★★

행정처분의 집행정지나 효력정지결정을 하기 위하여는 행정소송법 제23조 제2항에 따라 회복하기 어려운 손해를 예방하기 위하여 긴급한 필요가 있어야 하고, 여기서 말하는 "회복하기 어려운 손해"라 함은 특별한 사정이 없는 한 금전으로 보상할 수 없는 손해라 할 것이며 이는 금전보상이 불능한 경우뿐만 아니라 금전보상으로는 사회관념상 행정처분을 받은 당사자가 참고 견딜 수 없거나 또는 참고 견디기가 현저히 곤란한 경우의 유형, 무형의 손해를 일컫는다(대결 1992.8.7, 92두30).
#형사피고인_교도소이송(안양교도소→진주교도소)_회복하기_어려운_손해

2 5,000여 만원 시설비 ★★

유흥접객영업허가의 취소처분으로 5,000여 만원의 시설비를 회수하지 못하게 된다면 생계까지 위협받게 되는 결과가 초래될 수 있다는 등의 사정이 행정처분의 효력이나 집행을 정지하기 위한 요건인 "회복하기 어려운 손해"가 생길 우려가 있는 경우에 해당하지 않는다(대판 1991.3.2, 91두1).
#5000여만원_시설비회수_집행정지요건×(회복하기어려운손해×)

간단 점검하기

01 집행정지결정을 한 후에라도 행정사건의 본안소송이 취하되어 그 소송이 계속하지 아니한 것으로 되면 이에 따라 집행정지결정은 당연히 그 효력이 소멸되며 별도의 취소조치가 필요한 것은 아니다. ( )
18. 경찰행정, 16. 서울시 9급

간단 점검하기

02 집행정지요건인 회복하기 어려운 손해라 함은 금전배상이 불가능한 경우와 사회통념상 원상회복이나 금전배상이 가능하더라도 금전배상만으로는 수인할 수 없거나 수인하기 어려운 유·무형의 손해를 의미하고 손해의 규모가 현저하게 큰 것임을 요한다.
( ) 10. 국회직 8급

03 유흥접객영업허가의 취소 처분으로 5,000여 만원의 시설비를 회수하지 못하게 된다면 생계까지 위협받을 수 있다는 등의 사정이 집행정지를 인정하기 위한 회복하기 어려운 손해가 생길 우려가 있는 경우에 해당하지 아니한다. ( ) 14. 국가직 9급

01 ○ 02 × 03 ○

3 중대한 경영상 위기 ★★★

사업여건의 악화 및 막대한 부채비율로 인하여 외부자금의 신규차입이 사실상 중단된 상황에서 285억 원 규모의 과징금을 납부하기 위하여 무리하게 외부자금을 신규차입하게 되면 주거래은행과의 재무구조개선약정을 지키지 못하게 되어 사업자가 중대한 경영상의 위기를 맞게 될 것으로 보이는 경우, 그 과징금납부명령의 처분으로 인한 손해는 효력정지 내지 집행정지의 적극적 요건인 '회복하기 어려운 손해'에 해당한다(대결 2001.10.10, 2001무29).

#285억원_과징금 #중대한_경영상_위기

간단 점검하기

외부자금의 신규차입이 사실상 중단된 상태에서 고액의 과징금 납부로 인하여 사업자가 중대한 경영상의 위기를 맞게 될 것으로 보이는 경우도 회복하기 어려운 손해에 해당한다. ( )

12. 국회직 9급

point check '회복하기 어려운 손해'에 대한 판례 정리

회복하기 어려운 손해에 해당하는 경우	• 현역병입영처분의 효력이 정지되지 아니한 채 본안소송이 진행된다면 특례보충역으로 방위산업체에 종사하던 신청인이 입영하여 다시 현역병으로 복무하지 않을 수 없는 경우 • 상고심에 계속 중인 형사피고인을 안양교도소로부터 진주교도소로 이송하는 경우 • 공공기관의 운영에 관한 법률에 의한 부정사업자 입찰자격정지처분으로 인해 본안소송이 종결될 때까지 국가기관 등의 입찰에 참가하지 못하게 됨으로 인하여 입은 손해 • 시의회로부터 제명을 당한 시의원으로서의 업무를 수행할 수 없어 신분과 명예상의 불이익을 입게 되고 상당한 정신적 고통을 받게 되는 것
회복하기 어려운 손해에 해당하지 않는 경우	• 과세처분으로 인하여 입은 손해 • 영업허가취소처분의 효력이 정지되지 않는다면 업소경영에 절대적인 타격을 입게 되고 그로 인하여 재항고인은 물론 그 가족 및 종업원들의 생계까지 위협받게 되는 결과가 초래될 수 있다는 등의 사정 • 면허취소처분의 집행으로 인하여 면허취소된 택시의 운행수입의 감소에 따라 택시 운송업자가 입게 될 손해 • 유흥접객영업허가의 취소처분으로 5,000여 만원의 시설비를 회수하지 못하게 된다면 생계까지 위협받게 되는 결과가 초래될 수 있다는 등의 사정 • '4대강 살리기 마스터플랜'에 따른 '한강 살리기 사업' 구간 인근에 거주하는 주민들이 토지 소유권 수용 등으로 인한 손해

㉣ 긴급한 필요

ⓐ 긴급한 필요란 회복하기 어려운 손해의 발생이 임박하여 본안판결을 기다릴 여유가 없음을 의미한다.

ⓑ 긴급한 필요가 있는지 여부는 여러 사정을 종합적으로 고려하여 구체적·개별적으로 판단하고 있음이 판례의 입장이다.

관련판례

1 해임처분 ★★

'처분 등이나 그 집행 또는 절차의 속행으로 인하여 생길 회복하기 어려운 손해를 예방하기 위하여 긴급한 필요'가 있는지 여부는 처분의 성질과 태양 및 내용, 처분상대방이 입는 손해의 성질·내용 및 정도, 원상회복·금전배상의 방법 및 난이 등은 물론 본안청구의 승소가능성의 정도 등을 종합적으로 고려하여 구체적·개별적으로 판단하여야 한다(대결 2010.5.14, 2010무48).

#한국문화예술위원장_해임처분_무효확인소송_집행정지신청 #회복하기_어려운_손해발생우려×
#공공복리영향○_집행정지불가

○

2 4대강살리기마스터플랜 ★★

국토해양부 등에서 발표한 '4대강 살리기 마스터플랜'에 따른 '한강 살리기 사업' 구간 인근에 거주하는 주민들이 각 공구별 사업실시계획승인처분에 대한 효력정지를 신청한 사안에서, 토지 소유권 수용 등으로 인한 손해는 행정소송법 제23조 제2항의 효력정지 요건인 금전으로 보상할 수 없거나 사회관념상 금전보상으로는 참고 견디기 어렵거나 현저히 곤란한 경우의 유·무형 손해에 해당하지 않는다(대결 2011.4.21, 2010무111).

#4대강살리기마스터플랜 #토지수용_손해_효력정지요건×

③ 집행정지의 소극적 요건

㉠ 공공복리에 중대한 영향을 미칠 우려가 없을 것

ⓐ 공공복리에 중대한 영향을 미칠 우려가 있을 경우에는 집행정지가 인정되지 않는다.

관련판례 **집행정지 소극요건** ★★

행정처분의 집행을 정지하려면 소극적 요건으로서 그 집행의 정지가 공공의 복리에 중대한 영향을 미치게 할 우려가 없어야 한다(대결 1971.3.5, 71두2).

#공설화장장이전설치_공공복리_중대영향_여부_심리×_위법 #집행정지요건_공공복리_영향여부판단

ⓑ 공공복리란 그 처분의 집행과 관련된 구체적이고도 개별적인 공익을 말한다는 것이 판례의 입장이다.

㉡ **본안에서 이유 없음이 명백하지 아니할 것**: 본안에서 이유 없음이 명백하지 아니할 것을 행정소송법에서 명문으로 인정하지 않으나 집행정지의 남용을 방지할 목적으로 판례가 소극적 요건으로 인정하고 있다.

관련판례 **집행정지 소극요건** ★★

집행정지사건 자체에 의하여도 신청인의 본안청구가 이유 없음이 명백하지 않아야 한다는 것이 집행정지의 요건에 포함된다(대결 1997.4.28, 96두75).

#교육위원회의장불신임결의_효력정지_본안청구_이유_없음_명백

point check **공공복리에 중대한 영향을 미칠 우려가 있는지의 여부(판례)**

공공복리에 중대한 영향을 미칠 우려가 있음	• 공설화장장이전설치처분에 대한 집행정지 • 신설 시외버스운송사업면허내인가처분에 대한 기존 버스업자의 집행정지신청 • 외부감사인이 감사보고서 및 감사조서를 제출할 것을 요구하는 처분에 대한 집행정지 • 출입국관리법상의 강제퇴거명령의 집행을 위한 보호명령에 대한 집행정지
공공복리에 중대한 영향을 미칠 우려가 없음	• 광역시장의 시내버스운송사업계획변경인가처분에 대한 집행정지 • 산업기능요원 편입 당시 지정업체의 해당 분야에 종사하지 아니하였음을 이유로 한 산업기능요원 편입취소처분에 대한 집행정지

④ 집행정지의 절차

㉠ 집행정지는 당사자의 신청 또는 법원의 직권에 의한다.

㉡ 집행정지의 관할법원은 본안이 계속된 법원이며, 상고심도 포함된다.

㉢ **요건의 주장 · 입증책임**: 판례는 집행정지의 적극적 요건에 관한 주장 · 입증책임은 원칙적으로 신청인 측에 있고, 소극적 요건에 대한 주장 · 입증책임은 행정청에 있다고 보고 있다(대결 1999.12.20, 99무42).

⑤ 집행정지 여부의 구체적 검토

㉠ **거부처분**: 통설과 판례는 거부처분의 집행정지를 인정하지 않는다(대판 1963.6.29, 62두9 ; 대결 1991.5.2, 91두15).

㉡ **사실행위**: 사실행위는 본래 처분이 아니므로 집행정지의 대상이 될 수 없다는 견해가 있으나 사실행위 중 권력적 사실행위는 여전히 권리 의무에 영향을 미치는 경우 집행정지의 대상이 된다.

㉢ **부관**: 부관 중에서 처분성이 인정되는 부담만이 집행정지의 대상이 된다.

⑥ 집행정지의 대상

㉠ 효력의 정지

ⓐ 처분의 효력정지는 처분의 내용에 인정되는 공정력 · 구속력 · 집행력 등을 잠정적으로 정지시킴으로써 처분이 존재하지 않는 상태에 두는 것을 말한다.

ⓑ 처분의 효력정지는 처분의 집행 또는 절차의 속행을 정지함으로써 목적을 달성할 수 있는 경우에는 허용되지 않는다(행정소송법 제23조 제2항 단서)고 하여 처분의 효력정지에 보충적 적용을 인정하고 있다.

㉡ **집행의 정지**: 처분의 집행정지는 처분의 내용을 강제적으로 실현하는 집행력의 행사를 정지시키는 것으로 처분의 내용이 실현되지 않은 상태로 두는 것이다. 예를 들어, 무허가건물의 집행을 정지하는 것이 이에 해당한다.

㉢ **절차의 속행정지**: 절차의 속행정지는 심판대상인 처분에 후속하는 처분을 정지시키는 것을 말한다. 무허가건물의 철거시 계고 후 대집행 영장통지 절차를 정지시키는 것과 같은 예가 있다.

⑦ 집행정지결정의 효력

㉠ 형성력

ⓐ 형성력은 결정된 내용에 따라 발생하는 효력으로 집행정지결정이 있게 되면 장래에 향하여 처분이 없었던 것과 같은 상태가 된다. 따라서 영업정지처분이 집행정지되면 영업을 할 수 있게 된다.

ⓑ 형성력은 대세적 효력이 있으므로 제3자에 대해서도 효력이 있으며, 이에 위반하면 무효가 된다.

간단 점검하기

01 행정처분에 대한 효력정지 신청을 구함에 있어서도 이를 구할 법률상 이익이 있어야 한다. ( ) 18. 경찰행정

02 행정소송법상 집행정지는 본안이 계속되어 있는 법원이 당사자의 신청에 의하여 한다. 처분권주의가 적용되므로 당사자의 신청 없이 직권으로 하지 못한다. ( ) 18. 서울시 7급

03 집행정지의 소극적 요건으로서 공공복리는 그 처분의 집행과 관련된 구체적이고도 개별적인 공익으로서 이러한 소극적 요건에 대한 주장 · 소명책임은 행정청에게 있다. ( ) 16. 서울시 9급, 12. 국가직 9급

04 거부처분은 행정소송법상의 집행정지의 대상이 되지 아니한다. ( ) 16 · 15. 국가직 9급, 16. 지방직 9급

05 판례에 의하면 접견허가신청에 대한 교도소장의 거부처분은 집행정지의 대상이 된다. ( ) 12. 국가직 9급

06 행정소송법은 처분의 일부에 대한 집행정지도 가능하다고 규정하고 있다. ( ) 12. 국가직 9급

01 ○ 02 × 03 ○ 04 ○
05 × 06 ○

ⓛ 기속력

ⓐ 집행정지결정에 취소판결의 기속력 규정이 준용되므로 집행정지결정이 있으면 당해 사건에 관하여 당사자인 행정청과 그 밖의 관계행정청을 기속한다(행정소송법 제23조 제6항).

ⓑ 집행정지결정에 위반한 처분은 무효가 된다는 것이 판례의 입장이다(대결 1961.11.23, 4294행상3).

ⓒ **시간적 효력**: 집행정지결정의 효력은 결정의 주문에서 정한 시기까지 존속하다가 그 시기가 도래하면 효력이 소멸한다. 집행정지결정의 효력은 결정시점부터 장래에 향하여 발생한다. 따라서 소급효가 아니라 장래효가 발생한다.

관련판례

1 **집행정지 존속기한** ★★★

집행정지결정의 효력은 결정주문에서 정한 시기까지 존속한다(대판 1999.9.23, 98두14471).

2 **집행정지효력** ★★★

행정처분 집행정지결정의 효력시한은 결정주문에서 정한 시기까지 존속하며, … 집행정지 결정시 본안소송의 판결 선고 시까지라고 선언한 경우, 영업정지기간의 나머지는 판결 선고시부터 진행한다(대판 1993.8.24, 92누18054).

3 보조금 교부결정의 일부를 취소한 행정청의 처분에 대한 효력정지결정의 효력이 소멸하여 보조금 교부결정 취소처분의 효력이 되살아난 경우, 구 보조금의 예산 및 관리에 관한 법률 제31조 제1항에 따라 취소처분에 의하여 취소된 부분의 보조사업에 대하여 효력정지기간 동안 교부된 보조금의 반환을 명하여야 한다(대판 2017.7.11, 2013두25498).

#보조금지원약정해지처분취소_집행정지 #확정판결_반환명령

⑧ 집행정지결정의 취소(사유가 없어진 경우, 신청 또는 직권)

㉠ **취소의 사유**: 집행정지의 결정이 확정된 후 집행정지가 공공복리에 중대한 영향을 미치거나 그 정지사유가 없어진 때에는 당사자의 신청 또는 직권에 의하여 결정으로써 집행정지의 결정을 취소할 수 있다(행정소송법 제24조 제1항).

ⓛ **취소의 효과**: 집행정지결정이 취소되면 처분의 원래의 효과가 발생한다. 예를 들어 보조금지원약정이 해지되면 그 때부터 지원받은 보조금을 반환하여야 한다.

⑨ **집행정지결정에 대한 불복(즉시항고)**: 법원의 집행정지결정이나 집행정지신청의 기각결정 또는 집행정지결정의 취소결정에 대해서는 즉시항고 할 수 있다. 이 경우 집행정지결정에 대한 즉시항고는 그 즉시항고의 대상인 결정의 집행을 정지하는 효력이 없다(동법 제23조 제5항, 제24조 제2항).

간단 점검하기

01 집행정지결정은 당사자인 행정청과 그 밖의 관계행정청을 기속한다. ( ) 16·11. 국가직 9급

02 집행정지결정의 효력은 결정주문에서 정한 시기까지 존속하며 그 시기의 도래와 동시에 효력이 당연히 소멸한다. ( ) 16. 사회복지직

03 처분의 효력정지는 처분 등의 집행 또는 절차의 속행을 정지함으로써 목적을 달성할 수 있는 경우에는 허용되지 아니한다. ( ) 19. 사회복지직, 16. 지방직 9급, 14. 국가직 9급

간단 점검하기

04 판례에 의하면 처분의 취소가능성이 없음에도 처분의 효력이나 집행의 정지를 인정한다는 것은 집행정지제도의 취지에 반하므로 집행정지사건 자체에 의하여도 신청인의 본안청구가 이유 없음이 명백하지 않아야 한다는 것도 집행정지의 요건이다. ( ) 12. 국가직 9급

05 집행정지의 결정이 확정된 후 집행정지가 공공복리에 중대한 영향을 미치거나 그 정지사유가 없어진 때에는 당사자의 신청 또는 직권에 의하여 결정으로써 집행정지의 결정을 취소할 수 있다. ( ) 18. 국가직 7급, 16. 서울시 9급

06 집행정지의 결정에 대하여는 즉시항고할 수 있으며, 이 경우 집행정지의 결정에 대한 즉시항고에는 결정의 집행을 정지하는 효력이 없다. ( ) 18. 국가직 7급

01 ○ 02 ○ 03 ○ 04 ○ 05 ○ 06 ○

관련판례

행정처분의 효력정지나 집행정지를 구하는 신청사건에서는 행정처분 자체의 적법 여부를 판단할 것이 아니고 행정처분의 효력이나 집행 등을 정지시킬 필요가 있는지 여부, 즉 행정소송법 제23조 제2항에서 정한 요건의 존부만이 판단대상이 된다. 나아가 '처분 등이나 그 집행 또는 절차의 속행으로 인한 손해발생의 우려' 등 적극적 요건에 관한 주장 · 소명 책임은 원칙적으로 신청인 측에 있으며, 이러한 요건을 결여하였다는 이유로 효력정지 신청을 기각한 결정에 대하여 행정처분 자체의 적법 여부를 가지고 불복사유로 삼을 수 없다(대결 2011.4.21, 2010무111 전합).

(3) 가처분[1]

① **개설**: 가처분이란 금전 이외의 특정한 급부를 목적으로 하는 청구권의 집행보전을 도모하거나, 쟁의 있는 권리관계에 관하여 임시의 지위를 정함을 목적으로 하는 가구제(보전처분)제도를 말한다.

② **가처분의 인정가능성(민사소송법상의 가처분규정의 준용 여부)**

㉠ **적극설**: 행정소송에 관하여 이 법에 특별한 규정이 없는 사항에 대하여는 법원조직법과 민사소송법 및 민사집행법의 규정을 준용한다(행정소송법 제8조 제2항)는 규정을 근거로 민사집행법상 가처분의 규정을 준용할 수 있다는 견해이다.

㉡ **소극설(통설 · 판례)**: 이를 인정하게 되면 일정행위를 행정기관에게 명령하게 되므로 권력분립의 원리에 반한다는 것이다. 판례도 이의 준용을 허용하지 않는다.

관련판례

민사소송법상의 보전처분은 민사판결절차에 의하여 보호받을 수 있는 권리에 관한 것이므로, 민사소송법상의 가처분으로써 행정청의 어떠한 행정행위의 금지를 구하는 것은 허용될 수 없다(대결 1992.7.6, 92마54).

5 취소소송의 심리

1. 개설

(1) 소송의 심리란 판결하기 위하여 그 기초가 되는 소송자료를 수집하는 절차를 말한다. 심리의 원칙은 소송주도권을 당사자에게 부여하는 당사자주의와 법원에 부여하는 직권주의로 나눌 수 있다.

(2) 행정소송법은 원칙적으로 당사자주의를 취하고 있으나 공익에 광범위한 영향을 미치는 일정한 경우에는 법원에게 주도권을 부여하는 직권심리주의를 가미하고 있다.

간단 점검하기

01 행정소송법 제23조 제2항에서 정한 요건을 결여하였다는 이유로 효력정지 신청을 기각한 결정에 대하여 행정처분 자체의 적법 여부를 가지고 불복사유로 삼을 수 있다. ( )
11. 국가직 9급

[1] 적극적 의미의 가구제를 의미하며, 주로 수익적 처분의 경우와 관련있다.

간단 점검하기

02 행정소송법은 가처분제도를 규정하지 않고 있으며 대법원 판례도 가처분제도를 인정하지 않고 있다. ( )
16 · 11. 국가직 9급

03 법원은 다툼이 있는 법률관계에 관하여 당사자의 중대한 불이익을 피하거나 급박한 위험을 막기 위하여 임시의 지위를 정하여야 할 필요가 있는 경우에는 당사자의 신청에 따라 결정으로써 가처분할 수 있다. ( )
16. 국가직 9급 · 지방직 9급

01 × 02 ○ 03 ×

> **point check** 당사자주의 및 직권주의의 의의
>
> | | | |
> |---|---|---|
> | 당사자주의 | 처분권주의 | 소송의 개시·종료 또는 그 범위의 결정을 소송당사자, 특히 원고의 의사에 맡기는 원칙 |
> | | 변론주의 | 재판의 기초가 되는 자료의 수집·제출을 당사자의 권능과 책임으로 하는 원칙 |
> | 직권주의 | | 소송절차에서 법원의 주도권을 인정하는 것 |

2. 심리의 내용 및 범위

(1) 심리의 내용

① 요건심리

㉠ 의의

ⓐ 소가 적법한 취급을 받기 위해 구비하지 않으면 안 되는 사항, 즉 소송요건에 대한 심리를 요건심리라고 한다.

ⓑ 소송요건의 구비여부는 법원의 직권조사사항이며, 소송요건을 갖추지 못하면 부적법 각하된다. 따라서 소송요건은 당사자가 주장하지 아니하더라도 직권으로 밝혀야 한다(대판 2004.12.24, 2003두15195).

㉡ 소송요건의 판정시기

ⓐ 소송요건은 제소시까지 구비함이 원칙이나 소송 중에라도 사실심변론종결시까지 소송요건을 구비하면 하자가 치유된다. 따라서 소송요건의 구비 여부는 사실심변론종결시를 기준으로 판단한다. 그런데 제소기간의 준수 여부는 사실심변론종결시가 아니라 제소시가 기준이 된다.

ⓑ 소송요건은 사실심변론종결시는 물론 상고심에서도 존속하여야 한다.

관련판례 **퇴직연금** ★★★

행정소송에서 쟁송의 대상이 되는 행정처분의 존부는 소송요건으로서 직권조사사항이고, 자백의 대상이 될 수 없는 것이므로, 설사 그 존재를 당사자들이 다투지 아니한다 하더라도 그 존부에 관하여 의심이 있는 경우에는 이를 직권으로 밝혀 보아야 할 것이고, 사실심에서 변론종결시까지 당사자가 주장하지 않던 직권조사사항에 해당하는 사항을 상고심에서 비로소 주장하는 경우 그 직권조사사항에 해당하는 사항은 상고심의 심판범위에 해당한다(대판 2004.12.24, 2003두15195).

#공무원_퇴직연금 #근로복지공단_직원임용 #퇴직연금지급청구거부처분_취소소송 #원심_소송요건판단×_판결 #대법원_퇴직연금지급거부결정_처분×_소송요건구비× #대법원_원심판결위법

② 본안심리

㉠ 본안심리는 소송요건을 구비한 적법한 소가 제기되면 법원이 그 청구의 당부에 관하여 심판하여 그 청구를 인용할 것인지 또는 기각할 것인지를 판단하기 위하여 사건의 본안을 심리하는 과정을 말한다.

간단 점검하기

01 제기된 소가 소송요건을 갖추지 못한 경우에는 각하판결의 대상이 된다. ( ) 07. 세무사

02 기각판결은 소송요건의 불비를 이유로 본안의 심리를 거부하는 판결이다. ( ) 13. 서울시 7급

03 소송요건의 구비 여부는 법원에 의한 직권조사사항으로 당사자의 주장에 구속되지 않는다. ( ) 15. 교육행정직

04 행정소송의 대상이 되는 행정처분의 존부는 소송요건으로서 직권조사사항이고, 자백의 대상이 될 수 없는 것이므로, 설사 그 존재를 당사자들이 다투지 아니한다 하더라도 그 존부에 관하여 의심이 있는 경우에는 이를 직권으로 밝혀 보아야 할 것이다. ( ) 15. 지방직 9급

05 사실심에서 변론종결시까지 당사자가 주장하지 않던 직권조사사항에 해당하는 사항을 상고심에서 비로소 주장하는 경우 그 직권조사사항에 해당하는 사항은 상고심의 심판범위에 해당하지 않는다. ( ) 15. 지방직 7급

06 제소기간의 도과 여부는 법원의 직권조사사항이다. ( ) 12. 국회직 9급

07 소송요건의 존부는 사실심변론종결시를 기준으로 판단한다. ( ) 14. 국가직 9급

08 제소 당시에는 소송요건이 결여되었더라도 사실심의 변론종결시까지 이를 구비하면 된다. ( ) 07. 세무사

09 사실심단계에서는 원고적격을 구비하였으나 상고심에서 원고적격이 흠결된 취소소송은 각하된다. ( ) 17. 국가직 7급

10 행정심판전치주의가 적용되는 경우에 행정심판을 거치지 않고 소제기를 하였더라도 사실심변론종결 전까지 행정심판을 거친 경우 하자는 치유된 것으로 볼 수 있다. ( ) 15. 국회직 8급

01 ○ 02 × 03 ○ 04 ○ 05 × 06 ○ 07 ○ 08 ○ 09 ○ 10 ○

ⓛ 처분성 여부는 소송요건에 해당하나 본안에서는 처분의 위법성 여부를 판단하게 된다. 따라서 처분의 위법성여부에 해당하는 처분청의 처분권한 유무도 소송요건이 아니므로 법원의 직권조사사항이 아니다(대판 1997.6.19, 95누8669).

(2) 심리의 범위

① **불고불리의 원칙**: 취소소송의 경우 비록 행정심판법과는 달리 명문상 규정은 없지만 민사소송과 마찬가지로 불고불리의 원칙이 적용된다. 따라서 법원은 소제기가 없는 사건에 대하여 심리 · 재판할 수 없으며, 소제기가 있는 사건에 대하여도 당사자의 청구범위를 넘어서 심리 · 재판할 수 없다.

관련판례 불고불리원칙 ★★★

법원은 당사자가 신청하지 아니한 사항에 대하여는 판결할 수 없는 것이고, 행정소송법 제26조에서 직권심리주의를 채용하고 있으나 이는 행정소송에 있어서 원고의 청구범위를 초월하여 그 이상의 청구를 인용할 수 있다는 의미가 아니라 원고의 청구범위를 유지하면서 그 범위 내에서 필요에 따라 주장 외의 사실에 관하여도 판단할 수 있다는 뜻이다(대판 1987.11.10, 86누491).
#불고불리의원칙_주장×_심리×

② 재량문제의 심리

㉠ 행정청이 재량을 그르친 경우에는 '부당'한 행위가 된다. 따라서 이러한 재량이 인정된 범위 내에서의 타당성(합목적성)의 문제, 즉 재량의 당 · 부당 문제는 법원의 심리 대상이 되지 않는다.

ⓛ 한편 행정청이 재량을 일탈 · 남용한 경우에는 '위법'한 행위가 된다. 이러한 위 · 적법 문제는 법원의 심리대상이 된다. 행정소송법 역시 "행정청의 재량에 속하는 처분이라도 재량권의 한계를 넘거나 그 남용이 있는 때에는 법원은 이를 취소할 수 있다(행정소송법 제27조)." 고 규정하고 있다.

㉢ 재량행위가 법원에서 취소소송의 대상이 되었을 경우 법원은 곧바로 각하할 것이 아니라 본안심사를 통해 재량권의 일탈 · 남용이 있는지를 판단하여 재량의 하자가 있다면 청구를 인용하고, 그렇지 아니한 경우 청구를 기각하여야 한다.

③ **법률문제 · 사실문제**

㉠ 법률문제란 행정작용이 법치행정의 원칙에 부합하는가의 문제이며, 사실문제란 어떠한 사실관계가 법률요건에 해당하는지에 대한 판단을 의미한다.

ⓛ 법률문제와 사실문제는 양자 모두 법원의 심리대상이다.

간단 점검하기

01 법원은 소송제기가 없는 사건에 대하여 심리 · 재판할 수 없다. ( )
14. 국가직 9급

02 행정소송에도 처분권주의가 적용되므로 법원은 당사자의 소제기가 있어야만 심리를 개시할 수 있고, 분쟁대상도 원칙적으로 당사자가 청구한 범위에 한정된다. ( ) 07. 세무사

03 법원은 법률문제뿐만 아니라 사실문제에 대하여도 심리할 수 있다. ( )
10. 세무사

01 ○ 02 ○ 03 ○

3. 심리의 절차(심리에 관한 제 원칙)

(1) 심리에 관한 일반적인 원칙

행정소송사건의 심리에 있어서도 행정소송법에 특별한 규정이 없는 한 법원조직법과 민사소송법 및 민사집행법이 준용된다(행정소송법 제8조 제2항).

① **처분권주의**: 처분권주의란 절차의 개시, 심판의 대상 및 절차의 종결을 당사자의 의사에 일임하는 것을 말한다. 사적 자치원칙의 소송법적 측면으로 볼 수 있는 처분권주의는 행정소송절차에서도 적용된다.

② **변론주의**: 변론주의란 재판의 기초가 되는 소송자료의 수집 · 제출책임을 당사자에게 지우는 것을 말한다. 행정소송에 있어서도 변론주의가 원칙이나 다음에 보는 바와 같이 직권주의가 가미되어 있다.

③ **구술심리주의**: 구술심리주의란 심리에 임하여 당사자 및 법원의 소송행위, 특히 변론 및 증거조사를 구술로 행하는 것을 말한다. 민사소송법은 "당사자는 소송에 관하여 법원에 변론을 하여야 한다(민사소송법 제134조 제1항)."고 규정하여 구술심리주의를 택하고 있는데, 이 조항은 행정소송에도 적용이 된다.

④ **직접심리주의**: 직접심리주의란 판결을 하는 법관이 변론의 청취 및 증거조사를 직접 행하는 것을 말한다. 민사소송법은 직접심리주의에 의할 것을 규정하면서도 예외를 인정하고 있다.

⑤ **공개심리주의**: 공개심리주의란 재판의 심리와 판결의 선고를 일반인이 방청할 수 있는 상태에서 행하는 것을 말한다. 헌법은 공개심리주의를 택하면서 그에 대한 예외를 인정하고 있다(헌법 제109조).

⑥ **쌍방심리주의**: 쌍방심리주의란 소송의 심리에 있어 당사자 쌍방에게 주장을 진술할 기회를 평등하게 부여하는 것을 말하며, 당사자대등의 원칙, 무기대등의 원칙이라고도 한다. 이는 공평한 재판을 위한 기본원칙이며, 헌법상의 평등원칙(헌법 제11조)이 소송법상으로 표현되었다고 볼 수 있다.

⑦ **법관의 석명의무**: '석명'이란 당사자의 진술에 불명 · 모순 · 결함이 있거나 또는 입증을 다하지 못한 경우에 법관(재판장 및 합의부원)이 질문하거나 시사하는 형식으로 보충함으로써 변론을 보다 완전하게 하는 법원의 권능을 말한다(민사소송법 제136조 참조).

(2) 행정소송의 심리에 특수한 절차

① 직권증거조사주의(직권탐지주의)

㉠ 직권증거조사주의란 재판의 기초가 되는 소송자료의 수집 · 제출책임을 법원이 지는 것을 말한다. 취소소송의 결과는 공공복리와 밀접한 관련이 있기 때문에 법원의 소송에의 관여를 인정한 것이다.

㉡ 우리 행정소송법도 제26조에서 이를 인정하고 있다. 동 규정과 관련하여, 법원의 직권탐지가 보다 활발히 행해지길 기대하여 적극적으로 평가하려는 입장(직권탐지주의설)과 반대로 소극적으로 평가하려는 입장(변론주의보충설)으로 나뉜다. 현재는 변론주의를 원칙으로 하면서 직권주의를 가미하고 있다는 견해가 다수이다. 즉, 변론주의보충설이 통설적 견해이다.

간단 점검하기

01 법원은 필요하다고 인정할 때에는 직권으로 증거조사를 할 수 있고, 당사자가 주장하지 아니한 사실에 대하여도 판단할 수 있다. ( ) 18. 경찰행정

02 행정소송법 제26조는 행정소송에서 직권심리주의가 적용되도록 하고 있지만, 행정소송에서도 당사자주의나 변론주의의 기본구도는 여전히 유지된다. ( ) 17. 국가직 9급

03 행정소송에서 기록상 자료가 나타나 있다 하더라도 당사자가 주장하지 않았다면 행정소송의 특수성에 비추어 법원은 이를 판단할 수 없다. ( ) 15. 지방직 7급, 14. 국가직 9급

01 ○ 02 ○ 03 ×

ⓒ 판례도 변론주의를 원칙으로 하면서 직권탐지를 예외적으로 가미하는 입장, 즉 변론주의보충설을 취하고 있다. 직권탐지는 소송기록에 나타난 사실에 한정하여 인정하고 있다.

관련판례 직권증거조사 ★★★

행정소송법 제26조가 법원은 필요하다고 인정할 때에는 직권으로 증거조사를 할 수 있고, 당사자가 주장하지 아니한 사실에 대하여도 판단할 수 있다고 규정하고 있지만, 이는 행정소송의 특수성에 연유하는 당사자주의, 변론주의에 대한 일부 예외 규정일 뿐 법원이 아무런 제한 없이 당사자가 주장하지 아니한 사실을 판단할 수 있는 것은 아니고, 일건 기록에 현출되어 있는 사항에 관하여서만 직권으로 증거조사를 하고 이를 기초로 하여 판단할 수 있을 따름이고, 그것도 법원이 필요하다고 인정할 때에 한하여 청구의 범위 내에서 증거조사를 하고 판단할 수 있을 뿐이다(대판 1994.10.11, 94누4820).

#직권증거조사_기록_현출_사항_한정 #청구범위내

ⓓ **당사자소송에 준용**: 취소소송의 직권심리를 규정하는 행정소송법 제26조의 규정은 당사자소송에 준용된다(행정소송법 제44조 제1항).

② **행정심판기록제출명령**: 법원은 당사자의 신청이 있는 때에는 결정으로써 재결을 행한 행정청에 대하여 행정심판에 관한 기록의 제출을 명할 수 있다. 이러한 제출명령을 받은 행정청은 지체없이 해당 행정심판에 관한 기록을 법원에 제출하여야 한다(행정소송법 제25조).

(3) 주장책임과 입증책임

① **주장책임**: 변론주의가 적용되어 당사자가 분쟁의 중요한 사실을 주장하지 않아, 법원이 그러한 사실이 없는 것으로 취급함으로써 일방당사자가 받는 불이익을 주장책임이라 한다. 행정소송법은 변론주의가 적용되어 주장책임이 있다.

② **입증책임**

㉠ **의의**: 입증책임이란 소송심리의 최종단계에 이르러서도 소송상의 일정한 사실의 존부가 확정되지 않을 때 불리한 법적 판단을 받게 되는 일방당사자의 위험 또는 불이익을 말한다.

㉡ **학설 · 판례**

원고책임설	• 취소소송에서의 입증책임은 원고에게 있다고 하는 견해 • 행정행위의 적법성추정 또는 공정력 등을 이론적 근거 • 국가에 대하여 지나치게 우월한 지위를 부여하는 것은 불합리
피고책임설	• 처분의 적법성에 관한 입증책임은 피고인 행정청에 있다는 견해 • 법치행정의 원리상 행정기관은 스스로 자신의 적법성을 보장해야 함 • 법치행정의 원리가 곧바로 원고의 입증책임을 면한다는 의미는 아님

간단 점검하기

01 행정소송법은 법원이 직권으로 관계행정청에 자료제출을 요구할 수 있음을 규정하고 있다. ( ) 14. 국가직 9급

02 현행 행정소송법은 행정심판기록제출명령제도를 채택하고 있다. ( ) 09. 세무사

03 변론주의 원칙상 당사자에게는 주장책임이 있다. ( ) 10. 세무사

04 입증책임은 소송상 일정한 사실의 존부가 확정되지 아니할 경우에 불리한 법적 판단을 받게 되는 일방당사자의 불이익 내지는 위험을 말한다. ( ) 09. 세무사

01 × 02 ○ 03 ○ 04 ○

간단 점검하기

01 처분의 존재, 제소기간의 준수 등 소송요건은 취소소송에서의 직권조사 사항이므로 원고가 입증책임을 지지 않는다. ( ) 06. 국가직 9급

법률요건 분류설 (통설 · 판례)	• 행정소송에서도 각 당사자는 자기에게 유리한 법규범의 모든 요건사실의 존재에 관하여 입증책임을 진다고 보는 견해 • 권리를 주장하는 자는 그에게 유리한 권리근거규정에 해당하는 요건사실을 입증하여야 하고, 그 권리를 부인하는 상대방은 권리장애 · 권리멸각 · 권리저지규정에 해당하는 요건사실을 입증하여야 함 • 권한행사규정의 요건사실은 그 처분권한의 행사를 주장하는 측(적극적 처분의 경우 피고인 행정청, 소극적 처분인 경우는 원고), 권한불행사규정의 요건사실은 그 처분권한의 불행사를 주장하는 측(적극적 처분의 경우 원고, 소극적 처분의 경우 피고)에서 입증해야 함
행정법독자 분배설	• 행정소송과 민사소송의 목적과 성질의 차이 등에 비추어 독자적으로 정하여야 한다는 견해 • 행정소송의 특수성을 감안하여 당사자 간의 공평, 사안의 성질, 입증난이도 등에 의하여 구체적 사안에 따라 입증책임을 결정하여야 함

관련판례

1 자유재량에 의한 행정처분이 그 재량권의 한계를 벗어난 것이어서 위법하다는 점은 그 행정처분의 효력을 다투는 자가 이를 주장 · 입증하여야 하고 처분청이 그 재량권의 행사가 정당한 것이었다는 점까지 주장 · 입증할 필요는 없다(대판 1987.12.8, 87누861).

2 과세대상이 된 토지가 비과세 혹은 면제대상이라는 점은 이를 주장하는 납세의무자에게 입증책임이 있는 것이다(대판 1996.4.26, 94누12708).

3 **입증책임 법률요건 분류설**

민사소송법의 규정이 준용되는 행정소송에 있어서 입증책임은 원칙적으로 민사소송의 일반원칙에 따라 당사자 간에 분배되고 항고소송의 경우에는 그 특성에 따라 당해 처분의 적법을 주장하는 피고에게 그 적법사유에 대한 입증책임이 있다 할 것인바 피고가 주장하는 당해 처분의 적법성이 합리적으로 수긍할 수 있는 일응의 입증이 있는 경우에는 그 처분은 정당하다 할 것이며 이와 상반되는 주장과 입증은 그 상대방인 원고에게 그 책임이 돌아간다고 할 것이다(대판 1984.7.24, 84누124).

4. 행정처분의 위법판단의 기준시점 - 처분시

관련판례 위법 여부 판단기준 ★★★

행정소송에서 행정처분의 위법 여부는 행정처분이 행하여졌을 때의 법령과 사실상태를 기준으로 하여 판단하여야 하고, 처분 후 법령의 개폐나 사실상태의 변동에 의하여 영향을 받지는 않는다(대판 2007.5.11, 2007두1811).

#처분_위법판단_기준시_처분시

간단 점검하기

02 재량권의 일탈 · 남용 여부에 대한 입증책임은 처분청인 행정청에게 있다. ( ) 15. 서울시 7급

03 과세대상인 토지가 비과세 대상이라는 주장은 원고인 납세의무자가 입증책임을 진다. ( ) 06. 세무사

04 민사소송법 규정이 준용되는 행정소송에서 증명책임은 원칙적으로 민사소송 일반원칙에 따라 당사자 사이에 분배되고, 항고소송의 경우에는 그 특성에 따라 처분의 적법성을 주장하는 피고에게 그 적법사유에 대한 증명책임이 있다. ( ) 18. 지방직 7급

05 과세처분의 적법성 및 과세요건사실의 존재에 관하여는 원칙적으로 과세관청인 피고가 그 입증책임을 부담한다. ( ) 06. 국가직 9급

06 위법판단의 기준시점을 처분시로 볼 경우, 처분 이후에 발생한 새로운 사실적 · 법적 사유를 추가 · 변경하고자 하는 것은 허용될 수 없고 이러한 경우에는 계쟁처분을 직권취소하고 이를 대체하는 새로운 처분을 할 수 있다. ( ) 17. 국가직 7급

01 × 02 × 03 ○ 04 ○ 05 ○ 06 ○

5. 처분사유의 추가 · 변경

(1) 개설

처분사유의 추가 · 변경이란 소송의 계속 중에 그 대상처분의 사유를 추가하거나 잘못 제시된 사실상 · 법률상의 근거를 변경하는 것을 말한다.

(2) 구별개념

① **소 변경**: 소의 변경은 청구 그 자체의 변경하는 것이다. 처분사유의 추가 · 변경은 청구를 이유 있게 하기 위한 공격 · 방어방법의 변경을 말한다.

② **처분이유의 사후제시**

㉠ 처분이유의 사후제시는 형식적 · 절차적 위법성을 사후적으로 추완하거나 보완하기 위한 것을 의미한다.

㉡ 처분사유의 추가 · 변경은 처분의 내용상 · 실체상 적법성을 확보하기 위한 것을 의미한다.

(3) 인정 여부

① 학설

㉠ **긍정설**: 분쟁의 일회적 해결이라는 소송경제적 측면을 강조한다.

㉡ **부정설**: 소송당사자의 공격 · 방어권의 보장이라는 점을 강조한다.

㉢ **제한적 긍정설(통설)**: 처분이유의 기초가 되는 기본적 사실관계의 동일성을 해하지 않은 범위에서 인정된다고 본다.

② **판례**: 대법원 판례는 통설과 마찬가지로 당초의 처분사유와 기본적 사실관계에서 동일성이 인정되는 한도 내에서만 새로운 처분사유의 추가나 변경을 허용한다(대판 2004.5.28, 2002두5016).

(4) 처분사유 추가 · 변경 한계

① 객관적 한계

㉠ 기본적인 사실관계의 동일성이 인정되는 범위 내

ⓐ 대법원은 당초의 처분사유와 기본적 사실관계에서 동일성이 인정되는 범위 내에서만 새로운 처분사유의 추가 · 변경을 허용한다. 따라서 동일성이 인정되지 않는 별개의 사유로 추가 · 변경이 허용되지 않는다.

ⓑ 추가 · 변경된 사유가 당초의 처분시 이미 존재하고 있었고 당사자도 그 사실을 알고 있었다는 것만으로는 당초의 처분사유와 동일성이 있는 것으로 볼 수는 없다는 것이 판례의 입장이다(대판 2003.12.11, 2001두8827).

관련판례 **동일성유무** ★★★

[1] 여기서 기본적 사실관계의 동일성 유무는 처분사유를 법률적으로 평가하기 이전의 구체적인 사실에 착안하여 그 기초인 사회적 사실관계가 기본적인 점에서 동일한지 여부에 따라 결정되며 이와 같이 기본적 사실관계와 동일성이 인정되지 않는 별개의 사실을 들어 처분사유로 주장하는 것이 허용되지 않는다.

간단 점검하기

01 판례에 의하면 피고의 방어권 보장을 위해 기본적 사실관계의 동일성이 없더라도 처분사유의 추가 · 변경을 인정한다. ( ) 13. 국가직 7급

02 처분사유의 추가 · 변경이 인정되기 위한 요건으로서의 기본적 사실관계의 동일성 유무는, 처분사유를 법률적으로 평가하기 이전의 구체적인 사실에 착안하여 그 기초적인 사회적 사실관계가 기본적인 점에서 동일한지 여부에 따라 결정된다. ( ) 17. 국가직 9급

01 × 02 ○

[2] 추가 또는 변경된 사유가 당초의 처분시 그 사유를 명기하지 않았을 뿐 처분시에 이미 존재하고 있었고 당사자도 그 사실을 알고 있었다 하여 당초의 처분사유와 동일성이 있는 것이라 할 수 없다(대판 2003.12.11, 2001두8827).
#동일성유무 #별개_사실관계 #추가_사유 #처분시_존재_무관 #당사자_인지_무관

ⓒ 처분의 법적 근거가 변경됨으로써 처분의 사실관계가 변경되고, 사실관계의 기본적 동일성이 인정되지 않는 경우에는 처분의 법적 근거의 변경이 인정될 수 없다. 다만, 사실관계의 변동이 없는 처분의 근거법령만의 추가·변경은 허용될 수 있다.

관련판례 처분사유 추가·변경 ★★★

행정처분의 취소를 구하는 항고소송에서 처분청이 처분 당시에 적시한 구체적 사실을 변경하지 아니하는 범위 내에서 단지 그 처분의 근거법령만을 추가·변경하거나 당초의 처분사유를 구체적으로 표시하는 것에 불과한 경우, 새로운 처분사유의 추가·변경에 해당하지 않는다(대판 2007.2.8, 2006두4899).
#처분사유_추가·변경_사실변경×_허용 #법령_추가·변경_사실변경×_허용 #법령_추가·변경_사실변경○_허용×

ⓓ 당초 처분의 근거로 제시한 사유가 실질적인 내용이 없다면 소송단계에서 처분사유를 추가하여 주장할 수 없다.

관련판례 처분근거_제시× - 사유추가× ★★★

피고가 당초 처분의 근거로 제시한 사유가 실질적인 내용이 없다고 보는 이상, 위 추가 사유는 그와 기본적 사실관계가 동일한지 여부를 판단할 대상조차 없는 것이므로, 결국 소송단계에서 처분사유를 추가하여 주장할 수 없다(대판 2017.8.29, 2016두44186).
#기존산업단지개발_계획변경신청_'신청불허'(실질불허사유없음)
#사유추가('이_사건_산업단지_안에_새로운_폐기물시설부지를_마련할_시급한_필요가_없다')_동일성주장×

ⓛ 기본적 사실관계의 동일성 판단의 구체적 기준

ⓐ 기본적인 사실관계의 동일성은 처분사유를 법률적으로 평가하기 인정의 구체적인 사실에 착안하여 그 기초가 되는 사회적 사실관계가 기본적인 점에서 동일한지 여부에 따라 결정해야 한다.

ⓑ 구체적 검토 - 기본적 사실관계의 동일성 인정 여부

기본적 사실관계의 동일성 인정	기본적 사실관계의 동일성 부정
토지형질변경 불허처분 ⇩ • 당초: 국립공원인근이용대책 수립 시까지 유보 • 변경: 국립공원인근 미관을 해침	토석채취허가신청 반려처분 ⇩ • 당초: 주민의 동의서를 갖추지 못함 • 변경: 환경침해 등 공익적 이유

간단 점검하기

01 처분청이 처분 당시에 적시한 구체적 사실을 변경하지 아니하는 범위 내에서 단지 처분의 근거법령만을 추가·변경하는 것은 새로운 처분사유의 추가라고 볼 수 없다. ( )
17. 국가직 7급

02 처분청이 처분 당시 적시한 구체적 사실을 변경하지 아니하는 범위 내에서 단지 처분의 근거 법령만을 추가·변경하는 경우에 법원은 처분청이 처분 당시 적시한 구체적 사실에 대하여 처분 후 추가·변경한 법령을 적용하여 처분의 적법 여부를 판단할 수 있다. ( ) 16. 국가직 9급

01 ○ 02 ○

관련판례 기본적 사실관계가 동일하다고 한 판례

1 토지형질변경불허 ★★

토지형질변경 불허가처분의 당초의 처분사유인 국립공원에 인접한 미개발지의 합리적인 이용대책 수립 시까지 그 허가를 유보한다는 사유와 그 처분의 취소소송에서 추가하여 주장한 처분사유인 국립공원 주변의 환경·풍치·미관 등을 크게 손상시킬 우려가 있으므로 공공목적상 원형유지의 필요가 있는 곳으로서 형질변경허가 금지대상이라는 사유는 기본적 사실관계에 있어서 동일성이 인정된다(대판 2001.9.28, 2000두8684).

2 산림형질변경허가신청 ★★★

주택신축을 위한 산림형질변경허가신청에 대하여 행정청이 거부처분을 하면서 당초 거부처분의 근거로 삼은 준농림지역에서의 행위제한이라는 사유와 나중에 거부처분의 근거로 추가한 자연경관 및 생태계의 교란, 국토 및 자연의 유지와 환경보전 등 중대한 공익상의 필요라는 사유는 기본적 사실관계에 있어서 동일성이 인정된다(대판 2004.11.26, 2004두4482).

3 폐기물처리업사업계획부적정통보 ★★

피고가 이 사건 처분의 근거로 삼은 당초의 사유는 이 사건 사업예정지에 폐기물처리시설을 설치할 경우 인근 농지의 농업경영과 농어촌 생활환경유지에 피해를 줄 것이 예상되어 농지법에 의한 농지전용이 불가능하고 또 농어촌정비법에 의한 구거의 목적 외 사용승인도 용이하지 아니하다는 것이고, 피고가 이 사건 소송에서 추가로 주장한 사유는 이 사건 사업예정지에 폐기물처리시설을 설치할 경우 인근 주민의 생활이나 주변 농업활동에 피해를 줄 것이 예상되어 이 사건 사업예정지가 폐기물처리시설의 부지로서 적절하지 아니하다는 것임을 알 수 있는바, … 기본적 사실관계가 동일하다고 할 것이다(대판 2006.6.30, 2005두364).

4 과세관청이 과세대상 소득에 대하여 이자소득이 아니라 대금업에 의한 사업소득에 해당한다고 처분사유를 변경한 것은 처분의 동일성이 유지되는 범위 내에서의 처분사유 변경에 해당하여 허용되며, 또 그 처분사유의 변경이 국세부과의 제척기간이 경과한 후에 이루어졌는지 여부에 관계없이 국세부과의 제척기간이 경과되었는지 여부는 당초의 처분시를 기준으로 판단하여야 한다(대판 2002.3.12, 2000두2181).

관련판례 기본적 사실관계가 상이하다고 한 판례

1 토석채취허가신청 ★★★

원고의 이 사건 토석채취허가신청에 대하여 피고는 인근주민들의 동의서를 제출하지 아니하였음을 이유로 이를 반려하였음이 분명하고 피고가 이 사건 소송에서 위 반려사유로 새로이 추가하는 처분사유는 이 사건 허가신청지역은 전남 나주군 문평면에 소재한 백용산의 일부로서 토석채취를 하게 되면 자연경관이 심히 훼손되고 암반의 발파 시 생기는 소음, 토석운반차량의 통행 시 일어나는 소음, 먼지의 발생, 토석채취장에서 흘러내리는 토사가 부근의 농경지를 매몰할 우려가 있는 등 공익에 미치는 영향이 지대하고 이는 산림내토석채취사무취급요령 제11조 소정의 제한사유에도 해당되기 때문에 위 반려처분이 적법하다는 것인바, 이는 피고가 당초 위 반려처분의 근거로 삼은 사유와는 그 기본적 사실관계에 있어서 동일성이 인정되지 아니하는 별개의 사유라고 할 것이므로 피고는 이와 같은 사유를 이 사건 반려처분의 근거로 추가할 수 없다고 보아야 할 것이다(대판 1992.8.18, 91누3659).

간단 점검하기

01 추가 또는 변경된 사유가 당초의 처분시 그 사유를 명기하지 않았을뿐 처분시에 이미 존재하고 있었고 당사자도 그 사실을 알고 있었다면 당초의 처분사유와 동일성이 인정된다. ( )
17. 국가직 9급, 13. 국가직 7급

02 당초 행정처분의 근거로 제시한 이유가 실질적인 내용이 없는 경우에도 행정소송의 단계에서 행정처분의 사유를 추가할 수 있다. ( )
18. 지방직 9급

03 토지형질변경 불허가처분의 당초의 처분사유인 국립공원에 인접한 미개발지의 합리적인 이용대책 수립시까지 그 허가를 유보한다는 사유와 그 처분의 취소소송에서 추가하여 주장한 처분사유인 국립공원 주변의 환경·풍치·미관 등을 크게 손상시킬 우려가 있으므로 공공목적상 원형유지의 필요가 있는 곳으로서 형질변경허가 금지대상이라는 사유는 기본적 사실관계에 있어서 동일성이 인정된다. ( )
11. 사회복지직

04 주택신축을 위한 산림형질변경허가신청에 대한 거부처분의 근거로 제시된 준농림지역에서의 행위제한이라는 사유와 나중에 거부처분의 근거로 추가한 자연경관 및 생태계의 교란, 국토 및 자연의 유지와 환경보전 등 중대한 공익상의 필요라는 사유는 기본적 사실관계의 동일성이 없다. ( )
13. 국가직 7급

01 × 02 × 03 ○ 04 ×

간단 점검하기

01 행정청의 당초 처분사유인 기존 공동사업장과의 거리제한규정에 저촉된다는 사실과 피고 주장의 최소 주차용지에 미달한다는 사실은 기본적 사실관계에 있어서 동일성이 인정된다.
( ) 11. 사회복지직

02 주류면허 지정조건 중 제6호 무자료 주류판매 및 위장거래 항목을 근거로 한 면허취소처분에 대한 항고소송에서, 지정조건 제2호 무면허판매업자에 대한 주류판매를 새로이 그 취소사유로 주장하는 것은 기본적 사실관계의 동일성이 인정된다. ( )
17. 서울시 9급

03 甲은 행정청 A가 보유·관리하는 정보 중 乙과 관련이 있는 정보를 사본 교부의 방법으로 공개하여 줄 것을 청구하였다. A가 내부적인 의사결정과정임을 이유로 정보공개를 거부하였다가 정보 공개거부처분 취소소송의 계속 중에 개인의 사생활침해 우려를 공개거부사유로 추가하는 것은 허용되지 않는다. ( ) 17. 국가직 9급

04 의료보험요양기관 지정취소 처분의 당초의 처분사유인 구 의료보험법 제33조 제1항이 정하는 본인부담금 수납대장을 비치하지 아니한 사실과 항고소송에서 새로 주장한 처분사유인 같은 법 제33조 제2항이 정하는 보건복지부장관의 관계서류 제출명령에 위반하였다는 사실은 기본적 사실관계에 있어서 동일성이 인정되지 않는다.
( ) 11. 사회복지직

05 당초의 처분사유인 중기취득세의 체납과 그 후 추가된 처분사유인 자동차세의 체납은 기본적 사실관계의 동일성이 부정된다. ( ) 17. 서울시 9급

06 군사시설보호구역 밖의 토지에 주유소를 설치·경영하도록 하기위한 석유판매업 허가를 함에 있어서 관할 부대장의 동의를 얻어야 할 법령상의 근거가 없음에도 그 동의가 없다는 이유로 한 불허가처분에 대한 소송에서, 당해 토지가 탄약창에 근접한 지점에 위치하고 있다는 사실을 불허가사유로 추가하는 것은 허용되지 않는다. ( )
13. 국가직 7급

01 × **02** × **03** ○ **04** ○
05 ○ **06** ○

2 자동차관리사업불허처분취소 ★★

피고의 이 사건 처분사유인 기존 공동사업장과의 거리제한규정에 저촉된다는 사실과 피고 주장의 최소 주차지에 미달한다는 사실은 기본적 사실관계를 달리하는 것임이 명백하여 피고가 이를 새롭게 처분사유로서 주장할 수는 없다(대판 1995.11.21, 95누10952).

3 종합주류도매업면허취소처분취소 ★★★

주류면허 지정조건 중 제6호 무자료 주류판매 및 위장거래 항목을 근거로 한 면허취소처분에 대한 항고소송에서, 지정조건 제2호 무면허판매업자에 대한 주류판매를 그 취소사유로 주장할 수는 없다(대판 1996.9.6, 96누7427).

4 정보비공개결정취소 ★★★

당초의 정보공개거부 처분사유인 구 공공기관의 정보공개에 관한 법률 제7조 제1항 제2호·제4호·제6호의 사유와 같은 항 제1호의 사유는 기본적 사실관계의 동일성이 인정되지 않으므로, 정보비공개결정 취소소송에서 같은 항 제1호의 처분사유의 추가가 허용되지 않는다(대판 2006.1.13, 2004두12629).

5 정보공개청구거부처분취소 ★★★

당초의 정보공개거부처분사유인 공공기관의 정보공개에 관한 법률 제7조 제1항 제4호 및 제6호의 사유는 새로이 추가된 같은 항 제5호의 사유와 기본적 사실관계의 동일성이 인정되지 않는다(대판 2003.12.11, 2001두8827).

6 의료보험요양기관지정취소처분취소 ★★★

의료보험요양기관 지정취소처분의 당초의 처분사유인 구 의료보험법 제33조 제1항이 정하는 본인부담금 수납대장을 비치하지 아니한 사실과 항고소송에서 새로 주장한 처분사유인 같은 법 제33조 제2항이 정하는 보건복지부장관의 관계서류 제출명령에 위반하였다는 사실은 기본적 사실관계의 동일성이 없다(대판 2001.3.23, 99두6392).

7 시세완납증명발급거부처분취소 ★★★

당초의 처분사유인 중기취득세의 체납과 그 후 추가된 처분사유인 자동차세의 체납은 각 세목, 과세년도, 납세의무자의 지위(연대납세의무자와 직접의 납세의무자) 및 체납액 등을 달리하고 있어 기본적 사실관계가 동일하다고 볼 수 없다(대판 1989.6.27, 88누6160).

8 석유판매업불허가처분취소 ★★★

석유판매업허가신청에 대하여 관할 군부대장의 동의를 얻지 못하였다는 당초의 불허가 이유에다 소송에서 위 토지가 탄약창에 근접한 지점에 있어 공익적인 측면에서 보아 허가신청을 불허한 것은 적법하다는 것을 불허가사유로 추가할 수 없다(대판 1991.11.8, 91누70).

② 시간적 한계

㉠ **사실심변론종결시**: 처분사유의 추가·변경은 사실심변론종결시까지 허용된다는 것이 판례의 입장이다.

관련판례 처분사유 추가·변경의 한계 ★★★

행정청은 기본적 사실관계의 동일성이 있다고 인정되는 한도 내에서만 다른 처분사유를 추가, 변경할 수 있다고 할 것이나 이는 사실심 변론종결시까지만 허용된다(대판 1999.8.20, 98두17043).

#처분사유_추가·변경_사실심변론종결시까지

㉡ **처분시 존재하였던 사유일 것**: 처분의 위법판단의 기준은 처분시이다. 따라서 처분 이후에 발생한 새로운 사실적·법적 사유를 추가·변경할 수는 없다.

6 취소소송의 판결

1. 판결의 의의

판결이란 소송의 대상인 구체적 쟁송을 해결하기 위하여 법원이 원칙적으로 변론을 거쳐 무엇이 법인가를 판단하여 선언하는 행위이다.

2. 판결의 종류

(1) 소송판결과 본안판결

① **소송판결**: 소송요건의 적부에 대한 판결로서 요건심리의 결과 당해 소송을 부적법한 것으로 각하하는 판결(각하판결)이다.

② **본안판결**: 소송에 의한 청구의 당부에 대한 판결로서 본안심리의 결과 청구의 전부 또는 일부를 인용하거나 기각함을 내용으로 하는 판결(인용판결, 기각판결)이다.

(2) 종국판결과 중간판결

① **종국판결**: 사건의 전부 또는 일부를 종료시키는 판결이다.

② **중간판결**: 소송의 진행 중에 발생한 쟁점을 해결하여 종국판결을 준비하는 성질의 판결이다.

(3) 전부판결과 일부판결

① **전부판결**: 동일소송절차로 심판되는 사건의 전부를 동시에 종료시키는 판결이다.

② **일부판결**: 동일한 소송절차로 계속되어 있는 사건의 일부를 다른 부분으로부터 분리하여 종료시키는 종국판결이다.

간단 점검하기

01 처분사유의 추가·변경은 원칙적으로 행정소송의 제기 이후부터 사실심변론종결시 이전 사이에 문제된다. ( ) 13. 국가직 7급

간단 점검하기

02 처분청은 원고의 권리방어가 침해되지 않는 한도 내에서 당해 취소소송의 대법원 확정판결이 있기 전까지 처분사유의 추가·변경을 할 수 있다. ( ) 17. 국가직 9급

03 취소소송의 위법 판단의 기준시는 원칙적으로 판결시라는 것이 판례의 입장이다. ( ) 14. 지방직 7급, 13. 서울시 9급

01 ○ 02 × 03 ×

3. 종국판결의 내용

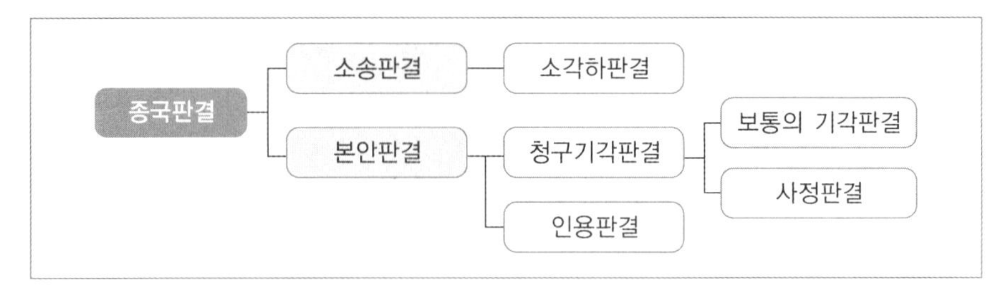

(1) 소각하판결

① 소송요건이 결여된 부적법한 소에 대해서 본안심리를 거부하는 판결이다.

② 소제기 후 소송요건이 소멸된 경우에도 각하판결을 한다.

③ 소각하 판결을 받았더라도 요건을 갖추어 다시 소가 제기되면 법원은 심리하여야 한다.

(2) 청구기각판결

① (보통의)기각판결

㉠ 처분의 취소청구가 이유 없다고 하여 원고의 청구를 배척하는 판결이다. 처분에 원고가 주장하는 바와 같은 위법성이 없는 경우에 내려진다.

㉡ 원고의 청구가 이유 있는 경우에도 예외적으로 기각판결을 할 수 있는데 이를 사정판결이라 한다.

② 사정판결

㉠ 의의

ⓐ 사정판결이란 원고의 청구가 이유 있다고 인정하는 경우에도 처분 등을 취소하는 것이 현저히 공공복리에 적합하지 아니하다고 인정하는 때 법원이 원고의 청구를 기각하는 판결을 말한다(행정소송법 제28조 제1항).

ⓑ 행정의 법률적합성의 예외적 현상이므로 그 요건판단은 매우 엄격하게 이루어져야 할 것이다(대판 1995.6.13, 94누4660).

ⓒ 사정판결도 기각판결이므로 원고는 당연히 상소(항소 또는 상고)할 수 있다.

㉡ 존재이유(근거)

ⓐ 공공복리우선의 관점에서 기성사실을 존중하여야 할 필요성에서 찾는 것이 일반적이다.

ⓑ 사정판결제도가 무효등 확인소송에도 적용되는지가 문제되나 무효등 확인소송에서는 존재시킬 유효한 처분이 없으므로 이를 부정하는 견해가 다수설·판례의 입장이다.

㉢ 사정판결의 요건

ⓐ **청구가 이유 있다고 인정될 것**: 처분 등이 위법한 경우 인정된다. 처분 등이 적법한 경우에는 당연히 기각될 것이므로 사정판결의 문제는 발생하지 않는다.

간단 점검하기

01 행정소송법상 사정판결에서 원고의 청구가 이유가 있다고 인정하는 경우에도 처분 등을 취소하는 것이 현저히 공공복리에 적합하지 아니하다고 인정하는 때에는 법원은 원고의 청구를 각하할 수 있다. ( )
17. 경찰행정, 16. 서울시 9급, 15. 국가직 9급, 14. 서울시 7급

간단 점검하기

02 판례는 당연무효의 처분은 존치시킬 효력이 있는 행정행위가 없기 때문에 사정판결을 할 수 없다고 하여 부정적이다. ( )
15. 국가직 7·9급, 14. 서울시 7급

01 × 02 ○

ⓑ **처분 등의 취소가 현저히 공공복리에 적합하지 아니할 것:** 현저히 공공복리에 적합하지 아니할 것에 대한 판단은 엄격한 이익형량 하에서 적용되어야 할 것이다. 위법한 처분을 결과적으로 공익상 인용하는 결과가 되므로 위법한 처분을 인용하므로 잃는 이익과 이로 인해 얻는 이익을 비교형량하여 엄격히 적용해야 한다.

관련판례 **사정판결 긍정한 판례**

1 전남대법학전문대학원 예비인가 취소 ★★★

법학전문대학원이 장기간의 논의 끝에 사법개혁의 일환으로 출범하여 2009년 3월 초 일제히 개원한 점, 전남대 법학전문대학원도 120명의 입학생을 받아들여 교육을 하고 있는데 인가처분이 취소되면 그 입학생들이 피해를 입을 수 있는 점, … 등을 종합하여, 전남대에 대한 이 사건 인가처분이 법 제13조에 위배되었음을 이유로 취소하는 것은 현저히 공공복리에 적합하지 아니하다고 인정하였다(대판 2009.12.10, 2009두8359).

#전남대_법학전문대학원_예비인가취소 #개원_재학생피해 #위법_공익 #취소_공익_부합×

2 주택개량재개발조합인가 ★★

재개발조합설립 및 사업시행인가처분이 처분 당시 법정요건인 토지 및 건축물 소유자 총수의 각 3분의 2 이상의 동의를 얻지 못하여 위법하나, 그 후 90% 이상의 소유자가 재개발사업의 속행을 바라고 있어 재개발사업의 공익목적에 비추어 그 처분을 취소하는 것은 현저히 공공복리에 적합하지 아니하다고 인정하여 사정판결을 한 사례(대판 1995.7.28, 95누4629)

#주택개량재개발조합설립및사업시행인가처분무효확인 #요건_위법 #사업시행_공익 #비교형량

간단 점검하기

01 판례에 의할 때 법학전문대학원 설치예비인가 취소소송이 인용될 경우 이미 입학한 재학생의 불이익이 예상되고 총정원제로 운영되는 법학전문대학원의 시행에 중대한 지장을 초래할 우려가 있는 경우 사정판결이 인정된다. ( ) 12. 국회직 8급

관련판례 **사정판결을 부정한 판례**

1 관리처분계획의 수정을 위한 조합원총회의 재결의를 위하여 시간과 비용이 많이 소요된다는 등의 사정만으로는 재결의를 거치지 않음으로써 위법한 관리처분계획을 취소하는 것이 현저히 공공복리에 적합하지 아니하다고 볼 수 없다는 이유로 사정판결의 필요성을 부정한 사례(대판 2001.10.12, 2000두4279)

#재결의×_위법 #재결의_과다비용 #이익형량 #사정판결_부정

2 폐기물처리업허가신청 ★★★

부산 해운대구를 영업구역으로 하여 생활폐기물을 수집·운반하여 온 기존의 동종업체에게 경쟁상대를 추가시킴으로써 일시적인 공급시설의 과잉현상이 나타나 어느 정도의 손해가 발생한 것임은 예상되지만, 그 이상으로 소론과 같이 업체의 난립 및 과당경쟁으로 기존 청소질서가 파괴되어 청소에 관한 안정적이고 효율적인 책임행정의 이행이 불가능하게 된다고는 보이지 아니하므로 이 사건 처분을 취소하는 것이 현저히 공공의 복리에 적합하지 않은 경우에 해당한다고는 할 수 없을 것이다(대판 1998.5.8, 98두4061).

#부산해운대구_폐기물처리업신규허가 #공급과잉_손해 #공급_공익 #사정판결×

3 이른바 '심재륜 사건'에서의 징계면직된 검사의 복직이 검찰조직의 안정과 인화를 저해할 우려가 있다는 등의 사정은 검찰 내부에서 조정·극복하여야 할 문제일 뿐이고 준사법기관인 검사에 대한 위법한 면직처분의 취소 필요성을 부정할 만큼 현저히 공공복리에 반하는 사유라고 볼 수 없다는 이유로, 사정판결을 할 경우에 해당하지 않는다(대판 2001.8.24, 2000두7704).

간단 점검하기

02 판례에 의할 때 신뢰보호의 원칙과 비례의 원칙에 반하는 위법한 생활폐기물처리업허가의 거부처분이 취소될 경우 기존의 동종업체에게 경쟁상대를 추가시킴으로써 일시적인 공급시설의 과잉현상이 나타나 업체의 난립 및 과당경쟁으로 인한 부작용이 예상되는 경우 사정판결이 인정되지 않는다. ( ) 12. 국회직 8급

03 판례에 의할 때 위법하게 징계면직된 검사의 복직이 상명하복의 검찰조직의 안정과 인화를 저해할 우려가 있는 경우 사정판결이 인정되지 않는다. ( ) 12. 국회직 8급

01 ○ 02 ○ 03 ○

㉣ **피고의 신청 여부(직권과 신청)**: 명문의 규정은 없으나 피고의 신청으로 가능하다고 하며, 판례는 직권으로도 사정판결이 가능하다고 한다.

관련판례 직권으로 사정판결 가능 ★★★

사정판결을 할 필요가 있다고 인정하는 때에는 당사자의 명백한 주장이 없는 경우에도 일건 기록에 나타난 사실을 기초로 하여 직권으로 사정판결을 할 수 있다(대판 1995.7.28, 95누4629).

#사정판결_직권_가능

㉤ **주장 · 입증책임**: 입증책임에 대한 일반원칙에 따라 사정판결의 필요성에 대한 주장 · 입증책임은 행정청이 부담한다.

㉥ **사정판결의 필요성 판단 기준시**: 처분의 위법성의 판단은 처분시를 기준으로 함이 통설 · 판례의 입장이다. 그러나 사정판결의 필요성 즉, 처분의 취소가 현저히 공공복리에 적합하지 않을 것에 대한 기준은 판결시(변론종결시를 기준)로 함이 일반적이다. 사정판결은 판결시까지 변화된 사정을 고려해야 하기 때문이다.

㉦ **사정판결의 효과**

ⓐ **청구기각**: 사정판결은 위법한 처분이라 하더라도 청구를 기각한다. 따라서 당해 처분 등은 그 위법성이 치유되어 적법하게 되는 것이 아니라 공공복리를 위하여 위법성을 유지한 채로 효력만을 유지함에 지나지 않는다.

ⓑ **위법의 명시(판결주문)**: 사정판결을 하는 경우 법원은 판결의 주문에서 그 처분 등이 위법함을 명시하여야 한다(행정소송법 제28조 제1항 후단). 처분의 위법함을 명시함으로써 차후에 후속 배상청구소송 등에서 입증에 대한 분쟁을 미연에 방지하는 의미가 있으며, 처분의 위법성에 대한 기판력이 발생한다.

ⓒ **소송비용부담**: 사정판결은 위법한 처분이 인용되므로 소송비용은 예외적으로 피고가 부담한다(행정소송법 제32조).

㉧ **원고의 권익보호**

ⓐ **사정조사의무**: 사정판결을 함에 있어서는 미리 원고가 그로 인하여 입게 될 손해의 정도와 배상방법 그 밖의 사정을 조사하여야 한다(행정소송법 제28조 제2항).

ⓑ **손해배상 등 병합제기**: 원고는 피고인 행정청이 속하는 국가 또는 공공단체를 상대로 손해배상, 제해시설의 설치 그 밖에 적당한 구제방법의 청구를 당해 취소소송 등이 계속된 법원에 병합하여 제기할 수 있다(행정소송법 제28조 제3항).

㉨ **다른 행정소송과 사정판결**: 사정판결은 취소소송에 인정되나 무효등 확인소송, 부작위위법확인소송, 당사자소송에는 준용되지 않으므로 사정판결이 인정되지 않는다.

간단 점검하기

01 법원은 당사자의 신청 없이 직권으로 사정판결 여부를 결정할 수 없다. ( ) 15. 국가직 9급, 14. 서울시 7급, 13. 지방직 7급

간단 점검하기

02 사정판결의 대상이 되는 처분의 위법 여부에 대한 판단은 처분시를 기준으로 하고, 사정판결의 필요성 판단은 판결시를 기준으로 한다. ( ) 16. 국가직 7급, 14. 서울시 7급, 12. 지방직 9급

03 사정판결이 필요한가의 판단의 기준시는 판결시점(변론종결시)이 된다. ( ) 13. 지방직 7급

04 사정판결을 하는 경우 법원은 주문에 그 처분이 위법함을 명시하여야 하는데 그 위법성에 대하여 기판력이 발생한다. ( ) 16. 국가직 7급

05 사정판결은 처분이 위법함에도 청구가 기각되는 것으로, 이로 인하여 당해 처분은 위법성이 치유되어 적법하게 된다. ( ) 13. 서울시 7급

06 사정판결에서의 소송비용은 패소한 원고가 부담한다. ( ) 13. 서울시 7급

07 사정판결에 있어서 원고는 피고 행정청이 속하는 국가 또는 공공단체를 상대로 손해배상 등 적당한 구제방법의 청구를 당해 취소소송 등이 계속된 법원에 병합하여 제기할 수 있다. ( ) 16. 서울시 9급, 14. 서울시 7급, 09. 지방직 9급

08 사정판결은 무효등 확인소송의 경우에도 허용된다. ( ) 13. 서울시 7·9급, 12. 지방직 7급

01 × 02 ○ 03 ○ 04 ○
05 × 06 × 07 ○ 08 ×

(3) 청구인용판결

① **의의**: 처분의 취소 · 변경을 구하는 청구가 이유 있음을 인정하여 그 청구의 전부 또는 일부를 인용하는 판결이다. 즉, 청구인용판결은 처분을 취소 · 변경하는 형성판결이다.

② **행정소송법 제4조 제1호의 변경의 의미(적극적 형성판결의 가능성 여부)**

㉠ 취소소송을 행정청의 위법한 처분 등을 취소 또는 변경하는 소송이라 정의할 때 변경의 의미가 적극적인지 소극적인지 문제된다.

㉡ 판례는 변경의 의미를 소극적인 변경, 즉 일부취소를 의미하는 것으로 보아 적극적인 변경은 허용되지 않는다고 한다(대판 1964.5.19, 63누177).

③ **일부인용(일부취소)판결**

㉠ **의의**: 원고의 청구 중 일부에 대해서만 이유가 있는 경우 법원은 그 일부만을 취소할 수 있는데 이를 일부인용(일부취소)판결이라 한다.

㉡ **요건 및 한계**

ⓐ 일부인용이 인정되기 위해서는 외형상 하나의 행정처분에 해당하더라도 가분성이 있거나 그 처분 대상의 일부가 특정될 수 있어야 하며, 일부 인용 후 남은 부분만으로도 의미가 있어야 하고, 처분청의 의사에 반하지 않아야 한다.

ⓑ 불가분처분이나 행정청의 재량권을 존중해야 하는 재량행위에는 원칙적으로 일부인용이 인정되지 않는다.

관련판례 일부취소가 가능한 경우

1 운전면허취소 ★★★

한 사람이 여러 종류의 자동차운전면허를 취득한 경우 그 각 운전면허를 취소하거나 그 운전면허의 효력을 정지함에 있어서도 마찬가지이다. 제1종 보통, 대형 및 특수면허를 가지고 있는 자가 레이카크레인을 음주운전한 행위는 제1종 특수면허의 취소사유에 해당될 뿐 제1종 보통 및 대형면허의 취소사유는 아니므로, 3종의 면허를 모두 취소한 처분 중 제1종 보통 및 대형면허에 대한 부분은 이를 이유로 취소하면 될 것이나, 제1종 특수면허에 대한 부분은 원고가 재량권의 일탈 · 남용하여 위법하다는 주장을 하고 있음에도, 원심이 그 점에 대하여 심리 · 판단하지 아니한 채 처분 전체를 취소한 조치는 위법하다(대판 1995.11.16, 95누8850).

2 개발부담금부과 ★★★

개발부담금부과처분취소소송에 있어 당사자가 제출한 자료에 의하여 적법하게 부과될 정당한 부과금액을 산출할 수 없을 경우에는 부과처분 전부를 취소할 수밖에 없으나, 그렇지 않은 경우에는 그 정당한 금액을 초과하는 부분만 취소하여야 한다(대판 2004.7.22, 2002두11233).

3 조세부과 ★★★

과세처분취소소송에 있어 처분의 적법 여부는 정당한 세액을 초과하느냐의 여부에 따라 판단되는 것으로서, 당사자는 사실심변론종결시까지 객관적인 조세채무액을 뒷받침하는 주장과 자료를 제출할 수 있고, 이러한 자료에 의하여 적법하게 부과될 정당한 세액이 산출되는 때에는 그 정당한 세액을 초과하는 부분만 취소하여야 할 것이고 그 전부를 취소할 것이 아니다(대판 2001.6.12, 99두8930).

간단 점검하기

01 독점규제 및 공정거래에 관한 법률을 위반한 수개의 행위에 대하여 공정거래위원회가 하나의 과징금부과처분을 하였으나 수개의 위반행위 중 일부의 위반행위에 대한 과징금부과만이 위법하고, 그 일부의 위반행위를 기초로 한 과징금액을 산정할 수 있는 자료가 있는 경우에도 법원은 과징금부과처분 전부를 취소하여야 한다. ( )
19. 서울시 9급

02 외형상 하나의 행정처분이라 하더라도 가분성이 있거나 그 처분대상의 일부가 특정될 수 있다면 그 일부만의 취소도 가능하고 그 일부의 취소는 당해 취소부분에 관하여 효력이 생긴다.
( ) 18. 국회직 8급

03 국가유공자 등 예우 및 지원에 관한 법률에 따른 여러 개의 상이에 대한 국가유공자 요건 비해당처분에 대한 취소소송에서 그중 일부 상이만이 국가유공자 요건이 인정되는 상이에 해당하는 경우, 국가유공자 요건 비해당처분 중 그 요건이 인정되는 상이에 대한 부분만을 취소하여야 한다. ( )
18. 지방직 9급

4 과징금 ★★★

공정거래위원회가 위반행위에 대한 과징금을 부과하면서 여러 개의 위반행위에 대하여 외형상 하나의 과징금 납부명령을 하였으나 여러 개의 위반행위 중 일부의 위반행위에 대한 과징금 부과만이 위법하고 소송상 그 일부의 위반행위를 기초로 한 과징금액을 산정할 수 있는 자료가 있는 경우에는, 하나의 과징금 납부명령일지라도 그 일부의 위반행위에 대한 과징금액에 해당하는 부분만을 취소하여야 한다 (대판 2019.1.31, 2013두14726).

5 정보공개 ★★★

법원이 행정청의 정보공개거부처분의 위법 여부를 심리한 결과 공개를 거부한 정보에 비공개대상정보에 해당하는 부분과 공개가 가능한 부분이 혼합되어 있고 공개청구의 취지에 어긋나지 아니하는 범위 안에서 두 부분을 분리할 수 있음을 인정할 수 있을 때에는, 위 정보 중 공개가 가능한 부분을 특정하고 판결의 주문에 행정청의 위 거부처분 중 공개가 가능한 정보에 관한 부분만을 취소한다고 표시하여야 한다(대판 2003.3.11, 2001두6425).

6 국가유공자요건 비해당결정

여러 개의 상이에 대한 국가유공자요건비해당처분에 대한 취소소송에서 그 중 일부 상이가 국가유공자요건이 인정되는 상이에 해당하더라도 나머지 상이에 대하여 위 요건이 인정되지 아니하는 경우에는 국가유공자요건비해당처분 중 위 요건이 인정되는 상이에 대한 부분만을 취소하여야 할 것이고, 그 비해당처분 전부를 취소할 수는 없다고 할 것이다(대판 2012.3.29, 2011두9263).

관련판례 전부취소를 해야 하는 경우

1 과징금 ★★★

자동차운수사업 면허조건 등에 위반한 사업자에 대하여 행정청이 행정제재수단으로서 사업정지를 명할 것인지, 과징금을 부과할 것인지, 과징금을 부과키로 하였다면 그 금액은 얼마로 할 것인지 등에 관하여 재량권이 부여되어 있다 할 것이고, … 그 한도액을 초과한 부분이나 법원이 적정하다고 인정되는 부분을 초과한 부분만을 취소할 수는 없다(대판 1993.7.27, 93누1077).

2 과징금 ★★★

처분을 할 것인지 여부와 처분의 정도에 관하여 재량이 인정되는 과징금 납부명령에 대하여 그 명령이 재량권을 일탈하였을 경우, 법원으로서는 재량권의 일탈 여부만 판단할 수 있을 뿐이지 재량권의 범위 내에서 어느 정도가 적정한 것인지에 관하여는 판단할 수 없어 그 전부를 취소할 수밖에 없고, 법원이 적정하다고 인정하는 부분을 초과한 부분만 취소할 수는 없다(대판 2009.6.23, 2007두18062).

3 부과금액산출 곤란 ★★

수개의 위반행위에 대하여 하나의 과징금납부명령을 하였으나 수개의 위반행위 중 일부의 위반행위만이 위법하지만, 소송상 그 일부의 위반행위를 기초로 한 과징금액을 산정할 수 있는 자료가 없는 경우에는 하나의 과징금납부명령 전부를 취소할 수밖에 없다(대판 2004.10.14, 2001두2881).

간단 점검하기

04 대법원은 처분을 할 것인지 여부와 처분의 정도에 관하여 재량이 인정되는 과징금 납부명령에 대하여 그 명령이 재량권을 일탈하였을 경우 법원으로서는 재량권의 일탈 여부만 판단할 수 있을 뿐이지 재량권의 범위내에서 어느 정도가 적정한 것인지에 관하여는 판단할 수 없고 법원이 적당하다고 인정하는 부분을 초과한 부분만 취소할 수는 없다고 본다. ( )
17. 국가직 9급

01 × 02 ○ 03 ○ 04 ○

4. 판결의 효력

(1) 자박력(불가변력, 선고법원에 대한 효력)

행정소송에 있어서도 판결이 일단 선고되면 선고법원 자신은 이를 취소·변경할 수 없는 기속을 받게 된다. 이를 판결의 자박력 또는 불가변력이라고 한다. 자박력은 선고법원에 대한 효력이다.

(2) 형식적 확정력(불가쟁력, 당사자에 대한 효력)

판결에 대하여 불복이 있는 경우에는 상고를 통하여 그의 효력을 다툴 수 있는데, 이때 상고기간의 도과, 상소의 취하, 상소권의 포기 그 밖의 사유로 상고할 수 없는 경우에 판결이 갖는 효력을 형식적 확정력이라 한다. 이 형식적 확정력은 판결내용과는 관계가 없으나, 판결내용의 효력발생의 요건이 된다.

(3) 실질적 확정력(기판력)

① 의의

㉠ **개념**: 기판력이란 소송물에 관하여 확정된 종국판결이 내려지면 이후 동일사항이 문제된 경우에 있어 당사자는 그에 반하는 주장을 하여 다투는 것이 허용되지 아니하며(일사부재리효), 법원도 그와 모순·저촉되는 판단을 해서는 안 되는(모순금지효) 구속력을 말한다.

㉡ **명문규정 없음**: 행정소송법에 기판력에 관한 명문의 규정이 없다. 그러나 행정소송법상 준용규정에 따라 민사소송법상 기판력에 관한 규정이 준용된다.

㉢ **기각판결에 적용 여부**: 기판력은 인용판결과 기각판결에 모두 인정된다. 취소소송에서 기각판결의 경우에 처분이 위법하지 않다는 것이 확정되므로 후에 무효확인소송에서 동일 사안에서 무효확인판결은 내릴 수 없다.

② 범위

㉠ 주관적 범위(인적 범위)

ⓐ 기판력은 원칙적으로 해당 소송의 당사자 및 당사자와 동일시할 수 있는 승계인에게만 미치고, 제3자에게는 미치지 않는다(기판력의 상대성).

ⓑ 기판력은 피고인 처분행정청이 속하는 국가나 공공단체에도 미친다(대판 1998.7.24, 98다10854).

관련판례

과세처분 취소소송의 피고는 처분청이므로 행정청을 피고로 하는 취소소송에 있어서의 기판력은 당해 처분이 귀속하는 국가 또는 공공단체에 미친다(대판 1998.7.24, 98다10854).

㉡ **객관적 범위(물적 범위)**: 기판력은 민사소송과 마찬가지로 판결주문 중에 표시된 소송물에 관한 판단에 대해서만 발생하는 것이 원칙이다. 그러므로 원칙적으로 판결이유 중에서 판단된 사실인정, 선결적 법률관계, 항변 그리고 법률적 성질결정에 대하여는 기판력이 미치지 않는다(대판 1996.11.15, 96다31406).

간단 점검하기

01 판결이 확정되면 선고법원도 스스로 그 판결을 철회하거나 변경할 수 없다. ( ) 10. 세무사

02 취소소송 제기 후 중복하여 동일 사건에 대하여 제소할 수 없다. ( ) 16. 지방직 9급

간단 점검하기

03 기판력은 일단 판결이 확정된 때에는 동일한 사항이 다시 소송상 문제되었을 때 당사자와 법원은 이에 저촉되는 주장이나 판단을 할 수 없는 효력을 의미한다. ( ) 10. 국가직 9급

04 취소확정판결이 있으면 당사자는 동일한 소송물을 대상으로 다시 소를 제기할 수 없다. ( ) 14. 지방직 9급

05 행정소송법은 기판력에 관한 명문의 규정을 두고 있다는 것이 통설·판례의 입장이다. ( ) 11. 지방직 9급, 10. 국가직 9급

간단 점검하기

06 취소소송의 피고는 처분청이므로 행정청을 피고로 하는 취소소송에 있어서의 기판력은 당해 처분이 귀속하는 국가 또는 공공단체에 미친다. ( ) 11. 지방직 9급, 10. 국가직 9급

07 세무서장을 피고로 하는 과세처분 취소소송에서 패소하여 그 판결이 확정된 자가 국가를 피고로 하여 과세처분의 무효를 주장하여 과오납금반환청구소송을 제기하더라도 취소소송의 기판력에 반하는 것은 아니다. ( ) 19. 서울시 9급

08 판례는 취소소송의 소송물을 처분의 위법성과 그로 인해 원고의 권리가 침해되었다는 원고의 법적 주장이라고 보고 있다. ( ) 11. 지방직 9급, 10. 국가직 9급

01 ○ 02 ○ 03 ○ 04 ○
05 × 06 ○ 07 × 08 ×

간단 점검하기

01 취소소송에 대한 판결의 효력으로서 기판력의 객관적 범위는 판결의 주문 이외에 판결이유에 설시된 그 전제가 되는 법률관계의 존부에 미친다. ( ) 16. 국가직 7급, 11. 지방직 9급, 10. 국가직 9급

02 취소소송에서 전소와 후소가 그 소송물을 달리하는 경우에는 전소 확정판결의 기판력이 후소에 미치지 아니한다. ( ) 09. 국회직 8급

03 취소판결의 기판력은 소송물로 된 행정처분의 위법성 존부에 관한 판단 그 자체에만 미친다. ( ) 16. 국회직 8급

04 기판력은 사실심변론종결시를 기준으로 하여 발생한다. ( ) 08. 세무사

관련판례 **기판력 범위** ★★

1 취소판결의 기판력은 소송물로 된 행정처분의 위법성 존부에 관한 판단 그 자체에만 미치는 것이므로 전소와 후소가 그 소송물을 달리하는 경우에는 전소 확정판결의 기판력이 후소에 미치지 아니한다(대판 1996.4.26, 95누5820).

2 확정판결의 기판력은 소송물로 주장된 법률관계의 존부에 관한 판단의 결론 그 자체에만 미치는 것이고 그 전제가 되는 법률관계의 존부에까지 미치는 것이 아니며, 소송판결은 그 판결에서 확정한 소송요건의 흠결에 관하여 기판력이 발생하는 것이다(대판 1996.11.15, 96다31406).
#기판력_법률관계_결론_자체만_미침

ⓒ **시간적 범위**: 종국판결은 변론종결시까지 소송에 현출된 자료를 기초로 하여 행하고 당사자도 변론종결시까지 소송자료를 제출할 수 있으므로, 기판력은 사실심의 변론종결시를 표준시로 하여 발생한다(대판 1995.9.29, 94다46817).

③ 기판력의 작용

㉠ 의의

ⓐ 전소의 기판력의 범위에 해당하는 경우 기판력이 발생하게 되고 이렇게 발생한 기판력이 후소에 작용하기 위해서는 후소의 소송물이 전소의 소송물과 동일하거나 선결관계이거나 모순된 반대관계이어야 한다.

ⓑ 전소와 후소의 소송물의 동일성은 다음과 같다.

소송물이 동일한 경우	취소소송 기각판결 → 다시 취소소송 제기
후소의 선결문제로 되는 경우	취소소송 기각판결 → 국가배상청구소송 제기
소송물이 모순되는 경우	취소소송 기각판결 → 무효확인소송 제기

㉡ 취소소송과 무효확인소송

ⓐ 처분의 취소소송에게 기각판결이 난 경우 그 기판력은 후에 제기된 그 처분의 무효등 확인소송에 미친다.

간단 점검하기

05 청구기각판결이 확정되면 처분의 적법함에 관하여 기판력이 발생하므로 무효확인청구도 할 수 없다. ( ) 08. 국가직 9급

06 과세처분의 취소소송에서 청구가 기각된 확정판결의 기판력은 그 과세처분의 무효확인을 구하는 소송에는 미치지 아니한다. ( ) 14. 지방직 9급

관련판례 **무효확인소송 기판력** ★★★

과세처분의 취소소송은 과세처분의 실체적, 절차적 위법을 그 취소원인으로 하는 것으로서 그 심리의 대상은 과세관청의 과세처분에 의하여 인정된 조세채무인 과세표준 및 세액의 객관적 존부, 즉 당해 과세처분의 적부가 심리의 대상이 되는 것이며, 과세처분 취소청구를 기각하는 판결이 확정되면 그 처분이 적법하다는 점에 관하여 기판력이 생기고 그 후 원고가 이를 무효라 하여 무효확인을 소구할 수 없는 것이어서 과세처분의 취소소송에서 청구가 기각된 확정판결의 기판력은 그 과세처분의 무효확인을 구하는 소송에도 미친다(대판 2003.5.16, 2002두3669).

ⓑ 무효확인소송에서 기각판결이 난 경우 취소소송이나 국가배상청구소송의 제기는 가능하다. 무효확인소송에서 기각판결은 처분이 무효가 아니라는 점에 대해서만 기판력이 발생하므로 단순 위법을 후소에서 주장하는 것이 가능하기 때문이다.

01 × 02 ○ 03 ○ 04 ○
05 ○ 06 ×

ⓒ 취소소송과 국가배상청구소송

ⓐ **문제의 소재**: 취소소송의 기판력이 국가배상청구소송에 미치는지에 대해 견해가 대립한다. 국가배상청구소송의 위법성과 취소소송의 위법성의 개념이 동일하면 당연히 기판력이 미치지만 위법성이 개념이 동일하지 않을 경우에 문제된다.

ⓑ **학설**: 기판력을 긍정하는 견해는 취소소송의 위법성과 국가배상에서의 위법성을 동일하게 보는 입장이며, 기판력 부정설은 위의 양자가 다르다는 입장이다. 제한적 긍정설은 취소소송의 위법성이 국가배상의 위법성보다 범위가 좁다고 보아 취소소송의 인용판결의 기판력은 국가배상소송에는 미치게 되나, 기각판결의 기판력은 국가배상소송에 미치지 않는다는 입장이다.

ⓒ 반면 국가배상청구소송의 기판력은 취소소송에 미치지 않는다.

(4) 형성력(제3자에 대한 효력)

① 의의

㉠ 판결의 형성력이란 확정판결이 판결의 취지에 따라 법률관계의 발생·변경·소멸을 가져오는 효력을 말한다. 즉, 행정처분의 취소판결이 있게 되면, 처분청의 별도의 행위를 기다릴 것 없이 처분의 효력은 소급하여 소멸하며 처분이 없었던 것과 같은 상태로 된다.

㉡ 형성력은 청구인용판결에만 인정된다.

② **근거**: 행정소송법 제29조 제1항(처분 등을 취소하는 확정판결은 제3자에 대하여도 효력이 있다)의 규정에 비추어 인정하고 있다.

③ 효과

㉠ **형성효**: 처분의 취소판결이 확정되면 처분의 효력은 처분청의 별도 행위를 기다릴 것 없이 소멸되어 처분이 없었던 것과 같은 상태로 된다.

관련판례 취소판결 형성효 ★★★

행정처분을 취소한다는 확정판결이 있으면 그 취소판결의 형성력에 의하여 당해 행정처분의 취소나 취소통지 등의 별도의 절차를 요하지 아니하고 당연히 취소의 효과가 발생한다(대판 1991.10.11, 90누5443).

#취소판결확정_형성력_별도처분×_효력소멸

㉡ **소급효**: 취소판결의 취소의 효과는 판결시가 아닌 처분시로 소급하는데 이를 취소판결의 소급효라 한다. 소급효가 미치는 결과 취소된 처분을 전제로 형성된 법률관계는 원칙적으로 모두 효력이 상실한다.

관련판례 취소판결 소급효 ★★★

과세처분을 취소하는 판결이 확정되면 그 과세처분은 처분시에 소급하여 소멸하므로 그 뒤에 과세관청에서 그 과세처분을 갱정하는 갱정처분을 하였다면 이는 존재하지 않는 과세처분을 갱정한 것으로서 그 하자가 중대하고 명백한 당연무효의 처분이다(대판 1989.5.9, 88다카16096).

#취소판결확정_소급효_과세처분_소멸 #갱정처분_무효

간단 점검하기

01 형성력은 원고승소판결과 원고패소판결 모두에 인정된다. ( ) 08. 세무사

간단 점검하기

02 행정처분을 취소한다는 확정판결이 있으면 그 취소판결의 형성력에 의하여 당해 행정처분의 취소나 취소통지 등의 별도의 절차를 요하지 아니하고 당연히 취소의 효과가 발생한다. ( ) 15. 경찰행정

간단 점검하기

03 취소판결의 효과는 처분시로 소급한다. ( ) 11. 서울시 9급

01 × 02 ○ 03 ○

④ 제3자효(대세효)

㉠ 처분 등을 취소하는 확정판결은 제3자에 대하여도 효력이 있다(동법 제29조 제1항). 행정소송법은 확정판결의 제3자에 대한 구속력을 명문으로 인정하고 있다.

㉡ 취소판결의 효력이 미치는 제3자의 범위는 제한 없이 모든 제3자로 보는 것이 일반적이다. 이 경우 제3자의 재판청구권을 침해할 수 있으므로 소송참가, 재심청구 등의 규정을 두고 있다(행정소송법 제16조, 제31조).

⑤ 준용규정(제3자효의 확장)

㉠ 취소판결의 제3자효력은 집행정지의 결정 또는 그 집행정지결정의 취소결정에 준용한다(행정소송법 제29조 제1항).

㉡ 취소판결의 제3자효력은 무효등 확인소송 · 부작위위법확인소송의 경우에도 준용된다(행정소송법 제38조 제1항 · 제2항).

(5) 기속력(구속력)

① **의의**: 취소판결의 기속력이란 당사자인 행정청과 관계행정청이 판결의 취지에 따라 행동해야 하는 의무를 발생시키는 효과(구속력)를 말한다(행정소송법 제30조 제1항). 기속력은 재판제도의 실효성을 담보하기 위한 제도이다.

② 법적 근거

> 행정소송법 제30조 【취소판결 등의 기속력】 ① 처분 등을 취소하는 확정판결은 그 사건에 관하여 당사자인 행정청과 그 밖의 관계행정청을 기속한다.
> ② 판결에 의하여 취소되는 처분이 당사자의 신청을 거부하는 것을 내용으로 하는 경우에는 그 처분을 행한 행정청은 판결의 취지에 따라 다시 이전의 신청에 대한 처분을 하여야 한다.
> ③ 제2항의 규정은 신청에 따른 처분이 절차의 위법을 이유로 취소되는 경우에 준용한다.

③ 인정범위

㉠ 기속력은 청구인용판결의 경우에만 인정된다. 따라서 청구기각판결에는 인정되지 않는다.

㉡ 기각판결에는 기속력이 인정되지 않으므로 청구기각판결이 확정되어 처분의 적법성이 확정된 이후에도 행정청은 처분의 위법함을 이유로 직권취소할 수 있다.

④ 성질

㉠ **기판력설**: 기속력은 기판력과 같다는 견해이다.

㉡ **특수효력설**: 기속력은 취소판결의 실효성을 확보하기 위해 행정소송법이 특별히 부여한 효력으로서 기판력과는 본질을 달리한다고 보는 견해이다. 이 견해가 다수의 견해이다.

간단 점검하기

01 확정된 청구기각판결의 형성력은 소송당사자인 원고와 피고행정청 사이에 발생할 뿐 아니라 제3자에게도 미친다. ( ) 08. 국가직 9급

02 제3자효 행정행위를 취소하거나 무효를 확인하는 확정판결은 제3자에 대해서 효력을 미치지 않는다. ( ) 14. 국가직 7급

간단 점검하기

03 처분을 취소하는 판결은 그 사건에 관하여 당사자인 행정청과 그 밖의 관계행정청을 기속한다. ( ) 15. 서울시 7급

04 취소판결의 기속력은 그 사건의 당사자인 행정청과 그 밖의 관계행정청에게 확정판결의 취지에 따라 행동하여야 할 의무를 지우는 것으로 이는 인용판결에 한하여 인정된다. ( ) 18. 국회직 8급

05 청구인용판결이 확정되면 행정청은 동일한 사실관계 아래서 동일 당사자에 대하여 동일한 내용의 처분을 반복할 수 없다. ( ) 04. 입법 5급

06 기속력은 청구인용판결뿐만 아니라 청구기각판결에도 미친다. ( ) 19. 서울시 9급

07 취소소송이 기각되어 처분의 적법성이 확정된 이후에도 처분청은 당해 처분이 위법함을 이유로 직권취소할 수 있다. ( ) 15. 국가직 7급

01 × 02 × 03 ○ 04 ○ 05 ○ 06 × 07 ○

관련판례

행정소송법 제30조 제1항은 "처분 등을 취소하는 확정판결은 그 사건에 관하여 당사자인 행정청과 그 밖의 관계행정청을 기속한다."라고 규정하고 있다. 이러한 취소 확정판결의 '기속력'은 취소 청구가 인용된 판결에서 인정되는 것으로서 당사자인 행정청과 그 밖의 관계행정청에게 확정판결의 취지에 따라 행동하여야 할 의무를 지우는 작용을 한다. 이에 비하여 행정소송법 제8조 제2항에 의하여 행정소송에 준용되는 민사소송법 제216조, 제218조가 규정하고 있는 '기판력'이란 기판력 있는 전소 판결의 소송물과 동일한 후소를 허용하지 않음과 동시에, 후소의 소송물이 전소의 소송물과 동일하지는 않더라도 전소의 소송물에 관한 판단이 후소의 선결문제가 되거나 모순관계에 있을 때에는 후소에서 전소 판결의 판단과 다른 주장을 하는 것을 허용하지 않는 작용을 한다(대판 2016.3.24, 2015두48235).

point check 기판력과 기속력의 비교

구분	기판력	기속력
적용판결	인용판결 + 기각판결	인용판결
주관적 범위	당사자 + 동일시 가능한 자	처분청 + 관계행정청
객관적 범위	판결주문	판결주문 + 이유
시간적 범위	사실심변론종결시	처분시

⑤ 내용

㉠ 반복금지효(소극적 효력)

ⓐ **의의**: 취소판결이 확정되면 처분청 및 관계행정청은 판결의 취지에 저촉되는 처분을 하여서는 안 된다는 구속을 반복금지효라 한다. 따라서 행정청은 동일한 사실관계 아래에서 동일한 당사자에 대하여 동일한 내용의 처분 등을 반복해서는 안 된다.

ⓑ **위반의 효과**: 반복금지의무를 위반한 처분은 그 하자가 중대하고 명백하여 무효라는 것이 판례의 입장이다.

관련판례 **반복금지효** ★★★

확정판결의 당사자인 처분행정청이 그 행정소송의 사실심 변론종결 이전의 사유[1]를 내세워 다시 확정판결과 저촉되는 행정처분을 하는 것은 허용되지 않는 것으로서 이러한 행정처분은 그 하자가 중대하고도 명백한 것이어서 당연무효라 할 것이다(대판 1990.12.11, 90누3560).

#확정판결_당사자_처분행정청 #사실심변론종결전_사유_확정판결_저촉_행정처분_무효

ⓒ **다른 사유에 의한 처분**: 기속력은 판결의 주문과 이유에서 적시된 개개의 위법사유에만 미치므로 처분시에 존재한 원래의 처분과 기본적 사실관계에 동일성이 없는 다른 사유를 들어 동일한 처분을 하더라도 반복금지의무에 위반되지 않는다.

[1] **'사실심 변론종결 이전의 사유'의 해석**: 통설은 '단순히 사실심 변론종결 이전의 모든 사유'가 아니라, '사실심 변론종결 이전의 사유 중에서 종전 처분과 기본적 사실관계가 동일한 사유'를 내세워 다시 동일한 행정처분을 할 수 없다는 의미로 해석한다.

ⓓ **보완 후 처분**: 처분이 절차나 형식의 하자를 이유로 취소된 경우 처분청 스스로 판결에 의하여 적시된 위법사유를 보완한 후 동일 내용의 처분을 하는 것은 기속력에 반하지 않는다(대판 1986.11.11, 85누231).

관련판례

과세의 절차 내지 형식에 위법이 있어 과세처분을 취소하는 판결이 확정되었을 때는 그 확정판결의 기판력[1]은 거기에 적시된 절차내지 형식의 위법사유에 한하여 미치는 것이므로 과세관청은 그 위법사유를 보완하여 다시 새로운 과세처분을 할 수 있고 그 새로운 과세처분은 확정판결에 의하여 취소된 종전의 과세처분과는 별개의 처분이라 할 것이어서 확정판결의 기판력에 저촉되는 것이 아니다(대판 1987.2.10, 86누91).

[1] 기속력을 의미한다. 과거 일부 판례에서는 기판력을 기속력과 동일한 의미로 사용하였다.

ⓛ 재처분의무(적극적 효력)

ⓐ 거부처분 취소의 경우

- 행정청의 거부처분에 대한 취소판결이 있는 경우에는 그 처분을 행한 행정청은 판결의 취지에 따라 다시 이전의 신청에 대한 처분을 하여야 한다(동법 제30조 제2항).
- 신청이 없더라도 반드시 처분을 해야 할 의무가 있으나 반드시 신청한 대로 재처분을 해야 하는 것은 아니므로 보완 후 거부처분이 가능한지 문제된다.
- 형식, 절차상 위법을 이유로 취소된 경우 보완한 거부처분도 가능하다.
- 실체상 위법을 이유로 취소된 경우 처분이 기속행위인 경우 신청한 대로 인용처분을 하여야 하고, 처분이 재량행위인 경우 위법사유를 보완하여 다시 거부처분을 할 수 있다.

관련판례

징계처분의 취소를 구하는 소에서 징계사유가 될 수 없다고 판결한 사유와 동일한 사유를 내세워 행정청이 다시 징계처분을 한 것은 확정판결에 저촉되는 행정처분을 한 것으로서, 위 취소판결의 기속력이나 확정판결의 기판력에 저촉되어 허용될 수 없다(대판 1992.7.14, 92누2912).

- 처분 후 발생한 법령개정, 사실관계 변경 등 새로운 사유를 이유로 거부처분을 할 수 있다(대결 1998.1.7, 97두22).

point check 거부처분 및 재처분의무

구분		인용	보완 후 거부
형식·절차 위법		○	○
실체 위법	기속행위	○	×
	재량행위	○	○

간단 점검하기

01 신청에 따른 처분이 절차의 위법을 이유로 취소되는 경우에는 판결의 취지에 따라 다시 이전의 신청에 대한 처분을 하여야 한다. ( ) 15. 서울시 7급

02 거부처분취소판결에 따른 행정청의 재처분의무와 관련하여 행정청의 재처분내용은 판결의 취지를 존중하는 것이면 되고 반드시 원고가 신청한 내용대로 처분해야 하는 것은 아니다. ( ) 19. 사회복지직

03 법규위반을 이유로 내린 영업허가 취소처분이 비례의 원칙 위반으로 취소된 경우에 동일한 법규위반을 이유로 영업정지처분을 내리는 것은 기속력에 반하지 않는다. ( ) 17. 서울시 9급

04 甲이 관할 행정청으로부터 영업허가취소처분을 받았고 이에 대해 취소소송을 제기하여 취소판결이 확정된 경우 취소판결이 확정된 이후에는 다른 사유를 근거로 하더라도 다시 영업허가를 취소하는 처분을 할 수 없다. ( ) 17. 변호사

05 징계처분의 취소를 구하는 소에서 징계사유가 될 수 없다고 취소확정판결을 한 사유와 동일한 사유를 내세워 다시 징계처분을 하는 것은 확정판결에 저촉되는 행정처분으로 허용될 수 없다. ( ) 17. 국회직 8급

06 징계처분이 취소된 경우 다른 징계사유를 들어 동일한 내용의 징계처분을 하는 것은 기속력에 반하지 않는다. ( ) 07. 서울시 9급

01 ○ 02 ○ 03 ○ 04 ×
05 ○ 06 ○

ⓑ 부작위의 경우
- 반드시 처분의무가 발생한다.
- 특정처분이나 거부처분을 하여야 한다.

ⓒ 처분이 절차상 위법을 이유로 취소된 경우
- 허가처분 등이 제3자의 쟁송에 의해 취소된 경우이다.
- 행정청은 판결의 취지에 따라 재처분의무가 있다. 재처분의 내용은 위와 같다.

ⓓ 법령 등의 개정이 있는 경우
- 경과규정을 둔 경우 종전 법령에 따라 처분을 한다.
- 경과규정이 없는 경우 개정법령에 따라 처분을 한다.

㉢ 원상회복의무(결과제거의무): 행정청은 처분의 취소판결이 있으면 결과적으로 위법이 되는 처분에 의하여 초래된 상태를 제거해야 하는 의무를 진다. 예컨대 자동차의 압류처분이 취소되면 행정청은 그 자동차를 원고에게 반환해야 한다.

⑥ 범위

㉠ 주관적 범위: 구속력은 당사자인 행정청뿐만 아니라 그 밖의 모든 관계행정청에 대하여 미친다. 관계행정청이란 처분청과 같은 행정조직에 속하는 행정청뿐만 아니라 다른 조직에 속하는 행정청이라도 당해 행정처분과 관련되는 처분을 할 수 있는 행정청을 총칭하는 것이다.

㉡ 객관적 범위: 판결주문 및 그 전제가 된 요건사실의 인정이유에서 판단된 처분 등이 구체적 위법사유에 미친다. 그러나 판결의 결론이나 구체적 위법사유와 직접 관계없는 방론이나 간접사실의 판단에는 미치지 아니한다.

관련판례 기속력 범위 ★★

행정소송법 제30조 제1항에 의하여 인정되는 취소소송에서 처분 등을 취소하는 확정판결의 기속력은 주로 판결의 실효성 확보를 위하여 인정되는 효력으로서 판결의 주문뿐만 아니라 그 전제가 되는 처분 등의 구체적 위법사유에 관한 이유 중의 판단에 대하여도 인정된다(대판 2001.3.23, 99두5238).

#판결_기속력 #주문_전제_구체적_위법사유

㉢ 시간적 범위: 기속력은 처분 당시까지 존재하였던 사유에 대해서만 미치고 그 이후에 생긴 사유에는 미치지 아니한다. 따라서 처분 이후에 발생한 새로운 법령 및 사실상태의 변동을 이유로 동일한 내용의 처분을 하는 것은 기속력에 반하지 않는다.

⑦ 위반의 효과: 기속력에 위반하는 행정청의 행위, 즉 취소판결에 저촉되는 행정청의 행위는 위법·무효이다.

(6) 집행력(간접강제)

① 의의

㉠ 행정소송법상 거부처분에 대한 취소판결 및 부작위위법확인판결이 확정되면 판결의 기속력에 의하여 행정청은 해당 판결의 취지에 따르는 처분을 할 의무를 진다(행정소송법 제30조 제2항, 제38조 제2항).

간단 점검하기

01 행정처분이 절차의 하자를 이유로 취소된 경우 적법한 절차를 갖추더라도 이전의 처분과 동일한 내용의 처분을 다시 하는 것은 기속력에 위반되어 허용되지 않는다. ( ) 07. 국회직 8급

02 거부처분 후에 법령이 개정·시행된 경우, 거부처분취소의 확정판결을 받은 행정청이 개정된 법령을 새로운 사유로 들어 다시 거부처분을 한 경우도 재처분에 해당한다. ( ) 19. 사회복지직

03 자동차의 압류처분이 취소되면 행정청은 그 자동차를 원고에게 반환해야 한다. ( ) 12. 국회직 8급

04 기속력은 당해 취소소송의 당사자인 행정청에 대해서만 효력을 미치며, 그 밖의 다른 행정청은 기속하지 않는다. ( ) 15. 국가직 7급

간단 점검하기

05 기속력은 판결의 취지에 따라 행정청을 구속하는바, 여기에는 판결의 주문과 판결이유 중에 설시된 개개의 위법사유가 포함된다. ( ) 17. 서울시 7급, 11. 서울시 9급

06 취소판결의 기속력은 확정판결의 주문에 포함된 것에 한하여 발생하고 그 전제가 되는 처분 등의 구체적 위법사유에 관한 이유 중의 판단에 대하여는 인정되지 않는다. ( ) 15. 서울시 7급

07 처분의 위법함을 인정하는 청구인용판결이 확정된 경우에도 처분시점 이후에 생긴 새로운 사유나 사실관계를 들어 동일한 내용의 처분을 하는 것은 무방하다. ( ) 16. 국가직 7급, 08. 국가직 9급

08 확정판결의 당사자인 처분 행정청이 그 행정소송의 사실심변론종결 이전의 사유를 내세워 다시 확정판결과 저촉되는 행정처분을 하는 것은 허용되지 않는 것으로서 이러한 행정처분은 그 하자가 중대하고도 명백한 것이어서 당연무효이다. ( ) 16. 서울시 9급, 14. 지방직 9급

01 × 02 ○ 03 ○ 04 ×
05 ○ 06 × 07 ○ 08 ○

㉡ 행정청이 그 적극적 처분의무(재처분의무)를 이행하지 않는 경우에는 그 판결의 집행력이 문제되는데, 행정소송법은 판결의 실효성을 확보하기 위하여 민사소송의 경우에 준하여 손해배상을 명하는 등의 간접강제제도를 규정하고 있다(행정소송법 제34조 제1항).

㉢ 거부처분에 따른 재처분의무의 실효성을 확보하기 위한 간접강제제도는 부작위위법확인소송에도 준용하고 있다(행정소송법 제38조 제2항).

② **요건**: 간접강제는 거부처분취소판결이 확정된 후 상당한 기간 내에 재처분의무를 불이행하여야 한다. 이때 재처분을 하지 않겠다는 것은 아무런 재처분을 하지 않은 것뿐만 아니라 재처분이 기속력에 반하여 당연무효가 된 경우도 포함한다.

간단 점검하기

01 판례에 의하면 거부처분에 대한 취소의 확정판결이 있음에도 행정청이 아무런 재처분을 하지 아니하거나 재처분을 하였다 하더라도 그것이 종전 거부처분에 대한 취소의 확정판결의 기속력에 반하는 등으로 당연무효라면 간접강제신청에 필요한 요건을 갖춘 것으로 보아야 한다. ( )
16. 서울시 9급, 11. 지방직 7급

관련판례

거부처분에 대한 취소의 확정판결이 있음에도 행정청이 아무런 재처분을 하지 아니하거나, 재처분을 하였다 하더라도 그것이 종전 거부처분에 대한 취소의 확정판결의 기속력에 반하는 등으로 당연무효라면 이는 아무런 재처분을 하지 아니한 때와 마찬가지라 할 것이므로 이러한 경우에는 행정소송법 제30조 제2항, 제34조 제1항 등에 의한 간접강제신청에 필요한 요건을 갖춘 것으로 보아야 한다(대결 2002.12.11, 2002무22).

③ 배상금의 법적 성질 및 배상금의 추심

㉠ 판례는 배상금의 법적 성질을 재처분의 지연에 대한 제재나 손해배상이 아닌 재처분의 이행에 관한 심리적 강제수단으로 보고 있다.

㉡ 간접강제 결정에서 정한 의무이행기한이 경과한 후에라도 행정청이 재처분의무를 이행하였다면 더 이상 배상금을 추심할 수 없다.

간단 점검하기

02 간접강제결정에 기한 배상금은 확정판결에 따른 재처분의 지연에 대한 제재 또는 손해배상이라는 것이 판례의 입장이다. ( ) 13. 국가직 7급

03 판례에 의하면 간접강제결정에서 정한 의무이행기한이 경과한 후에 확정판결의 취지에 따른 재처분이 행하여지더라도 처분상대방은 배상금을 추심할 수 있다. ( ) 11. 지방직 7급

관련판례

행정소송법 제34조 소정의 간접강제결정에 기한 배상금은 확정판결의 취지에 따른 재처분의 지연에 대한 제재나 손해배상이 아니고 재처분의 이행에 관한 심리적 강제수단에 불과한 것으로 보아야 하므로, 특별한 사정이 없는 한 간접강제결정에서 정한 의무이행기한이 경과한 후에라도 확정판결의 취지에 따른 재처분의 이행이 있으면 배상금을 추심함으로써 심리적 강제를 꾀할 목적이 상실되어 처분상대방이 더 이상 배상금을 추심하는 것은 허용되지 않는다(대판 2004.1.15, 2002두2444).
#교원임용거부처분취소소송_원고_승소 #임용의무_불이행 #임용포기서제출_추심불가

5. 취소소송의 종료

(1) 종국판결

취소소송은 법원의 심리가 종료하여 종국판결을 내리면 그것으로 소가 종료되는 것이 일반적이다.

(2) 당사자의 행위로 인한 종료

① **소의 취하**: 소의 취하란 원고가 법원에 대해 소에 의한 심판청구의 전부 또는 일부를 철회하는 일방적 의사표시를 말한다. 일반적으로 소가 취하되면 소송이 종료된다.

01 ○ 02 × 03 ×

② 청구의 포기 · 인낙

㉠ **의의**: 청구의 포기란 원고가 법원 대해 자기의 소송상 청구가 이유 없음을 인정하는 일방적 의사표시를 말하며, 청구의 인낙이란 피고가 법원에 대해 원고의 청구가 이유 있음을 인정하는 일방적 의사표시를 말한다.

㉡ **인정 여부**: 법치행정의 원리에 비추어 처분의 위법 여부를 개인의 주관적 판단과 행정청의 주관적 판단에 두는 것이 문제가 있다는 점에서 이를 부정하는 견해와 당사자의 의사를 존중해야 한다는 점에서 이를 인정하는 견해가 대립하고 있으나 부정적 견해가 다수로 보인다.

③ 소송상의 화해(부정설이 다수)

㉠ **의의**: 소송상 화해란 소송계속 중 당사자 쌍방이 소송물인 권리관계의 주장을 서로 양보하여 소송을 종료시키기로 하는 기일에 있어서의 합의를 말하는바, 화해조서는 확정 판결과 같은 효력이 있다(민사소송법 제220조).

㉡ **인정여부**: 위의 청구의 포기 · 인낙과 마찬가지의 견해대립이 있다.

④ **당사자의 소멸**: 원고가 사망하고 소송물인 권리관계의 성질상 이를 승계할 자가 없을 때에는 소송은 종료된다. 피고인 행정청이 없어진 때에는 그 처분 등에 관한 사무가 귀속되는 국가 또는 공공단체가 피고가 되므로 소송이 종료되지 않는다.

6. 상소 및 제3자의 재심청구

(1) 상소(항소와 상고)

제1심법원(행정법원 또는 지방법원본원)의 판결에 대해서는 상급법원에 항소할 수 있으며, 항소심의 종국판결에 대해서는 대법원에 상고할 수 있다.

(2) 항고와 재항고

행정소송에서도 소송절차에 관한 신청을 기각한 결정이나 명령에 대해 불복이 있으면 항고할 수 있고, 항고법원 또는 항소법원의 결정 및 명령에 대하여 재판에 영향을 미친 헌법 · 법률 · 명령 또는 규칙의 위반이 있음을 이유로 재항고할 수 있다.

(3) 제3자의 재심청구

① 재심사유

㉠ 자기에게 책임 없는 사유로 소송에 참가하지 못하였어야 한다.

㉡ 소송에 참가하지 못함으로써 판결의 결과에 영향을 미칠 공격 또는 방어방법을 제출하지 못한 때이어야 한다(행정소송법 제31조 제1항).

㉢ 소송에 참가하지 못한 제3자는 재심청구할 수 있으나, 소송에 참가하지 못한 행정청은 재심청구할 수 없다.

② **재심청구의 기간**: 제3자에 의한 재심의 청구는 확정판결이 있음을 안 날로부터 30일 이내, 판결이 확정된 날로부터 1년 이내에 제기하여야 한다(행정소송법 제31조 제2항). 이 기간은 불변기간이다(행정소송법 제31조 제3항).

간단 점검하기

01 소송참가할 수 있는 행정청이 자기에게 책임 없는 사유로 소송에 참가하지 못함으로써 판결의 결과에 영향을 미칠 공격 · 방어방법을 제출하지 못한 때에는 이를 이유로 확정된 종국판결에 대하여 재심을 청구할 수 있다. ( ) 18. 국가직 7급

02 행정소송법은 제3자 보호를 위하여 제3자의 소송참가 외에 제3자의 재심청구를 인정하고 있다. ( ) 12. 국가직 9급

03 행정소송법상 제3자에 의한 재심청구는 확정판결이 있음을 안 날로부터 30일 이내에 제기하여야 한다. ( ) 11. 지방직 7급

04 행정소송법상 제3자에 의한 재심청구는 판결이 확정된 날로부터 1년 이내에 제기하여야 하고 이 기간은 불변기간이다. ( ) 11. 지방직 7급

01 × 02 ○ 03 ○ 04 ○

간단 점검하기

01 행정청이 처분 등을 취소 또는 변경함으로 인하여 취소청구가 각하 또는 기각된 경우, 소송비용은 피고의 부담이 된다. ( )
16 · 13. 국가직 7급, 09. 지방직 9급

02 행정처분에 대한 취소청구가 사정판결에 의하여 기각된 경우에 소송비용은 피고가 부담한다. ( )
08. 지방직 9급

03 행정소송에 관하여 이 법에 특별한 규정이 없는 사항에 대하여는 법원조직법과 민사소송법 및 민사집행법의 규정을 준용한다. ( ) 19. 소방직 9급

7. 소송비용

(1) 원칙

소송비용은 패소자가 부담함이 원칙이다(민사소송법 제98조 참조). 원고의 청구의 일부가 인용되었을 때에는 소송비용은 각 소송당사자가 분담한다(민사소송법 제101조).

(2) 예외

취소청구가 사정판결에 의하여 기각되거나 행정청이 처분 등을 취소 또는 변경함으로 인하여 청구가 각하 또는 기각된 경우에는 소송비용은 피고가 부담한다(행정소송법 제32조).

8. 준용

행정소송에 관하여 이 법에 특별한 규정이 없는 사항에 대하여는 법원조직법과 민사소송법 및 민사집행법의 규정을 준용한다(행정소송법 제8조 제2항).

9. 위헌판결의 공고

(1) 취소소송의 선결문제(구체적 규범심사)로서 '명령 · 규칙'이 대법원의 판결에 의하여 헌법 또는 법률에 위반됨이 확정된 경우에는 대법원은 지체 없이 그 사유를 행정안전부장관에게 통보하여야 한다(행정소송법 제6조 제1항).

(2) 대법원의 통보를 받은 행정안전부장관은 지체없이 이를 관보에 게재하여야 한다(행정소송법 제6조 제2항).

제5절 기타 항고소송

1 무효등 확인소송

간단 점검하기

04 행정청의 처분 등이 효력 유무 또는 존재 여부를 확인하는 소송은 무효등확인소송이다. ( ) 19. 소방직 9급

05 행정소송의 대상은 구체적인 권리 · 의무에 관한 분쟁이어야 하므로 구체적인 권리 · 의무에 관한 분쟁을 떠나서 법령 자체의 무효확인을 구하는 청구는 행정소송의 대상이 아닌 사항에 대한 것으로서 부적법하다. ( )
12. 사회복지직

01 ○ 02 ○ 03 ○ 04 ○ 05 ○

1. 개설

(1) 의의

무효등 확인소송이란 '행정청의 처분 등의 효력 유무 또는 존재 여부를 확인하는 소송'을 말한다(행정소송법 제4조 제2호). 처분이나 재결의 무효확인소송 · 유효확인소송 · 존재확인소송 · 부존재확인소송 및 실효확인소송이 포함된다.

(2) 성질

① 무효등 확인소송은 실질적으로는 일종의 확인소송이라고 할 수 있으나 형식적으로는 처분의 효력의 유무를 직접 소송의 대상으로 한다는 점에서 항고소송적인 측면을 아울러 지니고 있으므로, 통설 · 판례는 준항고소송설을 취하고 있었다.

② 그러나 행정소송법은 이를 항고소송의 일종으로 명문화함으로써 이 문제를 입법적으로 해결하였다.

(3) 적용법규

① **원칙(취소소송 규정 준용)**: 무효등 확인소송은 확인소송적 성질과 취소소송적 성질을 동시에 가진다는 것이 통설·판례의 견해이므로, 취소소송에 관한 대부분의 규정이 준용된다.

② **예외(취소소송 규정 준용 안 됨)**: 무효등 확인소송에 취소소송에 관한 규정이 ㉠ 행정심판전치주의(행정소송법 제18조), ㉡ 제소기간(행정소송법 제20조), ㉢ 사정판결(행정소송법 제28조) 등은 준용되지 않는다.

2. 제기요건

(1) 재판관할

① 제1심 관할법원은 피고의 소재지를 관할하는 행정법원이다(행정소송법 제9조, 제38조).

② 관할권 없는 법원에 잘못 제기된 경우에 그것이 원고의 고의·과실로 인한 것이 아니면 수소법원은 정당한 관할법원에 이송하여야 한다(행정소송법 제7조).

(2) 소송의 대상

무효등 확인소송도 취소소송의 경우와 같이 처분 등을 대상으로 한다. 무효등 확인소송도 구체적인 권리·의무에 관한 분쟁이 아닌 법규범의 무효확인이나 문서의 진위 등 사실관계의 확인을 청구하는 것은 적합하지 않다(대판 1992.12.24, 91누1974).

(3) 당사자

> 행정소송법 제35조【무효등 확인소송의 원고적격】무효등 확인소송은 처분 등의 효력 유무 또는 존재 여부의 확인을 구할 법률상 이익이 있는 자가 제기할 수 있다.

① 원고적격

㉠ 학설

ⓐ **법적보호이익설(통설·판례)**[1]: 이는 무효등 확인소송의 확인을 구할 법률상 이익을 취소송의 법률상 이익과 같은 개념으로 민사소송상의 확인의 이익보다 넓은 개념으로 본다.

ⓑ **즉시확정이익설(종래 판례)**

- 이는 무효등 확인소송의 확인을 구할 법률상 이익을 민사소송상의 확인의 이익 즉, 즉시확정의 이익과 동일하게 보아 현존하는 불안·위험을 제거하기 위해 확인판결을 받는 것이 가장 유효적절한 수단이 경우 확인의 이익을 긍정하는 견해이다.
- 즉시확정이익설은 확정의 이익은 다른 유효수단이 존재하는 경우에는 인정될 수 없으며, 다른 유효수단이 존재하지 않을 경우 보충적으로 적용된다. 이를 '확인의 소의 보충성'이라 한다.

㉡ 판례

ⓐ **종래의 입장**: 종래 판례는 무효확인소송의 원고적격에 확인의 소의 보충성을 적용했었다. 따라서 즉시확정의 이익이 없는 경우에는 무효확인소송의 원고적격을 인정하지 않았다.

간단 점검하기

무효등 확인소송은 처분 등의 효력 유무 또는 존재 여부의 확인을 구할 법률상 이익이 있는 자가 제기할 수 있나.
( ) 14. 경찰행정

○

[1] 대판 2008.3.20, 2007두6342

ⓑ 현재의 입장

- 대법원은 2008년 3월 20일 전원합의체 판결로 기존의 판결을 변경하였다. 따라서 대법원은 이 판결로써 확인의 소의 보충성을 요구하지 않게 되었다.
- 예컨대 무효인 조세부과처분에 세금을 납부한 경우, 무효확인소송과 부당이득반환청구소송 중 어느 수단을 선택한 것인가는 자유롭다는 것이다.

관련판례 **확인의 소 - 보충성 부인 ★★★**

행정소송은 행정청의 위법한 처분 등을 취소·변경하거나 그 효력 유무 또는 존재 여부를 확인함으로써 국민의 권리 또는 이익의 침해를 구제하고 공법상의 권리관계 또는 법 적용에 관한 다툼을 적정하게 해결함을 목적으로 하므로, 대등한 주체 사이의 사법상 생활관계에 관한 분쟁을 심판대상으로 하는 민사소송과는 목적, 취지 및 기능 등을 달리한다. 또한 행정소송법 제4조에서는 무효확인소송을 항고소송의 일종으로 규정하고 있고, 행정소송법 제38조 제1항에서는 처분 등을 취소하는 확정판결의 기속력 및 행정청의 재처분 의무에 관한 행정소송법 제30조를 무효확인소송에도 준용하고 있으므로 무효확인판결 자체만으로도 실효성을 확보할 수 있다. 그리고 무효확인소송의 보충성을 규정하고 있는 외국의 일부 입법례와는 달리 우리나라 행정소송법에는 명문의 규정이 없어 이로 인한 명시적 제한이 존재하지 않는다. 이와 같은 사정을 비롯하여 행정에 대한 사법통제, 권익구제의 확대와 같은 행정소송의 기능 등을 종합하여 보면, 행정처분의 근거 법률에 의하여 보호되는 직접적이고 구체적인 이익이 있는 경우에는 행정소송법 제35조에 규정된 '무효확인을 구할 법률상 이익'이 있다고 보아야 하고, 이와 별도로 무효확인소송의 보충성이 요구되는 것은 아니므로 행정처분의 무효를 전제로 한 이행소송 등과 같은 직접적인 구제수단이 있는지 여부를 따질 필요가 없다고 해석함이 상당하다(대판 2008.3.20, 2007두6342).

#하수도원인자부담금_납부 #무효확인소송_부당이득반환청구소송 #선택가능

관련판례 **무효등 확인소송의 확인의 이익이 부정된 경우**

1 공무원면직처분무효확인의 소의 원고들이 상고심 심리종결일 현재 이미 공무원법상의 정년을 초과하였거나 사망한 경우 무효확인의 이익은 없다(대판 1991.6.28, 90누9346).

2 공무원의 면직처분이 당연무효인 경우 정년이 지나 복직될 가능성이 없어 무효확인을 구할 법률상 이익이 없다(대판 1993.1.15, 91누5747).

관련판례 **무효등 확인소송의 확인의 이익이 인정된 경우**

1 사업의 양도양수의 사실이 없었음에도 이에 대한 지위승계신고의 수리에 대한 무효확인을 구하는 경우 법률상 이익이 있다(대판 2005.12.23, 2005두3554).

2 체납처분에 기한 압류처분은 행정처분으로서 이에 기하여 이루어진 집행방법인 압류등기와는 구별되므로 압류등기의 말소를 구하는 것을 압류처분 자체의 무효를 구하는 것으로 볼 수 없고, 또한 압류등기가 말소된다고 하여도 압류처분이 외형적으로 효력이 있는 것처럼 존재하는 이상 그 불안과 위험을 제거할 필요가 있다고

간단 점검하기

01 행정처분의 근거법률에 의하여 보호되는 직접적·구체적인 이익이 있는 경우에는 행정소송법 제35조에 규정된 무효확인을 구할 법률상 이익이 있다고 보아야 하며, 이와 별도로 무효확인소송의 보충성이 요구되는 것은 아니므로 행정처분의 무효를 전제로 한 이행소송 등과 같은 직접적인 구제수단이 있는지 여부를 따질 필요가 없다.
( ) 17. 국회직 8급, 14. 경찰행정

02 대법원은 종래 무효확인소송에서 요구해 왔던 보충성을 더 이상 요구하지 않는 것으로 판례태도를 변경하였다.
( ) 18. 교육행정직

03 판례에 의하면 무효등 확인소송은 확인소송의 일종이므로 무효등 확인소송을 제기하기 위해서는 확인의 이익 내지 보충성이 요구된다. ( )
13. 서울시 9급

04 국민건강보험공단은 甲에게 보험료부과처분을 하였다. 이에 甲은 그 전액을 납부하였으나 나중에 위 보험료 부과처분에 하자가 있다는 사실을 알게 되었다. 이 경우 甲이 보험료를 이미 납부한 경우에는 부당이득반환청구소송과 같은 직접적인 구제수단이 있다 하더라도 부당이득반환청구소송을 제기하지 않고 무효확인소송을 제기할 수 있다. ( ) 16. 지방직 9급

05 처분 등을 취소하는 확정판결의 기속력 및 행정청의 재처분의무에 관한 행정소송법 제30조가 무효확인소송에도 준용되므로 무효확인판결 자체만으로도 실효성이 확보될 수 있다.
( ) 17. 국회직 8급

01 ○ 02 ○ 03 × 04 ○ 05 ○

할 것이므로, 압류처분에 기한 압류등기가 경료되어 있는 경우에도 압류처분의 무효확인을 구할 이익이 있다(대판 2003.5.16, 2002두3669).
#압류처분_압류등기 #압류등기_말소 #압류처분_무효확인_이익○

② **피고적격**: 무효등 확인소송에 있어서 피고는 취소소송과 마찬가지로 처분 등을 행한 행정청이 된다(행정소송법 제38조 제1항, 제13조 제1항).

관련판례

구 지방교육자치에관한법률(1995.7.26. 법률 제4951호로 개정되기 전의 것) 제14조 제5항, 제25조에 의하면 시·도의 교육·학예에 관한 사무의 집행기관은 시·도 교육감이고 시·도 교육감에게 지방교육에 관한 조례안의 공포권이 있다고 규정되어 있으므로, 교육에 관한 조례의 무효확인소송을 제기함에 있어서는 그 집행기관인 시·도 교육감을 피고로 하여야 한다(대판 1996.9.20, 95누8003).

(4) 제소기간

무효등 확인소송에는 제소기간의 제한이 없다. 다만, 무효선언적 의미의 취소소송에는 제소기간의 제한이 있다.

(5) 행정심판전치주의 적용 배제

① 무효등 확인소송은 개별법에서 행정심판전치주의를 규정하고 있는 경우에도 그 적용을 받지 않는다. 따라서 행정심판전치주의가 적용되는 경우에도 무효등 확인소송을 제기함에 있어서 행정심판을 거치지 않아도 된다.
② 무효선언적 의미의 취소소송에서는 취소소송과 마찬가지로 행정심판전치주의 원칙이 적용된다.

3. 그 밖의 절차

(1) 집행부정지원칙의 준용

① 취소소송에서 규정하고 있는 집행정지결정에 관한 규정은 무효확인소송에도 준용된다(동법 제38조 제1항, 제23조). 따라서 무효확인소송에도 집행부정지원칙이 적용되어 소송의 제기는 처분 등의 효력이나 그 집행 또는 절차의 속행에 영향을 주지 아니한다.
② 일정한 요건을 갖춘 경우 예외적으로 집행정지제도가 인정되므로 무효등 확인소송의 경우에도 취소소송의 집행정지에 관한 규정이 준용된다.
③ 민사집행법의 가처분은 적용되지 않는다.

(2) 관련청구소송의 이송 및 병합

관련청구소송소송의 이송 및 병합에 관한 취소소송에 관한 규정은 무효등 확인소송에도 준용된다(행정소송법 제38조 제1항, 제10조).

(3) 소의 변경

취소소송의 소의 변경에 관한 규정은 무효등 확인소송이나 부작위위법확인소송을 취소소송 또는 당사자소송으로 변경하는 경우에 준용한다(행정소송법 제37조, 제21조).

간단 점검하기

01 무효등 확인소송은 다른 법률에 특별한 규정이 없는 한 그 처분 등을 행한 행정청을 피고로 한다. ( )
14. 경찰행정

간단 점검하기

02 무효등 확인소송에는 취소소송의 제소기간에 관한 규정이 준용되지 않는다. ( )
13. 국가직 7급, 13·10. 서울시 9급

03 무효확인소송은 행정심판을 거치지 아니하고 제기할 수 있다. ( )
10. 세무사

간단 점검하기

04 무효확인소송의 제기는 처분의 효력이나 그 집행 또는 절차의 속행에 영향을 주지 아니한다. ( )
17. 지방직 7급

05 무효확인소송에는 취소소송의 집행정지제도가 준용된다. ( )
10. 국가직 7급

01 ○ 02 ○ 03 ○ 04 ○ 05 ○

4. 심리

(1) 보충적 직권심리주의

취소소송에 적용되는 심리의 제원칙은 무효등 확인소송에서도 그대로 적용됨이 원칙이다. 법원은 필요하다고 인정할 때에는 직권으로 증거조사를 할 수 있고, 당사자가 주장하지 아니한 사실에 대하여도 판단할 수 있다(행정소송법 제37조, 제26조).

(2) 입증책임

입증책임과 관련하여 다수설은 취소소송의 경우와 마찬가지로 입증책임을 분배하여야 한다고 보고 있지만, 판례는 원고가 행정처분의 무효를 주장·입증해야 한다고 보고 있다.

관련판례 무효 - 입증책임 ★★

행정처분의 당연무효를 구하는 소송에 있어서 그 무효를 구하는 사람에게 그 행정처분에 존재하는 하자가 중대하고 명백하다는 것을 주장 입증할 책임이 있다(대판 1984. 2.28, 82누154).

#무효_입증책임_원고(주장자)

간단 점검하기

01 행정처분의 당연무효를 주장하여 그 무효확인을 구하는 행정소송에 있어서는 피고 행정청이 그 행정처분에 중대·명백한 하자가 없음을 주장·입증할 책임이 있다. ( )
16. 지방직 9급, 10. 국가직 7급

(3) 위법판단의 기준시

취소소송의 경우와 동일하게 처분시를 기준으로 처분의 무효를 판단한다.

(4) 선결문제

부당이득반환청구의 경우 민사법원은 해당 행정처분이 당연무효인 경우에는 이를 전제로 하여 원고의 청구를 인용할 수 있다. 왜냐하면 공정력은 당연무효인 행정행위에는 인정되지 않기 때문이다.

5. 판결

(1) 사정판결의 가능성

① **긍정설**: 이 견해는 논거로서 ㉠ 무효와 취소의 구별의 상대성, ㉡ 사정판결제도가 분쟁해결의 화해적 기능 때문에 반드시 원고에게 불이익하지만은 않은 점, ㉢ 무효처분에 대해서도 기성사실을 존중하여야 할 경우가 있을 수 있다는 점 등을 든다.

② **부정설**: 이 견해는 논거로서 ㉠ 처분이 무효인 경우에는 존치시킬 유효한 처분이 없으며, ㉡ 행정소송법이 무효등 확인소송에 취소소송의 사정판결규정을 준용하지 않았다는 점 등을 든다.

③ **판례**: 우리나라 판례도 부정설을 취하고 있다(대판 1985.5.26, 84누380).

관련판례 무효 - 사정판결× ★★

당연무효의 행정처분을 소송목적물로 하는 행정소송에서는 존치시킬 효력이 있는 행정행위가 없기 때문에 행정소송법 제28조 소정의 사정판결을 할 수 없다(대판 1996.3. 22, 95누5509).

#무효_사정판결_부정

간단 점검하기

02 사정판결에 관한 행정소송법 규정은 무효등 확인소송에는 준용되지 않는다. ( ) 10. 국가직 7급

03 행정처분 무효확인소송에서 원고의 청구가 이유 있다고 인정하는 경우에도 처분의 무효를 확인하는 것이 현저히 공공복리에 적합하지 아니하다고 인정하는 때에는 법원은 원고의 청구를 기각할 수 있다. ( )
17·12. 지방직 7급

01 × 02 ○ 03 ×

(2) 판결의 효력

① 취소판결의 효력에 관한 규정의 준용

㉠ 무효확인판결의 효력에 대해서 취소판결의 효력에 관한 규정이 준용된다(행정소송법 제38조 제1항, 제29조, 제30조).

㉡ 따라서 무효확인판결은 제3자에 대한 효력이 미치고, 제3자의 소송참가 및 재심청구 등이 인정된다.

㉢ 처분무효확인판결이 내려진 경우 당해 처분은 별도의 조치가 없어도 당연무효가 되고 기속력에 따라 결과제거의무가 발생한다. 또한 거부처분인 경우 같은 경우에 재처분의무가 발생하게 된다.

② **간접강제 허용 여부**: 처분의 실효성을 확보하기 위한 취소소송에서 규정된 간접강제제도는 무효확인소송에는 준용한다는 규정이 없다. 따라서 무효등 확인소송에는 간접강제가 인정되지 않는다.

관련판례 **무효확인소송 간접강제** ★★★

행정소송법 제38조 제1항이 무효확인 판결에 관하여 취소판결에 관한 규정을 준용함에 있어서 같은 법 제30조 제2항을 준용한다고 규정하면서도 같은 법 제34조는 이를 준용한다는 규정을 두지 않고 있으므로, 행정처분에 대하여 무효확인 판결이 내려진 경우에는 그 행정처분이 거부처분인 경우에도 행정청에 판결의 취지에 따른 재처분의무가 인정될 뿐 그에 대하여 간접강제까지 허용되는 것은 아니라고 할 것이다(대결 1998.12.24, 98무37).

#무효등확인소송_간접강규정_준용× #거부처분_재처분의무O_간접강제×

6. 취소소송과 무효등 확인소송과의 관계

(1) 취소소송과 무효확인소송의 병합

① **단순 병합이나 선택적 병합하는 경우**: 양자는 양립할 수 없는 청구로서 단순 병합이나 선택적 병합은 인정되지 않는다(대판 1999.8.20, 97누6889).

② **주위적 · 예비적으로 병합되는 경우**: 무효확인청구가 기각 될 것에 대비, 취소청구를 예비적으로 병합할 수 있다.

㉠ 이 경우 주된 무효확인청구소송은 제소기간 내에 제기되어야 취소청구가 설령 제소기간이 경과된 후에도 예비적으로 병합될 수 있다(대판 2005.12.23, 2005두3554).

㉡ 병합제기된 취소소송이 행정심판 등의 절차가 필요한 경우 적법한 제기요건을 갖추어야 한다(대판 1994.4.29, 93누12626).

(2) 무효사유가 있는 처분을 취소소송으로 제기한 경우

① 당사자가 취소소송을 제기하였으나 법원의 심리 결과 처분이 무효사유에 해당하는 경우 법원이 어떠한 판결을 해야 하는지 문제된다.

② 이러한 경우 '무효선언적 의미의 취소판결'을 할 수 있다는 것이 통설과 판례의 입장이다.

③ 단, 취소소송으로 제기되었으므로 취소소송의 소송요건(제소기간, 필요적 행정심판전치주의 등)을 갖추어야 한다고 본다.

간단 점검하기

01 거부처분에 대하여 무효확인 판결이 확정된 경우, 행정청에 대해 판결의 취지에 따른 재처분의무가 인정될 뿐 그에 대하여 간접강제까지 허용되는 것은 아니다. ( ) 19. 지방직 9급

02 판례에 의하면 행정처분에 대하여 무효확인판결이 내려진 경우 그 행정처분이 거부처분인 경우에는 행정청에 판결의 취지에 따른 재처분의무가 인정될 뿐만 아니라 간접강제까지 허용된다. ( ) 11. 지방직 7급

간단 점검하기

03 무효인 처분에 대하여 취소소송이 제기된 경우 소송제기요건이 구비되었다면 법원은 당해 소를 각하하여서는 아니 되며, 무효를 선언하는 의미의 취소판결을 하여야 한다. ( ) 14. 지방직 9급

04 무효선언을 취소소송의 형식으로 주장하는 경우에는 제소기간 등 취소소송의 요건을 갖추어야 한다는 것이 판례의 입장이다. ( ) 15. 서울시 9급

05 행정심판전치주의가 적용되도록 하는 규정이 있는 경우일지라도 처분의 무효를 구하는 소송에는 행정심판전치주의가 적용되지 않으므로 무효사유의 하자를 취소소송으로 다투는 경우에도 행정심판을 거칠 필요가 없다. ( ) 14. 국회직 8급

01 ○ 02 × 03 ○ 04 ○ 05 ×

관련판례 **무효선언적 취소소송 제소기간 ★★★**

행정처분의 당연무효를 선언하는 의미에서 그 취소를 청구하는 행정소송을 제기한 경우에도 전심절차와 제소기간의 준수 등 취소소송의 제소요건을 갖추어야 한다(대판 1990.12.26, 90누6279).

#무효선언적_취소소송_제소요건_구비

(3) 취소사유가 있는 처분을 무효확인소송으로 제기한 경우

① 당사자가 무효확인소송을 제기하였으나 법원의 심리 결과 처분이 취소사유에 해당하는 경우 법원이 어떠한 판결을 해야 하는지 문제된다.

② 이러한 경우 소 변경 없이도 '취소판결'을 할 수 있다는 것이 판례의 입장이다.

③ 단, 이러한 경우에도 취소소송의 소송요건(제소기간, 필요적 행정심판전치주의 등)을 갖추어야 한다고 본다.

④ 그러나 만약 취소소송의 소송요건을 갖추지 못했다면 그대로 무효확인소송으로 보아 청구를 기각하여야 한다.

관련판례

일반적으로 행정처분의 무효확인을 구하는 소에는 원고가 그 처분의 취소를 구하지 아니한다고 밝히지 아니한 이상 그 처분이 만약 당연무효가 아니라면 그 취소를 구하는 취지도 포함되어 있는 것으로 보아야 한다(대판 1994.12.23, 94누477).

기출

행정행위가 있은 후 그 근거가 된 법률이 헌법재판소에 의해 위헌으로 결정된 경우, ㉠ 당해 행정행위의 하자의 유형과 ㉡ 취소소송의 제소기간이 도과한 후 원고가 무효확인소송으로 이 사안을 다툰다고 할 때 법원은 어떻게 판단해야 하는지 바르게 연결한 것은? (다툼이 있는 경우 대법원 판례에 의함) 13. 지방직 9급

① ㉠ 무효, ㉡ 각하
② ㉠ 무효, ㉡ 기각
③ ㉠ 취소, ㉡ 각하
④ ㉠ 취소, ㉡ 기각

정답 ④

간단 점검하기

01 무효확인소송을 제기하였는데 해당 사건에서의 위법이 취소사유에 불과한 때, 법원은 취소소송의 요건을 충족한 경우 취소판결을 내린다. ( ) 17. 국가직 7급

02 행정처분의 무효확인을 구하는 청구에는 특별한 사정이 없는 한 그 처분의 취소를 구하는 취지까지도 포함되어 있다고 볼 수 있다. ( ) 18. 지방직 7급

01 ○ 02 ○

2 부작위위법확인소송

1. 개설

(1) 의의

행정청이 당사자의 신청에 대하여 상당한 기간 내에 일정한 처분을 하여야 할 법률상 의무가 있음에도 불구하고 이를 하지 아니한 경우에 법원이 행정청의 부작위가 위법하다는 것을 확인하는 확인소송을 말한다.

(2) 적용법규

① **준용 규정**: 부작위위법확인소송은 기본적 성격이 취소소송과 같으므로, 취소소송에 관한 많은 규정이 준용된다.

② **준용되지 않는 규정**: 준용되지 않는 규정으로 ㉠ 제소기간제한 중에서 처분이 있는 것을 전제로 하여 정한 제소기간제한(행정소송법 제20조 제2항), ㉡ 처분변경으로 인한 소의 변경(행정소송법 제22조), ㉢ 집행정지결정(행정소송법 제23조, 제24조), ㉣ 사정판결(행정소송법 제28조), ㉤ 사정판결 등의 경우 피고의 소송비용부담(행정소송법 제32조) 등이 있다.

2. 소송요건

(1) 소송물

① **부작위의 의의**: 부작위위법확인소송의 소송물은 부작위의 위법성이다. 부작위가 성립하기 위해서는 대체로 ㉠ 당사자의 신청이 존재하여야 하고, ㉡ 행정청이 상당한 기간 내에, ㉢ 일정한 처분을 하여야 할 법률상 의무가 있음에도 불구하고, ㉣ 그 처분을 하지 아니할 것이 요구된다.

② **위법한 부작위의 성립요건**

㉠ **당사자의 신청**: 부작위가 성립하기 위해서는 당사자의 신청이 있어야 하며, 여기서 신청이라 함은 법규상 또는 조리상 신청권이 있음을 전제로 한다.

관련판례

1 행정청이 행한 공사중지명령의 상대방은 그 명령 이후에 그 원인사유가 소멸하였음을 들어 행정청에게 공사중지명령의 철회를 요구할 수 있는 조리상의 신청권이 있다 할 것이고, 상대방으로부터 그 신청을 받은 행정청으로서는 상당한 기간 내에 그 신청을 인용하는 적극적 처분을 하거나 각하 또는 기각하는 등의 소극적 처분을 하여야 할 법률상의 응답의무가 있다고 할 것이며, 행정청이 상대방의 신청에 대하여 아무런 적극적 또는 소극적 처분을 하지 않고 있는 이상 행정청의 부작위는 그 자체로 위법하다고 할 것이다(대판 2005.4.14, 2003두7590).

#도로_주차장진입로_사용_빌딩_공사중지명령 #공사중지명령_원인사유_소멸 #공사중지명령철회신청_부작위_위법

간단 점검하기

01 부작위위법확인소송에서 '부작위'라 함은 행정청이 당사자의 신청에 대하여 상당한 기간 내에 일정한 처분을 하여야 할 법률상 의무가 있음에도 불구하고 처분을 하지 않는다는 의사를 통지하는 것을 말한다. ( )
13. 서울시 9급

02 부작위위법확인소송은 행정청의 부작위 또는 무응답, 거부처분 등 소극적 위법상태를 제거하기 위한 제도이다. ( ) 08. 선관위 9급, 16. 서울시 7급

03 부작위가 성립하기 위해서는 당사자의 신청이 있어야 하며, 여기서 신청이란 법규상 또는 조리상 신청권의 행사로서의 신청을 말한다. ( )
13. 국회직 8급

04 甲은 관할 행정청에 하천점용허가를 신청하였으나 관할 행정청이 상당한 기간이 경과하여도 아무런 응답이 없는 경우 甲은 의무이행심판을 청구하거나 부작위위법확인소송을 제기하여 권리구제를 받을 수 있다. ( )
09. 국가직 9급

간단 점검하기

05 행정청이 행한 공사중지명령의 상대방은 그 명령 이후에 그 원인사유가 소멸하였음을 들어 행정청에게 공사중지명령의 철회를 요구할 수 있는 조리상의 신청권이 없다. ( )
18. 국회직 8급

06 행정청이 행한 공사중지명령의 상대방이 그 명령 이후에 그 원인사유가 소멸하였음을 들어 공사중지명령의 철회를 신청하였으나 행정청이 아무런 응답을 하지 않고 있는 경우 행정청의 부작위는 그 자체로 위법하다. ( )
13. 국회직 8급

01 × 02 × 03 ○ 04 ○
05 × 06 ○

간단 점검하기

01 4급 공무원이 당해 지방자치단체 인사위원회의 심의를 거쳐 3급 승진대상자로 결정되고 임용권자가 그 사실을 대내외에 공표한 경우 그 공무원에 승진임용신청권이 있다. ( )
14. 서울시 7급

간단 점검하기

02 압수가 해제된 것으로 간주된 물건에 대한 피압수자의 환부신청에 대하여 검사가 아무런 결정이나 통지를 하지 않았다고 하더라도 그와 같은 부작위는 부작위위법확인소송의 대상이 되지 않는다. ( ) 10. 국회직 9급

03 위법한 부작위가 성립하려면 처분을 함에 있어 통상 요구되는 상당한 기간이 경과하여야 한다. ( ) 10. 세무사

04 법률의 집행을 위해 시행규칙을 제정할 의무가 있음에도 불구하고 행정청이 시행규칙을 제정하지 않고 있는 경우, 부작위위법확인소송을 통하여 다툴 수 있다. ( )
16. 국가직 7급, 15. 국가직 9급

01 ○ 02 ○ 03 ○ 04 ×

2 임용신청권 ★★★

4급 공무원이 당해 지방자치단체 인사위원회의 심의를 거쳐 3급 승진대상자로 결정되고 임용권자가 그 사실을 대내외에 공표한 경우, 그 공무원에게 승진임용 신청권이 있다(대판 2008.4.10, 2007두18611).
#승진대상자_결정_대내외_공표 #임용신청권_있음

ⓛ 상당한 기간의 경과
ⓐ 위법한 부작위가 성립하기 위해서는 당사자의 신청 후 상당한 기간이 경과했음에도 행정청이 아무런 처분을 하지 않아야 한다.
ⓑ 상당한 기간이란 사회통념상 그 신청에 따른 처분을 하는데 필요한 것으로 인정되는 기간을 말한다.

ⓒ 처분할 법률상의 의무의 존재
ⓐ 부작위가 성립하기 위해서는 행정청의 일정한 처분의무가 있어야 한다.
ⓑ 법률상 의무에는 법령상 명문규정이 있는 경우는 물론 명문규정이 없는 경우에도 해석을 통해 조리상 인정되는 의무도 포함된다.
ⓒ 부작위가 구체적인 권리·의무에 관한 것이어야 한다. 따라서 행정입법부작위, 사법(私法)상 청구의 부작위, 비권력적 사실행위의 부작위 등은 부작위위법확인소송의 대상이 아니다.

관련판례

1 행정소송은 구체적 사건에 대한 법률상 분쟁을 법에 의하여 해결함으로써 법적 안정을 기하자는 것이므로 부작위위법확인소송의 대상이 될 수 있는 것은 구체적 권리의무에 관한 분쟁이어야 하고 추상적인 법령에 관하여 제정의 여부 등은 그 자체로서 국민의 구체적인 권리의무에 직접적 변동을 초래하는 것이 아니어서 그 소송의 대상이 될 수 없다(대판 1992.5.8, 91누11261).

2 형사본안사건에서 무죄가 선고되어 확정되었다면 형사소송법 제332조 규정에 따라 검사가 압수물을 제출자나 소유자 기타 권리자에게 환부하여야 할 의무가 당연히 발생한 것이고, 권리자의 환부신청에 대한 검사의 환부결정 등 어떤 처분에 의하여 비로소 환부의무가 발생하는 것은 아니므로 압수가 해제된 것으로 간주된 압수물에 대하여 피압수자나 기타 권리자가 민사소송으로 그 반환을 구함은 별론으로 하고 검사가 피압수자의 압수물 환부신청에 대하여 아무런 결정이나 통지도 하지 아니하고 있다고 하더라도 그와 같은 부작위는 현행 행정소송법상의 부작위위법확인소송의 대상이 되지 아니한다(대판 1995.3.10, 94누14018).

ⓡ 처분의 부존재

ⓐ 행정청이 신청에 상당한 기간이 경과하였음에도 아무런 처분을 하지 않은 경우이다. 즉, 행정청이 인용처분을 하거나 거부처분을 하지 않은 경우에 부존재가 성립된다.

ⓑ 실제로 거부처분은 없으나 부작위가 거부처분으로 간주되는 경우(간주거부)에는 거부처분이 존재하므로 부작위위법확인소송의 대상이 되지 않는다.

관련판례

1 행정청이 당사자의 신청에 대하여 거부처분을 한 경우에는 항고소송의 대상인 위법한 부작위가 있다고 볼 수 없어 그 부작위위법확인의 소는 부적법하다(대판 1998.1.23, 96누12641).

2 **광업권등록취소** ★★★

당사자가 행정청에 대하여 어떠한 행정행위를 하여 줄 것을 신청하지 아니하거나 그러한 신청을 하였더라도 당사자가 행정청에 대하여 그러한 행정행위를 하여 줄 것을 요구할 수 있는 법규상 또는 조리상의 권리를 갖고 있지 아니하든지 또는 행정청이 당사자의 신청에 대하여 거부처분을 한 경우에는 원고적격이 없거나 항고소송의 대상인 위법한 부작위가 있다고 볼 수 없어 그 부작위위법확인의 소는 부적법하다(대판 1995.9.15, 95누7345).

#광업권취소청원_거부회신 #광업권등록취소_신청권×

(2) 원고적격

① **처분의 신청을 한 자**

㉠ '처분의 신청을 한 자'로서 부작위의 위법의 확인을 구할 법률상 이익이 있는 자만이 제기할 수 있다(행정소송법 제36조).

㉡ 다수설은 처분을 신청한 자 모두를 의미한다고 보고 있지만, 판례는 법규상 · 조리상의 응답신청권이 있는 자만을 의미한다고 보고 있다.

② **제3자**: 제3자도 법률상 이익이 있는 경우에는 부작위위법확인소송의 원고적격이 인정된다.

(3) 협의의 소의 이익

부작위위법확인소송은 확인소송이므로 확인의 이익이 있어야 한다. 따라서 소송 계속 중 부작위가 해소되거나 권리구제가 불가능한 경우에는 소의 이익이 없게 되어 각하된다.

관련판례

1 **교원임용** ★★★

소제기의 전후를 통하여 판결시까지 행정청이 그 신청에 대하여 적극 또는 소극의 처분을 함으로써 부작위상태가 해소된 때에는 소의 이익을 상실하게 되어 당해 소는 각하를 면할 수가 없는 것이다(대판 1990.9.25, 89누4758).

#상근강사_정규교원임용신청권○ #대학인사위원회동의_부결_사실통보(민원서류처리결과형식)
#사실통보_거부처분_부작위위법확인소송_소익×

간단 점검하기

01 행정청의 아무런 처분이 없는 경우에도 이를 거부처분으로 간주하는 법규정이 있는 때에는 부작위에 해당하지 않는다. ( ) 10. 세무사

간단 점검하기

02 부작위위법확인소송은 처분의 신청을 한 자로서 부작위의 위법의 확인을 구할 법률상 이익이 있는 자만이 제기할 수 있다. ( ) 18. 경찰행정

03 부작위위법확인소송에서 사인의 신청권의 존재 여부는 부작위의 성립과 관련하므로 원고적격의 문제와는 관련이 없다. ( ) 18. 지방직 9급

04 부작위위법확인소송의 변론종결시까지 행정청의 처분으로 부작위상태가 해소된 때에는 부작위위법확인소송은 소의 이익을 상실하게 된다. ( ) 12. 국가직 7급

01 ○ 02 ○ 03 × 04 ○

간단 점검하기

01 허가처분 신청에 대한 부작위를 다투는 부작위위법확인소송을 제기하여 제1심에서 승소판결을 받았는데 제2심 단계에서 피고 행정청이 허가처분을 한 경우, 제2심 수소법원은 각하판결을 하여야 한다. ( ) 19. 국가직 9급

간단 점검하기

02 취소소송의 제소기간에 관한 규정은 무효등 확인소송과 부작위위법확인소송에서는 준용되지 않는다. ( ) 13. 서울시 9급

03 부작위위법확인의 소는 부작위상태가 계속되는 한 그 위법의 확인을 구할 이익이 있다고 보아야 하므로 제소기간의 제한이 없음이 원칙이나 행정심판 등 전심절차를 거친 경우에는 제소기간의 제한이 있다. ( ) 19. 국회직 8급

04 부작위위법확인소송은 행정심판 등 전심절차를 거친 경우에도 제소기간의 제한을 받지 않는다는 것이 판례의 입장이다. ( ) 13. 지방직 9급

05 부작위위법확인소송에 대해서는 행정심판전치에 관한 규정이 준용되지 않는다. ( ) 10. 세무사

06 부작위위법확인소송에서 예외적으로 행정심판전치가 인정될 경우 그 전치되는 행정심판은 의무이행심판이다. ( ) 16. 서울시 7급

07 행정소송법상 취소소송의 규정 중 집행정지결정은 부작위위법확인소송에 준용되지 않는다. ( ) 16. 서울시 7급, 13. 국가직 9급

01 ○ 02 × 03 ○ 04 ×
05 × 06 ○ 07 ○

2 정년퇴임 소의이익상실 ★★

지방자치단체가 조례를 통하여 노동운동이 허용되는 사실상의 노무에 종사하는 공무원의 구체적 범위를 규정하지 않고 있는 것에 대하여 버스전용차로 통행위반 단속업무에 종사하는 자가 부작위위법확인의 소를 제기하였으나 상고심 계속중에 정년퇴직한 경우, 위 조례를 제정하지 아니한 부작위가 위법하다는 확인을 구할 소의 이익이 상실되었다(대판 2002.6.28, 2000두4750).

#조례제정_부작위위법확인소송 #쟁송중_정년퇴임_소의이익×

(4) 제소기간

① 행정심판 및 직접 행정소송 제기의 경우

㉠ 취소소송의 제소기간에 관한 규정이 부작위위법확인소송에도 준용된다.

㉡ 취소소송의 제소기간이 준용된다고 하더라도 부작위위법확인소송에서는 처분이 없으므로 제소기간의 제한을 받을 수 없다.

㉢ 따라서 부작위를 대상으로 행정심판을 제기하거나, 행정소송을 행정심판을 거치지 않고, 행정소송을 제기하는 경우에는 제소기간의 제약을 받지 않는다.

② **행정심판을 거쳐 행정소송 제기의 경우**: 취소소송의 제소기간이 준용되므로 재결서를 송달받은 날부터 90일 이내, 재결이 있은 날부터 1년 이내에 행정소송을 제기해야 한다(행정소송법 제38조 제2항, 제20조).

(5) 행정심판전치주의의 적용 여부

부작위위법확인소송에는 행정심판전치에 관한 규정이 준용된다. 개별법에서 행정심판전치주의를 취하고 있는 경우에 행정심판을 거치면 된다. 그런데 부작위위법확인소송의 제기에 있어서는 부작위위법확인심판의 규정이 없으므로 의무이행심판을 거쳐야 한다.

3. 그 밖의 절차

(1) 집행정지

취소소송에 대한 집행정지에 관한 원칙은 부작위위법확인소송에 준용된다. 그러나 부작위위법확인소송에서는 처분이 없기 때문에 집행정지를 직접 적용할 수 없다.

(2) 가처분

본안소송 자체가 부작위가 위법임을 확인하는 데 지나지 않으므로, 이론상으로나 실정법규 및 민사소송법상 가처분은 허용되지 않는다.

(3) 소의 변경

① 원고가 거부처분을 부작위로 오인한 경우

㉠ 원고가 거부처분을 부작위로 오인하여 부작위위법확인소송을 제기한 경우, 법원은 대상적격의 흠결로 각하판결을 하여야 한다.

㉡ 원고가 거부처분취소소송으로 소의 변경을 신청한 경우 법원은 소의 변경을 허용 할 수 있다(행정소송법 제37조, 제21조).

② 부작위가 거부처분으로 전환된 경우

㉠ 처분변경으로 인한 소의 변경을 규정한 행정소송법 제22조는 부작위위법확인소송에 준용되지 않는다.

㉡ 부작위위법확인소송 계속 중 행정청이 거부처분 등에 의하여 부작위가 해소되면 법원은 각하판결을 하여야 한다.

㉢ 거부처분이 행해지거나 거부처분을 인식할 수 있는 통지행위 등이 행해진 경우 원고는 거부처분취소소송으로 소의 변경을 신청하면 법원은 이를 허용할 수 있다.

㉣ 부작위위법확인소송이 거부처분취소소송으로 변경되면 제소기간, 전심절차 등 취소소송의 요건을 충족해야 한다.

관련판례 **소변경 제소기간 ★★★**

당사자가 동일한 신청에 대하여 부작위위법확인의 소를 제기하였으나 그 후 소극적 처분이 있다고 보아 처분취소소송으로 소를 교환적으로 변경한 후 여기에 부작위위법확인의 소를 추가적으로 병합한 경우, 최초의 부작위위법확인의 소가 적법한 제소기간 내에 제기된 이상 그 후 처분취소소송으로의 교환적 변경과 처분취소소송에의 추가적 변경 등의 과정을 거쳤다고 하더라도 여전히 제소기간을 준수한 것으로 봄이 상당하다(대판 2009.7.23, 2008두10560).

#3급승진대상자_결정_공표 #승진임용신청권○ #응답의무○_응답×(부작위)_위법

#임용이행소청심사청구_기각_예비적청구_부작위위법확인소송제기(기간내제기)_거부처분취소소송_교환적변경

4. 심리

(1) 심리권의 범위

부작위위법확인소송의 심사권이 신청의 실체적 내용에까지 미칠 수 있을 것인가의 문제이다.

① **소극설(절차적 심리설)**: 이 견해는 법원은 부작위의 위법 여부만을 심리하는 데 그쳐야 하며, 만일 실체적인 내용을 심리한다면 의무이행소송을 인정하는 결과가 되어 이를 도입하지 않고 부작위위법확인소송을 도입한 행정소송법의 입법취지에 맞지 않는다는 것이다(다수설 · 판례의 입장).

② **적극설(실체적 심리설)**: 이 견해는 법원은 부작위의 위법 여부만이 아니라 신청의 실체적인 내용이 이유 있는 것인가도 심리하여 행정청의 특정 처분의무가 있는지도 심리 · 판단하여 처리방향까지 제시하여야 한다는 것이다.

③ **판례**: 판례는 부작위위법확인소송은 부작위의 위법성을 확인하는 데 그치고 실체적 내용까지는 심리할 수 없다고 함으로써 소극설(절차적 심리설)을 취하고 있다.

간단 점검하기

01 행정청의 부작위에 대하여 행정심판을 거치지 않고 부작위위법확인소송을 제기하는 경우에는 제소기간의 제한을 받지 않는다. ( ) 19. 지방직 9급

간단 점검하기

02 당사자가 적법한 제소기간 내에 부작위위법확인의 소를 제기한 후 동일한 신청에 대하여 소극적 처분이 있다고 보아 처분취소소송으로 소를 교환적으로 변경한 경우 부작위위법확인의 소를 추가적으로 병합한 경우 제소기간을 준수한 것으로 볼 수 있다. ( ) 19. 국회직 8급

간단 점검하기

03 법원은 부작위위법확인의 소에서 단순히 행정청의 방치행위의 적부에 관한 절차적 심리만 하는 게 아니라, 신청의 실체적 내용이 이유 있는지도 심리하며 그에 대한 적정한 처리방향에 관한 법률적 판단을 해야 한다. ( ) 18. 국회직 8급

01 ○ 02 ○ 03 ×

간단 점검하기

01 부작위위법확인소송은 부작위의 위법함을 확인함으로써 행정청의 응답을 신속하게 하여 부작위 내지 무응답이라고 하는 소극적인 위법상태를 제거하는 것을 목적으로 한다. ( )
16. 서울시 7급

간단 점검하기

02 부작위위법확인소송에 있어서 신청사실 및 신청권의 존재는 소송요건으로 원고에게 입증책임이 있다. ( )
12. 서울시 9급

03 부작위의 정당화사유에 대해서는 행정청이 주장·입증책임을 진다. ( ) 12. 서울시 9급

04 부작위위법확인소송에서 위법판단의 기준시점은 처분시가 아니라 사실심변론종결시로 보아야 한다. ( )
13. 국회직 8급

05 행정소송법상 취소소송의 규정 중 사정판결은 부작위위법확인소송에 준용되지 않는다. ( ) 13. 국가직 9급

06 판례의 태도에 비추어 볼 때, 부작위위법확인소송에서 인용판결(확인판결)이 확정되면 행정청은 이전의 신청에 대한 처분을 하여야 하고 거부처분을 할 수는 없다. ( )
08. 세무사, 16. 지방직 9급

07 취소소송의 피고적격에 관한 규정은 부작위위법확인소송에 적용되지 않는다. ( ) 11. 서울시 9급

08 부작위위법확인소송에는 취소판결의 사정판결규정은 준용되지 않지만 제3자효, 기속력, 간접강제에 관한 규정은 준용된다. ( ) 18. 국회직 8급

01 ○ 02 ○ 03 ○ 04 ○
05 ○ 06 × 07 × 08 ○

관련판례 절차심리 부작위위법확인소송 ★★★

부작위위법확인의 소는 행정청이 국민의 법규상 또는 조리상의 권리에 기한 신청에 대하여 상당한 기간 내에 그 신청을 인용하는 적극적 처분을 하거나 또는 각하 내지 기각하는 등의 소극적 처분을 하여야 할 법률상의 응답의무가 있음에도 불구하고 이를 하지 아니하는 경우 판결시를 기준으로 그 부작위의 위법함을 확인함으로써 행정청의 응답을 신속하게 하여 부작위 내지 무응답이라고 하는 소극적인 위법상태를 제거하는 것을 목적으로 하는 것이고, … (대판 1992.7.28, 91누7361).

#유선방송사업허가신청_경남도지사_3년_부작위_위법 #허부결정×_위법(절차심리) #법정처리기간_70일

(2) 입증책임

원고가 일정한 처분을 신청한 사실 및 원고에게 처분의 신청권이 있다는 것은 원고에게 주장·입증책임이 있으며, 상당한 기간을 경과하게 된 것을 정당화할 만한 특별한 사유의 존재에 대하여는 행정청이 입증책임을 진다.

(3) 보충적 직권심리, 행정심판기록제출명령

직권심리와 행정심판기록제출명령은 취소소송에 관한 규정이 준용된다(행정소송법 제38조 제2항, 제25조, 제26조).

(4) 위법판단의 기준시

부작위위법확인소송에서는 엄격한 의미의 처분은 존재하지 않으므로 '판결시(사실심변론종결시)'라는 것이 통설·판례의 입장이다. 취소소송에서 위법판단의 기준시가 '처분시'인 것과 차이가 있다.

5. 판결

(1) 판결의 종류

부작위위법확인소송에서 판결의 종류는 취소소송과 같이 각하판결, 기각판결, 인용판결이 있다.

(2) 판결의 효력

형성력이 생기지 않는 점만 제외하면 취소소송의 경우와 같다. 즉, 부작위위법확인소송의 판결에도 제3자효, 기속력, 간접강제 등이 인정된다.

(3) 간접강제

① 부작위위법확인소송의 확정판결에도 취소소송의 행정청에 대한 기속력과 간접강제에 관한 규정이 준용된다(행정소송법 제38조 제2항, 제34조).

② 신청에 따른 처분을 이행하지 않은 경우 상대방은 간접강제를 신청할 수 있다. 통설인 절차적 심리설에 따르면 행정청이 인용처분을 하거나 거부처분을 한 경우에도 확정판결의 취지에 따른 처분으로 보아 간접강제 신청은 허용되지 않는다.

(4) 사정판결 배제

부작위위법확인소송에서 사정판결은 인정되지 않는다. 사정판결은 행정청의 처분을 전제로 하는 것인데 부작위위법확인소송의 경우에는 아무런 처분이 존재하지 않기 때문이다.

제6절 당사자소송

1 개설

1. 당사자소송의 의의

당사자소송이란 공법상의 법률관계에 관하여 의문이나 다툼이 있는 경우에 그 법률관계의 당사자가 원고 또는 피고의 입장에서 그 법률관계에 관하여 다투는 소송을 말한다(행정소송법 제3조 제2호).

2. 당사자소송의 특성

(1) 항고소송과 구별

① 행위의 성질에 따른 구분

㉠ 항고소송은 공행정주체가 우월한 지위에서 갖는 공권력의 행사·불행사와 관련된 분쟁의 해결을 위한 소송이다.

㉡ 당사자소송은 대등한 당사자간에 다투어지는 공법상의 법률관계를 소송의 대상으로 한다.

② 금전급부에 관한 소송

㉠ 항고소송은 금전급부가 행정청의 결정에 의해 확정되는 경우이다. 예컨대 민주화운동관련자 명예회복 및 보상심의위원회의 보상금지급결정을 거쳐야 하는 경우에는 항고소송의 대상이다(대판 2008.4.17, 2005두16185).

㉡ 공법상 당사자소송은 금전급부가 법규정에 의해 결정되어 있는 경우이다. 예컨대 광주민주화운동 관련 보상금지급은 법률에서 구체적 내용이 정해져 있는 것이므로 당사자소송의 대상이 된다(대판 1992.12.24, 92누3335).

point check 당사자소송 및 항고소송의 대상

구분	대상
당사자소송	• 공중보건의사 채용계약해지 • 지방전문직 공무원 채용계약해지 • 지방소방공무원 초과근무수당지급 • 법령개정으로 인한 퇴직연금지급 • 법관의 미지급 명예퇴직수당지급 • 광주민주화운동관련자보상금지급 • 부가가치세 환급청구
항고소송	• 변상금부과 • 과오납과세 환급청구 • 공무원연금관리공단의 급여결정 • 민주화운동관련자 보상금지급결정 • 공무원연금지급결정 • 공무원연금법상 유족부조금결정 • 특수임무수행자 결정

간단 점검하기

01 당사자소송이란 행정청의 처분 등을 원인으로 하는 법률관계에 관한 소송 그 밖에 공법상의 법률관계에 관한 소송으로서 그 법률관계의 한쪽 당사자를 피고로 하는 소송이다. ( ) 17. 경찰행정, 12. 지방직 9급

02 당사자소송은 대등 당사자간에 다투어지는 공법상의 법률관계를 소송의 대상으로 한다. ( ) 13. 지방직 9급

간단 점검하기

03 민주화운동 관련자 명예회복 및 보상 등에 관한 법률에 따른 보상심의위원회의 결정을 다투는 소송은 공법상 당사자소송에 해당한다. ( ) 15. 지방직 7급

04 광주민주화운동 관련자 보상 등에 관한 법률에 의거한 손실보상청구소송은 판례에 따를 때 당사자소송에 해당한다. ( ) 15·11. 서울시 9급

01 ○ 02 ○ 03 × 04 ○

간단 점검하기

01 공무원연금관리공단의 퇴직급여결정에 대한 소송은 판례에 따를 때 당사자소송에 해당한다. ( ) 15. 서울시 9급

02 공무원연금법령상 급여를 받으려고 하는 자는 구체적 권리가 발생하지 않은 상태에서 곧바로 공무원연금공단을 상대로 한 당사자소송을 제기할 수 없다. ( ) 18. 서울시 7급

03 乙이 군인연금법령에 따라 국방부장관의 인정을 받아 퇴직연금을 지급받아 오던 중 군인보수법 및 공무원보수규정에 의한 호봉이나 봉급액의 개정 등으로 퇴역연금액이 변경되어 국방부장관이 乙에게 법령의 개정에 따른 퇴역연금액 감액조치를 한 경우 취소소송이 아니라 퇴역연금차액지급을 구하는 당사자소송을 제기하여야 한다. ( ) 18. 국가직 9급

04 공무원연금공단의 법령개정사실 및 퇴직연금수급자가 일부 금액의 지급정지 대상자가 되었음을 통보한 사안에서 미지급 퇴직연금의 지급을 구하는 소송은 당사자소송에 해당한다. ( ) 15. 국가직 9급, 11. 서울시 9급

05 법관 甲이 이미 수령한 명예퇴직수당액이 구 법관 및 법원공무원 명예퇴직수당 등 지급규칙에서 정한 정당한 명예퇴직수당액에 미치지 못한다고 주장하며 차액의 지급을 신청하였으나 법원행정처장이 이를 거부한 경우 취소소송이 아닌 미지급명예퇴직수당액지급을 구하는 당사자소송을 제기하여야 한다. ( ) 18. 국가직 9급

06 파면처분을 당한 공무원은 그 처분에 취소사유인 하자가 존재하는 경우 파면처분취소소송을 제기하여야 하고 곧바로 공무원지위확인소송을 제기할 수 없다. ( ) 19. 서울시 9급

01 × 02 ○ 03 ○ 04 ○
05 ○ 06 ○

관련판례

1 공무원연금관리공단의 급여에 관한 결정은 국민의 권리에 직접 영향을 미치는 것이어서 행정처분에 해당하고, 공무원연금관리공단의 급여결정에 불복하는 자는 공무원연금급여재심위원회의 심사결정을 거쳐 공무원연금관리공단의 급여결정을 대상으로 행정소송을 제기하여야 한다(대판 1996.12.6, 96누6417).

2 공무원연금법령상 급여를 받으려고 하는 자는 우선 관계 법령에 따라 피고에게 급여지급을 신청하여 피고가 이를 거부하거나 일부 금액만 인정하는 급여지급결정을 하는 경우 그 결정을 대상으로 항고소송을 제기하는 등으로 구체적 권리를 인정받아야 할 것이고, 구체적인 권리가 발생하지 않은 상태에서 곧바로 피고를 상대로 한 당사자소송으로 그 권리의 확인이나 급여의 지급을 소구하는 것은 허용되지 아니한다(대판 2017.2.9, 2014두43264).

3 구 군인연금법(2000.12.30. 법률 제6327호로 개정되기 전의 것)과 같은법시행령(2000.12.30. 대통령령 제17099호로 개정되기 전의 것)의 관계 규정을 종합하면, 같은 법에 의한 퇴역연금 등의 급여를 받을 권리는 법령의 규정에 의하여 직접 발생하는 것이 아니라 각 군 참모총장의 확인을 거쳐 국방부장관이 인정함으로써 비로소 구체적인 권리가 발생하고, 위와 같은 급여를 받으려고 하는 자는 우선 관계 법령에 따라 국방부장관에게 그 권리의 인정을 청구하여 국방부장관이 그 인정 청구를 거부하거나 청구 중의 일부만을 인정하는 처분을 하는 경우 그 처분을 대상으로 항고소송을 제기하는 등으로 구체적 권리를 인정받은 다음 비로소 당사자소송으로 그 급여의 지급을 구하여야 할 것이고, 구체적인 권리가 발생하지 않은 상태에서 곧바로 국가를 상대로 한 당사자소송으로 그 권리의 확인이나 급여의 지급을 소구하는 것은 허용되지 아니한다(대판 2003.9.5, 2002두3522).

4 구 공무원연금법 소정의 퇴직연금 등의 급여는 급여를 받을 권리를 가진 자가 당해 공무원이 소속하였던 기관장의 확인을 얻어 신청하는 바에 따라 공무원연금관리공단이 그 지급결정을 함으로써 그 구체적인 권리가 발생하는 것이므로, 공무원연금관리공단의 급여에 관한 결정은 국민의 권리에 직접 영향을 미치는 것이어서 행정처분에 해당할 것이지만, 공무원연금관리공단의 인정에 의하여 퇴직연금을 지급받아 오던 중 구 공무원연금법령의 개정 등으로 퇴직연금 중 일부 금액의 지급이 정지된 경우에는 당연히 개정된 법령에 따라 퇴직연금이 확정되는 것이지 같은 법 제26조 제1항에 정해진 공무원연금관리공단의 퇴직연금 결정과 통지에 의하여 비로소 그 금액이 확정되는 것이 아니므로, 공무원연금관리공단이 퇴직연금 중 일부 금액에 대하여 지급거부의 의사표시를 하였다고 하더라도 그 의사표시는 퇴직연금 청구권을 형성·확정하는 행정처분이 아니라 공법상의 법률관계의 한쪽 당사자로서 그 지급의무의 존부 및 범위에 관하여 나름대로의 사실상·법률상 의견을 밝힌 것일 뿐이어서, 이를 행정처분이라고 볼 수는 없고, 이 경우 미지급퇴직연금에 대한 지급청구권은 공법상 권리로서 그의 지급을 구하는 소송은 공법상의 법률관계에 관한 소송인 공법상 당사자소송에 해당한다(대판 2004.7.8, 2004두244).

5 명예퇴직한 법관이 미지급 명예퇴직수당액에 대하여 가지는 권리는 명예퇴직수당 지급대상자 결정 절차를 거쳐 명예퇴직수당규칙에 의하여 확정된 공법상 법률관계에 관한 권리로서, 그 지급을 구하는 소송은 행정소송법의 당사자소송에 해당하며, 그 법률관계의 당사자인 국가를 상대로 제기하여야 한다(대판 2016.5.24, 2013두14863).

(2) 민사소송과 구별

당사자소송은 공법상의 법률관계를 대상으로 하나 민사소송은 사법상 법률관계를 대상으로 한다.

point check 당사자소송과 민사소송의 비교

구분	당사자소송	민사소송
법률관계	공법관계	사법관계
효과	대세효× (행정주체 산하기관구속)	소송당사자만 구속
증거조사	직권탐지○, 보충적	직권탐지×, 변론주의
행정청 참가여부	○	×
구체적인 예	• 공무원의 지위확인 • 재개발조합 조합원자격 인정 • 공무원의 봉급청구 • 하천구역편입토지 손실보상청구 • 공익사업법 주거이전비보상청구	• 재개발조합장 · 임원 선임 · 해임 • 국세환급청구 • 국가배상청구

2 종류와 적용법규

1. 실질적 당사자소송

(1) 의의 및 유형

① 실질적 당사자소송이란 공법상의 법률관계에 관한 소송으로서 그 법률관계의 한쪽 당사자를 피고로 하는 소송을 말한다. 이를 다음의 유형으로 나눌 수 있다.

② **처분 등을 원인으로 하는 법률관계에 관한 소송**

㉠ 처분 등의 무효 · 취소를 전제로 하는 공법상의 부당이득반환청구소송(예 과오납금반환청구소송)

㉡ 공무원의 직무상 불법행위로 인한 국가배상청구소송

③ **그 밖의 공법상의 법률관계에 관한 소송**

㉠ 공법상 계약과 그 불이행시에 제기하는 소송(예 토지수용시 협의성립 후 보상금미지급시 보상금지급청구소송)

㉡ 공법상 금전지급청구를 위한 소송(예 공무원봉급미지급시 지급청구)

㉢ 공법상 지위 · 신분의 확인을 구하는 소송(예 결격사유에 해당하지 않음을 이유로 하는 국회의원의 신분확인청구소송)

㉣ 공법상의 결과제거청구소송

(2) 적용법규

① **취소소송에 관한 규정이 준용되는 경우**: 취소소송에 관한 규정 중 관련청구의 이송 · 병합, 피고경정, 공동소송, 소송참가, 소의 변경, 처분변경으로 인한 소의 변경, 행정심판기록제출명령, 직권심리주의, 판결의 기속력, 소송비용부담 등에 관한 것이 당사자소송에 준용되고 있다(행정소송법 제44조 제1항 · 제2항).

② **취소소송에 관한 규정이 준용되지 않는 경우**: 취소소송에 관한 규정 중 제소기간, 선결문제, 원고적격, 행정심판전치주의, 소송대상, 집행정지, 재량취소, 사정판결, 취소판결의 효력, 처분의무, 제3자에 의한 재심, 간접강제 등은 준용되지 아니한다(행정소송법 제44조 제1항 · 제2항).

관련판례

1 이미 그 존재와 범위가 확정되어 있는 과오납부액이나 환급세액은 납세자가 부당이득의 반환을 구하는 민사소송으로 그 환급을 청구할 수 있다(대판 1997.10.10, 97다26432).

2 납세의무자에 대한 국가의 부가가치세 환급세액 지급의무에 대응하는 국가에 대한 납세의무자의 부가가치세 환급세액 지급청구는 민사소송이 아니라 행정소송법 제3조 제2호에 규정된 당사자소송의 절차에 따라야 한다(대판 2013.3.21, 2011다95564 전합).

3 지방소방공무원이 자신이 소속된 지방자치단체를 상대로 초과근무수당의 지급을 구하는 청구에 관한 소송은 행정소송법 제3조 제2호에 규정된 당사자소송의 절차에 따라야 한다(대판 2013.3.28, 2012다102629).

4 교육부장관(당시 문교부장관)의 권한을 재위임 받은 공립교육기관의 장에 의하여 공립유치원의 임용기간을 정한 전임강사로 임용되어 지방자치단체로부터 보수를 지급받으면서 공무원복무규정을 적용받고 사실상 유치원 교사의 업무를 담당하여 온 유치원 교사의 자격이 있는 자는 교육공무원에 준하여 신분보장을 받는 정원외의 임시직 공무원으로 봄이 상당하므로 그에 대한 해임처분의 시정 및 수령지체된 보수의 지급을 구하는 소송은 행정소송의 대상이지 민사소송의 대상이 아니다(대판 1991.5.10, 90다10766).

5 석탄광업자가 석탄산업합리화사업단을 상대로 석탄산업법령 및 석탄가격안정지원금 지급요령에 의하여 지원금의 지급을 구하는 소송은 공법상의 법률관계에 관한 소송인 공법상의 당사자소송에 해당한다(대판 1997.5.30, 95다28960).

6 수신료의 법적 성격, 피고 보조참가인의 수신료 강제징수권의 내용[구 방송법(2008.2.29. 법률 제8867호로 개정되기 전의 것) 제66조 제3항] 등에 비추어 보면 수신료 부과행위는 공권력의 행사에 해당하므로, 피고가 피고 보조참가인으로부터 수신료의 징수업무를 위탁받아 자신의 고유업무와 관련된 고지행위와 결합하여 수신료를 징수할 권한이 있는지 여부를 다투는 이 사건 쟁송은 민사소송이 아니라 공법상의 법률관계를 대상으로 하는 것으로서 행정소송법 제3조 제2호에 규정된 당사자소송에 의하여야 한다고 봄이 상당하다(대판 2008.7.24, 2007다25261).

7 중앙관서의 장이 가지는 반환하여야 할 보조금에 대한 징수권은 공법상 권리로서 사법상 채권과는 성질을 달리하므로, 중앙관서의 장으로서는 보조금을 반환하여야 할 자에 대하여 민사소송의 방법으로는 반환청구를 할 수 없다고 보아야 한다(대판 2012.3.15, 2011다17328).

8 적법하게 시행된 공익사업으로 인하여 이주하게 된 주거용 건축물 세입자의 주거이전비 보상청구권은 공법상의 권리이고, 따라서 그 보상을 둘러싼 쟁송은 민사소송이 아니라 공법상의 법률관계를 대상으로 하는 행정소송에 의하여야 한다(대판 2008.5.29, 2007다8129).

간단 점검하기

01 판례에 의하면 존재와 범위가 확정되어 있는 과오납부액이나 환급세액의 부당이득반환청구는 그 원인행위가 공법적이므로 당사자소송에 의하여야 한다. ( ) 12. 국가직 7급

02 납세의무자에 대한 국가의 부가가치세 환급세액 지급의무에 대응하는 국가에 대한 납세의무자의 부가가치세 환급세액지급청구는 민사소송이 아니라 당사자소송에 의하여야 한다. ( ) 18. 국가직 7급

03 지방소방공무원이 자신이 소속된 지방자치단체를 상대로 초과근무수당의 지급을 구하는 청구에 관한 소송은 당사자소송의 절차에 따라야 한다. ( ) 14. 지방직 7급

04 공립유치원 전임강사에 대한 해임처분의 시정 및 수령지체된 보수의 지급을 구하는 소송은 판례가 민사소송의 대상이라고 판단하고 있다. ( ) 18. 서울시 9급

05 구 석탄산업법상 석탄가격 안정지원금의 지급청구는 당사자소송의 대상이다. ( ) 17. 사회복지직

06 TV방송수신료 통합징수권한의 부존재확인은 당사자소송으로 다툴 수 있다. ( ) 16. 교육행정직

07 보조금 관리에 관한 법률에 따라 반환되어야 할 보조금에 대한 중앙관서의 장이 가지는 징수권은 사법상 채권이므로 민사소송의 방법으로 반환청구할 수 있다. ( ) 14. 지방직 7급

08 구 공익사업을 위한 토지 등의 취득 및 보상에 관한 법률에 의한 주거이전비 보상청구는 당사자소송의 대상이다. ( ) 19. 서울시 7급, 15. 지방직 7급

01 × 02 ○ 03 ○ 04 ×
05 ○ 06 ○ 07 × 08 ○

9 공중보건의사 채용계약 해지의 의사표시에 대하여는 대등한 당사자간의 소송형식인 공법상의 당사자소송으로 그 의사표시의 무효확인을 청구할 수 있는 것이지, 이를 항고소송의 대상이 되는 행정처분이라는 전제하에서 그 취소를 구하는 항고소송을 제기할 수는 없다(대판 1996.5.31, 95누10617).

10 서울특별시립무용단 단원의 위촉은 공법상의 계약이라고 할 것이고, 따라서 그 단원의 해촉에 대하여는 공법상의 당사자소송으로 그 무효확인을 청구할 수 있다(대판 1995.12.22, 95누4636).

11 교육청 교육장의 당연퇴직 조치가 행정처분임을 전제로 그 취소나 무효의 확인을 구하는 항고소송이 아니라 원고의 지방공무원으로서의 지위를 다투는 피고에 대하여 그 지위확인을 구하는 공법상의 당사자소송에 해당함이 분명하므로, 행정소송법 제39조의 규정상 지방자치단체로서 권리 주체인 피고가 이 사건 소에 있어서의 피고적격을 가진다고 할 것이다(대판 1998.10.23, 98두12932).

2. 형식적 당사자소송

(1) 의의

① 형식적 당사자소송이란 행정청의 처분·재결 등이 원인이 되어 형성된 법률관계에 관하여 다툼이 있는 경우에 그 원인이 되는 처분·재결 등의 효력이 아닌 그 처분 등의 결과로서 형성된 법률관계에 대하여 그 처분청을 피고로 하지 않고 그 법률관계의 한쪽 당사자를 피고로 하여 제기하는 소송을 말한다.

② 토지수용재결로 보상금 증액청구의 경우 보상금액 결정은 토지수용위원회가 하였지만 사업시행자를 피고로 보상금증액 지급청구하는 소송이 이에 해당한다.

(2) 형식적 당사자소송의 필요성

① 형식적 당사자소송은 신속한 권리구제를 도모하고 소송절차를 간소화하려는 데 있다.

② 즉, 형식적 당사자소송에서 당사자가 불복하여 다투는 것은 처분 또는 재결 그 자체가 아니라 그에 의하여 형성된 법률관계(예 보상금액의 다과)이며, 그 다툼의 대상은 공익에 관한 것이라기보다는 당사자의 재산상의 평가에 관한 것이다.

③ 따라서 특별히 처분청을 피고로 하는 항고소송의 형식을 취할 실익이 없으면 직접 이해관계자를 소송당사자로 하여 다투도록 하는 것이 소송진행이나 분쟁의 해결에 보다 적절하다.

(3) 형식적 당사자소송의 일반적 인정 여부

① 형식적 당사자소송이 현행 행정소송법 하에서 일반적으로 인정될 수 있는지 여부에 대하여 견해가 대립하고 있으나, 부정하는 견해가 다수설이다.

② 긍정하는 견해는 행정소송법에 특별한 제한규정을 두고 있지 않으므로 개별법에 근거가 없는 경우에 허용된다는 입장이다.

③ 부정하는 견해는 개별법에 규정이 없으면 형식적 당사자소송의 원고·피고의 적격성 및 소송제기기간 등 소송요건이 불분명하므로 반드시 개별적인 규정이 있는 경우에만 허용된다는 입장이다.

간단 점검하기

01 전문직공무원인 공중보건의사 채용계약 해지의 의사표시에 대하여는 대등한 당사자 간의 소송형식인 공법상의 당사자소송으로 그 의사표시의 무효확인을 청구할 수 있는 것이지 이를 항고소송의 대상이 되는 행정처분이라는 전제하에서 그 취소를 구하는 항고소송을 제기할 수는 없다. ( )
14. 서울시 7급, 12. 지방직 9급

02 서울특별시립무용단 단원의 위촉은 공법상의 계약이므로, 그 단원의 해촉에 대하여는 공법상의 당사자소송으로 그 무효확인을 청구할 수 있다.
( ) 14. 지방직 7급

03 공무원이나 공립학교 학생의 신분확인을 구하는 공법상 신분·지위 확인소송은 판례상 당사자소송이다.
( ) 14. 국회직 8급

간단 점검하기

04 형식적 당사자소송이란 실질적으로 행정청의 처분 등을 다투는 것이나 형식적으로는 처분 등의 효력을 다투지도 않고, 또한 처분청을 피고로 하지도 않고, 그 대신 처분 등으로 인해 형성된 법률관계를 다투기 위해 관련 법률관계의 일방당사자를 피고로 하여 제기하는 소송을 말한다. ( )
17. 서울시 7급

01 ○ 02 ○ 03 ○ 04 ○

(4) 실정법상의 근거

① **특허법, 실용신안법**: 형식적 당사자소송을 인정하는 개별 실정법으로서는 특허법 제191조, 실용신안법 제35조, 상표법 제86조, 의장법 제75조 등이 이에 해당한다. 예컨대 보상금 등에 대한 불복의 소에 있어서 결정한 행정청인 특허청장 피고가 되는 것이 아니라 보상금지급관서인 중앙행정기관장이나 출원인이 피고가 된다.

② **공익사업을 위한 토지 등의 취득 및 보상에 관한 법률상의 논의**

㉠ 공익사업법 제85조 제2항은 "제1항의 규정에 따라 제기하고자 하는 행정소송이 보상금의 증감에 관한 소송인 경우 해당 소송을 제기하는 자가 토지소유자 또는 관계인인 때에는 사업시행자를, 사업시행자인 때에는 토지소유자 또는 관계인을 각각 피고로 한다."고 규정하고 있다.

㉡ 종래 토지수용법은 피고에 재결청을 포함시키고 있었는데, 이 소송형태에 대하여 학설·판례상 여러 견해가 대립하였으며 판례는 필수적 공동소송이라는 견해를 취하고 있었다.

㉢ 그런데 2003년 1월 1일부터 시행된 토지보상법에서는 재결청을 피고에서 제외시키고 ㉠과 같이하여 이러한 논쟁을 입법적으로 해결하여 형식적 당사자소송으로 확립하였다.

3 소송절차

1. 소송요건

(1) 재판관할

항고소송에 있어서와 마찬가지로 제1심 관할법원은 피고의 소재지를 관할하는 행정법원이 된다. 다만, 국가 또는 공공단체가 피고인 경우에는 관계행정청의 소재지를 피고의 소재지로 한다(행정소송법 제40조).

(2) 당사자

① **원고적격**

㉠ 당사자소송은 대등한 당사자 간의 공법상 법률관계에 관한 소송이므로 항고소송에서와 같은 원고적격의 제한은 없으며, 원고적격에 관한 행정소송법에 별도의 규정이 없다.

㉡ 따라서 민사소송법상의 원고적격에 관한 규정이 준용된다(행정소송법 제8조 제2항).

② **협의의 소익**

㉠ 별도의 규정이 존재하지 않는다.

㉡ 판례는 당사자소송으로 법률관계확인청구소송을 제기하는 경우 확인의 이익을 요구한다.

③ **피고적격**

㉠ **권리주제**: 당사자소송의 피고는 국가 또는 공공단체 그 밖의 권리주체가 된다(행정소송법 제39조).

간단 점검하기

01 공법상 계약의 무효확인을 구하는 당사자소송의 청구는 당해 소송에서 추구하는 권리구제를 위한 다른 직접적인 구제방법이 있는 이상 소송요건을 구비하지 못한 위법한 청구이다. ( ) 17. 국가직 7급

02 취소소송은 다른 법률에 특별한 규정이 없는 한 그 처분 등을 행한 행정청을 피고로 하며, 당사자소송은 국가·공공단체 그 밖의 권리주체를 피고로 한다. ( ) 18. 서울시 9급

03 국가나 지방자치단체는 행정청과는 달리 당사자소송의 당사자가 될 수 있고 국가배상책임의 주체가 될 수 있다. ( ) 17. 서울시 9급

01 ○ 02 ○ 03 ○

ⓛ **대표**: 국가가 피고가 되는 때에는 법무부장관이 국가를 대표하고(국가를 당사자로 하는 소송에 관한 법률 제2조), 지방자치단체가 피고가 되는 때에는 해당 지방자치단체의 장이 대표한다(지방자치법 제101조).

관련판례

납세의무부존재확인의 소는 공법상의 법률관계 그 자체를 다투는 소송으로서 당사자소송이라 할 것이므로 행정소송법 제3조 제2호, 제39조에 의하여 그 법률관계의 한쪽 당사자인 국가·공공단체 그 밖의 권리주체가 피고적격을 가진다(대판 2000.9.8, 99두2765).

(3) 제소기간

당사자소송에 관하여는 특별히 달리 정하고 있는 경우를 제외하고, 원칙적으로 제소기간의 제한이 없다(행정소송법 제44조 제1항).

(4) 전심절차

① 취소소송의 전심절차는 적용되지 않는다. 그러나 보상에 관하여는 토지보상법과 징발법 등에 국가배상에 관하여는 국가배상법에 전치주의에 관한 규정이 있다.

② 그러나 이러한 보상규정은 원칙적으로 처분 등 또는 부작위에 대한 불복절차인 행정심판법상의 전치주의와는 다른 별도의 행정절차라고 할 수 있다.

2. 관련청구의 이송·병합 및 소의 변경

(1) 관련청구의 이송·병합

① 당사자소송과 관련청구소송이 각각 다른 법원에 계속된 경우에는 취소소송에 있어 이송과 병합에 관한 규정이 준용된다(행정소송법 제44조 제2항, 제10조).

② 병합된 후 본래의 당사자소송이 각하되는 경우라면 관련청구소송도 각하되어야 한다는 것이 판례의 입장이다.

관련판례 **당사자소송과 병합된 관련청구소송** ★★

본래의 당사자소송이 부적법하여 각하되는 경우, 행정소송법 제44조, 제10조에 따라 병합된 관련청구소송도 소송요건 흠결로 부적합하여 각하되어야 한다(대판 2011.9.29, 2009두10963).

#당사자소송_병합 #당사자소송_각하 #병합된_소_각하

(2) 소의 변경

법원은 당사자소송을 취소소송으로 변경하는 것이 상당하다고 인정할 때에는 청구인의 기초가 변경이 없는 한 사실심변론종결시까지 원고의 신청에 의한 결정으로 소의 변경을 허가할 수 있다(행정소송법 제42조, 제21조).

(3) 행정심판기록의 제출명령, 직권탐지주의 가미(행정소송법 제26조, 제44조 제1항 참조), 처분권주의, 변론주의, 구술심리주의, 직접심리주의, 쌍방심문주의, 법관의 석명의무, 입증책임분배에 관한 원칙 등이 적용된다.

간단 점검하기

01 국가를 당사자 또는 참가인으로 하는 소송에서는 법무부장관이 국가를 대표하고, 지방자치단체를 당사자로 하는 소송에서는 지방자치단체의 장이 해당 지방자치단체를 대표한다. ( ) 17. 서울시 7급

02 공무수탁사인은 당사자소송의 피고가 될 수 있다. ( ) 08. 국가직 9급

03 납세의무부존재확인청구소송은 공법상 법률관계 그 자체를 다투는 소송이므로 과세처분청이 아니라 그 법률관계의 한쪽 당사자인 국가·공공단체 그 밖의 권리주체에게 피고적격이 있다. ( ) 17. 국가직 9급, 14. 변호사

04 당사자소송은 취소소송의 제소기간이 적용되지 않으나, 법령에 제소기간이 정해져 있는 경우에 그 기간은 불변기간이다. ( ) 16. 국회직 8급

01 ○ 02 ○ 03 ○ 04 ○

3. 가구제

관련판례

도시 및 주거환경정비법(이하 '도시정비법'이라 한다)상 행정주체인 주택재건축정비사업조합을 상대로 관리처분계획안에 대한 조합 총회결의의 효력을 다투는 소송은 행정처분에 이르는 절차적 요건의 존부나 효력 유무에 관한 소송으로서 소송결과에 따라 행정처분의 위법 여부에 직접 영향을 미치는 공법상 법률관계에 관한 것이므로, 이는 행정소송법상 당사자소송에 해당한다. 그리고 이러한 당사자소송에 대하여는 행정소송법 제23조 제2항의 집행정지에 관한 규정이 준용되지 아니하므로(행정소송법 제44조 제1항 참조), 이를 본안으로 하는 가처분에 대하여는 행정소송법 제8조 제2항에 따라 민사집행법상 가처분에 관한 규정이 준용되어야 한다(대결 2015.8.21, 2015무26).

간단 점검하기

01 당사자소송을 본안으로 하는 가처분에 대하여는 행정소송법상 집행정지에 관한 규정이 준용되지 않고 민사집행법상 가처분에 관한 규정이 준용되어야 한다. ( ) 16. 국가직 7급

4 소송의 종료

1. 판결의 기판력과 구속력

(1) 판결의 기판력은 당사자소송에서는 원칙적으로 소송의 당사자 및 그 승계인에 대하여서만 효력이 발생한다(민사소송법 제216조, 제218조).

(2) 취소소송에 있어서와 같은 판결의 제3자효, 재처분의무, 간접강제, 사정판결 등은 당사자소송에는 인정되지 않는다.

(3) 그러나 판결의 기속력조항(행정소송법 제30조 제1항)은 당사자소송에 준용된다(행정소송법 제44조).

간단 점검하기

02 행정소송법상 당사자소송을 항고소송으로 변경하는 것은 허용되지 않는다. ( ) 16. 교육행정직

03 취소소송에는 대세효(제3자효)가 있으나 당사자소송에는 인정되지 않는다. ( ) 17. 교육행정직

2. 가집행선고

(1) 행정소송법 제43조는 "국가를 상대로 하는 당사자소송의 경우에는 가집행선고를 할 수 없다."고 규정하고 있다. 그러나 같은 내용의 규정을 둔 소송촉진 등에 관한 특례법 제6조 제1항 단서가 위헌으로 결정된 사실을 볼 때(헌재 1989.1.25, 88헌가7), 이 조항 역시 위헌의 소지가 농후하다.

(2) 따라서 이러한 명문의 규정에도 불구하고 가처분 내지 가집행선고가 인정된다고 보아야 한다. 판례도 "행정소송법 제8조 제2항에 의하면 행정소송에도 민사소송법의 규정이 일반적으로 준용되므로 법원으로서는 공법상 당사자소송에서 재산권의 청구를 인용하는 판결을 하는 경우 가집행선고를 할 수 있다(대판 2000.11.28, 99두3416)."고 판시하고 있다.

관련판례 **가집행선고** ★★★

행정소송법 제8조 제2항에 의하면 행정소송에도 민사소송법의 규정이 일반적으로 준용되므로 법원으로서는 공법상 당사자소송에서 재산권의 청구를 인용하는 판결을 하는 경우 가집행선고를 할 수 있다(대판 2000.11.28, 99두3416).
#공법상당사자소송_재산권청구_가집행선고_가능

간단 점검하기

04 행정소송법 제8조 제2항에 의하면 행정소송에도 민사소송법의 규정이 일반적으로 준용되므로 법원으로서는 공법상 당사자소송에서 재산권의 청구를 인용하는 판결을 하는 경우 가집행선고를 할 수 있다. ( ) 17. 서울시 7급

05 공법상 당사자소송에서 재산권의 청구를 인용하는 판결을 하는 경우에는 가집행선고를 할 수 없다. ( ) 08. 국가직 9급

01 ○ 02 × 03 ○ 04 ○ 05 ×

point check 취소소송에 관한 규정의 다른 소송에의 준용 여부

구분	무효등 확인소송	부작위위법확인소송	당사자소송
관련청구의 이송·병합(제10조)	○	○	○
피고적격(제13조)	○	○	×
피고경정(제14조)	○	○	○
공동소송(제15조)	○	○	○
소송참가(제16조 내지 제17조)	○	○	○
행정심판의 전치(제18조)	×	○	×
취소소송의 대상(제19조)	○	○	×
제소기간의 제한(제20조)	×	○ (행정심판 거친 경우) × (행정심판 거치지 않는 경우)	×
소의 종류의 변경(제21조)	○	○	○
처분변경으로 인한 소변경(제22조)	○	×	○
집행정지 및 취소 (제23조 내지 제24조)	○	×	×
행정심판기록제출명령(제25조)	○	○	○
직권심리주의(제26조)	○	○	○
재량처분의 일탈남용(제27조)	×	○	×
사정판결(제28조)	×	×	×
판결의 대세효(제29조)	○	○	×
판결의 기속력(제30조)	○	○	○
제3자의 재심청구(제31조)	○	○	×
사정판결·처분변경 등의 경우 피고 소송비용부담(제32조)	×	×	○
소송비용에 관한 재판효력(제33조)	○	○	○
간접강제(제34조)	×	○	×
위법판단의 기준시	처분시	판결시	해당 없음

제7절 객관적 소송

1 개설

객관적 소송은 행정의 적법성 보장을 목적으로 하는 소송이다. 이 점에서 개인의 권리구제와 행정의 적법성 보장이라는 두 가지 목적을 추구하는 주관적 소송(항고소송·당사자소송)과 구별된다. 따라서 주관적 소송은 소익이 있으면 소를 제기할 수 있는 데 반하여, 객관적 소송은 특별히 법이 정하는 경우에만 소의 제기가 가능하다.

2 종류

1. 민중소송

(1) 의의

민중소송이란 국가 또는 공공단체의 기관이 법률에 위반되는 행위를 한 때에 직접 자기의 법률상 이익과 관계없이 그 시정을 구하기 위하여 제기하는 소송을 말한다(행정소송법 제3조 제3호).

(2) 성질

민중소송은 개인의 권리구제를 직접목적으로 하는 것이 아니라 행정의 적법성 등 객관적 법익을 목적으로 하는 소송이므로 기관소송과 함께 객관적 소송에 속한다. 이러한 객관소송적 성질로 인해 각 개별법에 의하여 특별히 인정되는 경우에만 허용되는 소송이다(행정소송법 제45조).

(3) 종류

① 공직선거법상 민중소송

㉠ 대통령 · 국회의원선거

ⓐ **선거소송**: 대통령선거 및 국회의원선거에 있어서 선거의 효력에 관하여 이의가 있는 선거인 · 정당(후보자를 추천한 정당에 한한다) 또는 후보자는 선거일부터 30일 이내에 당해 선거구선거관리위원회위원장을 피고로 하여 대법원에 소를 제기할 수 있다(공직선거법 제222조 제1항).

ⓑ **당선소송**: 대통령선거 및 국회의원선거에 있어서 당선의 효력에 이의가 있는 정당 또는 후보자는 당선인결정일부터 30일이내에 당선인, 중앙선거관리위원회위원장 또는 국회의장, 국회의원선거에 있어서는 당해 선거구선거관리위원회위원장을 각각 피고로 하여 대법원에 소를 제기할 수 있다(공직선거법 제223조 제1항).

㉡ 지방의회의원 · 지방자치단체장의 선거

ⓐ **선거소송**: 지방의회의원 및 지방자치단체의 장의 선거에 있어서 선거의 효력에 불복이 있는 소청인(당선인을 포함한다)은 해당 소청에 대하여 기각 또는 각하 결정이 있는 경우(제220조 제1항의 기간 내에 결정하지 아니한 때를 포함한다)에는 해당 선거구선거관리위원회 위원장을, 인용결정이 있는 경우에는 그 인용결정을 한 선거관리위원회 위원장을 피고로 하여 그 결정서를 받은 날부터 10일 이내에 비례대표시 · 도의원선거 및 시 · 도지사선거에 있어서는 대법원에, 지역구시 · 도의원선거, 자치구 · 시 · 군의원선거 및 자치구 · 시 · 군의 장 선거에 있어서는 그 선거구를 관할하는 고등법원에 소를 제기할 수 있다(공직선거법 제219조 제1항, 제222조 제2항).

ⓑ **당선소송**: 지방의회의원 및 지방자치단체의 장의 선거에 있어서 당선의 효력에 관한 제220조의 결정에 불복이 있는 소청인 또는 당선인인 피소청인(제219조 제2항 후단에 따라 선거구선거관리위원회 위원장이 피소청인인 경우에는 당선인을 포함한다)은 해당

소청에 대하여 기각 또는 각하 결정이 있는 경우(제220조 제1항의 기간 내에 결정하지 아니한 때를 포함한다)에는 당선인(제219조 제2항 후단을 이유로 하는 때에는 관할선거구선거관리위원회 위원장을 말한다)을, 인용결정이 있는 경우에는 그 인용결정을 한 선거관리위원회 위원장을 피고로 하여 그 결정서를 받은 날(제220조 제1항의 기간 내에 결정하지 아니한 때에는 그 기간이 종료된 날)부터 10일 이내에 비례대표시 · 도의원선거 및 시 · 도지사선거에 있어서는 대법원에, 지역구시 · 도의원선거, 자치구 · 시 · 군의원선거 및 자치구 · 시 · 군의 장 선거에 있어서는 그 선거구를 관할하는 고등법원에 소를 제기할 수 있다(공직선거법 제223조 제2항).

② **국민투표법상의 민중소송**: 국민투표의 효력에 관하여 이의가 있는 투표인은 투표인 10만인 이상의 찬성을 얻어 중앙선거관리위원회위원장을 피고로 하여, 투표일부터 20일 이내에 대법원에 제소할 수 있다(국민투표법 제92조).

③ **주민투표법상의 민중소송**: 주민투표의 효력에 관하여 이의가 있는 투표권자는 투표권자 총수의 100분의 1 이상의 서명으로 투표결과가 공표된 날부터 14일 이내에 관할선거관리위원장을 피소청인으로 하여 시 · 군 및 자치구에 있어서는 특별시 · 광역시 · 도 선거관리위원회에, 특별시 · 광역시 및 도에 있어서는 중앙선거관리위원회에 소청할 수 있다. 소청에 대한 결정에 불복하는 소청인은 관할선거관리위원회위원장을 피고로 하여 그 결정서를 받은 날(결정서를 받지 못한 때에는 결정기간이 종료된 날)부터 10일 이내에 특별시 · 광역시 및 도에 있어서는 대법원에, 시 · 군 및 자치구에 있어서는 관할 고등법원에 소를 제기할 수 있다(주민투표법 제25조).

④ **지방자치법상 주민소송**: 공금의 지출에 관한 사항, 재산의 취득 · 관리 · 처분에 관한 사항, 해당 지방자치단체를 당사자로 하는 매매 · 임차 · 도급 계약이나 그 밖의 계약의 체결 · 이행에 관한 사항 또는 지방세 · 사용료 · 수수료 · 과태료 등 공금의 부과 · 징수를 게을리한 사항을 감사청구한 주민은 법률이 정하는 특정한 경우에 그 감사청구한 사항과 관련이 있는 위법한 행위나 업무를 게을리한 사실에 대하여 해당 지방자치단체의 장을 상대방으로 하여 소송을 제기할 수 있다(제17조 제1항).

(4) 적용법규

민중소송에 적용될 법규는 민중소송을 규정하는 각 개별법규가 정하는 것이 일반적이다. 그러나 각 개별법규가 특별히 정함이 없는 경우에는 ① 처분 등의 취소를 구하는 소송에는 그 성질에 반하지 않는 한 취소소송에 관한 규정을 준용하고, ② 처분 등의 효력 유무 또는 존재 여부나 부작위위법의 확인을 구하는 소송에는 그 성질에 반하지 아니하는 한 각각 무효등 확인소송 또는 부작위위법확인소송에 관한 규정을 준용하며, ③ 위의 ①·②의 경우에 해당하지 않는 소송에는 그 성질에 반하지 아니하는 한 당사자소송에 관한 규정을 준용한다(행정소송법 제46조).

2. 기관소송

(1) 의의

기관소송이란 국가 또는 공공단체의 기관 상호간에 있어서의 권한의 존부 또는 그 행사에 관한 다툼이 있을 때에 이에 대하여 제기하는 소송을 말한다(행정소송법 제3조 제4호).

(2) 성질

기관소송은 개인의 권리구제를 직접목적으로 하는 것이 아니라 행정조직 내부의 권한배분에 관한 문제를 다투는 객관적 소송이다. 따라서 개별법규에서 특별히 인정되는 경우에만 허용된다(행정소송법 제45조).

(3) 기관소송의 종류

① **지방자치법상 기관소송**: 지방자치단체의 장은 재의결된 사항이 법령에 위반된다고 판단되는 때에는 재의결된 날부터 20일 이내에 대법원에 소를 제기할 수 있다. 이 경우 필요하다고 인정되는 때에는 그 의결의 집행을 정지하게 하는 집행정지결정을 신청할 수 있다(제172조 제3항).

㉠ 지방의회의 의결에 대해 단체장이 제소하는 경우(제107조)

㉡ 감독청의 재의요구명령에 따라 지방의회의결에 대해 단체장이 제소하는 경우(제172조)

㉢ 감독청의 제소지시에 따라 지방의회의결에 대해 단체장이 제소하는 경우(제172조 제4항 · 제5항)

㉣ 감독청이 직접 제소하는 경우(제172조 제4항 · 제6항)

㉤ 감독청의 시정명령, 취소 · 정지에 대한 단체장의 불복소송(제169조 제2항)

㉥ 감독청의 직무이행명령에 대한 단체장의 불복소송(제170조 제3항)

② **지방교육자치에 관한 법률상의 기관소송**: 재의결된 사항이 법령에 위반된다고 판단될 때에는 교육감은 이를 교육부장관에게 보고하고 재의결된 날부터 20일 이내에 대법원에 제소할 수 있다. 다만, 재의결된 사항이 법령에 위반된다고 판단됨에도 해당 교육감이 소를 제기하지 않은 때에는 교육부장관은 해당 교육감에게 제소를 지시하거나 직접 제소할 수 있다(제28조 제3항).

3. 단체소송

(1) 의의

객관적 소송의 형태로 공익소송으로서의 다수당사자소송이 외국에서는 활발히 논의 · 실행되고 있다. 즉, 독일의 단체소송과 미국에서의 집단소송이 그것이며 우리나라에서도 개인정보 보호법상 권리침해에 대한 집단분쟁의 해결방법으로 분쟁조정제도와 단체소송제도가 인정되고 있다.❶

❶ 개인정보 보호법 제6장, 제7장 참조

(2) 종류

① **이기적 단체소송**: 단체가 그 구성원의 집단적 이익을 방어 또는 관철하기 위하여 단체의 이름으로 제기하는 소송을 말한다. 예를 들어 정보보호단체가 자신의 이익이 침해된 경우에 소송을 제기하는 경우를 말한다.

② **이타적 단체소송**: 특정 단체가 자신의 이익침해를 위한 것이 아니라 어떤 제도나 문화적 가치의 보존이나 환경에 대한 훼손방지 및 그 보호와 같은 공익추구를 목적으로 제기하는 행정소송을 말한다. 예를 들어 정보보환체가 개인정보 침해에 대하여 피해자를 대신하여 소송을 제기하는 경우가 이에 해당한다.

(3) 개인정보 보호법상 단체소송

① **단체소송의 대상(필요적 전심절차, 부작위청구소송, 제51조 제1항)**

㉠ **필요적 전심절차**: 집단분쟁조정절차를 거친 후에 제기할 수 있다.

㉡ **부작위 청구소송**: 집단분쟁조정을 거부하거나 집단분쟁조정의 결과를 수락하지 아니한 경우에 법원에 권리침해 행위의 금지·중지를 구한다.

㉢ **제기 단체(원고)**: 소비자단체, 비영리민간단체 등이 제기한다.

② **전속관할**

㉠ 주된 사무소 소재지 지방법원 본원 합의부

㉡ **외국사업자의 경우**: 대한민국에 있는 외국사업자의 주된 사무소·영업소 또는 업무담당자의 주소에 따라 정한다.

③ **소송대리인의 선임(변호사강제주의)**: 변호사를 소송대리인으로 선임하여야 한다(제53조).

④ 단체의 소송허가신청(제54조) → 법원의 허가(불복시 즉시항고)

⑤ 특별한 규정이 없는 경우에는 민사소송법을 적용한다(제57조 제1항).

제8절 헌법소송

1 헌법소원

> 헌법재판소법 제68조【청구 사유】 ① 공권력의 행사 또는 불행사(不行使)로 인하여 헌법상 보장된 기본권을 침해받은 자는 법원의 재판을 제외하고는 헌법재판소에 헌법소원심판을 청구할 수 있다. 다만, 다른 법률에 구제절차가 있는 경우에는 그 절차를 모두 거친 후에 청구할 수 있다.
> ② 제41조 제1항에 따른 법률의 위헌 여부 심판의 제청신청이 기각된 때에는 그 신청을 한 당사자는 헌법재판소에 헌법소원심판을 청구할 수 있다. 이 경우 그 당사자는 당해 사건의 소송절차에서 동일한 사유를 이유로 다시 위헌 여부 심판의 제청을 신청할 수 없다.

1. 의의

공권력의 행사 또는 불행사(不行使)로 인하여 헌법상 보장된 기본권을 침해받은 자가 그 권리의 구제를 위하여 헌법재판소에 헌법소원심판을 청구하면 이에 대하여 헌법재판소가 심판을 통하여 국민의 기본권을 구제하고 헌법질서를 수호하고 유지하는 제도이다.

2. 종류

(1) 권리구제형 헌법소원

공권력의 행사 또는 불행사로 말미암아 헌법상 보장된 기본권을 침해당한 자가 청구하는 헌법소원으로 본래적 의미의 헌법소원을 말한다(헌법재판소법 제68조 제1항). 행정법상 권리구제와 관련이 있다.

(2) 위헌심사형 헌법소원

위헌법률심판청구가 기각된 경우에는 직접 헌법재판소에 위헌심사형 헌법소원심판을 청구하는 것을 말한다(헌법재판소법 제68조 제2항).

3. 헌법소원의 보충성

(1) 법원의 재판에 의해 구제가 가능한 경우에는 헌법소원을 제기할 수 없다고 하며 이를 헌법소원의 보충성이라 한다. 즉, 다른 구제수단이 없는 경우 헌법소원이 인정된다는 것이다.

(2) 헌법재판소는 보충성 요건을 완화하여 해석한다. 즉, 기존의 구제절차가 없거나 행정소송으로 권리가 구제될 가능성이 거의 없는 경우 또는 권리구제절차가 허용되는지의 여부가 객관적으로 불확실한 경우 등에는 항고소송을 거칠 필요 없이 직접 헌법소원을 제기할 수 있다고 한다.

관련판례 **보충성원칙** ★★★

진정에 대한 국가인권위원회의 각하 및 기각결정은 피해자인 진정인의 권리행사에 중대한 지장을 초래하는 것으로서 항고소송의 대상이 되는 행정처분에 해당하므로, 그에 대한 다툼은 우선 행정심판이나 행정소송에 의하여야 할 것이다. 따라서 이 사건 심판청구는 행정심판이나 행정소송 등의 사전 구제절차를 모두 거친 후 청구된 것이 아니므로 보충성 요건을 충족하지 못하였다(헌재 2015.3.26, 2013헌마214 등).
#국가인권위원회_각하결정_행정처분 #보충성요건_행정구제_우선적용

4. 대상

(1) 항고소송으로 구제될 수 없거나 현실적으로 구제가 극히 곤란한 경우

① 법령(법률 또는 법규명령 등)

㉠ 법령은 추상적 규범으로 직접 국민의 기본권 침해의 직접성이 인정되지 않으므로 헌법소원의 대상이 될 수 없다.

㉡ 법령이 집행행위 없이 직접 기본권을 침해할 경우 예외적으로 헌법소원의 대상이 된다(헌재 1990.10.15, 89헌마178).

② **행정입법부작위**: 행정입법부작위도 처분성이 인정되지 않으므로 행정소송으로 구제가 불가능하여 헌법소원의 대상이 될 수 있다(헌재 2004.2.26, 2001헌마78).

③ 권력적 사실행위

㉠ 처분성이 인정되는 경우에는 헌법소원의 대상이 아니다.

㉡ 처분성이 인정되나 헌법소원의 대상이 되는 예외적인 경우도 있다. 예컨대 교도소장이 수형자의 서신검열행위는 행정처분인지도 불분명하며 처분으로 보아도 당사자의 입장에서는 출소로 권리구제가 되지

않으므로 소의 이익이 없을 수 있으나 동일한 행위가 계속되어 인권 침해의 가능성이 있으므로 헌법재판소에서 심판해야 한다(헌재 1995. 7.21, 92헌마144)고 하여 보충성 요건의 예외도 인정했다.

(2) 판결에 대한 헌법소원

헌법재판소는 법원의 재판을 헌법소원심판의 대상에서 제외함이 원칙이므로 판결은 헌법소원의 대상이 될 수 없다. 다만, 예외적으로 위헌선언한 법령을 적용하여 국민의 기본권이 침해된 경우에는 헌법소원의 대상이 된다.

2 권한쟁의심판

1. 의의

권한쟁의심판이란 국가기관 상호간, 국가기관과 지방자치단체간 및 지방자치단체 상호간에 권한의 존부 또는 범위에 관하여 다툼이 있을 때 당해 국가기관 또는 지방자치단체가 헌법재판소에 제기하는 권한쟁의에 관한 심판을 말한다(헌법재판소법 제2조 제4호, 제61조 제1항).

2. 종류

(1) 국가기관 상호간 권한쟁의심판(국회, 정부, 법원 및 중앙선거관리위원회 상호간)

(2) 국가기관과 지방자치단체 간의 권한쟁의심판(정부와 특별시 · 광역시 · 특별자치시 · 도 또는 특별자치도)

(3) 지방자치단체 상호간의 권한쟁의심판(특별시 · 광역시 · 특별자치시 · 도 또는 특별자치도)

3. 효력

권한쟁의심판결정은 모든 국가기관과 지방자치단체를 기속한다. 다만, 국가기관 또는 지방자치단체의 처분을 취소하는 결정은 그 처분의 상대방에 대하여 이미 생긴 효력에 영향을 미치지 아니한다(헌법재판소법 제67조).

정리 재개발 · 재건축 총정리

Level up 도시 및 주거환경정비법상 재개발 절차

1. 사업준비
   ① 과정: 기본계획수립 → 정비계획 수립 및 정비구역 지정
   ② 지자체장이 지방도시계획위원회 심의를 거쳐 지정(노후 · 불량건축물 수가 전체의 3분의 2 이상인 지역)
2. 사업시행계획
   ① 과정: 추진위원회 구성 + 승인 → 창립총회 → 조합설립 결의 + 인가 → 시공자 선정 → 사업시행계획 결의 + 인가 → 감리자 선정
   ② 조합설립추진위원회는 토지등소유자 과반수 동의로 설립
   ③ 시장 · 군수 · LH · 지정개발자 아닌 자가 정비사업 시행하려면 토지등소유자로 구성된 조합 설립해야 함, 조합 설립에는 토지등소유자 4분의 3 이상 & 토지면적 2분의 1 이상의 동의 받아야 함
   ④ 사업시행계획: 토지이용계획, 건축물계획, 이주대책, 사업비 등에 대한 계획
3. 분양 · 관리처분
   ① 과정: 분양공고 및 신청 → 관리처분계획 수립 + 인가 → 이주 · 철거 · 착공
   ② 관리처분계획: 조합원 대한 분양계획, 일반분양계획, 임대주택계획, 세입자손실보상액 등 재개발사업 시행 후 분양되는 대지 · 건축시설 등에 대한 합리적이고 균형있는 권리배분에 관한 사항을 정하는 계획
4. 사업 완료
   ① 과정: 공사완료 → 준공인가 신청 + 인가 → 이전고시 및 청산(조합 해산)
   ② 준공인가: 건축물 등 사용 승인
   ③ 이전고시: (관리처분계획에 따라) 대지 · 건축물 등 소유권 이전
   ④ 청산: 차액 정산(추가징수 혹은 잔액배분)

point check 조합설립추진위원회승인처분과 조합설립인가처분

구분	조합설립추진위원회	조합
주체의 성질	비법인사단	공법인(행정주체)
승인의 법적 성질	인가(보충행위)	특허(설권행위)
소멸	조합설립 후	목적달성 후
동의요건	완화	엄격
하자의 영향	하자 (조합설립에 영향×,무효이면 영향○)	조합설립추진요건의 적법성 전제×, 추진위설립 무효이면 조합설립 무효

관련판례

1 **조합설립추진위원회 구성승인 - 강학상 인가, 조합설립인가 - 강학상 특허** ★★★

조합설립추진위원회의 구성을 승인하는 처분은 조합의 설립을 위한 주체에 해당하는 비법인 사단인 추진위원회를 구성하는 행위를 보충하여 그 효력을 부여하는 처분인 데 반하여, 조합설립인가처분은 법령상 요건을 갖출 경우 도시정비법상 주택재개발사업을 시행할 수 있는 권한을 가지는 행정주체(공법인)로서의 지위를 부여하는 일종의 설권적 처분이므로, 양자는 그 목적과 성격을 달리한다. … 조합설립인가처분은 추진위원회구성승인처분이 적법 · 유효할 것을 전제로 한다고 볼 것은 아니므로, 구 도시정비법령이 정한 동의요건을 갖추고 창립총회를 거쳐 주택재개발조합이 성립한 이상, 이미 소멸한 추진위원회구성승인처분의 하자를 들어 조합설립인가처분이 위법하다고 볼 수 없다. 다만 추진위원회구성승인처분의 위법으로 그 추진위원회의 조합설립인가 신청행위가 무효라고 평가될 수 있는 특별한 사정이 있는 경우라면, 그 신청행위에 기초한 조합설립인가처분이 위법하다고 볼 수 있다(대판 2013.12.26, 2011두8291).

#조합설립추진위원회승인_인가 #조합설립인가_특허 #조합설립추진위원회_구성_하자 #조합설립인가_영향×

2 재개발조합설립인가 – 강학상 특허 ★★★

재개발조합설립인가신청에 대한 행정청의 조합설립인가처분은 단순히 사인(사인)들의 조합설립행위에 대한 보충행위로서의 성질을 가지는 것이 아니라 법령상 일정한 요건을 갖추는 경우 행정주체(공법인)의 지위를 부여하는 일종의 설권적 처분의 성질을 가진다고 보아야 한다. 그러므로 구 도시 및 주거환경정비법(2007.12.21. 법률 제8785호로 개정되기 전의 것)상 재개발조합설립인가신청에 대하여 행정청의 조합설립인가처분이 있은 이후에는, 조합설립동의에 하자가 있음을 이유로 재개발조합 설립의 효력을 부정하려면 항고소송으로 조합설립인가처분의 효력을 다투어야 한다(대판 2010.1.28, 2009두4845).
#재개발조합설립인가_특허 #조합설립동의_하자_조합설립인가_항고소송

1. 재개발 · 재건축 – 조합설립하여 추진시

(1) 추진위원회구성 + 승인

001 조합설립추진위원회 구성승인처분은 조합의 설립을 위한 주체인 추진위원회의 구성행위를 보충하여 그 효력을 부여하는 처분으로 인가에 해당한다. 17. 서울시 7급 ( )

002 도시 및 주거환경정비법상 조합설립추진위원회의 구성에 동의하지 아니한 정비구역 내의 토지 등 소유자는 조합설립추진위원회 설립승인처분의 취소를 구할 원고적격이 있다. 12. 서울시 9급, 11. 국가직 7급 ( )

003 구 도시 및 주거환경정비법상 조합설립추진위원회 구성승인처분을 다투는 소송계속 중에 조합설립인가처분이 이루어졌다면 조합설립추진위원회 구성승인처분의 취소를 구할 법률상 이익은 없다. 18. 지방직 9급 ( )

004 조합설립추진위원회 구성승인처분과 조합설립인가처분은 재개발조합의 설립이라는 동일한 법적 효과를 목적으로 하는 것으로, 조합설립추진위원회 구성승인처분에 하자가 있는 경우에는 특별한 사정이 없는 한 조합설립인가처분은 위법한 것이 된다. 18. 변호사 ( )

(2) 조합설립 + 인가

005 행정청이 관련법령에 근거하여 행하는 조합설립인가처분은 그 설립행위에 대한 보충행위로서의 성질에 그치지 않고 법령상 요건을 갖출 경우 도시 및 주거환경정비법상 주택재건축사업을 시행할 수 있는 권한을 갖는 행정주체(공법인)로서의 지위를 부여하는 일종의 설권적 처분의 성격을 갖는다. 17. 지방직 9급, 17. 서울시 7급, 13. 국가직 7급 ( )

006 판례에 의하면 주택재개발조합설립인가는 보충행위가 아니라 설권적 처분의 성격을 갖는다. 11. 국가직 7급 ( )

007 도시 및 주거환경정비법상 주택재건축정비사업조합은 공법인으로서 목적범위 내에서 법령이 정하는 바에 따라 일정한 행정작용을 행하는 행정주체의 지위를 갖는다. 17. 사회복지직 ( )

008 도시 및 주거환경정비법에 따른 주택재건축사업조합의 설립인가는 행정행위 중 강학상 특허에 해당한다. 18. 경찰행정 ( )

009 주택재개발정비사업조합의 설립인가신청에 대하여 행정청의 인가처분이 있은 이후에 조합설립결의에 하자가 있음을 이유로 조합설립의 효력을 부정하기 위해서는 항고소송으로 인가처분의 효력을 다투어야 하고, 특별한 사정이 없는 한 이와는 별도로 민사소송으로 조합설립결의에 대하여 무효확인을 구할 확인의 이익은 없다. 16. 국가직 7급, 14 · 13. 지방직 9급 ( )

010 주택재건축조합설립 인가 후 주택재건축조합설립결의의 하자를 이유로 조합설립인가처분의 무효확인을 구하기 위해서는 직접 항고소송의 방법으로 확인을 구할 수 없으며, 조합설립결의부분에 대한 효력 유무를 민사소송으로 다툰 후 인가의 무효확인을 구해야 한다. 17. 서울시 7급 ( )

정답
001 ○ 002 ○ 003 ○ 004 × 005 ○ 006 ○ 007 ○ 008 ○ 009 ○ 010 ×

011 조합설립결의에 하자가 있었으나 조합설립인가처분이 이루어진 경우에는 조합설립결의의 하자를 당사자소송으로 다툴 것이고 조합설립인가처분에 대해 항고소송을 제기할 수 없다. 16. 국회직 8급 ( )

012 재개발조합설립인가신청에 대하여 행정청의 조합설립인가처분이 있은 이후에 조합설립 동의에 하자가 있음을 이유로 재개발조합설립의 효력을 부정하려면 조합설립 동의의 효력을 소의 대상으로 하여야 한다. 19. 국회직 8급, 13. 국가직 7급, 13. 지방직 7급 ( )

013 재개발조합 조합원의 자격인정 여부에 관한 다툼은 당사자소송의 대상이다. 19. 서울시 7급 ( )

014 주택재개발정비사업조합은 공법인에 해당하기 때문에, 조합과 조합장 또는 조합임원 사이의 선임 · 해임 등을 둘러싼 법률관계는 공법상 법률관계로서 그 조합장 또는 조합임원의 지위를 다투는 소송은 공법상 당사자소송에 의하여야 한다. 13. 지방직 9급 ( )

015 도시 및 주거환경정비법상 주택재개발사업조합의 조합설립인가처분이 법원의 재판에 의하여 취소된 경우 그 조합설립인가처분은 소급하여 효력을 상실한다. 15. 국회직 8급 ( )

016 토지소유자 등의 동의율을 충족하지 못한 주택재건축정비사업 조합설립인가처분 후에 토지소유자 등의 추가 동의서가 제출되었다면 하자는 치유된다. 16. 지방직 9급 ( )

017 재건축주택조합설립인가 처분 당시 동의율을 충족하지 못한 하자는 후에 추가동의서가 제출되었다는 사정만으로 치유될 수 없다. 18. 서울시 7급 ( )

(3) 사업시행(계획) + 인가

018 도시 및 주거환경정비법상 도시환경정비사업조합이 수립한 사업시행계획인가는 행정청이 타자의 법률행위를 동의로써 보충하여 그 행위의 효력을 완성시켜 주는 행위이다. 17. 국가직 7급 ( )

019 주택재건축정비사업조합의 사업시행인가는 강학상 인가에 해당한다. 16. 지방직 9급 ( )

020 주택재건축정비사업조합의 사업시행계획은 항고소송의 대상이 된다. 18. 교육행정직 ( )

021 대법원은 구 도시 및 주거 환경정비법 제28조 제4항 본문이 사업시행인가 신청시의 동의요건을 조합의 정관에 포괄적으로 위임한 것은 헌법 제75조가 정하는 포괄위임입법금지의 원칙이 적용되어 이에 위배된다고 하였다. 17. 지방직 9급 ( )

(4) 관리처분계획 + 인가(조합이 결의한 관리처분계획 내용에 대해 다툴 경우)

① 인가 전
- ⓐ 당사자소송으로 '총회결의 무효확인의 소' 제기해야 한다.
- ⓑ 민사소송으로 제기한 경우 행정법원에 이송해야 한다(대판 2009.9.17, 2007다2428 전합).

② 인가 후
- ⓐ 항고소송으로 '관리처분계획에 대한 취소소송/무효확인소송' 제기해야 한다(대판 2002.12.10, 2001두6333).
- ⓑ 총회결의 무효확인의 소는 더 이상 소의 이익이 없어 각하된다(대판 2009.9.17, 2007다2428 전합).

정답 011 × 012 × 013 ○ 014 × 015 ○ 016 × 017 ○ 018 ○ 019 ○ 020 ○ 021 ×

022 판례에 따르면 도시 및 주거환경정비법상의 주택재건축정비사업조합이 수립한 관리처분계획안에 대한 조합 총회결의는 사법관계이다. 17. 국가직 7급 (　　)

023 도시 및 주거환경정비법상 주택재건축정비사업조합을 상대로 관리처분계획안에 대한 조합총회결의의 효력 등을 다투는 소송은 행정소송법상 당사자소송에 해당한다. 19. 국가직 9급, 16. 국가직 7급, 13. 지방직 9급, 12. 서울시 9급 (　　)

024 도시 및 주거환경정비법상 관리처분계획에 대한 행정청의 인가는 관리처분계획의 법률상 효력을 완성시키는 보충행위로서의 성질을 갖는다. 16. 국가직 7급 (　　)

025 재건축조합이 수립하는 관리처분계획에 대한 행정청의 인가는 다른 법률행위를 보충하여 그 법적 효력을 완성시키는 행위에 해당한다. 19. 국가직 9급 (　　)

026 도시재개발법에 의한 재개발조합의 관리처분계획은 토지 등의 소유자에게 구체적이고 결정적인 영향을 미치는 것으로서 조합이 행한 처분에 해당한다. 19. 서울시 7급 (　　)

027 판례에 의하면 도시 및 주거환경정비법에 의한 주택재개발정비사업조합은 조합원에 대한 법률관계에서 적어도 특수한 존립목적을 부여받은 특수한 행정주체로서 국가의 감독 하에 그 존립목적인 특정한 공공사무를 행하고 있다고 볼 수 있는 범위 내에서는 공법상의 권리의무관계에 서 있는 것이므로 분양신청 후에 정하여진 관리처분계획은 행정처분이다. 12. 지방직 9급, 11. 국가직 7급 (　　)

028 도시 및 주거환경정비법에 따라 인가 · 고시된 관리처분계획은 구속적 행정계획으로서 처분성이 인정된다. 17. 변호사, 12. 지방직 9급 (　　)

029 관리처분계획에 대한 관할 행정청의 인가 · 고시 이후 관리처분계획에 대한 조합총회결의의 하자를 다투고자 하는 경우에는 관리처분계획을 항고소송으로 다투어야 한다. 16. 국가직 7급 (　　)

030 재건축조합이 행하는 관리처분계획은 일종의 행정처분으로서 이를 다투고자 하면 재건축조합을 피고로 하여 항고소송으로 이를 다투어야 한다. 16. 국회직 8급 (　　)

031 재개발조합이 조합원에게 한 관리처분계획에 대한 다툼은 공법상의 당사자소송을 제기하여 그 위법성을 다툴 수 있다. 15. 국회직 8급 (　　)

(5) 사업완료 – 준공인가 및 이전고시

032 판례에 의하면 이전고시의 효력 발생으로 이미 대다수 조합원 등에 대하여 획일적 · 일률적으로 처리된 권리 귀속관계를 모두 무효화하고 다시 처음부터 관리처분계획을 수립하여 이전고시절차를 거치도록 하는 것은 정비사업의 공익적 · 단체법적 성격에 배치되므로 이전고시가 효력을 발생한 후에는 조합원 등이 관리처분계획의 취소 또는 무효확인을 구할 법률상 이익이 없다. 16. 국가직 7급 (　　)

제6편 행정쟁송 2022 해커스공무원 장재혁 행정법총론 기본서

정답
022 × 023 ○ 024 ○ 025 ○ 026 ○ 027 ○ 028 ○ 029 ○ 030 ○ 031 × 032 ○

2. 재건축 – 조합설립 없이 추진시

033 도시 및 주거환경정비법상 토지 등 소유자들이 조합을 따로 설립하지 않고 직접 시행하는 도시환경정비사업시행인가는 특정인에 대하여 새로운 권리·능력 또는 포괄적 법률관계를 설정하는 행위이다. 17. 국가직 7급 ( )

① 주택재건축정비사업조합과 조합설립에 동의하지 않은 자 사이의 매도청구를 둘러싼 법률관계는 사법관계이므로 강제적 수용이 아니라 매도청구권 행사에 의하므로 다툼은 민사소송에 의하여야 함(대판 2010.4.8, 2009다93923)

② 조합설립 없이 재건축 추진시에는 사업시행(계획) 인가로 인해 토지등소유자들이 행정주체의 지위를 얻어 행정처분인 관리처분계획을 수립할 수 있게 되므로 사업시행(계획) 인가를 강학상 특허로 봄(대판 2013.6.13, 2011두19994)

③ 조합설립 없이 재건축 추진시에는 사업시행 인가 신청 시 요구되는 동의요건(정족수)을 법률에서 정해줘야 하고(의회유보사항), 토지등소유자들의 자치규약으로 정하게 한 법률은 법률유보원칙 위반이라고 봄(헌재 2011.8.30, 2009헌바128·148)

3. 기타

034 정비조합 정관변경에 대한 인가행위는 기본행위의 효력을 완성시켜 주는 보충적 행위이다. 19. 소방직 9급 ( )

035 도시 및 주거환경정비법상 사업시행계획에 관한 취소사유인 하자는 관리처분계획에 승계되지 않는다. 18. 국가직 9급 ( )

036 판례에 의할 때 도시재개발법에 따른 재개발조합설립 및 사업시행인가처분이 처분 당시 법적요건인 토지 및 건축물 소유자 총수의 각 3분의 2 이상의 동의를 얻지 못하여 위법하더라도 그 후 90% 이상의 소유자가 재개발사업의 속행을 바라고 있는 경우 사정판결이 인정된다. 12. 국회직 8급 ( )

037 판례에 의할 때 위법한 관리처분계획의 수정을 위한 조합원총회의 재결의를 위하여 시간과 비용이 많이 소요된다는 등의 사정이 있는 경우 사정판결이 인정되지 않는다. 12. 국회직 8급 ( )

정답
033 ○ 034 ○ 035 ○ 036 ○ 037 ○

gosi.Hackers.com

해커스공무원 학원·인강
gosi.Hackers.com

부록

행정기본법

부록 행정기본법

[시행 2021.3.23.] [법률 제17979호, 2021.3.23, 제정]

제정이유

행정 법령은 국가 법령의 대부분을 차지하고 국민 생활과 기업 활동에 중대한 영향을 미치는 핵심 법령이나, 그동안 행정법 분야의 집행 원칙과 기준이 되는 기본법이 없어 일선 공무원과 국민들이 복잡한 행정법 체계를 이해하기 어렵고, 개별법마다 유사한 제도를 다르게 규정하고 있어 하나의 제도 개선을 위하여 수백 개의 법률을 정비해야 하는 문제점이 있었음.
이에 따라 부당결부금지의 원칙 등 학설 · 판례로 정립된 행정법의 일반원칙을 명문화하고, 행정 법령 개정 시 신법과 구법의 적용 기준, 수리가 필요한 신고의 효력 발생 시점 등 법 집행의 기준을 명확히 제시하며, 개별법에 산재해 있는 인허가의제 제도 등 유사한 제도의 공통 사항을 체계화함으로써 국민 혼란을 해소하고 행정의 신뢰성 · 효율성을 제고하는 한편,
일부 개별법에 따라 운영되고 있는 처분에 대한 이의신청 제도를 확대하고, 법령이나 판례에 따라 인정되는 권익보호 수단에 더하여 처분의 재심사 제도를 도입하는 등 행정 분야에서 국민의 실체적 권리를 강화함으로써 국민 중심의 행정법 체계로 전환할 수 있도록 하고, 이를 통하여 국민의 권익 보호와 법치주의의 발전에 이바지하기 위하여 이 법을 제정하려는 것임.

주요내용

가. 행정의 법 원칙 명문화(제8조부터 제13조까지)

헌법 원칙 및 그동안 학설과 판례에 따라 확립된 원칙인 법치행정 · 평등 · 비례 · 권한남용금지 · 신뢰보호 · 부당결부금지의 원칙 등을 행정의 법 원칙으로 규정함.

나. 법령 등 개정 시 신법과 구법의 적용 기준(제14조)

당사자의 신청에 따른 처분은 처분 당시의 법령 등을 따르고, 제재처분은 위반행위 당시의 법령 등을 따르도록 하되, 제재처분 기준이 가벼워진 경우에는 변경된 법령 등을 적용하도록 함.

다. 위법 또는 부당한 처분의 취소 및 적법한 처분의 철회(제18조 및 제19조)

1) 행정청은 위법 또는 부당한 처분의 전부나 일부를 소급하여 취소할 수 있도록 하되, 당사자의 신뢰를 보호할 가치가 있는 등 정당한 사유가 있는 경우에는 장래를 향하여 취소할 수 있도록 함.
2) 행정청은 적법하게 성립된 처분이라도 법률에서 정한 철회 사유에 해당하거나 법령 등의 변경으로 처분을 더 이상 존속시킬 필요가 없게 된 경우 등에는 그 처분의 전부 또는 일부를 장래를 향하여 철회할 수 있도록 함.
3) 행정청이 당사자에게 권리나 이익을 부여하는 처분을 취소하거나 적법한 처분을 철회하려는 경우에는 취소 · 철회로 인하여 당사자가 입게 될 불이익을 취소 · 철회로 달성되는 공익과 비교 · 형량하도록 함.

라. 자동적 처분(제20조)

인공지능 시대를 맞아 미래 행정 수요에 대비하기 위하여, 행정청은 처분에 재량이 있는 경우를 제외하고 법률로 정하는 바에 따라 완전히 자동화된 시스템으로 처분을 할 수 있도록 함.

마. 제재처분의 제척기간 제도 도입(제23조)

행정청은 법령 등의 위반행위가 종료된 날부터 5년이 지나면 원칙적으로 해당 위반행위에 대하여 인가·허가 등의 정지·취소·철회, 등록 말소, 영업소 폐쇄와 정지를 갈음하는 과징금 부과 처분을 할 수 없도록 함.

바. 인허가의제의 공통 기준(제24조부터 제26조까지)

1) 인허가의제 시 관련 인허가 행정청과의 협의 기간 및 협의 간주 규정 등 인허가의제에 필요한 공통적인 사항을 규정함.
2) 인허가의제의 효과는 주된 인허가의 해당 법률에 규정된 관련 인허가에 한정하고, 주된 인허가로 의제된 관련 인허가는 관련 인허가 행정청이 직접 행하는 것으로 보아 관계 법령에 따른 관리·감독 등을 하도록 함.

사. 공법상 계약(제27조)

행정의 전문화·다양화에 대응하여 공법상 법률관계에 관한 계약을 통해서도 행정이 이루어질 수 있도록 공법상 계약의 법적 근거를 마련하고, 공법상 계약의 체결 방법, 체결 시 고려사항 등에 관한 일반적 사항을 규정함.

아. 수리가 필요한 신고의 효력(제34조)

법령 등으로 정하는 바에 따라 행정청에 일정한 사항을 통지하여야 하는 신고로서 법률에 신고의 수리가 필요하다고 명시되어 있는 경우에는 행정청이 수리하여야 효력이 발생하도록 함.

자. 처분에 대한 이의신청 제도 확대(제36조)

1) 일부 개별법에 도입되어 있는 처분에 대한 이의신청 제도를 확대하기 위하여, 행정청의 처분에 대해 이의가 있는 당사자는 행정청에 이의신청을 할 수 있도록 일반적 근거를 마련함.
2) 행정청은 이의신청을 받은 날부터 14일 이내에 이의신청에 대한 결과를 통지하도록 하고, 이의신청에 대한 결과를 통지받은 후 행정심판이나 행정소송을 제기하는 경우에는 그 이의신청 결정을 통보받을 날부터 90일 이내에 제기하도록 하는 등 이의신청 제도의 공통적인 사항을 정함.

차. 처분의 재심사 제도 도입(제37조)

제재처분 및 행정상 강제를 제외한 처분에 대해서는 쟁송을 통하여 더 이상 다툴 수 없게 된 경우에도 처분의 근거가 된 사실관계 또는 법률관계가 추후에 당사자에게 유리하게 바뀐 경우 등 일정한 요건에 해당하면 그 사유를 안 날부터 60일 이내에 행정청에 대하여 처분을 취소·철회하거나 변경하여 줄 것을 신청할 수 있도록 하되, 처분이 있은 날부터 5년이 지나면 재심사를 신청할 수 없도록 함.

카. 행정법제의 개선(제39조)

정부는 권한 있는 기관에 의하여 위헌으로 결정되어 법령이 헌법이나 법률에 위반되는 것이 명백한 경우에는 해당 법령을 개선하여야 하고, 행정 분야의 법제도 개선 등을 위하여 필요한 경우 관계 기관 협의 및 전문가 의견 수렴을 거쳐 개선조치를 할 수 있도록 함.

<출처: 법제처 제공>

제1장 총칙

제1절 목적 및 정의 등

제1조【목적】 이 법은 행정의 원칙과 기본사항을 규정하여 행정의 민주성과 적법성을 확보하고 적정성과 효율성을 향상시킴으로써 국민의 권익 보호에 이바지함을 목적으로 한다.

제2조【정의】 이 법에서 사용하는 용어의 뜻은 다음과 같다.

1. "법령등"이란 다음 각 목의 것을 말한다.
   가. 법령: 다음의 어느 하나에 해당하는 것
      1) 법률 및 대통령령 · 총리령 · 부령
      2) 국회규칙 · 대법원규칙 · 헌법재판소규칙 · 중앙선거관리위원회규칙 및 감사원규칙
      3) 1) 또는 2)의 위임을 받아 중앙행정기관(「정부조직법」 및 그 밖의 법률에 따라 설치된 중앙행정기관을 말한다. 이하 같다)의 장이 정한 훈령 · 예규 및 고시 등 행정규칙
   나. 자치법규: 지방자치단체의 조례 및 규칙
2. "행정청"이란 다음 각 목의 자를 말한다.
   가. 행정에 관한 의사를 결정하여 표시하는 국가 또는 지방자치단체의 기관
   나. 그 밖에 법령등에 따라 행정에 관한 의사를 결정하여 표시하는 권한을 가지고 있거나 그 권한을 위임 또는 위탁받은 공공단체 또는 그 기관이나 사인(私人)
3. "당사자"란 처분의 상대방을 말한다.
4. "처분"이란 행정청이 구체적 사실에 관하여 행하는 법 집행으로서 공권력의 행사 또는 그 거부와 그 밖에 이에 준하는 행정작용을 말한다.
5. "제재처분"이란 법령등에 따른 의무를 위반하거나 이행하지 아니하였음을 이유로 당사자에게 의무를 부과하거나 권익을 제한하는 처분을 말한다. 다만, 제30조제1항 각 호에 따른 행정상 강제는 제외한다.

제3조【국가와 지방자치단체의 책무】 ① 국가와 지방자치단체는 국민의 삶의 질을 향상시키기 위하여 적법절차에 따라 공정하고 합리적인 행정을 수행할 책무를 진다.
② 국가와 지방자치단체는 행정의 능률과 실효성을 높이기 위하여 지속적으로 법령등과 제도를 정비 · 개선할 책무를 진다.

제4조【행정의 적극적 추진】 ① 행정은 공공의 이익을 위하여 적극적으로 추진되어야 한다.
② 국가와 지방자치단체는 소속 공무원이 공공의 이익을 위하여 적극적으로 직무를 수행할 수 있도록 제반 여건을 조성하고, 이와 관련된 시책 및 조치를 추진하여야 한다.
③ 제1항 및 제2항에 따른 행정의 적극적 추진 및 적극행정 활성화를 위한 시책의 구체적인 사항 등은 대통령령으로 정한다.

제5조【다른 법률과의 관계】 ① 행정에 관하여 다른 법률에 특별한 규정이 있는 경우를 제외하고는 이 법에서 정하는 바에 따른다.
② 행정에 관한 다른 법률을 제정하거나 개정하는 경우에는 이 법의 목적과 원칙, 기준 및 취지에 부합되도록 노력하여야 한다.

제2절 기간의 계산

제6조【행정에 관한 기간의 계산】 ① 행정에 관한 기간의 계산에 관하여는 이 법 또는 다른 법령등에 특별한 규정이 있는 경우를 제외하고는 「민법」을 준용한다.
② 법령등 또는 처분에서 국민의 권익을 제한하거나 의무를 부과하는 경우 권익이 제한되거나 의무가 지속되는 기간의 계산은 다음 각 호의 기준에 따른다. 다만, 다음 각 호의 기준에 따르는 것이 국민에게 불리한 경우에는 그러하지 아니하다.

1. 기간을 일, 주, 월 또는 연으로 정한 경우에는 기간의 첫날을 산입한다.
2. 기간의 말일이 토요일 또는 공휴일인 경우에도 기간은 그 날로 만료한다.

제7조【법령등 시행일의 기간 계산】 법령등(훈령 · 예규 · 고시 · 지침 등을 포함한다. 이하 이 조에서 같다)의 시행일을 정하거나 계산할 때에는 다음 각 호의 기준에 따른다.

1. 법령등을 공포한 날부터 시행하는 경우에는 공포한 날을 시행일로 한다.
2. 법령등을 공포한 날부터 일정 기간이 경과한 날부터 시행하는 경우 법령등을 공포한 날을 첫날에 산입하지 아니한다.
3. 법령등을 공포한 날부터 일정 기간이 경과한 날부터 시행하는 경우 그 기간의 말일이 토요일 또는 공휴일인 때에는 그 말일로 기간이 만료한다.

제2장 행정의 법 원칙

제8조【법치행정의 원칙】 행정작용은 법률에 위반되어서는 아니 되며, 국민의 권리를 제한하거나 의무를 부과하는 경우와 그 밖에 국민생활에 중요한 영향을 미치는 경우에는 법률에 근거하여야 한다.

제9조【평등의 원칙】 행정청은 합리적 이유 없이 국민을 차별하여서는 아니 된다.

제10조 【비례의 원칙】 행정작용은 다음 각 호의 원칙에 따라야 한다.
1. 행정목적을 달성하는 데 유효하고 적절할 것
2. 행정목적을 달성하는 데 필요한 최소한도에 그칠 것
3. 행정작용으로 인한 국민의 이익 침해가 그 행정작용이 의도하는 공익보다 크지 아니할 것

제11조 【성실의무 및 권한남용금지의 원칙】 ① 행정청은 법령등에 따른 의무를 성실히 수행하여야 한다.
② 행정청은 행정권한을 남용하거나 그 권한의 범위를 넘어서는 아니 된다.

제12조 【신뢰보호의 원칙】 ① 행정청은 공익 또는 제3자의 이익을 현저히 해칠 우려가 있는 경우를 제외하고는 행정에 대한 국민의 정당하고 합리적인 신뢰를 보호하여야 한다.
② 행정청은 권한 행사의 기회가 있음에도 불구하고 장기간 권한을 행사하지 아니하여 국민이 그 권한이 행사되지 아니할 것으로 믿을 만한 정당한 사유가 있는 경우에는 그 권한을 행사해서는 아니 된다. 다만, 공익 또는 제3자의 이익을 현저히 해칠 우려가 있는 경우는 예외로 한다.

제13조 【부당결부금지의 원칙】 행정청은 행정작용을 할 때 상대방에게 해당 행정작용과 실질적인 관련이 없는 의무를 부과해서는 아니 된다.

제3장 행정작용

제1절 처분

제14조 【법 적용의 기준】 ① 새로운 법령등은 법령등에 특별한 규정이 있는 경우를 제외하고는 그 법령등의 효력 발생 전에 완성되거나 종결된 사실관계 또는 법률관계에 대해서는 적용되지 아니한다.
② 당사자의 신청에 따른 처분은 법령등에 특별한 규정이 있거나 처분 당시의 법령등을 적용하기 곤란한 특별한 사정이 있는 경우를 제외하고는 처분 당시의 법령등에 따른다.
③ 법령등을 위반한 행위의 성립과 이에 대한 제재처분은 법령등에 특별한 규정이 있는 경우를 제외하고는 법령등을 위반한 행위 당시의 법령등에 따른다. 다만, 법령등을 위반한 행위 후 법령등의 변경에 의하여 그 행위가 법령등을 위반한 행위에 해당하지 아니하거나 제재처분 기준이 가벼워진 경우로서 해당 법령등에 특별한 규정이 없는 경우에는 변경된 법령등을 적용한다.

제15조 【처분의 효력】 처분은 권한이 있는 기관이 취소 또는 철회하거나 기간의 경과 등으로 소멸되기 전까지는 유효한 것으로 통용된다. 다만, 무효인 처분은 처음부터 그 효력이 발생하지 아니한다.

제16조 【결격사유】 ① 자격이나 신분 등을 취득 또는 부여할 수 없거나 인가, 허가, 지정, 승인, 영업등록, 신고 수리 등(이하 "인허가"라 한다)을 필요로 하는 영업 또는 사업 등을 할 수 없는 사유(이하 이 조에서 "결격사유"라 한다)는 법률로 정한다.
② 결격사유를 규정할 때에는 다음 각 호의 기준에 따른다.
1. 규정의 필요성이 분명할 것
2. 필요한 항목만 최소한으로 규정할 것
3. 대상이 되는 자격, 신분, 영업 또는 사업 등과 실질적인 관련이 있을 것
4. 유사한 다른 제도와 균형을 이룰 것

제17조 【부관】 ① 행정청은 처분에 재량이 있는 경우에는 부관(조건, 기한, 부담, 철회권의 유보 등을 말한다. 이하 이 조에서 같다)을 붙일 수 있다.
② 행정청은 처분에 재량이 없는 경우에는 법률에 근거가 있는 경우에 부관을 붙일 수 있다.
③ 행정청은 부관을 붙일 수 있는 처분이 다음 각 호의 어느 하나에 해당하는 경우에는 그 처분을 한 후에도 부관을 새로 붙이거나 종전의 부관을 변경할 수 있다.
1. 법률에 근거가 있는 경우
2. 당사자의 동의가 있는 경우
3. 사정이 변경되어 부관을 새로 붙이거나 종전의 부관을 변경하지 아니하면 해당 처분의 목적을 달성할 수 없다고 인정되는 경우
④ 부관은 다음 각 호의 요건에 적합하여야 한다.
1. 해당 처분의 목적에 위배되지 아니할 것
2. 해당 처분과 실질적인 관련이 있을 것
3. 해당 처분의 목적을 달성하기 위하여 필요한 최소한의 범위일 것

제18조 【위법 또는 부당한 처분의 취소】 ① 행정청은 위법 또는 부당한 처분의 전부나 일부를 소급하여 취소할 수 있다. 다만, 당사자의 신뢰를 보호할 가치가 있는 등 정당한 사유가 있는 경우에는 장래를 향하여 취소할 수 있다.
② 행정청은 제1항에 따라 당사자에게 권리나 이익을 부여하는 처분을 취소하려는 경우에는 취소로 인하여 당사자가 입게 될 불이익을 취소로 달성되는 공익과 비교·형량(衡量)하여야 한다. 다만, 다음 각 호의 어느 하나에 해당하는 경우에는 그러하지 아니하다.
1. 거짓이나 그 밖의 부정한 방법으로 처분을 받은 경우
2. 당사자가 처분의 위법성을 알고 있었거나 중대한 과실로 알지 못한 경우

제19조 【적법한 처분의 철회】 ① 행정청은 적법한 처분이 다음 각 호의 어느 하나에 해당하는 경우에는 그 처분의 전부 또는 일부를 장래를 향하여 철회할 수 있다.

1. 법률에서 정한 철회 사유에 해당하게 된 경우
2. 법령등의 변경이나 사정변경으로 처분을 더 이상 존속시킬 필요가 없게 된 경우
3. 중대한 공익을 위하여 필요한 경우

② 행정청은 제1항에 따라 처분을 철회하려는 경우에는 철회로 인하여 당사자가 입게 될 불이익을 철회로 달성되는 공익과 비교·형량하여야 한다.

제20조【자동적 처분】 행정청은 법률로 정하는 바에 따라 완전히 자동화된 시스템(인공지능 기술을 적용한 시스템을 포함한다)으로 처분을 할 수 있다. 다만, 처분에 재량이 있는 경우는 그러하지 아니하다.

제21조【재량행사의 기준】 행정청은 재량이 있는 처분을 할 때에는 관련 이익을 정당하게 형량하여야 하며, 그 재량권의 범위를 넘어서는 아니 된다.

제22조【제재처분의 기준】 ① 제재처분의 근거가 되는 법률에는 제재처분의 주체, 사유, 유형 및 상한을 명확하게 규정하여야 한다. 이 경우 제재처분의 유형 및 상한을 정할 때에는 해당 위반행위의 특수성 및 유사한 위반행위와의 형평성 등을 종합적으로 고려하여야 한다.

② 행정청은 재량이 있는 제재처분을 할 때에는 다음 각 호의 사항을 고려하여야 한다.

1. 위반행위의 동기, 목적 및 방법
2. 위반행위의 결과
3. 위반행위의 횟수
4. 그 밖에 제1호부터 제3호까지에 준하는 사항으로서 대통령령으로 정하는 사항

[시행일: 2021. 9. 24.] 제22조

제23조【제재처분의 제척기간】 ① 행정청은 법령등의 위반행위가 종료된 날부터 5년이 지나면 해당 위반행위에 대하여 제재처분(인허가의 정지·취소·철회, 등록 말소, 영업소 폐쇄와 정지를 갈음하는 과징금 부과를 말한다. 이하 이 조에서 같다)을 할 수 없다.

② 다음 각 호의 어느 하나에 해당하는 경우에는 제1항을 적용하지 아니한다.

1. 거짓이나 그 밖의 부정한 방법으로 인허가를 받거나 신고를 한 경우
2. 당사자가 인허가나 신고의 위법성을 알고 있었거나 중대한 과실로 알지 못한 경우
3. 정당한 사유 없이 행정청의 조사·출입·검사를 기피·방해·거부하여 제척기간이 지난 경우
4. 제재처분을 하지 아니하면 국민의 안전·생명 또는 환경을 심각하게 해치거나 해칠 우려가 있는 경우

③ 행정청은 제1항에도 불구하고 행정심판의 재결이나 법원의 판결에 따라 제재처분이 취소·철회된 경우에는 재결이나 판결이 확정된 날부터 1년(합의제행정기관은 2년)이 지나기 전까지는 그 취지에 따른 새로운 제재처분을 할 수 있다.

④ 다른 법률에서 제1항 및 제3항의 기간보다 짧거나 긴 기간을 규정하고 있으면 그 법률에서 정하는 바에 따른다.

[시행일: 2023. 3. 24.] 제23조

제2절 인허가의제

제24조【인허가의제의 기준】 ① 이 절에서 "인허가의제"란 하나의 인허가(이하 "주된 인허가"라 한다)를 받으면 법률로 정하는 바에 따라 그와 관련된 여러 인허가(이하 "관련 인허가"라 한다)를 받은 것으로 보는 것을 말한다.

② 인허가의제를 받으려면 주된 인허가를 신청할 때 관련 인허가에 필요한 서류를 함께 제출하여야 한다. 다만, 불가피한 사유로 함께 제출할 수 없는 경우에는 주된 인허가 행정청이 별도로 정하는 기한까지 제출할 수 있다.

③ 주된 인허가 행정청은 주된 인허가를 하기 전에 관련 인허가에 관하여 미리 관련 인허가 행정청과 협의하여야 한다.

④ 관련 인허가 행정청은 제3항에 따른 협의를 요청받으면 그 요청을 받은 날부터 20일 이내(제5항 단서에 따른 절차에 걸리는 기간은 제외한다)에 의견을 제출하여야 한다. 이 경우 전단에서 정한 기간(민원 처리 관련 법령에 따라 의견을 제출하여야 하는 기간을 연장한 경우에는 그 연장한 기간을 말한다) 내에 협의 여부에 관하여 의견을 제출하지 아니하면 협의가 된 것으로 본다.

⑤ 제3항에 따라 협의를 요청받은 관련 인허가 행정청은 해당 법령을 위반하여 협의에 응해서는 아니 된다. 다만, 관련 인허가에 필요한 심의, 의견 청취 등 절차에 관하여는 법률에 인허가의제 시에도 해당 절차를 거친다는 명시적인 규정이 있는 경우에만 이를 거친다.

[시행일: 2023. 3. 24.] 제24조

제25조【인허가의제의 효과】 ① 제24조 제3항·제4항에 따라 협의가 된 사항에 대해서는 주된 인허가를 받았을 때 관련 인허가를 받은 것으로 본다.

② 인허가의제의 효과는 주된 인허가의 해당 법률에 규정된 관련 인허가에 한정된다.

[시행일: 2023. 3. 24.] 제25조

제26조【인허가의제의 사후관리 등】 ① 인허가의제의 경우 관련 인허가 행정청은 관련 인허가를 직접 한 것으로 보아 관계 법령에 따른 관리·감독 등 필요한 조치를 하여야 한다.

② 주된 인허가가 있은 후 이를 변경하는 경우에는 제24조 · 제25조 및 이 조 제1항을 준용한다.
③ 이 절에서 규정한 사항 외에 인허가의제의 방법, 그 밖에 필요한 세부 사항은 대통령령으로 정한다.
[시행일: 2023. 3. 24.] 제26조

제3절 공법상 계약

제27조【공법상 계약의 체결】 ① 행정청은 법령등을 위반하지 아니하는 범위에서 행정목적을 달성하기 위하여 필요한 경우에는 공법상 법률관계에 관한 계약(이하 "공법상 계약"이라 한다)을 체결할 수 있다. 이 경우 계약의 목적 및 내용을 명확하게 적은 계약서를 작성하여야 한다.
② 행정청은 공법상 계약의 상대방을 선정하고 계약 내용을 정할 때 공법상 계약의 공공성과 제3자의 이해관계를 고려하여야 한다.

제4절 과징금

제28조【과징금의 기준】 ① 행정청은 법령등에 따른 의무를 위반한 자에 대하여 법률로 정하는 바에 따라 그 위반행위에 대한 제재로서 과징금을 부과할 수 있다.
② 과징금의 근거가 되는 법률에는 과징금에 관한 다음 각 호의 사항을 명확하게 규정하여야 한다.
1. 부과 · 징수 주체
2. 부과 사유
3. 상한액
4. 가산금을 징수하려는 경우 그 사항
5. 과징금 또는 가산금 체납 시 강제징수를 하려는 경우 그 사항

제29조【과징금의 납부기한 연기 및 분할 납부】 과징금은 한꺼번에 납부하는 것을 원칙으로 한다. 다만, 행정청은 과징금을 부과받은 자가 다음 각 호의 어느 하나에 해당하는 사유로 과징금 전액을 한꺼번에 내기 어렵다고 인정될 때에는 그 납부기한을 연기하거나 분할 납부하게 할 수 있으며, 이 경우 필요하다고 인정하면 담보를 제공하게 할 수 있다.
1. 재해 등으로 재산에 현저한 손실을 입은 경우
2. 사업 여건의 악화로 사업이 중대한 위기에 처한 경우
3. 과징금을 한꺼번에 내면 자금 사정에 현저한 어려움이 예상되는 경우
4. 그 밖에 제1호부터 제3호까지에 준하는 경우로서 대통령령으로 정하는 사유가 있는 경우

[시행일: 2021. 9. 24.] 제29조

제5절 행정상 강제

제30조【행정상 강제】 ① 행정청은 행정목적을 달성하기 위하여 필요한 경우에는 법률로 정하는 바에 따라 필요한 최소한의 범위에서 다음 각 호의 어느 하나에 해당하는 조치를 할 수 있다.
1. 행정대집행: 의무자가 행정상 의무(법령등에서 직접 부과하거나 행정청이 법령등에 따라 부과한 의무를 말한다. 이하 이 절에서 같다)로서 타인이 대신하여 행할 수 있는 의무를 이행하지 아니하는 경우 법률로 정하는 다른 수단으로는 그 이행을 확보하기 곤란하고 그 불이행을 방치하면 공익을 크게 해칠 것으로 인정될 때에 행정청이 의무자가 하여야 할 행위를 스스로 하거나 제3자에게 하게 하고 그 비용을 의무자로부터 징수하는 것
2. 이행강제금의 부과: 의무자가 행정상 의무를 이행하지 아니하는 경우 행정청이 적절한 이행기간을 부여하고, 그 기한까지 행정상 의무를 이행하지 아니하면 금전급부의무를 부과하는 것
3. 직접강제: 의무자가 행정상 의무를 이행하지 아니하는 경우 행정청이 의무자의 신체나 재산에 실력을 행사하여 그 행정상 의무의 이행이 있었던 것과 같은 상태를 실현하는 것
4. 강제징수: 의무자가 행정상 의무 중 금전급부의무를 이행하지 아니하는 경우 행정청이 의무자의 재산에 실력을 행사하여 그 행정상 의무가 실현된 것과 같은 상태를 실현하는 것
5. 즉시강제: 현재의 급박한 행정상의 장해를 제거하기 위한 경우로서 다음 각 목의 어느 하나에 해당하는 경우에 행정청이 곧바로 국민의 신체 또는 재산에 실력을 행사하여 행정목적을 달성하는 것
   가. 행정청이 미리 행정상 의무 이행을 명할 시간적 여유가 없는 경우
   나. 그 성질상 행정상 의무의 이행을 명하는 것만으로는 행정목적 달성이 곤란한 경우

② 행정상 강제 조치에 관하여 이 법에서 정한 사항 외에 필요한 사항은 따로 법률로 정한다.
③ 형사(刑事), 행형(行刑) 및 보안처분 관계 법령에 따라 행하는 사항이나 외국인의 출입국 · 난민인정 · 귀화 · 국적회복에 관한 사항에 관하여는 이 절을 적용하지 아니한다.
[시행일: 2023. 3. 24.] 제30조

제31조【이행강제금의 부과】 ① 이행강제금 부과의 근거가 되는 법률에는 이행강제금에 관한 다음 각 호의 사항을 명확하게 규정하여야 한다. 다만, 제4호 또는 제5호를 규정할 경우 입법목적이나 입법취지를 훼손할 우려가 크다고 인정되는 경우로서 대통령령으로 정하는 경우는 제외한다.

1. 부과 · 징수 주체
2. 부과 요건
3. 부과 금액
4. 부과 금액 산정기준
5. 연간 부과 횟수나 횟수의 상한
② 행정청은 다음 각 호의 사항을 고려하여 이행강제금의 부과 금액을 가중하거나 감경할 수 있다.
1. 의무 불이행의 동기, 목적 및 결과
2. 의무 불이행의 정도 및 상습성
3. 그 밖에 행정목적을 달성하는 데 필요하다고 인정되는 사유
③ 행정청은 이행강제금을 부과하기 전에 미리 의무자에게 적절한 이행기간을 정하여 그 기한까지 행정상 의무를 이행하지 아니하면 이행강제금을 부과한다는 뜻을 문서로 계고(戒告)하여야 한다.
④ 행정청은 의무자가 제3항에 따른 계고에서 정한 기한까지 행정상 의무를 이행하지 아니한 경우 이행강제금의 부과 금액 · 사유 · 시기를 문서로 명확하게 적어 의무자에게 통지하여야 한다.
⑤ 행정청은 의무자가 행정상 의무를 이행할 때까지 이행강제금을 반복하여 부과할 수 있다. 다만, 의무자가 의무를 이행하면 새로운 이행강제금의 부과를 즉시 중지하되, 이미 부과한 이행강제금은 징수하여야 한다.
⑥ 행정청은 이행강제금을 부과받은 자가 납부기한까지 이행강제금을 내지 아니하면 국세강제징수의 예 또는 「지방행정제재 · 부과금의 징수 등에 관한 법률」에 따라 징수한다.
[시행일: 2023. 3. 24.] 제31조

제32조【직접강제】 ① 직접강제는 행정대집행이나 이행강제금 부과의 방법으로는 행정상 의무 이행을 확보할 수 없거나 그 실현이 불가능한 경우에 실시하여야 한다.
② 직접강제를 실시하기 위하여 현장에 파견되는 집행책임자는 그가 집행책임자임을 표시하는 증표를 보여 주어야 한다.
③ 직접강제의 계고 및 통지에 관하여는 제31조제3항 및 제4항을 준용한다.
[시행일: 2023. 3. 24.] 제32조

제33조【즉시강제】 ① 즉시강제는 다른 수단으로는 행정목적을 달성할 수 없는 경우에만 허용되며, 이 경우에도 최소한으로만 실시하여야 한다.
② 즉시강제를 실시하기 위하여 현장에 파견되는 집행책임자는 그가 집행책임자임을 표시하는 증표를 보여 주어야 하며, 즉시강제의 이유와 내용을 고지하여야 한다.
[시행일: 2023. 3. 24.] 제33조

제6절 그 밖의 행정작용

제34조【수리 여부에 따른 신고의 효력】 법령등으로 정하는 바에 따라 행정청에 일정한 사항을 통지하여야 하는 신고로서 법률에 신고의 수리가 필요하다고 명시되어 있는 경우(행정기관의 내부 업무 처리 절차로서 수리를 규정한 경우는 제외한다)에는 행정청이 수리하여야 효력이 발생한다.
[시행일: 2023. 3. 24.] 제34조

제35조【수수료 및 사용료】 ① 행정청은 특정인을 위한 행정서비스를 제공받는 자에게 법령으로 정하는 바에 따라 수수료를 받을 수 있다.
② 행정청은 공공시설 및 재산 등의 이용 또는 사용에 대하여 사전에 공개된 금액이나 기준에 따라 사용료를 받을 수 있다.
③ 제1항 및 제2항에도 불구하고 지방자치단체의 경우에는 「지방자치법」에 따른다.

제7절 처분에 대한 이의신청 및 재심사

제36조【처분에 대한 이의신청】 ① 행정청의 처분(「행정심판법」 제3조에 따라 같은 법에 따른 행정심판의 대상이 되는 처분을 말한다. 이하 이 조에서 같다)에 이의가 있는 당사자는 처분을 받은 날부터 30일 이내에 해당 행정청에 이의신청을 할 수 있다.
② 행정청은 제1항에 따른 이의신청을 받으면 그 신청을 받은 날부터 14일 이내에 그 이의신청에 대한 결과를 신청인에게 통지하여야 한다. 다만, 부득이한 사유로 14일 이내에 통지할 수 없는 경우에는 그 기간을 만료일 다음 날부터 기산하여 10일의 범위에서 한 차례 연장할 수 있으며, 연장 사유를 신청인에게 통지하여야 한다.
③ 제1항에 따라 이의신청을 한 경우에도 그 이의신청과 관계없이 「행정심판법」에 따른 행정심판 또는 「행정소송법」에 따른 행정소송을 제기할 수 있다.
④ 이의신청에 대한 결과를 통지받은 후 행정심판 또는 행정소송을 제기하려는 자는 그 결과를 통지받은 날(제2항에 따른 통지기간 내에 결과를 통지받지 못한 경우에는 같은 항에 따른 통지기간이 만료되는 날의 다음 날을 말한다)부터 90일 이내에 행정심판 또는 행정소송을 제기할 수 있다.
⑤ 다른 법률에서 이의신청과 이에 준하는 절차에 대하여 정하고 있는 경우에도 그 법률에서 규정하지 아니한 사항에 관하여는 이 조에서 정하는 바에 따른다.
⑥ 제1항부터 제5항까지에서 규정한 사항 외에 이의신청의 방법 및 절차 등에 관한 사항은 대통령령으로 정한다.
⑦ 다음 각 호의 어느 하나에 해당하는 사항에 관하여는 이 조를 적용하지 아니한다.

1. 공무원 인사 관계 법령에 따른 징계 등 처분에 관한 사항
2. 「국가인권위원회법」 제30조에 따른 진정에 대한 국가인권위원회의 결정
3. 「노동위원회법」 제2조의2에 따라 노동위원회의 의결을 거쳐 행하는 사항
4. 형사, 행형 및 보안처분 관계 법령에 따라 행하는 사항
5. 외국인의 출입국·난민인정·귀화·국적회복에 관한 사항
6. 과태료 부과 및 징수에 관한 사항

[시행일: 2023. 3. 24.] 제36조

제37조【처분의 재심사】 ① 당사자는 처분(제재처분 및 행정상 강제는 제외한다. 이하 이 조에서 같다)이 행정심판, 행정소송 및 그 밖의 쟁송을 통하여 다툴 수 없게 된 경우(법원의 확정판결이 있는 경우는 제외한다)라도 다음 각 호의 어느 하나에 해당하는 경우에는 해당 처분을 한 행정청에 처분을 취소·철회하거나 변경하여 줄 것을 신청할 수 있다.

1. 처분의 근거가 된 사실관계 또는 법률관계가 추후에 당사자에게 유리하게 바뀐 경우
2. 당사자에게 유리한 결정을 가져다주었을 새로운 증거가 있는 경우
3. 「민사소송법」 제451조에 따른 재심사유에 준하는 사유가 발생한 경우 등 대통령령으로 정하는 경우

② 제1항에 따른 신청은 해당 처분의 절차, 행정심판, 행정소송 및 그 밖의 쟁송에서 당사자가 중대한 과실 없이 제1항 각 호의 사유를 주장하지 못한 경우에만 할 수 있다.

③ 제1항에 따른 신청은 당사자가 제1항 각 호의 사유를 안 날부터 60일 이내에 하여야 한다. 다만, 처분이 있은 날부터 5년이 지나면 신청할 수 없다.

④ 제1항에 따른 신청을 받은 행정청은 특별한 사정이 없으면 신청을 받은 날부터 90일(합의제행정기관은 180일) 이내에 처분의 재심사 결과(재심사 여부와 처분의 유지·취소·철회·변경 등에 대한 결정을 포함한다)를 신청인에게 통지하여야 한다. 다만, 부득이한 사유로 90일(합의제행정기관은 180일) 이내에 통지할 수 없는 경우에는 그 기간을 만료일 다음 날부터 기산하여 90일(합의제행정기관은 180일)의 범위에서 한 차례 연장할 수 있으며, 연장 사유를 신청인에게 통지하여야 한다.

⑤ 제4항에 따른 처분의 재심사 결과 중 처분을 유지하는 결과에 대해서는 행정심판, 행정소송 및 그 밖의 쟁송수단을 통하여 불복할 수 없다.

⑥ 행정청의 제18조에 따른 취소와 제19조에 따른 철회는 처분의 재심사에 의하여 영향을 받지 아니한다.

⑦ 제1항부터 제6항까지에서 규정한 사항 외에 처분의 재심사의 방법 및 절차 등에 관한 사항은 대통령령으로 정한다.

⑧ 다음 각 호의 어느 하나에 해당하는 사항에 관하여는 이 조를 적용하지 아니한다.

1. 공무원 인사 관계 법령에 따른 징계 등 처분에 관한 사항
2. 「노동위원회법」 제2조의2에 따라 노동위원회의 의결을 거쳐 행하는 사항
3. 형사, 행형 및 보안처분 관계 법령에 따라 행하는 사항
4. 외국인의 출입국·난민인정·귀화·국적회복에 관한 사항
5. 과태료 부과 및 징수에 관한 사항
6. 개별 법률에서 그 적용을 배제하고 있는 경우

[시행일: 2023. 3. 24.] 제37조

제4장 행정의 입법활동 등

제38조【행정의 입법활동】 ① 국가나 지방자치단체가 법령등을 제정·개정·폐지하고자 하거나 그와 관련된 활동(법률안의 국회 제출과 조례안의 지방의회 제출을 포함하며, 이하 이 장에서 "행정의 입법활동"이라 한다)을 할 때에는 헌법과 상위 법령을 위반해서는 아니 되며, 헌법과 법령등에서 정한 절차를 준수하여야 한다.

② 행정의 입법활동은 다음 각 호의 기준에 따라야 한다.

1. 일반 국민 및 이해관계자로부터 의견을 수렴하고 관계 기관과 충분한 협의를 거쳐 책임 있게 추진되어야 한다.
2. 법령등의 내용과 규정은 다른 법령등과 조화를 이루어야 하고, 법령등 상호 간에 중복되거나 상충되지 아니하여야 한다.
3. 법령등은 일반 국민이 그 내용을 쉽고 명확하게 이해할 수 있도록 알기 쉽게 만들어져야 한다.

③ 정부는 매년 해당 연도에 추진할 법령안 입법계획(이하 "정부입법계획"이라 한다)을 수립하여야 한다.

④ 행정의 입법활동의 절차 및 정부입법계획의 수립에 관하여 필요한 사항은 정부의 법제업무에 관한 사항을 규율하는 대통령령으로 정한다.

[시행일: 2021. 9. 24.] 제38조

제39조【행정법제의 개선】 ① 정부는 권한 있는 기관에 의하여 위헌으로 결정되어 법령이 헌법에 위반되거나 법률에 위반되는 것이 명백한 경우 등 대통령령으로 정하는 경우에는 해당 법령을 개선하여야 한다.

② 정부는 행정 분야의 법제도 개선 및 일관된 법 적용 기준 마련 등을 위하여 필요한 경우 대통령령으로 정하는 바에 따라 관계 기관 협의 및 관계 전문가 의견 수렴을 거쳐 개선조치를 할 수 있으며, 이를 위하여 현행 법령에 관한 분석을 실시할 수 있다.

[시행일: 2021. 9. 24.] 제39조

제40조【법령해석】 ① 누구든지 법령등의 내용에 의문이 있으면 법령을 소관하는 중앙행정기관의 장(이하 "법령소관기관"이라 한다)과 자치법규를 소관하는 지방자치단체의 장에게 법령해석을 요청할 수 있다.
② 법령소관기관과 자치법규를 소관하는 지방자치단체의 장은 각각 소관 법령등을 헌법과 해당 법령등의 취지에 부합되게 해석 · 집행할 책임을 진다.
③ 법령소관기관이나 법령소관기관의 해석에 이의가 있는 자는 대통령령으로 정하는 바에 따라 법령해석업무를 전문으로 하는 기관에 법령해석을 요청할 수 있다.
④ 법령해석의 절차에 관하여 필요한 사항은 대통령령으로 정한다.
[시행일: 2021. 9. 24.] 제40조

부칙 <법률 제17979호, 2021. 3. 23.>

제1조【시행일】 이 법은 공포한 날부터 시행한다. 다만, 제22조, 제29조, 제38조부터 제40조까지는 공포 후 6개월이 경과한 날부터 시행하고, 제23조부터 제26조까지, 제30조부터 제34조까지, 제36조 및 제37조는 공포 후 2년이 경과한 날부터 시행한다.

제2조【제재처분에 관한 법령등 변경에 관한 적용례】 제14조 제3항 단서의 규정은 이 법 시행일 이후 제재처분에 관한 법령등이 변경된 경우부터 적용한다.

제3조【제재처분의 제척기간에 관한 적용례】 제23조는 부칙 제1조 단서에 따른 시행일 이후 발생하는 위반행위부터 적용한다.

제4조【공법상 계약에 관한 적용례】 제27조는 이 법 시행 이후 공법상 계약을 체결하는 경우부터 적용한다.

제5조【행정상 강제 조치에 관한 적용례】 ① 제31조는 부칙 제1조 단서에 따른 시행일 이후 이행강제금을 부과하는 경우부터 적용한다.
② 제32조 및 제33조는 부칙 제1조 단서에 따른 시행일 이후 직접강제나 즉시강제를 하는 경우부터 적용한다.

제6조【처분에 대한 이의신청에 관한 적용례】 제36조는 부칙 제1조 단서에 따른 시행일 이후에 하는 처분부터 적용한다.

제7조【처분의 재심사에 관한 적용례】 제37조는 부칙 제1조 단서에 따른 시행일 이후에 하는 처분부터 적용한다.

합격을 위한 **확실한 해답!**

해커스공무원 교재

보카

공무원 보카

기초

공무원
기초 영문법/독해

입문서

공무원 처음 헌법
해설집/판례집

공무원 처음 행정법
판례집

기본서

공무원 영어/국어/한국사
기본서

공무원 행정학/행정법총론
기본서

공무원 세법/회계학
기본서

공무원 교정학
기본서

공무원 교육학
기본서

공무원 사회복지학개론
기본서

공무원 헌법
기본서

공무원 경제학
기본서

공무원 국제법/국제정치학
기본서

공무원 무역학/관세법
기본서

법원직 헌법/민법/민사소송법/
형법/형사소송법/상법/부동산등기법
기본서

연표·필기·빈칸노트

공무원 한국사
연표노트

공무원 영문법/국어/한국사
합격생 필기노트

공무원 한국사/관세법
빈칸노트

한자성어 어휘

공무원 국어
한자성어

핵심·요점정리

공무원 국어/한국사
핵심정리

공무원 국제법/국제정치학
요점정리

공무원 행정법총론/헌법
핵심요약집

넘겨서 해커스공무원 교재 더 보기 ▶

법령집

공무원 행정기본법
조문해설집

판례집

공무원 행정법총론
판례집

워크북

공무원 한국사
워크북

기출문제집

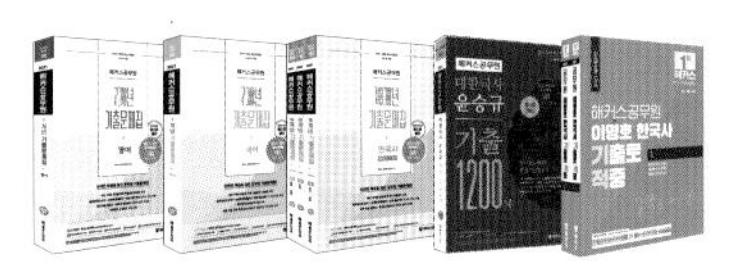

공무원 영어/국어/한국사
기출문제집

공무원 행정학/행정법총론
기출문제집

공무원 세법/회계학
기출문제집

공무원 교정학
기출문제집

공무원 교육학
기출문제집

공무원 관세법
기출문제집

공무원 헌법
기출문제집

공무원 경제학
기출문제집

공무원 국제법
기출문제집

예상문제집

공무원 국어
영역별 문제집

공무원 국어
매일학습 문제집

공무원 영어/국어/한국사
적중문제집

공무원 국제법/국제정치학
단원별 핵심지문 OX

공무원 국제법/국제정치학
적중문제집

모의고사

공무원 영어
하프모의고사

공무원 경제학
하프모의고사

공무원 영어/국어/한국사
실전동형모의고사

공무원 행정학/행정법총론
실전동형모의고사

공무원 헌법
실전동형모의고사

공무원 경제학
실전동형모의고사

공무원 국제법/국제정치학
실전동형모의고사

공무원 영어/국어/한국사
봉투모의고사

공무원 필수과목 통합
봉투모의고사

PSAT

PSAT
입문서

7급 PSAT
언어논리/자료해석/상황판단
기본서

7급 PSAT
언어논리/자료해석/상황판단
유형별 문제집

7급 PSAT
실전동형모의고사

면접

공무원
면접마스터

◀ 넘겨서 해커스공무원 교재 더 보기